O BEBÊ

O PRIMEIRO ANO DE VIDA DE SEU FILHO

A. Eisenberg / H. E. Murkoff
S. E. Hathaway

Tradução
JEFFERSON LUIZ CAMARGO
MARCELO BRANDÃO CIPOLLA

Revisão técnica
DRA. RITA ROSSINI RAHME

Martins Fontes
São Paulo 2003

Esta obra foi publicada originalmente em inglês com o título
WHAT TO EXPECT THE FIRST YEAR
por Workman Publishing, Nova York, em 1989.

1ª edição
julho de 1996
4ª tiragem
fevereiro de 2003

Tradução
JEFFERSON LUIZ CAMARGO
MARCELO BRANDÃO CIPOLLA

Revisão técnica
Dra. Rita Rossini Rahme
Revisão da tradução
Carlos Eduardo Silveira Matos
Revisão gráfica
Maria de Fátima Cavallaro
João Batista Vaz
Produção gráfica
Geraldo Alves
Capa
Suzana Laub
Ilustração da capa
Patricia Helena Lima

Dados Internacionais de Catalogação na Publicação (CIP)
(Câmara Brasileira do Livro, SP, Brasil)

Eisenberg, Arlene
O bebê : o primeiro ano de vida de seu filho / A. Eisenberg, H. E. Murkoff, S. E. Hathaway ; tradução Jefferson Luiz Camargo, Marcelo Brandão Cipolla. – São Paulo : Martins Fontes, 1996.

Título original: What to expect the first year.
ISBN 85-336-0516-1

1. Bebês 2. Bebês – Cuidados 3. Criação de crianças I. Murkoff, Heide Eisenberg. II. Hathaway, Sandee Eisenberg. III. Título.

96-2400 CDD-649.122

Índices para catálogo sistemático:
1. Bebês : Puericultura 649.122

Rua Conselheiro Ramalho, 330/340 01325-000 São Paulo SP Brasil
Tel. (11) 3241.3677 Fax (11) 3105.6867
e-mail: info@martinsfontes.com.br http://www.martinsfontes.com.br

DEDICATÓRIA

Para Emma e Wyatt, Rachel e Ethan,
pelos encantadores, inesquecíveis primeiros anos que nos deram.

Aos nossos parceiros, Howard, Erik e Tim, sem os quais não teríamos tido sucesso naqueles primeiros anos.

UM MILHÃO DE AGRADECIMENTOS

Se existe alguém que precisa de mais ajuda do que os pais durante o primeiro ano de vida do bebê, são os autores de um livro sobre o primeiro ano de vida do bebê. Tivemos a sorte de poder contar com toda a ajuda, de dezenas de acadêmicos, médicos, outros profissionais e pais. Agradecemos a todos pelas valiosas contribuições que deram a esta obra.

Agradecemos particularmente ao pediatra Henry Harris, M.D., e ao obstetra Richard Aubry, M.D., nossos consultores médicos, por terem lido os originais e nos terem proporcionado seu conhecimento, sua sabedoria e perspicácia.

Agradecimentos muito especiais aos notáveis doutores Max Kahn, Michael Levi, Michael Traister e Herb Lazarus, que se deram ao enorme trabalho de ler os originais durante o pequeno tempo livre de que dispõem. E a Kathy Lawerence e Eve Coulson, mães muito ocupadas que encontraram tempo para ler os originais e fazer-nos suas observações.

Agradecimentos, também, a vários outros profissionais e amigos que leram boa parte dos originais e/ou nos brindaram com seus comentários especializados, entre os quais Ronald L. Poland, M.D.; Michael Lewis, Ph.D.; Alfred T. Lane, M.D.; Irving J. Selikoff, M.D., e Jerrold Abraham, M.D.; Deborah Campbell, M. D.; Barbara Hogan; Judy Lee; Ken Gorfinkle e Doris Ullendorf; Dina Rosenfeld e Howard Berkowitz, M.D.; Richard Weisman, M.D.; Steven M. Silverman, da Cruz Vermelha Americana (Região da Grande Boston); John J. Caravollas, Doutor em Odontologia; Paul Leonard, EMTA; à outra Sandy Hathaway, enfermeira titulada; Lisa Shulz, Phil Sherman; Bonnie Cowan; Mary Lewis, do Serviço de Proteção ao Consumidor; Michelle Weber e Jeff Moulter; Mort Lebow; Bill Delay; Marvin Eiger, M.D., e Sally Wendkos Olds. E agradecemos à *American Heart Association*, à *March of Dimes*, ao *American College of Obstetrics and Gynecology*, à *American Academy of Pediatrics*e à *Contemporary Pediatrics*, pela ajuda inestimável e pela enorme quantidade de informação.

A David e Shana Roskies, Sarah Jacobs e David Kronfeld, Susan e David Kramer, Ann Wimpfheimer e Baruch Bokser, Herb e Judy Seaman, Bilick Shelly Bazes e Rueven Weiss, Nessa Rapoport e Toby Kahn, Linda e David Sriner-Kahn, Pearl Beck e David Fisher, Alan Nadler e Diane Sharon, Sharon e Michael Strassfeld, Betsy e David Teutsch e a um número incontável de pais, por compartilharem conosco as suas preocupações para que também as compartilhássemos com nossos leitores.

A Marika Hahn, pelas maravilhosas ilustrações.

A todo o pessoal da Workman Publishing, pelo incansável apoio e bom humor, mas especialmente a Suzanne Rafer, cujo empenho se igualou ao nosso. Também a Kathy Herlihy-Paoli, Mary Wilkinson, Lisa Hollander, Shannon Ryan, Barbara Scott-Goodman, Bert Snyder, Janet Harris, Ina Stern, Saundra Pearson, Steve Garvan, Linda Randel, Jim Joseph, Andrea Glickson, Chip Duckett e a todos os que permitiram que este livro existisse e o ajudaram a deslanchar com vigor. E também a Peter Workman, sem o qual nada se teria realizado.

A Elise e Arnold Goodman, nossos agentes e amigos, que tiveram a boa idéia de nos encaminhar à Workman.

A Mimi e Gramps, que nos ensinaram a importância do amor na relação entre pais e filhos.

Aos pais dedicados e aos bons amigos que participaram de nossas aulas e seminários e tanto nos ensinaram. E, por último, aos numerosos leitores de *What to Expect When You're Expecting* (O que esperar quando você está esperando), que nos pediram para escrever o presente livro.

SUMÁRIO

Parte III – PRONTA REFERÊNCIA

A PALAVRA DO MÉDICO

Um novo bebê é uma fonte de prazer e emoção, mas também provoca muita ansiedade. De início, as responsabilidades dos pais parecem espantosamente grandes, mas a natural insegurança e preocupação são controláveis sempre que se pode contar com conselhos tranqüilizadores, informações práticas e uma eventual noite bem dormida. *O Que Esperar no Primeiro Ano* dá duas dessas três coisas e, como tal, é um bem-vindo prolongamento do meu papel de conselheiro de pais de recém-nascidos.

Impressionaram-me a exatidão médica das autoras e a maneira sensível como souberam traduzi-la em forma de conselhos úteis de mãe para mãe. A orientação preventiva — sobre alimentação, cólica, engatinhar, segurança e controle das crises cotidianas — é a parte mais importante da pediatria. Durante a gravidez, você talvez tenha encontrado segurança e respostas de fácil acesso em *What to Expect When You're Expecting* (O que esperar quando você está esperando). O presente livro começa onde aquele parou, contando-lhe o que você precisa saber no momento certo: de acordo com o crescimento do bebê, mês após mês.

A Pediatria mudou bastante desde que comecei a exercê-la e a ensiná-la no Albert Einstein Medical Center, há 25 anos. Não só na alta tecnologia a serviço dos diagnósticos, do tratamento e acompanhamento das doenças. As novas mães e os novos pais que vejo hoje são também muito mais avançados — mais questionadores, mais bem informados, mais curiosos e com perguntas mais sofisticadas. Para eles, este livro abrangente, vivo e bem organizado corresponde exatamente à orientação que um pediatra daria.

Senti-me honrado quando a Academia Americana de Pediatria pediu-me, sendo eu seu porta-voz nacional, uma resenha dos originais deste livro. Uma das três autoras é avó, e o pediatra de hoje também assume esse papel. A solução de um diagnóstico difícil deve ser o desafio pediátrico que mais apreciamos. Na prática, porém, a essência do dia-a-dia do nosso trabalho consiste na substituição dos avós. Com a tradicional família extinta, as avós hoje fazem *jogging*, esculturas, jogam golfe, viajam e iniciam novas carreiras. Atualmente, os pais buscam com os pediatras a orientação antes dada pelas avós.

Esse tipo de orientação é tão indispensável que no ano passado, numa viagem à China, fiquei atônito ao constatar a inexistência de tais práticas pediátricas. Quando toquei no assunto com os pediatras que me receberam, dizendo-lhes que, pelo que podia perceber, os chineses não davam conselhos sobre o desenvolvimento infantil ou sobre os problemas cotidianos das mães, eles olharam para mim com estranheza. "É verdade", disse um médico mais velho. "Somos ocupados demais." Só fui entender no momento que, convidado para almoçar na casa desse pediatra, vi dois grupos de avós descendo dos seus aposentos para tomar chá conosco. "Aí está a resposta que procurávamos", disse eu à minha mulher. "Os pais chineses não precisam de pediatras para aconselhá-los sobre alimentação ou higiene do bebê. Eles dispõem de avós de verdade."

Fico feliz em dizer que os conselhos de *O Que Esperar no Primeiro Ano* são muito mais atualizados, informativos e dignos de crédito do que os das avós. Não conheço outro livro leigo sobre pediatria tão bem embasado na questão da dieta e da nutrição. As recomendações das comissões de nutrição e primeira infância da Academia Americana de Pediatria — com as novas preocupações sobre colesterol, obesidade e bem-estar — são corroboradas neste livro. As informações contidas na seção "O que o seu bebê pode estar fazendo neste mês" são de uma utilidade incrível. E a orientação sobre os três principais pontos de discórdia entre pais e filhos (sono, alimentação e observação das fezes) é digna do tratamento abrangente e equilibrado que recebe — mais atenção do que podem dar muitos pediatras atarefados.

Em resumo, estou encantado com o fato de ter sido finalmente publicado um livro tão completo e útil. Como avaliar essa alegria? Pretendo entregar um exemplar a cada mãe que cruzar a porta do meu consultório.

Leiam este livro. Desfrutem dele. Podem confiar nele. *O Que Esperar no Primeiro Ano*, um livro escrito por mães, é de primeira ordem. Não vai tomar o lugar do seu pediatra, mas vai tornar mais fácil a vida dele ou dela, e os seus conselhos muito bem fundamentados pouparão os pais de um monte de ansiedades.

Henry Harris, M.D.,*
Membro da Academia Americana de Pediatria, Albert Einstein Medical Center, Nova York.

*Abreviatura de *Medicinae Doctor* (Doutor em Medicina). (N. do T.)

POR QUE ESTE LIVRO FOI CONCEBIDO

Parecia tão simples e tão fácil. Eu entraria grávida no hospital e sairia como mãe. O papel que coubera naturalmente a milhares de gerações de mulheres sem dúvida caberia a mim também — graças às minhas glândulas endócrinas, que magicamente iriam dotar-me de todo o conhecimento para cuidar do meu bebê e do leite necessário para alimentá-lo.

O cordão umbilical de Emma mal tinha sido cortado e eu já estava questionando essa tese pela primeira vez: para dizer o mínimo, parecia falha. Meus sentimentos de acolher carinhosamente minha filha, ainda molhada com o líqüido amniótico e manchada com meu sangue, não eram apenas menos radiantes do que eu esperava, mas também mais ambivalentes do que eu jamais imaginara. Por que eu não me sentia próxima dela? Por que ela não parecia sentir-se próxima de mim? E por que — ah, por quê — ela não parava de chorar? Novas falhas da tese afloraram assim que levantei minha camisola e dirigi o rosto inchado de Emma para o meu seio. O instinto parecia dolorosamente ausente de ambos os lados. Minhas tentativas de levar o seio à boca de Emma eram totalmente ineficazes; suas tentativas de pegar o mamilo e sugar eram igualmente inúteis (ela o deixava escapar assim que o pegava).

As coisas também não melhoraram quando chegamos em casa. Minha inépcia era evidente em tudo; quando eu lhe trocava as fraldas, quando a fazia arrotar, quando tentava fazê-la alimentar-se ou dormir, quando lhe dava banho ou a vestia. Nas semanas seguintes, chorei quase tanto quanto Emma. Não fiz feio, levando-se em conta as cólicas dela.

Sem dúvida, eu era a mãe mais incompetente do mundo. Pelo menos era o que eu pensava — até que comecei a conversar com outras mães. Como descobri, sentimentos de incompetência como os meus eram dominantes entre os que viviam as suas primeiras semanas na condição de pais. O mesmo acontecia com as preocupações (das quais, até então, eu também me considerava detentora exclusiva). Preocupações como o bebê não estar se alimentando suficientemente e dormindo demais. Preocupações com as manchas na pele e com a evacuação do bebê. Preocupações com os riscos de expor o bebê a estranhos e a seus germes, e com os riscos de imunizá-lo contra as doenças.

Como outras mães inexperientes, comecei a procurar todas as fontes possíveis de reconforto e orientação — livros sobre bebês, revistas, pessoas mais experientes da família, amigos que já houvessem passado pela mesma situação. Cada um tinha algo para oferecer, mas o conjunto das informações que me podiam dar (além do mais, quase sempre contraditórias) não resolvia nem uma pequena parte das minhas dúvidas. Os pediatras do meu bebê talvez tivessem essas respostas, mas nenhum deles estava disposto a ir morar com Emma, meu marido, Erik, e comigo.

E assim, da mesma maneira que *O Que Esperar Quando Você Está Esperando* nasceu de uma necessidade de informações práticas, mês a mês, para recuperar a confiança no dia-a-dia desses nove meses de gravidez, *O Que Esperar no Primeiro Ano* nasceu das mesmas necessidades durante os primeiros doze meses de convívio e cuidados com o bebê.

O Que Esperar no Primeiro Ano pretende tornar mais fácil o primeiro ano (que nunca será fácil) e orientá-los — a você, ao seu marido e aos filhos mais velhos —, ao longo das centenas de problemas, crises e transições inevitáveis no primeiro ano, com a compreensão e a empatia de quem passou pelas mesmas dificuldades e tem condições de oferecer-lhes o que existe de mais avançado em termos de informação médica.[1] Este livro tem a intenção de levar

1. Para facilitar a leitura, nos capítulos 1, 22, 23, 24 e 25 repetimos material publicado em *O Que Esperar Quando Você Está Esperando.*

O QUE O SEU BEBÊ PODE ESTAR FAZENDO NESTE MÊS

Todos os pais querem saber se os seus bebês estão se desenvolvendo bem. O problema é que, ao compararem os seus bebês com o bebê "padrão" da mesma idade, acham que os seus próprios filhos estão quase sempre à frente ou atrás — poucos estão exatamente na média. Para ajudá-los a verificar se o desenvolvimento do seu bebê se ajusta ao amplo espectro do normal, e não simplesmente ao espectro limitado do "padrão", elaboramos uma seqüência mensal de conquistas que serve, virtualmente, a todos os bebês. Tomamos por base os Testes de Verificação de Desenvolvimento de Denver e os Testes de Capacidade Auditiva e de Linguagem. Em qualquer mês, 90% de todos os bebês terão dominado as conquistas da primeira categoria, "O que o seu bebê deve ser capaz de fazer". Cerca de 75% terão adquirido as conquistas da segunda categoria, "O que o seu bebê provavelmente será capaz de fazer". A metade, mais ou menos, terá alcançado os progressos da terceira categoria, "O que o seu bebê talvez seja capaz de fazer". E cerca de 25% terão realizado as proezas da última categoria, "O que o seu bebê até pode ser capaz de fazer".

A maioria dos pais vai constatar que o seu bebê está fazendo conquistas em várias categorias diferentes num mesmo momento. Alguns podem descobrir que o seu bebê demora a sair de uma mesma categoria. Outros verificarão que o desenvolvimento do seu filho é desigual — lento num mês, um grande progresso no seguinte. Todos podem ficar tranqüilos, pois o seu bebê é perfeitamente normal.

Os pais só precisam preocupar-se e procurar um médico quando um bebê não estiver realizando aquilo que uma criança da mesma idade "deve ser capaz de fazer". Ainda assim, pode não haver problema algum.

Se você quiser, recorra às seções "O que o seu bebê pode estar fazendo", para avaliar mensalmente o progresso da criança. Porém, não as utilize para julgar as aptidões do seu bebê, agora e no futuro. Aptidões não são previsíveis. Se a avaliação do bebê com base nessas listas tornar-se fonte de ansiedades, e não de reconforto, ignore-as. O seu bebê vai desenvolver-se bem mesmo que você nunca olhe para essas listas — e você poderá sentir-se muito melhor.

em conta as particularidades de mães e de bebês — a exemplo do que ocorre com a gravidez, há grandes variações daquilo que se entende por "normal". Também são levadas em conta as diferenças de estilos de maternidade e paternidade, pois é muito mais comum não haver uma maneira "certa" de proceder nos cuidados com os bebês.[2] Este livro confia no instinto materno, mas reconhece que a própria mãe nem sempre confia nele. E, acima de tudo, deixa claro que quase tudo que a mãe sente e quase tudo que um bebê faz é normal — ainda que a mãe da casa ao lado não esteja sentindo o mesmo e o bebê dela fazendo as mesmas coisas.

Sobrevivi ao primeiro ano. Na verdade, quando minhas semanas de dedicação se transformaram em meses, e Emma e eu fomos nos ajustando melhor aos nossos respectivos papéis, comecei a gostar de ser mãe. Tanto isso é verdade que, pouco tempo depois, resolvi ser mãe pela segunda vez. Cinco anos depois (e minha irmã e coautora Sandee, que, durante esse período, também fez por duas vezes essa viagem

2. É evidente que, no que se refere às decisões médicas, nem sempre as mães conhecem a melhor maneira de proceder, e, mesmo contando com um livro como este, você não deve tentar fazer as vezes do médico do seu bebê. Antes de tomar qualquer decisão sobre a saúde da criança, consulte o médico que cuida dela.

dos primeiros doze meses) dei-me conta da verdade de que as boas coisas da vida — entre elas, principalmente as crianças — não são nada fáceis no começo, mas sem dúvida alguma valem o esforço.

É a esse esforço — e a vocês que estão prestes a fazê-lo — que dedicamos *O Que Esperar no Primeiro Ano.*

Heidi E. Murkoff

Nova York

PARTE I

O PRIMEIRO ANO

CAPÍTULO 1

Prepare-se, Esteja Pronta

Depois de quase nove meses de espera, finalmente surge uma luz no fim do túnel (e, talvez, até mesmo afinamento e dilatação do colo do útero). Mas, a apenas algumas semanas do parto, você já aceitou bem a idéia de que o seu bebê está prestes a nascer? Você estará pronta para recebê-lo, quando ele estiver pronto para nascer?

Mesmo uma ex-bandeirante não conseguiria estar plenamente preparada, tanto física quanto psicologicamente, para o momento em que o bebê aumentar a família para três, ou mais. Mas há um sem-número de providências que podem ser tomadas para a transição ser suave — da escolha do berço certo à escolha do médico certo, da decisão de amamentar ou dar mamadeira à de usar fraldas de pano ou descartáveis, da sua própria preparação à preparação do cachorro da família. A enorme atividade de se preparar para o nascimento vai parecer-lhe às vezes um verdadeiro delírio, mas lhe será uma boa experiência para dias ainda mais turbulentos.

PARA ALIMENTAR O SEU BEBÊ: Peito ou Mamadeira?

Para um grande número de mulheres, não há dúvida. Quando fecham os olhos e vislumbram a convivência com o seu bebê, vêem-se claramente dando o seio ao recém-nascido, ou, com a mesma clareza, acariciando-o enquanto ele toma a sua mamadeira. Sejam quais forem os seus motivos — emocionais, médicos, práticos —, elas já se decidiram sobre alimentação do bebê no começo da gravidez (ou mesmo antes).

Para outras mulheres, porém, o quadro ainda não aparece tão claro assim. Talvez elas não consigam ver-se amamentando, mas ouviram dizer tanto que o leite materno é melhor para o bebê que não conseguem imaginar-se dando-lhe mamadeira. Talvez estejam sendo incentivadas a usar mamadeira pela própria mãe, porque elas fizeram o mesmo, enquanto os amigos argumentam em favor da amamentação. Talvez realmente preferissem amamentar, mas ficam receosas da falta de praticidade dessa opção, já que deverão retornar ao trabalho pouco depois do nascimento do bebê. Pode ser, também, que os sentimentos confusos do futuro pai estejam fazendo a futura mãe pensar mais.

Sejam quais forem os motivos da ambivalência ou da confusão, a melhor maneira de tornar nítido o quadro é encarar os fatos e ao mesmo tempo analisar os sentimentos de todas as pessoas envolvidas. Antes de mais nada, quais são os fatos?

FATOS A FAVOR DA AMAMENTAÇÃO

Pediatras, obstetras, obstetrizes, até mesmo fabricantes de leite em pó para crianças concordam: não há nada melhor do que o leite materno. Por mais que a tecnologia avance, existirão sempre algumas coisas que a Natureza consegue fazer melhor. Entre elas, o melhor alimento e o melhor meio de levá-lo ao bebê — meio que é bom também para as mães. Como disse Oliver Wendell Holmes Sênior há bem mais de um século: "Um par de robustas glândulas mamárias leva vantagem sobre os dois hemisférios do cérebro do mais culto mestre, no que diz respeito à arte de criar um líqüido nutritivo para os bebês". Podemos citar como vantagens da amamentação:

Um leite feito para o seu bebê. O leite materno contém pelo menos uma centena de componentes que não são encontrados no leite de vaca, e não podem ser sintetizados em laboratório. Além disso, ao contrário do leite em pó, a composição do leite materno altera-se constantemente para atender às necessidades do bebê: de manhã é diferente do que à noite; no primeiro mês, é diferente do que no sétimo; para um bebê prematuro daquele para um bebê de gestação completa.

Mais digerível. O leite materno destina-se ao sistema digestivo sensível e ainda em formação do bebê, e não ao de um novilho. O bebê lida mais facilmente com a gordura e a proteína (na maior parte lactoalbumina) do leite materno do que com a gordura e a proteína (na maior parte caseína) do leite de vaca. Resultado: os bebês amamentados no seio podem sofrer menos de cólicas, gases e regurgitações freqüentes.

Menos sódio e proteínas. Uma vez que o leite materno contém esses ingredientes em menor quantidade do que o leite de vaca, exige menos esforço dos rins imaturos do recém-nascido.

Maior absorção de cálcio. Essa absorção maior talvez se deva, em parte, ao fato de o leite materno ter níveis mais baixos de fósforo, mineral que, em excesso, prejudica o aproveitamento do cálcio.

Menor risco de alergias. Os bebês quase nunca são alérgicos ao leite materno. Ainda que um recém-nascido possa ser sensível a alguma coisa na alimentação da mãe que tenha passado para o leite (inclusive leite de vaca), o leite materno é praticamente sempre bem tolerado pelo bebê. Por outro lado, mais de um entre dez bebês mostram-se alérgicos ao leite de vaca em pó na primeira tomada. (Trocá-lo por leite em pó de soja ou hidrolisado em geral resolve o problema — embora sejam ainda menos parecidos com o leite materno do que o de vaca.)[1]

Sem problemas de prisão de ventre ou diarréia. Devido ao efeito naturalmente laxativo do leite materno, os bebês que mamam enchem as fraldas com facilidade, e a prisão de ventre é um problema que praticamente não ocorre com eles. Além do mais, apesar do fato de suas fezes serem em geral muito moles, a diarréia raramente acontece. O leite materno parece diminuir

1. Os leites de soja, porém, não são adequados para a nutrição infantil e não devem ser usados.

a possibilidade de perturbações digestivas de duas maneiras: primeiro, ao destruir um grande número de microrganismos nocivos que provocam o problema; e, segundo, ao inibir a proliferação deles, proporcionando o crescimento de microrganismos benéficos cuja função é mantê-los sob controle.

Menor risco de dermatites de fralda. As fezes sem mau cheiro dos bebês amamentados tendem a provocar menos assaduras no contato com as fraldas, mas essa vantagem (assim como o odor menos desagradável) desaparece quando alimentos sólidos começam a ser dados.

Mais saúde para o bebê. Da primeira à última vez que mamam no peito da mãe, os bebês recebem uma boa quantidade de anticorpos para imunizá-los de doenças. Em geral, eles terão menos resfriados, infecções nos ouvidos e outras doenças do que os bebês que tomam mamadeira, além de se recuperarem mais rapidamente e com menos complicações. E com menor freqüência serão internados em hospitais. Um estudo recente indica que a ocorrência de câncer parece ser menor nos bebês amamentados pela mãe.

Menos obesidade. Em geral, os bebês que mamam são menos rechonchudos que os que tomam mamadeira. Isto se deve, em parte, ao fato de a amamentação controlar o apetite do bebê. Com a mamadeira, por outro lado, o bebê talvez seja levado a sugar até a última gota. Além disso, no leite materno as calorias estão na medida certa. O último leite, aquele que o bebê ingere ao término de uma amamentação, tem mais calorias do que o do início, e tende a fazer com que o bebê sinta-se saciado — um aviso para parar de mamar. Não se deve, porém, amamentar o bebê com muita freqüência — sempre que ele estiver irritado, por exemplo —, pois isso tenderá a aumentar-lhe rapidamente o peso.

Mais satisfação no ato de mamar. Para satisfazer seu prazer em sugar, o bebê continua chupando um peito vazio, mas nunca uma mamadeira vazia.

Possível melhora do metabolismo do colesterol. Os estudos científicos não são conclusivos, mas há indícios de que os bebês amamentados apresentam taxas menores de colesterol na vida adulta, talvez devido a um metabolismo melhor.

Melhor desenvolvimento da boca. Os mamilos da mãe e a boca do bebê se ajustam à perfeição (ainda que, em geral, assim não pareça da primeira vez que a mãe e o bebê tentem atuar em conjunto). Nem mesmo o mamilo artificial mais bem elaborado cientificamente é capaz de oferecer ao maxilar, às gengivas e aos dentes do bebê o exercício propiciado pelo seio da mãe — exercício que assegura excelente desenvolvimento oral. E, como a língua não é impelida para a frente, como acontece quando o bebê usa mamadeira, as crianças amamentadas são menos propensas a ter problemas ortodônticos do que as que sempre usaram mamadeira.

Comodidade. O leite materno está sempre à disposição, pronto para usar, limpo e na temperatura ideal. É o mais prático dos alimentos. Nada de leite em pó que de repente acaba e é preciso sair para comprar, nada de mamadeiras por esterilizar ou encher, nada de latas para abrir, de comida para esquentar. Onde quer que você esteja — na cama, em viagem, num restaurante, na praia —, todo o alimento de que o seu bebê necessita estará sempre ali, pronto para ser usado. Se a mãe precisar separar-se do bebê por um dia, uma noite, ou mesmo por um fim de semana, o leite materno poderá ser tirado com antecedência e guardado na geladeira ou no congelador, para ser dado em mamadeira.

Custo menor. O leite materno é grátis, ao passo que a mamadeira pode ser uma opção bastante cara (e um desperdício, já que as mamadeiras deixadas pela metade ou as latas de leite abertas muitas vezes terminam no ralo da pia). Embora seja verdade que a mãe que amamenta precise comer um pouco mais, o custo dessa alimentação não é necessariamente alto. Se for escolhida com base no seu valor nutritivo, como sempre deveria ser, pode acabar sendo muito barata. Um litro de leite magro é mais barato que a mesma quantidade de refrigerante; um prato com farelo de trigo e pedaços de frutas frescas é mais barato do que doces folhados de confeitaria; um picolé feito em casa com suco de frutas é mais barato do que os picolés cheios de calorias que se compram fora.

Mais rápida recuperação da mãe. A amamentação é melhor para o organismo da mãe. Você não precisa dizer que resolveu amamentar por ser bom para o seu filho. A amamentação, que faz parte do ciclo natural de gravidez-parto-maternidade, é boa não apenas para o bebê, mas também para a mãe. Vai ajudar o seu útero a voltar mais rapidamente ao tamanho que tinha antes da gravidez (coisa que a mãe sente, na forma de cólicas crescentes, nos primeiros dias após o parto, ao dar de mamar ao bebê). A retração do útero, por sua vez, vai reduzir mais rapidamente o fluxo de lóquios.* E vai ajudá-la a acabar com os quilos a mais que ficaram da gravidez, queimando mais de 500 calorias por dia. Não se esqueça de que alguns desses quilos surgiram na forma de reservas de gordura exatamente para ajudá-la a produzir leite; agora você tem a oportunidade de usá-las. (Mas tenha o cuidado de não queimar rápido demais essa gordura; veja páginas 617 s.)

Um pouco de proteção contra a gravidez. Por muitos meses depois do parto, a mãe que amamenta comumente se livra dos problemas "daqueles dias do mês". A ovulação e a menstruação se interrompem na maior parte das lactantes, pelo menos até que os seus bebês comecem a receber uma suplementação alimentar significativa (tanto de leite em pó quanto de alimentos sólidos) e quase sempre até o desmame. Às vezes, ainda por muitos meses mais. (O que, infelizmente, não significa que você não possa engravidar. Como a ovulação pode antecipar-se na sua primeira menstruação pós-parto, você terá a certeza de quando terminará a proteção dada pela amamentação. Para maiores informações sobre controle de natalidade, veja página 654.)

Possível diminuição do risco de câncer no seio. Embora a amamentação aparentemente não proteja a mulher contra o câncer de seio que ocorre depois da menopausa, há fortes indícios de que pode reduzir o risco de aparecimento desse câncer mais cedo.

Períodos de descanso forçado. A amamentação exige freqüentes pausas no seu dia, sobretudo no início (muitas vezes, essas interrupções são mais freqüentes do que você gostaria). Quer você ache, quer não ache que dispõe desse tempo para relaxar, após o parto o seu corpo precisa desse descanso que a amamentação vai forçá-la a ter.

Mamadas menos complicadas à noite. Até mesmo os pais que não ficam de dia com seu adorado bebê o tempo que gostariam, não morrem de vontade de ficar com ele às 2 horas da manhã (ou em outra hora qualquer entre meia-noite e o amanhecer). No entanto, o momento em que o bebê acorda de noite pode ser bem mais tolerável (e até ser um período especial de proximidade com a criança) quando o consolo está nos seios da própria mãe, e não lá na geladeira, precisando ser amornado e colocado numa mamadeira. (Para a mãe, as coisas ficam ainda mais fáceis se o pai levar o bebê do berço para o peito e, depois, pelo caminho inverso.)

Uma relação mais forte entre a mãe e o bebê. Como a maioria das mães que já amamentaram pode comprovar, o benefício da amamentação que você mais apreciará são os laços criados entre mãe e filho. Há um contato pele a pele e olho a olho,

* Corrimento que normalmente ocorre no período pós-parto. (N. do T.)

além da oportunidade de acariciar a criança e falar carinhosamente com esse ser maravilhoso que chegou. É claro que a mamadeira também pode lhe propiciar esses mesmos prazeres, mas o esforço consciente exigido também é maior (veja página 62), já que freqüentemente você pode deparar-se com a tentação de deixar essa tarefa a outras pessoas sempre que estiver cansada, ou de colocar a mamadeira em algum tipo de suporte quando estiver ocupada.

FATOS A FAVOR DA MAMADEIRA

Se o uso da mamadeira não oferecesse vantagem alguma, ninguém capaz de amamentar recorreria ao leite em pó. Existem realmente algumas vantagens, as quais, para algumas mães (e alguns pais), superam os vários benefícios da amamentação:

Maior satisfação do bebê. O leite infantil em pó feito de leite de vaca é mais difícil de digerir do que o leite materno, e os grandes aglutinados que formam ficam por mais tempo no estômago do bebê, dando uma sensação de saciedade que pode durar várias horas, aumentando o período entre as refeições para três ou quatro horas, mesmo no período inicial da alimentação do bebê. Por outro lado, tendo em vista que o leite materno é digerido tão fácil e rapidamente, muitos recém-nascidos mamam com tanta freqüência que às vezes se tem a impressão de que estão o tempo todo no peito da mãe. Ainda que a amamentação freqüente não aconteça em vão — pois estimula a produção de leite e aumenta a provisão —, a mãe pode ver-se mais rapidamente com pouco leite.

Maior facilidade em controlar a quantidade ingerida. Com mamadeira, você pode saber a quantia exata de leite que o bebê está ingerindo. Como os seios não são calibrados para dar a quantidade certa de leite, as mães inexperientes quase sempre ficam preocupadas em saber se o bebê tomou ou não todo o leite de que necessita. A mãe que utiliza a mamadeira não tem esse problema — uma olhadinha no frasco responde à sua dúvida. (Porém, isso pode transformar-se numa desvantagem caso as mães ansiosas forcem o bebê a tomar mais leite do que sente vontade.)

Maior liberdade. O uso da mamadeira não deixa uma mãe presa em casa. Que tal sair para um jantar e um *show* com o marido? Ou, quem sabe, até mesmo fazer uma romântica viagem de fim de semana? A avó vai ficar felicíssima em poder cuidar do bebê e assumir o comando da alimentação. Você tem intenção de retomar o trabalho em regime de meio expediente quando o bebê tiver três meses? Não será preciso fazer nenhum desmame nem tirar o seu leite com uma bombinha de sucção. Basta dizer à babá onde ficam as mamadeiras e o leite em pó, e você está livre para sair.

Maior participação do pai. Quando o bebê usa mamadeira, os pais podem compartilhar os prazeres de sua alimentação de um jeito que seria impossível caso a mãe estivesse amamentando. (Certos pais de bebês que mamam no peito acabam sentindo-se desprezados.)

Maior participação dos irmãos mais velhos. Poucas coisas dão a uma criança mais crescida uma sensação tão boa quanto dar mamadeira a "seu novo bebê".

Menos exigências. A mulher fatigada por um parto difícil talvez ache maravilhoso não precisar levantar-se no meio da noite (ou mesmo às 6 da manhã) para dar de mamar ao seu bebê. O pai, a avó, a babá — ou qualquer outra pessoa por perto — podem assumir essa tarefa até a mãe sentir-se mais forte. A mãe também será menos exigida fisicamente se não precisar produzir leite.

Liberdade com a moda. A mãe que alimenta o bebê com mamadeira pode vestirse do jeito que achar melhor. O guarda-roupa da mãe que amamenta não é mais tão limitado quanto durante a gravidez, mas, na maior parte do tempo, as questões de natureza prática vão colocar a moda em segundo plano. Enquanto estiver amamentando, terá de esquecer os vestidos sem botões na frente. (Tente atender um bebê com fome erguendo o vestido até a cabeça, e você entenderá por que estamos dizendo isso.)

Menos restrições no controle de natalidade. Enquanto a mãe que amamenta tem de restringir suas maneiras de evitar a gravidez às que não sejam prejudiciais ao bebê (veja página 654), a mãe que faz uso de mamadeira não tem tais restrições.

Menos necessidades e restrições alimentares. A mãe que dá mamadeira pode parar de comer por dois. Ao contrário da mãe que amamenta, ela não precisa ingerir uma quantidade maior de proteínas e cálcio e pode esquecer os complementos vitamínicos da fase pré-natal. (A menos que se trate de uma das raras mulheres com preocupação de comer tanto por causa do peso, ela talvez fique menos feliz por ter de renunciar às calorias a mais que a mãe lactante pode continuar desfrutando até o desmame.) A mãe que usa mamadeira pode tomar alguns drinques numa festa, aspirina para dor de cabeça, o remédio para alergia prescrito por seu médico, ou, ainda, comer todas as comidas condimentadas que desejar — tudo isso sem se preocupar com possíveis conseqüências para o bebê. Depois de seis semanas pós-parto (mas não antes, quando o seu corpo ainda está em fase de recuperação), ela pode adotar uma dieta rigorosa, mas inteligente, para perder os quilos a mais que a gravidez lhe deu. A mãe lactante só pode fazer isso depois que o bebê não for mais amamentado — ainda que, devido às calorias necessárias à produção de leite, ela talvez não precise fazer regime algum para alcançar o seu objetivo.

Menos constrangimento em público. A mamadeira pode ser dada em público sem o constrangimento de precisar despir uma parte do corpo. Enquanto a mãe que amamenta pode receber olhares curiosos ou desaprovadores quando resolver amamentar em público, ninguém vai olhar duas vezes, ou de soslaio, para uma mulher que está dando mamadeira ao seu bebê. Esta também não precisa submeter-se ao embaraço de coisas como ajeitar as alças do sutiã, colocar a blusa dentro da saia ou abotoar-se depois de terminada a amamentação.

Liberdade para fazer amor. Depois de nove meses fazendo amor em condições nem um pouco ideais, muitos casais querem retomar as coisas no ponto em que pararam antes da concepção. Para a mãe que amamenta, a vagina ressequida devido às mudanças hormonais da lactação, os mamilos machucados e os seios gotejantes às vezes transformam esse desejo num sonho impossível por muitos e muitos meses. Para a mãe que dá mamadeira, nada (a não ser um bebê que de repente acorde e se ponha a chorar) atrapalha sua relação com o companheiro.

ANALISANDO OS SENTIMENTOS

Os fatos estão aí. Você já os leu e releu, examinou-os e reexaminou-os. Mas, mesmo assim, pode ser que você não tenha conseguido tomar uma decisão. Isso acontece porque, como no caso de muitas outras decisões que você está tendo de tomar nesses dias, a decisão entre amamentar e dar mamadeira não depende apenas dos fatos. Depende, em grande parte, de como você — e o seu marido — estão se sentindo.

Você sente que realmente quer amamentar, mas acredita que isso é impossível por querer voltar ao trabalho pouco depois do nascimento do bebê? Não deixe que isso a prive e ao recém-nascido dessa experiência. Algumas semanas de amamentação é melhor do que nenhuma; tanto você quanto o bebê vão aproveitar até mesmo o mais breve período de amamentação. E, com um pouco mais de planejamento e dedicação, você pode bolar a maneira que lhe permita amamentar mesmo depois da volta ao trabalho (veja página 194).

Será que você é totalmente contrária à amamentação, mas não consegue desprezar os argumentos muito convincentes que a recomendam? Também nesse caso você deveria experimentar. Se você não mudar de idéia, desista. No mínimo, o seu bebê receberá por algum tempo os benefícios da amamentação (o que é melhor do que nada); você saberá que tentou e resolverá aquela dúvida irritante. (Não desista antes de ter tentado com muita vontade. Uma tentativa de peso dura pelo menos um mês, ou melhor, seis semanas — tempo que se leva, nas melhores circunstâncias, para firmar uma boa relação entre a mãe e o bebê.)

Será que você tem uma profunda aversão pela amamentação, sentindo-se totalmente constrangida com tudo que diga respeito a ela — desde a necessidade de mostrar o seio em público (não no sentido literal, é claro), até a simples idéia de colocar o seu bebê no colo para que ele possa mamar? Ou você já amamentou antes e não gostou? Se os seus sentimentos sobre a amamentação são mesmo ruins, e se, para você, eles têm mais importância que os fatos que a recomendam, a mamadeira sem dúvida será melhor para você e seu filho. Isso também se aplica ao caso de os seus sentimentos não serem tão ruins e as suas necessidades (como a vontade de voltar logo ao trabalho) a desobrigarem da amamentação. Em qualquer desses casos, você deve tomar a decisão de usar mamadeira sem se sentir culpada.

Será que você receia não conseguir amamentar por ter um temperamento muito agitado (não consegue ficar parada), mas concorda que é melhor para o bebê? Neste caso, também, você não tem nada a perder se fizer uma tentativa — só terá a ganhar, caso você se sinta mais conciliada com a amamentação do que imaginava. Porém, não tire conclusões precipitadas; até mesmo as mulheres dotadas de um temperamento bem tranqüilo podem ficar muito ansiosas nas primeiras semanas de amamentação. Uma vez que as amamentações comecem a transcorrer serenamente, muitas mulheres se surpreendem ao concluir que é uma experiência relaxante — os hormônios liberados enquanto o bebê está mamando realmente intensificam a descontração, e a experiência em si é uma das maneiras mais saudáveis de aliviar as tensões. (No início, esforce-se para que tudo dê certo, usando técnicas de relaxamento antes de levar o bebê ao peito.) Lembre-se de que mais adiante, caso se comprove o seu instinto inicial, você poderá mudar para mamadeira.

Será que seu marido se sente enciumado ou desprezado com a simples idéia de que você vai amamentar, ainda que você queira? Se é assim, faça-o ler os fatos em favor da amamentação. Talvez eles o convençam de que a privação, que, afinal, é temporária, ou a aversão, igualmente temporária, serão em proveito do bebê. Faça-o ler também a seção sobre amamentação no capítulo 25 ("Tornar-se Pai"). Contudo, se ele não abrir mão de sua posição contrária à amamentação e você continuar decidida a amamentar, será preciso conversar muito para acabar com o impasse e encontrar uma solução que satisfaça a ambos.

Como acontece ao tomar qualquer decisão conjugal importante, existem duas boas abordagens possíveis: uma é encontrar o meio-termo; a outra consiste em deixar a decisão a cargo daquele que está mais envolvido ou tem mais coisas em jogo numa determinada questão. O meio-termo seria você amamentar somente nos primeiros três meses; ou, se o que incomoda seu marido for o fato de você amamentar em público, concorde em só dar de mamar em particular e alimente o bebê com mamadeira quando a privacidade for impossível. Se o meio-termo não funcionar, tente a outra abordagem. Se a oportunidade de amamentar significa muito para você, peça ao seu marido que ceda nesse ponto. Se ele for o mais intransigente do casal (uma idéia menos provável), faça você a concessão.

Para algumas mulheres, amamentar é uma experiência extremamente positiva, prazerosa e estimulante; quando chega a época de desmamar o bebê (sobretudo se for o último bebê), lágrimas e depressão são bastante comuns. Outras amamentam os seus bebês porque sabem que é melhor para eles, mas fazem-no com uma certa ambivalência de sentimentos. E existem aquelas que nunca chegam a tolerar a amamentação, muito menos a sentir prazer com ela. Mas você só saberá em que caso se encaixa quando levar o bebê ao peito. Muitas mulheres que começam a amamentar por obrigação continuam amamentando por amor. Muitas que, antes de o bebê nascer, se mostram horrorizadas com a idéia de praticar um ato tão íntimo perto de estranhos acabam engolindo as próprias palavras e erguem a blusa assim que ouvem o primeiro choro do bebê — num avião, num parque cheio de gente, num restaurante elegante.

OS MITOS DA AMAMENTAÇÃO

MITO: Você não pode amamentar se tiver seios pequenos ou mamilos retraídos.

Realidade: A aparência externa não afeta de modo algum a produção de leite ou a capacidade de dar de mamar. Seios e mamilos de qualquer formato e tamanho podem satisfazer um bebê faminto. Os mamilos invertidos que não ficam eretos com estimulação talvez precisem de preparação antecipada para funcionarem bem. Veja página 26.

MITO: A amamentação é sinônimo de um monte de problemas.

Realidade: Nunca mais vai ser tão fácil alimentar o seu bebê. Ao contrário da mamadeira, os seios estão prontos sempre que o bebê quiser mamar. Você não precisa lembrar-se de levá-los consigo quando for para a praia, colocá-los dentro da frasqueira ou preocupar-se com a possibilidade de o leite se estragar sob o sol.

MITO: A amamentação tolhe sua liberdade.

Realidade: É verdade que a amamentação é mais adequada às mães que planejam passar a maior parte do tempo com seu bebê. Contudo, aquelas que se dispuserem a tirar o próprio leite e armazená-lo, ou preferirem complementar a alimentação com leite em pó, poderão conciliar a necessidade de trabalhar — ou ver um filme, ou participar de um seminário que vai durar um dia inteiro — com o seu desejo de amamentar. E, se o caso for sair com o bebê, a mãe que amamenta é a que possui maior mobilidade, por ter sempre um farto suprimento alimentar, não importa aonde vá ou quanto tempo fique fora de casa.

MITO: A amamentação vai acabar com seus seios.

Realidade: Para surpresa de muitas pessoas, a amamentação de maneira alguma altera permanentemente a forma ou o tamanho dos seios. Devido a fatores hereditários, à idade, à sustentação insuficiente (não usar sutiã), ou ao excesso de peso adquirido durante a gravidez, pode ser que os seus seios fiquem menos firmes depois do nascimento da criança. Mas a amamentação não tem culpa disso.

MITO: A amamentação exclui o pai.

Realidade: O pai que deseja participar dos cuidados com o seu recém-nascido terá muitas oportunidades de fazê-lo — dando-lhe banho, trocando suas fraldas, carregando, ninando o bebê, divertindo-o e, quando os sólidos entrarem na alimentação, o pai poderá brincar de "aviãozinho" com ele.

No fim das contas, se você resolver que não quer mesmo amamentar (tenha ou não tenha tentado), não se sinta culpada. Quase nada do que você fizer pelo bebê será bom se não for bom também para você — amamentação inclusive. Até mesmo os bebês que acabaram de nascer conseguem captar o desconforto que sua mãe sente; uma mamadeira dada com amor pode ser muito melhor para o bebê do que um seio oferecido com relutância.

QUANDO VOCÊ NÃO PODE OU NÃO DEVE AMAMENTAR

Para algumas mulheres, os prós e os contras da amamentação e da mamadeira não passam de teoria. Elas não podem amamentar seu recém-nascido, por problemas seus de saúde ou de seu bebê. Se o seu histórico médico inclui alguns dos casos a seguir, é quase certo que você será aconselhada a não amamentar:

- Graves doenças debilitantes (doenças cardíacas, renais, anemia profunda), ou peso muito abaixo do normal (o seu corpo precisa de reservas de gordura para produzir leite).

- Infecções graves, como AIDS ou tuberculose, e, talvez, hepatite B. (Apesar da hepatite, você poderá amamentar se logo após o parto seu bebê for tratado com gamaglobulina e receber a vacina contra hepatite B.)

- Medicação freqüente, que passa para o leite materno e pode ser prejudicial ao bebê, como drogas contra câncer, antitireoidianas e contra hipertensão; lítio, tranqüilizantes ou sedativos. (Contudo, remédios tomados temporariamente podem não interferir na amamentação; veja página 636.)

- Uso excessivo de drogas — inclusive tranqüilizantes, anfetaminas, barbitúricos ou outros lipnóticos, heroína, metadona, cocaína, maconha, tabaco, e a ingestão moderada ou intensa de cafeína ou álcool.

- Tecido glandular insuficiente nos seios (isto não tem relação com o tamanho deles) ou lesão no feixe de nervos que levam ao mamilo (como as decorrentes de ferimentos ou cirurgia). Em alguns casos, você pode tentar amamentar, com atento acompanhamento médico, para ter a certeza de que seu bebê está se desenvolvendo bem. Se você passou por uma cirurgia de câncer num dos seios, consulte o médico sobre a possibilidade de amamentar com o outro seio. Pelas informações disponíveis atualmente, não fica claro se é seguro ou não fazê-lo, muito embora pareça que a mãe não transmita substâncias cancerígenas ao bebê através do leite materno. Pesquisas futuras talvez nos informem melhor sobre a segurança de amamentar depois de uma cirurgia de câncer.[2]

Algumas enfermidades do recém-nascido também podem impedir a amamentação:

- Um distúrbio metabólico, como fenilcetonúria ou intolerância à lactose, que impossibilite o bebê de digerir o leite materno.

- Uma deformidade, como lábio leporino e/ou Fenda Palatina (céu da boca fendido ou ausente), que torna difícil ou impossível o ato de mamar no peito. (Em alguns casos, porém, a mãe talvez consiga dar de algum modo uma nutrição complementar ou tirar o próprio leite para alimentar o bebê nascido com esse problema. Depois de uma cirurgia corretiva, talvez a amamentação seja possível.)

---

2. Muitos especialistas recomendam que, depois de uma cirurgia de câncer na mama, a mulher espere de três a cinco anos para engravidar e amamentar, devido ao receio de que os hormônios estimulados possam ativar células cancerosas durante esse período, em que o perigo de reincidência do câncer é maior.

ADOÇÃO E AMAMENTAÇÃO

Ainda que poucas mães de crianças adotadas façam essa opção, às vezes realmente é possível amamentar um filho adotivo. Isso só funciona se bem antes da adoção se cumprir um planejamento e uma preparação e também se o bebê adotado tiver nascido há poucos dias. Para sugestões sobre a amamentação de uma criança adotiva, veja página 580.

Se você não puder amamentar, ou simplesmente não quiser, certifique-se de qual leite em pó será melhor para alimentar adequadamente seu bebê (as raras exceções incluem as crianças com vários tipos de alergia, que precisam de leite em pó especial). Milhões de bebês felizes e saudáveis (talvez você tenha sido um desses) foram criados com mamadeira, e o mesmo pode acontecer com o seu bebê, principalmente se você não se esquecer de usar a mamadeira com o mesmo amor com que outras mães amamentam.

O QUE PODE ESTAR PREOCUPANDO VOCÊ

CONVIVENDO COM A MATERNIDADE

"Está tudo pronto para a chegada do bebê — menos eu. Não consigo ver-me no papel de mãe."

Mesmo as mulheres que já se imaginaram mães, trocando uma fralda ou controlando a choradeira de um bebê, acabam pondo em dúvida a validade dessa vocação quando ela ameaça tornar-se uma realidade cotidiana. Aquelas que abandonaram as bonecas por caminhões e bolas de futebol, cortaram grama em vez de cuidar de bebês e olharam um carrinho de criança só de relance até o dia em que o seu teste de gravidez deu positivo — essas talvez encarem o dia do parto com apreensão muito maior.

Esse desmoronamento da segurança no nono mês não só é normal como também saudável. Caminhar para a maternidade jovialmente e autoconfiante talvez sirva apenas para prepará-la para um tombo abrupto e incômodo, o momento em que a carga de trabalho mostrar-se mais avassaladora do que você imaginava. Um pouco de ansiedade (o reconhecimento de que a vida com o bebê vai ter dias e noites difíceis, e outros aparentemente insuportáveis) e incerteza vão ajudá-la a ultrapassar o choque com a realidade após o parto.

Portanto, se você não se sente preparada para a maternidade, não se preocupe. Mas prepare-se. Leia pelo menos os primeiros capítulos deste livro e tudo mais que encontrar sobre recém-nascidos e crianças (sem nunca se esquecer de que os bebês nem sempre "seguem os livros"). Se possível, passe algum tempo com recém-nascidos ou bebês; tente segurá-los, ou até trocar-lhes as fraldas; converse com os pais deles sobre os prazeres e as frustrações dos cuidados com uma criança. Faça um curso para pais e mães, se houver algum por perto. Milhares desses cursos têm sido dados nos últimos anos — por hospitais, associações médicas, universidades e escolas, instituições religiosas, pela iniciativa privada — em resposta à necessidade dos pais de conhecer melhor aquele que talvez seja o trabalho mais difícil de sua vida.

Acima de tudo, conscientize-se de que mães não nascem feitas — elas se formam sendo mães. Uma mulher que tenha adquirido alguma experiência pelo convívio com crianças de outras pessoas talvez se sinta, de início, um pouco mais à vontade do que a mãe totalmente inexperiente, mas, por volta da consulta médica da sexta semana, será difícil detectar alguma diferença entre elas. E as mulheres ainda grávidas que estão na sala de espera vão invejar-lhes a habilidade e a pose de mães.

Lembre-se, também, de que todos nós adquirimos alguma experiência em lidar com crianças, ainda que pela simples observação. Sempre observamos pais em ação — os nossos próprios, bem como os de amigos e de estranhos —, e programamos silenciosamente os nossos computadores mentais. Uma mãe estapeia seu filho no supermercado, e você se diz: "Jamais farei isso"; outra mãe passeia pelo parque com o seu bebê num carrinho, e você pensa: "É assim que vou fazer".

A MUDANÇA NO ESTILO DE VIDA

"Estou realmente ansiosa pelo nascimento do meu bebê. Apesar disso, tenho medo de que desmorone o estilo de vida que eu e meu marido levamos."

Para a geração de sua mãe, a mudança no estilo de vida não era problema. A maioria dos jovens se casava e tinha filhos assim que saíam do colégio ou da faculdade; não tinham nenhuma oportunidade de levar a vida adulta sem crianças. Saídos da casa dos pais direto para a própria casa, o único estilo de vida que conheciam era a familiar. A futura mãe de hoje já saiu há muitos anos da escola e tem uma vida independente centrada em si mesma com almoços e jantares fora, fins de semana na praia ou na serra, festas às altas horas da noite seguidas por manhãs descompromissadas na cama, um armário cheio de roupas lavadas e passadas. Talvez ela também costume ter relações sexuais quando e onde lhe aprouver (dentro dos limites do bom gosto, é claro).

Esse estilo de vida não entrará necessariamente em colapso total. Mas, na verdade, passará por transformações radicais. Almoços e jantares fora de casa ainda poderão acontecer, não tanto num restaurante chique, à luz de velas, mas naqueles freqüentados por famílias, que tenham cadeirões para crianças e muita tolerância com a comida espalhada pelo chão. As saídas de fim de semana não serão mais tão fáceis (o planejamento é vital, e fazer as malas, bem mais complicado), mas, se tiver mesmo vontade, você encontrará um jeito de viajar — geralmente com o bebê, algumas vezes sem ele (caso você use mamadeira ou seu bebê já tiver sido desmamado). Durante algum tempo, as festas de altas horas terão de dar lugar a filmes ou concertos que não terminem tarde, a menos que você ache que consegue voltar com disposição para a alimentação das 2 horas da manhã e, pouco depois, também a das 6. Aqueles vestidos de seda e casacos de lã provavelmente irão para o fundo do armário, à espera de alguma oportunidade, e para abrir espaço às roupas facilmente laváveis, que resistam aos vômitos do bebê, ou a coisa ainda pior. As relações sexuais não precisam ser totalmente abandonadas, mas tanto a oportunidade quanto o estado de espírito é que determinarão o momento de intimidade entre você e seu marido.

Ainda assim, se vocês são parecidos com a maioria dos pais de hoje, não vão querer abandonar totalmente o antigo estilo de vida, no qual vocês tentarão enquadrar o bebê, pelo menos até certo ponto. É claro que nem sempre conseguirão, sobretudo à medida que o bebê for ficando maior. Se um bebezinho talvez não reclamar de ser levado para lá e para cá junto com o pai e a mãe, um bebê com apenas alguns meses começa a ter necessidades sociais e preferências pessoais, e é inevitável levá-las em conta quando vocês estiverem fazendo os seus planos.

As mudanças em seu estilo de vida dependerão muito de suas necessidades pessoais, das do seu marido e do seu bebê. E o grau de ajustamento a essas mudanças dependerá em grande parte de suas atitudes. Se você encarar as mudanças como positivas e interessantes, então sua vida ficará melhor e mais significativa que antes. Se, porém, você ficar ressentida com cada mudança provocada pela maternidade e resistir a elas, tanto você quanto o bebê (e provavelmente o seu marido também) vão passar por momentos muito difíceis.

VOLTAR OU NÃO AO TRABALHO

"Cada vez que converso com um amigo ou leio um artigo sobre o assunto, eu mudo de opinião a respeito de voltar ou não ao trabalho logo depois do nascimento do meu bebê."

Hoje, a mulher grávida que trabalha fora tem muito por esperar: toda a satisfação de uma carreira realizada, toda a alegria de formar uma família — e toda a culpa, ansiedade e dúvida inerentes à decisão de qual delas é prioritária em sua vida depois do parto.

Ainda que essa pareça ser uma decisão que você deva tomar já, não é exatamente assim. Decidir durante a gravidez se você vai ficar em casa ou retornar ao trabalho (e em que momento) depois que o bebê nascer é o mesmo que decidir entre um trabalho com o qual você está familiarizada e um trabalho totalmente desconhecido. Em vez disso, admitindo que você dispõe da opção, não decida nada, antes de ficar algum tempo em casa com o bebê. Você talvez conclua que nada do que fez até hoje — inclusive o seu emprego — lhe deu tanta satisfação quanto cuidar do seu filho, e talvez adie indefinidamente a volta ao trabalho. Ou também por mais querido e encantador que seja o bebê, você poderá se sentir subindo pelas paredes depois de um mês, e talvez queira voltar o mais rápido possível àquela vida das 9 às 17. Ou você poderá chegar à conclusão de que nem ser mãe em tempo integral nem trabalhar em tempo integral a satisfazem, e que gostaria de aliar o melhor das duas coisas — com um trabalho de meio período, se tiver a sorte de encontrá-lo ou for esperta a ponto de criá-lo. (Veja na página 674 alguns conselhos sobre como se decidir quando o bebê já tiver entrado em cena.)

AS FÉRIAS DO PAI

"Meu marido quer usar seu período de férias assim que o bebê nascer. Isso significa que não teremos outras férias neste ano. Será que faz sentido?"

Algum dia — esperamos que esteja bem próximo — essa pergunta não mais precisará ser feita pelos casais que estão esperando um filho. Pais e mães ganharão licença automaticamente a partir do nascimento do seu bebê — exatamente como já acontece em muitos outros países desenvolvidos.

Mas, como esse grande dia ainda não raiou nos Estados Unidos, o futuro pai que prefira ficar em casa com o nascimento do bebê terá de abrir mão de suas férias ou de parte delas. Trata-se, sem dúvida, de uma questão de escolha e circunstância. Ainda que trocar fraldas ou lavar roupa não se pareça com férias, para alguns pais desfrutar esses primeiros dias com a família pode ser mais divertido que o carnaval, provocar mais estupefação e inspiração que uma paisagem grandiosa, e muito mais recordações que uma viagem de volta ao mundo. Se o seu marido é um desses, faça todo o possível para que ele entre em férias assim que o bebê nascer. Certifique-se, porém, de que ele sabe lidar bem com a mecânica básica de uma casa: lavar roupas, fazer comidas simples, passar o aspirador de pó etc. (Claro que muitos maridos são tão ou mais eficientes que a esposa nesses afazeres.)

Por outro lado, se você já garantiu mais ajuda que o necessário (vovó está chegando, uma irmã vai ficar por duas semanas e/ou uma babá acabou de ser contratada) e o futuro pai se sentiria sem serventia alguma durante o dia e teria à noite oportunidade de conhecer sua nova função, então talvez seja mais sensato reservar a tal licença para umas férias de verdade com a família.

Todavia, não peça a todo mundo que venha ajudá-la, caso você e seu marido prefiram realmente fazer tudo sozinhos. Essa é uma maneira maravilhosa de a mãe, o pai e o bebê se tornarem uma família.

OS AVÓS

"Minha mãe está de malas prontas e pretende vir para cá assim que o bebê nascer, para 'me dar uma mão'. Isso me deixa irritada, pois minha mãe tende a assumir o controle de tudo, mas ao mesmo tempo eu não quero magoá-la, dizendo-lhe que não venha."

Carinhoso e afetuoso, distante e frio, ou instável entre um e outro, o relacionamento entre uma mulher e sua mãe (ou sua sogra) é um dos mais complicados de sua vida. Fica ainda mais complicado quando a filha se torna mãe e a mãe se torna avó. Ainda que nas próximas décadas possam surgir centenas de situações referentes à atuação de pais e avós nas quais os seus desejos se confrontarão com os de seus pais, essa é a situação que provavelmente criará o precedente para todas as que ainda estão por vir.

Você e seu marido é que devem decidir quem estará por perto para ajudar quando o bebê nascer. Se vocês preferirem passar as primeiras semanas sozinhos com o bebê, explique à sua mãe (e também à sua sogra, se for preciso) que você e o seu marido querem conhecer melhor o bebê e se acostumar a ele antes de começarem a receber hóspedes. Diga-lhe que vocês querem muito que ela venha visitá-los quando o bebê já tiver algumas semanas, lembrando-lhe também que o bebê estará então mais participativo, interessante e acordado, afinal de contas. Ela pode sentir-se rejeitada temporariamente, mas, assim que pegar o neto no colo, a mágoa sem dúvida se desvanecerá, e o episódio será esquecido. O que não vai ser esquecido é que você e o seu marido são as pessoas que tomam as decisões a respeito do bebê, um preceito importante que deve ficar claro logo de início para os avós e os sogros. Como diz um velho provérbio, "se Deus pretendesse que os mais velhos criassem bebês, Ele não teria inventado a menopausa".

É claro que alguns pais acolhem com prazer a experiência e a ajuda que vêm junto com a avó na visita depois do parto, sobretudo quando não acompanhadas por uma atitude despótica e dominadora. Assim como as que sentem a necessidade de dizer, "Mamãe, prefiro fazer sozinha" não devem sentir-se atormentadas pelo sentimento de culpa, aquelas que sentem que precisam de ajuda não devem ter escrúpulos de dizer "Prefiro não fazer sozinha".

A experiência que os avós trazem consigo é insubstituível. Ache você, ou não, que os seus pais (ou os do seu marido) foram irrepreensíveis ou apenas razoáveis na educação que lhes deram, sempre haverá alguma coisa para aprender a partir da experiência deles — ainda que seja somente o que não fazer. Não há razão em reinventar a roda — ou os cuidados com uma criança — a cada geração.

Sem dúvida, o fato de você ser receptiva a sugestões vai colocá-la às vezes (ou quase sempre) na situação de precisar discordar. Isso não deve impedi-la de conversar com a sua mãe (ou a do seu marido) sobre os preparativos para a chegada do bebê e os cuidados com ele mais tarde. Quando você nasceu, ela talvez tenha entrado em atrito com a própria mãe (ou sogra) — e você pode lembrá-la disso sempre que ela se aborrecer com as suas rejeições. O certo nos cuidados com os bebês, como em tudo, muda de geração para geração, e vocês devem manter o senso de humor a esse respeito. (Vocês vão precisar dele novamente quando, daqui a vinte ou trinta anos, o seu recém-nascido tornar-se pai ou mãe e chamá-los de antiquados.)

Se você discordar da avó numa determinada questão — mamadeira versus amamentação, por exemplo —, esclareça o seu ponto de vista. Pode ser que ela concorde com você ou, pelo menos, entenda os motivos que a levam a pensar assim. Mesmo que isto não aconteça, o relacionamento será melhor se você for franca e contar o que sente, em vez de guardá-lo só para si.

E não se esqueça: se ser mãe e pai é uma responsabilidade, ser avô e avó é uma recompensa — a qual, algum dia, você também vai querer desfrutar. Tenha cuidado em não privar seus pais da deles.

A FALTA DE AVÓS

"Os pais do meu marido já morreram. Os meus são muito velhos e moram em outro Estado. Às vezes sinto falta de uma família para conversar sobre a minha gravidez e o bebê. Acho que vai ser ainda pior quando ele nascer."

Você não é a única a sentir-se sozinha. Se, em gerações passadas, a família raramente vivia separada por mais de alguns bairros, hoje, na sociedade dinâmica em que vivemos, milhões de casais moram longe dos pais e do resto da família. A separação nunca é sentida tão profundamente como no momento em que uma nova geração surge.

Uma coisa que ajuda — além do telefone — é encontrar substitutos para os membros da família que morem longe ou morreram. As igrejas e as sinagogas, sobretudo as que têm um forte senso comunitário, são uma boa fonte de apoio. O mesmo acontece com os grupos de pais, que às vezes nascem dos cursos de educação infantil ou aulas de ginástica, ou desenvolvem-se espontaneamente a partir de relacionamentos eventuais. Há também idosos que sentem vontade de ser avós, como vocês. Vocês podem encontrá-los nas reuniões de terceira idade e depois poderão "adotar-se" mutuamente. Visitá-los e passear com eles talvez faça vocês e o bebê se sentirem em família, e o idoso ou casal de idosos sentir que são úteis.

Se você estiver preocupada com a falta de uma avó experiente ao voltar do hospital para casa, pense em contratar uma babá.

COGITANDO UMA BABÁ

"Alguns dos meus amigos contrataram uma babá quando o bebê nasceu. Será que devo fazer o mesmo?"

Durante muitos anos, as babás foram uma idéia fixa da classe alta. A mãe que pudesse contratar uma jamais pensaria em prescindir desse tipo de ajuda. Hoje, até mesmo a realeza está trocando fraldas e cuidando da alimentação dos bebês (ainda que as babás continuem sendo contratadas para cuidar de outras coisas), e muitas mães inexperientes que têm condições financeiras de contratar uma babá nem pensam em fazê-lo.

Se você acha que tem dinheiro suficiente para contratar uma babá, é preciso levar em conta vários fatores antes de decidir-se pela contratação. Eis aqui alguns dos motivos para você contratar uma:

- Aprender na prática como cuidar do bebê. Se você não tem experiência, não participou de cursos e prefere não aprender com os erros que comete ao lidar com o bebê, uma boa babá terá condições de ensinar-lhe o básico, como dar banho no bebê, fazê-lo arrotar, trocar-lhe as fraldas e até mesmo amamentá-lo. Contudo, se for esse o motivo pelo qual pretende contratar uma babá, certifique-se de que a pessoa contratada esteja tão interessada em ensinar quanto você em aprender. Algumas não toleram mães novatas espiando por cima de seus ombros; quando resolver ir embora, uma dessas babás autoritárias poderá deixá-la tão inexperiente e insegura quanto no dia em que ela chegou.

▪ Não ter de levantar no meio da noite para alimentar o bebê. Se você está dando mamadeira e prefere dormir a noite toda, pelo menos nas primeiras semanas de cansaço pós-parto, uma babá que fique o dia inteiro (ou só durante a noite) pode assumir essa responsabilidade. (Essa tarefa também pode ficar a cargo de um pai prestativo, ou de um dos avós.)

▪ Passar mais tempo com um filho mais crescido. Algumas mulheres contratam uma babá para que possam ficar à disposição dos filhos mais velhos e assim diminuir a ciumeira que a chegada de um bebê sempre provoca. Portanto, uma babá poderia ser contratada para trabalhar apenas durante as horas que você pretende ficar com seus outros filhos. Contudo, se esse for o principal motivo para contratar uma babá, não se esqueça de que provavelmente a presença dela só servirá para adiar a ciumeira. Quando a babá for embora e a mãe precisar dar atenção ao bebê, os filhos mais velhos poderão se abalar ao confrontar a realidade. Veja na página 689 outras maneiras de lidar com essa questão dos irmãos.

▪ Ter a oportunidade de recuperar-se de uma cesariana ou de um parto normal difícil. Como é impossível saber de antemão se você vai passar por uma situação difícil, não é má idéia começar desde já a procurar uma boa babá. Se você tiver indicação de alguma babá, ou se pelo menos já entrou em contato com alguma agência, você poderá telefonar logo depois do parto e conseguir uma auxiliar antes de voltar para casa.

Uma babá pode não ser a melhor solução se:

▪ Você estiver amamentando. Já que uma babá não pode dar de mamar ao bebê (a menos que se trate de uma ama-de-leite) e a alimentação é uma das tarefas mais demoradas nos cuidados com um recém-nascido, talvez ela não tenha muita utilidade. Para a mãe que amamenta, a ajuda nos afazeres domésticos — alguém que cozinhe, limpe, faça compras e lave a roupa — talvez seja um investimento mais sensato, a menos que você encontre uma babá que faça o serviço da casa e também a auxilie na amamentação.

▪ Você não gosta de ter estranhos morando em sua casa. Se você fica incomodada com a idéia de ter uma pessoa que não pertence à família usando o seu banheiro, a sua cozinha e a sua mesa 24 horas por dia, contrate uma babá para algumas horas, ou escolha um dos outros tipos de ajuda descritos abaixo.

▪ Você prefere fazer as coisas sozinha. Se você quer dar o primeiro banho, presenciar o primeiro sorriso (ainda que digam que seja apenas um arroto) e acalmar o seu bebê em seu primeiro acesso de choro (mesmo que ele aconteça às 2 da madrugada), não contrate uma babá, mas uma empregada que a deixe com mais tempo livre para se divertir com o bebê.

▪ Você quer que o pai a ajude. Se você e o seu marido pretendem cuidar do bebê, uma babá pode ser um estorvo. Mesmo que ela esteja disposta a reconhecer alguns direitos da mãe, pode ser que só consiga imaginar o pai com um charuto na mão. E talvez queira que as coisas continuem exatamente assim. Se ela tiver a intenção de dividir tarefas com vocês, ficará sem muito o que fazer — a não ser receber o pagamento no fim do mês, quantia que talvez fosse mais bem empregada com uma faxineira.

Se você resolver que quer mesmo uma babá, a melhor maneira de encontrar uma é pedindo referências a amigos que já utilizaram esse tipo de serviço. Verifique se a babá em questão tem as qualificações e as qualidades que você espera. Algumas cozinham, outras não. Algumas fazem pequenos serviços domésticos, outras não. Algumas são mulheres delicadas e maternais que vão nutrir o seu senso maternal inato e deixá-la mais confiante; outras são mandonas, frias e superprotetoras, e vão deixá-la sentindo-se deslocada. Algumas são enfermeiras formadas; outras se qualificaram especificamente no atendimento tanto de mães quanto de bebês, no relacionamento entre mães e filhos, em técnicas de amamentação e nos cuidados básicos com crianças. Uma entrevista pessoal é extremamente importante, já que é a única maneira de você saber se vai ou não sentir-se bem com determinada pessoa. Boas referências são imprescindíveis — e não se esqueça de verificá-las. A babá contratada de uma agência deve ter vínculos empregatícios com ela. Também é importante que a babá — ou qualquer outra pessoa contratada que entre em contato com o bebê — comprove com exames que não é doente.

OUTRAS FONTES DE AJUDA

"Sem o meu salário, não podemos arcar com as despesas de uma babá. Como eu talvez vá fazer uma cesariana — meu bebê está na posição errada — fico pensando se vou conseguir passar sem ajuda."

O fato de não estar em condições de pagar uma babá — ou não querer contratar uma — não significa que você vai ter de enfrentar tudo sozinha. Na verdade, a maior parte das mulheres conta com outras fontes de ajuda, das quais pelo menos uma está ao seu alcance:

O pai. Se o seu marido puder dar um jeito no trabalho, de modo a ficar uma semana ou um pouco mais com vocês, talvez ele seja o seu melhor ajudante. Juntos, e sem ajuda ou interferência externa, vocês aprenderão mais sobre o bebê e os cuidados com ele do que de qualquer outra maneira. Não é preciso ter experiência anterior; vocês aprenderão rapidamente. Se o seu hospital estiver dando um curso sobre como lidar com bebês, façam-no, e leiam um ou dois livros sobre bebês antes que o seu nasça, para aprenderem algumas coisas básicas de antemão — e sintam-se à vontade de recorrer à família, aos amigos, ao médico do bebê, à pediatria do hospital e a outras fontes de informações e conselhos para solucionar suas dúvidas.

A avó. Se não lhe desagrada sua mãe ou sua sogra morar com vocês ou aparecer algumas vezes nas primeiras semanas, talvez essa seja outra solução satisfatória. As avós têm no mínimo mil e uma utilidades: sabem acalentar um bebê que chora sem parar, preparar um delicioso jantar, lavar roupa suja, ir ao supermercado e muitas, muitas outras coisas. Esse tipo de entendimento pode funcionar particularmente bem se você for complacente com algumas interferências bem-intencionadas. É claro que esta não será uma alternativa caso a avó em questão tenha uma vida muito ocupada e não esteja nem um pouco interessada em trocar fraldas.

O congelador. Você não poderá congelar o bebê quando estiver cansada, mas será fácil tirar pratos prontos do congelador, se você os preparar nas últimas semanas de gravidez, quando, se não estiver trabalhando, é provável que terá um tempo enorme à sua disposição. Algumas refeições de forno, frangos pré-assados prontos para reaquecer, ou um molho para massas vão diminuir a aflição de ter de alimentar o resto da família diariamente — e assim você poderá concentrar-se mais na alimentação do bebê (a qual talvez venha a ser, no começo, um trabalho de tempo integral). Não hesite em congelar legumes também, eles exigem pouco tempo de preparo e continuam tão nutritivos como quando frescos.

Comida "para viagem". Mesmo que não haja tempo nem ocasião de preparar pratos com antecedência, você não precisará cozinhar naqueles dias movimentados que se sucedem ao parto. Praticamente todo lado há um ou mais estabelecimentos onde você pode comprar comida pronta para levar para casa: carne, frango, às vezes peixe e guarnições prontos para esquentar e comer — e, cada vez mais, saladas frescas que para saborear só se precisa de garfo e de apetite. Mas não compre *fast-foods* com freqüência, pois são pouco nutritivos e contêm muita gordura e sódio.[3]

E, claro, há as pizzarias (tente conseguir massa de trigo integral, mais nutritiva), os restaurantes chineses (se tiverem, peça arroz integral) e aqueles que vendem saladas (prefira as feitas na hora às já preparadas, que em geral contêm um excesso de molhos com alto teor de gordura, e evite os estabelecimentos que usam sulfitos).* Cereais frios, atum e salmão enlatado, ricota, queijo prato, iogurte, pão integral e frutas frescas vão ajudar a compor as suas refeições sem que você precise perder tempo no fogão e com preparativos.[4]

Descartáveis. Não importa se a refeição foi preparada na sua cozinha ou trazida de algum restaurante; no fim, há sempre louça para lavar — a menos que você use pratos de papel, travessas de plástico e copos descartáveis. Os descartáveis também são muito práticos para servir um lanche às visitas que chegaram para conhecer o bebê. (Restrinja essas visitas ao mínimo, se você quiser sobreviver ao período pós-parto.)

Ajuda na limpeza. Se existe um serviço do qual a maioria das mães de um recém-nascido abrem mão com prazer, é o da limpeza. Deixe-o para uma firma de limpeza, uma faxineira, para alguém que já trabalhou para você antes ou não — qualquer um que saiba usar um aspirador de pó, esfregar assoalho, lavar banheiros, de modo que você possa ter mais tempo e energia para se dedicar ao bebê, ao marido, a outros filhos e a você mesma. Esta é uma boa saída para a mãe que quer cuidar do bebê sozinha (ou com o marido), mas não quer ver escrito no seu prontuário médico "Ela tentou ser a Supermulher", assim que tiver de voltar ao hospital por total exaustão.

Lembre-se: mesmo que você contrate alguém para ajudá-la, e principalmente se não contratar ninguém, sempre haverá nas primeiras semanas, coisas que ficam por fazer. Desde que você não deixe ninguém com fome e consiga repousar, não fique preocupada — e trate de acostumar-se. Ainda que alguma ordem acabe sendo restabelecida em sua casa, a vida com crianças sempre significará conviver com um pouco de bagunça.

CIRCUNCISÃO

"Eu pensava que atualmente a circuncisão fosse coisa rotineira, mas o futuro pediatra do bebê disse que ela não é necessária."

A circuncisão talvez seja o mais antigo procedimento médico praticado ainda hoje. Ainda que o mais antigo registro histórico dessa prática esteja no Velho Testamento, quando Abraão circuncidou Isaac, sua origem está em tempos ainda mais remotos, possivelmente antes dos artefatos de metal. Praticada por judeus e muçulmanos ao longo de quase toda a História como demonstração de compromisso com Deus, a circuncisão difundiu-se muito nos Estados Unidos no final do século XIX, quando surgiu a teoria de que a remoção do prepúcio

* Os sulfitos (sais e ésteres do ácido sulfuroso) são utilizados também como conservantes de alimentos. No Brasil, a indústria alimentícia os utiliza especialmente nos embutidos (lingüiça, salsicha), mas os restaurantes estão proibidos de usá-los. (N. do T.)

3. Muitas redes de lojas de *fast-food* já informam, se for pedido, qual o teor de nutrientes de seus pratos — use-as como referência. Em geral, dê preferência a saladas, carnes grelhadas, aves, peixes ou *pizzas*, e evite pães de farinha branca, frituras, pratos com gordura e sódio em excesso e doces muito açucarados.

4. Muitos alimentos prontos para comer, como atum e ricota, têm um teor muito alto de sódio; portanto, sempre que possível, escolha alimentos com pouco sódio.

tornaria o pênis menos sensível (o que não é verdade), tornando a masturbação menos tentadora (o que nunca aconteceu). Nos anos subseqüentes, surgiram muitas outras justificativas médicas para a prática rotineira da circuncisão, dentre elas, as de que poderia impedir ou curar epilepsia, sífilis, asma, loucura e a tuberculose — nenhuma delas tem fundamento.

O que a circuncisão realmente faz é reduzir o risco de infecções no pênis, mas uma boa higiene sob o prepúcio, que é retrátil, tem o mesmo efeito. A circuncisão também acaba com a possibilidade de fimose, situação em que o prepúcio se mantém rígido com o crescimento da criança, impedindo que, a pele possa ser puxada para trás, como na maioria dos meninos. A fimose pode ser extremamente dolorosa, e, em alguns casos, prejudica a ereção. Avalia-se que entre 5 e 10% dos homens não-circuncidados tenham de submeter-se ao desconforto da circuncisão pouco depois da infância, devido a problemas de infecção, fimose e outros.

Ainda assim, até recentemente a maior parte da comunidade médica adotava o ponto de vista de que não havia "indicações clínicas conclusivas" que justificassem expor um bebê a essa cirurgia, por pequena que seja. Em 1989, porém, depois de avaliar todas as informações disponíveis, o grupo de estudos da Academia Americana de Pediatria concluiu que há vantagens e benefícios clínicos nesse procedimento. A concessão foi baseada sobretudo em novos estudos, segundo os quais, em comparação com recém-nascidos circuncidados, os bebês não-circuncidados parecem correr um risco dez vezes maior de infecção do trato urinário, que podem ser graves a ponto de exigir hospitalização. Estudos que apontam para uma ligação com o câncer de pênis (talvez devido a uma elevada porcentagem de infecção com o vírus do papiloma humano) e com as doenças sexualmente transmissíveis, inclusive a AIDS, foram considerados menos decisivos.

A Academia Americana de Pediatria atualmente recomenda que os pais decidam a respeito da circuncisão juntamente com o médico do bebê, e levando em consideração os riscos e os benefícios clínicos, bem como os fatores estéticos, sociais, culturais e religiosos.

Atualmente, nos Estados Unidos, mais da metade dos meninos são circuncidados, bem abaixo dos mais de 80% registrados no início da década de 1980. Os motivos mais comuns dados pelos pais para optar pela circuncisão, além do "achar que deve ser feita", são:

- Rito religioso. Os preceitos religiosos de judeus e muçulmanos, derivados da Bíblia, exigem a circuncisão dos recém-nascidos.

- Higiene. Como é mais fácil conservar limpo um pênis circuncidado, a higiene se equipara à crença religiosa nos Estados Unidos como motivo para a circuncisão.

- A síndrome do vestiário. Os pais que não querem que os seus filhos se sintam diferentes dos amigos, dos seus pais e irmãos costumam optar pela circuncisão.

- Aparência. Alguns acham que a remoção do prepúcio vai dar melhor aparência ao filho.

- Saúde. O desejo de reduzir o risco de infecções, câncer ou outros problemas futuros (inclusive uma possível circuncisão) leva muitos pais a optarem imediatamente pela cirurgia.

Os motivos que levam mais pais a tomar uma decisão contrária à circuncisão são, entre outros:

- Falta de indicação clínica. Muitos questionam que sentido há em retirar uma parte do corpo do bebê sem um bom motivo.

- Medo de sangramento e infecção. Ainda que as complicações sejam muito raras, sobretudo quando a cirurgia é feita por um médico experiente ou por um circuncidador ritualístico com aprendizado clínico, muitos pais ficam apreensivos com essa possibilidade.

- Preocupação com a dor. Acredita-se que a circuncisão provoque alguma dor, ainda que de curta duração. (Por esse motivo, há médicos que usam anestesia local, ainda que muitos, menos experientes nessa técnica, não o façam).

- O desejo de que a criança fique igual ao seu pai não-circuncidado. Mais uma versão da obsessão tal pai — tal filho.

- Crença nos direitos da criança. Alguns pais preferem que seu filho, mais tarde, tome sua própria decisão a respeito.

- Permitir o máximo prazer sexual possível. Há os que ainda acreditam na maior sensibilidade do pênis não-circuncidado, ainda que não exista comprovação científica desse ponto de vista.

- Menos risco de irritação provocada pelas fraldas. Já se afirmou que o prepúcio talvez proteja o pênis contra erupções do contato com fraldas.

Os riscos da circuncisão são mínimos, mas podem ocorrer complicações. Para reduzir o risco, assegure-se de que o médico que vai fazer a cirurgia seja experiente, e, se se tratar de um circuncidador ritualístico, que tenha bom conhecimento e seja muito bem recomendado. Além disso, não permita que a cirurgia seja feita na sala de parto, mas somente quando o bebê já estiver mais estável, em geral depois de pelo menos 12 a 24 horas. E não permita que a cauterização seja feita com grampo metálico, que pode provocar queimaduras graves.

Se o dia do parto está chegando e vocês ainda não se decidiram sobre a circuncisão, leiam sobre o assunto no capítulo 4 e discutam-no com o médico que escolheram para o bebê — e, se possível, com amigos que tomaram esta ou aquela decisão.

QUE FRALDAS USAR

"A maioria das minhas amigas está usando fraldas descartáveis, e parece que realmente são melhores que as de pano. Mas será que são tão boas para o bebê?"

Desde Eva, as mulheres vêm-se deparando com o problema de como cobrir o traseiro do bebê. Segundo se diz, as mães americanas nativas mantinham os seus bebês tranqüilos e secos (assim como as próprias costas) revestindo a prancha em que os carregavam com a parte interna e macia da taboa.

Por sorte, você, que se torna mãe nas últimas décadas do século XX, não vai ter de perambular todos os dias pelos pântanos atrás das taboas mais macias e absorventes para acolchoar seu indiozinho. Mas terá de se decidir diante da fartura de coisas prontas para enrolar o seu bebê, desde vários tipos de fraldas de pano (para você lavar ou a mandar para uma lavanderia de fraldas) até uma infinidade de descartáveis.

A melhor para você e seu bebê pode ser diferente da que é melhor para a vizinha e o bebê dela. Os fatores pessoais vão ser de importância fundamental, pois, tanto científica quanto economicamente, o páreo das fraldas ainda não tem nenhum vencedor definitivo. Ao fazer a sua escolha, leve em conta algumas informações:

Fraldas descartáveis. A comodidade é a principal vantagem — nada de fraldas sujas para amontoar e mandar semanalmente para a lavanderia. As fraldas descartáveis também poupam tempo e esforço; é mais rápido e fácil pôr e tirá-las, e não precisam de alfinetes (uma vantagem muito importante se você tiver um bebê inquieto). Os tipos mais recentes são cada vez mais absorventes e, teoricamente, provocam menos assaduras; têm aparência melhor, vazam menos. Essas vantagens também contribuem para uma nítida desvantagem: como as fraldas descartáveis absorvem muito a urina e quase sempre "parecem" secas, ainda que estejam longe disso, os pais tendem a não trocar as fraldas com a freqüência necessária — e essa demora pode provocar irritações de pele. Além disso, a nova superlinhagem de fraldas é tão especial que deixa o bebê com uma sensação de conforto mesmo quando molhados, o que pode dificultar o aprendizado do uso do banheiro. Também no aspecto negativo encontra-se o efeito das descartáveis sobre o meio ambiente (não são biodegradáveis e vêm somar-se à profusão de detritos no nosso planeta), bem como a inconveniência de ser preciso comprá-las e carregá-las. Esta última desvantagem poderá ser evitada se uma loja especializada entregá-las em casa. Neste caso, costumam ser mais baratas — o que é muito bom — do que as que você compra em grandes lojas.

Fraldas de pano entregues em domicílio. Para as mães que relutam em envolver o traseiro do bebê em papel e plástico, as fraldas de algodão — macias, confortáveis, esterilizadas e talvez menos nocivas ao meio ambiente — são uma opção e tanto, sobretudo quando entregues semanalmente em casa. Alguns estudos (as lojas de fraldas adoram citá-los) apontam para uma menor incidência de assaduras com esse tipo de fralda; outros (citados pelos fabricantes de fraldas descartáveis) dizem que as descartáveis superabsorventes é que propiciam menos assaduras. Se as fraldas de pano continuarem a ser usadas até a fase em que a criança começa a andar (poucos pais fazem isso), talvez fique mais fácil ensiná-la a usar o banheiro, pois o contato direto entre uma fralda de pano molhada e a pele deixa a criança mais incomodada e mais consciente de ter urinado.

Há desvantagens, porém. As calças plásticas passam a ser necessárias para que não se tenha de trocar o bebê, a roupa de cama e, muitas vezes, também as da mãe, toda vez que a criança molhar-se. Essas calças aumentam os riscos de dermatite, pois o ar não entra e a umidade fica retida, ainda que as sobrefraldas e os protetores de algodão ou de lã (às vezes com forro de tecido com furinhos e/ou enchimento de espuma absorvente) possam reduzir ou mesmo eliminar esse problema. Devido à chateação dos alfinetes (a menos que sejam usadas fraldas de pano com elástico ou com fechos de Velcro) e das calças plásticas, a troca das fraldas de pano é mais complicada, principalmente quando o bebê vai ficando mais ágil. Como a absorção é menor, geralmente costumam ser necessárias duas fraldas à noite, e, para bebês que urinam muito, também durante o dia. E há ainda por cima as sacolas plásticas com fraldas sujas para levar para casa no fim dos passeios, além do onipresente cesto de fraldas sujas, que nunca é à prova de mau cheiro.

Fraldas de pano lavadas em casa. Estas talvez sejam as grandes derrotadas diante das outras duas opções. Como não podem ser devidamente higienizadas, as fraldas lavadas em casa tendem a provocar mais assaduras, de acordo com alguns estudos. A isto soma-se o fato de que, como acontece com outras fraldas de pano, elas são quase sempre usadas com calças impermeáveis, que estimulam ainda mais as irritações nessa parte do corpo. Ainda que, como as outras fraldas de pano, elas sejam menos nocivas ao meio ambiente do que as descartáveis, também apresentam muitas das mesmas desvantagens. E, embora pareçam ser bem menos caras do que os outros tipos de fraldas, se levarmos em conta o preço do sabão, da água e da energia elétrica, acabamos concluindo que essa diferença de custo é mínima. Além do mais, exigem um dispêndio muito maior de tempo e esforço — colocá-las de molho, lavá-las, secá-las e passá-las.

Alguns pais resolvem usar fraldas de pano nos primeiros meses, durante os quais o bebê costuma ficar mais tempo em casa do que fora, e depois passam para as descartáveis. Em geral, porém, desde o início utilizam as descartáveis em passeios e às vezes à noite (sua maior absorvência mantém o bebê confortável por mais tempo, o que pode garantir uma noite melhor de sono).

Seja qual for o tipo de fralda pelo qual você opte agora, você poderá constatar que seu bebê só terá erupções cutâneas freqüentes mais tarde. Isto pode significar uma sensibilidade dele ao tipo de fralda que você escolheu. Se o problema ocorrer, não fique insistindo — mude para outro tipo. Passe das fraldas de pano para as descartáveis, ou vice-versa, ou experimente uma marca nova. Veja na página 204 as dicas para tratar as erupções cutâneas.

PARAR DE FUMAR

"A não ser nos primeiros meses de gravidez, quando eu não podia fumar porque me dava enjôo, nunca consegui parar de fumar — nem o meu marido. Até que ponto fumar perto do bebê pode prejudicá-lo?"

Vocês podem comprar o que for numa loja de enxovais ou de brinquedos, ou aplicar o dinheiro em algum tipo de fundo, que nada vai equiparar-se a este presente que vocês podem dar ao bebê: permitir que ele cresça num ambiente livre do fumo. O hábito de fumar tem sido relacionado ao aumento crescente das doenças respiratórias (resfriados, gripes, bronquites, asma) e infecções no ouvido durante o primeiro ano de vida, e prejudica o funcionamento e a capacidade pulmonar. Os filhos de fumantes não só ficam mais doentes do que os filhos de não-fumantes, como suas doenças costumam durar mais tempo. Eles também têm tendência maior a hospitalizações nos três primeiros anos de vida. Quanto mais fumantes houver na casa, mais graves serão os efeitos negativos, visto que o nível de cotinina (um derivado do metabolismo da nicotina) no sangue está diretamente ligado ao número de fumantes com os quais a criança convive.

É maior também a probabilidade de pais fumantes terem bebês com cólicas (para os que ainda não sabem, um bebê com cólicas chora muito, em geral inconsolavelmente, por pelo menos duas ou três horas por dia), apesar de as razões disso não serem claras.

A conseqüência mais grave talvez seja o fato de os filhos de fumantes terem propensão a tornar-se fumantes mais do que jovens cujos pais não fumam. Portanto, parar de fumar antes do parto pode não só fazer seu filho ser mais saudável na infância como também, por se reduzir a probabilidade de ele se tornar fumante mais tarde, fazê-lo viver muito mais tempo.

Se você não conseguiu parar de fumar até agora, é evidente que não vai ser fácil. Como aconteceria se você fosse dependente de qualquer droga, o seu corpo e seu cérebro vão aliar-se contra a sua vontade. Mas, se estiver decidida a lutar — para o seu bem e o do bebê —, você poderá triunfar sobre ambos. E a melhor ocasião para fazer isso é agora, antes que o bebê nasça. Parando de fumar antes do parto, haverá mais oxigênio para o bebê durante o nascimento; ao ir da maternidade para casa, o recém-nascido poderá respirar ar puro e, se você o estiver amamentando, o seu leite não terá nicotina. Se você ainda está nos primeiros meses de gravidez, parar de fumar agora também vai diminuir o risco de parto prematuro e de ter um bebê com peso abaixo do normal.

Há muitas maneiras de largar o hábito de fumar. Algumas são totalmente inadequadas para a mulher grávida (goma de mascar com nicotina, por exemplo). As ideais são as que se destinam especificamente às grávidas. A Associação Brasileira de Medicina pode ajudá-la com maiores informações.

UM NOME PARA O BEBÊ

"Sempre detestei meu nome. Como posso ter a certeza de que o nosso filho também não vai gostar do nome que lhe dermos?"

O que é um nome? Para um recém-nascido, não muita coisa. Alimente-o, vista-o, seja carinhosa e brinque com ele, e poderá chamá-lo de qualquer nome — ele não vai estar nem aí. No entanto, quando vocês e o resto da família começarem a ser superados, enquanto centro da existência da criança, pelos amigos e pelo mundo exterior, o que em geral acontece já nos primeiros anos de escola, pode surgir antipatia pelo nome que vocês escolheram. Ainda que não se possa ter a certeza de que o bebê vai adorar o seu nome por toda a vida, uma escolha cuidadosa e sensata vai reduzir a possibilidade de o nome se tornar problema.

- Certifique-se de que você e o seu marido gostam do nome — como ele soa, o que lhes evoca, quais as suas conotações. Perguntem a vocês mesmos: "Eu gostaria que fosse esse o meu nome?"
- Escolham um nome significativo — dêem ao seu bebê o nome de um familiar querido, de um personagem histórico ou bíblico reverenciado, de um personagem literário, ou ligado a um acontecimento importante. Um nome desses dará à criança a sensação de "integração", de ser membro de uma família ou do mundo em geral.
- Escolham um nome apropriado, que pareça perfeito para o seu bebê. Melanie, por exemplo, que significa "preto" ou "escuro", pode ser o ideal para um belo bebê moreno; Dustin, que significa "lutador", talvez fosse o ideal para um garoto que tivesse sobrevivido a um parto difícil. O nome escolhido também pode simbolizar uma qualidade que você deseja para ele ou ela, como Graça ou Constância, ou Isaac, que significa "ele rirá"; ou, ainda, um nome que reflita os seus sentimentos sobre o nascimento do bebê: Felicidade, por exemplo, ou Ian, "graciosa dádiva de Deus". Um nome desses pode fazer com que a criança se sinta muito especial — mas quase sempre a escolha terá de ser feita quando o bebê nascer.
- Como vai soar o nome para os outros? Será que há outros possíveis significados ocultos ou palavras de som semelhante que um dia possam tornar o nome constrangedor para seu filho? Confira as iniciais; elas soam de um jeito que possa transformá-lo em objeto de gracejos ou provocações? O nome Anne Sue Smith,* por exemplo, pode transformar-se em fonte de angústia para a sua filha. E os possíveis apelidos? Poderiam ser o estopim de zombarias de outras crianças? Se você escolher um nome muito étnico, ele não será ridicularizado no local em que a criança viverá? (Se você optar por um nome étnico incomum, certifique-se de que ele tenha um equivalente agradável no idioma, para o caso de a criança querer mudá-lo mais tarde.)
- Dê um nome duplo, para que seu filho possa optar, se não vier a gostar de um deles!
- Escolha um nome fácil de pronunciar e de escrever. Um nome muito difícil, desses que os professores vivem pronunciando erradamente ou que ninguém sabe escrever, só vai trazer aborrecimentos para seu filho.
- Evite nomes muito em moda ou da política. Não carimbe a criança com o nome mais famoso do ano, tirado de uma estrela do cinema ou da TV ou de algum político que esteja nas capas de todas as revistas; quando o famoso homônimo for apenas uma vaga lembrança ou coisa ainda pior, o nome pode ficar antiquado ou colocar seu filho numa situação constrangedora.
- Use um nome de verdade, não um diminutivo (Ricardo, e não Ric, Elisabete, e não Liz). O diminutivo pode ser usado na infância, mas a criança terá a opção de passar a usar o nome em sua forma mais "digna" quando entrar na vida adulta.
- Se você não quer que o seu filho seja um dos seis Fábios ou uma das seis Vanessas da classe, evite escolher nomes que dão ibope no ano. Revistas e jornais publicam às vezes um artigo sobre nomes populares; portanto, tente obtê-los, ou procure numa biblioteca. Para descobrir quais são os nomes mais populares, leia os anúncios de nascimentos ou faça alguns passeios em parques e praças, atenta aos nomes pelos quais as mães chamam seus rebentos.

---

* As iniciais formam a palavra *ass*, que em inglês significa "asno", "burro", além de "bunda", "nádegas" etc. (N. do T.)

■ Leve em conta as opiniões da família, mas não permita que elas prevaleçam. Se há um nome de alguém da família que não lhe soa bem, mas que os outros querem perpetuar por tradição ou afeto, tente colocá-lo como segundo nome, altere-o para que soe melhor, escolha outra forma do mesmo nome (quase todos têm variações), ou escolha um nome que tenha o mesmo significado. Um bom livro sobre nomes de bebês poderá ser muito útil. E não se esqueça: seja qual for o nome escolhido, os seus pais e avós vão adorar a criança — mesmo que tenham detestado o nome.

■ Veja se o nome ou os nomes soam bem com o sobrenome, e entre si. Uma boa regra geral: um sobrenome curto vai bem com um nome comprido (Susannah Jones), e vice-versa (James Janofsky), enquanto os nomes de duas sílabas quase sempre complementam os sobrenomes do mesmo tamanho.

PREPARANDO O ANIMAL DE ESTIMAÇÃO

"Nosso cachorro morre de ciúmes de mim — sempre tenta ficar entre meu marido e mim quando nos abraçamos. Estou preocupada com a reação dele quando o bebê chegar."

Para um cachorro que sempre foi tratado como um bebê, é difícil dar a volta por cima e assumir o papel de cachorro quando o bebê verdadeiro entra em cena. Mas é isso mesmo o que ele tem de fazer quando o lugar dele no coração dos pais — e talvez na cama — for tomado por aquele minúsculo mas ameaçador ser humano que você vai trazer para casa. Ainda que no início seja impossível evitar que o animal fique triste pelos cantos, você vai querer fazer o impossível para evitar o ciúme excessivo, e, claro, reações agressivas. Comece já.

■ Coloque seu cachorro num curso de treinamento e obediência — mesmo que nunca lhe tenha passado pela cabeça que isso fosse necessário. Vivacidade e alegria não costumam ser problema numa casa sem crianças, mas podem vir a ser onde há um recém-nascido. Principalmente por não se poder controlar ou prever o comportamento do bebê, o do cachorro precisa ser. Ensiná-lo a obedecer não vai acabar com a alegria do seu bichinho, mas ele ficará mais controlável e, portanto, haverá uma probabilidade muito menor de que venha a machucar o bebê.

■ Acostume o seu cachorro ao convívio com crianças desde já. Convide amigos que têm bebês para virem à sua casa, ou — com os devidos cuidados e a permissão dos pais — deixe-o farejar um bebê no parque ou ser acariciado por uma criança que começa a andar, para que se familiarize com eles.

■ Acostume o seu cachorro a conviver com um bebê em casa. Para treiná-lo, use uma boneca do tamanho de um bebê (também vai ser ótimo para você treinar). Ponha fraldas na boneca, pegue-a no colo, cante para ela, embale-a como se fosse fazê-la dormir; "dê-lhe de mamar", ponha-a no berço, leve-a para um passeio no carrinho de bebê (se você não se importar com o olhar dos vizinhos). De vez em quando, toque uma fita com um bebê chorando.

■ Acostume seu cachorro a dormir sozinho, se é assim que vai ser quando o bebê chegar. Dessa maneira, a mudança não vai ser um choque para o cachorro. Faça uma cama confortável para ele num canto da casa — com um travesseiro e um cobertor para lhe fazer companhia. Tudo que você puser na nova cama do cachorro precisa ser lavável, pois, assim que o bebê, começar a engatinhar, é provável que você vá encontrá-lo muitas vezes rolando pelo espaço do cachorro.

■ Leve seu cachorro ao veterinário para um exame completo. Certifique-se de que as vacinas anti-rábicas estão em dia e de que ele não tem pulgas nem carrapatos (mas não use uma coleira antipulgas, a menos que tenha a certeza de que ela não contém substâncias químicas venenosas para os bebês, nem pulverize veneno contra pulgas, durante a gravidez e depois dela). Certifique-se também de que o seu cachorro não tem nenhum tipo de verme.

▪ Se houver cachorrinhos novos em casa, acabe com seus vermes o mais breve possível. Os vermes, que são excretados com as fezes (e permanecem no solo muitos anos), podem causar doenças graves em bebês e crianças em geral.

▪ Se o seu bebê vai ter um quarto só dele, ensine o cachorro a não entrar lá quando você estiver ausente. Um portãozinho impedindo a passagem vai ser útil para desestimular visitas inesperadas. Se o berço do bebê vai ficar no quarto do casal ou noutro canto, ensine o cachorro a não se deitar embaixo, pois, ao levantar-se, ele poderá destravar a grade lateral.

▪ Se o lugar onde o seu cachorro come for de fácil acesso ao bebê assim que ele começar a engatinhar, transfira-o para o porão, para a garagem ou outro local que não atraia curiosidade do engatinhador — já que até mesmo um cachorro muito dócil pode virar uma fera quando sentir que sua comida está ameaçada. Se vocês moram num apartamento pequeno, ensine o cachorro a comer tarde da noite e retire o prato durante o dia. Não deixe a comida à vista nem quando o cachorro estiver fora de casa, pois essas rações não são apetitosas somente para cães — muitos bebês também as adoram. E use um recipiente sem cabo, a menos que você adore enxugar o chão muitas vezes.

▪ Depois do parto, mas enquanto você ainda estiver na maternidade, peça a seu marido que leve para casa uma peça de roupa que o bebê tenha usado, para que o seu cachorro se habitue ao cheiro do bebê. Ao voltar para casa, faça o seu marido segurar o bebê enquanto você faz festa para o cachorro. Depois, para satisfazer-lhe a curiosidade, deixe-o cheirar o bebê, que deve estar bem enrolado com roupas, com você protegendo-lhe o rosto e a cabeça. Assim que a criança estiver aconchegada no berço, dê uma refeição especial para o cachorro e passe um tempo só com ele.

▪ Seja atenciosa com seu bebê, sem dúvida, mas não assuma ares de superproteção cada vez que o cachorro se aproxima. Isto só o deixaria mais ciumento e inseguro. Em vez disso, a exemplo do que você faria com um filho mais velho (ainda que de um jeito diferente, é claro), tente aproximar do bebê o seu animal de estimação, deixando claro que ele ainda é querido na família. Acaricie o cachorro enquanto dá de mamar ao bebê, leve-o em seus passeios com o bebê no carrinho, deixe que ele fique no quarto da criança enquanto você também estiver lá. Tente passar pelo menos cinco minutos por dia só com o seu bicho de estimação. Mas, ao mínimo sinal de agressividade para com o bebê, repreenda-o imediatamente.

▪ Se, apesar do seu empenho em preparar e tranqüilizar o animal, ele mostrar-se hostil com o novo habitante da casa, amarre-o longe do bebê até ter certeza de que ele já o aceitou. O fato de um cachorro nunca ter mordido alguém antes não significa que ele não seja capaz de fazê-lo ao sentir-se coagido. Se prendê-lo só lhe aumenta a agressividade, talvez seja preciso achar outra casa. (No caso dos machos, a castração pode reduzir a agressividade.)

"Estou preocupada com a possibilidade de o nosso gato, que sempre dormiu conosco, ficar com ciúmes do bebê."

Até mesmo os gatos muitos mansos podem mudar de comportamento quando aparece um bebê. E, como os gatos são tão capazes quanto os cães de machucar um recém-nascido, com as garras e com os dentes, é importante ter a certeza de que eles estão prontos para o aumento da família. A maioria das sugestões para predispor os cachorros pode funcionar também para os gatos. Tenha o cuidado especial de demonstrar ao seu gato, dando-lhe muita atenção, que ele ainda é um dos encantos da família. E, como os gatos geralmente adoram aconchegar-se ao lado de um corpo quente e conseguem subir rapidamente num berço, prenda firme sobre o berço um cortinado, para não deixar o gato dividir a cama com o bebê — um gesto amigável que pode terminar em tragédia.

O PREPARO DOS SEIOS PARA A AMAMENTAÇÃO

"Uma de minhas amigas insiste em que eu devo fortalecer os meus mamilos com massagens, preparando-os para a amamentação. É uma boa idéia?"

Os mamilos da mulher destinam-se à amamentação e, com poucas exceções, já vêm ao mundo plenamente habilitados para essa função, sem a necessidade de preparação preliminar. Na verdade, em alguns casos os procedimentos recomendados para prepará-los para a amamentação acabam fazendo mais mal do que bem. Por exemplo: a aplicação de álcool, ou tintura de benjoin, pode ressecar os mamilos, tornando-os mais, e não menos, sujeitos a rachaduras; até mesmo o sabonete pode ter o mesmo efeito, e deve-se evitar passá-lo nos mamilos no último trimestre da gravidez e durante a própria lactação. O uso de uma escova nos mamilos também vai ser contraproducente, por irritar os tecidos e torná-los mais propensos a fissuras sob a pressão da sucção.

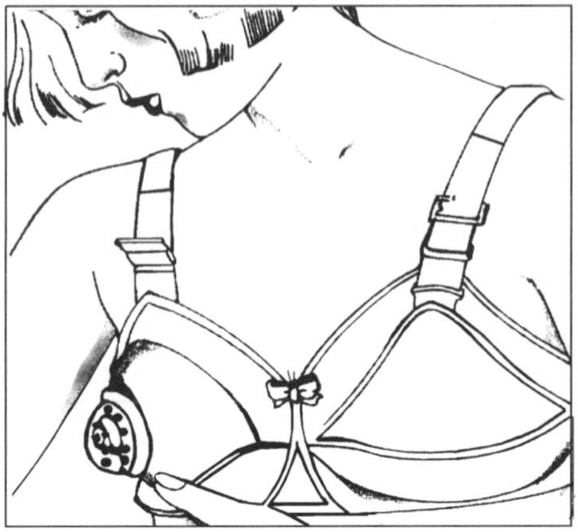

Os protetores para seios são dispositivos ventilados de plástico que podem ser encontrados nas lojas para gestantes e em farmácias.*

No entanto, ainda que a maioria dos mamilos não precise de nenhum preparo para a amamentação, muitas mulheres sentem-se mais confiantes fazendo alguma coisa que lhes aumente as probabilidades de ser bem-sucedidas ao amamentar. Se você acha que seria bom fazer algo construtivo, peça a seu obstetra que lhe examine os seios, para descobrir se possuem características anatômicas capazes de prejudicar a amamentação, como mamilos invertidos ou tecido glandular pouco desenvolvido. Pergunte-lhe se não seria uma boa idéia

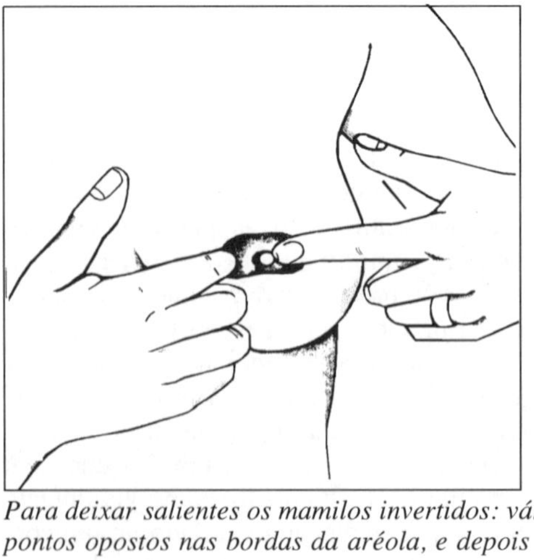

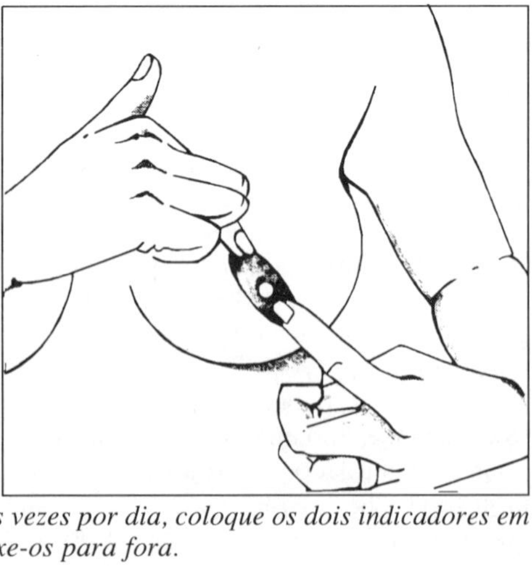

Para deixar salientes os mamilos invertidos: várias vezes por dia, coloque os dois indicadores em pontos opostos nas bordas da aréola, e depois puxe-os para fora.

* Ou silicone. (N. do T.)

usar protetores para seios (veja a ilustração) que ajudem a deixar salientes os mamilos invertidos, ou massageá-los quando forem muito moles, para que fiquem mais firmes. Porém, não massageie os mamilos durante a gravidez sem aprovação do seu médico, pois, em certas circunstâncias, estimulá-los pode ativar o trabalho de parto.

Com o consentimento do médico, você pode tentar alguns dos procedimentos sugeridos a seguir, para preparar os seus mamilos para as gengivas duras do bebê (ainda que, repetindo, em geral não seja preciso fazer preparação alguma): esfregá-los delicadamente com uma toalha após o banho; expô-los ao ar, andando pela casa com os seios de fora durante algum tempo, todos os dias; sair sem sutiã, para que eles se esfreguem contra a roupa (a menos que os seus seios sejam muito grandes e/ou flácidos), ou com sutiã para amamentação; girar os mamilos entre o polegar e o indicador algumas vezes por dia, depois lubrificá-los com creme para seios, pomada com vitamina A e D, azeite ou óleo para bebês; excretar, se possível, algumas gotas de colostro todos os dias, nos três últimos meses de gravidez, ou pedir que o seu marido lhe estimule os mamilos durante o ato sexual (mesmo que não funcione, vai lhe dar prazer). Não há prova de que esses métodos tornem a amamentação mais satisfatória, mas eles também não parecem causar mal algum, e há mulheres que os consideram úteis. Massagear e girar os mamilos entre os dedos têm outra vantagem, a de diminuir as inibições da mulher em mexer nos seios — uma necessidade, caso ela pretenda amamentar tranqüilamente.

Mais importante que preparar os seios para a amamentação é preparar a sua cabeça. Aprenda o que for possível sobre amamentação (faça um curso pré-natal, se possível; leia livros sobre o assunto), escolha um pediatra que seja um ardoroso defensor dessa prática, e entre em contato com outras mulheres que possam apoiá-la e responder a suas dúvidas assim que surgirem.

O QUE É IMPORTANTE SABER: A Escolha do Médico Certo

Quando você saiu pela primeira vez à procura de um médico que trouxesse o seu bebê ao mundo, era difícil imaginar que realmente houvesse um bebê a caminho. Agora, com punhos, pés e joelhos minúsculos mas fortes que não param de usá-la como saco de pancadas, não há mais o que duvidar. O bebê não só está dentro de você como também está louco para sair. E, antes que o faça, é melhor você escolher o médico que vai ajudá-lo a sair. A demora em tomar essa decisão pode significar que, um desconhecido venha a cuidar do parto, se este se antecipar. Além disso, você não terá quem lhe esclareça as dúvidas importantes que surgem nos dias tumultuados do pós-parto, nem poderá contar com um rosto conhecido caso haja alguma emergência.

Admitindo-se que você não mude de bairro e esteja relativamente satisfeita com o atendimento recebido, o médico que você escolheu estará ao longo de dezesseis ou dezoito anos em contato com o bebê (e com você) toda vez que houver um nariz escorrendo, dores de ouvido, garganta inflamada, febres altas, perturbações estomacais, batidas e contusões, talvez até fraturas ósseas; estará a seu lado nos importantes marcos do desenvolvimento físico e psicológico (que serão de emocionar e de desnortear); nos momentos que você hoje nem consegue imaginar. Você não vai morar com o médico do bebê durante todos esses anos (ainda que em muitas ocasiões, sobretudo de noite e nos fins de semana, você sentirá muita vontade de que fosse assim, mas é preciso encontrar alguém que lhe inspire confiança e a deixe à vontade. Alguém que vocês não hesitem em chamar às 2 da manhã quando a febre do seu bebê de nove meses subir de novo, alguém que não os deixe constrangidos de perguntar sobre o repentino interesse do bebê aos seis meses por seus órgãos genitais, alguém que lhe dê a liberdade de perguntar se um determinado antibiótico é realmente necessário.

Antes de mais nada, você deve tomar algumas decisões básicas sobre o tipo de médico que cuidará do seu bebê.

PEDIATRA OU MÉDICO DE FAMÍLIA?

Quando a sua mãe estava com o nariz escorrendo ou um caso mais sério de erupções provocadas pelas fraldas, a mãe não saía correndo atrás de um pediatra. É bem possível que a levasse ao mesmo médico que a trouxera ao mundo, que tratara da bursite do pai dela e da artrite da avó, que tirara os cálculos renais de um tio e as amígdalas de um primo — o médico de família, um clínico geral que já podia exibir o título de médico depois da faculdade de Medicina. Hoje essa linhagem está praticamente extinta, e a maior parte dos resfriados e das brotoejas no traseiro é tratada pelo pediatra, um especialista em crianças, ou pelo sucessor *high-tech* do antigo clínico geral — o especialista em famílias (especialização possível nas Universidades Médicas Americanas, e em poucos locais no Brasil). O primeiro passo para achar o dr. Ideal é decidir qual tipo de médico você prefere.[5]

O pediatra. Bebês, crianças e às vezes adolescentes são sua ocupação — sua única ocupação. Além dos seis anos da faculdade de Medicina, os pediatras passaram por dois anos de aprendizado numa especialidade. Se são oficialmente reconhecidos é porque também passaram num rigoroso exame de qualificação. A grande vantagem de escolher um pediatra para seu bebê é óbvia — como eles só tratam de crianças, de muitas crianças, estão mais familiarizados que os outros médicos com o que é normal, atípico e patológico nos seus pacientes. É muito mais provável também que eles saibam responder as dúvidas que atormentam os pais inexperientes, desde "Por que ele quer mamar o tempo todo?" e "Por que ela não dorme mais tempo?" até "Por que ele chora tanto?"

Uma desvantagem é que, como os pediatras só cuidam dos jovens de uma família, talvez lhes falte uma visão integral da família (embora muitos a tenham) e por isso, não percebam que o problema de uma criança vem de algo que esteja se passando, tanto física quanto emocionalmente, com o pai, a mãe ou outro membro da família. Outro aspecto negativo: se a família inteira tiver um problema que exija tratamento médico, talvez seja preciso recorrer a dois médicos.

O clínico geral, ou o especialista em famílias. O clínico geral ou o especialista em famílias tem uma formação muito mais ampla que o do pediatra, abrangendo medicina interna, psiquiatria, obstetrícia e ginecologia, além de pediatria. A vantagem de optar por um clínico geral está em toda a sua família poder ser atendida por um só médico que conhece cada um de vocês clínica e pessoalmente e pode usar essas informações no diagnóstico e no tratamento. Se vocês já têm um clínico geral, fazer do bebê também seu paciente trará outra vantagem, a de deixar o novo integrante da família sob os cuidados de um velho amigo, e não de um estranho.

A desvantagem: como esse médico teve menos treino e experiência em pediatria do que um pediatra, ele talvez seja menos útil

5. Se o exame pré-natal ou seu histórico familiar indicar que você pode ter um bebê com determinado problema de saúde (síndrome de Down, alergias, asmas), talvez você deva escolher um pediatra ou um clínico cuja especialidade abarque tal problema, ou, pelo menos, com ampla experiência nele.

ao lidar com a profusão de perguntas sobre o bem-estar do bebê e menos perspicaz em chegar aos diagnósticos mais difíceis. Para minimizar essa desvantagem, procurem um clínico geral que cuide de muitos bebês, e não só de crianças mais velhas — muitos são assim.

QUE TIPO DE ATENDIMENTO É MELHOR?

Para alguns pacientes, o tipo de atendimento talvez seja tão importante quanto o tipo de médico. Existem várias opções. Para você, a mais atraente vai ser a que melhor se ajusta a suas preferências e prioridades.

O médico que atua sozinho. Como os clínicos gerais de antigamente, o clínico atual tem a oportunidade de estabelecer um relacionamento próximo com cada um dos seus pacientes. Mas, ao contrário dos seus predecessores, talvez eles não estejam à disposição a qualquer hora do dia ou em qualquer época do ano. Estarão disponíveis em consultas marcadas (a menos que sejam chamados para uma emergência) e em geral atendem ao ser chamados. Mas sairão de férias e ocasionalmente à noite ou nos fins de semana, deixando os pacientes que precisam de consulta ou atendimento urgente nas mãos de outro clínico que talvez não os conheça bem. Se vocês optarem por um médico que atua sozinho, perguntem quem vai substituí-lo numa ocasião dessas e certifiquem-se de que, numa emergência, a ficha médica da sua criança estará disponível mesmo quando o médico não estiver.

A parceria. Às vezes, é melhor ter dois médicos do que um só. Se um não puder atender, o outro quase sempre poderá. Se eles trabalham alternadamente, vocês e a criança poderão, graças às freqüentes visitas durante o primeiro ano de vida do bebê, desenvolver um bom relacionamento com ambos. Ainda que médicos parceiros estejam de acordo na maioria dos problemas principais e quase sempre sigam filosofias parecidas, eles algumas vezes podem dar opiniões diferentes. Em certas ocasiões, mais de uma opinião pode gerar confusão, mas também pode ser útil ouvir duas abordagens possíveis de um problema particularmente complexo. (Se um dos médicos não conseguir resolver o problema de sono do seu filho, é possível que o outro o resolva.)

Uma pergunta importante a fazer antes de decidir-se por esse atendimento em parceria: você pode marcar consultas com o médico de sua preferência? Em caso contrário, e se você descobrir que gosta de um mas não do outro, talvez seja preciso fazer a metade das consultas com o médico com o qual você não se sente à vontade. Mesmo que você possa escolher o médico preferido para o acompanhamento do bebê, crianças doentes devem ser vistas pelo que estiver disponível na ocasião.

Atendimento em grupo. Se dois é bom, será que três ou mais é melhor? Em alguns aspectos sim, em outros não. Um grupo de médicos tem mais condições de cobrir as 24 horas do dia, pois são muitos, mas menos condições de estreitar o relacionamento médico-paciente — repetindo, a menos que você possa escolher o mesmo médico (ou dois) para o acompanhamento regular. Quanto mais médicos atenderem a criança, tanto nas visitas de rotina como quando ela apresenta algum problema, mais tempo vai demorar para ela sentir-se à vontade com cada um deles, ainda que isso não seja um grande problema se todos os médicos forem dedicados e responsáveis. Há também outro aspecto: se você alternar os médicos, os conselhos contraditórios podem tanto esclarecer quanto confundir. A longo prazo, mais importante que o número de médicos que atuam em grupo vai ser a confiança que você deposita neles individualmente e enquanto grupo.

Atendimento com enfermeira-pediatra. Qualquer um dos atendimentos mencionados pode contar com uma enfermeira-pediatra, o equivalente da enfermeira-obstetriz do consultório do obstetra. Em geral do sexo feminino, ela é uma enfermeira formada com especialização posterior (em geral com grau de mestrado). Ela costuma acompanhar a evolução do bebê e às vezes também trata de pequenas enfermidades, recorrendo aos seus colegas médicos sempre que necessário. Os problemas cuja solução não está ao seu alcance são transferidos a um deles. É provável que você aceite ou desaprove o fato de o seu bebê ficar sob os cuidados desse tipo de enfermeira pelas mesmas razões que aceitou ou rejeitou a assistência de uma enfermeira-obstetriz durante a sua gravidez. A exemplo da obstetriz, a enfermeira com especialização geralmente fica mais tempo com os pacientes em cada consulta, quase sempre dedicando o mesmo grau de atenção às questões de estilo de vida e aos problemas clínicos. Em alguns casos, os honorários dela podem ser mais baixos, mas, como seu nível de formação não é igual ao do médico, é possível que você tenha menos confiança nos cuidados que seu bebê recebe. Essa preocupação nem sempre é válida, pois, como já demonstraram muitos estudos, essas enfermeiras e assistentes de médicos são, em média, tão bem-sucedidas quanto eles nos diagnósticos e no tratamento de doenças menores — quando não melhores.

EM BUSCA DO DR. IDEAL

Para cada paciente há um dr. Ideal. Você estará pronta para sair em busca do seu assim que souber que tipo de médico e de atendimento você quer. Se na sua cidade não existe um serviço computadorizado que encontre o médico apropriado ao paciente (poucas têm), você terá de contar com as fontes convencionais, quase sempre confiáveis.

Seu obstetra ou sua obstetriz. Os médicos costumam recomendar outros médicos cuja atuação e filosofia se assemelhem à deles próprios, cujo trabalho conheçam e respeitem. Portanto, se você se deu bem com o médico que a acompanhou na gravidez, peça-lhe uma indicação. Por outro lado, se ficou decepcionada, procure uma recomendação de outra pessoa.

Uma enfermeira-obstetriz ou pediatra. Se você conhece uma enfermeira que trabalha com pediatras, tanto num consultório quanto num hospital, ela certamente será uma boa fonte de informação sobre que médicos são competentes, conscienciosos, zelosos, e mantêm um bom relacionamento com os pais e filhos, e que médicos são descuidados, ríspidos, mal-humorados e inamistosos. Se você não conhece uma enfermeira, procure uma indicação telefonando para a enfermagem da pediatria ou para o berçário do hospital onde o seu filho vai nascer.

Pais. Ninguém pode informá-la melhor sobre a atuação de um médico do que pacientes satisfeitos (ou insatisfeitos), ou, neste caso, pais de pacientes dele. As melhores recomendações vêm de amigos ou conhecidos que possuam um temperamento e uma filosofia de criação dos filhos parecidos com os seus. Por outro lado, as mesmas qualidades que os levam a pôr a mão no fogo pelo pediatra podem levar você a rogar pragas para ele.

Hospitais ou outros serviços de referência. Alguns hospitais, grupos médicos e empresariais criaram serviços de referência que oferecem os nomes de médicos em determinada especialidade. Os hospitais recomendam médicos que trabalham na própria instituição os serviços de referência, além de terem informações sobre a especialização, a formação e o registro de um médico, podem também fornecer dados sobre um eventual processo contra o médico por imperícia.

A CERTEZA DE QUE O DR. IDEAL É O IDEAL

Conseguir uma lista de nomes em quaisquer das fontes acima é um bom começo em sua busca do dr. Ideal. Mas, para reduzir essa lista a uma menor, com os candidatos potenciais feitos da matéria "ideal", e então chegar ao médico dos seus sonhos, você vai precisar telefonar, bater pernas um pouco mais e se encontrar pessoalmente com os poucos finalistas.

Ligação com um hospital. É vantajoso o médico escolhido ser ligado a um hospital dos arredores, porque o tratamento de emergência se tornará mais fácil. Vai ser ótimo, também, se o médico tiver bom trânsito no hospital em que você está planejando dar à luz, para que ele possa examinar o seu bebê antes de ele ir para casa. Mas não elimine um bom candidato que não tenha tal ligação. Muitas vezes, um médico não ligado a um hospital recebe autorização para acompanhar um bebê. Em caso contrário, um médico do hospital pode fazer o exame e cuidar da alta hospitalar, depois da qual você levará o bebê ao médico escolhido.

Alguns médicos cobram a entrevista, outros não. Durante o sétimo ou oitavo mês de gravidez, marque entrevistas com os que estão na sua lista de finalistas e chegue pronta para avaliar o provável médico do seu bebê, levando em consideração o seguinte:

Localização do consultório. No momento, parece uma luta ficar arrastando a sua enorme barriga para lá e para cá, mas isso não é nada — espere pelo que vem por aí depois do parto. Andar enormes distâncias não vai mais ser tão fácil quanto pegar um ônibus, o metrô ou mesmo um carro, e, quanto mais longe você tiver de ir, sobretudo se o tempo estiver ruim, mais difíceis e complicadas ficarão essas saídas. Ir a um consultório nos arredores é sem dúvida muito cômodo, mas a proximidade significa muito mais que isso: quando a criança estiver machucada ou doente, essa menor distância menor pode significar atendimento e tratamento imediatos. Mas não se esqueça, ao tomar sua decisão, de que um médico excelente pode valer uma viagem mais longa.

Horário de atendimento. As horas ideais para atendimento vão depender dos seus próprios horários. Se você e o seu marido têm empregos das 9 às 17, os horários ideais serão aqueles do início da manhã, à noite ou nos fins de semana.

O ambiente. Você pode dizer muita coisa sobre o clima de um consultório antes de ter ido lá. Se foi tratada laconicamente ao telefone, é bem provável que a experiência de estar lá dentro não seja muito mais agradável. Por outro lado, se você foi atendida por uma voz alegre e calorosa, você deverá ser recebida com consideração e delicadeza assim que entrar lá em pânico, com um bebê doente ou machucado. Você pode descobrir muito ao fazer a primeira visita para conhecer o médico. A recepcionista é cordial, ou tem modos ríspidos e estéreis como a roupa branca que ele usa? Os funcionários são receptivos e pacientes com os novos clientes ou o diálogo com eles se limita a "desça daí", "não mexa nisso" e "silêncio"? A recepção é separada da sala de espera, para que você possa ter alguma privacidade ao expor seu assunto ao pessoal do consultório e fazer-lhe perguntas?

A decoração. Um médico de crianças precisa de muito mais que algumas revistas sobre a mesa e poucas reproduções de pintura expressionista na parede para transmitir a idéia do "Ideal" na sala de espera. Na sua visita para o primeiro contato, procure ver se há coisas que vão tornar a espera menos dolorosa para você e a criatura que está por nascer: uma espaçosa área de recreação para as crianças que já começaram a andar, e uma sala de espera para crianças mais crescidas; uma boa quantidade de brinquedos em bom estado e de livros adequados a várias faixas etárias; cadeiras baixas ou outros locais para sentar-se próprios para corpos pequenos. Papel de parede em cores vivas e com motivos atraentes (cangurus cor-de-laranja e tigres amarelos em vez de listrinhas ocre de bom-tom) e belos retratos de crianças (tanto na sala de espera quanto na sala do médico) também vão dar aos espíritos inquietos alguma coisa apaziguadora para olhar enquanto imaginam ou sentem os cutucões e apertões que fazem parte dos exames. (Mas não se esqueça: nem todo médico é fã do Disney). Um melhoramento bem-vindo no consultório de qualquer clínico: salas de espera separadas para adultos e crianças.

Tempo de espera. Esperar por 45 minutos, quando você está às voltas com um bebê inquieto ou tentando distrair uma criança maior com mais um livro ilustrado, pode ser uma experiência penosa para todos os envolvidos. Ainda assim tais esperas não são incomuns. Para alguns pais, esperar muito tempo pode não passar de um transtorno; para outros, é uma coisa inconciliável com seus demais compromissos.

Ao tentar avaliar o tempo médio de espera num determinado consultório, não tome por base o tempo que *você* ficou esperando para ser atendida. As visitas para conhecer o médico são uma cortesia, não têm necessidade médica; crianças aos berros terão (ou deveriam ter) prioridade. É melhor perguntar à recepcionista, mas, se sua resposta for vaga ou evasiva, recorra a alguns pais que também estão esperando.

Uma espera muito longa pode ser um sinal de desorganização do consultório, de excesso de consultas marcadas ou de o médico ter mais pacientes do que consegue atender. Mas não lhe diz muita coisa sobre a qualidade da assistência do médico. Alguns médicos muito bons não são bons administradores. Podem ficar com um paciente por mais tempo que o da consulta (uma coisa que você vai apreciar muito estando com ele, mas não na sala de espera), ou talvez não gostem de rejeitar uma criança doente mesmo quando já estão com a agenda cheia (outra coisa que você vai adorar quando a criança doente for a sua).

A espera não ocorre somente na sala de espera. A mais desconfortável geralmente é a da sala de exames, segurando um bebê desgostoso e sem fraldas, sem espaço para andar, ou tentando distrair uma criança assustada sem ter acesso aos brinquedos, que estão na sala ao lado. Ainda que as longas esperas na sala de exames não sejam suficientes para desmerecer um médico, se elas se transformarem num grande transtorno, diga à enfermeira que você prefere aguardar o tempo todo na sala de espera.

Atendimento em casa. Sim, alguns pediatras e clínicos gerais ainda atendem em casa. Na maior parte dos casos, porém, como o seu médico vai lhe explicar, as visitas a domicílio não apenas são desnecessárias como também não são boas para o bebê. No consultório, o médico pode usar aparelhos e conduzir exames, coisas que não cabem dentro de uma maletinha preta. Ainda assim, podem surgir ocasiões em que você gostaria muito que o médico demonstrasse literalmente que sabe lidar com doentes — como quando seu filho voltou do maternal com um resfriado, ou o bebê está com febre e tosse, e você ocupadíssima e sozinha em casa, durante uma tempestade.

Dúvidas solucionadas por telefone. Se todas as mães inexperientes corressem para o consultório a cada dúvida sobre a saúde e o desenvolvimento do bebê, os pagamentos ao médico subiriam aos céus, e os consultórios ficariam abarrotados dia e noite. Por esse motivo é que se respondem dúvidas e se atenuam as preocupações por telefone. É por isso, também, que você deve saber com antecedência de que modo o futuro médico de bebê lida com esse tipo de chamada. Alguns pais preferem ligar num momento combinado: durante uma parte do dia, sem pacientes no consultório, o médico fica à disposição para atender aos telefonemas. Isso proporciona acesso quase imediato ao médico — ainda que muitas vezes o telefone vá estar ocupado ou seja necessário esperar um retorno à sua chamada. Outros pais acham difícil guardar suas preocupações para horários como das 7 às 8 da manhã, ou das 11 às 12, ou, pior, esperar pelo horário do dia seguinte para aliviar as preocupações de hoje. Eles preferem o sistema de retorno: ligam quando surje um problema ou uma dúvida e o médico retorna a ligação quando tiver um tempo livre entre duas consultas. Ainda quc o retorno esteja demorando horas, (num caso em que não haja emergência, é claro), os que ligaram pelo menos podem desabafar com a pessoa que recebe a chamada e, às vezes, ser aliviados ou aconselhados por ela. E é sempre um reconforto saber que eles poderão falar com o médico no fim do dia.

Como lidar com emergências. Quando os acidentes acontecerem — e vão acontecer —, a maneira como seu médico lida com as emergências é relevante. Alguns médicos instruem os pais a levar o paciente, em caso de emergência, diretamente ao pronto-socorro do hospital, onde os plantonistas dão o tratamento necessário. Outros médicos pedem que vocês lhes telefonem primeiro, e, dependendo da gravidade da doença ou do ferimento, preferem examinar a criança no seu consultório ou encontrar-se com vocês no pronto-socorro. Para emergências, alguns médicos podem ser encontrados de dia, de noite e nos fins de semana — a menos, é claro, que não se encontrem na cidade. Outros indicam colegas ou parceiros para substituí-los nas horas de folga.

A questão financeira. Para todos — a não ser os muito ricos e os que têm excelentes planos de saúde —, o modo como se lida com a questão financeira é de suma importância. Alguns consultórios exigem pagamento por ocasião da visita (a menos que se tenha combinado de outra maneira); outros cobram mais tarde. Outros ainda propõem um pacote que cobre todas as consultas durante o primeiro ano do bebê. Ainda que seja mais caro do que a soma de consultas marcadas pagas ao longo do ano, o pacote geralmente é um bom negócio: você não ganha nem perde com duas ou três consultas por motivo de doença, e ainda poderá fazer muitas outras. Com ou sem pacote, um reembolso de seguro-saúde será feito de acordo com o tipo de cobertura que você tem.

Outras formas de pagamento são aceitas em alguns consultórios, tanto em situação normal quanto em circunstâncias especiais, como problemas financeiros. Se vocês acham que podem vir a precisar de tal acordo, apresentem o problema à pessoa responsável pela cobrança no consultório.

Especialmente se o dinheiro estiver curto, vocês devem perguntar se os exames laboratoriais rotineiros são feitos no consultório, pois é provável que custem menos do que os mandados para laboratórios.

Estilo. Quando você está à procura de um médico, assim como ao sair em busca de mobília para o bebê, o estilo certo vai depender do seu estilo. Você prefere um médico simpático e informal, austero e com ares de executivo, ou um meio-termo de ambos? Você fica mais à vontade com uma figura paternal (ou maternal) que quer ter a última palavra em tudo, ou com um médico que a acolhe como parceira e demonstra interesse por suas opiniões? Quer um médico que dá a impressão de saber tudo ou prefere aquele que se dispõe a dizer um "não sei"?

Assim como os pais procuram certas características num berço ou num andador (qualidade, acabamento, preço), há certas particularidades que todos querem encontrar no futuro médico do bebê: a capacidade de ouvir (sem ficar de olho no nome do paciente seguinte na sua agenda); a consideração de todas as dúvidas e a disposição de respondê-las claramente (sem ficar na defensiva ou sentir-se ameaçado); e, acima de tudo, uma paixão sincera por crianças.

Filosofia. Mesmo nos melhores casamentos os cônjuges nem sempre estão de acordo, assim como no melhor dos relacionamentos entre médicos e paciente pode haver pontos de divergência. Mas, como nos casamentos, as relações médico-paciente podem dar certo se as duas partes concordarem nas questões mais importantes. E o melhor momento para descobrir se você e o futuro médico do seu bebê possuem filosofias parecidas é antes de você assumir um compromisso com ele, ou seja, durante a entrevista.

Pergunte a opinião dele sobre o que lhe parecer importante nestes tópicos:

- Amamentação. Se você deseja amamentar, um médico reticente sobre o assunto, ou que admita não conhecê-lo bem, talvez não lhe dê o apoio e a assistência que mães inexperientes necessitam.
- Nutrição. Se a boa nutrição é importante para você, cuidado com o médico que descarta o assunto com um "não se preocupe, a maior parte das crianças tem um regime alimentar equilibrado".
- Circuncisão. Quer você tenha se decidido por ela, quer não, você vai precisar de um médico que não subestime a sua decisão.
- Antibióticos. É bom escolher um médico que não os receite a cada espirro da criança.
- Vegetarianismo. Se você e a sua família não comem carne, convém ter um médico que não só respeite isso, mas também saiba como satisfazer as necessidades nutricionais de uma criança em dieta vegetariana.
- Sair logo do hospital. Se é isso o que você quer, será preciso ter um pediatra que não se oponha a deixar o bebê sair junto, desde que tudo esteja correndo bem.
- Medicina preventiva. Se você acredita em antes prevenir que remediar, cuidado com o médico que é muito gordo, que tem um cinzeiro abarrotado de pontas de cigarro e que come chocolate enquanto você fala.

O médico que já exerce a profissão há algum tempo deve ter formado seus conceitos a respeito de como lidar com crianças. Se, por outro lado, você não conhece bem esse jogo, é provável que só tenha uma vaga noção de como jogá-lo (e provavelmente você fará mudanças profundas em sua estratégia durante o jogo). Insegura quanto à sua própria filosofia e tendo de avaliar o médico a partir de uma breve entrevista, talvez pareça difícil um entrosamento perfeito. Ainda assim, o mais sensato é descartar qualquer candidato cuja filosofia se mostre redondamente contrária às idéias que estão em gestação na sua cabeça enquanto o bebê está em gestação na sua barriga.

A ENTREVISTA PRÉ-NATAL

Escolhido o médico para o seu bebê, há várias questões — muitas delas abordadas neste capítulo e no seguinte — que você vai querer discutir com ele, entre as quais:

O seu histórico obstétrico e o histórico médico da sua família. Qual vai ser a influência desses antecedentes no parto e na saúde do recém-nascido?

Procedimentos hospitalares. Que remédio será colocado nos olhos do bebê para evitar infecção? Quais são os exames de rotina depois do nascimento? Como se vai tratar a icterícia? Quais são os critérios para uma alta antecipada?

Circuncisão. Quais são os prós e os contras? Quem deve executá-la, e quando, caso você opte por fazê-la?

Mamadeira. Que tipos de mamadeira, bico e leite em pó o médico recomenda?

Amamentação. De que modo o médico do seu bebê pode ajudá-la a começar bem? Será que ele consegue que a deixem amamentar na sala de parto, quando for viável, proibir o uso de chupetas e mamadeiras no berçário, e abrir caminho para a amamentação caso você não fique com o bebê no seu quarto? Será possível marcar uma ida ao consultório, uma ou duas semanas depois do parto, se você estiver com dificuldade em amamentar ou quiser avaliar como está se saindo?

Farmácia e equipamento do bebê. Procure obter informações sobre medicamentos antitérmicos e analgésicos, termômetro e pomada contra assaduras, e sobre equipamentos como berços, assentos para carros e andadores.

Sugestão de leitura. Há livros que o médico gostaria de recomendar-lhe ou preferiria que você nem tomasse conhecimento?

As normas do consultório. O que você deve saber sobre o funcionamento do consultório do seu médico — por exemplo, os horários em que se pode telefonar, ou como se procede em caso de emergência.

A PARCERIA COM O DR. IDEAL

Agora que o dr. Ideal já foi escolhido, você não pode simplesmente jogar no colo dele os cuidados com a saúde do bebê, recostar-se com uma revista na sala de espera e relaxar, confiante nos bons resultados. Como pais, vocês — e não o médico — são os que exercem efeitos mais significativos sobre a saúde do bebê. Se não desempenharem seu papel nessa parceria, nem mesmo o melhor médico será capaz de dar a melhor assistência ao bebê. Para serem os pais-pacientes ideais do dr. Ideal, vocês têm de assumir várias responsabilidades que são suas.

Siga as normas do consultório. Seja de uma pontualidade britânica: chegue para as consultas no horário marcado ou, se o atendimento é sempre feito com atraso, ligue meia hora antes da sua e pergunte quanto tempo depois você pode chegar. Ao desmarcar uma consulta, avise pelo menos um dia antes, e cumpra a forma de pagamento combinada. Lembre-se: os pacientes (ou, neste caso, os pais dos pacientes) são parcialmente responsáveis pelo bom andamento de um consultório médico.

Pratique a prevenção. Ainda que seja uma atitude inteligente escolher um médico que acredite na medicina preventiva e se dedique ao acompanhamento do bebê, o ônus de manter a criança saudável vai ser maior para vocês do que para o médico. Vocês é que devem cuidar para que o bebê receba uma nutrição adequada, tenha um equilíbrio saudável de descanso e atividade, não fique inutilmente exposto ao risco de infecção ou à fumaça de cigarro e seja protegido o máximo possível de acidentes. São vocês que devem ajudar o seu bebê a criar hábitos de saúde e segurança (em termos ideais, através dos seus edificantes exemplos) que lhe sejam úteis por toda a vida.

Coloque suas preocupações no papel. Muitas das perguntas que lhe ocorrem entre as consultas são dignas de atenção mas não precisam ser feitas por telefone ("Por que os dentes dele ainda não nasceram?", ou "O que posso fazer para que ele goste do banho?"). Anote-as à medida que forem surgindo, antes que desapareçam da sua cabeça num dia especialmente turbulento com o bebê.

PLANOS DE SAÚDE

Com a proliferação dos planos de previdência e outros convênios de saúde em grupo, cada vez mais famílias perdem o direito de escolher os seus médicos. A "lista" talvez só tenha um pediatra, um obstetra e um clínico geral perto de sua casa. Se você está nessa situação e insatisfeita com o atendimento dado pelo médico autorizado, conte o fato ao seu empregador (ou ao do seu marido) e ao diretor do plano de saúde. Especifique suas reclamações, mas não seja grosseira. Seu objetivo é melhorar a qualidade do atendimento médico oferecido pelo plano. Se isso não funcionar, talvez você consiga convencer o empregador a mudar de plano de saúde.

Anote tudo. O médico lhe diz o que fazer se o seu bebê tiver alguma reação às primeiras vacinas. Você chega em casa, o bebê tem febre, e você entra em pânico. O que foi mesmo que o médico disse? Não surpreende que você não se lembre — o bebê estava aos berros depois da injeção e você mal conseguia ouvir as recomendações enquanto o vestia; imagine, então, lembrar-se delas. O remédio para a perda de memória dos pais: nas idas ao médico, tragam sempre papel e caneta e anotem diagnósticos, instruções e quaisquer outras informações de que possam precisar mais tarde. Talvez não seja fácil fazer isso equilibrando o bebê no colo (por isso, o ideal é o pai e a mãe irem juntos), mas o contorcionismo vai valer a pena. Outra solução é usar um gravador — desde que o médico esteja de acordo, é claro.

Tome notas nas consultas telefônicas também. Ainda que você esteja certa de que vai lembrar-se do nome daquela pomada para assadura ou da dosagem prescrita de um analgésico para a dor da irrupção de dentes, esses detalhes podem ser esquecidos assim que você desliga o telefone e vê o seu bebê lambuzando a parede da cozinha com purê de batatas.

Use o telefone. Graças a Alexander Graham Bell, um único telefonema pode acabar com as suas preocupações. Mas não telefone para o médico do bebê imediatamente; antes, tente resolver as suas dúvidas neste livro ou em outros. Porém, se isso não der resultado, não hesite em ligar, por medo de estar abusando demais. Nos primeiros meses, os médicos de bebês já estão à espera de muitos telefonemas, sobretudo de mães de primeira viagem. Mesmo assim, não ligue despreparada: consulte a seção "Antes de Chamar o Médico", na página 470.

Siga as determinações médicas. Em qualquer boa parceria, as duas partes contribuem com o que sabem mais ou fazem melhor. Nesta parceria, o médico do bebê estará contribuindo com anos de estudos e experiência. Para se beneficiar com essa contribuição, o sensato é seguir os conselhos dele sempre que possível e informá-lo quando não pretender acatá-los, ou, por alguma razão, não puder fazê-lo. Isso é particularmente vital em situações médicas. Digamos que um antibiótico tenha sido receitado para a tosse do bebê. Ele vomita o remédio, e não quer saber de mais uma gota. Como a tosse parece ter melhorado um pouco, você desiste de lhe empurrar o remédio goela abaixo e nem se importa em informar o médico. Dois dias depois, o bebê está com febre alta, a tosse piorou muito, e a desobediência ao médico acaba se mostrando um jogo perigoso. O que ele lhe teria dito, caso você lhe telefonasse, é que, iniciada a medicação, o bebê pode começar a melhorar, mas, se o tratamento não for feito até o fim, a doença pode voltar com força ainda maior. O médico também poderia tê-la aconselhado sobre maneiras mais eficazes de dar o remédio, bem como sobre formas alternativas de tratamento.

Fale tudo. Afirmar que é importante seguir as recomendações médicas não significa que a mãe (ou o pai) às vezes não saiba o que é melhor para a criança — mais ainda que o médico. Se você sentir que o diagnóstico é incorreto ou que a medicação prescrita será pior que a doença, diga isso, mas não em tom de desafio. Apresente os seus motivos e peça ao médico que explique o fundamento lógico de seu ponto de vista. Vocês poderão aprender alguma coisa um com o outro.

Fale, também, se você tiver ouvido sobre um novo tipo de imunização, um novo tratamento para cólicas ou qualquer outra coisa que possa beneficiar o seu bebê. Se se trata de alguma coisa que você leu, leve a publicação para o médico, se possível. Pode ser que ele já tenha ouvido falar do assunto e tenha mais informações, tanto a favor como contra. Se não tiver conhecimento, o médico vai querer informar-se melhor antes de emitir uma opinião. Não se esqueça, porém, de que os relatos médicos são notoriamente desiguais. Com a ajuda do seu médico, você poderá distinguir os úteis dos inúteis.

Rompa um relacionamento intolerável. Separar-se do médico do seu bebê (como qualquer separação) pode ser muito desagradável. Mas é menos desagradável do que manter um relacionamento ruim — e melhor para a criança. Quando possível, tente abrir-se com o seu médico sobre as divergências e os problemas, antes de romper definitivamente com ele; talvez você descubra que tudo não passa de um mal-entendido, e não graves diferenças de filosofia. Nesse caso, você poderá refazer o relacionamento com o mesmo médico. Mas, se o médico que você escolheu mostra ser de fato o dr. Errado, você já terá mais experiência para procurar outro médico e dar-se melhor. Para que o bebê não fique sem um médico enquanto você estiver procurando outro, só se desligue do dr. Errado quando tiver encontrado um substituto. Quando isso acontecer, cuide da transferência imediata das fichas médicas da criança.

CAPÍTULO 2

As Compras para o Bebê

Você ficou meses resistindo à tentação. Passou ansiosa pela loja de enxovais para crianças, a caminho da maternidade, não ousando nem passar um dedo nos macacões rendados e nas mantas tricotadas, lançando não mais que um olhar desejoso para os móbiles musicais e os ursinhos de pelúcia. Mas agora, enfim, a poucas semanas do parto, não só é bom parar de resistir e começar a comprar, é absolutamente necessário.

Mesmo assim, resista ao impulso de encostar a barriga no balcão e cair nas mãos daquela vendedora com jeito de avó que quer vender-lhe tudo o que há na loja, e várias outras coisas que pode mandar buscar assim que você lhe mostrar o seu cartão de crédito. Seu tom de "voz da experiência" talvez faça você esquecer-se de que vai ganhar várias roupas usadas da sua cunhada, de que dezenas de presentes começarão a chover logo mais e de que vai haver muita roupa para lavar. Talvez você saia da loja com sacolas abarrotadas de roupinhas, brinquedos e uma parafernália que o seu bebê jamais terá condições de usufruir, tamanho o excesso.

Em vez disso, faça um planejamento antes de ir às compras. Com a lista da página 40, calcule quais são as suas necessidades mínimas (sempre será possível comprar depois o que estiver faltando) e enfrente a vendedora armada das seguintes diretrizes:

- Não compre um enxoval completo, conforme sugerem a loja ou qualquer lista; use-as apenas como orientação.

- Calcule quantas vezes por semana você (ou outra pessoa) vai ter de lavar roupa. Se você for cuidar disso todos os dias, compre a menor quantidade sugerida pela lista; se for arrastar trouxas de roupa para a lavanderia e só uma vez por semana, compre a maior quantidade.

- Antes de completar sua lista de compras, verifique quantas coisas já ganhou ou pegou emprestadas.

- Se amigos e pessoas da família lhe perguntarem do que está precisando, responda sem constrangimento. É claro que eles vão preferir dar-lhe alguma coisa que você vai usar, e não um presente que você vá devolver à loja após o parto. Procure indicar coisas de preços variados, para dar-lhes maior liberdade de escolha, mas não indique as mesmas coisas para pessoas diferentes.

■ Até receber todos os presentes, não compre coisas de que você não vai precisar já (cadeirão, assento para banheira, brinquedos muito avançados para um recém-nascido) e coisas que talvez acabe não precisando (jogos de pijamas, toalhas, camisetas). Quando os presentes pararem de chegar, reavalie as suas necessidades e vá às compras outra vez.

■ Compre a maior parte das roupas nos tamanhos de seis a nove meses. Talvez você queira algumas camisas em tamanho de 3 meses e um ou dois trajes que caibam justinho no bebê, mas geralmente é mais prático enrolar as mangas e deixar as roupas folgadas durante algumas semanas, até que as peças maiores sirvam bem no bebê. E, por mais irresistível que seja arrumar todas as roupas na nova cômoda do bebê, não faça isto. Deixe tudo (inclusive o conjunto que você quer que ele use no dia de ir para casa) com a etiqueta ou na embalagem. Assim, se o bebê nascer pesando 4,7 kg, seu marido, sua mãe ou um amigo poderão trocar pelo menos algumas peças por outras, em tamanhos para seis meses, enquanto você ainda estiver no hospital, e as outras depois. Da mesma forma, se o seu bebê for prematuro e pesar cerca de 2,3 kg, algumas das roupas de tamanho maior poderão ser trocadas.

Em geral, compre pelo menos um número acima (a maior parte dos bebês de seis meses usa tamanhos de nove ou doze meses, quando não dezoito), mas olhe bem ao comprar, pois algumas roupas (especialmente as importadas) podem ser muito maiores ou menores do que a média.

■ Ao fazer compras, lembre-se da estação do ano. Se o bebê está sendo esperado para o fim de uma estação, compre apenas poucas roupas pequenas para esse clima e roupas maiores para o clima dos meses subseqüentes. Continue a levar em conta as estações durante o crescimento do bebê. É difícil deixar passar aquele maravilhoso traje de verão com apliques pela metade do preço, mas, se o tamanho é de doze meses e o seu bebê vai completar um ano em junho, é uma compra da qual você se arrependerá.

Ao escolher as roupas do bebê, leve em conta a comodidade e o conforto em primeiro lugar, e a moda em segundo. Os botõezinhos no decote podem ser uma graça, mas a dificuldade em abotoá-los com o bebê esperneando não tem graça alguma. Um vestidinho de organdi pode parecer encantador no cabide — mas talvez tenha de ficar lá mesmo, se irritar a pele delicada do bebê. Uma roupinha de marinheiro importada pode parecer linda — até o momento em que você precise trocar o bebê e não encontre acesso às fraldas. Sempre dê preferência às roupas feitas de tecidos macios e fáceis de cuidar, com botões de pressão em vez de botões de caseado (inconvenientes e perigosos, caso o bebê arranque um deles com a boca), abertura para a cabeça com bastante espaço (ou botões de pressão no decote), e parte inferior que se abram com facilidade para a troca de fraldas. Evite fitas e laços compridos, que são muito perigosos, e costuras grossas, muito desconfortáveis. Outro detalhe importante é haver espaço para o crescimento: alças ajustáveis, tecidos maleáveis, roupas de uma peça não acinturadas, cintura com elástico, fileira dupla de botões de pressão nas roupas de dormir, calças que possam ser enroladas, bainhas largas que possam ser descidas, pregas, dobras ou sobras nas emendas. Os pijamas com "pés" devem ser do tamanho certo, ou ter tornozelos com elástico que os mantenham no lugar.

■ Se você não descobriu o sexo do seu bebê através de ultra-som ou de amniocentese, não compre tudo em amarelo ou verde (a não ser que seja louca por essas cores), principalmente porque muitos bebês não têm um tom de pele que se harmonize com essas cores. Vermelhos, azuis e azuis-marinhos podem ser usados por meninos e meninas. Se algumas compras ficarem para depois de o bebê nascer, você poderá deliciar-se com lindos tons de rosa para uma filha, ou com padrões claramente masculinos para um filho. Em algumas lojas, você pode encomendar um enxoval e só pegá-lo depois do nascimento do bebê — quando então poderá pedir a cor apropriada. Isto só funcionará se o pai, a avó ou uma amiga for buscar o seu pedido enquanto você está no hospital, ou se a loja mandá-lo para a sua casa assim que você chegar.

■ Ao comprar mobília do bebê, praticidade e segurança devem sobrepor-se ao estilo. Um berço antigo, tanto comprado quanto ganho, pode dar ao quarto do bebê um ar de tradição familiar — mas você pode estar preparando um tombo para o bebê, caso o fundo do berço não seja suficientemente firme para o peso dele, ou para uma *overdose* de chumbo, caso a pintura seja também antiga. Se você tiver um cachorro, uma caminha baixa pode ser perigosa. Um carrinho com cara de *Rolls-Royce* talvez provoque muitos sorrisos quando você anda pelas ruas, mas provocará muita cara feia quando você fizer um ônibus esperar no ponto enquanto dobra o carrinho, segura o bebê no colo, a sacola de fraldas, e leva tudo isso degraus acima. Veja outras informações sobre a mobília do bebê na página 43.

■ Quanto aos artigos de toucador para o bebê, compre somente o que você necessita (veja lista na página 41), e não cada produto que você vê. Ao compará-los, escolha os que não têm álcool (o álcool resseca a pele do bebê) e contenham o mínimo possível de corantes e conservantes artificiais e outros aditivos químicos. Não compre talco para bebês. Eles não têm finalidade médica alguma, podem provocar irritações se se acumularem em reentrâncias do corpo, ser perigosos quando inalados e, se contiverem pedra-sabão, até mesmo causar câncer de pulmão bem mais tarde.

■ Na caixa de medicamentos, porém, peque pelo excesso, preenchendo-a com tudo de que você possa precisar numa emergência, apesar de torcer para não usar nunca. Do contrário, você pode se ver desamparada quando o bebê acordar no meio da noite ardendo de febre e você não dispuser de nenhum medicamento para baixá-la. Ou quando você pegar o bebê mastigando uma folha daquela planta linda mas venenosa dada por uma amiga, e na caixa de remédios não houver nada capaz de provocar vômito.

O ENXOVAL

De 3 a 7 camisetas. Para o recém-nascido, as mais fáceis de usar são as abertas na frente ou com botões de pressão nas laterais, mas os agasalhos são mais macios e confortáveis; camisas que se abotoam entre as pernas não sobem quando a criança se mexe, deixando as barrigas protegidas contra o frio.

De 3 a 8 camisões de dormir com cordão na cintura. Os cordões devem ser retirados quando a criança ficar mais ativa.[1]

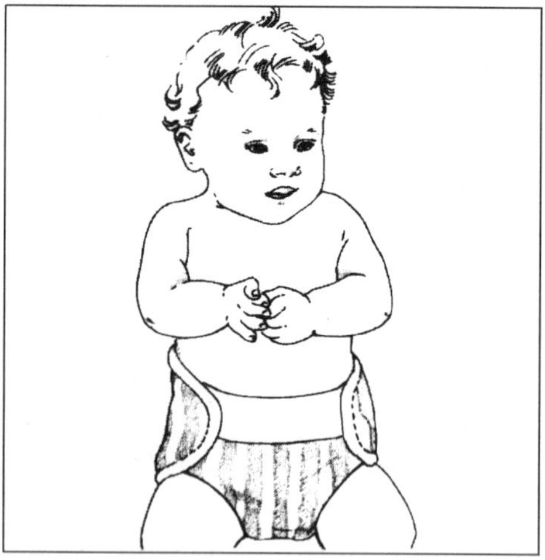

As sobrefraldas eliminam a necessidade de alfinetes ou calças plásticas; são feitas de algodão ou lã e "respiram", reduzindo o risco de dermatites de fraldas

1. As roupas de dormir para bebês e crianças precisam estar de acordo com as normas federais de resistência a chamas; em geral, são feitas de fibras sintéticas não-inflamáveis.

De 2 a 3 macacões de dormir de lã, para os bebês nascidos no fim do outono ou no inverno. Não use os parecidos com sacos quando o bebê conseguir ficar em pé.

De 3 a 4 calças plásticas, protetores ou sobrefraldas, se você estiver pensando em usar fraldas de pano. Se usar as descartáveis, basta um par para ocasiões inesperadas.

De 2 a 3 pares de sapatinhos ou meias. Escolha os que não saem com facilidade.

De 3 a 6 pijaminhas com pés, para o bebê de outono ou inverno, mas apenas 2 ou 3, caso ele nasça no fim da primavera ou no começo do verão.

De 3 a 6 macacões (inteiriços, de mangas curtas e com fechos entre as pernas), para o bebê de fim de primavera ou de verão.

2 babadores laváveis. Mesmo antes de os alimentos sólidos serem dados, você vai precisar de babadores para proteger as roupas de vômitos.

De 1 a 3 agasalhos. Um agasalho leve será suficiente para o verão; os mais quentes ficam para o inverno.

De 1 a 3 chapéus. Leves e com aba para proteger do sol. Para o inverno, os mais quentes com cobre-orelhas justos, mas não apertados.

1 poncho com capuz ou roupa de neve com luvas de polegar, para o bebê que nascer no fim do outono ou no inverno.

ARTIGOS DE CAMA E BANHO

De 3 a 4 lençóis com elástico. Um jogo para cama, berço, moisés e/ou carrinho.

2 protetores acolchoados para colchão, se os pais quiserem.

De 2 a 6 protetores impermeáveis, para o berço, o carrinho, o seu colo e a mobília.

2 cobertores ou acolchoados laváveis, para o berço ou o moisés. Leves para o verão, mais encorpados para o inverno. Evite as *franjas* compridas e as fitas soltas.

De 1 a 2 cobertores para o carrinho. Se o bebê nascer no verão, basta um leve.

De 2 a 3 toalhas felpudas, com capuz.

De 2 a 3 toalhinhas macias.

1 dúzia de fraldas de pano quadradas, para proteger os seus ombros quando fizer o bebê arrotar, os lençóis quando o bebê vomitar para substituir babadores numa emergência, e muito mais.

Revestimentos para fraldas de pano, se o bebê urina muito ou para uma proteção a mais durante a noite.

Fraldas. Compre de 2 a 5 dúzias de fraldas de pano pré-dobradas, se você estiver lavando as que já tem, ou várias dúzias de descartáveis, se você só usar dessas (ou apenas duas dúzias se você só pretende usá-las em passeios e situações inesperadas). Se você está pensando em contratar um serviço de fraldas, faça-o no oitavo mês que eles poderão iniciar a entrega assim que você der à luz.

ARTIGOS DE TOUCADOR

Os artigos utilizados nas mudanças de fraldas devem ficar numa prateleira alta, acima da mesa onde o bebê é trocado e longe do alcance dele, mas numa altura em que você consiga pegá-los.

Sabonete ou sabonete líqüido infantil, para ser usado com moderação.

Xampu "sem choro". Para os recém-nascidos, os sabonetes líqüidos que não irritam os olhos podem ser usados em vez de xampu.

Óleo para bebês, se os pais quiserem. Não se trata de um artigo necessário, a menos que o médico o receite para seborréia no couro cabeludo, e azeite de mesa quase sempre o substitui.

Pó de amido, se os pais quiserem. Não é necessário, mas bom para usar no calor.

Pomada para dermatite de fraldas. Peça ao médico que lhe recomende uma.

Toalhas de papel umedecidas, higiene na troca de fraldas, limpeza das mãos e mais um monte de utilidades. Contudo, nas primeiras semanas e sempre que houver assaduras, use algodão e água para limpar o bumbum do nenê.

Bolas de algodão estéril, para limpar os olhos do bebê, passar álcool no coto umbilical, para as trocas de fraldas nas primeiras semanas e para quando o bebê tiver assaduras.

8 alfinetes de segurança para fraldas, se você estiver usando fraldas de pano. Os com cabeça de metal são melhores que os de plástico, que podem quebrar-se.

Tesoura ou cortador de unhas.

Pente e escova de cabelos. Use somente pentes de dentes espaçados e em cabelos molhados.

CAIXA DE MEDICAMENTOS

Tenha esses produtos à mão, em vez de esperar para comprá-los numa necessidade. Peça ao médico do bebê algumas indicações. Guarde-os fora do alcance de bebês e crianças.

Um substituto líqüido para a aspirina, como Tylenol infantil, Anatyl, Dôrico (todos à base de acetaminofen).

Carvão líqüido, caso seja recomendado pela Central de Intoxicações local.

Descongestionante líqüido, fórmula infantil, só deve ser usado se receitado pelo médico (em geral, não é recomendado para bebês).

Creme anti-séptico, como bacitracina ou neomicina (para cortes e arranhões sem gravidade).

Peróxido de hidrogênio, para limpeza de cortes.

Loção de calamina ou creme de hidrocortisona (1/2%), para picadas de insetos e brotoejas.

Solução reidratante, se o médico a recomendar, em caso de diarréia. É raro ser necessária quando o bebê é amamentado.

Creme ou loção com filtro solar. Só use depois que o bebê tiver completado seis meses, a menos que o médico a indique.

Colher-medida, conta-gotas e/ou seringa oral, para dar remédios.

Curativos e almofadas de gaze, numa variedade de formas e tamanhos.

Esparadrapo, para fixar a gaze.

Pinças, para retirar farpas.

Aspirador nasal, uma seringa com bulbo (pêra) para limpar nariz congestionado (veja página 484).

Seringa para o ouvido, para remover o excesso de cera, caso o médico recomende.

Vaporizador/umidificador frio. O antigo umedecedor a vapor não é recomendável, pois pode provocar queimaduras.

Um termômetro comum.

Lanterna de bolso, para verificar se a garganta está inflamada, ou se há sinais de concussão nas pupilas.

Abaixador de língua, para examinar a garganta.

Almofada térmica e/ou garrafa térmica, para aliviar cólicas na barriguinha e dores musculares.

APETRECHOS PARA ALIMENTAÇÃO

1 mamadeira com bico, para água ou alimentação complementar, caso você tenha optado exclusivamente pela amamentação.

4 mamadeiras de 120 mililitros, e de 10 a 12 mamadeiras de 240 mililitros, bicos, para alimentação com mamadeira; de 4 a 6, se for para complementação. As mamadeiras de vidro são mais fáceis de limpar, mas são quebráveis e não recomendadas para leite materno. Das de plástico há dois tipos: a comum, reutilizável, e as mais modernas, com revestimentos descartáveis que se encolhem à medida que o bebê suga, levando-o a engolir menos ar.

Os bicos são de vários formatos (inclusive o ortodôntico, melhor), com orifícios de tamanhos diferentes (menores para leite em pó e bebês mais novos, maiores para sucos e bebês mais crescidos). Os bicos de silicone não tem cheiro nem sabor, não ficam viscosos, podem ser colocados na máquina de lavar louça e são transparentes o que lhe permite saber se estão limpos). Você pode experimentar vários tipos para descobrir qual é melhor para o seu bebê.

Utensílios para preparar leite em pó, caso você tenha optado pela mamadeira. A seleção dos produtos necessários dependerá do tipo de leite em pó que você pretende usar, mas da lista de compras devem constar escovas para o frasco e o bico, um jarro graduado grande, uma xícara graduada, abridor de latas, colher de cabo longo e pinças para mamadeira. Todas essas coisas têm de suportar fervura.

Um esterilizador, se você vai usar mamadeira ou complementar a alimentação.

Chupetas, caso se decida por usá-las. Procure as resistentes e inteiriças, com orifícios para ventilação (exigidos pela Comissão de Segurança de Produtos para o Consumidor) e formato ortodôntico. Assim como os bicos de mamadeira, elas também são fabricadas em silicone muito fácil de lavar. Atenção: nunca coloque um cordão na chupeta do seu bebê.

MÓVEIS E EQUIPAMENTOS

Em todos os produtos, atente para: pintura sem chumbo; estrutura resistente e sem saliências, bordas macias e quinas arredondadas; correias de segurança na cintura e entre as pernas, quando for o caso. *Evite*: bordas ásperas, pontas afiadas ou peças pequenas que possam soltar-se; dobradiças ou molas expostas; fios, cordões ou fitas pendentes. Siga as instruções, do fabricante, de uso e manutenção de todos os produtos, e verifique regularmente na caminha, no carrinho e em outros equipamentos se há parafusos soltos, correias desgastadas, suportes partidos e outros indícios de desgaste.

Caminha. Atente para: um selo atestando que foram cumpridas as normas da Comissão de Segurança de Produtos para o Consumidor (CPSC); distância máxima de 6 cm entre as grades, sem lascas e rachaduras na madeira; estrado com ajuste de nível; altura máxima da grade de 50 cm quando o colchão estiver na posição mais alta, e a grade na mais baixa; barras estabilizadoras do estrado em aço; revestimento plástico sobre parapeitos com saliências, preso com firmeza e sem rachaduras. *Evite*: suportes e peças proeminentes; barras transversais.

Colchão. Atente para: firmeza; molas espirais recobertas, ou, se houver um histórico familiar de alergia, de espuma densa (ou coloque uma cobertura impermeável sobre o colchão de molas); um bom ajustamento na caminha (com não mais que dois dedos de distância entre a cama e o colchão).

Acolchoados laterais. Atente para: firmeza ao longo de toda a parte interna da caminha; pelo menos seis cordões ou conjuntos de botões de pressão para prender nas grades.

Moisés ou berço balouçante. Opcional, mais útil nas primeiras semanas, quando o bebê talvez goste desse aposento aconchegante e você poderá apreciar os movimentos dele (ainda que um carrinho sirva para o mesmo fim). *Atente para*: colchão firme; base sólida, tamanho adequado ao bebê (se ele for robusto, um berço antigo e frágil pode desmoronar).

Trocador de fraldas. Pode ser uma mesa ou a parte de cima de um móvel feito para troca de fraldas — ou, ainda, algo improvisado com o que você já tem. *Atente para*: altura cômoda; forro lavável; anteparos de segurança; local das fraldas ao seu alcance, artigos de toucador fora do alcance do bebê.

Balde para as fraldas, se é você mesma quem vai lavá-las. Atente para: facilidade de lavar; tampa bem ajustada, que um bebê curioso ou uma criança não consiga abrir dentro (há bebês que caíram em baldes cheios de água com desinfetante e se intoxicaram).

Cômoda, ou outro móvel em que as roupas do bebê possam ser guardadas.

Banheira. Atente para: fundo antiderrapante (ou, para impedir que o bebê escorregue, coloque no fundo uma toalha ou fita crepe); facilidade de lavar; espaço (grande o suficiente para quando o seu bebê tiver quatro ou cinco meses); apoio para a cabeça e os ombros do bebê; facilidade de transporte e escoamento. Evite: almofadas esponjosas não-removíveis.

Assento de banheira, para o momento em que o bebê já puder usar a banheira grande. Atente para: cinto de segurança; parte inferior com ventosas de sucção.

Assento. Atente para: base ampla, sólida e firme; fundo antiderrapante ou de sucção; cintos de segurança na cintura e entre as pernas; tamanho adequado (algumas são pequenas demais e só servem para bebês muito miúdos); alça de transporte adequada. Também interessante: um mecanismo que permita embalar o bebê; posições ajustáveis. Nunca deixe um bebê, nem mesmo um bem novinho, nesse assento na beirada de uma mesa ou de um balcão, ou perto de alguma coisa (uma parede, por exemplo) em que ele possa apoiar-se e jogar-se para o outro lado, e nunca use tal assento no carro.

Baú de brinquedos. Atente para: tampa leve, removível ou com um suporte que não permita que ela se feche sobre o bebê; cantos e bordas suaves nas caixas de metal, e sem lascas nas de madeira; buracos de ventilação na tampa e nas laterais; sem trinco nem fechadura. É melhor usar uma arca aberta ou uma prateleira para guardar os brinquedos.

EQUIPAMENTOS PARA PASSEIO

Carrinho do tipo guarda-chuva. Atente para: o selo de garantia da Juvenile Products Manufacturers Association (JPMA)*; assento reclinável, de modo que o carrinho possa ser usado quando o bebê for ainda muito novo e também para as sonecas, quando ele tiver crescido; rodas grandes, para manobras mais fáceis; bons freios; cin-

* Encontrado nos artigos norte-americanos. (N. do R. T.)

tos de segurança firmes e fáceis de prender; facilidade para dobrar (experimente); leveza, se você pretende entrar com ele em ônibus e outros veículos; proteção contra sol e chuva; dobradiças que não prendam dedinhos curiosos; alças numa altura confortável; porta-bagagem. Quando usar o carrinho, assegure-se de que, quando aberto, as traves móveis estejam bem presas, e não sobrecarregue as alças com sacolas e outras coisas, pois podem virá-lo.

Combinação de carrinho do tipo guarda-chuva com carrinho-berço. Tem algumas das vantagens de ambos, mas não é tão leve quanto o carrinho do tipo guarda-chuva. Veja os tópicos sobre os dois para escolher.

Carrinho-berço. Muitas famílias, sobretudo as que moram num espaço pequeno ou que fazem a maioria dos passeios de carro, não precisam de um carrinho desses, nem querem tê-lo. Se você quer atente para: balanço suave; facilidade para dobrar (se isso for importante para você); facilidade para manobrar (certifique-se de que o carrinho passa pelas portas da sua casa); porta-bagagem; dispositivo de trava seguro se a parte superior for destacável para usar como moisés. Confira sempre se um carrinho dobrável em uso está adequadamente travado; quando o bebê já se sentar, apoiado, coloque sempre os cintos nele.

Assento para o carro. Mesmo que não tenha um carro, você vai precisar de um assento para levar o bebê a passeios em carros de outras pessoas. Se alugar um carro, pode alugar também um assento, mas talvez não seja o melhor assento que existe. Há três tipos — o assento para bebês, o assento ajustável e o assento para crianças maiores, e atente para as seguintes características ao escolher um deles: facilidade de instalação (de preferência sem tiras de sustentação); cintos com fecho único, que torna mais fácil fechá-los e soltar a criança (faça um teste para saber se você consegue fazer isso com rapidez); conforto e espaço

Assento de carro para bebês. *Este assento é indicado para bebês com até 9 kg que ainda não conseguem sentar-se sozinhos. Ele fica virado para trás, o que facilita a mãe bater papo com o bebê enquanto dirige. Mas a maioria dos bebês mais crescidos acham entendiante não olhar para a frente e não ver a paisagem. Uma vantajem especial: é um assento que pode ser tirado e instalado com o bebê dentro dele, enquanto a base permanece presa ao carro. Também pode ser usado como assento para o bebê dentro de casa.*

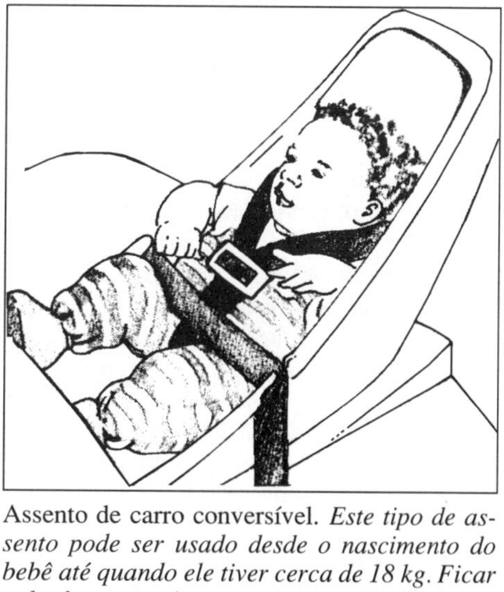

Assento de carro conversível. *Este tipo de assento pode ser usado desde o nascimento do bebê até quando ele tiver cerca de 18 kg. Ficar voltado para trás, em posição oblíqua quando usada para um bebê novinho, e pode ficar sem inclinação, voltada para a frente, quando o bebê for maior e estiver interessado em olhar à volta (veja o assento à direita).*

Para os bebês mais crescidos, há assentos feitos para suportar crianças acima de um peso e uma idade específicos (veja a etiqueta no produto). Presos pelo cinto de segurança do carro, eles propiciam mais mobilidade e visibilidade. As crianças não devem usar os cintos de segurança para adultos enquanto não tiverem 18 kg.

para o bebê, com boa visibilidade e facilidade de movimento para um bebê mais crescido; tamanho, de modo que o assento continue seguro e confortável quando o bebê crescer.

Porta-bebê. Apropriado para carregar um bebê novinho dentro ou fora de casa, deixando-a com as mãos livres para os serviços domésticos ou para carregar sacolas. Atente para: um modelo que permita colocar o bebê junto do seu peito (só quando o bebê conseguir sentar-se sozinho ele poderá ser levado às costas), que seja fácil de colocar e tirar do corpo, sem ajuda; ajustável, com correias acolchoadas que não se enrolem; facilidade de lavar; apoio para cabeça e ombros do bebê e um fundo amplo, que acomode bem suas nádegas e coxas. É ideal o porta-bebê que permita transportá-lo com o rosto voltado para frente, quando acordado. Um porta-bebê com correias que coloquem a maior parte do peso nos quadris é melhor para as costas da mãe quando a criança for mais pesada. Nunca use o porta-bebê como assento de carro.

Porta-fraldas. Atente para: vários compartimentos, com pelo menos um impermeável; alça para o ombro; zíper no compartimento maior. É bom que venha com uma almofada destacável para as trocas de fraldas. Veja, na página 92, o que se deve colocar no porta-fraldas.

É BOM TER

Cadeira de balanço. Ótima para alimentar e acalmar o bebê. Atente para: firmeza e conforto (experimente você mesma).

Babá eletrônica. Ótimo, se dos outros aposentos da casa não der para ouvir o bebê. Atente para: facilidade de transporte e segurança (sem peças expostas que possam provocar eletrocussão).

Balanço. Quase sempre acalma um bebê triste. Atente para: cintos de segurança seguros; superfícies e extremidades macias; firmeza; um assento reclinável para o bebê novinho; um tabuleiro com objetos para diversão. Evite: um balanço com dobradiças que possam prender dedinhos, ou pequenas peças que se quebrem. Se o balanço vai ser colocado no vão de uma porta, verifique se ele cabe na de sua casa. Não use o balanço com bebês com menos de seis semanas.

Moisés. Se você pensa em viajar freqüentemente para lugares onde não há esse tipo de acessório. Atente para as características de segurança, idênticas às do cercadinho, abaixo.

VOCÊ VAI PRECISAR, OU TALVEZ QUEIRA TER MAIS TARDE

Cadeira para refeições. São encontradas nos modelos alto e baixo, mas atualmente as altas são mais populares. Atente para: base larga, firme e sem pés; bandeja que possa ser facilmente retirada ou encaixada com uma só mão; borda alta para impedir derramamento de líqüidos; facilidade de limpar; encosto alto para o bebê apoiar a cabeça; apoio regulável para os pés; correias de segurança; trava segura, caso a cadeira seja dobrável; certificado da JPMA.

Assento portátil para refeições. Se úteis nas visitas e nos restaurantes, bem como em casa. Atente para: um mecanismo de trava que impeça quedas; um assento confortável; anteparo entre as pernas, para que o bebê não escorregue. Nunca use um assento desses sobre uma mesa de vidro ou de perna central, nem com uma cadeira por baixo. (Para outras dicas sobre segurança, veja página 270).

Cercadinho. Os de madeira são melhores para a criança aprender a ficar de pé, mas os de rede são mais macios para aparar as quedas do bebê. Atente para: nos de madeira, a distância entre as ripas deve ser de 5 cm; trama fechada nos de rede (para não prender dedos ou botões); acolchoamento de vinil forte (os bebês podem sufocar-se com o plástico rasgado ou com o enchimento); dobradiças de metal acolchoadas; um dispositivo que impeça a queda do bebê. *Não* use um cercadinho do tipo sanfona, nem deixe um cercadinho de rede com a lateral no chão.

Portão de segurança, para escadas e vãos de portas. Atente para: malha firme ou estrutura metálica maleável (não do tipo sanfona, a menos que se trate de um modelo posterior a 1985, com certificado de segurança) e um trinco fácil de usar (do contrário, talvez você deixe de trancá-lo).

Andador. Não são recomendáveis. Se for usar mesmo assim, procure um andador com base larga, firme e sem pontas; mecanismo de trava seguro, para proteger os dedos da criança; molas espirais recobertas; ampla bandeja à volta, para proteger e poder brincar.

A opção mais segura são aqueles que se movimentam em círculos.

O QUE LEVAR AO HOSPITAL

Use a relação abaixo para o seu controle.

A caminho

- ☐ Dinheiro para o táxi ou estacionamento.
- ☐ Relógio com ponteiro de segundos para aferir as contrações.
- ☐ Caderno e lápis para registrar as contrações e as sensações físicas e emocionais.

Para a sala de parto

- ☐ Fichas para telefonemas e refeições ligeiras.
- ☐ Formulários da companhia de seguros.
- ☐ Formulários de pré-admissão e informações.
- ☐ Loção para massagens.
- ☐ Pequeno saco de papel para atenuar a oxigenação excessiva do sangue.
- ☐ Bola de tênis ou rolo para massagem durante o parto.
- ☐ Balas sem açúcar para manter úmida a boca.
- ☐ Meias grossas para pés frios.
- ☐ Toalhas de rosto coloridas.
- ☐ Champanhe com o seu nome (para comemorar).
- ☐ Sanduíches e outras guloseimas para o pai.
- ☐ Sua agenda de endereços, ou uma lista de amigos e parentes a ser informados.
- ☐ *O Que Esperar Quando Você Está Esperando.*[2]

Para o seu quarto no hospital

- ☐ Este livro.
- ☐ Um roupão e duas ou três camisolas (não as melhores, pois elas talvez aca-

---

2. O primeiro livro desta série, publicado pela Workman Publishing em 1985, traz informações valiosas sobre as coisas que você pode esperar que aconteçam na maternidade.

bem manchadas pelo corrimento vaginal; em lugar disso, você pode usar as do hospital).

- □ Roupa de cama, chinelos.
- □ Perfume, talco, cosméticos, escova de dentes, creme dental.
- □ Sabonete, desodorante, loção para a pele, xampu, condicionador.
- □ Escova de cabelos, secador, ferro de frisar cabelo.
- □ Óculos ou lentes de contato (e todos os acessórios necessários).
- □ Absorventes higiênicos (talvez sejam fornecidos pelo hospital).
- □ Baralho, livros, revistas e outras coisas para sua distração.
- □ Um livro sobre nomes de bebês, caso ainda não tenha escolhido um nome.
- □ Uvas passas, nozes, biscoitos de trigo integral.

Para a volta ao lar: a mãe

- □ Uma roupa bem folgada.
- □ Sutiã para amamentar, caso seja esta a sua intenção.
- □ Calcinhas e anágua.
- □ Sapatos e meias.
- □ Casaco ou suéter, se necessários.
- □ Sacolas para levar os presentes para casa.

Para a volta ao lar: o bebê

- □ 2 fraldas descartáveis (talvez o hospital as forneça), ou 4 fraldas de pano com alfinetes e calças plásticas ou sobre-fraldas.
- □ 1 camiseta.
- □ 1 pijaminha ou camisão de dormir.
- □ Meias ou sapatinhos.
- □ Gorro e casaquinho, se estiver frio.
- □ Poncho fechado com capuz ou um cobertor grosso se o tempo estiver frio (se com o poncho o bebê não couber direito no assento de carro, coloque os cintos nele e um cobertor por cima).
- □ Assento de carro para bebês.

CAPÍTULO 3

O Seu Recém-Nascido

O QUE O SEU BEBÊ PODE ESTAR FAZENDO

Alguns dias depois de nascido, o seu bebê talvez seja capaz de:

- erguer brevemente a cabeça quando deitado sobre a barriga
- mover os braços e as pernas dos dois lados do corpo, da mesma maneira
- olhar para objetos que estejam de 20 a 40 cm de distância

O QUE VOCÊ PODE ESPERAR DOS EXAMES NO HOSPITAL

O primeiro exame do seu bebê vai ser feito ainda na sala de parto. Ali, ou mais tarde no berçário, saiba que um médico ou uma enfermeira fará algumas destas coisas, ou todas elas:

- Desobstruir as vias aéreas do bebê através da sucção do nariz (o que pode ser feito assim que a cabeça dele apareça, ou depois que todo o corpo já estiver fora da mãe).
- Grampear e cortar o cordão umbilical (uma pomada antibiótica pode ser passada no coto umbilical, e o grampo "*coerd clamp*" costuma ser deixado por pelo menos 24 horas).
- Verificar a placenta, para certificar-se de que está completa, e avaliar seu estado.
- Aplicar no bebê o teste de Apgar (a avaliação das condições de bebê a um minuto e 5 minutos após o nascimento; veja página 51).

O RETRATO DE UM RECÉM-NASCIDO

A maioria dos que são pais pela primeira vez não está preparada para receber o pacotinho de alegria que lhes é entregue após o parto. Apesar dos "ohs" e "ahs" dos amigos e parentes, grande parte dos recém-nascidos não tem beleza alguma. O recém-nascido típico tem uma cabeça que parece grande demais para o corpo (tem cerca de um quarto do comprimento total), pernas magricelas, "de frango" e quase sempre — a menos que tenha sido cesariana —, uma aparência castigada.

O cabelo do recém-nascido pode ser ralo ou cheio; pode ser liso ou eriçado como os cabelos dos *punks*. Quando fino, pode ser que os vasos sangüíneos do couro cabeludo pareçam muito proeminentes, e a pulsação talvez seja perceptível na moleira, ou fontanela, no topo da cabeça do bebê.

Os olhos do recém-nascido podem parecer estrábicos por causa das dobras dos cantos internos, e também devido ao inchaço provocado pelo parto e pelo colírio para impedir as infecções. Também podem estar injetados, pelo esforço do trabalho de parto. O nariz pode ser achatado, e o queixo assimétrico ou voltado para dentro, por terem sido comprimidos ao passar pela pélvis. Se a compressão foi particularmente forte, a cabeça pode estar moldada em certo sentido, como se o bebê estivesse usando um "chapéu de burro". E/ou uma contusão (ou céfalo-hematoma) pode ter-se aparecido no couro cabeludo. (A maioria dessas conseqüências do parto diminuirão em alguns dias, ou, quando muito, em algumas semanas.)

Por ser muito fina, a pele do recém-nascido geralmente apresenta uma cor rosa-claro (até mesmo nos bebês negros) devido aos vasos sangüíneos logo abaixo dela. Quase sempre a pele está recoberta por resíduos de "vernix caseosa" (um revestimento sebáceo) que protege a pele do feto durante o tempo em que ficou mergulhado no líqüido amniótico, embora, quanto mais tarde nasça o bebê, menos revestimento haverá. Muitos bebês, sobretudo os prematuros, nascem também cobertos com lanugem, pêlos pré-natais, geralmente nos ombros, nas costas, na testa e nas bochechas, que desaparecerão nas primeiras semanas de vida. Devido à ingestão de hormônios femininos da placenta pouco antes do nascimento, muitos bebês (de ambos os sexos) apresentam mamilos e/ou órgãos genitais intumescidos. Pode até mesmo acontecer de sair leite dos mamilos e, nas meninas, um corrimento vaginal (às vezes sangüinolento).

Essas características dos recém-nascidos começarão a desaparecer nas suas primeiras semanas de vida. Pouco depois, o bebê dará um belo retrato.

- Aplicar colírio (nitrato de prata ou antibiótico; veja página 80) para impedir infecção gonocócica ou por clamidia.

- Contar os dedos das mãos e dos pés, e verificar se as partes e características visíveis do corpo do bebê são normais.

- Registrar a emissão ou falta de emissão de urina e/ou fezes (para ajudar a resolver um problema de eliminação). Aplicar uma injeção de vitamina K, para estimular a capacidade de coagulação do sangue do bebê.

- Pesar o bebê (o peso médio é de 3,4 kg; 95% dos recém-nascidos pesam de 2,5 kg e 4,3 kg).

- Medir o comprimento do bebê (o comprimento médio é de 51 cm; 95% dos recém-nascidos estão entre 47 cm e 55 cm).

- Medir o perímetro da cabeça (a média é de 0,35 cm; o normal vai de 0,33 cm a 0,37 cm.

- Colher sangue do calcanhar do bebê, para verificar se há fenilcetonúria (PKU) e hipotiroidismo; (T4) do cordão umbilical, para o teste de Coombs, em busca de anticorpos que indicam ter ocorrido sensibilização Rh; coleta de sangue para quaisquer outros testes metabólicos necessários (para baixa taxa de açúcar no sangue, por exemplo); sangue para a procura de células falciformes.[1]

- Avaliar a idade gestacional (o tempo passado no útero) dos bebês nascidos antes do período de gestação normal.

Antes que o seu bebê deixe a sala de parto, pulseiras de identificação serão colocadas tanto nele quanto em você. Serão tiradas as impressões do pé do bebê e do polegar da mãe para a necessidade de identificação futura (a tinta usada no pé do bebê é lavável, e os resíduos que você notar são apenas temporários). O médico do bebê, em geral escolhido por você, vai fazer um exame mais aprofundado da criança nas 24 horas seguintes; se você (com ou sem o seu marido) puder estar presente, é uma ótima oportunidade para fazer perguntas. O médico vai avaliar o seguinte:

- Peso (é provável que desde o nascimento tenha diminuído, em geral 10%), perímetro da cabeça (pode estar maior, se qualquer achatamento da cabeça houver voltado ao normal e comprimento (que, na verdade, não se terá modificado, ainda que possa parecer o contrário, já que medir um bebê que não fica em pé nem consegue cooperar é um procedimento extremamente impreciso).
- Batimentos cardíacos e respiração.
- Órgãos internos, como rins, fígado e baço, por apalpação (examinando pelo toque, externamente).
- Os reflexos do recém-nascido.
- Os quadris, em busca de eventual deslocamento.
- Mãos, pés, braços e pernas.
- Órgãos genitais.
- O coto umbilical.

O TESTE DE APGAR

O primeiro teste ao qual os bebês se submetem — e a maioria passa com boas notas — é o de Apgar, criado pela anestesiologista Virgínia Apgar. As notas, registradas um minuto após o nascimento e, novamente, cinco minutos depois, refletem o estado geral do recém-nascido e se baseiam em observações feitas em cinco categorias de avaliação. Os bebês com notas entre 7 e 10 estão em condições de boas a excelentes e em geral só exigem cuidados de rotina depois do nascimento; aqueles que ficam entre 4 e 6, em condições razoáveis, podem precisar de algumas medidas de ressuscitação, e os que ficam abaixo de 4, em condições sérias, exigem

1. O teste de células falciformes geralmente se restringe aos bebês negros, mas alguns especialistas querem torná-lo universal.

intervenção médica imediata e drástica para salvar-lhes a vida. Acreditava-se que os bebês cujas notas eram baixas no quinto minuto fatalmente teriam problemas neurológicos no futuro, mas pesquisas recentes provam que a maior parte desses bebês vem a ser normal e saudável.

OS REFLEXOS DO SEU RECÉM-NASCIDO

Sobressalto, ou reflexo de Moro. Um barulho súbito ou muito alto, ou a sensação de cair, fazem com que um bebê estenda braços, pernas e dedos, arqueie as costas e lançe a cabeça para trás, depois flexiona de novo os braços sobre o peito, com os punhos cerrados.

Duração: de quatro a seis meses.

Reflexo de Babinski. Quando a planta do pé é levemente arranhada, do calcanhar aos dedos, estes se flexionam para cima e o pé dobra-se para dentro.

Duração: entre seis meses e dois anos, depois do que os dedos do pé curvam-se para baixo.

Reflexo de sucção. O recém-nascido cujo rosto é levemente tocado volta-se para a direção do estímulo, com a boca aberta e pronto para sugar.

Duração: cerca de três a quatro meses, ainda que possa persistir quando o bebê está dormindo.

Reflexo de andar. Colocado de pé sobre uma mesa ou outra superfície plana qualquer, seguro por sob os braços, um recém-nascido (isto funciona melhor depois do quarto dia de vida) ergue uma perna e de-

TABELA DE APGAR

SINAIS	PONTOS		
	0	**1**	**2**
Aspecto (cor)*	Pálida ou azul	Corpo róseo, extremidades azuis	Rósea
Pulso (freqüência)	Não perceptível	Abaixo de 100	Acima de 100
Careta (irritabilidade reflexa)	Nenhuma reação a estímulos	Careta	Choro forte
Contração (tonicidade muscular)	Flácida (atividade fraca ou nula)	Algum movimento das extremidades	Muita atividade
Respiração	Ausente	Lenta, irregular	Boa (choro)

*Nas crianças não-brancas, a cor das membranas mucosas da boca, do branco dos olhos, dos lábios, das palmas, das mãos e das solas dos pés será examinada.

pois a outra, dando o que parecem ser "passos".

Duração: variável, mas claramente de cerca de dois meses. (A existência deste reflexo não é um indício de que a criança vá andar precocemente.)

Reflexo de preensão. Com o bebê olhando para a frente, os braços flexionados, um dedo indicador pressionado contra a sua palma da mão vai levá-lo a flexioná-la, numa tentativa de agarrar o dedo. A preensão do recém-nascido pode ser forte a ponto de suportar todo o peso do corpo.

Duração: três ou quatro meses.

Reflexo tônico do pescoço. Colocado de costas, um bebê assumirá uma "posição de esgrima"; a cabeça para um lado, com os braços e as pernas desse lado estendidos, e os membros opostos flexionados.

Duração: pode estar presente já ao nascer ou talvez apareça aos dois meses, desaparecendo por volta do sexto mês.

Você pode tentar provocar esses reflexos no seu bebê, mas tenha claro que os resultados podem ser menos confiáveis do que os obtidos por um médico ou outra pessoa qualificada, e que a resposta pode ser afetada por fatores como fome ou fadiga. Se você não for capaz de induzir uma resposta apropriada a um ou mais desses testes em casa, há maior probabilidade de que a falha esteja na sua técnica e não no bebê. Volte a tentar num outro dia, e, se ainda não conseguir provocar uma resposta, comente o fato com o médico, que provavelmente já foi bem-sucedido nos testes com o seu bebê e ficará feliz em repeti-los na próxima visita ao consultório. A ausência verificada de um reflexo ou sua permanência além da idade em que deveria ter desaparecido exigem novas avaliações.

A ESCALA BRAZELTON DE AVALIAÇÃO COMPORTAMENTAL DO RECÉM-NASCIDO

Mais complexa e demorada do que o teste de Apgar, a escala Brazelton, criada pelo médico T. Berry Brazelton, é considerada por alguns melhor para prever o desenvolvimento futuro. A avaliação de 30 minutos — quase sempre realizada durante vários dias — usa de muitos estímulos (sinos, cores, formas, chocalhos, luzes) para testar o modo como os recém-nascidos reagem ao seu meio. Examina quatro tipos de comportamento: interativo (como o bebê se relaciona com as pessoas, incluindo a vivacidade e o aconchego); motor (inclusive reflexos, tonicidade muscular e atividades mão-boca); controle do estado fisiológico (inclusive a maneira como o bebê consegue consolar a si mesmo ou deixar-se consolar depois de ter estado irritado); reação ao estresse (inclusive o reflexo de sobressalto). Em vez de procurar descobrir o desempenho médio de um bebê, o teste Brazelton usa como avaliação o melhor desempenho do bebê, e os que o aplicam se esforçam bastante (recorrendo com freqüência ao auxílio da mãe) em obter os melhores resultados com o recém-nascido. Muitos médicos deixam esse teste para ocasiões em que desconfiam de algum problema, como bebês nascidos abaixo do peso, ou aqueles que aparentam problemas neurológicos.

PARA ALIMENTAR O SEU BEBÊ:
O Começo

Quer você tenha decidido amamentar o seu bebê, quer tenha optado pela mamadeira, logo irá perceber que a hora de alimentá-lo não é simplesmente a ocasião de dar-lhe a nutrição necessária. É a ocasião ideal para vocês começarem a se conhecer, a amar-se.

COMEÇANDO A AMAMENTAR

Todas essas mães que você costuma ver amamentando dão a impressão de que é tudo tão fácil. Sem perderem um trecho da conversa nem deixarem de comer a salada, elas erguem a blusa e levam seus bebês ao peito. Com muita habilidade, quase indiferentes, como se se tratasse da coisa mais fácil do mundo.

No entanto, nada parece tão fácil quando você leva o seu bebê ao peito pela primeira vez. Apesar de toda a sua concentração e do esforço, você não consegue fazer com que o bebê segure o seu mamilo, muito menos que mame. O bebê está agitado; você, frustrada: logo, os dois vão estar chorando. Você fica imaginando que, se fracassa no que há de mais fundamental nas funções de mãe, como vai ser com todas as outras coisas que ainda estão por vir?

Não jogue fora ainda o sutiã de amamentar. Você não está fracassando — está apenas começando a aprender. A exemplo de outras funções básicas da mãe, amamentar não é uma coisa instintiva — é algo que se aprende. Dê um tempo a si mesma e ao bebê, e não vai demorar muito você também dará a impressão de ser fácil amamentar. As dicas a seguir serão muito úteis.

Comece logo. Se você e o bebê estão predispostos, e se ele não foi levado para o berçário, tente amamentá-lo na sala de parto. Mas não se incomode se você e o bebê não forem bem-sucedidos de início. Forçar a mamada quando vocês dois ainda estão exaustos de um parto difícil tem tudo para ser uma experiência decepcionante. Aconchegar o bebê no peito pode ser tão gostoso quanto dar-lhe de mamar nos primeiros momentos de vida. Se você não quer amamentar na cama do parto, peça que lhe tragam o bebê para amamentar assim que estiverem concluídos todos os procedimentos necessários no berçário. Mas não se esqueça: ainda que o ideal seja começar logo, não há garantia alguma de sucesso imediato. Antes de você e o seu bebê chegarem à perfeição, muita prática será necessária.

Enfrente o sistema. Em geral, os hospitais têm por objetivo fazer o melhor possível — o que nem sempre coincide com as necessidades da mãe que amamenta e do lactente. Para certificar-se de que você não será contrariada na sua façanha pela insensibilidade, ignorância ou por normas arbitrárias, peça *com antecedência* ao seu médico que informe a direção do hospital sobre as suas preferências (dar de mamar sempre que o bebê quiser, nada de mamadeiras, nada de chupetas) ou relatá-las de um jeito amigável às enfermeiras. O melhor caminho talvez seja conquistar a simpatia de uma enfermeira do berçário. No entanto, você precisará do apoio do médico se tiver uma febre e ainda assim quiser amamentar.

Fiquem juntos. A amamentação não tem como acontecer se você e o seu bebê estiverem separados. Portanto, compartilhar o mesmo quarto é o ideal para a mãe que amamenta, pois ela não ficará na dependência de que alguém do berçário lhe traga o bebê para dar de mamar, e também terá a certeza de que ninguém vai dar à criança uma mamadeira com água pura ou com glicose. Se você estiver muito cansada por causa do parto, ou não se sentir segura para lidar com a criança o dia todo, a melhor opção talvez seja um alojamento conjunto parcial (o bebê fica com você durante o dia e vai para o berçário à noite). Com esse sistema, você pode amamentar o bebê durante o dia e deixar que o berçário cuide da alimentação dele durante a noite.

Se não for possível o alojamento conjunto (alguns hospitais só admitem isso em quartos particulares ou quando ambas as pacientes de um mesmo quarto querem ficar com seu bebê), ou se você não o quiser, peça que o bebê seja trazido sempre que estiver acordado e com fome, e não apenas por conveniência do berçário. Já que na maioria dos hospitais tal pedido é visto como um absurdo, o seu médico terá de conseguir um acordo antecipadamente. Mesmo assim, é provável que o bebê só lhe seja trazido esporadicamente, sobretudo se o berçário estiver lotado e, como quase sempre acontece, com poucos funcionários.

Se todas as tentativas falharem, você pode pedir para ter alta mais cedo, e assim ficar com o bebê na sua própria casa. Se isso não for possível, e forem negados todos os pedidos para que o bebê lhe seja trazido quando estiver com fome, amamente-o de acordo com os horários estipulados pelo hospital até quando lhe derem alta. Mas não deixe o bebê dormir nessas ocasiões em que o trazem para você. Se ele for um desses bebês que vivem dormindo, acorde-o para alguns minutos de amamentação.

Pratique, pratique, pratique. Antes de o seu leite chegar, considere as amamentações como "ensaios", e não se preocupe com a possibilidade de o bebê estar recebendo pouco em termos de nutrição. O seu suprimento de leite é feito sob medida para as necessidades do bebê. No momento, essas necessidades são mínimas — na verdade, o estômago do recém-nascido não comporta muito alimento —, e a pequena quantidade de colostro que você está produzindo é suficiente. Use essas sessões iniciais de amamentação para exercitar a técnica, e não para encher a barriga do bebê, mas veja se o bebê não fica com fome enquanto vocês dois aprendem.

Faça o que der. Amamentar o bebê quando ele está com fome é sempre melhor para o lactente. No entanto, isso talvez só seja possível se você estiver em alojamento conjunto, ou se o berçário tiver funcionários suficientes para permitir às enfermeiras levar o bebê até à mãe sempre que ele estiver com fome. Se nenhum dos dois é o seu caso, você terá de amamentar sempre que houver oportunidade, o que pode significar não deixar o bebê dormindo.

Proíba a mamadeira. Considere a alimentação suplementar de água com glicose — que alguns berçários normalmente oferecem aos bebês amamentados — uma sabotagem ao seu esforço de amamentar. Mesmo pequenos goles de água com açúcar bastam para satisfazer um apetite frágil e as primeiras necessidades de sucção, deixando o bebê mais sonolento que com fome ao ser trazido para você. Pode ser também que o seu bebê se mostre relutante em pegar o seu mamilo depois de alguns contatos com o bico artificial, que apresenta mais resultados com muito menos esforço. Se o seu bebê não mama, ou mama muito pouco ou sem entusiasmo, seus seios não serão estimulados a produzir leite, e estará praticamente iniciado um ciclo que prejudicará gradualmente a amamentação.

Ainda que lhe digam que os recém-nascidos lactentes precisem do soro extra que a água de mamadeira provê (já que tudo que recebem das mães são poucas colheres de colostro), isto só é verdade se ocorrerem desidratação ou hipoglicemia — ambas muito raras. O costume de dar água no berçário beneficia mais seus funcionários sobrecarregados de trabalho; é muito mais fácil uma enfermeira colocar uma mamadeira na boca de um bebê que chora do que colocá-lo no moisés e cruzar corredores até o quarto da mãe.

Dê tempo ao tempo. Nenhuma boa amamentação nasceu num único dia. O bebê certamente não tem experiência alguma, nem você, se é a sua primeira vez. Os dois têm muito que aprender, e é preciso ter paciência ao longo desse aprendizado. Antes que a produtora e o consumidor se harmonizem, haverá várias tentativas e um número ainda maior de erros.

Lembre-se de que as coisas podem avançar mais lentamente se um dos dois (ou ambos) passou por momentos difíceis durante o trabalho de parto e o nascimento, ou se você recebeu anestesia; é provável que mães sonolentas e bebês sem energia não estejam em condições de enfrentar, por ora, a arte da amamentação. Livre-se dessa tensão dormindo bastante (e deixe o bebê fazer o mesmo), antes de pegar sério na tarefa que a espera.

Não faça tudo sozinha. Há um século, mães e bebês que faziam as primeiras tentativas na amamentação contavam com muita ajuda. Mães, tias e avós geralmente estavam por perto para contar sua experiência, e as parteiras vinham aumentar o apoio familiar. Hoje, porém, você não precisa enfrentar sozinha o problema da amamentação só porque seu bebê nasceu num hospital, e não em casa, nem porque sua mãe e suas tias não só não moram perto como também não têm a menor experiência no assunto. Alguns hospitais promovem cursos de amamentação ou dão orientação individual e/ou fornecem material escrito. Se você não obteve esse tipo de ajuda para o pós-parto, recorra a uma enfermeira, ao médico ou a um puericultor que trabalhe no hospital. Se não conseguir ajuda nenhuma, ou se a ajuda for insuficiente, telefone para a Sociedade Brasileira de Pediatria de seu Estado (em São Paulo o telefone é 257-8325) em busca de conselhos e referências. Uma ou duas semanas depois do parto, uma visita ao médico do bebê para avaliar como você está se saindo com a amamentação pode ser muito útil e reconfortante. Assim como conversar com mães que estejam amamentando com êxito.

Mantenha a calma. Isto não é fácil se você é mãe pela primeira vez, mas é muito importante, caso você queira se dar bem na amamentação. A tensão pode inibir o fluxo do leite, o que significa que, mesmo que você o esteja produzindo, ele só sairá depois que você relaxar. Se estiver se sentindo suscetível, peça às visitas que se retirem do quarto 15 minutos antes do horário programado para amamentar o bebê; se estiver amamentando somente quando ele demonstrar fome, peça às pessoas que saiam assim que ele mostrar que quer mamar. Faça exercícios de relaxamento se achar que podem ajudá-la, pegue um livro ou uma revista, ligue a televisão, ou simplesmente feche os olhos e fique alguns minutos ouvindo música suave. Se o bebê vai mamar na mesma hora em que você costuma tomar um drinque, tome um copo de sidra borbulhante para ajudá-la a descontrair-se. Já que um estudo recente afirma que apenas um copo de vinho tomado diariamente pela lactante pode retardar o desenvolvimento motor do seu bebê, não é recomendável ingerir álcool todos os dias.

OS PRINCÍPIOS DA AMAMENTAÇÃO

▪ Beba alguma coisa. Um copo de leite, suco ou água um pouco antes ou durante cada mamada vai repor o líqüido necessário para a produção do leite materno. Uma coisa mais forte (ou seja, bebida alcoólica) só é recomendável muito raramente, e não terá o efeito daqueles líqüidos.

▪ Instale-se confortavelmente. Para as primeiras mamadas, talvez funcione melhor ficar deitada de lado (veja ilustração). Depois, talvez seja melhor sentar-se na cama ou numa cadeira. Mas, para colocar o bico do seio na boca do bebê, não se incline para a frente; em vez disso, ponha no seu colo um travesseiro que sirva de apoio para o braço que segura a criança e ajude a trazê-la até o seu peito. Experimente várias posições até encontrar a que lhe parece mais confortável — uma posição em que você possa permanecer bastante tempo sem sentir-se cansada ou dolorida.

▪ Pegue o seu seio com o polegar e o indicador (o polegar em cima), logo acima da aréola. Segurando-o assim, traga o mamilo na direção da bochecha do bebê, de tal modo que ele roce levemente o canto da boca. Isto vai estimular o reflexo de sucção (um dos muitos reflexos de sobrevivência do recém-nascido), que leva o bebê a voltar-se para o que o tocou. Você também pode usar um dedo livre para estimular o reflexo, ou fazer cócegas nos lábios do bebê com o bico do seio, para ele abrir bem a boca. Mas não aperte as bochechas do bebê para forçar-lhe a abrir a boca, pois ele não saberá para que lado voltar-se. Quando a boca estiver aberta, coloque o mamilo de-

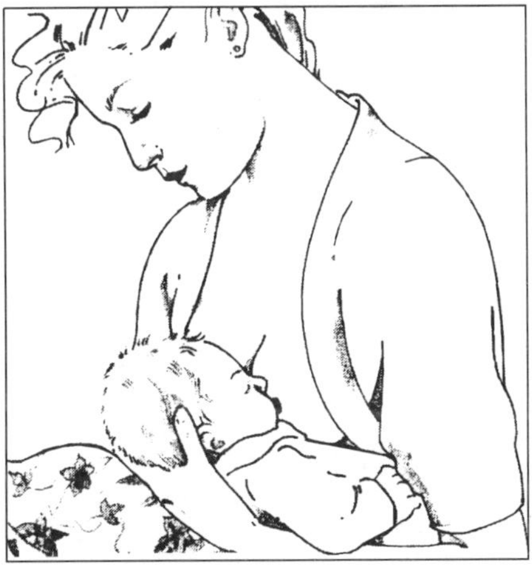

Como que segurando uma bola, boa posição para bebês pequenos.

Uma posição que lhe permita amamentar e descansar.

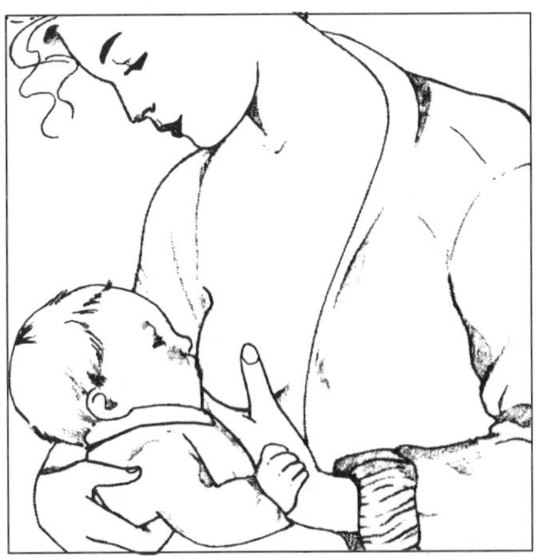

Use a mão livre para direcionar o mamilo.

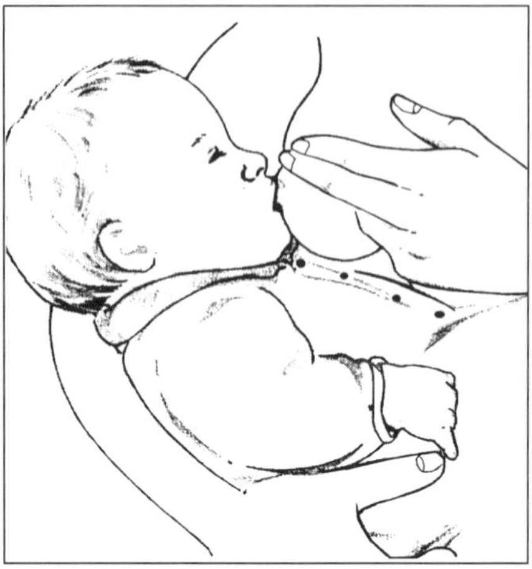

Use os dedos para dar ao bebê espaço para respirar.

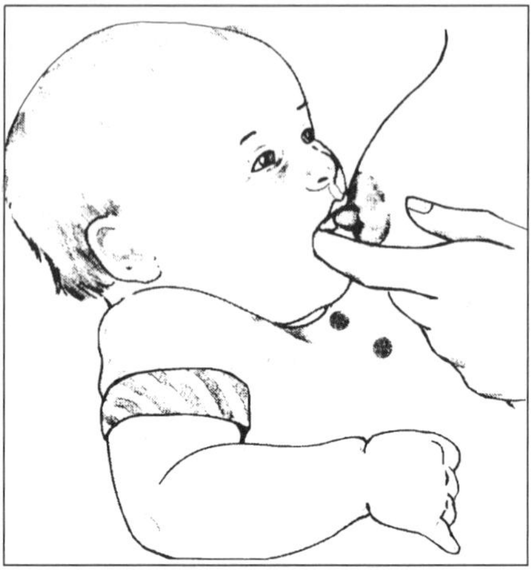

Interrompa a sucção cuidadosamente, usando o dedo indicador.

licadamente em seu centro, para que o bebê possa agarrar-se a ele. Se necessário, repita a seqüência até o bebê pegar o bico do seio na boca. Não force nada. Ao surgir a oportunidade, ele acabará tomando a iniciativa.

- Certifique-se de que o bebê pega tanto a aréola quanto o mamilo. A sucção apenas no mamilo não só vai deixar o seu bebê com fome (pois as glândulas mamárias que secretam o leite não serão comprimidas), como também vai deixá-la com os mamilos doloridos. Certifique-se, também, de que o bebê não perdeu a direção e acabou sugando outra parte do peito. Os recém-nascidos são ávidos por sugar, mesmo que nenhuma gota esteja saindo, e podem provocar ferimentos dolorosos ao morderem com as gengivas tecidos sensíveis do peito.
- Verifique se o bebê não está sugando o próprio lábio ou a língua, abaixando-lhe o lábio inferior enquanto estiver amamentando. Se você achar que é a língua que ele está sugando, interrompa a sucção com o dedo, tire o mamilo da boca dele e, só ao ter certeza de que a língua está abaixada, recomece a amamentar. Se for o lábio, solte-o delicadamente enquanto o bebê mama.
- Quando o seu bebê já abocanhar bem o bico, verifique se o nariz dele não está obstruído pelo seu seio. Se estiver, aperte o seio com um dedo para dar espaço para o bebê respirar.

Tente perceber um movimento vigoroso, firme e cadenciado da bochecha do bebê, um sinal de que a sucção está em andamento. Mais tarde, quando o seu leite descer, você vai ouvir o som de engolir (às vezes, até de ingurgitar), confirmando que o bebê não está sugando em vão. Se o leite parece sair tão rápido que inunda a boca do bebê, provocando engasgo e náusea, pare de amamentar e tire o excesso de leite com as mãos (ou com uma bombinha de sucção). Se os seios estiverem inchados (ingurgitados) e os mamilos doloridos, interferindo na amamentação, informe-se nas páginas 600 e 639.

- Amamente por não mais de 5 minutos em cada seio por mamada, no primeiro dia, 10 minutos no dia seguinte, e 15, ou mais, no terceiro. (Alguns especialistas aprovam que o bebê mame quanto quiser desde o início.) Quando já há leite, amamente por 10 minutos no primeiro seio e, pelo tempo que o bebê quiser no outro seio, voltando ao primeiro se ele ainda parecer com fome depois de ter esvaziado o segundo. Se o bebê adormecer antes de você mudá-lo de peito, um bom arroto poderá deixá-lo querendo mamar mais.

Comece cada mamada alternando os seios. Para se lembrar, você pode prender um alfinete de segurança no sutiã do lado do seio com que iniciou a mamada anterior, ou pode colocar um protetor absorvente no bojo do sutiã daquele lado. O protetor também vai absorver qualquer vazamento do seio com o qual você não está amamentando.

- Assim que o bebê terminar, enxugue o bico dos seios com leves pancadinhas; depois, sempre que possível, deixe-os ao ar de 10 a 15 minutos. Isso vai ajudar a fortalecê-los, mas não será mais necessário assim que a amamentação estiver correndo bem.
- Quando o leite chegar, amamente com freqüência, oferecendo ao bebê os dois seios e esvaziando pelo menos um a cada mamada. Se o bebê não mamar com vontade ou por um bom tempo e o seio não ficar vazio, talvez seja uma boa idéia tirar o leite excedente (veja página 100), especialmente se você tiver pouco leite. O leite retirado pode ficar em geladeira ou congelador, para uma alimentação complementar.

COMEÇANDO A USAR MAMADEIRA

Por estranho que pareça, a alimentação por mamadeira dá-se mais naturalmente — ou, pelo menos, mais facilmente — do que a amamentação. Os bebês têm pouca dificuldade em aprender a sugar um mamilo artificial, e as mães (e os pais também) têm pouca dificuldade em dá-la ao bebê. O preparo do leite em pó e a esterilização dos frascos são coisas um pouco mais complicadas, mas até mesmo essas tarefas acabam dominadas sem muito esforço. (Veja na página 43 informações sobre os tipos de mamadeiras e bicos disponíveis e sobre os acessórios que lhe serão úteis.)

A ESCOLHA DO LEITE

Com a ajuda do médico do bebê, selecione um leite cuja composição seja o mais parecida possível com a do leite materno — tipos e proporções de proteínas, lipídios, açúcares, sódio e outros nutrientes devem assemelhar-se às do leite materno. Uma formulação enriquecida com flúor é boa, desde que você não more num lugar com água fluoretada, não misture o leite em pó com água fluoretada de torneira, nem dê um suplemento mineral-vitamínico que contenha flúor. Conter ferro é importante se você não estiver dando um complemento com ferro. Há fórmulas especiais para bebês com alergia a leite ou com distúrbios metabólicos, como fenilcetonúria.

Não use receitas caseiras de leite. As que são feitas com leite desidratado ou leite fresco, mais açúcar e água, não se igualarão nem ao leite materno nem ao artificial, não vão alimentar devidamente o bebê e podem sobrecarregar os frágeis rins do bebê. *Não use* nenhum leite artificial sem a aprovação do médico do bebê. Uma empresa chegou a colocar à venda um leite de soja que ela propagandeava como um substituto adequado do leite materno. Mais tarde, porém, a FDA* constatou que o produto não possuía os nutrientes necessários.

DAR MAMADEIRA COM SEGURANÇA

No passado, dar uma mamadeira a um bebê era arriscado. Por causa do saneamento precário e de leites artificiais insatisfatórios, freqüentemente os bebês alimentados por mamadeira não se desenvolviam e muitas vezes adoeciam ou até morriam de infecção. Os leites artificiais de hoje são feitos para imitar o leite mater-

* FDA (Food and Drug Administration) é um órgão do governo americano que estabelece normas sobre a composição de alimentos e medicamentos. (N. do T.)

no, na medida do que é possível para a ciência, e representam uma opção digna de confiança e conveniente para a alimentação do bebê. Em casa, porém, é preciso haver higiene e seguir corretamente as instruções de preparo, pois só assim a mãe terá a certeza de estar dando ao bebê um leite apropriado.

- Verifique sempre a data de vencimento do produto; não compre nem use os que tenham prazo de validade vencido. Não compre nem use latas e demais recipientes amassados, mal vedados ou danificados de outra forma.
- Antes de preparar o leite, lave muito bem as mãos.
- Antes de abrir a lata, lave a tampa e as bordas com detergente e água quente; enxagúe bem e enxugue. Se for preciso, agite a lata.
- Use um abridor de latas afiado e limpo; reserve-o exclusivamente para abrir latas de leite (as lâminas giratórias são mais eficientes); lave o abridor sempre que usá-lo e verifique se não há resíduos de ferrugem ou de alimento antes de usá-lo novamente. Para abrir as latas de leite líqüido, use um abridor limpo, fazendo duas aberturas — uma grande, outra pequena — em lados opostos, para despejar o conteúdo com facilidade. Lave o abridor depois de usar.
- Quando estiver preparando mamadeiras com leite artificial, prepare também uma ou duas mamadeiras de água esterilizada para usar entre as mamadas, se necessário. Quando o seu bebê estiver entre um e dois meses de idade, o seu médico talvez permita que você lhe dê água sem ser fervida.[2] Lave todas as coisas usadas para a alimentação do bebê numa bacia limpa, separada para essa finalidade, esfregando com escovas, detergente e água quente. (É preciso ferver qualquer artigo que esteja sendo usado pela primeira vez.) Passe água com sabão pelo buraco dos bicos de mamadeira, depois enxagúe várias vezes com água quente. Se os orifícios parecerem obstruídos, passe por eles um alfinete de fraldas. (Os bicos de silicone transparente são mais fáceis de limpar.) Enxagúe todos os utensílios em água quente corrente.
- Ao preparar leite artificial, siga corretamente as instruções do fabricante. Se forem diferentes das instruções dadas no berçário, ou pelo seu médico, não deixe de perguntar o porquê da diferença; talvez estas instruções dissessem respeito a outro tipo de leite artificial. *Leia sempre o rótulo das latas, para saber como o produto precisa ser diluído.* Enquanto o médico recomendar, continue esterilizando tudo — a maioria dos médicos recomenda a esterilização por dois a três meses, embora alguns achem que lavar com água quente com sabão seja suficiente desde o primeiro mês. Veja na página 61 os métodos mais comuns na esterilização.
- Aqueça a mamadeira com leite antes de usá-la, se necessário, colocando-a sob água quente corrente. (A maioria dos bebês, porém, gosta desse leite frio.) Verifique sempre a temperatura, pingando algumas gotas na parte interna do seu pulso; o leite estará pronto para o bebê quando não mais estiver gelado — não precisa estar quente, mas à temperatura do corpo. Depois de aquecido, você deve usar o leite artificial imediatamente, já que as bactérias se multiplicam com grande rapidez em temperaturas mornas. Não esquente esse tipo de leite no forno de microondas — o líqüido pode esquentar desigualmente, ou o recipiente permanecer frio ao mesmo tempo que o leite esquentou muito, a ponto de queimar a boca ou a garganta do bebê.
- Não use restos de leite artificial. O que sobrar deve ser jogado fora, pois é um ambiente propício à proliferação de bactérias.
- Enxagúe frascos e bicos assim que terminar de usá-los, para facilitar a limpeza.
- Conserve na geladeira as mamdeiras preparadas com leite artificial até o momento de usá-las. Se você vai viajar para longe, leve o leite em pó e mamadeiras

2. Se a qualidade da água de torneira for duvidosa (veja página 274), use água engarrafada não-destilada (o processo de destilação elimina minerais indispensáveis) para o preparo do leite e para beber.

TÉCNICAS DE ESTERILIZAÇÃO

Método do aquecedor elétrico, para leites artificiais em líqüido concentrado ou em pó. Prepare o leite segundo as instruções num pote graduado, limpo ou numa tigela e despeje-o em seguida em mamadeiras limpas. Coloque frouxamente nos frascos os bicos, os aros rosqueados e as tampas. Disponha-os sobre uma grade ou toalha dobrada num esterilizador ou numa panela larga. Acrescente quatro dedos de água. Aqueça até ferver, depois tampe o recipiente e ferva por 25 minutos. Tire do aquecimento. Aperte as tampas quando estiverem suficientemente frias ao toque e refrigere as mamadeiras. (Refrigerar antes de esfriar pode levar à formação de uma película no leite, obstruindo o bico quando forem dadas à criança.) Use em 48 horas.

Método asséptico, para leites líqüidos concentrados ou em pó. Bem lavados, coloque frascos, bicos, aros, tampas, colher de misturar, abridor de latas, pote graduado e pinças (verifique se todas essas coisas suportam fervura) numa grade ou numa toalha dobrada, e ponha tudo dentro do esterilizador ou de uma panela grande. Cubra com água e coloque a tampa no esterilizador ou na panela. Aqueça, e quando levantar fervura deixe por mais 5 minutos. Em outra panela, meça a quantidade de água necessária para o preparo do leite artificial. Cubra, deixe ferver durante 5 minutos. Tire do fogo e deixe esfriar até a temperatura ambiente com os recipientes tampados. Meça o leite num jarro graduado esterilizado e acrescente-o à água já esterilizada da panela. Despeje a mistura em mamadeiras esterilizadas e coloque os bicos, os aros e as tampas com as pinças esterilizadas para evitar contaminá-los com suas mãos. Guarde na geladeira por até 48 horas. Agite antes de usar.

Método da mamadeira única, para leites líqüidos concentrados ou em pó. Coloque a quantidade correta de água em cada mamadeira limpa e tampe-as, frouxamente com os bicos e as tampas. Coloque numa grade de metal ou toalha dobrada dentro do esterilizador ou numa panela grande. Acrescente água ao mesmo nível da que está nas mamadeiras. Ferva, cubra e deixe na fervura por 25 minutos. Tire do fogo. Quando frio ao toque, tire as mamadeiras, aperte as tampas e guarde à temperatura ambiente. Use em 48 horas. No momento de alimentar a criança, tire a tampa e o bico de uma mamadeira, acrescente a quantidade especificada de leite líqüido concentrado ou em pó, recoloque a tampa e agite bem, para misturar. (O leite em pó dissolve-se melhor em água quente, portanto, antes de misturar, talvez você precise reaquecê-la ligeiramente.)

Métodos para os "prontos-para-usar". Os leites prontos para usar não precisam ser misturados. Quando se trata de mamadeiras "prontas-para-beber", só é necessário ferver bicos, tampas e aros, pinças, o pote do bico e a tampa numa grade de metal ou numa toalha dobrada, dentro de um esterilizador ou de uma panela grande tampada durante 5 minutos. Tire do fogo. Quando esfriar, use as pinças para colocar os bicos no pote esterilizado ou em sacos plásticos limpos. Mantenha-os cobertos até o momento de colocá-los nas mamadeiras com leite artificial. Se o leite estiver guardado à temperatura ambiente, não é necessário aquecê-lo. Agite-o bem e use-o imediatamente depois de abrir.

Com o leite artificial "pronto-para-usar" que vem em latas de 235 cc ou 950 cc, é preciso esterilizar as mamadeiras, com os bicos pouco ajustados. Siga o método asséptico acima descrito. Quando as mamadeiras estiverem frias, aperte os aros rosqueados e guarde em lugar limpo. Acrescente o leite artificial no momento de dá-lo ao bebê, ou prepare uma quantidade de mamadeiras para todo o dia, enchendo-as, e coloque na geladeira. Agite bem antes de usar.

com água esterilizada para fazer a mistura; ou também armazene mamadeiras já preparadas num recipiente térmico, ou numa sacola plástica com um pequeno bloco de gelo ou uma dezena de cubinhos de gelo (o leite ficará fresco enquanto a maior parte do gelo não derreter); ou, ainda, embale as mamadeiras junto com uma caixa ou lata de suco congelada (quando você ou um filho mais velho quiserem fazer um lanche, o suco terá descongelado e o leite das mamadeiras ainda estará fresco). Não use o leite dessas mamadeiras se não estiver frio ao toque.

DAR MAMADEIRA COM AMOR

Por mais inexperiente que possa ser uma lactante nas primeiras tentativas de manter o bebê em seus mamilos, ela é perfeitamente capaz de ter com ele um contato pele a pele — uma característica intrínseca da amamentação. Infelizmente, é possível dar mamadeira a um bebezinho com pouquíssimo contato pele a pele, e muitas mães bem-intencionadas mas apressadas têm procurado, por conveniência, "atalhos" na alimentação que comprometem a proximidade com a criança. Portanto, se existe um campo no qual as adeptas da mamadeira têm de se esforçar muito mais do que as que optaram pela amamentação, é o de não perderem esse contato com o bebê quando ele está sendo alimentado. As sugestões a seguir vão ajudá-la a tornar o momento de dar mamadeira tão prazeroso para você e o bebê quanto na amamentação.

Não deixe a mamadeira apoiada em objetos. Para um bebê novinho, ávido por se satisfazer emocionalmente com carinhos e oralmente com alimento, o costume de apoiar a mamadeira é muito desagradável. Além disso, acarreta problemas físicos e emocionais. Os bebês são mais propensos a sufocar-se quando alimentados deitados — um problema muito sério quando a mãe não está por perto para acudir. São também mais propensos a infecções nos ouvidos ao mamar nessa posição, e, como podem adormecer com a mamadeira na boca, ficam sujeitos à deterioração dos dentes assim que os primeiros começarem a nascer.

Restrinja o número de pessoas que alimentam o bebê. O seu bebê está começando a acostumar-se à idéia de sugar um mamilo de borracha para se alimentar. Como cada adulto tem um jeito diferente de segurar um bebê, lidar e conversar com ele, permitir que muitas pessoas (mãe, pai, avós, enfermeiras, outras crianças) lhes dêem a mamadeira é algo que pode prejudicar sua adaptação à alimentação e sua ligação afetiva com a mãe. De início, tente ser a única pessoa a dar-lhe a mamadeira, se necessário com a ajuda de uma outra pessoa. Mais tarde, quando o bebê estiver mais adaptado, você poderá deixar que outras pessoas tenham também o prazer de dar-lhe a mamadeira.

Pele a pele, quando possível. Há algo especial no contato entre o rosto do bebê e o seio materno, para os dois envolvidos. Mesmo com mamadeira, você pode desfrutar disso abrindo a sua blusa e colocando o bebê junto ao seu peito enquanto ele mama. É claro que fica estranho fazer isso em público, mas funciona muito bem na privacidade. É possível, também, tentar o sistema de alimentação complementar, que permite às mães que não podem mas anseiam por amamentar, levar seu recém-nascido ao peito (veja página 112).

Alterne os braços. Na metade da alimentação do seu bebê, mude-o de braço para dar-lhe a oportunidade de ver o mundo de ângulos diferentes. Isso também dá à mãe a oportunidade de aliviar a dor que pode advir de permanecer em uma só posição durante muito tempo.

Deixe o bebê decidir quando parar. Se você percebe que o bebê só mamou a metade do habitual, talvez se sinta tentada a empurrar-lhe mais leite. Não faça isso. Um bebê saudável sabe quando deve parar. Além do mais, esse tipo de pressão é que faz os bebês alimentados com mamadeira se tornarem mais gordos que aqueles amamentados no peito.

Não tenha pressa. Um bebê amamentado no peito pode ficar sugando o seio muito tempo depois de tê-lo esvaziado, pelo conforto e pelo prazer da sucção. O bebê alimentado com mamadeira não pode fazer o mesmo com um frasco vazio, mas existem maneiras de oferecer-lhe o mesmo prazer. Aumente o prazer do momento de mamar brincando com o bebê quando ele tiver esvaziado a mamadeira desde que a criaturazinha não tenha mergulhado num sono induzido pelo leite. Se o seu bebê demonstra o desejo de continuar sugando depois de ter bebido tudo, tente usar bicos com orifícios menores, o que vai exigir dele um esforço maior e mais tempo para sugar a mesma quantidade de leite, ou ofereça-lhe uma mamadeira com água ou uma chupeta por um breve espaço de tempo. Se, terminada a mamadeira, o bebê parece pedir mais, verifique se você está lhe dando a quantidade suficiente de leite. Com a concordância do médico, dê mais 20 ou 40 cc para descobrir se é realmente a fome que está deixando o bebê irritadiço.

Não se angustie por usar mamadeira. Se você estava com muita vontade de amamentar, mas por qualquer razão não pôde, não se sinta culpada ou frustrada. Você pode dar ao seu bebê uma boa alimentação e o mesmo amor e carinho com a mamadeira. E culpa e frustração são sentimentos que você não quer transmitir ao seu bebê.

DAR MAMADEIRA COM FACILIDADE

Se você já passou pela experiência de dar mamadeira a um bebê — se tem filhos mais velhos, se já trabalhou como babá, ou cuidou de crianças de amigos seus —, a maneira correta de fazê-lo vai voltar no exato momento em que você pegar o seu bebê nos braços. Se não passou por isso, é bom conhecer alguns pontos básicos da alimentação com mamadeira:

- Faça o bebê saber que há leite na mamadeira passando-lhe um dedo ou o bico da mamadeira na bochecha. Isto vai levar o bebê a voltar-se em direção ao estímulo. Depois, coloque o bico delicadamente entre os lábios dele, e normalmente a sucção começará em seguida.
- Incline a mamadeira para cima, de modo que o leite sempre mantenha o bico completamente cheio. Se você não fizer assim, e uma parte do bico ficar com ar, o bebê o engolirá e poderá ficar com gases — o que deixará vocês dois angustiados. Esse cuidado, porém, não será necessário se você estiver usando uma mamadeira com revestimento descartável, que se vai encolhendo, eliminando as bolsas de ar.
- Não fique preocupada se nos primeiros dias o seu bebê der a impressão de não estar aceitando muito leite artificial. No co-

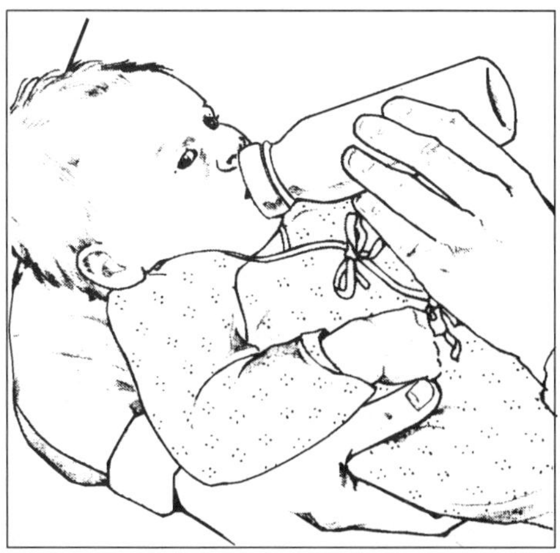

A mamadeira dá ao pai e a outros familiares a oportunidade de ficarem próximos do bebê, de acariciá-lo e interagir com ele. A nutrição não precisa vir do peito para ser feita com amor.

DICAS PARA UMA BOA MAMADA

Alimentar um bebê nas primeiras semanas não é tarefa fácil, seja qual for o tipo de leite. Venha do peito ou da mamadeira o que vai encher a barriguinha do seu recém-nascido, as sugestões a seguir podem ajudar a tornar a jornada mais tranqüila.

Reduza a desordem. Você e o seu bebê terão de concentrar-se durante as primeiras mamadas, e se entenderão melhor com o mínimo possível de dispersão. Se as visitas forem proibidas na hora das refeições, na maternidade, encare essa norma como uma bênção, pois graças a ela você vai ter toda a serenidade necessária para ficar com o seu bebê. Se o hospital permitir visitas, peça você mesma que saiam. Quando for para casa, tente continuar evitando a dispersão na hora da mamada, pelo menos até sentir-se à vontade e segura ao dar o peito ou a mamadeira. Quando houver convidados em casa ou quando a atmosfera na sala de estar estiver parecendo um circo, retire-se ao seu quarto para alimentar o bebê. Desligue o telefone ou ligue a secretária eletrônica durante as mamadas. Se você tiver outras crianças, faça com que voltem sua atenção para alguma atividade tranqüila ou aproveite a oportunidade para lhes ler uma história.

Troque as fraldas. Se o seu bebê está relativamente calmo, você tem tempo para mudar-lhe as fraldas. Uma fralda limpa tornará a refeição mais agradável e reduzirá a necessidade de trocá-la logo em seguida — uma grande vantagem se o bebê pegou no sono e você preferiria que ele continuasse assim. Mas não mude fraldas durante a noite, se não for necessário; essa interrupção faz com que o bebê tenha dificuldades para retomar o sono.

Lave as mãos. Mesmo que não seja você quem prepare a refeição, suas mãos devem ser lavadas com água e sabonete antes das refeições do bebê. Se estiver amamentando, seus mamilos não precisam ser lavados antes de cada mamada; basta lavá-los sem sabonete uma vez por dia, no chuveiro ou na banheira.

Fique à vontade. As dores musculares são um risco para os pais inexperientes que usam seus músculos despreparados para carregar bebês cada vez mais pesados. Alimentar um bebê numa posição desconfortável só vai agravar o problema. Portanto, antes de levar o bebê ao peito ou dar-lhe mamadeira, certifique-se de que está bem à vontade, com apoio adequado para as costas e para o braço que fica sob o bebê.

Deixe o bebê à vontade. Se o seu bebê estiver cheio de roupas, tire-as para poder acariciá-lo enquanto o alimenta.

Acalme o bebê que chora aos berros. Um bebê irritado vai ter dificuldade em se alimentar, e dificuldade ainda maior no que diz respeito à digestão. Cante uma canção bem suave ou tente acalentá-lo.

Toque de alvorada. Alguns bebês ficam sonolentos nas mamadas, e é preciso um grande esforço para despertá-los e dar-lhes o peito ou a mamadeira. Se o seu é um desses dorminhocos, tente despertá-lo com uma das técnicas ensinadas a páginas 65-6.

Estabeleça contato. Acaricie o seu bebê com as mãos, com os olhos e com a voz. Lembre-se: as refeições existem para satisfazer não só as necessidades nutricionais da criança, mas também as afetivas.

Intervalo para arrotar. Entre um seio e outro ou na metade da mamadeira, crie o hábito de fazer o bebê arrotar. Tente fazê-lo também sempre que ele der a impressão de querer interromper prematuramente a mamada — pode ser que a barriguinha dele esteja cheia de gases, e não de alimento.

meço, sua necessidade de nutrientes é ínfima — por obra da natureza, nessa mesma fase o bebê amamentado no peito só ingere o equivalente a algumas colheres de colostro por mamada. O berçário talvez lhe dê mamadeiras de 110 cc cheias, mas não espere que elas fiquem vazias. O bebê que adormece depois de ter ingerido 15 cc talvez esteja querendo dizer "Já basta". Mas o bebê que se irrita depois de mamar um pouco, vira a cabeça, ou larga o bico e se recusa a pegá-lo de novo talvez esteja precisando arrotar. Se depois de um bom arroto ele continuar rejeitando o bico, é provável que a refeição tenha terminado.

A quantidade ingerida em cada mamada aumentará à medida que o peso do bebê aumentar, passando de bem pouco no início até 240 cc, o que dará um total de cerca de 900 cc por dia, na 12ª semana de vida. Não fique preocupada se o seu bebê tomar um pouco mais ou menos em cada refeição ou por dia, desde que o aumento de peso seja bom.

▪ Certifique-se de que o leite da mamadeira está fluindo na velocidade adequada. Para verificar isso, coloque a mamadeira de cabeça para baixo e agite-a algumas vezes. Se o leite jorrar, estará fluindo rápido demais; se só saírem uma ou duas gotas, devagar demais. Se houver um pequeno borrifo seguido de algumas gotas, o fluxo está perfeito. Você pode também observar o jeito como o bebê está sugando: se ele parece mamar com força e depois aparenta muita frustração, talvez largando o bico da mamadeira para reclamar, é porque o fluxo está lento demais. Por outro lado, se houver muitos engasgos e o leite estiver sempre escorrendo pelos cantos da boca, é porque está rápido demais.

O problema talvez esteja simplesmente na maneira como o aro está rosqueado. Um aro muito apertado retém o fluxo ao criar um vácuo parcial; desapertá-lo um pouco, fará o leite fluir melhor. Se o ajustamento da tampa não corrigir o fluxo, o problema talvez esteja no tamanho do orifício do bico. Se o leite passa muito rápido, o orifício é grande demais. Fervê-lo por alguns minutos pode reduzir o orifício, mas, se isso não acontecer, você terá de jogar fora o bico ou guardá-lo para quando o bebê for maior, substituindo-o por um bico cujo orifício seja menor. Se o leite passa muito devagar, o orifício é muito pequeno. Para aumentá-lo, atravesse-o com um alfinete de fraldas ou com uma agulha grossa, esquentados ao rubro, ou introduzindo nele um palito de dentes de madeira roliça e deixar o bico ferver por 5 minutos. Ou, ainda, fazer mais um orifício.

▪ Torne as mamadas noturnas menos penosas comprando um porta-mamadeiras de cabeceira, que conserva gelada a mamadeira até o momento de usá-la e então a aquece à temperatura ambiente em questão de minutos. Ou deixe a mamadeira numa cuba com gelo no quarto do bebê, pronta para ser tomada fria ou aquecida numa torneira de água quente assim que o bebê mostre estar com fome.

O QUE PODE ESTAR PREOCUPANDO VOCÊ

DORMIR DURANTE AS REFEIÇÕES

"O médico diz que devo alimentar meu bebê a cada três ou quatro horas, mas às vezes ele não dá sinal de vida por cinco ou seis horas. Devo acordá-lo para alimentá-lo?"

Alguns bebês sentem-se muito bem em dormir durante as refeições, sobretudo nos primeiros dias de vida. Se o seu é um desses, tente usar esta técnica para despertá-lo no horário das mamadas: coloque-o sentado no seu colo, com uma das mãos levantando-lhe o queixo para cima e a outra apoiando-lhes as costas. Em seguida, curve-o para a frente. Assim que ele se movimentar, coloque-se em posição de levá-lo ao peito. Se ele voltar a dormir antes de você ter chance de iniciar a mamada, repita a seqüência. Tente também: tirar-lhe as roupas mais grossas, ou mesmo todas as roupas, com exceção da fralda (os bebês muito novos geralmente não gostam de ficar nus); trocar-lhe a fralda; esfregar com o dedo a região sob o queixo do bebê; fazer cócegas no seu pé, fazê-lo arrotar.

Se o seu bebê despertar, abocanhar o mamilo ou o bico e dormir no mesmo instante, tente balançar o seio ou a mamadeira, roçando de leve a bochecha dele, dando-lhe empurrõezinhos ou ajeitando-lhe a posição (ou a sua) para que ele volte a sugar. Você talvez perceba que durante as mamadas é preciso dar várias sacudidelas para que o bebê se alimente bem — alguns dos mais novinhos sugam e adormecem alternadamente do início ao fim da mamada. Se você não conseguir fazer com que ele volte a sugar, tente algumas das técnicas para acordá-lo sugeridas acima. Se nada funcionar, desista e deixe o seu dorminhoco sonhar um pouco mais. É provável que a fome acabe por despertá-lo.

Tudo bem deixar o seu bebê dormir, caso ele vá para a terra dos sonhos depois de um pequeno tira-gosto, e se as tentativas de incentivá-lo a sugar de novo não funcionarem; pode ser que, dessa vez, ele só precisasse de uma refeição de cinco minutos. Não é bom, porém, deixar que o bebê fique "beliscando e dormindo a intervalos de 15 a 30 minutos ao longo do dia. Se parece ser essa a tendência, empenhe-se em acordá-lo assim que ele dormir na metade da mamada e tente dar-lhe uma refeição completa antes de deixar que ele caia novamente no sono.

Se a sonolência crônica estiver interferindo nas refeições e ameaçando o bem-estar do seu bebê, consulte o médico a respeito da melhor maneira de resolver o problema.

NÃO DORMIR DEPOIS DAS REFEIÇÕES

"Estou com medo que o meu bebê se transforme num gordinho. Mal o coloco no berço, ele acorda querendo mais leite ainda."

Sem dúvida o seu bebê poderá entrar para um concurso de gordinhos se você lhe der de comer logo depois de uma boa refeição. Não é só por fome que os bebês choram, e você talvez esteja interpretando mal a choradeira do seu. Pense que talvez ele só esteja tendo alguma dificuldade em dormir profundamente. Deixado sozinho por alguns minutos, é provável que ele mesmo resolva o problema. Pode ser, também, que o seu bebê não esteja disposto a dormir e chore por querer companhia, que brinquem com ele, e não que lhe dêem comida. Tente brincar e conversar com ele. Ou talvez ele não esteja conseguindo acalmar-se. Acalente-o, ou tente alguma outra técnica de relaxamento. Pense, também, que a formação de gases pode ser o problema do seu bebê. Neste caso, tomar mais leite só agravará o problema. Tente provocar um arroto, colocando-o no colo ou no ombro e esfregando-lhe delicadamente as costas. (Faça-o arrotar sempre, a intervalos regulares, durante as refeições.) O problema também pode ser o jeito como você o coloca no berço (na página 134, veja as dicas sobre como deitá-lo para continuar dormindo). Pode ser, também, que se trate de um problema temporário; o bebê que passa por uma fase mais rápida de seu desenvolvimento precisa alimentar-se mais.

Se você alimentar o seu bebê sempre que ele chorar depois de uma refeição, mesmo não estando exatamente com fome, é provável que ele não somente se transforme num garoto roliço, mas também desenvolva o hábito de beliscar e tirar sonecas, o qual será muito difícil eliminar mais tarde.

Certifique-se, porém, de que o seu bebê esteja ganhando peso de maneira saudável e apropriada. Se não estiver, talvez a razão do choro não seja outra a não ser a fome — sinal de que você não deve estar produzindo leite suficiente. Na página 109, veja o que fazer se o bebê parece não estar se desenvolvendo a contento.

O PESO AO NASCER

"Todas as minhas amigas estão tendo bebês de 3,5 a 5 kg. O meu, de gestação completa, nasceu com pouco menos de 3 kg. Parece tão pequeno."

Os bebês saudáveis chegam em todos os formatos — compridos e magricelas, grandes e corpulentos, franzinos e esguios. Ainda que um peso de nascimento inferior a 2,5 kg, numa gestação normal, possa significar que o bebê não recebeu a devida nutrição antes de nascer, ou que o seu desenvolvimento sofreu outro tipo de interferência (por razões desconhecidas ou não controláveis, ou porque a mãe fumava, bebia ou usava drogas), um bebezinho de quase 3 quilos pode ser tão forte e saudável quanto um bebezão de 5 kg.

Vejamos alguns dos inúmeros fatores que podem afetar o tamanho de um bebê:

A dieta da mãe durante a gravidez. Muito pouca comida, ou muito pouco dos alimentos certos configura um regime alimentar capaz de produzir um bebê pequeno; o resultado será oposto se a mãe comer demais durante a gestação da criança.

O aumento do peso da mãe durante a gravidez. Um grande aumento de peso pode gerar um bebê maior, mas, se o peso foi ganho com comida de baixo valor nutritivo, o bebê pode ser pequeno, e a mãe, gorda.

A vida pré-natal da mãe. O excesso de fumo, bebida e drogas pode tolher o crescimento do feto.

A saúde da mãe. O diabetes mal controlado (mesmo o do tipo gestacional) pode ser responsável por um bebê grande demais. A toxemia (pré-eclampsia ou eclampsia) ou uma placenta inadequada podem interferir no desenvolvimento fetal, e o resultado será um recém-nascido pequeno.

O peso da mãe antes da gravidez. As mulheres mais pesadas tendem a ter bebês mais pesados; o contrário acontece com as mais magras.

O peso da própria mãe ao nascer. Se a mãe pesou cerca de menos 3,1 kg, é provável que o seu bebê nasça com peso semelhante. Se ela era muito grande ou muito pequena, em geral o bebê vai ter a mesma compleição.

Fatores genéticos. Pais e mães grandes costumam ter bebês grandes. Se a mãe é pequena e o pai grande, o mais provável é que o bebê seja pequeno — é como a natureza tenta evitar um parto difícil. Se o bebê estiver geneticamente predestinado ao tamanho do pai, o desenvolvimento acelerado no primeiro ano e nos subseqüentes vai compensar o pequeno tamanho que ele tinha ao nascer.

O sexo do bebê. Em média, os meninos tendem a ser um pouco mais pesados e compridos do que as meninas.

Ordem de nascimento. Em geral, os primeiros bebês são menores do que os subseqüentes.

O número de fetos. Em geral, os bebês de uma gravidez múltipla pesam menos do que bebês únicos.

Raça. Os bebês orientais, negros e indianos quase sempre são menores do que os caucasianos (ainda que as diferenças de tamanho entre bebês negros e brancos talvez se devam mais a fatores socioeconômicos do que à raça; os bebês negros e os bebês brancos de classe média têm pesos semelhantes).

A LIGAÇÃO AFETIVA

"Fiz uma cesariana de emergência, e o meu bebê foi levado para a UTI antes que eu tivesse a oportunidade de ficar um pouco com ele. Estou preocupada que isso possa afetar nosso relacionamento."

A união no momento do nascimento é uma idéia que já teve o seu tempo, e, hoje em dia, perde terreno. A tese de que o relacionamento entre mãe e bebê será melhor se ambos passarem 16 das 24 primeiras horas mantendo um contato afetivo foi sugerida pela primeira vez nos anos 70. Ainda que pesquisas mais recentes não a tenham comprovado, e ainda que seus autores tenham expressado suas preocupações a propósito do uso equivocado do conceito, ela ainda continua popular.

Os efeitos disso são variados. De um lado, muitos hospitais hoje permitem que as mães (e muitas vezes também os pais) segurem o bebê logo após o parto, para acariciá-lo e amamentá-lo por um período de 10 minutos a uma hora ou mais, em vez de mandarem o recém-nascido para o berçário no instante em que o cordão umbilical é cortado. Esse encontro dá à mãe e ao bebê a oportunidade de manter um contato inicial, pele com pele, olho no olho — sem dúvida, uma mudança positiva. De outro lado, muitas mães que tiveram partos cesários ou partos vaginais traumáticos, ou cujos bebês precisaram de atendimento especial, e conseqüentemente não puderam segurá-los imediatamente após o nascimento, são levadas a acreditar que perderam a única oportunidade na vida de criar um relacionamento íntimo com o seu rebento. Algumas chegam a ficar tão desnorteadas pela necessidade desse contato inicial que o exigem mesmo pondo em risco a saúde do recém-nascido.

Muitos especialistas contestam a idéia de que esse relacionamento afetivo entre pais e filhos deva ocorrer assim que a criança nasce. Eles acreditam que o recém-nascido é uma criatura ainda muito primitiva para ligar-se instantaneamente a alguém; passa-se geralmente uma semana ou mais antes que o bebê seja capaz de reconhecer a mãe, quanto mais estabelecer com ela, uma ligação para toda a vida. E, ainda que a mãe não seja tão primitiva em ser capaz de criar laços afetivos com o seu bebê, há muitas razões pelas quais ela talvez não esteja preparada para tal ligação: a exaustão do demorado trabalho de parto e do nascimento, o entorpecimento provocado pela medicação recebida, a dor de cólicas ou de uma incisão ou simplesmente a falta de experiência de ter nos braços um recém-nascido e cuidar dele. Além disso, não há indícios sólidos de que a ligação entre mãe e filho deva firmar-se (ou mesmo iniciar-se) no primeiro dia de vida. E há também especialistas que declaram que essa ligação só surge lá pela segunda metade do primeiro ano de vida do bebê.

A aproximação no nascimento pode realmente integrar um longo processo de ligação entre mãe e filho, mas é apenas o começo. E esse começo pode ocorrer, da mesma maneira na cama da maternidade, horas depois do nascimento, ou através das portinholas de uma incubadora, ou ainda algumas semanas depois, em casa. Quando os seus pais nasceram, é bem provável que tenham visto muito pouco as mães e menos ainda os pais enquanto não foram levados para casa (normalmente dez dias depois do parto), e a grande maioria dessa geração "carente" cresceu com laços familiares muito fortes. Mães que tiveram proximidade com um dos filhos ao nascer e não com outro afirmam não haver diferença alguma de sentimento para com os filhos. Os pais adotivos, que quase nunca conhecem o seu bebê antes que ele saia do hospital (ou muito tempo depois), conseguem criar laços afetivos profundos com ele.

O amor que dura a vida toda não pode nascer magicamente em poucas horas, nem mesmo em alguns dias. Os primeiros momentos depois do parto podem transformar-se numa grata lembrança para alguns, mas para outros podem tornar-se uma decepção que prefeririam esquecer. Seja como for, esses momentos não marcam permanentemente o caráter e a qualidade do seu relacionamento futuro.

Na verdade, o complexo processo dessa ligação começa, para os pais, ainda durante a gravidez, à medida que vão se desenvolvendo as atitudes e os sentimentos com o bebê. O relacionamento continua a evoluir e a mudar ao longo da infância e da adolescência, e até durante a vida adulta. Portanto, relaxe. Você dispõe de um tempo enorme para fortalecer essa ligação.

"Ouvi dizer que o relacionamento afetivo do bebê com a mãe imediatamente após o parto resulta numa aproximação muito maior entre os dois. Segurei minha filha por cerca de uma hora depois do parto, mas ela me parecia uma estranha, e hoje, três dias depois, continuo tendo a mesma impressão."

Amor à primeira vista é uma idéia que viceja em livros e filmes românticos, mas raramente se concretiza na vida real. O amor que dura a vida toda exige tempo, afeição, e uma paciência imensa para desenvolver-se e aprofundar-se. Essa afirmação vale tanto para o amor entre um recém-nascido e seus pais quanto para o amor entre um homem e uma mulher.

A proximidade física entre mãe e filho imediatamente após o parto não assegura uma proximidade emocional instantânea (a despeito do que possam dizer os defensores do "contato do nascimento"). Esses tão valorizados primeiros momentos após o parto não são automaticamente envolvidos por uma aura de amor matermal. Na verdade, a primeira sensação que uma mulher tem depois do nascimento tende muito mais a ser de alívio do que de amor — alívio pelo fato de ter tido um bebê normal e, sobretudo se o parto foi difícil, alívio por ver-se livre de uma experiência penosa. Não é nada incomum ver aquela criança insociável e aos berros como um estranho, uma criatura que tem muito pouco a ver com aquele maravilhoso bebê Johnson que você passou nove meses imaginando ter dentro de si. O resultado, que também nada tem de incomum, é sentir-se um pouco indiferente em relação a ele. Um estudo constatou que é preciso que se passem em média mais de duas semanas (e em muitos casos, até mesmo nove) para que as mães comecem a ter sentimentos positivos para com o seu recém-nascido.

O modo como uma mulher reage ao seu bebê no primeiro contato depende de muitos fatores: a duração e a intensidade do trabalho de parto; ter ou não recebido medicação durante o parto; sua experiência (ou inexperiência) anterior com recém-nascidos; seus sentimentos a respeito de ter uma criança; seu relacionamento com o marido; outros problemas que podem deixá-la preocupada; seu estado de saúde, e, talvez o mais importante de todos, sua personalidade.

A sua reação é normal para você. E, à medida que for tendo uma sensação cada vez maior de bem-estar e afeto, você vai relaxar. Alguns dos melhores relacionamentos são extremamente lentos de início. Tente fazer com que você e o bebê se conheçam e se gostem, e deixe o amor florescer a seu passo.

Contudo, se você não sentir uma proximidade crescente depois de algumas semanas, ou se sentir raiva e antipatia pelo bebê, discuta o assunto com o pediatra. É importante resolvê-los o mais breve possível, para evitar um mal irreparável ao relacionamento de vocês.

ALOJAMENTO CONJUNTO

"Antes do nascimento do meu bebê, eu imaginava que ficar com ele no mesmo quarto seria o paraíso. Hoje, parece mais um inferno. Não consigo fazê-lo parar de chorar, mas que tipo de mãe seria eu se pedisse à enfermeira para levá-lo de volta ao berçário?"

Você seria uma mãe muito humana, pois acabou de passar pelo esforço hercúleo de dar à luz, e está prestes a enfrentar um desafio ainda maior: criar uma criança. Precisar de alguns dias de descanso não é coisa que lhe faça sentir culpa.

É claro que algumas mulheres ficam no mesmo quarto com o bebê sem problema algum. A experiência do parto talvez as tenha deixado exultantes, e não exaustas. Pode ser, também, que elas tivessem experiência em lidar com recém-nascidos, delas mesmas ou de outras pessoas. Para tais mulheres, um recém-nascido inconsolável às 3 da madrugada pode não ser um prazer, mas tampouco é um pesadelo. Contudo, para uma mulher que está sem dormir há 48 horas, cujo corpo ficou debilitado devido a um parto difícil, e cuja máxima proximidade com um bebê foi num anúncio de fraldas, essas turbulências em plena madrugada podem deixá-la pensando com pesar: "De onde fui tirar essa idéia de ser mãe?"

Fazer papel de mártir pode provocar ressentimentos com o bebê, o que é bem provável que ele irá perceber. Se, ao contrário, o bebê for mandado para o berçário à noite, entre as mamadas, mãe e filho, bem descansados, poderão conhecer-se melhor quando a manhã chegar. E a manhã é uma ótima ocasião para tirar proveito de uma das maiores vantagens de ter o bebê no quarto durante o dia: a oportunidade de aprender a cuidar do seu recém-nascido num ambiente seguro, com pessoas experientes que poderão aconselhá-la e dar-lhe assistência sempre que necessário. Mesmo que você tenha resolvido ficar com o bebê o dia inteiro, não há por que não chamar o pessoal do berçário para ajudá-la — é para isso que eles estão lá.

Quando anoitecer novamente, tente ficar com o bebê e ver como funcionam as coisas; pode ser que ele a surpreenda. Ou, se estiver sentindo que precisa de uma pausa, volte a recorrer aos bons serviços do berçário. Ficar com o bebê no quarto o tempo todo é uma opção maravilhosa e recente em maternidades que se centram na família — mas não é possível para todos. Você *não é* um fracasso nem uma péssima mãe se não gosta de ter o bebê no seu quarto ou está muito cansada para isso. Não se sinta forçada a ficar com o bebê se não for isso o que você quer: mas, se foi essa a decisão que tomou, não pense que você não pode mudar de opinião e passar apenas uma parte do dia com ele.

Seja flexível. Preocupe-se com a qualidade dos momentos que você passa com o bebê no hospital, e não com a quantidade. Logo mais, você estará ficando com ele por tempo integral — talvez 24 ou 48 horas depois do parto, já que os hospitais têm dado alta cada vez mais cedo. Se não exagerar agora, ao ter alta você poderá estar pronta física e emocionalmente para enfrentar a nova situação.

NÃO HÁ LEITE SUFICIENTE PARA O BEBÊ

"Já faz dois dias que minha garotinha nasceu, e não sai nada dos meus seios, nem mesmo colostro. Será que ela não está morrendo de fome?"

Sua filhinha não só não está morrendo de fome, como nem mesmo tem fome ainda. Os bebês não nascem com apetite, ou mesmo com necessidades imediatas de nutrição. E, quando o seu começar a ficar faminto por um peito cheio de leite, o que em geral acontece por volta do terceiro ou quarto dia depois do parto, é bem provável que você corresponda à essa necessidade. (Às vezes, especialmente com o segundo filho, o leite vem mais cedo. Raramente demora mais do que sete dias. Neste caso, o pediatra pode recomendar que, como precaução, o bebê seja alimentado com leite artificial depois de cada mamada.)

Nada disso significa que agora os seus seios estejam vazios. É quase certo que já haja colostro (que dá ao bebê os nutrientes necessários e anticorpos imprescindíveis que o corpo dele ainda não produz, ao mesmo tempo que ajuda a retirar de seu sistema digestivo o mecônio e o excesso de muco), ainda que em quantidades muito pequenas (a média das primeiras mamadas é de menos de meia colher de chá; por volta do terceiro dia, menos de três colheres de sopa por mamada, em dez mamadas). Porém, enquanto os seus seios não começarem a intumescer e a ficar cheios, indicando que o leite chegou, não vai ser tão fácil tirá-lo manualmente — e, para algumas mães, não vai ser fácil nem naquelas condições. Até mesmo um bebê de um dia de vida, sem experiência alguma, está mais bem preparado do que você para tirar esse pré-leite.

O SONO DO BEBÊ

"Meu novo filho já parecia muito alerta quando nasceu, mas passou a dormir tão profundamente que eu mal consigo acordá-lo para dar-lhe de mamar, quanto mais brincar com ele."

Você esperou nove longos meses para conhecer o seu bebê, e agora ele não faz nada além de dormir. Mas ele está apenas agindo naturalmente. O estado de vigília durante mais ou menos uma hora após o parto, seguido por um longo espaço de tempo, em geral de 24 horas, em que ele cai num sono profundo, é normal no recém-nascido (o que provavelmente lhe dá a oportunidade de recuperar-se do exaustivo trabalho de nascer).

Não espere que o seu recém-nascido se transforme numa companhia participativa logo depois de despertar desse sono restaurador. Nas primeiras semanas, os seus períodos de sono de duas a quatro horas vão terminar abruptamente com choro. Ele entrará num estado de semidespertar, para comer, caindo novamente no sono assim que se sentir saciado. É possível que adormeça durante a mamada, quando será preciso mexer com o mamilo em sua boca para que ele volte a sugar. Por fim, ele vai cair num sono ainda mais profundo e dará algumas mordiscadas no mamilo quando você o retirar.

Ele só estará realmente alerta por cerca de três minutos por hora durante o dia, e menos que isso (é o que você espera) durante a noite. Isto equivale a cerca de uma hora por dia de participação ativa. O bebê ainda não está maduro para tirar proveito de longos períodos de vigilância, e os seus períodos de sono, sobretudo em REM* (ou estado de sonho), aparentemente o ajudam a amadurecer. Aos poucos, o período de vigília se prolongará. Por volta do fim do primeiro mês, a maior parte dos bebês fica alerta por cerca de duas ou três horas por dia, a maior parte num único e relativamente longo período de tempo, em geral no fim da tarde. Em vez de duas ou três horas de duração, algumas de suas sonecas costumam durar de seis a seis horas e meia.

Nesse ínterim, você talvez continue se sentindo frustrada em sua ânsia de conhecer melhor o bebê. Mas, em vez de ficar ao lado do berço, esperando que ele acorde para brincar com ele, aproveite esse tempo para dormir um pouco também. Você vai precisar disso para enfrentar os dias (e as noites) que vêm por aí, nos quais ele talvez fique acordado mais tempo do que você gostaria.

* Abreviatura de *rapid eye movement* (movimento rápido dos olhos), correspondem à fase de sono mais profundo, quando normalmente acontecem os sonhos. (N. do T.)

ANALGÉSICOS

"Tenho sentido dores muito fortes no corte da minha cesariana. Meu obstetra receitou-me alguns analgésicos, mas tenho medo de tomá-los, pois não quero passá-los à minha garotinha através do meu leite."

Você estará fazendo mais mal do que bem ao seu bebê se não tomar os medicamentos necessários. A tensão e a exaustão que podem decorrer da persistência da dor de uma cesariana só servirá para refrear sua capacidade de amamentar bem o bebê (você precisa estar relaxada) e de ter uma boa quantidade de leite (você precisa estar descansada). Além disso, a medicação vai para o colostro em porções ínfimas. Quando o leite vier, é provável que você não precise mais de drogas para dores. E, se o seu bebê receber uma pequena dose do remédio, ele vai livrar-se dela facilmente, sem efeitos nocivos.

A FISIONOMIA DO BEBÊ

"As pessoas me perguntam se o bebê se parece comigo ou com o meu marido. Nenhum de nós tem uma cabeça pontuda, olhos inchados, orelhas voltadas para a

frente e um nariz achatado. Quando é que ele vai começar a ter um aspecto melhor?"

Há um bom motivo para bebês de dois ou três meses serem usados para representar recém-nascidos em filmes e comerciais de televisão: a maioria dos recém-nascidos não é tão fotogênica. E, ainda que o amor dos pais seja o mais cego de todos, até os pais desatentos não podem deixar de notar várias imperfeições na fisionomia de seu recém-nascido. Felizmente, são temporárias as características que impedem o bebê de participar de filmes e de vender fraldas na TV.

Os traços que você descreve não foram herdados de algum parente distante de cabeça pontuda, olhos inchados e orelhas de abano. Foram adquiridos durante a permanência do bebê no espaço exíguo do seu útero, durante a tempestuosa passagem pelo seu osso pélvico, preparando-se para nascer, e durante a viagem derradeira e traumática pelos estreitos confins do canal vaginal durante o parto.

Não fosse pela milagrosa conformação da cabeça do feto — com os ossos do crânio ainda não plenamente soldados, permitindo que sejam empurrados e moldados à medida que o bebê avança — seria muito maior o número de partos cirúrgicos. Portanto, seja grata à cabecinha pontuda que surgiu do seu parto vaginal, e fique tranqüila que, como por milagre, o crânio vai retomar a forma arredondada dos querubins dentro de alguns dias.

O inchaço ao redor dos olhos do seu bebê também se deve, pelo menos em parte, à surra que ele levou nessa fantástica viagem para o mundo. (Outro fator que contribui para o inchaço é a irritação provocada pelas gotas de nitrato de prata pingadas em seus olhos, para evitar infecções.) Chega-se a afirmar que esse inchaço funciona como uma proteção natural para os recém-nascidos, cujos olhos estão sendo expostos à luz pela primeira vez. Não tem fundamento a preocupação de que os olhos inchados poderão interferir na capacidade do bebê enxergar a mãe e o pai, impossibilitando seu contato inicial. Ainda que ele não consiga distinguir um rosto do outro, o recém-nascido é capaz de perceber rostos difusos ao nascer — mesmo através de pálpebras inchadas.

A orelha de abano talvez seja outro resultado do aperto que o bebê sofreu no seu útero. À medida que o feto cresce e vai preenchendo o espaço da aconchegante bolsa de líqüido amniótico de sua mãe, uma orelha que por acaso seja empurrada para a frente pode permanecer assim depois do nascimento. Mas isso é apenas temporário. Prendê-la para trás com fita adesiva não resolve, dizem os especialistas, e a fita pode provocar irritação, mas você pode apressar o retorno à posição normal pondo a orelha junto à cabeça quando colocar o bebê para dormir de lado. É claro que algumas orelhas são geneticamente predestinadas a ficar um tanto quanto salientes. Os cabelos talvez acabem camuflando esse problema estético, a cirurgia plástica está aí para aqueles que querem resolvê-lo. (Ainda que isso não deva ser visto necessariamente como desvantagem — lembram-se de Clark Gable?)

O nariz achatado provavelmente resulta de uma compressão muito forte durante o trabalho de parto e o nascimento, e deve voltar ao normal naturalmente. Mas, como o nariz dos bebês é tão diferente do dos adultos (o cavalete é largo, quase inexistente, e a forma quase sempre indescritível), vai levar algum tempo até você poder dizer com qual nariz se parece o do seu bebê.

A COR DOS OLHOS

"Eu esperava que o meu bebê tivesse olhos verdes, como os do meu marido, mas parece que são cinza escuro. Existe alguma possibilidade de mudarem de cor?"

O jogo de adivinhação favorito durante a gravidez — vai ser menino ou menina? — é substituído por outro nos primeiros meses de vida do bebê — qual vai ser a cor dos olhos dele?

Definitivamente, ainda é cedo demais para saber. A maioria dos bebês caucasianos nasce com olhos azuis-escuros ou cinzento-azulados; a maioria dos recém-nascidos negros e orientais, com olhos escuros, em geral castanhos. Enquanto os olhos escuros de bebês de pele mais escura vão continuar escuros, a cor dos olhos de bebês brancos pode passar por várias transformações (tornando as apostas mais estimulantes) antes de se definir, entre três e seis meses de idade, ou ainda mais tarde. E, como a pigmentação da íris pode continuar aumentando ao longo de todo o primeiro ano, a profundidade da cor talvez só se torne evidente por volta do primeiro aniversário do bebê.

NÁUSEA E ENGASGO

"Quando me trouxeram o meu bebê esta manhã, tive a impressão de que ele estava engasgado, e vomitou alguma coisa líquida. Eu ainda não o tinha amamentado, e, portanto, ele não podia estar regurgitando. O que há de errado?"

O seu bebê viveu nos últimos nove meses, mais ou menos, num meio líqüido. Não respirava ar, mas sugava uma grande quantidade de líqüidos. Ainda que provavelmente uma enfermeira ou um médico tenha desobstruído suas vias aéreas quando ele nasceu, pode ser que ainda houvesse muco e líqüido nos seus pulmões, e essa náusea e engasgo são o seu jeito de limpar o que ainda lá se encontra. Trata-se de uma ocorrência perfeitamente normal.

SOBRESSALTOS

"Estou preocupada com a possibilidade de haver algo errado com o sistema nervoso do meu bebê. Mesmo quando está dormindo, de repente salta como se fosse virar do avesso."

Admitindo-se que o seu bebê não exagerou no café, os saltos que você notou são devidos ao reflexo de sobressalto. Também conhecido como reflexo de Moro, pode ocorrer sem motivo aparente, mais em alguns bebês que em outros, mas quase sempre em resposta a algum barulho muito alto, um solavanco ou à sensação de estar caindo — como acontece quando uma criança é pega no colo sem o apoio correto. É característico o bebê enrijecer o corpo, arremessar os braços simetricamente para cima, abrir as mãos, que em geral traz bem fechadas, levar os joelhos para cima e, por último, levar os braços, de novo com os punhos cerrados, de volta ao corpo, num gesto de quem abraça — tudo isso em questão de segundos. Pode ser, também, que chore. O reflexo de Moro é um entre vários reflexos de proteção com os quais os bebês nascem, algo como uma tentativa primitiva de recuperar o equilíbrio perdido.

Ainda que ver um bebê sobressaltar-se quase sempre preocupe os pais, um médico talvez fique mais preocupado se a criança não apresentar tais sobressaltos. É rotina médica testar esse reflexo em recém-nascidos, cuja existência é um indício tranqüilizador de que o sistema neurológico está funcionando bem. Você vai perceber que os sobressaltos do seu bebê gradualmente diminuirão, e que esse reflexo desaparecerá por inteiro entre o quarto e o sexto mês. (É claro que o seu bebê pode ter sobressaltos em qualquer idade, mas as reações não serão da mesma natureza).

TREMOR DO QUEIXO

"Às vezes, sobretudo quando o bebê esteve chorando, o queixo dele treme."

Ainda que o queixo trêmulo do seu bebê possa parecer mais uma das suas hábeis manobras inatas para deixá-la com o coração nas mãos, na verdade é um indício de que o sistema nervoso dele não está totalmente maduro, o que acontece com todos os bebês da idade dele. Seja solidária, que é o que ele deseja, e divirta-se com o tremor do queixo enquanto durar — o que não vai acontecer por muito tempo.

SINAIS DE NASCENÇA

"A primeira coisa que percebi no meu bebê, depois de ver que era uma menina, foi uma mancha saliente, de um vermelho vivo, na coxa. Essa mancha vai desaparecer?"

Muito antes de a sua filha começar a pedir para comprar-lhe o primeiro biquíni, esse sinal avermelhado — como a maior parte das marcas de nascença — será parte do passado, e a coxa dela estará pronta (ainda que o pai não esteja) para ser mostrada na praia. É claro que, quando se olha para um sinal no recém-nascido, fica difícil acreditar nisso. Às vezes o sinal cresce um pouco antes de desaparecer, ou até mesmo só aparece algum tempo depois do nascimento. E, quando ele realmente começa a diminuir ou desaparecer, é difícil notar as mudanças no dia-a-dia. Por esse motivo, muitos médicos documentam as transformações desses sinais de nascença através de fotos e medições periódicas da lesão. Se o médico do seu bebê não procede assim, você mesma pode fazê-lo, só para se tranqüilizar.

Os sinais de nascença aparecem com formas, cores e texturas variadas e costumam ser assim classificados:

Hemangioma em framboesa. Esse sinal de nascença mole, saliente da cor da framboesa, tão pequeno quanto uma sarda ou tão grande quanto um descanso de copos, compõe-se de vasos sangüíneos imaturos que se desprenderam do sistema circulatório durante o desenvolvimento fetal. Pode ser visível já no nascimento ou aparecer de repente nas primeiras semanas de vida, e é tão comum que um entre dez bebês provavelmente terá um. Os sinais em framboesa podem crescer por algum tempo, mas terminarão por esmaecer, adquirindo um tom cinza-pérola, e quase sempre desaparecem de vez entre os cinco e dez anos de idade. Ainda que os pais se sintam tentados a procurar tratamento para uma marca muito evidente, especialmente no rosto, é melhor não tratá-las, a menos que continuem crescendo ou interfiram em alguma função, como a visão. Aparentemente o tratamento pode provocar mais complicações do que uma atitude mais prudente do tipo deixa-que-desaparece-sozinha.

Se o médico do seu filho concluir que o tratamento é aconselhável, há várias maneiras de fazê-lo. As mais simples são compressão e massagem, que parecem acelerar a involução do sinal. As formas mais drásticas de tratamento para o hemangioma em framboesa incluem a aplicação de esteróides, cirurgia, radioterapia ou laser, crioterapia (congelamento com gelo seco) e injeção de agentes esclerotizantes (como os usados no tratamento de varizes). Muitos especialistas acreditam que não mais de 0,1% desses sinais de nascença exigem tratamentos tão drásticos. Quando um desses hemangiomas, reduzido tanto por um tratamento quanto pelo tempo, deixa uma cicatriz ou algum resíduo, geralmente a cirurgia plástica corrige o problema.

Às vezes uma marca pode sangrar, espontaneamente ou por ter sido arranhada ou batida. Comprimindo o local o sangue vai estancar.

Hemangioma cavernoso. Esse sinal de nascença é mais raro que o hemangioma framboesa — de cada cem bebês, só um ou dois são acometidos. Freqüentemente combinado com o tipo framboesa, compõe-se de elementos vasculares maiores e mais maduros e atinge camadas mais profundas da pele. A massa encaroçada, geralmente azulada ou vermelho-azulada, com bordas menos nítidas do que o hemangioma, pode ser quase plana de início. Cresce rapidamente nos primeiros seis meses, e mais lentamente nos outros seis. Por volta do décimo segundo ou décimo oitavo mês, começa a encolher. Já desapareceu 50%

aos cinco anos, 70% aos sete, 90% aos nove e 95% quando a criança está com dez ou doze anos. Quase nunca deixa marca, mas às vezes fica uma cicatriz residual. Os modos de tratamento são parecidos com os do hemangioma framboesa.

Placa salmão, ou nevo simples ("bicadas de cegonha"). Essas manchas cor de salmão podem aparecer na testa, nas pálpebras superiores e ao redor do nariz e da boca, mas surgem quase sempre na nuca (é por aí que a cegonha carregava os bebês, portanto, a expressão "bicada de cegonha"). Ficam invariavelmente mais claras nos dois primeiros anos de vida, só se tornando visíveis quando a criança chora ou faz algum esforço. Como mais de 95% dessas lesões do rosto desaparecem completamente, esses sinais de nascença provocam menos preocupações estéticas do que os outros tipos de sinais.

Mancha de vinho do Porto, ou nevo flâmeo. Essas marcas de nascença vermelho-púrpura, que podem aparecer em qualquer parte do corpo, compõem-se de vasos capilares maduros e dilatados. Quando presentes no recém-nascido, são achatadas ou muito pouco altas, configurando lesões cor-de-rosa ou vermelho-púrpura. Ainda que possam mudar ligeiramente de cor, não somem completamente com o passar do tempo e podem ser permanentes. Os cremes à prova d'água podem ser usados para escondê-las, e, por volta dos doze anos de idade, o tratamento com laser pode removê-las. Raramente essas lesões são associadas a um crescimento excessivo do tecido conjuntivo ou do osso subjacente, ou, quando no rosto, a anomalias do desenvolvimento cerebral. Se você ficar preocupada, consulte o médico do bebê.

Manchas café-com-leite. Essas manchas planas na pele, cuja cor pode ir do castanho (café com bastante leite) ao marrom claro (café com pouco leite), podem aparecer em qualquer parte do corpo. São bastante comuns, visíveis no nascimento ou nos primeiros anos de vida, e não desaparecem. Se o seu bebê tiver muitas manchas café-com-leite (seis ou mais), chame a atenção do médico para esse fato.

Manchas mongólicas. Do azul ao cinzento-azulado, parecendo equimoses, as manchas mongólicas podem aparecer nas nádegas ou nas costas, e às vezes nas pernas e nos ombros, em nove entre dez crianças de ascendência negra, oriental ou indiana. Essas manchas maldefinidas também são muito comuns nas crianças de ascendência mediterrânea, mas são raras em crianças loiras e de olhos azuis. Ainda que, na maioria, sejam de nascença e desapareçam no primeiro ano de vida, às vezes só aparecem mais tarde e/ou persistem até a idade adulta.

Nevos pigmentados congênitos. Essas manchas congênitas variam do castanho-claro ao negro e podem ter pêlos. As pequenas são muito comuns; as grandes, "nevos pigmentados gigantes", são raras, mas têm um grande potencial de se tornar malignas. Em geral se recomenda que as grandes e as pequenas, porém suspeitas, sejam extirpadas, caso seja fácil fazê-lo, e que as não extirpadas sejam atentamente acompanhadas por um médico dermatologista.

PROBLEMAS DE PELE

"Meu bebê parece ter pequenas espinhas brancas no rosto inteiro. Será que desaparecerão se forem esfregadas?"

A mãe que espera que a pele do seu bebê seja aveludada como pêssego pode ficar consternada ao constatar o surgimento de minúsculos pontos brancos em todo o rosto dele, sobretudo ao redor do nariz e queixo, às vezes uma ou duas no tronco ou nas extremidades, e até mesmo no pênis. O melhor tratamento para esses pequenos cistos, que são provocados pela obstrução das glândulas sebáceas imaturas do recém-nascido, consiste em não fazer tratamento algum. Por mais que seja tentador espremê-los ou esfregá-los, não faça isso. Vão desaparecer espontaneamente, geralmente em poucas semanas.

"Estou preocupada com as manchas vermelhas com centros claros no rosto do meu bebê."

Raro é o bebê que passa o período neonatal com a pele incólume. Esse problema de pele dos recém-nascidos que surgiu no seu bebê é também um dos mais comuns: eritema tóxico. Apesar do nome sinistro e do aspecto alarmante — áreas avermelhadas de formas irregulares com centros mais claros —, o eritema tóxico é benigno e de curta duração. Parece um amontoado de picadas de insetos e desaparecerá sem tratamento.

CISTOS OU MANCHAS NA BOCA

"Quando o meu bebê estava chorando com a boca escancarada, percebi algumas saliências brancas na gengiva dele. Será que os dentes estão nascendo?"

Não avise a imprensa (nem os avós) por enquanto. Ainda que eventualmente possam irromper dois incisivos centrais inferiores mais ou menos seis meses antes do tempo certo, é muito mais provável que saliências brancas na gengiva sejam pequenas pápulas (ou cistos) cheios de líqüido. Esses cistos são comuns nos recém-nascidos e logo desaparecem, deixando as gengivas limpas a tempo de ver aquele primeiro sorriso desdentado.

Alguns bebês também podem ter pontos branco-amarelados no céu da boca ao nascer. Assim como os cistos, não são nem incomuns nem têm nenhuma importância clínica no recém-nascido. Chamados de "pérolas de Epstein", esses pontos desaparecem sem tratamento.

DENTES PRECOCES

"Fiquei surpresa ao constatar que o meu bebê nasceu com dois dentes frontais. O médico diz que vai ser preciso arrancá-los, o que incomoda muito a mim e ao meu marido."

De vez em quando, um recém-nascido chega ao mundo com um ou dois dentes. Se não estiverem firmemente presos à gengiva, é conveniente extraí-los para impedir que o bebê se engasgue ou os engula. Dentes prematuros podem ser pré-dentes, ou dentes extras, os quais, depois de extraídos, serão substituídos por dentes-de-leite na época certa. Mais comumente, porém, são dentes-de-leite, e, se for preciso extraí-los, talvez seja preciso usar próteses temporárias em seu lugar até que surjam os dentes definitivos.

SAPINHO

"Meu bebê parece ter um coágulo branco na boca. Pensei que fosse leite regurgitado, mas, quando tentei tirá-lo, sua boca começou a sangrar."

Há um fungo nessa história. Ainda que a infecção por fungo conhecida como sapinho esteja se manifestando agora na boca do seu bebê, ela deve ter começado a bagunça ainda no seu canal vaginal, na forma de uma monilíase — e foi aí que o seu bebê se contaminou. O organismo responsável por ela é a *Candida albicans*, um habitante costumeiro da boca e da vagina. Controlada por outros microorganismos, em geral não causa problema. Mas basta que esse equilíbrio seja perturbado — seja por doenças, por antibióticos ou por alterações hormonais (como as que ocorrem na gravidez) — para as condições se tornarem favoráveis ao desenvolvimento dos fungos, o que provoca os sintomas de infecção.

O sapinho se manifesta em forma de pontos brancos salientes que parecem ricota ou coalhada na parte interna das bochechas do bebê, às vezes na língua, no céu da boca e nas gengivas. Se os pontos forem retirados, o local fica em carne viva e pode sangrar. O sapinho é mais comum em recém-nascidos, mas às vezes um bebê de mais idade, especialmente se estiver tomando antibiótico, pode ser infectado. Se você desconfia de que o seu bebê está com sapinho, avise o médico.

Ainda que a monilíase em si não seja perigosa, é dolorosa e pode dificultar a alimentação do bebê. Raramente surgem complicações caso o problema não seja tratado adequadamente.

PERDA DE PESO

"Eu esperava que o meu bebê perdesse um pouco de peso no hospital, mas ele passou de 3,4 kg para 3,1 kg. Não é demais?"

Mães inexperientes, ávidas por começar a noticiar a evolução do seu bebê no quesito ganho de peso, costumam decepcionar-se quando o bebê sai do hospital pesando consideravelmente menos do que ao nascer. Contudo, quase todos os recém-nascidos perdem uma parte do peso de nascimento (em geral, entre 5% e 10%) nos primeiros cinco dias de vida — não em decorrência de uma alimentação excêntrica no berçário, mas devido à perda normal de líqüidos depois do nascimento. A perda não é imediatamente recuperada, pois os bebês necessitam e ingerem muito pouco alimento nesse período. Os bebês amamentados ao peito, que só ingerem algumas colheres de chá de colostro por mamada, geralmente perdem mais peso do que os bebês que recebem mamadeira. A maioria dos recém-nascidos deixa de perder peso por volta do quinto dia e já recuperou ou superou o seu peso de nascimento por volta do décimo ou décimo quarto dia de vida — quando você já pode, então, começar a fazer propaganda do peso do seu bebê.

ICTERÍCIA

"A médica diz que o meu bebê está com icterícia e precisa ficar mais tempo fazendo fototerapia antes de ir para casa. Ela garante que não é grave, mas qualquer coisa que mantenha um bebê no hospital me parece grave."

Visite qualquer berçário, e você verá que mais da metade dos recém-nascidos começou a amarelecer por volta do segundo ou terceiro dia de vida — não devido à idade, mas à icterícia dos recém-nascidos. O amarelamento, que começa na cabeça e acaba indo até os dedos dos pés,[3] colorindo até mesmo o branco dos olhos, decorre de um excesso de bilirrubina no sangue. A bilirrubina, o produto final amarelo da decomposição normal dos glóbulos vermelhos, que transportam oxigênio, geralmente sai da corrente sangüínea e, metabolizada pelo fígado, é depois eliminada pelos rins. Os recém-nascidos, porém, costumam produzir mais bilirrubina do que o seu fígado imaturo consegue metabolizar. Como resultado, a taxa de bilirrubina aumenta no sangue, provocando a cor amarelada e aquilo que é conhecido como icterícia normal ou fisiológica dos recém-nascidos.

Na icterícia fisiológica, o amarelecimento geralmente se inicia no segundo ou terceiro dia de vida e passa a diminuir quando o bebê está com uma semana ou dez dias. Aparece um pouco mais tarde (por volta do terceiro ou quarto dia) e demora mais para desaparecer (em geral, quatorze dias ou mais) nos bebês prematuros, devido a seu fígado extremamente imaturo. A icterícia ocorre mais nos meninos, ou em bebês que perdem muito peso imediatamente após o parto, em bebês cujas mães são diabéticas e em bebês que nasceram de parto induzido.

Às vezes, um bebê com icterícia fisiológica é mantido no hospital por mais alguns dias, para observação e tratamento. Na maior parte dos casos, os níveis de bilirrubina (determinados por exames de sangue) diminuirão gradualmente, e o bebê irá para casa com uma ficha de saúde

3. O processo é o mesmo nos bebês negros e pardos, mas o amarelecimento só é visível na palma das mãos, na sola dos pés e no branco dos olhos.

normal. Raramente acontece um aumento precoce de bilirrubina, indicando que a icterícia talvez seja anormal ou patológica.

A icterícia patológica é extremamente rara. Em geral, começa mais cedo ou mais tarde do que a icterícia fisiológica, e os níveis de bilirrubina são mais altos. Se estiver presente já no nascimento ou se desenvolver rapidamente durante o primeiro dia de vida, ela pode indicar doença hemolítica, provocada por incompatibilidade de grupo sangüíneo (como quando o bebê tem um fator Rh diferente do da mãe). A icterícia que só se desenvolve mais tarde (geralmente entre uma e duas semanas depois do nascimento) poderia indicar icterícia obstrutiva, na qual uma obstrução no fígado prejudica a eliminação da bilirrubina. A icterícia patológica também pode ser causada por outras doenças do sangue ou do fígado, em geral hereditárias, e por uma variedade de infecções intra-uterinas ou neonatais. O tratamento para reduzir níveis anormalmente altos de bilirrubina é importante para impedir que a substância se impregne no cérebro, um problema conhecido como *kernicterus*. Os sintomas desse tipo de complicação são choro fraco, reflexos lentos e pouca capacidade de sucção; se não tratada, pode levar a lesões cerebrais permanentes ou mesmo à morte.

A icterícia fisiológica benigna em geral não requer tratamento. Os casos mais graves são eficazmente tratados com fototerapia sob luz ultravioleta. Durante o tratamento, os bebês ficam nus e têm os olhos cobertos para protegê-los dos raios luminosos. Também recebem maior quantidade de líqüidos, para compensar o aumento da perda de água pela pele, ficam retidos no berçário, a não ser para as mamadas. Em alguns casos, pode estar disponível um aparelho portátil para fototerapia, que permite o tratamento domiciliar, o que é vantajoso em termos de amamentação para a mãe e o bebê.

O tratamento da icterícia patológica vai depender da causa, mas pode compreender fototerapia, exsangüíneotransfusão ou cirurgia para a remoção de obstruções. Novas terapias com drogas, que inibem a produção de bilirrubina estão sendo experimentadas.

Num bebê de mais idade ou numa criança maior, a icterícia ou o amarelecimento podem indicar anemia, hepatite, alguma outra doença, ou funcionamento anormal do fígado, e devem ser comunicados ao médico o mais breve possível.

"Ouvi dizer que amamentar pode provocar icterícia. O meu bebê está um pouco amarelado. Devo parar de amamentá-lo?"

Na média, os níveis de bilirrubina no sangue são mais altos nos bebês amamentados pela mãe do que naqueles que recebem mamadeira e podem permanecer elevados por mais tempo (até seis semanas). Acredita-se que essa seja uma forma exagerada de icterícia fisiológica, mas sem significado clínico. A continuidade da amamentação é geralmente recomendada, pois interrompê-la e/ou dar uma alimentação à base de água com glicose parece aumentar os níveis de bilirrubina, em vez de diminuí-los, além de interferir no processo de lactação. Já se suspeitou que amamentar na primeira hora depois do nascimento pode reduzir os níveis de bilirrubina nos bebês que mamam.

Suspeita-se da presença da icterícia causada pelo leite materno quando os níveis de bilirrubina aumentam rapidamente *no fim* da primeira semana de vida e outras causas da icterícia patológica já foram excluídas. Acredita-se que a causa seja uma substância existente no leite de algumas mulheres que interfere na decomposição da bilirrubina, e estima-se que ocorra em cerca de 2% dos bebês alimentados ao peito. O diagnóstico é confirmado por uma drástica queda nos níveis de bilirrubina ao se substituir o leite materno por leite artificial durante cerca de 36 horas (durante as quais a mãe continua a esvaziar os seios, tirando leite na hora das mamadas, para manter sua produção de leite). Ao retomar a amamentação, é comum os níveis de bilirrubina aumentarem de novo, mas não aos níveis anteriores. O problema geralmente se resolve em algumas semanas.

O USO DA CHUPETA

"Nos berçários, enfiam uma chupeta na boca dos bebês assim que eles começam a chorar. Sempre odiei ver crianças mais crescidas usando chupeta, e tenho medo de que isso aconteça com a minha filha se permitir que ela use chupeta desde já."

Ser acalmado por uma chupeta nos dois ou três dias que o seu bebê fica no berçário do hospital não vai torná-lo um viciado nela. Existem, contudo, boas razões para você preferir que não lhe dêem uma chupeta desde já:

- Se você estiver amamentando, ela pode provocar uma confusão de bicos (sugar um bico artificial exige um movimento diferente do usado para sugar o bico do peito) e dificultar o processo de amamentação.
- Esteja você amamentando ou usando mamadeira, pode ser que o seu bebê esgote sua necessidade de sucção com a chupeta, e se recuse a sugar na hora das mamadas.
- O seu bebê estará melhor sendo atendido ao chorar do que enganado com uma chupeta na boca.

Diga ao pessoal do berçário para não dar chupeta ao seu bebê, se essa é a sua decisão. Se o bebê estiver chorando e não houver ninguém para reconfortá-lo no berçário, peça que o tragam para que você lhe dê um pouco de carinho, e talvez o seio, o que deve satisfazer sua necessidade de sucção. Ou então veja se não é possível o bebê permanecer no quarto com você. Se, já em casa, o bebê demonstrar uma necessidade maior de sugar e você estiver pensando em dar-lhe a chupeta, então vá à página 130.

A COR DAS FEZES

"Quando troquei a fralda do meu bebê pela primeira vez, tomei um susto ao ver que as fezes dele eram preto-esverdeadas."

Esta é apenas a primeira das muitas descobertas assustadoras que você vai fazer nas fraldas do bebê neste ano e pouco que você tem pela frente. E, na maior parte dos casos, suas descobertas, ainda que a deixem abalada, serão absolutamente normais. Desta vez, você deparou com mecônio, a substância preto-esverdeada, semelhante ao alcatrão que paulatinamente encheu os intestinos do seu bebê enquanto ele esteve no seu útero. Que o mecônio esteja agora na fralda dele, e não nos intestinos, é um bom sinal — agora você já sabe que os intestinos dele estão desobstruídos.

Em algum momento depois das primeiras 24 horas, quando todo o mecônio tiver saído, você verá fezes de transição,[4] que são de um amarelo-esverdeado escuro e moles, às vezes de textura "granulosa" (sobretudo as dos bebês amamentados), e podem eventualmente conter muco. É possível também que haja nelas vestígios de sangue, talvez por ter o bebê engolido um pouco do sangue materno durante o parto (ponha à parte qualquer fralda com sangue para mostrá-la a uma enfermeira ou um médico e certificar-se de que não há problema).

Depois de três ou quatro dias de fezes de transição, aquilo que o seu bebê começar a evacuar vai depender daquilo que você o fizer ingerir. Se for leite materno, as fezes serão amarelo-ouro (como mostarda), às vezes moles, ou mesmo aquosas, outras vezes granulosas, sem firmeza, como coalhada, ou com a consistência de mostarda. Se for leite artificial, as fezes serão moles, porém mais bem formadas do que as do bebê que toma leite materno, e entre o amarelo-claro e o marrom-amarelado, marrom-claro ou marrom-esverdeado. Se o leite artificial for enriquecido com

4. Se todo o mecônio dos intestinos tiver sido evacuado antes de o bebê nascer, como pode acontecer durante sofrimento fetal no trabalho de parto ou no nascimento, as primeiras fezes depois do parto podem ter características de fezes de transição.

ferro, especialmente se for à base de soro de leite e não de caseína, ou se o bebê estiver tomando cápsulas de vitamina com ferro, as fezes poderão ser verdes, esverdeadas, marrom-escuras ou pretas.

Seja como for, não compare as fraldas do seu bebê com as do bebê da gôndola ao lado. Assim como impressões digitais, não existem fezes idênticas. E, ao contrário das impressões digitais, elas diferem não só de bebê para bebê como de um dia para o outro (até de uma evacuação para outra), em todo e qualquer bebê. As mudanças, como você verá quando o bebê passar a ingerir alimentos sólidos, vão tornar-se mais acentuadas à medida que as refeições dele se tornarem mais variadas.

SECREÇÕES OCULARES

"Há uma crostinha amarelada e dura nos olhos do meu bebê. Será que é infecção?"

Essa secreção não parece ser uma infecção, mas sim o resultado da tentativa, feita no hospital para impedir uma infecção gonocócica nos olhos do seu bebê. Antigamente uma das principais causas da cegueira, essa infecção já foi virtualmente eliminada graças a esse tratamento profilático. No entanto, quando gotas de nitrato de prata são instiladas nos olhos de um bebê assim que ele nasce (como é rotineiramente feito em muitas salas de parto), desenvolve-se em aproximadamente um entre cinco recém-nascidos uma conjuntivite química, caracterizada por inchaço e por uma secreção amarelada que desaparece por volta do quarto ou quinto dia. Hoje, muitos hospitais preferem usar pomadas ou colírios antibióticos, menos passíveis de desencadear uma reação adversa (ou de provocar uma mancha cinzenta temporária na bochecha, devido ao escorrimento de algumas gotas, outra desvantagem do nitrato de prata) e capazes de impedir não só as infecções gonocócicas, mas também a conjuntivite neonatal por clamídia.

Se o inchaço e a secreção não cederem, ou se começarem depois das primeiras 24 horas após a administração do nitrato de prata, é possível que sejam causados por uma infecção. Portanto, comunique imediatamente os sintomas a uma enfermeira do berçário ou ao médico do seu bebê. Lacrimejamento, inchaço ou uma infecção que comecem quando você já estiver em casa também podem ser causados por um canal lacrimal obstruído (veja página 119).

O QUE É IMPORTANTE SABER: O Bê-á-bá dos Cuidados com o Bebê

Pôs as fraldas ao contrário? Levou cinco minutos para colocar o bebê numa posição que lhe permitisse arrotar? Esqueceu de lavar as axilas na hora do banho? Não se preocupe. Os bebês não só vão perdoá-las — geralmente nem se dão conta dessas coisas. Ainda assim, todos os pais de primeira viagem querem fazer tudo certo, ou, pelo menos, o máximo possível. Este bê-a-bá dos cuidados com o bebê vai ajudá-la a orientar-se nesse sentido. Mas lembre-se de que são apenas sugestões sobre como cuidar do seu bebê. Você pode encontrar soluções próprias que talvez sejam ainda melhores.

O BANHO DO BEBÊ

Enquanto o bebê não começar a ficar no chão, o banho diário não é necessário. Desde que se faça uma boa limpeza na troca de fraldas e depois das mamadas, dois ou três banhos por semana, nos meses que antecedem o engatinhar, serão suficientes para manter o bebê cheiroso e apresentável. Um esquema de banhos tão leve assim pode ser muito bem-vindo nas primeiras semanas, em que o ritual costuma apavorar tanto quem dá o banho quanto quem a ele se submete. Os bebês que não passam a gostar logo do banho podem continuar a tomá-los duas ou três vezes por semana, mesmo quando a sujeira começar a acumular-se. Uma limpeza diária com esponja úmida, em pontos importantes como o rosto, o pescoço, as mãos e as nádegas, pode ajudar muito entre os verdadeiros banhos (veja página 291 as dicas para diminuir o medo do banho). Contudo, para os bebês que os adoram, o banho diário torna-se um ritual indispensável.

Qualquer hora do dia pode ser uma boa ocasião para o banho, ainda que dá-lo um pouco antes de o bebê ir dormir o faça relaxar melhor para o sono. Evite os banhos logo depois ou pouco antes das mamadas, pois tantas mexidas numa barriguinha cheia pode provocar vômito, e o bebê talvez não coopere se ela estiver vazia. Arrume um tempo livre de tudo, a fim de que o banho não seja apressado e você não se sinta tentada a deixar o bebê sozinho por um segundo sequer, para ir cuidar de outra coisa. Ligue a secretária eletrônica, se tiver uma, ou simplesmente não atenda ao telefone durante o banho.

Enquanto você estiver usando uma banheira portátil, o banho poderá ser dado em qualquer cômodo da casa, ainda que, por causa da água que vai ser espalhada, o melhor lugar seja a cozinha ou o banheiro. A superfície onde você colocará a banheira deve ficar num nível em que você possa mexer-se facilmente e com espaço suficiente para todos os apetrechos necessários. Para conforto do bebê, sobretudo nos primeiros meses, desligue o ar-condicionado e o ventilador até o fim do banho, e certifique-se de que o ambiente esteja aquecido (de 24ºC a 27ºC, se possível), e sem corrente de ar. Se for muito difícil conseguir essa temperatura, tente aquecer o banheiro com o vapor do chuveiro ou compre um aquecedor seguro.

O banho de esponja. Enquanto o coto umbilical e a circuncisão, caso tenha sido feita, não cicatrizarem (demora mais ou menos duas semanas), nada de banhos de banheira. Uma toalhinha molhada será o único jeito de deixar seu bebê limpo. Para dar-lhe um banho completo de esponja, siga estes passos:

1. Escolha um local para o banho. O trocador de fraldas, o gabinete da cozinha, a sua cama ou o berço do bebê (se o colchão estiver em boa altura) são locais apropriados para o banho de esponja; cubra a sua cama ou o berço com um impermeável, ou o gabinete com uma toalha ou tecido espesso.

2. Esteja com todas estas coisas prontas *antes* de despir o bebê:

- sabonete e xampu para o bebê, caso você use
- duas toalhas pequenas (uma será suficiente, se você usar a mão para ensaboar)
- bolas de algodão estéril para a limpeza dos olhos
- toalha, de preferência com capuz
- fralda e roupas limpas
- pomada para assaduras, se for preciso
- álcool, ou Merthiolate e bolas de algodão, para curativo do cordão umbilical
- água morna, se você não tiver uma torneira por perto

3. Prepare o bebê. Se o ambiente estiver aquecido, você pode tirar todas roupas do bebê antes de começar, cobrindo-o apenas com uma toalha enquanto você prepara tudo (muitos bebês não gostam de ficar nus); se o ambiente estiver frio, dispa apenas a parte do corpo que você vai lavar naquele momento. Seja qual for a temperatura ambiente, não tire a fralda do bebê enquanto não chegar a hora de lavar-lhe as nádegas; um bebê nu deve sempre ser visto como alguém armado e perigoso.

4. Comece o banho pelas partes mais limpas do corpo, avançando na direção das mais sujas, de tal modo que a toa-

lhinha e a água que você está usando fiquem limpas. Ensaboe com a mão ou com uma das toalhinhas, mas use uma limpa para enxaguar. Esta seqüência costuma funcionar bem:

▪ Cabeça. Uma ou duas vezes por semana, use sabonete ou xampu para bebês, enxaguando muito bem. Entre uma vez e outra, use apenas água. Segurar a cabeça como se fosse uma bola (veja a ilustração na página 57) sobre a beirada da pia é o jeito mais fácil e confortável de enxaguá-la. Enxugue os cabelos dele com uma toalha (o que, na maioria dos bebês, se faz em segundos) antes de continuar.

▪ Rosto. Primeiro, usando uma bola de algodão estéril umedecida com água morna, limpe os olhos do bebê com movimentos delicados a partir do nariz. Use uma bola de algodão limpa para cada olho. No rosto, não é preciso usar sabonete. Limpe os contornos das orelhas, mas não o ouvido. Enxugue todas as partes.

▪ Pescoço e peito. Não é preciso usar sabonete, a menos que o bebê esteja muito suado ou sujo. Limpe bem todas as dobrinhas da pele. Enxugue.

▪ Braços. Estenda os braços do bebê para limpar a dobra do cotovelo, e pressione a palma das mãos para abri-las. As mãos vão precisar de um pouco de sabonete, mas tenha o cuidado de enxaguá-las bem antes que o bebê as coloque na boca. Enxugue.

▪ Costas. Coloque o bebê de bruços, com a cabeça voltada para um lado, e lave as costas, sem esquecer-se das dobras do pescoço. Como não se trata de uma parte suja, talvez não seja preciso usar sabonete. Enxugue, e vista a parte superior do corpo antes de prosseguir, caso o ambiente não esteja bem aquecido.

▪ Pernas. Estenda as pernas para ter acesso à parte de trás dos joelhos, ainda que o bebê talvez resista a esticá-las. Enxugue.

▪ Área da fralda. Siga a orientação específica para os cuidados com o pênis circuncidado e o coto umbilical (páginas 118 e 152) até haver cicatrização completa; a orientação sobre os cuidados com o pênis

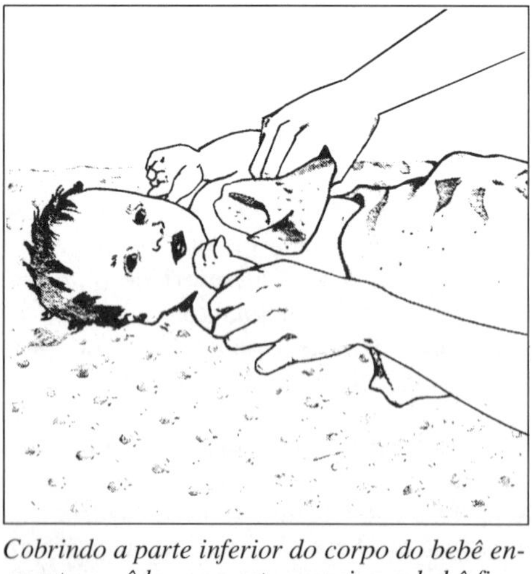

Cobrindo a parte inferior do corpo do bebê enquanto você lava a parte superior, o bebê ficará aquecido e confortável enquanto o limpa, e você ficará protegida, especialmente se o bebê for menino, de um súbito esguicho.

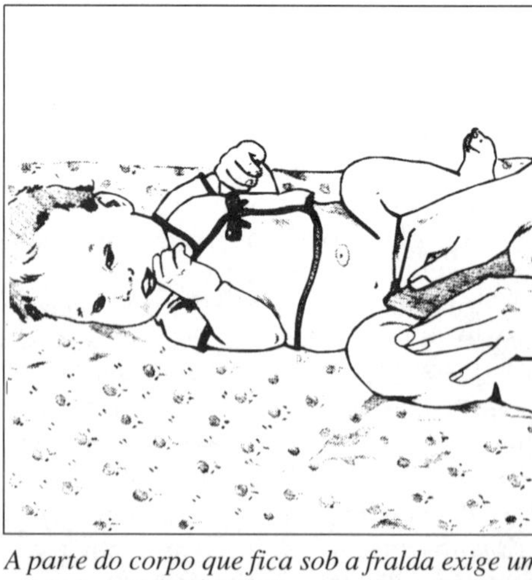

A parte do corpo que fica sob a fralda exige um cuidado maior para se limpar e deve ser deixada para o fim, pois quaisquer germes aí localizados não serão levados a outras partes do corpo.

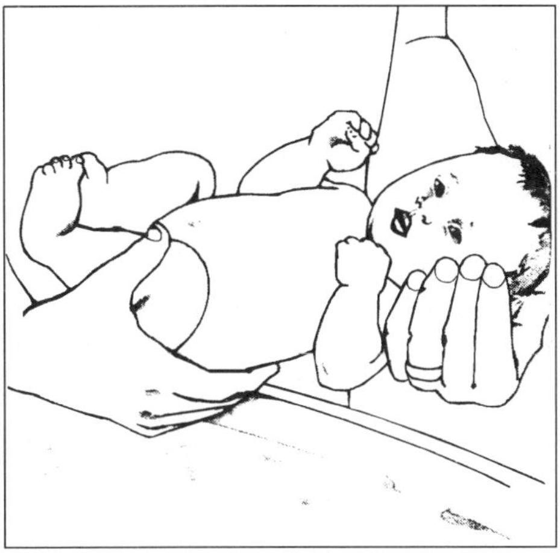

Quase todos os bebês sentem-se muito inseguros, e até choram, nas primeiras vezes que são colocados numa banheira. Portanto, empenhe-se em dar-lhe o máximo de apoio — com palavras tranqüilizadoras e mãos firmes ao segurá-lo.

não-circuncidado encontra-se na página 94. Lave as meninas da frente para trás, abrindo os lábios da vagina e limpando com água e sabão. A cada movimento, utilize uma parte da toalha ainda não usada. A secreção vaginal branca é normal; não tente retirá-la. Lave cuidadosamente os meninos, limpando todas as dobras da pele com água e sabão, mas não puxe o prepúcio para trás. Seque bem toda a área da fralda, e passe uma pomada se for necessário.

5. Ponha a fralda no bebê e vista-o.

O banho de banheira. O bebê poderá tomar banho de banheira assim que o coto umbilical e a circuncisão (caso tenha sido feita) estiverem cicatrizados. Se o bebê demonstrar que não se sente bem dentro da água, retome os banhos de esponja por mais alguns dias e depois tente outra vez. Certifique-se de que a temperatura da água esteja agradável e o bebê firmemente seguro, para evitar o medo inato de cair.

1. Escolha um lugar para colocar a banheira portátil. São boas indicações a pia, o gabinete da cozinha ou do banheiro, ou mesmo a banheira de adultos (embora fique complicado curvar-se e movimentar-se por sobre a banheira enquanto você lava o bebê). Procure um lugar onde você se sinta confortável e tenha bastante espaço para a banheira portátil e todos os apetrechos necessários para o banho. Nas primeiras vezes em que der banho de banheira, talvez seja bom não usar sabonete — bebês ensaboados são bebês escorregadios.

2. Tenha todas estas coisas prontas *antes* de despir o bebê e encher a banheira:

- banheira, bacia ou pia limpas e prontas para ser enchidas[5]
- sabonete e xampu para bebês, caso você os use
- duas toalhas pequenas (uma será suficiente, se você usar a mão para ensaboar)
- bolas de algodão estéril para limpar os olhos
- toalha, de preferência com capuz
- fralda e roupa limpas
- pomada para assaduras, se for preciso
- uma boa aquisição: um avental de tecido felpudo com forro de plástico para você não se molhar

3. Coloque cerca de 5 cm de água na banheira do bebê; ponha o seu cotovelo na água para sentir se a temperatura está agradável. Nunca ponha a água com o bebê já dentro da banheira, pois pode ocorrer uma mudança brusca de temperatura. Não coloque sabonete infantil na água nem espuma, pois podem ressecar a pele do bebê.

4. Tire toda a roupa do bebê.

5. Coloque o bebê devagar na banheira, enquanto fala num tom suave e reconfortante, para que ele não sinta medo, e segure-o com firmeza, para evitar o reflexo de sobressalto. Enquanto o bebê não sustentar a cabeça, segure-lhe o pescoço e a cabeça com uma das mãos se a banheira não tiver um apoio, ou se o bebê demonstrar que pre-

5. Se você usar um tapete antiderrapante no fundo da banheira, seque-o ao sol ou na secadora depois de cada uso. Procure informar-se sobre a temperatura ideal para esse acessório. As toalhas colocadas no fundo da banheira devem ser lavadas e secas depois de cada banho.

Se a banheira não oferecer apoio adequado para o corpo escorregadio e a cabeça pouco firme do seu bebê, você é que deve providenciar esse apoio, com delicadeza mas com firmeza.

fere o seu braço ao apoio. Segure bem o bebê em posição semi-reclinada — um escorregão repentino pode deixá-lo traumatizado.

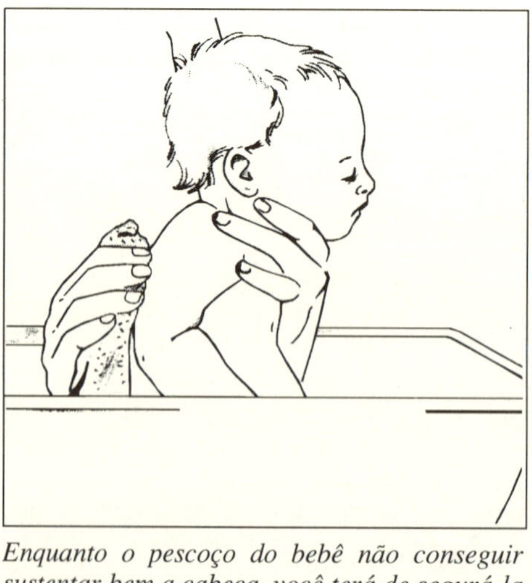

Enquanto o pescoço do bebê não conseguir sustentar bem a cabeça, você terá de segurá-la com uma mão, enquanto usa a outra para lavar-lhe as costas.

6. Lave o bebê com a mão livre, das partes mais limpas às mais sujas. Primeiro, usando uma bola de algodão estéril umedecida em água morna, limpe os olhos dele com movimentos delicados a partir do nariz. Use um algodão limpo para cada olho. Depois, lave o rosto, as orelhas e o pescoço. Ainda que as outras partes não precisem ser lavadas com sabonete todos os dias (a menos que o seu bebê seja propenso a "acidentes" por todo o corpo), use-o diariamente nas mãos e na área da fralda. Use-o a cada 2 dias nos braços, no pescoço, no abdome e nas pernas, desde que a pele do bebê não fique ressecada — se isso acontecer, diminua o uso de sabonete. Passe o sabonete com a mão ou com uma toalhinha. Assim que o lado da frente estiver limpo, apóie o bebê em seu braço para lavar-lhe as costas e as nádegas.

7. Enxagúe o corpo todo do bebê com uma toalhinha limpa.

8. Uma ou duas vezes por semana, lave o couro cabeludo do bebê com sabonete infantil neutro ou com xampu para bebês. Enxagúe bem e enxugue com uma toalha.

9. Enrole o bebê numa toalha, aperte-a de leve para enxugá-lo, e vista-o.

FAZER O BEBÊ ARROTAR

Leite não é tudo que o bebê engole quando mama. Junto com esse líqüido nutritivo ele ingere ar, que, além de não ser nutritivo, pode levar a criança a sentir-se desconfortavelmente cheia antes de ter terminado de alimentar-se. É por isso que uma parte muito importante das mamadas consiste em fazer o bebê arrotar para que saia o ar acumulado — a cada 60 cc, quando for mamadeira e mais ou menos a cada 5 minutos (ou sempre que mudar de peito) quando for no peito. Há três maneiras de fazer isso — no seu ombro, de bruços no seu colo, ou sentado —, e é bom tentar cada uma delas para ver qual funciona melhor para você e para o bebê. Ainda que a

Colocar o bebê por sobre o ombro costuma ser melhor para provocar o arroto, mas não se esqueça de proteger suas roupas.

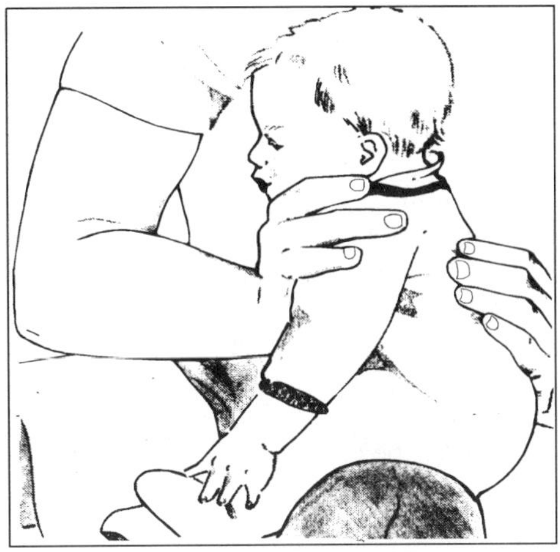

Até mesmo um recém-nascido pode ser sentado para arrotar, mas não se esqueça de firmar-lhe bem a cabeça.

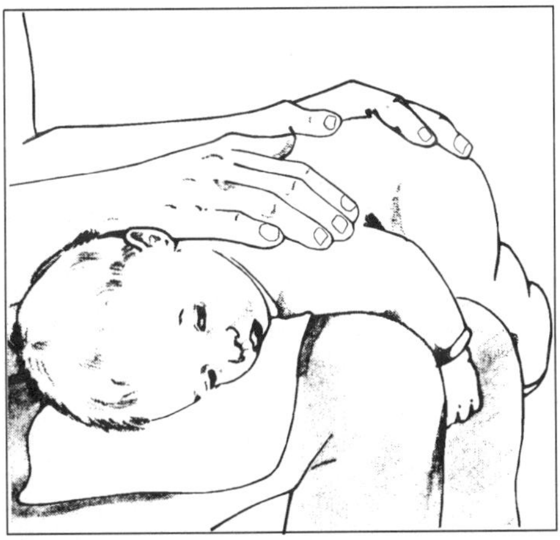

O arroto com o bebê de bruços no seu colo tem a vantagem de acalmar bebês com cólicas.

maioria dos bebês arrote com uma palmadinha ou uma leve fricção, alguns precisam de uma mão um pouco mais firme.

No ombro. Segure firmemente o bebê, de encontro ao seu ombro, apoiando-o pelas nádegas com um das mãos, e, com a outra, dando algumas palmadinhas ou fazendo leve fricção nas costas.

De bruços no seu colo. Coloque o bebê de bruços no seu colo, com a barriga sobre uma de suas pernas, e a cabeça repousando na outra. Segurando-o firmemente com uma das mãos, dê palmadinhas ou faça uma fricção.

Sentado. Sente o bebê no seu colo, com a cabeça para a frente e o peito apoiado no seu braço, enquanto você o segura por sob o braço. Dê umas palmadinhas ou friccione, cuidando que a cabeça dele não penda para trás.

PÔR FRALDAS NO BEBÊ

Principalmente nos primeiros meses, a troca de fraldas pode ser muito freqüente — às vezes de hora em hora, no período em que o bebê está acordado. No entanto, por mais maçante que esse trabalho seja para o bebê e para você, a troca freqüente (no mínimo, antes ou depois de cada mamada, ou sempre que ele evacuar) é a melhor maneira de evitar irritações e assaduras na pele sensível do bumbum do bebê. Com fraldas descartáveis, você não poderá basear-se na umidade delas para a troca; por serem tão absorventes, as fraldas descartáveis só ficam úmidas depois de estarem extremamente saturadas. Contudo, você não precisa acordar o bebê para mudar-lhe a fralda, e, a menos que ele esteja muito molhado e em desconforto, ou tenha evacuado, não há por quê trocá-la nas mamadas noturnas. A atividade e a luz podem impedir que o bebê volte a dormir.

Para fazer a troca da fralda de maneira correta:

1. Antes de começar a fazer a troca, verifique se tudo de que precisa está à mão, tanto no trocador quanto no porta-fraldas, caso você não esteja em casa. De outro modo, depois de tirar uma fralda imunda você descobrirá que não tem com que limpar a sujeira. Você vai precisar de todas ou algumas das seguintes coisas:

- uma fralda limpa
- bolas de algodão e água quente para os bebês com menos de um mês (ou com dermatite de fralda) e uma pequena toalha para enxugar; lenços umedecidos próprios para limpeza, no caso de outros bebês
- uma muda de roupa, caso a fralda tenha vazado (acontece até com as melhores); sobrefraldas ou calças impermeáveis limpas, se você usar fraldas de pano
- se for preciso, pomada para assaduras; loções e talcos são desnecessários; estes últimos podem ser perigosos, além de prejudicarem a adesão dos fechos das fraldas descartáveis
- se preciso, pó de amido para manter o bebê mais seco, especialmente no calor

2. Para começar, lave e enxugue as mãos ou passe nelas um lenço umedecido.

3. Providencie diversões para o bebê — ao vivo ou de outro tipo. O espetáculo pode ser dado por quem troca as fraldas, ou por irmãos, pais ou amigos que estiverem por perto. Outras formas de diversão podem ser um móbile pendurado sobre o trocador, um ou dois brinquedos dentro do campo de visão do bebê (e, mais tarde, ao seu alcance), uma caixinha de música, um brinquedo mecânico — qualquer coisa que atraia o interesse da criança durante o tempo que você tira uma fralda e coloca outra. Não use coisas como frascos de talco ou loções, já que um bebê mais crescido pode pegá-las e levá-las à boca.

4. Coloque anteparos como uma fralda de pano limpa ou a muda de roupa, quando o bebê não estiver sobre o trocador. Tenha sempre o cuidado de não deixar o bebê sozinho nem por um segundo. Mesmo que ele esteja seguro pelas correias do trocador, nunca o deixe fora do alcance do braço.

5. Abra a fralda (fita crepe nas de pano; fechos adesivos, nas descartáveis), mas não a tire ainda. Primeiro, veja o que a espera. Se o bebê evacuou, use a própria fralda para limpar a maior parte das fezes, mantendo-a sobre o pênis, caso o bebê seja menino. Em seguida, dobre a fralda sob o bebê, com o lado externo para cima, como precaução, e limpe toda a parte da frente da criança com água morna ou com um lenço umedecido, certificando-se de ter limpado todas as dobrinhas; depois, levante-lhe as pernas, limpe o bumbum e, antes de baixar-lhe as pernas, retire a fralda suja e coloque uma limpa por baixo do bebê. (Para sua proteção, deixe uma fralda limpa sobre o pênis pelo máximo de tempo possível nesse processo). Se você usou água, enxugue bem o bebê. Se perceber alguma irritação ou assadura, consulte as dicas de tratamento na página 204.[6]

6. Se você estiver usando fraldas de pano, é provável que elas venham dobradas e prontas para usar. Mas você vai ter de dobrá-las mais enquanto o seu bebê não crescer um pouco. A sobra de tecido deve ficar para a frente nos meninos e para trás nas meninas. Para não espetar o bebê com alfinetes, prenda-as com fita crepe ao fechá-las. Se estiver usando fraldas descartáveis, siga as orientações do fabricante (que variam um pouco de marca para mar-

6. Os meninos quase sempre têm ereções durante a troca de fralda; é perfeitamente normal, e não um indício de que tenham sido estimulados além da conta.

O ASSENTO SEGURO

Quando pais inexperientes saem com o bebê pela primeira vez, sempre tomam o cuidado de agasalhá-lo (quase sempre com um excesso de roupas) contra as mudanças de temperatura, temerosos das conseqüências de uma súbita rajada de vento ou de uma chuva. No entanto, milhões desses pais deixam de proteger o seu bebê exatamente onde deveriam — no carro. Ainda que uma breve exposição a condições atmosféricas adversas não costume ter efeitos prejudiciais num bebê, são grandes os riscos de transportá-lo num carro sem a proteção de um assento ou num assento que não esteja corretamente preso ao banco do carro. Os pais devem temer mais não as doenças, mas os acidentes de carro — os quais matam e mutilam mais crianças anualmente do que todas as principais doenças infantis juntas.

Portanto, na saída do hospital para casa, certifique-se de que o assento de segurança está corretamente instalado no seu carro, e o bebê corretamente preso a ele sempre que o carro estiver em movimento. Mesmo que a sua casa fique a alguns quarteirões do hospital, use o assento (a maior parte dos acidentes ocorre num raio de 40 quilômetros de distância de casa, e não, como geralmente se pensa, nas grandes rodovias). Não confie no fato de que você estará dirigindo devagar (uma batida a cerca de 50 quilômetros por hora tem o mesmo impacto de uma queda de um terceiro andar). Não imagine, também, que os seus braços possam segurar o bebê, mesmo que você esteja usando cinto de segurança (numa batida, o bebê se desprenderia dos seus braços e também poderia ser esmagado pelo seu corpo). Lembre-se, ainda, de que não são só as batidas que provocam ferimentos graves, mas também um carro que pára bruscamente ou dá uma guinada para evitar um acidente.

Se você habituar o seu bebê a usar um assento de segurança desde a primeira viagem, mais tarde ele o aceitará quase automaticamente. E as crianças que sempre viajam com correias de segurança não só ficam mais protegidas como também se comportam melhor durante as viagens — algo que você vai apreciar muitíssimo quando estiver transportando um bebê inquieto.

Além de comprar um assento que esteja de acordo com os padrões de segurança (os fabricados a partir de 1º de janeiro de 1981 nos E.U.A.), tenha o cuidado de instalá-lo e usá-lo corretamente:

- Siga as instruções do fabricante para instalar o assento e prender o bebê a ele. Antes de cada saída, verifique se o assento está bem seguro e se as correias ou os cordões que o prendem estão em bom estado. Use as presilhas, que vêm junto com a maioria dos assentos, para ajustar as correias do colo e dos ombros.
- Os bebês devem viajar voltados para a traseira do carro até pesarem pelo menos 8 ou 9 kg e conseguirem sentar-se bem. Acima de 9 kg, podem ser voltados para a frente; acima de 13 kg, em outros tipos de assento para automóveis.
- Sempre que possível, o recém-nascido deve ser transportado no meio do banco de trás; se o motorista estiver sozinho com o bebê, não há problema em colocá-lo no meio do banco da frente, para observá-lo melhor e comunicar-se com ele.
(Nota: é perigoso trazer para o banco da frente o assento em que a criança fica voltada para trás, se o carro for dotado de uma bolsa inflável contra impactos.)
- Sempre que possível, evite colocar o assento junto às laterais do carro, porque esses lugares são mais vulneráveis a batidas e em geral seus cintos de segurança são mais difíceis de colocar num assento de segurança.
- Certifique-se de que objetos pesados ou grandes, como malas, estejam bem presos, para não se transformarem em perigosos objetos voadores numa freada brusca ou numa batida.
- Ajuste a correia de ombro do assento, se for ajustável, na medida para o bebê. Certifique-se de que todas as correias estejam bem ajustadas, e não use um anteparo, caso

haja algum, sem as correias. No caso de bebês muito novos, calce os lados do seu assento e a área ao redor da cabeça e do pescoço com um cobertor ou uma toalha enrolados que sirvam de apoio (existem almofadados para essa finalidade). Se o assento for muito fundo, coloque uma toalha enrolada entre o bebê e a correia que fica entre as pernas para dar-lhe mais conforto.

■ Para os bebês mais crescidos, prenda ao assento brinquedos macios com argolas de plástico ou cordões bem curtos — brinquedos soltos tendem a ser lançados pelo carro ou a cair, irritando o bebê e tirando a atenção do motorista. Ou então coloque brinquedos feitos especialmente para assentos de carro infantis.

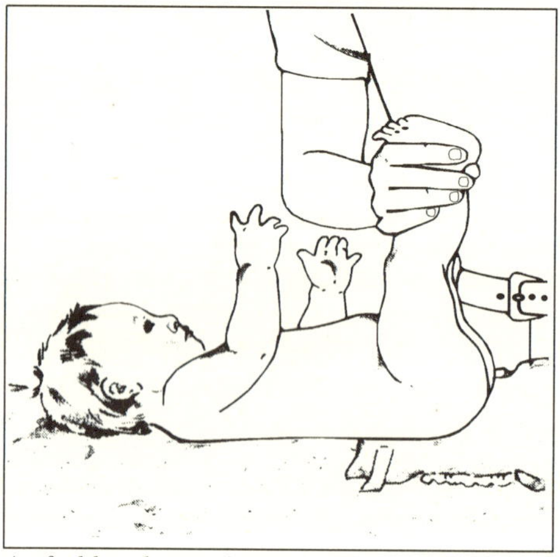

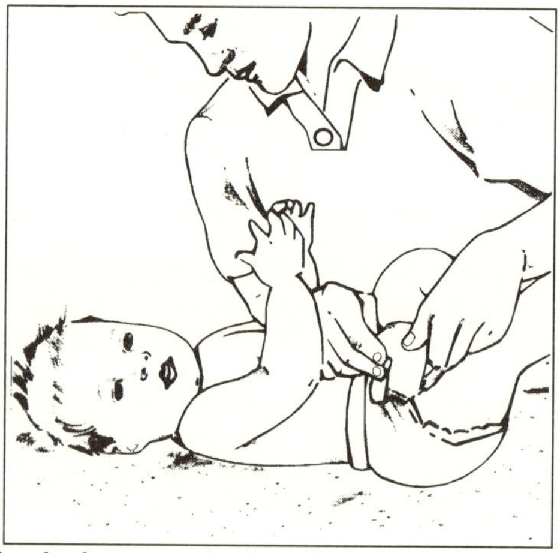

As fraldas descartáveis permitem uma troca rápida, desde que você não coloque as nádegas do bebê sobre os fechos adesivos. Assim que o bebê estiver no lugar certo, basta passar a parte da frente da fralda por entre as pernas dele e fechar, certificando-se de que os fechos estão bem fixos.

ca) para que cubram e protejam melhor. Tenha o cuidado de não deixar a fita adesiva grudar na pele do bebê.

As fraldas e calças protetoras devem ajustar-se bem ao corpo para não haver vazamentos, mas não a ponto de irritar ou raspar a delicada pele do bebê. Os pontos de ajuste indicarão se a fralda está apertada demais.

Nos meninos colocar o pênis apontado para baixo diminui a possibilidade de a umidade da fralda molhar suas peças de roupa. Se ainda houver o coto umbilical, dobre a fralda para baixo para expô-lo ao ar e impedir que se molhe.

7. Jogue fora as fraldas de modo higiênico. Quando possível, jogue no vaso sanitário as fezes mais duras (que provavelmente só aparecerão nas fraldas dos bebês amamentados quando forem dados alimentos sólidos). As fraldas descartáveis usadas podem ser enroladas, fechadas com as fitas adesivas e colocadas num saco plástico antes de irem para o lixo. (Em termos ambientais, é mais apropriado usar um só saco plástico para todas as fraldas do dia.) As fraldas de pano usadas devem ser colocadas num balde próprio bem tampado (seu mesmo, ou fornecido pelo serviço de fraldas) enquanto não forem lavadas. Se você estiver fora de casa, elas podem ficar num saco plástico até a sua volta ao lar.

8. Troque as roupas do bebê e as de seu berço sempre que necessário.

9. Lave as mãos com água e sabonete, quando for possível, ou limpe-as muito bem com um lenço higiênico umedecido.

VESTIR O BEBÊ

Com braços desengonçados, pernas teimosamente dobradas, uma cabeça que sempre parece maior do que as aberturas das roupas e uma completa aversão por ficar nu, um bebê pode ser um estorvo para vestir e despir. No entanto, há maneiras de tornar esse trabalho menos difícil para ambos:

1. Escolha roupas fáceis de pôr e tirar. Golas largas ou com colchetes de pressão são as melhores. As mangas devem ser bem folgadas, mas é recomendável que a parte de cima das costas seja ligeiramente justa. As roupas de malha ou de tricô são mais fáceis de colocar do que as menos flexíveis.

2. Só troque as roupas do bebê quando for realmente necessário. Se o odor dos freqüentes regurgitamentos lhe desagrada, limpe as partes atingidas com um lenço higiênico umedecido em vez de trocar as roupas do bebê toda vez que ele regurgitar. Ou previna-se contra esses incidentes colocando um babador grande no bebê durante e depois das mamadas.

3. Vista o bebê numa superfície plana, como o trocador, uma cama ou o colchão do berço. E tenha por perto algo para distraí-lo.

4. Encare também a hora de mudar de roupa como uma ocasião de convívio. Uma conversa amena e alegre pode ajudar o bebê a esquecer-se do desconforto e do embaraço de ser vestido e a cooperar mais. Transformar o ato de vestir num jogo de aprendizagem é combinar distração com estimulação.

5. Estique a gola com as mãos antes de tentar colocar a roupa no bebê. Em vez de forçar, passe a gola com delicadeza pela cabeça do bebê, mantendo o decote o mais largo possível e procurando não prender o nariz ou as orelhas dele. Faça um jogo de esconde-esconde durante a fração de segundo que a cabeça do bebê fica coberta, para que ele não sinta medo ou desconforto ("Cadê a mamãe? Está aqui!" e, mais tarde, quando o bebê já estiver crescido para perceber que também ele fica invisível para você, "Cadê o Paulinho? Está aqui!").

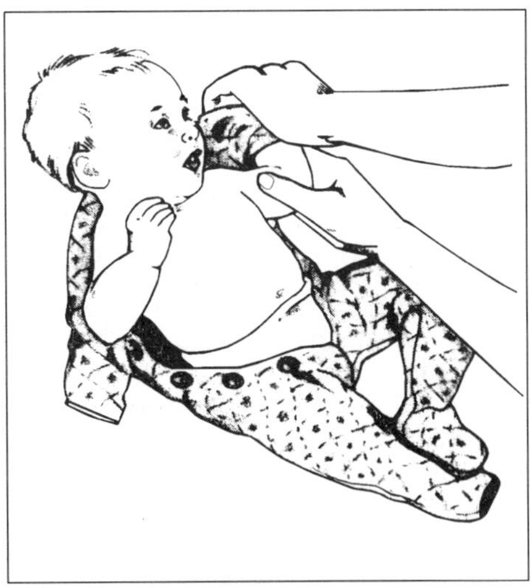

6. Com as mangas, tente enfiar os dedos nelas até alcançar as mãos do bebê e puxá-las, em vez de enfiar com força os bracinhos frágeis dele ao longo de cilindros

de pano. Uma brincadeira, aqui ("Cadê a mão do nenê? Está aqui!"), vai ajudar a distraí-lo e educá-lo sempre que as mãos dele sumirem por um tempo.

7. Quando puxar um zíper para cima ou para baixo, afaste o tecido do corpo do bebê para não beliscar a pele dele.

CUIDADOS COM OS OUVIDOS

O velho provérbio "Nunca ponha nos ouvidos nada menor do que um cotovelo" é defendido não só pelas avós, mas também pelos médicos atuais. Todos concordam em que é muito perigoso enfiar no ouvido qualquer coisa que caiba nele — seja uma moedinha colocada por um bebê travesso, seja um cotonete enfiado por um adulto bem-intencionado. Não deixe de limpar as orelhas do seu bebê com uma toalhinha ou uma bola de algodão, mas não se aventure pelo canal auditivo com cotonetes, dedos ou qualquer outra coisa. O ouvido limpa-se sozinho, e tentar remover o cerume por penetração pode apenas forçá-lo ainda mais para dentro. Se o cerume parece acumular-se, comunique o fato ao médico na próxima consulta.

ERGUER E CARREGAR O BEBÊ

Para aqueles que nunca carregaram um bebezinho, a experiência pode mostrar-se, de início, muito amedrontadora — tão amedrontadora quanto para o bebê ao ser carregado. Depois de meses de uma movimentação segura e delicada no aconchegante casulo uterino, o bebê pode assustar-se ao ser erguido, transportado pelo ar e pousado em algum lugar. Principalmente quando não houver um bom apoio para a cabeça e o pescoço, o bebê pode sentir uma apavorante sensação de queda, o que, conseqüentemente, vai provocar nele o reflexo de sobressalto. Portanto, o melhor modo de carregar bebês não tem por único objetivo carregá-los de maneira segura, mas também fazer com que *ele* se sinta seguro.

Você vai acabar encontrando modos de carregá-lo confortáveis para vocês dois, e andar com ele no colo vai tornar-se uma experiência totalmente natural. Eventualmente, ele poderá ficar sobre seu ombro ou sob o seu braço enquanto você estiver separando roupa para lavar, passando o aspirador de pó ou escolhendo produtos no supermercado, e ainda assim sentir-se tão seguro quanto no útero. Porém, enquanto prevalecer a falta de jeito, estas dicas podem ajudá-la:

Erguer o bebê. Antes de tocar no bebê, faça com que ele sinta a sua presença pela voz ou por contato visual. Ser erguido de surpresa sem saber para onde pode ser muito perturbador.

Para que o bebê adapte-se à mudança de apoio do colchão para os seus braços, passe as mãos por baixo dele (uma sob a cabeça e o pescoço, outra sob as nádegas) e deixe-as ali por alguns momentos antes de realmente erguê-lo.

Deslize a mão sob a cabeça do bebê em direção às costas dele, de modo que o seu braço funcione como um apoio para as costas e o pescoço, com a mão segurando as nádegas. Use a outra mão para apoiar as pernas, e leve delicadamente o bebê na direção do seu corpo, acariciando-o enquanto faz esse movimento. Curve-se, aproximando o seu corpo, para reduzir a distância que o bebê é levado pelo ar e o desconforto que isso provoca nele.

Carregar confortavelmente o bebê. Um bebezinho pode ser levado com segurança e delicadeza em apenas um braço (com a mão sob as nádegas dele e o antebraço apoiando as costas, o pescoço e a cabeça; veja a ilustração), caso você se sinta segura em transportá-lo desse jeito.

No caso de um bebê maior, vocês dois podem sentir-se mais confortáveis se você

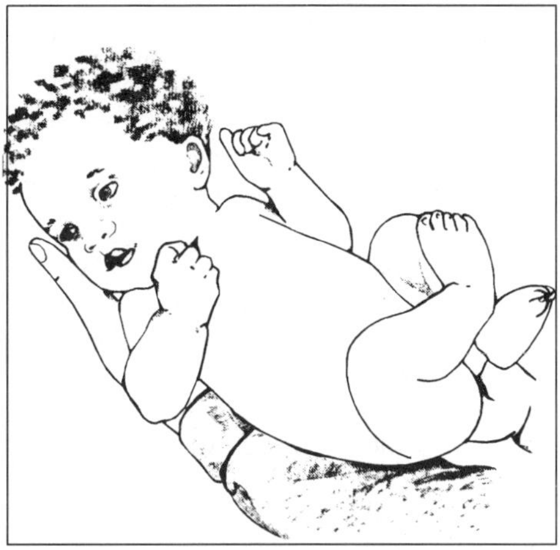

Certifique-se de apoiar cuidadosamente o pescoço e as costas com o seu braço ao erguer um bebê deitado de costas.

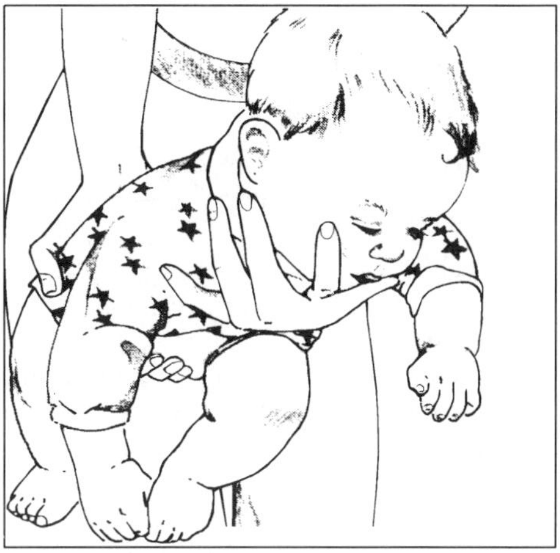

Deslize uma das mãos por sob o queixo e o pescoço, e a outra sob as nádegas para erguer um bebê deitado de bruços.

colocar uma das mãos sob as pernas e o bumbum, e usar a outra para apoiar-lhe as costas, o pescoço e a cabeça (sua mão envolvendo o braço do bebê, o seu pulso sob a cabeça dele).

Alguns bebês preferem ser levados ao ombro, o tempo todo ou por algum tempo. É fácil levá-los até o ombro delicadamente, com uma das mãos sob as nádegas e a outra sob a cabeça e o pescoço. Enquanto o bebê não conseguir sustentar a cabeça sozinho, você é que terá de dar o apoio. Mas isso pode ser feito com uma só mão, se você ajeitá-lo na dobra do braço e passar o antebraço pelas costas dele com a mão sustentando a cabeça e o pescoço.

Mesmo bebês bem novinhos gostam de ser carregados com o rosto para a frente, o que lhes permite ver o mundo, e muitos bebês mais crescidos também gostam dessa posição. Coloque o bebê de costas para você, mantendo uma das mãos no peito dele, encostado ao seu peito, e com a outra apoiando-lhe as nádegas.

Levar o bebê de lado, junto ao seu quadril, tem a vantagem de lhe deixar uma das mãos livre para os afazeres domésticos. (Evite essa posição se você tiver problemas na parte inferior das costas.) Com um braço, segure firmemente o bebê contra o seu corpo, com as nádegas dele no seu quadril.

Tirar o bebê do colo. Segure o bebê bem junto ao corpo enquanto se curva sobre a caminha ou o carrinho-berço (mais uma vez, para diminuir a distância entre o colo e o lugar onde ele vai ficar), uma das mãos nas nádegas da criança, a outra apoiando-lhe as costas, o pescoço e a cabeça. Deixe as mãos assim por alguns instantes, até que o bebê sinta conforto e segurança no colchão, depois tire-as e coloque-o na posição de dormir (geralmente, sobre a barriga). Algumas pancadinhas nas costas, ou uma pressão carinhosa com a mão (dependendo do que mais agrade ao seu bebê), algumas palavras de despedida se ele ainda estiver acordado, e você poderá descansar um pouco.

CORTAR AS UNHAS

Ainda que quase todas as mães inexperientes fiquem aflitas ao ter de cortar as minúsculas unhas do seu bebê, trata-se de uma coisa que tem que ser feita, pois aquelas mãozinhas com tão pouco controle podem arranhar muito, em geral o rosto da própria criança.

As unhas de um recém-nascido freqüentemente estão muito compridas ao nascimento, e tão moles que cortá-las é quase tão fácil quanto cortar um pedaço de papel. Porém, não vai ser fácil fazer com que o bebê fique quieto. Cortar as unhas do bebê enquanto ele estiver dormindo, pode funcionar, mas só se o seu bebê tiver sono profundo, ou se você não se importar em acordá-lo. Quando ele estiver acordado, o melhor jeito de cortar-lhe as unhas é pedir a alguém que lhe segure as mãos. Use sempre uma tesoura especial para bebês, que tem as pontas arredondadas — se a criança começar a mexer-se no momento errado, ninguém será espetado. Para não beliscar a pele enquanto você apara as unhas, pressione a polpa do dedo para baixo e para longe do caminho da tesoura. Mesmo tomando essa precaução, pode ser que alguma vez você tire sangue do dedo do bebê — a maioria das mães volta e meia faz isso. Se acontecer com você, pressione o local com gaze estéril até o sangue estancar. Talvez não seja preciso colocar um curativo.

CUIDADOS COM O NARIZ

Como os ouvidos, a parte interna do nariz limpa-se por si mesma e não precisa de cuidados especiais. Se houver secreção, limpe a parte de fora, mas não use cotonetes, tecidos enrolados ou a sua unha para tentar tirá-la de dentro do nariz — você pode acabar empurrando-a ainda mais para dentro, ou mesmo arranhar sua delicada mucosa. Se o bebê estiver com muito muco devido a um resfriado, tire-o com um aspirador nasal infantil (veja página 718).

PASSEIOS COM O BEBÊ

Você nunca mais poderá sair de casa de mãos vazias — pelo menos quando o bebê estiver junto. Em geral, ao sair você precisará levar algumas destas coisas, ou todas elas:

Um porta-fraldas. Não saia de casa sem ele. Pode ser uma sacola feita especificamente para esse fim ou qualquer sacola que lhe pareça adequada. Algumas características úteis: um apoio acolchoado para as trocas, vários bolsos (inclusive um para guardar o seu dinheiro, documentos, cartões de crédito), um bolso isolado para mamadeiras e, pelo menos um compartimento impermeável. Deixe o porta-fraldas sempre pronto, recolocando regularmente o que faltar, de modo que ao sair, é só apanhá-lo.

Almofada para as trocas. Se não houver este acessório no seu porta-fraldas, compre um que seja impermeável. Numa emergência você poderá usar uma toalha ou uma fralda de pano, as quais, porém, não protegerão o carpete, a cama ou um móvel quando você trocar a fralda do bebê durante uma visita.

Fraldas. A quantidade vai depender do tempo que você pretende ficar fora de casa. Sempre leve pelo menos uma a mais do que você acha necessário — é bem possível que precise dela mesmo. A maior parte das mães prefere levar fraldas descartáveis nos passeios, mas, se achar melhor, use as de pano.

Lenços higiênicos. Um pacote pequeno é mais fácil de carregar do que o recipiente grande, mas é preciso reabastecê-lo freqüentemente. Você também pode usar um saco plástico de sanduíche para acomodar uma pequena quantidade. Os lenços umedecidos são muito úteis para você limpar as mãos antes de alimentar o bebê e antes e depois das trocas de fraldas, além de servirem para limpar regurgitamentos e manchas de comida em roupas ou em móveis.

Sacos plásticos pequenos. Você vai precisar deles para colocar fraldas descartáveis sujas, sobretudo quando não houver

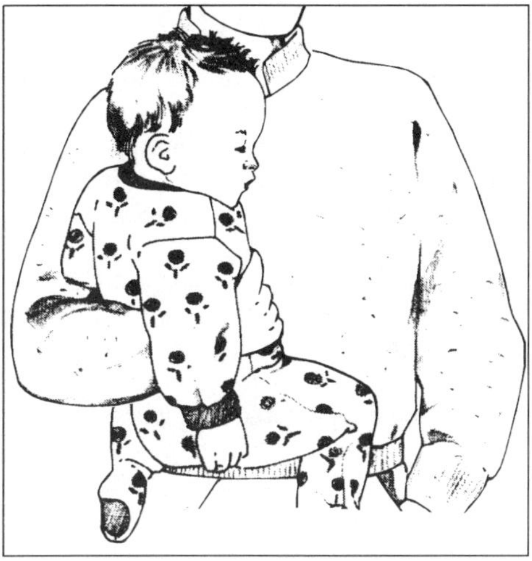

Levar o bebê no quadril deixa a pessoa que o leva com uma das mãos livres.

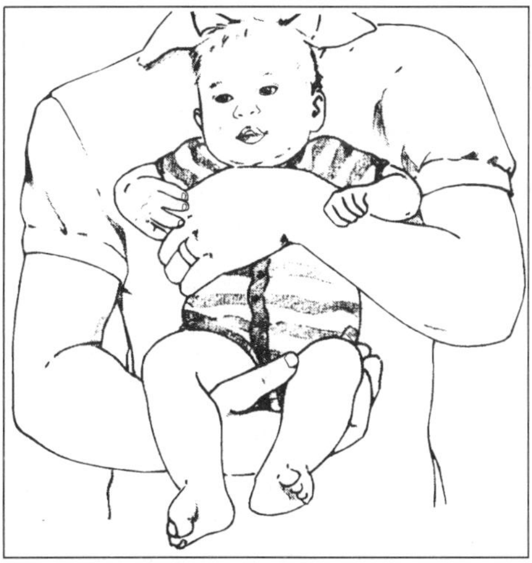

Os bebês preferem ser carregados de frente, pois assim eles podem ter uma boa visão do mundo.

uma lata de lixo por perto, e também para roupas molhadas e sujas do bebê.

Uma mamadeira com água. Se o seu bebê toma água em mamadeira, eis uma boa maneira de forrar-lhe o estômago, entre as mamadas, especialmente se você não gosta de amamentar em público ou se vai estar num lugar onde não é conveniente fazê-lo, como numa cerimônia religiosa. A água não precisa de gelo nem de cuidados especiais, e, se a água encanada for fluoretada, o seu bebê estará ingerindo esse importante mineral. Use água fervida caso o médico a tenha indicado, e leve uma mamadeira limpa a cada passeio.

Leite artificial. Se o passeio talvez vá ultrapassar o horário da próxima mamada do bebê, você deve levar junto a refeição dele. Se você levar uma mamadeira "pronta-para-tomar" lacrada não será preciso mantê-la refrigerada (leve um bico esterilizado dentro de um saco plástico limpo), assim como se for uma mamadeira com água esterilizada para adicionar leite em pó. No entanto, se levar leite artificial preparado em casa, você terá de guardá-lo num recipiente térmico, junto com gelo.

Uma fralda para os ombros. Os seus amigos vão gostar de segurar o bebê, mas não de receber uma regurgitada. Uma fralda de pano impedirá que esses incidentes constrangedores aconteçam e que alguns ombros fiquem malcheirosos.

Uma muda de roupas. O bebê está lindo com uma roupa novinha em folha e você o leva a um encontro especial da família. Ao chegar, você ergue o bebê do assento no carro e vê que o "toque final" naquela elegância foi dado por uma poça de fezes moles. Aí está apenas um motivo para levar sempre uma muda de roupa — ou duas, no caso de passeios mais demorados.

Um cobertor ou uma malha a mais. Sobretudo nas mudanças de estação, quando a temperatura pode cair imprevisivelmente, é muito útil levar um pouco mais de agasalho para o bebê.

Uma chupeta, caso o bebê use. Leve-a num saco plástico limpo.

Diversão. É sempre bom ter alguma coisa para um bebezinho se distrair, principalmente no assento do automóvel ou no carrinho de passeio. Para os bebês mais crescidos, brinquedos leves nos quais possam dar tapas, cutucar e levar à boca são mais indicados. Os que já começaram a andar gostam de livros, carrinhos, bonecas, bichos de pelúcia e brinquedos de arrastar.

Um protetor solar. Quando o bebê estiver com seis meses, um protetor solar é imprescindível durante o ano todo (no inverno, a combinação de neve e sol pode provocar graves queimaduras).

Um lanche para a mãe. Se você está amamentando ou vai ficar fora de casa por um bom tempo, num lugar onde talvez não encontre facilmente um lanche bem nutritivo, leve um consigo: uma fruta, alguns queijinhos, bolachas ou pão de trigo integral, um pouco de frutas secas. Uma caixinha ou uma lata com suco de frutas ou uma garrafa térmica com uma bebida quente ou fria são uma ótima pedida, ainda mais se você for passear num parque onde seja impossível encontrar líqüidos para vender.

Um lanche (ou dois, ou três) para o bebê. Quando os sólidos forem incorporados à alimentação, leve potes de comida para bebês (não é preciso refrigerá-los se lacrados, nem esquentar antes de servir), se vocês forem ficar fora de casa nos horários das refeições; uma colher dentro de um saco plástico (guarde-o, para trazer a colher de volta); um babador, e várias toalhas de papel. Mais tarde, um monte de petiscos (não-perecíveis, se o passeio for em tempo quente), como frutas frescas, bolachas, pão e biscoitos, afastará a fome entre as refeições e deixará o bebê livre para muitas atividades saudáveis. Tenha o cuidado, porém, de não usar esses lanches para afastar o tédio ou não deixar o bebê chorar — o costume de alimentar-se sem causa na infância pode tornar-se um hábito indesejável pela vida afora.

CUIDADOS COM O PÊNIS

O pênis é composto de um cilindro alongado (em quase todo o seu comprimento) com uma parte terminal arredondada chamada de glande. O cilindro e a glande se distinguem por uma depressão chamada de sulco. Na ponta da glande existe uma abertura, o meato, pela qual passam o sêmen e a urina, ainda que não simultaneamente. O pênis todo, o cilindro e a glande, é coberto por uma camada contínua de pele, chamada prepúcio. O prepúcio é composto de duas camadas: a pele externa e um revestimento semelhante a uma membrana mucosa.

Ao nascer um menino, o prepúcio está firmemente preso à glande. Com o tempo, o prepúcio começa a soltar-se da glande, à medida que as células vão se soltando da superfície de cada camada. As células desprendidas, que são substituídas ao longo da vida, acumulam-se em forma de "pérolas", que são esbranquiçadas e caseosas, que aos poucos saem através da ponta do prepúcio.

Em geral, por volta do final do segundo ano de vida, mas às vezes não antes de cinco, dez ou mais anos depois do nascimento, o prepúcio e a glande de nove entre dez

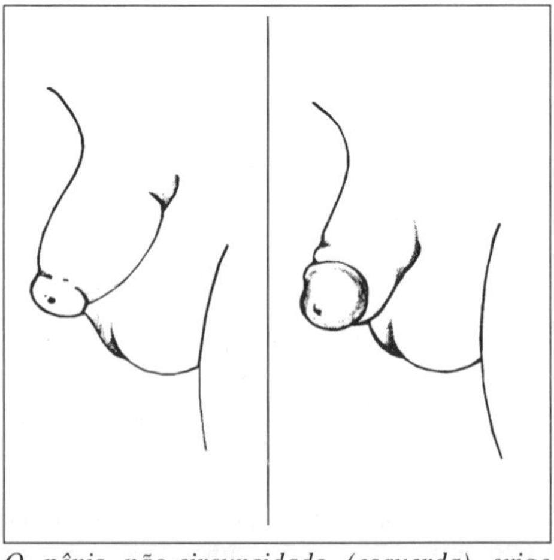

O pênis não-circuncidado (esquerda) exige uma higiene meticulosa; o pênis circuncidado, do qual o prepúcio foi cortado, não exige cuidados especiais.

meninos não-circuncidados se separam completamente. Nesse momento, o prepúcio pode ser puxado para trás, ou retraído, deixando a glande descoberta.

Cuidados com o pênis não-circuncidado. Ao contrário do que se pensava no passado, não é necessário na infância nenhum cuidado especial com o pênis não-circuncidado — água e sabonete, passados externamente, da mesma forma que com o resto do corpo, vão mantê-lo limpo. Não só não é necessário tentar retrair o prepúcio à força, ou limpar por baixo dele com cotonetes, irrigação ou anti-sépticos, como pode ser prejudicial. Quando o prepúcio estiver nitidamente separado, você pode retraí-lo vez ou outra e limpá-lo por dentro. Na puberdade, a maioria dos prepúcios já será retrátil, e então o próprio garoto poderá retrair o seu e fazer a devida limpeza.

Cuidados com o pênis circuncidado. O único cuidado de que o pênis circuncidado vai precisar, depois que a incisão estiver cicatrizada, será lavá-lo normalmente, com água e sabonete. Sobre os cuidados durante o período de recuperação, veja página 152.

A LAVAGEM DOS CABELOS

Este é um processo completamente indolor para um bebezinho. No entanto, para impedir a incidência de problemas futuros com os xampus, evite desde o início deixar escorrer sabonete ou xampu para os olhos do bebê. Lave os cabelos dele somente uma ou duas vezes por semana, a menos que sejam necessárias lavagens mais freqüentes por causa de dermatite seborréica ou oleosidade excessiva no couro cabeludo.

1. Molhe os cabelos do bebê delicadamente com um pouco de água da torneira ou de um recipiente qualquer. Coloque apenas um pouquinho de xampu infantil ou de sabonete para bebês (mais do que

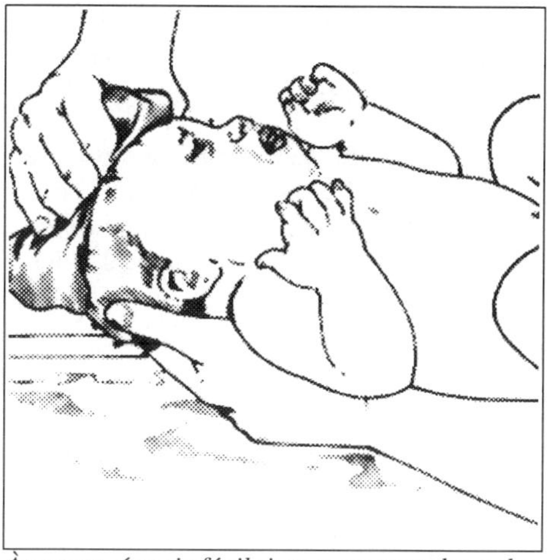

Às vezes, é mais fácil tirar a espuma dos cabelos passando delicadamente uma toalhinha molhada.

isso vai tornar difícil enxaguar) e esfregue levemente para fazer espuma.

2. Enxagúe muito bem com um chuveirinho ou algumas canecas de água limpa.

Os bebês mais crescidos, que já ficam em pé e tomam banho na banheira de adultos, podem ter os cabelos lavados aí mesmo. Mas, se for uma menina, só depois de terminado o banho, — a água suja pode provocar infecção vaginal. O problema, porém, está em que geralmente as crianças não gostam de levantar a cabeça para trás para lavar os cabelos, pois sentem-se muito vulneráveis, e levá-las a fazer isso quase sempre acaba em lágrimas e acessos de raiva. Um chuveirinho, caso a sua banheira tenha um, vai dar-lhe mais controle da situação e poderá ser divertido para alguns bebês, ainda que outros se assustem também com ele. O visor especial para lavar os cabelos (compra-se nas casas de móveis infanto-juvenis e nas lojas de brinquedos ou também pelo correio), que protege os olhos da água com espuma, mas deixa o cabelo exposto para ser lavado, é um acessório ótimo se o seu bebê concordar em usá-lo — muitos não concordam. Se o seu bebê não quiser saber nem de chuveirinho nem do visor, você pode continuar a lavar os cabelos dele na pia (ou pelo menos a enxaguar, depois de fazer espuma durante o banho), enquanto ele não cooperar mais na banheira. Ainda que o processo não seja uma maravilha (e possa ficar mais complicado quando a criança crescer), é rápido, e portanto diminui o tempo de sofrimento para vocês dois.

ENROLAR O BEBÊ

Para alguns bebês, ser enrolados com mantas é aconchegante, podendo até reduzir os motivos de choro; outros detestam a falta de liberdade. Se o seu bebê parece ser dos que gostam, veja como enrolá-lo.

1. Estenda uma manta sobre o berço, a cama ou o trocador, com uma das pontas dobrada para dentro cerca de 15 cm. Coloque o bebê diagonalmente sobre o cobertor, com a cabeça acima da ponta dobrada.

2. Pegue a ponta perto do braço esquerdo do bebê e passe-a por sobre o braço e o corpo. Levante-lhe o braço direito e enfie essa ponta do cobertor sob as costas do bebê, do lado direito.

3. Levante a ponta inferior e traga-a para cima, sobre o corpo do bebê, enfiando-a na primeira dobra.

4. Levante a última extremidade, passe-a sobre o braço direito do bebê e enfie-a sob as costas, do lado esquerdo.

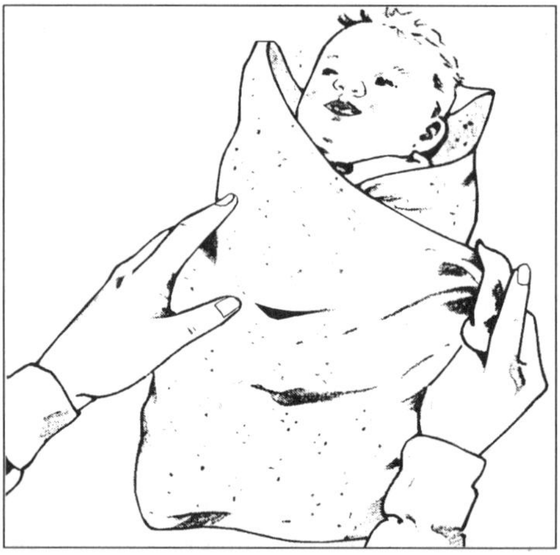

Se o seu bebê prefere ter mais mobilidade nas mãos, enrole-o por baixo dos braços, deixando-os soltos. Já que enrolar significa restringir e pode interferir no desenvolvimento de bebês maiores, não enrole o seu bebê se ele tiver mais que um mês.

CUIDADOS COM O COTO UMBILICAL

O último remanescente da forte ligação entre o bebê e a mãe dentro do útero é o

OS DOCUMENTOS DO BEBÊ

Há dois documentos muito importantes dos quais o seu bebê vai precisar periodicamente ao longo da vida. Um deles é a certidão de nascimento — que será necessária como prova de nascimento e cidadania para matriculá-lo numa escola e ter carteira de motorista, passaporte, licença para casar-se, ou receber benefícios da Previdência Social. Em geral, o registro do nascimento do seu bebê é feito pelo hospital, e você recebe a notificação oficial quando o registro do nascimento é cadastrado. Se você não receber a notificação e uma cópia da certidão de nascimento em uns dois meses, informe-se no hospital, na Secretaria de Saúde local ou na Secretaria Estadual de Saúde, para saber o porquê da demora. Ao receber a certidão de nascimento, você deve lê-la atentamente para certificar-se de que os dados estão corretos — às vezes são cometidos enganos. Se houver erros, ou se você ainda não havia escolhido um nome para o seu bebê antes de deixar o hospital e quer acrescentá-lo agora (é o que deve fazer), ligue para a Secretaria de Saúde para saber de que modo proceder para fazer as correções ou os acréscimos necessários. Assim que você tiver uma certidão de nascimento correta, faça cópias e guarde-as em lugar seguro.

O segundo documento de que o seu bebê vai precisar é um cartão da Previdência Social. Ainda que, provavelmente, você não vá mandá-lo trabalhar pouco depois de ele ter nascido, o número desse documento será necessário por outras razões: abrir uma conta bancária, aplicar presentes em dinheiro, até mesmo comprar títulos de poupança dos Estados Unidos. Se for usada a sua própria conta e o seu número da Previdência Social, você terá de pagar impostos sobre os juros de sua faixa mais altos que os da faixa do bebê. Para conseguir um número da Previdência Social para o seu bebê, procure pessoalmente (ou pelo correio) o escritório local da Previdência — primeiro, você terá de mandar uma requisição —, apresentando uma cópia da certidão de nascimento (como vê, já estará precisando dela), mais uma prova da sua própria identidade, como um passaporte ou carteira de motorista. É bom telefonar antes, para saber se são necessários outros documentos. (Se você decidir que não é necessário o seu bebê ter um número da Previdência Social agora, não se esqueça de que o registro é exigido por lei aos cinco anos.)

coto do cordão umbilical. Ele fica preto alguns dias depois do nascimento e deve cair no espaço de uma e quatro semanas depois. Você pode acelerar a cicatrização e impedir infecções deixando o local seco e exposto ao ar. Estas sugestões podem ajudá-la nisso!

1. Ao colocar uma fralda no bebê, dobre a frente dela abaixo do umbigo, para não haver contato com urina e deixar o local arejado. Dobre a barra da camisa para cima.

2. Esqueça os banhos de banheira e evite molhar o umbigo nos banhos com esponja enquanto o coto umbilical não cair.

3. Passe álcool no coto (com algodão hidrófilo estéril, compressas* de gaze estéril ou compressas prontas com álcool), para manter o local limpo e acelerar a secagem.

4. Se ao redor do umbigo ficar vermelho, ou se o local exsudar, chame o médico.

* No Brasil, recomenda-se Merthiolate incolor; as tais compressas prontas com álcool não existem aqui. (N. do R. T.)

CAPÍTULO 4

O Primeiro Mês

O QUE O SEU BEBÊ PODE ESTAR FAZENDO

Ao final deste mês, o seu bebê
... deve ser capaz de (veja a Nota):

- erguer brevemente a cabeça quando deitado de bruços numa superfície plana
- mirar o rosto de uma pessoa

Nota: Se o seu bebê parece não ter ainda feito uma ou mais dessas importantes conquistas, consulte o médico. Em casos raros, o atraso pode indicar algum problema, mas na maioria não se constata anormalidade alguma nos bebês. Os prematuros costumam demorar mais do que outras crianças da mesma idade para fazer essas conquistas, quase sempre atingindo-as muito perto de sua idade ajustada (a idade que teriam se tivessem nascido de gestação a termo), e, outras vezes, mais tarde.

... provavelmente será capaz de:

- reagir de algum modo ao som de uma campainha: levando um susto, chorando, paralisando-se
- acompanhar um objeto movimentado em arco a cerca de 15 cm acima do rosto de um dos lados, até a linha média (bem em frente)

... talvez seja capaz de:

- deitado de bruços, erguer a cabeça num ângulo de 45°
- fazer outros tipos de vocalização além do choro (como sons suaves, por exemplo)

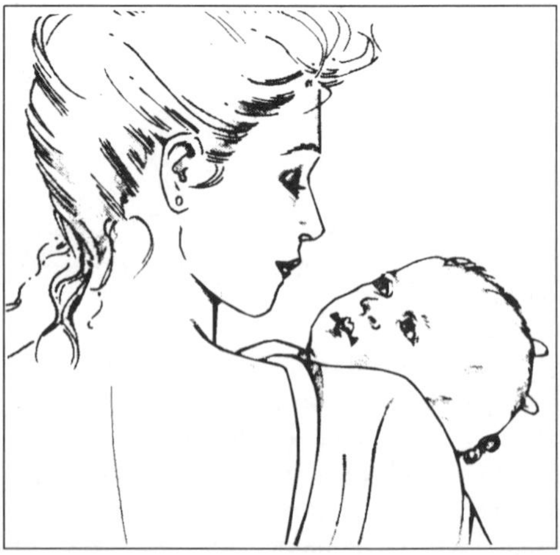

Pelo final deste mês o bebê pode ser capaz de mirar o rosto de uma pessoa.

- acompanhar um objeto movimentado em arco a cerca de 15 cm acima do rosto, de um dos lados, até ultrapassar a linha média (bem em frente)
- sorrir em resposta a seu sorriso

... pode até ser capaz de:

- deitado de bruços, erguer a cabeça num ângulo de 90°
- manter a cabeça firme quando em posição vertical
- juntar as mãos
- sorrir espontaneamente
- rir alto
- dar gritinhos de prazer
- acompanhar um objeto movimentado em arco a cerca de 15 cm acima do rosto por 180° (de um lado do corpo para o outro)

O QUE VOCÊ PODE ESPERAR DO EXAME DESTE MÊS

Cada médico ou enfermeira assistente tem uma abordagem pessoal do exame do bebê. A seqüência geral do exame físico, bem como o número e o tipo de técnicas de avaliação usadas, e os procedimentos empregados também variam conforme as necessidades individuais da criança. Em termos gerais, porém, você pode ter certeza de que o exame constará do seguinte, quando o seu bebê tiver de duas a quatro semanas de idade. (A primeira consulta pode ocorrer mais cedo por circunstâncias especiais, como o recém-nascido ter tido icterícia ou for prematuro, ou quando existem problemas para instituir a amamentação.)

- Perguntas sobre como você, o bebê e o resto da família estão se saindo em casa, sobre a alimentação e o sono do bebê, e sobre o seu progresso geral.
- Aferição do peso e da altura do bebê, a circunferência de sua cabeça, e representação gráfica do progresso dele desde o nascimento.
- Avaliação da visão e da audição.
- Um relato dos resultados dos testes de controle neonatais (de fenilcetonúria, hipotireoidismo e outras falhas inatas de metabolismo), se não tiver sido dado anteriormente. Se o médico não mencionar os testes, os resultados devem ter sido normais, mas peça-os para seu conhecimento. Se o seu bebê teve alta do hospital antes da realização desses testes, ou se foram feitos antes que a criança tivesse 72 horas de vida, é provável que sejam feitos ou repetidos agora.
- Um exame físico. O médico ou a enfermeira assistente vai examinar e avaliar todos os itens que apresentamos a seguir (ou quase todos), ainda que algumas avaliações sejam feitas por olhos e mãos experientes, sem comentários:

- □ batimentos cardíacos, com um estetoscópio e visualmente, no peito (é melhor que o bebê não chore nesta parte do exame)
- □ abdome, por apalpação e/ou com estetoscópio, à procura de massas anormais
- □ quadris; mediante a rotação das pernas do bebê, procuram-se possíveis deslocamentos
- □ mãos e braços, pés e pernas, para verificar a normalidade do desenvolvimento e dos movimentos
- □ costas e coluna vertebral, à procura de eventuais anomalias
- □ olhos, com um oftalmoscópio e/ou lanterna, para verificar focalização e reflexos normais, e funcionamento do canal lacrimal
- □ ouvido, com um otoscópio, para verificar a cor, a presença de fluidos e o movimento timpânico

- □ nariz, com um otoscópio, para verificar a cor, o estado das membranas mucosas e eventuais anomalias
- □ boca e garganta, usando um depressor da língua de madeira, à procura de feridas, inflamações, cor etc.
- □ pescoço, para verificar a normalidade de movimentos, tireóide e tamanho dos nódulos linfáticos (esses gânglios são mais facilmente percebidos nos bebês, o que é normal)
- □ axilas, à procura de gânglios linfáticos aumentados de volume
- □ a fontanela (moleira), por palpação com as mãos
- □ respiração e função respiratória, através da observação e, com um estetoscópio e/ou pequenas pancadinhas (percussão) no peito e nas costas
- □ o órgão genital, à procura de anomalias como hérnias ou testículos que não desceram até a bolsa escrotal, o ânus, à procura de fissuras; o pulso femural na virilha, à procura de um batimento forte e firme
- □ a pele: cor, tom, eczemas e lesões, como as marcas de nascença
- □ reflexos específicos da idade do bebê
- □ movimento e comportamento gerais, capacidade de aconchegar-se e de relacionar-se com adultos

- Orientação para o mês seguinte sobre alimentação, sono, desenvolvimento e segurança do bebê.
- Recomendações sobre um complemento de flúor, se necessário na região em que vivem, e de vitamina D, caso você amamente o seu bebê.

Antes de terminar a consulta, não se esqueça de:

- Pedir orientação sobre quando telefonar se o bebê ficar doente. (Que tipo de problema exigiria um telefonema no meio da noite? Como é possível encontrar o médico fora do período normal em que ele recebe ligações?)
- Relate todas as preocupações que possam ter surgido no último mês, sobre a saúde, o comportamento, o sono, a alimentação do bebê etc.
- Anote por escrito (ou grave em fita) as informações e instruções que o médico lhe passar (se não fizer isso, você vai esquecer tudo).

Ao chegar em casa, anote todas as informações pertinentes (peso, comprimento, circunferência da cabeça, tipo sangüíneo, resultados dos testes, marcas de nascença do bebê) em algum caderno exclusivo para esse fim.[1]

PARA ALIMENTAR O SEU BEBÊ ESTE MÊS: Tirando Leite Materno

Elas são encontradas em toaletes do mundo inteiro. Nos intervalos de óperas e de eventos esportivos, nos aeroportos, nos terminais rodoviários e ferroviários, em escritórios, lojas e fábricas, em restaurantes e magazines, em escolas e hospitais. Onde quer que haja mulheres trabalhando, se divertindo, viajando ou estudando, sempre veremos mães tirando leite.

POR QUE AS MÃES TIRAM LEITE

Ao contrário das mães nas sociedades primitivas, que carregam os bebês em sa-

1. A ficha apropriada para registrar tais informações pode ser obtida na Academia Americana de Pediatria, Divisão de Publicações, 141 Northwest Point Boulevard, Elk Grove Village, IL 60009-0927 (envie $1.50), ou com o médico do seu bebê.

colas no peito o dia todo para facilitar a amamentação, as atarefadas mães de nossa dinâmica sociedade industrial não podem esperar que o seu bebê e os seus seios estejam sempre juntos. Por isso, e por um sem-número de outros motivos, praticamente toda mulher que amamenta tira o próprio leite com as mãos ou com uma bombinha vez ou outra. Mais comumente, os seios são bombeados para:

- Tornar salientes os mamilos invertidos no fim da gravidez.
- Induzir a lactação numa mãe adotiva, ou numa mãe biológica cujo leite esteja demorando a surgir.
- Aliviar o ingurgitamento, quando o leite surgir. Aumentar ou manter o suprimento de leite.
- Ter leite estocado para as mamadas quando a mãe estiver fora de casa.
- Impedir o empedramento dos seios excessivamente cheios.
- Fornecer leite para a mamadeira ou alimentação por sonda, quando o bebê (prematuro ou não) for fraco demais para mamar, ou tiver algum defeito oral que impeça a amamentação.
- Fornecer leite materno para um bebê hospitalizado ou prematuro.
- Evitar o ingurgitamento e manter o suprimento de leite quando a amamentação for temporariamente suspensa devido a doença da mãe ou do bebê.
- Estimular a relactação, caso a mãe mude de idéia sobre a amamentação, ou se o bebê mostrar-se alérgico ao leite de vaca depois de um desmame precoce.

TÉCNICAS PARA TIRAR LEITE MATERNO

Já houve época em que a única maneira de tirar leite era com as mãos, um longo e entediante processo que quase sempre não levava a uma produção de leite desejável. Hoje, estimulados pelo renascimento da amamentação, os fabricantes oferecem

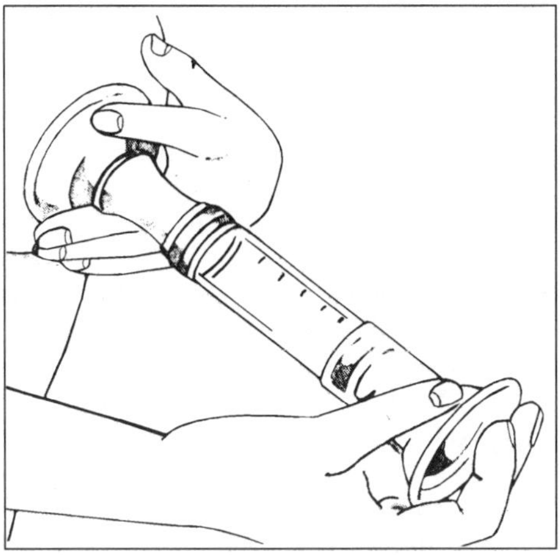

Apesar de dura para o braço que está fazendo os movimentos de sucção, a bomba de seringa é um dos instrumentos menos caros para retirar leite, e também um dos mais práticos.

uma grande variedade de bombas "tira-leite" — desde os modelos manuais mais simples e baratos até os elétricos, muito mais sofisticados e caros — para tornar mais fácil e cômoda a extração do leite materno. Apesar de algumas mães preferirem tirar o leite com as mãos, para pelo menos aliviar o ingurgitamento, a maioria vai investir num destes acessórios:

- Uma bomba com bulbo, ou "buzina de bicicleta", que suga o leite do peito a cada compressão do bulbo. Não são caras, mas são ineficazes, difíceis de limpar (o que pode resultar numa coleta de leite pouco higiênica) e incômodas de usar, quase sempre machucando os mamilos. Nem um pouco práticas para tirar leite regularmente para a alimentação de bebês, podem porém ser usadas para o alívio eventual do ingurgitamento.
- Uma bomba com gatilho, que provoca sucção a cada compressão do gatilho. Mais cara do que a de bulbo, mas ainda assim acessível, tem a vantagem de poder ser usada com apenas uma mão. Contudo, por exigir muita habilidade e força, as mulheres que não têm mãos grandes e fortes podem ter dificuldade em usar essa bomba, e

muitas mulheres podem achar difícil esvaziar o seio oposto à sua mão não dominante. Outro inconveniente: serem de vidro. Elas não apenas são quebráveis, como também certas substâncias imunológicas do leite materno podem aderir ao vidro (não ao plástico), privando o bebê dos seus benefícios.

- Uma bomba de seringa, que se compõe de dois cilindros encaixados. O cilindro interno é colocado sobre o mamilo, e o externo, ao ser movimentado para dentro e para fora, cria a sucção que puxa o leite. Este tipo é o mais popular, pois é bem simples de usar, tem preço moderado, é de fácil limpeza, portátil e também pode ser usado como mamadeira. Alguns permitem ajustar a pressão de modo a se parecer com a sucção de um bebê, tornando a extração do leite mais agradável.
- Uma bomba manual com conversor, que pode ser ligada, quando se quiser, à rede elétrica. Esse modelo versátil permite uma operação mais rápida e eficiente onde houver eletricidade e é fácil de levar também aonde não haja energia elétrica.
- Uma bomba a pilha, que assegura um transporte fácil e eficiência, mas não em todos os modelos. Não muito caras, são menor potentes que os modelos elétricos, e a rapidez com que algumas consomem as pilhas faz com que fiquem caras e põe em dúvida a sua praticidade. Consulte a Sociedade de Pediatria de seu Estado* sobre as informações mais recentes a respeito destas bombas.
- Uma bomba elétrica que é potente, rápida e fácil de usar deixa a mãe com as mãos livres para amamentar (com o outro seio) ou para outras atividades enquanto o leite é tirado. Costumam ser muito caras, com preço de 100 a 1.000 dólares ou mais, mas, se o tempo for uma questão importante para você, vale a pena investir na compra de uma. Se a facilidade de transporte está entre suas exigências, lembre-se de que, na melhor das hipóteses, a bomba elétrica é das mais pesadas, mas você pode comprar outra bomba mais fácil de carregar nas viagens e ainda assim desfrutar por muito tempo do seu modelo elétrico em casa.

Muitas mulheres alugam bombas elétricas de hospitais, farmácias, ou da Sociedade de Pediatria de seu Estado; algumas compram ou alugam uma junto com outras mulheres; compram, usam e depois revendem. Pode ser que os planos de seguro cubram o custo da compra ou do aluguel, desde que o leite materno seja recomendado e a amamentação não seja possível, em geral quando o bebê é prematuro ou está doente. Podem ser encontrados conjuntos (com anteparo, taça, tampo e tubulação) descartáveis ou esterilizáveis, que facilitam o uso de uma mesma bomba por várias pessoas ou de uma bomba de hospital.

Antes de optar por uma bomba "tira-leite", converse com suas amigas, com alguém da Sociedade de Pediatria, com um consultor sobre lactação, ou com o médico do seu bebê (caso ele conheça bem o assunto), para conhecer melhor os prós e os contras dos diferentes modelos. Se possível, antes de comprar experimente a de sua preferência — pegue emprestada ou alugue uma. A melhor escolha é uma bomba fácil de usar, limpa, relativamente cômoda e, se for precisar dela fora de casa, portátil.

COMO TIRAR LEITE MATERNO

Preparativos básicos. Seja qual for o método escolhido, é provável que você tenha dificuldade em extrair leite nos primeiros dias. Os preparativos que sugerimos a seguir vão ser úteis:

- Escolha o momento do dia em que os seus seios costumam estar mais cheios — para a maioria das mulheres, isso acontece pela manhã. Organize-se para tirar o seu leite para guardar uma vez a cada três ou

* A Sociedade Paulista de Pediatria, por exemplo, tem um Grupo de Assessoria para Aleitamento Materno, cujo telefone é 257-8325. (N. do R. T.)

quatro horas. Cada coleta pode durar de 20 a 40 minutos, às vezes um pouco mais.

- Certifique-se de que todo o seu equipamento está limpo e esterilizado, conforme a orientação do fabricante; lave a bomba imediatamente após o uso para facilitar a tarefa de conservá-la limpa. Se você usá-la fora de casa, leve junto uma escova de mamadeira, detergente e toalhas de papel.
- Principalmente quando você ainda for inexperiente, escolha um ambiente calmo e agradável onde você não seja incomodada por telefonemas ou campainhas e possa ter alguma privacidade. No trabalho, uma sala privativa, uma sala de reuniões desocupada ou um local só freqüentado por mulheres pode transformar-se no seu "centro de operações". Se estiver em casa, o ideal é ter alguém que cuide do bebê enquanto você tira o leite.
- Lave as mãos com água e sabonete, e os seios só com água — não use sabonetes, cremes, pomadas ou qualquer outra coisa nos seios.

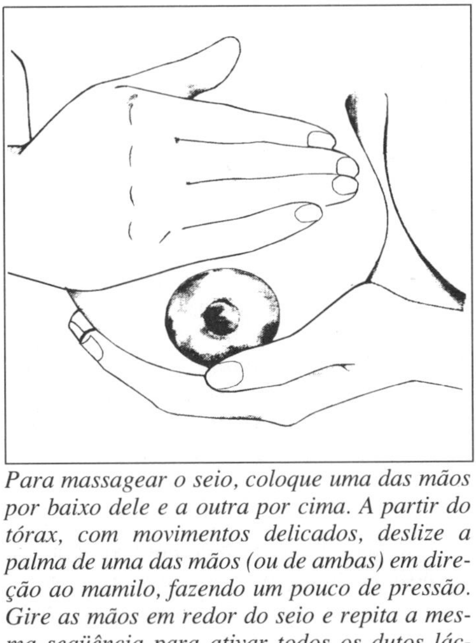

Para massagear o seio, coloque uma das mãos por baixo dele e a outra por cima. A partir do tórax, com movimentos delicados, deslize a palma de uma das mãos (ou de ambas) em direção ao mamilo, fazendo um pouco de pressão. Gire as mãos em redor do seio e repita a mesma seqüência para ativar todos os dutos lácteos.

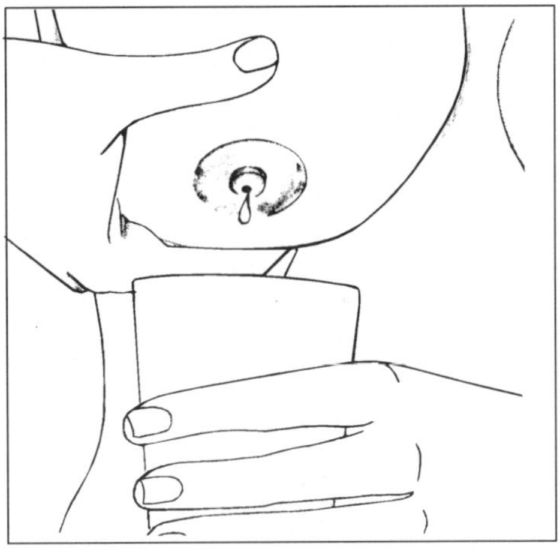

Extrair leite com a mão é um processo demorado e às vezes doloroso. Este método funciona melhor para tirar pequenas quantidades, como no caso de o seio estar ingurgitado demais para que o bebê consiga mamar com facilidade.

- Antes de começar, beba um copo de água, suco, leite, chá ou café descafeinados, ou uma sopa. Uma bebida quente pode ser mais eficaz do que uma fria para estimular a saída do leite. As bebidas alcoólicas não entram nessa lista de líqüidos, mas um copo de vinho ou de cerveja, ou um coquetel, não mais que duas vezes ao dia, tomados de 10 a 20 minutos antes da coleta de leite, podem ajudá-la a relaxar.
- Instale-se confortavelmente, se possível com os pés para cima.
- Antes de começar, relaxe por algum tempo. Faça meditação, ou use outras técnicas de relaxamento, música, televisão ou qualquer coisa que, a faça soltar-se.
- Para estimular a descida de leite, pense no seu bebê e na amamentação ou olhe para uma foto dele. Ficar com o bebê um pouco antes de começar pode ser uma boa saída, ainda que o ideal seja ter alguém que cuide dele quando você fizer a coleta. Se estiver usando uma bomba elétrica, que a deixa com as mãos livres, você poderá até segurar o bebê — ainda que muitos deles não gostem de estar tão perto do seio e não estar mamando. Outras maneiras de

intensificar a descida do leite são aplicar compressas quentes nos mamilos e nos seios por 5 a 10 minutos, tomar uma ducha quente, fazer massagem nos seios e curvar-se e balançá-los.

- Se você sentir dificuldade em obter bons resultados, pergunte ao seu médico a respeito de um *spray* nasal de oxitocina, que estimula a liberação. Use-o somente segundo as recomendações médicas.

Tirar leite com as mãos. Para começar, coloque uma das mãos num seio, na borda da aréola, com o polegar em posição oposta à dos outros dedos. Force a mão em direção ao tórax, pressionando delicadamente o polegar e o indicador. (Mantenha os dedos somente na aréola, sem que deslizem para o mamilo.) Repita cadenciadamente para dar início ao fluxo de leite, girando os dedos para atingir todos os dutos lácteos. Repita esta seqüência no outro seio, fazendo massagens entre uma e outra, se necessário. Faça de novo com o primeiro seio, e depois volte ao segundo.

Se você quiser guardar o leite retirado, coloque um recipiente alto e esterilizado sob o seio quando você estiver extraindo o leite. Para coletar tudo o que poderá gotejar do outro seio, coloque um recipiente esterilizado entre o seio e o sutiã. O leite coletado deve ser imediatamente guardado em mamadeiras esterilizadas e colocado na geladeira o mais breve possível.

Tirar leite com bomba manual ou elétrica. Apenas siga as instruções da bomba que estiver usando. Seja paciente; quase sempre ela leva algum tempo para sugar eficazmente. Se quiser usar uma bomba manual num seio e amamentar o seu bebê no outro, você tanto pode colocá-lo junto ao seio com um travesseiro de apoio (com a firmeza necessária para ele não cair do seu colo), quanto pedir a alguém que bombeie enquanto você segura o bebê. Como não é preciso usar as mãos para usar uma bomba elétrica, você pode amamentar o seu bebê num peito e bombear o outro com facilidade.

COLETAR E ARMAZENAR LEITE MATERNO

Os recipientes de plástico são melhores que os de vidro para coletar e armazenar leite materno, não só porque o vidro é quebrável, mas também por estar provado que os glóbulos brancos do sangue, que combatem as doenças e estão presentes no leite da mãe, aderem mais ao vidro que ao plástico, indo em menor quantidade para o bebê. Muitas bombas vêm com um recipiente que pode ser usado para a armazenagem e como mamadeiras; outras lhe permitem usar uma mamadeira comum para coletar o leite. As mamadeiras de 120 cc são ideais para bebês bem novinhos, que têm pouco apetite, e as de 240 cc mais indicadas para bebês mais crescidos. Uma garrafa térmica cheia de gelo até o momento de ser enchida pode ser usada para manter o leite materno fresco quando você estiver fora de casa, mas tem a desvantagem de ser de vidro por dentro.

Esterilize os recipientes e as mamadeiras, ou lave-os numa máquina de lavar pratos que alcance pelo menos 82°C, caso o leite vá ser mantido à temperatura ambiente por mais de 30 minutos ou guardado por mais de 48 horas na geladeira ou no congelador. Senão, basta lavá-los muito bem com água quente e sabão, esfregando-os com uma escova para mamadeiras.

Refrigere o leite retirado o mais rápido que puder. Se isso não for possível, use um recipiente esterilizado no qual ele fique fresco à temperatura ambiente (mas longe de aquecedores, do sol e de outras fontes de calor) por no máximo seis horas. Você pode armazenar leite materno por até 48 horas na geladeira, ou refrigerá-lo por meia hora e colocá-lo no congelador em seguida. Os recipientes que vão para o congelador devem ter apenas três quartos de leite, para haver espaço para a expansão do líqüido, e coloque uma etiqueta com a data (use sempre o leite mais antigo primeiro). O leite materno conserva-se fresco por uma semana ou duas no congelador de geladeiras com uma só porta, por cerca de três meses numa geladeira com congelador separado e por seis meses num congelador que mantenha a temperatura bem abaixo de 0ºC.

Para descongelar o leite materno, agite o frasco sob uma torneira com água morna e utilize-o dentro de meia hora, no máximo. Ou descongele-o na geladeira e use-o no espaço de três horas. Não o descongele num forno de microondas, no fogão ou à temperatura ambiente; não volte a congelar esse leite. Quando o seu bebê estiver saciado, jogue fora o leite restante, assim como qualquer leite que tenha sido guardado por mais tempo que os recomendados acima.

Se você vai transportar leite materno regularmente, compre uma sacola térmica para mamadeiras, uma garrafa térmica ou uma sacola impermeável na qual caibam a mamadeira e um saquinho de gelo.

O QUE PODE ESTAR PREOCUPANDO VOCÊ

"QUEBRAR" O BEBÊ

"Tenho muito medo de mexer no meu bebê — ele é tão pequeno e parece tão vulnerável."

Os recém-nascidos podem parecer tão frágeis quanto bibelôs, mas não são. Na verdade, são bastante fortes. Desde que a cabeça deles esteja bem apoiada, não há como fazer-lhes mal ao lidar com eles — mesmo quando for sem muito jeito, como costuma acontecer com pais inexperientes. Aos poucos, você irá aprendendo o que é bom para o bebê e para você, uma vez que as maneiras de lidar com uma criança variam muito de pessoa para pessoa. Logo você estará carregando o seu bebê com a mesma naturalidade de quem leva um pacote de supermercado — e muitas vezes *junto com* um pacote de supermercado.

ACNE INFANTIL

"Eu achava que todos os bebês deveriam ter uma pele linda. Mas o meu, que só tem duas semanas, parece estar se rachando todo de tanta acne."

Por mais injusto que possa parecer, alguns bebês acabam tendo uma pele "de adolescente" antes mesmo de terem alguns dias de vida, tão longe da adolescência. Na verdade, vários de seus problemas de pele têm a mesma origem que os dos adolescentes: hormônios. No caso dos recém-nascidos, porém, não são os hormônios deles que provocam os problemas, mas os hormônios de suas mães, que ainda estão no seu organismo. Outro motivo do surgimento de espinhas é o fato de seus poros não estarem ainda plenamente desenvolvidos, transformando-os em alvo fácil para a infiltração de impurezas, o que resulta no aparecimento da acne.

Não esprema nem esfregue a acne do seu recém-nascido, não passe loções nem tente outras formas de tratamento. Basta lavar o local com água duas ou três vezes por dia, enxugando sem friccionar, e a acne desaparecerá em poucos meses, sem deixar vestígios.

AUDIÇÃO

"Tenho a impressão de que o meu bebê não reage muito aos barulhos. Ele chega a dormir mesmo com o cachorro latindo e os escândalos da minha filha mais velha. Ele poderia estar com problemas de audição?"

O que provavelmente acontece não é que o seu bebê não escute os latidos do cachorro ou os gritos da irmã, mas sim que já se habituou a esses sons. Ainda que ele tenha visto o mundo pela primeira vez assim que saiu do seu útero, não foi essa a primeira vez em que ouviu esses barulhos. Muitos sons — da música que você punha para ouvir até a barulheira das buzinas e sirenes na rua — atravessavam as paredes do seu tranqüilo lar uterino, e o bebê acabou por habituar-se a eles.

A maioria dos bebês reage a barulhos fortes — tendo sobressaltos, quando muito novinhos; piscando, quando têm mais ou menos três meses; voltando-se para a fonte do barulho, quando estão com cerca de quatro meses. Contudo, os sons que já passaram a fazer parte da "música ambiente" do bebê podem não provocar reação tão sutil que passe despercebida ao olho não treinado — como, por exemplo, uma mudança de posição ou de atividade.

Se você está preocupada com a audição do seu bebê, tente um pequeno teste: bata palmas por trás da cabeça dele se veja e ele leva um susto. Se isso acontecer, você ficará sabendo que ele ouve bem; em caso contrário, tente outra vez, mais tarde, pois as crianças (e mesmo os recém-nascidos) têm um jeito maravilhoso de ignorar ou bloquear à vontade o que se passa ao seu redor, e pode ser que o seu bebê esteja fazendo exatamente isso. Uma repetição do teste pode provocar a reação que você deseja ver. Se isso não acontecer, tente observar outras maneiras pelas quais o seu bebê pode reagir ao som: ele fica calmo ou reage de outra forma às palavras carinhosas que você lhe diz, mesmo quando não está olhando diretamente para você? Ele tem algum tipo de reação quando ouve música ou alguém cantar? Leva sustos diante de barulhos fortes e desconhecidos? Se o seu bebê parece nunca reagir aos sons, discuta o assunto com o médico dele assim que tiver oportunidade. Quanto mais cedo for diagnosticada e tratada a deficiência auditiva de uma criança, melhores serão os resultados obtidos.

Algumas crianças estão sob um risco de certa maneira crescente de dificuldades auditivas e provavelmente deverão submeter-se a avaliações audiológicas rotineiras. Trata-se de crianças que nasceram pesando menos de 2,5 kg, ou que passaram por sérias complicações durante o parto ou pouco depois, como asfixia, convulsões ou hemorragia intracraniana; que antes de nascer tiveram contato com drogas ou infecções que afetam a audição (como a rubéola); que têm um histórico familiar de surdez hereditária ou inexplicada; que têm anomalias visíveis nos ouvidos; e que são portadoras de retardo mental, cegas, autistas, ou que têm paralisia cerebral.

VISÃO

"Coloquei um móbile sobre o berço do meu bebê, achando que as cores fossem estimulantes. A impressão que tenho, porém, é de que ele não o nota. Pode haver alguma coisa errada com a visão dele?"

O mais provável é que haja alguma coisa errada com o seu móbile — ou pelo menos com o lugar onde você o pendurou. Um recém-nascido focaliza melhor os objetos que estejam distantes dele cerca de 20 a 35 cm, um campo visual que parece ter sido escolhido não ao acaso pela natureza, mas sim intencionalmente — é a distância habitual entre o bebê e o rosto da mãe. Para ele, objetos mais próximos ou mais distantes do seu berço nada mais serão que sombras indistintas, ainda que, se não houver nada de interessante no seu campo de visão, ele vá fixar-se em alguma coisa distante que brilhe ou se movimente.

Além disso, o bebê passará a maior parte do tempo olhando para a direita ou para a esquerda, raramente enfocando o espaço à sua frente nos primeiros meses. É provável que um móbile bem acima do berço não atraia o interesse dele, o que pode vir a acontecer caso esse objeto seja colocado em um dos seus lados. Poucos bebês, porém, demonstram algum interesse por móbiles antes de três ou quatro semanas de vida, e muitos demoram mais tempo ainda.

Portanto, o seu recém-nascido é capaz de ver, mas não do mesmo jeito que daqui a três ou quatro meses. Se você quiser avaliar a visão do seu bebê, segure uma pequena lanterna de um dos lados do seu campo visual, a cerca de 25 ou 30 cm do rosto dele. Durante o primeiro mês, o bebê geralmente olha para a luz por um breve período, o suficiente para você saber que ele a está vendo. Por volta do fim do primeiro mês, alguns bebês acompanharão a luz à medida que você movimentá-la lentamente até o centro do seu campo de visão. Em geral, só por volta dos três meses é que um bebê começa a seguir com os olhos um objeto movimentado num ângulo de 180º, de um lado para o outro.

Os olhos do seu bebê continuarão aperfeiçoando-se durante o primeiro ano. É provável que ele seja hipermétrope por vários meses, e que até completar nove meses não perceba bem a profundidade (o que talvez explique o fato de ele ser um ótimo candidato a cair de trocadores e camas). Contudo, ainda que a visão dele não seja perfeita agora, ele realmente gosta de olhar para as coisas — e esse passatempo é um dos mais importantes caminhos para o aprendizado. Portanto, dê a ele um grande número de estímulos visuais, sem sobrecarregar-lhe os neurônios — o máximo que ele consegue fixar é uma ou duas coisas por vez. E, como a sua atenção é curta, mude freqüentemente o panorama.

A maioria dos bebês bem novos gosta de estudar rostos — mesmo os mais grosseiros. Preferem motivos em preto e branco a cores vivas, e objetos complexos aos mais simples. Adoram olhar para a luz: um lustre, uma lâmpada, uma janela (sobretudo aquelas que deixam filtrar a luz através das falhas horizontais ou verticais de persianas) são coisas que os levam a exames demorados e embevecidos. Gostam muito mais de ambientes bem iluminados do que de pouca luz.

Os testes de visão vão fazer parte dos exames regulares do seu bebê. No entanto, se você acha que ele não está focalizando bem objetos ou rostos, ou não se volta para a luz, mencione o fato ao médico na próxima consulta.

REGURGITAMENTO

"De tanto que o meu bebê regurgita, estou preocupada com a possibilidade de ele não estar bem nutrido."

Ainda que possa parecer que tudo quanto entra no seu bebê está sendo devolvido, não é bem assim. Aquilo que lhe parece ser todo o leite que ele ingeriu talvez não passe de uma ou duas colheres de sopa, com uma mistura de saliva e muco — sem dúvida, uma quantidade insuficiente para interferir na boa nutrição do seu bebê. (Para saber quanto parece um pouquinho de líqüido, derrame duas colheres de sopa de leite em cima da pia da cozinha.) O que o seu bebê regurgita estará relativamente igual a quando entrou por sua boca caso só tenha chegado até o esôfago antes de ser regurgitado. Mas, se desceu ao estômago antes da viagem de volta, parecerá coalhado e terá um cheiro de leite azedo.

A maioria dos bebês regurgita pelo menos de vez em quando, e existem aqueles que regurgitam depois de cada mamada. Nos recém-nascidos, esse processo pode estar associado a um esfíncter imaturo entre o esôfago e o estômago e ao excesso de muco que precisa ser retirado. Nos bebês mais crescidos, o processo se verifica quando o leite misturado com ar é regurgitado com um arroto. Às vezes, um bebê regurgita sabiamente por ter ingerido leite demais.

Não existe uma cura certa para a regurgitação, mas você pode tentar diminuir a ingestão de ar, durante as refeições, que contribui para que ele ocorra: não alimente o bebê quando ele estiver chorando (pare um pouco, até que ele se acalme); mantenha-o o mais ereto possível enquanto o estiver alimentando e algum tempo depois; certifique-se de que os bicos das mamadeiras não sejam grandes nem pequenos demais e que elas fiquem inclinadas para que o leite (e não o ar) encha o bico. Também pode ser útil impedir que o seu bebê se faça de porco e não balançá-lo enquanto se alimenta, ou logo depois (se possível, prenda-o durante algum tempo num assento ou num carrinho). E não se esqueça de fazê-lo arrotar durante a mamada, em vez de esperar até o fim, quando um arroto enorme pode trazer de volta muito do que foi ingerido.

Aceite, porém, o seguinte fato: por mais que você faça, se o seu bebê é um "regurgitador", vai continuar regurgitando — e você vai ter que conviver com isso pelo menos durante os próximos seis meses. (As coisas ficarão um pouco mais fáceis, porém, se você tomar a precaução de colocar uma fralda no seu ombro ou colo sempre que estiver com o bebê.) Muitos bebês regurgitam mais moderadamente quando começam a ficar sentados, ainda que alguns continuem provocando bagunças malcheirosas quase até o primeiro aniversário.

Em geral, o regurgitamento normal não provoca danos (exceto nas roupas e na mobília).[2] Contudo, tendo em vista que um bebê pode asfixiar-se com a matéria regurgitada se estiver deitado de costas, o bebê que for um regurgitador deve ser colocado de bruços para dormir e brincar.

Existem, porém, alguns tipos de regurgitamento que indicam possíveis problemas. Consulte o médico se o regurgitamento do seu bebê estiver associado a um ganho pequeno de peso ou a náusea e tosse contínuas, ou se o vômito dele for marrom ou verde, ou voar pelo quarto (o vômito em golfadas). Essas coisas podem ser indícios de problemas clínicos, como, por exemplo, uma obstrução intestinal (que se resolve com cirurgia).

2. Tenha sempre à mão, numa pequena garrafa de plástico, água com bicarbonato de sódio para limpar os pequenos vômitos do bebê. Esfregar um pano molhado com essa mistura nos lugares sujos vai impedir que se forme uma mancha, além de eliminar a maior parte do mau cheiro. Ou use um lenço higiênico umedecido.

ENROLAR O BEBÊ

"Venho tentando manter o meu bebê enrolado do jeito que me ensinaram no hospital, mas ele não pára de chutar o cobertor, e tudo se desfaz. Devo parar de fazer isso?"

Os primeiros dias de vida fora do útero podem ser um pouco perturbadores — e até mesmo um pouco apavorantes. Depois de nove meses confortavelmente instalado no casulo uterino, um recém-nascido deve adaptar-se aos espaços subitamente amplos do seu novo meio ambiente. Muitos especialistas em cuidados com recém-nascidos acham que a transição pode tornar-se mais confortável se a segurança e o aconchego do antigo lar for simulada, envolvendo ou enrolando a criança em uma manta. Isto também evita que ela seja perturbada por seus próprios movimentos bruscos enquanto dorme, mantendo-a quente nos primeiros dias, nos quais a sua regulação térmica ainda não funciona com eficiência máxima.

No entanto, o fato de todos os bebês serem enrolados no hospital não significa que devam ser enrolados em casa. Muitos bebês continuarão encontrando conforto nisso (e portanto dormirão melhor) durante algumas semanas, e alguns por mais tempo ainda. Esse procedimento também pode ajudar a acalmar os bebês que sofrem de cólicas. Todos eles, porém, acabam deixando para trás a necessidade de serem envolvidos com manta, geralmente quando se tornam mais ativos, e começam a chutar a manta para deixar claro o que estão sentindo. Alguns parecem não gostar de ser enrolados já desde o início, mostrando-se completamente satisfeitos sem a manta e obviamente irritados com ela. Eis um bom critério para saber se você deve ou não enrolar o seu bebê: se ele der a impressão de sentir-se bem, faça-o; em caso contrário, não o faça.

LEITE MATERNO SUFICIENTE

"Quando o leite chegou, meus seios pingavam muito. Agora que o ingurgitamento acabou, eles não vazam mais, e eu fico preocupada com a possibilidade de não ter leite suficiente para o meu filho."

Já que o seio não é graduado em centímetros cúbicos, torna-se virtualmente impossível discernir com o olho se o seu suprimento de leite é suficiente. Por esse motivo, você deve ter o seu bebê como parâmetro. Se ele parece feliz, saudável e está ganhando peso, você está produzindo leite suficiente. Você não precisa jorrar leite feito uma fonte nem gotejar como uma torneira para amamentar bem. O único leite que conta é aquele que vai para dentro do seu bebê. Se, em qualquer ocasião, ele não der a impressão de estar tendo um desenvolvimento adequado, uma amamentação mais freqüente (aliada a outras sugestões que você encontrará na página 112) pode ajudá-la a produzir mais leite.

"Meu bebê mamava mais ou menos de três em três horas, e parecia estar apresentando um bom desenvolvimento. Agora, de repente, estou com a impressão de que ele quer mamar de hora em hora. Será que aconteceu alguma coisa com o meu suprimento de leite?"

Ao contrário de um poço, o suprimento de leite não tende a secar se for regularmente usado. Aliás, a verdade é bem outra: quanto mais o seu bebê mamar, mais leite seus seios produzirão. Uma explicação muito mais plausível para o fato de ele procurar mais seus seios pode ser encontrada no crescimento ou num aumento de seu apetite. São coisas que acontecem mais comumente quando a criança está com três semanas, seis semanas e três meses, mas também possíveis a qualquer momento do desenvolvimento de um bebê. Às vezes, para desalento dos pais, até mesmo um bebê que vinha dormindo bem a noite toda começa a acordar para alimentar-se, durante as acelerações no seu desenvolvimento. Nesse caso, o grande apetite do bebê é simplesmente um modo de a natureza assegurar que o corpo da mãe aumente a produção de leite para atender às necessidades do desenvolvimento.

Você deve simplesmente relaxar e manter os seus seios à disposição, esperando que passe o pico de desenvolvimento. Não se sinta tentada a dar leite artificial ao seu bebê (ou, pior ainda, alimentos sólidos) para acalmar-lhe o apetite, pois diminuir a freqüência das mamadas teria o efeito de reduzir o seu suprimento de leite, que é exatamente o contrário daquilo que o bebê está pedindo. Essa seqüência — que começa com o bebê querendo mamar mais, levando a mãe a ficar ansiosa quanto à suficiência de leite e a oferecer um complemento alimentar e, por último, diminuindo a sua produção de leite — é uma das principais causas do abandono precoce da amamentação.

Às vezes, o bebê começa a exigir temporariamente mais mamadas durante o dia, quando ele começa a dormir a noite inteira, mas é coisa que também vai passar. No entanto, se o seu bebê continuar querendo mamar mais ou menos de hora em hora durante mais de uma semana, verifique o peso dele e leia o que vem a seguir. Pode ser que ele não esteja recebendo alimentação suficiente.

O BEBÊ AMAMENTADO QUE NÃO SE DESENVOLVE BEM

"Com três semanas, o meu bebê parece mais magro do que quando nasceu. Ele mama bastante, e por isso não consigo imaginar que não esteja ingerindo todo o leite de que necessita. O que pode estar errado?"

Se existe alguma coisa capaz de gerar mais ansiedade do que o ganho gradual de peso durante a gravidez, é o ganho de peso do bebê em seus primeiros meses de vida. Na maioria dos casos, porém, as mulheres grávidas se preocupam com o aumento excessivo de peso, enquanto as mães se preocupam com o fato de os seus bebês estarem ganhando pouco peso.

Eventualmente, o bebê que nasceu com o rosto muito inchado começa a parecer mais magro à medida que o edema diminui. A maioria dos bebês, no entanto, já começa a engordar por volta de três semanas, assemelhando-se mais a bebês gorduchos do que a franguinhos esquálidos — ainda que os que vêem um bebê todos os dias possam notar menos a transformação do que os que os vêem menos freqüentemente. Na maior parte dos casos, esteja certa de que um bebê amamentado vai recuperar o peso que tinha ao nascer em cerca de duas semanas, e depois ganhar, aproximadamente, de 160 a 220 g por semana nos dois meses subseqüentes. Se você está em dúvida quanto ao progresso do seu bebê, tome emprestada uma balança de bebês e pese-o. O mais provável é que você se sentirá reconfortada com o que descobrir. Se ainda continuar preocupada com o desenvolvimento dele, ou não tiver como conseguir uma balança, pergunte ao médico se você pode levar o bebê para pesá-lo — para você sentir-se melhor e saber resolver quaisquer problemas que porventura sejam descobertos.

O fato de o seu bebê estar mamando freqüentemente não constitui, em si, uma certeza de que ele esteja ingerindo todo o alimento de que necessita; na verdade, pode significar o contrário. O bebê que não está conseguindo satisfazer-se pode mamar quase continuamente, tentando alimentar-se bem. Isso pode ser temporário, como quando um bebê que passa por um pico no desenvolvimento tenta aumentar a quantidade de leite que ingere (veja página 109). Ou também pode indicar um suprimento realmente insuficiente. Mas, para certificar-se de que não é esse o caso do seu bebê, há indícios que você pode procurar:

Ele está evacuando pelo menos cinco vezes por dia, e as fezes são volumosas, granulosas e cor de mostarda. Os recém-nascidos amamentados podem evacuar depois de cada mamada, às vezes nada menos que 12 vezes por dia. Menos de cinco evacuações por dia pode indicar uma alimentação insuficiente.

A fralda dele está molhada sempre que você vai trocá-lo antes de cada mamada, e a urina não tem cor. Se um bebê urinar menos de oito ou dez vezes por dia, ou se a urina for amarela, possivelmente com cheiro de peixe, e/ou contém cristais de urato (os quais se assemelham a tijolo em pó, dão à fralda uma cor rosa-avermelhada e são normais antes de o leite da mãe chegar, mas não depois), ele não está ingerindo líqüido suficiente. Contudo, esses indícios de desidratação talvez só se mostrem quando o problema já estiver grave.

Você ouve um forte som de deglutição quando o seu bebê mama. Se não ouvir, talvez ele não esteja tendo muito que engolir. Contudo, se o seu bebê estiver ganhando peso normalmente, não fique preocupada se o seu bebê for relativamente silencioso.

Ele parece feliz e satisfeito depois de quase todas as mamadas. Muito choro e muita birra, ou um chupar frenético de dedo depois de uma mamada completa podem significar que o bebê continua com fome. Nem todo alvoroço, é claro, está associado à fome — depois de mamar, pode também tratar-se de gases ou de esforço para evacuar.

Você teve ingurgitamento dos seios quando o seu leite chegou. O ingurgitamento é um bom sinal de que você é capaz de produzir leite. E seios mais cheios quando você se levanta de manhã e depois de quatro ou cinco horas sem amamentar indicam que se estão enchendo regularmente de leite — e também que o seu bebê os está esvaziando. Contudo, se o bebê estiver ganhando peso normalmente, a falta de ingurgitamento não deve deixá-la preocupada.

Você sente o leite descer e/ou tem vazamento de leite. Mulheres diferentes sentem de formas diferentes a descida do leite (plenitude, formigamento, enrijecimento, pontadas, cãibras, inchaço, com ou sem gotejamento ou saída de leite em jatos), mas senti-la quando você começa a amamentar, ouve o seu bebê chorar ou mesmo quando pensa nele são sinais de que o leite está descendo dos dutos de armazenamento para os mamilos, pronto para ser degustado pelo bebê. Nem todas as mulheres percebem a descida do leite, mas a sua ausência (junto com indícios de que o bebê não está apresentando um bom desenvolvimento) deve funcionar como um sinal de advertência.

Você não fica menstruada durante os três primeiros meses após o parto. Em geral, o fluxo menstrual não retorna nas mulheres que estejam exclusivamente amamentando, sobretudo nos três primeiros meses. O retorno prematuro pode ser devido a uma redução do nível hormonal, que vai refletir-se na produção insuficiente de leite.

Além das pesagens rotineiras, o médico talvez lhe peça para pesar o bebê antes e depois da amamentação, sem mudar-lhe as fraldas nesse ínterim. Isso poderá mostrar-lhe quanto ele está ingerindo numa mamada — pelo menos naquela mamada —, uma informação da qual as mães que dão mamadeira têm conhecimento imediato.

Se o exame médico mostrar que o seu bebê não está tendo um bom desenvolvimento com a amamentação, podem ser muitas as possíveis razões. Algumas delas podem ser remediadas:

Você não está dando de mamar com a devida freqüência. Neste caso, passe a alimentar o seu bebê de oito a dez vezes a cada 24 horas. Não faça intervalos de mais de três horas durante o dia ou de cinco horas à noite entre as mamadas (os períodos de quatro horas são para os bebês que tomam mamadeira, e não para os que mamam ao peito). Isto significa que é preciso acordar o bebê para que ele não perca o jantar ou alimentar um bebê faminto mesmo que ele tenha mamado há apenas uma hora. Se o seu bebê parece "feliz por estar morrendo de fome" (acontece com alguns recém-nascidos) e nunca exige a mamada, é você quem deve tomar a iniciativa de estabelecer para ele horários rígidos de amamentação. As mamadas freqüentes não só vão ajudar a encher a barriguinha do bebê (e dar-lhe uma boa estrutura física) como também servirão para estimular a sua produção de leite.

Você não está esvaziando nem mesmo um seio por mamada. O primeiro seio deve esvaziar-se depois de você estar amamentando por pelo menos 10 minutos; se o seu bebê conseguir fazer isso, deixe-o mamar pelo tempo que quiser no outro seio. Lembre-se de começar cada mamada pelo seio em que terminou a anterior. Mudar de seio a cada 5 minutos funciona bem para algumas mulheres (e para os seus bebês), pois o bebê fica com a melhor parte de cada seio antes de saciar-se — certifique-se, porém, de que ele mame pelo menos o total de 10 minutos no primeiro seio. Se o bebê não der conta disso, esvazie o seio com uma bomba para melhorar a produção de leite.

O seu bebê suga mal ou com preguiça. Isto pode acontecer porque ele foi prematuro, está doente ou tem uma conformação anormal da boca (como fenda palatina ou língua presa). Quanto menos eficiente for a sucção, menos leite será produzido, levando o bebê a um desenvolvimento insatisfatório. Enquanto não aprender a sugar com força, ele vai precisar que você estimule os seus seios para dar-lhe leite suficiente. Isto pode ser feito com uma bomba tira-leite, usada para esvaziar o peito depois de cada mamada (guarde todo o leite coletado para ser mais tarde usado em mamadeiras). Enquanto você não tiver uma boa produção de leite, é bem provável que o médico recomende que após a mamada no peito você complemente a alimentação com leite artificial em mamadeira, ou com o sistema de nutrição complementar apresentado nesta página (que tem a vantagem de não provocar "confusão de bicos" devido à introdução de um bico artificial).

Se o seu bebê se cansa facilmente, talvez o médico a aconselhe a só amamentar por cinco minutos em cada peito, depois dar-lhe um complemento de leite materno ou artificial com mamadeira ou com o sistema de nutrição complementar, pois ambos exigem menos esforço do bebê.

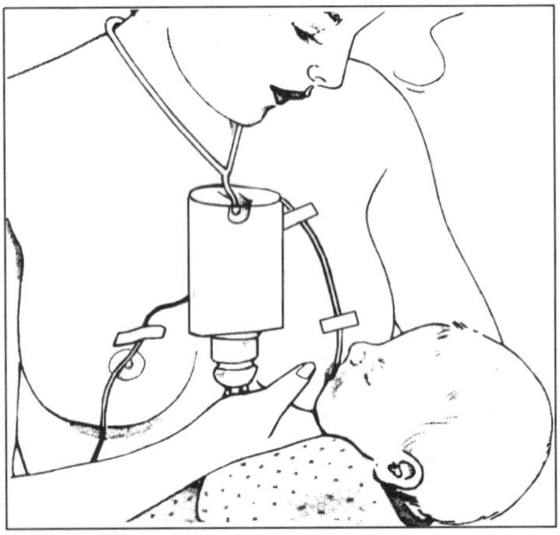

Sistema de nutrição complementar. *Este aparato extremamente útil pode dar ao bebê uma alimentação complementar e ao mesmo tempo estimular a produção do leite materno. Uma mamadeira pende do pescoço da mãe; tubos finos que saem da mamadeira são presos aos seios com fitas adesivas, ultrapassando um pouco os mamilos. Coloca-se na mamadeira leite da própria mãe, coletado com uma bomba, leite materno proveniente de um banco de leite, ou o leite artificial recomendado pelo médico da criança. Enquanto o bebê mama no peito, ingere o complemento através do tubo. Este sistema evita a confusão de bicos que surge quando a alimentação complementar é dada em mamadeira (nesta, o bebê precisa aprender a sugar de outra maneira que no peito) e estimula a mãe a produzir mais leite, ainda que o complemento seja artificial.*

O seu bebê ainda não aprendeu a coordenar os músculos da mandíbula para sugar. Esse "sugador" incompetente também vai precisar da ajuda de uma bomba tira-leite para estimular os seios da mãe a produzir uma quantidade maior de leite. Além disso, vai precisar de algumas aulas para aperfeiçoar a sucção; o médico pode até recomendar-lhe alguma fisioterapia. Enquanto o seu bebê estiver aprendendo, pode ser que precise de alimentação complementar. Outras sugestões sobre o aperfeiçoamento da sucção podem ser obtidas junto à Sociedade de Pediatria do seu Estado.

Os seus mamilos estão doloridos ou você tem uma infecção no seio. A dor pode não somente interferir na sua vontade de amamentar, reduzindo a freqüência das mamadas e a produção de leite, como também pode inibir o fluxo de leite. Portanto, tome providências para curar os mamilos doloridos ou a mastite (veja páginas 639 e 640). No entanto, não use protetor para o mamilo, que pode interferir na capacidade do seu bebê segurá-lo, aumentando os seus problemas.

Os seus mamilos são achatados ou invertidos. Para um bebê, é quase sempre difícil abocanhar esses tipos de mamilo. Essa situação deflagra o ciclo vicioso de sucção insuficiente, que leva à insuficiência de leite, a uma sucção ainda menor e a uma produção menor de leite. Para ajudar o bebê a firmar-se melhor aos mamilos durante a amamentação, comprima a aréola entre o polegar e o indicador para ele poder sugar. Use um dedal de costura nos mamilos no intervalo entre as mamadas, para fazer os mamilos saírem com mais facilidade, mas evite o anteparo para bicos durante a amamentação, os quais, apesar de puxar os mamilos, pode impedir que o seu bebê os abocanhe adequadamente, criando com isso um problema de resolução ainda mais demorada.

Algum outro fator está interferindo no seu fluxo de leite. O fluxo de leite é uma função física que tanto pode ser inibida quanto estimulada pelo seu estado de espírito. Se você estiver constrangida ou angustiada com a amamentação em geral, ou por outra situação específica, não só o fluxo de leite pode ser refreado, mas também o volume e o valor calórico do seu leite podem ser afetados. Portanto, tente amamentar o bebê onde você se sente mais à vontade — em particular, se dar de mamar perto de outras pessoas a deixa impaciente. Para ajudar a se relaxar, sente-se num lugar confortável, ouça música suave, tome uma bebida alcoólica (não mais de dois drinques por dia) ou não-alcoólica, tente algumas das técnicas de relaxamento que você aprendeu em suas aulas para o parto. Massagear os seios ou aplicar-lhes compressas mornas um pouco antes de amamentar são coisas que também estimulam o fluxo do leite. Se nada disso funcionar, peça ao médico do seu bebê que lhe receite um *spray* de oxitocina. Ainda que não aumente o seu suprimento de leite, o *spray* ajudará o leite que você produz a descer e a sair para alimentar o bebê.

O seu bebê está satisfazendo a necessidade de sugar de algum outro modo. Se o seu bebê estiver satisfazendo essa necessidade com uma chupeta ou outra coisa não-nutritiva, ele talvez demonstre pouco interesse pelo peito. Jogue fora a chupeta e dê-lhe de mamar sempre que ele der a impressão de querer sugar. Não lhe dê mamadeiras suplementares de água, as quais não só tomam o lugar da sugação não-nutritiva como também podem diminuir o apetite e, em excesso, alterar os níveis de sódio no sangue.

Você não está fazendo o bebê arrotar entre as mudanças de seio. Um bebê que tenha engolido ar pode parar de mamar antes de ter ingerido leite suficiente, pois irá sentir-se desconfortavelmente saciado. Os arrotos vão abrir espaço para mais leite. Faça o seu bebê arrotar a cada troca de peito, mesmo que ele não pareça estar precisando disso, ou com freqüência maior se ele se impacienta muito enquanto mama.

O seu bebê dorme a noite inteira. Uma noite de sono ininterrupto é uma maravilha para a aparência da mãe, mas não necessariamente para o seu suprimento de leite. Depois de ela passar vários dias com um desagradável ingurgitamento, por causa de o bebê começar a dormir de sete a oito horas (ou mesmo dez) por noite, sem mamar, o seu leite pode começar a diminuir, e é possível que as complementações venham a tornar-se necessárias. Para evitar isso, talvez você tenha de acordar o bebê no meio da noite. Ele não deve ficar mais de cinco horas sem mamar nessa idade.

Você voltou ao trabalho. Voltar ao trabalho — e ficar de oito a dez horas sem amamentar durante o dia — também pode diminuir o suprimento de leite. Uma das maneiras de impedir que isso aconteça consiste em tirar leite no trabalho, pelo menos uma vez a cada quatro horas longe do seu bebê.

Você está fazendo demais antes da hora. A produção de leite materno requer um bocado de energia. Se você está gastando a sua de outras maneiras, sem descansar como seria aconselhável, o seu leite tende a diminuir. Tente ficar quase um dia inteiro repousando na cama, depois passe três ou quatro dias fazendo o mínimo de esforço, e veja se o seu bebê não ficou mais satisfeito.

Você está dormindo de bruços. Quando você dorme de bruços — coisa que muitas mulheres ficam loucas por fazer depois dos últimos meses de gravidez, quando não podiam —, está também dormindo sobre os seios. A pressão sobre eles é capaz de reduzir a sua produção de leite, quase como o faria uma atadura usada para impedir a lactação. Portanto, mude de posição, pelo menos parcialmente, para não pressionar as suas glândulas mamárias.

Você está com resíduos da placenta no útero. O seu corpo não aceitará o fato de que você deu à luz enquanto todos os produtos da gravidez não houverem sido expelidos, inclusive toda a placenta. Enquanto ele não se convencer por completo, talvez não produza os níveis adequados de prolactina, o hormônio que estimula a produção de leite. Se você tiver qualquer sangramento anormal (veja página 592), ou outros indícios de retenção de resíduos da placenta, procure imediatamente o seu obstetra. A dilatação e a curetagem (D e C) podem colocar você e o seu bebê no caminho certo da amamentação bem-sucedida e, ao mesmo tempo, evitar o perigo que uma placenta retida pode representar para a sua saúde.

Mesmo com todos os seus esforços, nas melhores condições, com total apoio dos médicos, do seu marido e dos amigos, pode ser que você continue incapaz de amamentar bem. Apesar das afirmações contrárias que possam ter ouvido, uma pequena porcentagem de mulheres é simplesmente incapaz de amamentar os seus bebês sem complementação, e algumas não conseguem amamentar. A razão pode ser física, como uma deficiência de prolactina, tecido glandular mamário insuficiente, seios notadamente assimétricos ou comprometimento dos nervos dos mamilos devido a uma cirurgia no seio. As razões podem ser também psicológicas, provocadas por sentimentos negativos sobre a amamentação, que podem inibir o fluxo de leite. Em outros casos, é absolutamente impossível apontar com precisão a causa. Um indício precoce de que os seus seios não serão capazes de produzir leite suficiente é eles não se avolumarem durante a gravidez — ainda que não se trate de um indício infalível, menos confiável ainda na segunda gravidez e nas subseqüentes do que na primeira.

Se o seu bebê não está se desenvolvendo bem, e a menos que o problema possa ser resolvido em poucos dias, é quase certo que o médico vá prescrever uma alimentação complementar de leite artificial. Não se desespere. O mais importante é nutrir adequadamente o bebê, seja ao seio ou com mamadeira. Na maior parte dos casos, ao dar-lhe essa complementação, você também pode desfrutar do contato direto entre mãe e bebê que a amamentação propicia: deixe-o sugar por prazer (dele e seu) depois de terminada a mamadeira, ou use o sistema de nutrição complementar.

Os fervorosos defensores da amamentação podem desaprovar o uso do leite artificial; talvez recomendem que, em vez de usá-lo você faça uma mudança radical na sua alimentação, introduza levedo de cerveja, tome cerveja ou tente alguma outra panacéia. Ainda que a "Dieta Diária para Amamentação" (veja página 617) seja importante para manter o seu vigor e a qualidade do seu leite, não existe comprovação científica de que quaisquer combinações de alimentos sejam capazes de resolver os seus problemas de amamentação. Experimente-as se quiser, mas não vá deixar o seu bebê morrer de fome enquanto fizer a experiência.

Quando se passa a dar leite artificial a um bebê que não vai indo bem com o leite materno, quase sempre ele começa a progredir. Nos raros casos em que isso não aconteça, é preciso voltar ao médico para descobrir o que está interferindo no ganho adequado de peso.

PROBLEMAS EM DOBRO, PRAZER EM DOBRO

Nas gerações passadas, quando o estetoscópio era o método mais sofisticado de que dispunha o obstetra para fazer o diagnóstico pré-natal, os gêmeos quase sempre pegavam os pais de surpresa na sala de parto, deixando-os sem tempo para os preparativos necessários. Hoje em dia, quando a maior parte dos pais vê no começo da gravidez, pelo ultra-som, que terão gêmeos, ficaram raras as corridas às lojas para comprar o segundo enxoval. No entanto, mesmo tendo a notícia com sete ou oito meses de antecedência, é impossível preparar tudo para o dia em que a família aumentar para quatro (ou mais ainda, se já houver irmãos no páreo). Saber mais do que vai acontecer e como se prevenir pode dar aos pais maior sensação de controle sobre uma situação que no fundo parece incontrolável.

Previna-se em dobro. Uma vez que as bênçãos em dobro quase sempre sejam feitas antes que se saiba dos gêmeos, é bom começar a organizar-se para a chegada dos bebês com bastante antecedência. Antes de ir para a maternidade, procure ter prontos em casa todos os artigos necessários para os cuidados com as crianças. (Todos os preparativos sugeridos no Capítulo 1 são duplamente importantes para você.) Contudo, ainda que faça sentido dedicar muito tempo aos preparativos, seria um absurdo exaurir as suas forças (sobretudo se o seu médico deu-lhe ordens contrárias). Descanse bastante antes da chegada dos bebês — esteja certa de que o descanso vai ser um luxo depois que eles tiverem chegado.

Faça tudo em dobro. Faça o possível pelos bebês em conjunto. Isso significa que você deve acordá-los ao mesmo tempo para mamar, dar-lhes banho juntos (quando eles já conseguirem sentar-se num assento para banheira), levá-los juntos a passear de carrinho. Faça os dois arrotar no seu colo, ou ponha um deles no colo e o outro no ombro. Quando for impossível fazer tudo em dobro, alterne. Dê banho num numa noite e no outro na noite seguinte. Ou diminua a freqüência dos banhos, dando-os a intervalos de duas ou três noites (os bebês muito novinhos não precisam tomar banho todos os dias). Nesse ínterim, recorra ao banho de esponja.

Divida os afazeres. Quando o pai estiver por perto, divida com ele os cuidados com a casa (cozinhar, fazer faxina, lavar roupas, ir ao mercado) e com os bebês (você se encarrega de um, ele de outro). Tenha o cuidado de alternar os bebês, para que eles possam conhecer bem os pais, e vice-versa.

Tente amamentar um bebê em cada seio. Amamentar gêmeos é desgastante, mas elimina a preocupação com dúzias de mamadeiras e uma quantidade infindável de leite artificial. A amamentação simultânea economiza tempo e evita uma maratona diária. Você pode apoiar os bebês em travesseiros e segurá-los sob os braços (com os pés para trás de você), ou um em cada seio, com os corpos cruzados à sua frente. Mude o seio de cada bebê a cada mamada, para que não se criem favoritos (e para evitar seios desiguais, caso um dos bebês sugue mais do que o outro). Se o seu suprimento de leite não parecer suficiente para dois, você pode dar de mamar a um bebê enquanto dá mamadeira ao outro — sempre alternando os dois cada vez que for alimentá-los. Para conservar sua energia e seu suprimento de leite, faça uma superalimentação (que inclua de 400 a 500 calorias a mais por bebê) e descanse bastante.

Se estiver dando mamadeira, tente conseguir alguém que a ajude. Dar mamadeira a gêmeos é uma atividade que exige ou mais um par de mãos ou uma grande inventividade. Se, na hora de alimentar os seus bebês, você não tiver ninguém para ajudá-la, sente-se num sofá entre os dois, com os pés de ambos voltados para o encosto, e segure uma mamadeira para cada um. Ou fique com ambos nos braços, com as mamadeiras em suportes, colocadas numa altura confortável sobre almofadas. Também é possível apoiar uma mamadeira num assento para bebês (mas nunca deixe o bebê deitado), enquanto alimenta o outro do modo costumeiro. Outra possibilidade consiste em alimentar um depois do outro, ainda que o pouco tempo de que você dispõe para outras atividades vá tornar-se ainda mais reduzido. Esse procedimento também vai resultar em horários um pouco diferentes para a soneca dos bebês, caso eles tenham o hábito de dormir depois de alimentar-se, o que pode ser bom, se você tiver vontade de ficar algum tempo sozinha com cada um, ou ruim, se você depender do sono dos dois para cuidar da casa e das suas coisas.

Reduza o trabalho. Faça cortes no que não for essencial. Use pratos de papel e comida "para viagem", ignore o pó e a bagunça, use fraldas descartáveis ou um serviço de fraldas, e roupas fáceis de cuidar para toda a família. Use babadores e calças plásticas (se você estiver decidida pelas fraldas de pano) para proteger as roupas e reduzir ao mínimo o trabalho de lavanderia.

Anote tudo em dobro. Quem comeu o quê, quem tomou banho ontem, quem deve tomar banho hoje? Você se esquecerá de tudo, a menos que faça um diário (num caderno, num quadro de avisos no quarto das crianças ou numa lousa). Também faça anotações num livro específico sobre vacinas, doenças etc. Ainda que na maior parte das vezes os dois bebês recebam as mesmas coisas, poderá haver ocasiões em que um receba e outro não — e você provavelmente não terá certeza se foi este ou aquele.

Dê um jeitinho para dormir. As horas de sono serão necessariamente escassas nos primeiros meses, mas o serão ainda mais se você permitir que os seus bebês acordem por conta própria no meio da noite. Em vez disso, assim que o primeiro chorar, acorde o segundo e alimente os dois. Sempre que os seus queridinhos estiverem tirando uma soneca durante o dia, faça o mesmo você também — ou pelo menos descanse.

Duplique a ajuda. Todas as mães de recém-nascidos precisam de ajuda — e você vai precisar do dobro. Aceite todo tipo de ajuda que lhe for oferecida, venha de onde vier: do marido, dos pais, de outros parentes, de amigos, de vizinhos adolescentes, de babás. Se você tiver condições financeiras, contrate duas babás para cuidar dos bebês quando tiver de ausentar-se durante o dia. Ou combine com duas amigas, parentes ou dois adolescentes da vizinhança. Assim, quando você estiver fora por algumas horas, cada um dos seus bebês estará recebendo atenção individual.

Aprenda a desligar-se um pouco do choro e da agitação. Você não pode estar em dois lugares ao mesmo tempo, e tanto você quanto os seus gêmeos terão de aprender a aceitar esse fato. Logo mais, eles começarão a entreter-se mutuamente, deixando-a com mais tempo para outros afazeres.

Duplique os equipamentos. Quando você não dispuser de mais mãos para ajudá-la, lance mão de um carrinho (um bebê no carrinho, outro nos seus braços), um balanço para bebês (só depois que os seus tiverem completado seis semanas de vida) e assentos. O cercadinho é um lugar seguro para os seus gêmeos brincarem quando crescerem um pouco, e, como um vai poder contar com a companhia do outro, vão querer ficar aí por mais tempo e mais freqüentemente do que um filho único. Escolha um carrinho de passeio para gêmeos que atenda às suas necessidades (se você vai circular por corredores estreitos de mercados, por exemplo, o carrinho em que um fica atrás e outro na frente será mais prático que o modelo em que os dois ficam lado a lado); é provável que você considere o carrinho-berço um desperdício de dinheiro. E não se esqueça de que vai precisar de dois assentos para carro. (Coloque um no centro do banco da frente e outro no centro do banco traseiro, se possível.)

Junte-se a um grupo de pais de gêmeos. Os pais de gêmeos que sobreviveram aos primeiros meses ou mais vão ser a sua melhor fonte de conselhos e apoio. Procure relacionar-se com eles. Descubra um grupo de apoio a pais de gêmeos em sua vizinhança; se não existir nenhum, crie o seu próprio grupo, arregimentando seus membros através de anúncios no quadro de avisos de seu pediatra. Não forme, porém, um grupo fechado demais, em que só haja pais de gêmeos, nem coloque os seus filhos para brincar em grupos exclusivamente formados por crianças gêmeas. Ainda que exista uma grande diferença em ser um gêmeo, ao excluir outras crianças das relações dos seus gêmeos você estará desestimulando o desenvolvimento normal da sociabilidade, pois é evidente que, dentre todos os amigos que eles fizerem, a grande maioria não será formada por gêmeos.

Fique duplamente alerta assim que os seus gêmeos se tornarem mais ativos. Dois bebês passam pelos mesmos apuros que um — só que com freqüência maior. Quando seus gêmeos começarem a engatinhar de um lado para o outro, você vai descobrir que um sempre fará todas as travessuras que o outro não pensou em fazer. Conseqüentemente, a sua vigilância terá de ser redobrada.

Confie em que as coisas ficarão duas vezes melhores. Os primeiros quatro meses com os gêmeos são os mais difíceis; ainda que nunca seja fácil, lidar com eles vai tornar-se menos complicado à medida que você for adquirindo prática. Não se esqueça, também, de que quase sempre os irmãos gêmeos são a melhor companhia um do outro — muitos deles têm um jeito de entreter o outro que as mães de filhos únicos exigentes acham invejável e que isso vai deixá-la cada vez menos atarefada nos meses e anos vindouros.

AS FONTANELAS

"Fico muito nervosa quando passo a mão pela cabeça do meu bebê — aquela parte mole me parece tão frágil. Às vezes ela parece pulsar, o que é muito assustador."

Essa "parte mole" — na verdade há duas, chamadas de fontanelas — é mais resistente do que parece. A forte membrana que cobre as fontanelas é capaz de proteger o recém-nascido até dos cutucões dos dedos de irmãos curiosos, quanto mais do manuseio cotidiano.

Essas aberturas no crânio, nas quais os ossos ainda não estão soldados, não existem para deixar os pais aflitos ao lidar com o bebê, mas por duas importantes razões. Durante o parto, elas permitem que a cabeça do feto se alongue para passar pelo canal vaginal, algo que um crânio completamente soldado seria incapaz de fazer. Depois, possibilitam o enorme crescimento do cérebro que se verifica no primeiro ano.

A maior das duas aberturas, a fontanela anterior, fica na parte de cima da cabeça do recém-nascido; possui forma de losango e pode ter uma largura de cinco centímetros. Começa a fechar-se quando o bebê está com seis meses de idade, e em geral está totalmente fechada aos oito meses. A fontanela normalmente parece plana, ainda que possa formar um ligeiro abaulamento quando o bebê chora e, se o cabelo dele for ralo e claro, tornar visível a pulsação cerebral. Em geral, a fontanela anterior deprimida é um sinal de desidratação, um aviso de que o bebê precisa ingerir líqüidos prontamente. (Se perceber esse sintoma, fale imediatamente com o médico.) A fontanela que persiste em se abaular pode indicar a existência de pressão no interior da cabeça e também exige cuidados médicos imediatos.

A fontanela posterior, uma abertura triangular menor que fica na parte de trás da cabeça, com menos de 2 cm e meio de diâmetro, é bem menos perceptível. Costuma estar completamente fechada por volta do terceiro mês.

BOLHAS DE AMAMENTAÇÃO

"Por que o meu bebê tem uma bolha no lábio superior? Será que ele está sugando com força demais?"

Para um bebê com bom apetite, não existe essa coisa de sugar com demasiada força — ainda que a mãe com mamilos sensíveis possa achar o contrário. E, apesar de essas "bolhas de amamentação", que aparecem no centro do lábio superior de muitos recém-nascidos, tanto nos amamentados pela mãe quanto nos que tomam mamadeira, serem provocadas pela sucção vigorosa, elas não têm significado clínico, não incomodam o bebê e desaparecem sem tratamento em alguns meses. Às vezes, até parecem desaparecer entre as mamadas.

CICATRIZAÇÃO DO CORDÃO UMBILICAL

"O cordão ainda não caiu do umbigo do meu bebê e está com um aspecto realmente horrível. Estaria infeccionado?"

Os umbigos em processo de cicatrização quase sempre passam uma falsa impressão de gravidade, devido ao seu aspecto e cheiro. Na verdade, aquilo que em termos médicos é considerado "perfeitamente normal" é capaz de mandar uma pessoa desavisada para o chão tão rapidamente quanto o faria o clímax de um filme de terror.

Se você tem cuidado bem direitinho do coto umbilical (veja página 96), é improvável que haja alguma infecção. Contudo, se perceber uma vermelhidão na pele ao redor (que tanto poderia ser sinal de infecção quanto de irritação provocada por aplicações de álcool), uma secreção no umbigo ou na base do cordão umbilical, sobretudo se malcheirosa, consulte o médico do seu bebê. Se houver infecção, ele provavelmente receitará um antibiótico.

O cordão, que é brilhante e úmido quando a criança nasce, em geral seca e cai em uma ou duas semanas, mas o grande acontecimento pode ocorrer antes, ou mesmo muito mais tarde — alguns bebês dão a impressão de que não querem livrar-se dele. Enquanto isso não acontece, mantenha o lugar seco (nada de banhos de banheira), exposto ao ar (fraldas para baixo e camisas para cima) e limpo com álcool (mas tente proteger a pele ao redor, talvez passando aí uma loção para bebês antes de limpar o cordão).

HÉRNIA UMBILICAL

"Sempre que o meu bebê chora, o umbigo dele dá a impressão de vir para fora. Nossa babá disse que é uma hérnia e quer enrolar uma faixa na barriga dele."

O diagnóstico talvez esteja correto, mas o tratamento sugerido está errado. Na fase pré-natal, todos os bebês têm uma abertura na parede abdominal através da qual os vasos sangüíneos se estendem para o cordão umbilical. Em alguns casos (mais no caso de bebês negros do que brancos), a abertura não se fecha completamente ao nascimento. Quando esses bebês choram ou se esforçam, uma pequena porção de alça intestinal passa pela abertura, erguendo o umbigo e, em geral, toda a área ao redor dele, formando uma protuberância que pode variar do tamanho da ponta de um dedo ao de um limão. Ainda que a aparência dessa protuberância (sobretudo quando rotulada com o sinistro nome de "hérnia") possa ser alarmante, na verdade não há motivo para preocupar-se. Ao contrário de outras hérnias, o intestino quase nunca se estrangula na abertura, e, na maioria dos casos, a hérnia acaba sendo resolvida sem intervenção cirúrgica. As pequenas aberturas costumam fechar espontaneamente ou tornam-se imperceptíveis em poucos meses; as maiores demoram de um ano e meio a dois anos.

Faixas em volta do abdome, curativos e moedas presas por fita adesiva são tratamentos antiquados e ineficazes, e o adesivo pode irritar a pele. Na maioria dos casos, o melhor tratamento consiste em não fazer tratamento algum. Ainda que a cirurgia para erradicar as hérnias umbilicais seja simples, segura e infalível, só é recomendável se a abertura no abdome for muito grande, estiver aumentando de tamanho, incomodar o bebê ou deixar a mãe aflita. Quase sempre o pediatra sugere que se espere até a criança completar seis ou sete meses antes de se pensar em cirurgia, pois, na grande maioria das vezes, a essa altura a abertura já se terá fechado. E é óbvio que é muito melhor evitar uma cirurgia.

Não confunda um umbigo saliente com uma hérnia. A hérnia expande-se com o choro, o que não acontece com um umbigo normalmente protuberante. O umbigo também pode dar a impressão de aumentar, antes que o cordão umbilical tenha caído, mas tampouco se trata de hérnia.

ESPIRROS

"Meu bebê espirra o tempo todo. Não parece doente, mas acho que pegou um resfriado."

Não é desta vez, ainda, que você vai fazer aquela canja de galinha. O seu bebê provavelmente não pegou resfriado algum; o que ele tem é um pouco de líqüido amniótico e de muco nas vias respiratórias, algo muito comum nos bebês novinhos. Para retirá-los, a natureza dotou o bebê de um reflexo de autoproteção: os espirros. Espirrar freqüentemente (e tossir, outro reflexo de autoproteção) também ajuda o recém-nascido a livrar-se de partículas que vão do ambiente para o seu nariz — assim como cheirar pimenta-do-reino faz com que muitos adultos espirrem.

ESTRABISMO

"Diminuiu o inchaço ao redor dos olhos do meu bebê. Agora ele parece estrábico."

Os bebês são muito prestativos: estão sempre dando às mães alguma coisa nova com que se preocupar. E a maioria das mães fica muito preocupada ao perceber que os olhos de seus bebês parecem estrábicos. Na verdade, quase sempre o que leva um bebê a parecer estrábico são simplesmente dobras extras de pele nos cantos internos dos olhos. À medida que o bebê cresce e a pele se retrai, os olhos começam a parecer mais iguais.

Durante os primeiros meses, você poderá notar que os olhos do seu bebê não apresentam coordenação perfeita o tempo todo. Esses movimentos aleatórios dos olhos significam que ele ainda está aprendendo a usá-los e a fortalecer-lhes os músculos; por volta de três meses de idade, a coordenação já deve estar bem melhor. Se não estiver, ou se os olhos do seu bebê parecerem estar sempre fora de sincronia, fale com o médico sobre o problema. Se houver alguma possibilidade de estrabismo, ou de olho realmente cruzado (quando o bebê usa apenas um olho para enfocar aquilo para que está olhando, enquanto o outro dá a impressão de estar voltado para algum outro lugar), é preciso consultar um oftalmologista. O tratamento precoce é importante, pois grande parte do que a criança aprende é através dos olhos, e além disso, quando ignorado o estrabismo pode levar à ambliopia, ou olho "preguiçoso" (em que o olho que não está sendo usado fica menos ativo e, conseqüentemente, mais fraco devido ao desuso).

OLHOS LACRIMEJANTES

"No começo, quando o meu bebê chorava, não havia lágrimas. Agora, os olhos dele ficam cheios de lágrimas mesmo quando não está chorando, e às vezes elas escorrem."

O choro sem lágrimas é muito comum nos recém-nascidos. O líqüido que banha o olho (as chamadas lágrimas) só começa a ser produzido nas glândulas lacrimais acima dos globos oculares quando o bebê está completando um mês de vida. Normalmente, o líqüido escoa através de minúsculos dutos lacrimais localizados na extremidade interna de cada olho, e daí vai para o nariz — razão pela qual o excesso de choro pode fazer o nariz escorrer. Os dutos são particularmente minúsculos nos recém-nascidos, e um em cada cem bebês apresenta um ou ambos obstruídos ao nascer.

Como um duto lacrimal obstruído não escoa adequadamente, as lágrimas enchem os olhos e, em geral, derramam-se, provocando o conhecido olho "lacrimejante" até mesmo em bebês felizes. Os dutos entupidos geralmente estarão desobstruídos por si mesmos, sem tratamento, quando a criança tiver um ano de idade, embora o médico possa recomendar que você massageie os dutos para apressar a desobstrução. (Se você recorrer à massagem e os olhos do bebê ficarem inchados ou vermelhos, interrompa a massagem e informe-se com o médico.)

Às vezes, forma-se um pequeno acúmulo de muco branco-amarelado no canto interno do olho cujo duto lacrimal está obstruído, e o bebê então pode amanhecer com as pálpebras grudadas. O muco e a crosta podem ser lavados com água fria previamente fervida, embebida em bolas de algodão absorvente esterilizado. Uma secreção mais espessa, contudo de coloração amarela mais escura, e/ou um avermelhamento do branco dos olhos podem ser sinal de infecção, e requerendo portanto cuidados médicos. O pediatra poderá receitar pomada ou gotas antibióticas, e, se o duto mostrar-se cronicamente infeccionado, sugerir uma consulta com um oftalmologista. Este, por sua vez, pode recomendar que se introduza no duto uma sonda finíssima a fim de estabelecer o fluxo normal das lágrimas, ou sugerir que você espere um pouco mais, possivelmente até que a criança complete um ano. Pouquíssimas vezes a introdução da sonda não funciona, sendo então necessária uma cirurgia.

OS PRIMEIROS SORRISOS

"Todos dizem que os sorrisos do meu bebê 'não passam de gases', mas ele parece tão feliz quando faz isso. É mesmo verdade que ele ainda não sorri?"

As mães lêem em livros e revistas, e ouvem a mesma coisa de sogras, de amigas com filhos, de pediatras, de estranhos no parque. Ainda assim, nenhuma delas quer convencer-se de que os primeiros sorrisos do bebê são obra da passagem de uma bolha de gás, e não uma onda de amor que se dirige especialmente a ela.

No entanto — que tristeza! —, até onde a ciência atual está informada, parece que é verdade: a maioria dos bebês não sorri no verdadeiro sentido social antes de quatro a seis semanas de idade. Isto não significa que um sorriso seja sempre "apenas gases". É possível, também, que se trate de um sinal de conforto e contentamento — muitos bebês sorriem quando estão caindo no sono, quando urinam ou quando alguém lhes acaricia o rosto.

Quando o bebê exibir seu primeiro e verdadeiro sorriso, você saberá identificá-lo e vai derreter-se toda. Enquanto isso não acontece, desfrute desses relances de sorrisos que ainda estão por vir — sem dúvida adoráveis, seja qual for a sua causa.

A TEMPERATURA IDEAL PARA O BEBÊ

"Lá fora parece estar fazendo calor demais para toquinha e suéter, mas, quando saio com o meu bebê vestindo apenas fralda e camiseta, todas as pessoas na rua me dizem que ele está com pouca roupa."

No que diz respeito a estranhos bem-intencionados dentro de ônibus ou de lojas, ou mesmo na rua, as mães novas (mesmo as que já estão no segundo ou terceiro filho) nunca fazem nada correto. Portanto, trate de habituar-se às críticas. Em termos gerais, porém, não deixe que isso afete a maneira como você cuida do seu bebê. Todas as vovós irão para o túmulo afirmando o contrário, mas, desde que o termostato natural do bebê esteja adequadamente ajustado (nos primeiros dias de vida), você não precisa agasalhá-lo mais do que agasalha a si mesma. (Na verdade, antes disso, o excesso de roupas pode ser tão opressivo para o mecanismo de regulação térmica do recém-nascido quanto a insuficiência delas.)

Em geral, portanto, use seu próprio conforto como aferidor para determinar se o bebê está confortável ou não (a menos que você seja o tipo de pessoa que está sempre com calor quando todos estão com frio, ou sempre com frio quando todos estão com calor). Se estiver insegura, não vá conferir as mãos dele em busca de confirmação (como faz toda aquela gente "bem-intencionada", com cacarejos de desaprovação do tipo "Olhem só! As mãos dele estão geladas!"). As mãos e os pés de um bebê costumam ser mais frios do que o resto do corpo, mais uma vez devido a um sistema circulatório imaturo. E não pense que seu bebê pegou um resfriado só porque deu alguns espirros; ele pode espirrar em reação à luz do sol, ou porque precisa limpar o nariz. Se estiver calor lá fora, seu bebê não estará com pouca roupa.

Embora você não precise dar ouvidos a estranhos, dê ouvidos a seu bebê. Os bebês vão lhe dizer que estão com frio (assim como lhe dizem tantas outras coisas) fazendo birra ou chorando. Quando receber essa mensagem, examine a nuca, os braços ou o tronco do bebê (o que for mais fácil de alcançar por baixo das roupas dele) com o dorso da mão, tentando sentir-lhe a temperatura. Se o bebê parece bem quentinho, talvez o choro seja de fome ou cansaço. (E, se ele estiver suando, talvez esteja com muita roupa.) Se o bebê estiver um pouco frio, vista-o um pouco mais, ou aumente o termostato. Se um bebezinho parecer frio demais, leve-o imediatamente para um lugar quente, pois é provável que o corpo dele não consiga produzir calor suficiente para reaquecê-lo, mesmo que esteja cheio de roupas. Enquanto faz isso, coloque-o bem perto do calor do seu corpo — se necessário, até mesmo sob a sua blusa.

A única parte do bebê que precisa de proteção extra em todos os tipos de temperatura é a cabeça; em parte porque muito calor se perde com a cabeça a descoberto, e em parte porque a maioria dos bebês quase não têm cabelos que os protejam nessa região do corpo. Mesmo em dias mais ou menos frios, um gorro é uma boa idéia para bebês que ainda não completaram um ano. Em dias quentes e ensolarados, um chapéu com aba servirá para proteger a cabeça, o rosto e os olhos do bebê... mas, mesmo com toda essa proteção, a exposição ao sol pleno deve ser bem rápida.

Um bebê novinho também precisa de proteção extra em relação à perda de calor enquanto está dormindo. No sono profundo, seu mecanismo de produção de calor perde intensidade; portanto, em tempo fresco é preciso ter à mão um cobertor extra para a soneca dele. Se ele dormir à noite num quarto mais frio, um cobertor grosso ou um acolchoado vão ajudá-lo a conservar-se quente.

Quando se trata de vestir o bebê em tempo frio, o estilo "camadas" não só está em moda como é o mais sensato. Várias camadas de roupas leves retêm o calor do corpo com mais eficiência do que uma camada única e pesada; além disso, as camadas de cima podem ir sendo tiradas se for preciso, caso você entre numa loja muito quente ou tome um ônibus mal ventilado, ou se o clima der uma súbita guinada.

Um ou outro bebê foge à regra do controle da temperatura do corpo — assim como acontece com um ou outro adulto. Se o seu bebê parece mais frio do que você, ou mais quente, e fica assim o tempo todo, aceite o fato. Ao conversar com pessoas da família do seu marido, você talvez descubra que ele era igualzinho ao seu bebê. Para o bebê de temperatura mais fria, isso significa mais cobertores e roupas mais quentes do que aquelas que você normalmente usa. Para o bebê de temperatura mais quente (fato que você provavelmente vai detectar pelas assaduras que ele apresentará mesmo no inverno), significa que é preciso usar menos cobertas e roupas mais leves.

SAIR COM O BEBÊ

"Faz dez dias que eu e meu bebê deixamos o hospital, e estou começando a ficar louca, sentindo-me numa prisão. Quando poderei sair com ele?"

A menos que o hospital e sua casa sejam interligados por um túnel subterrâneo, você já saiu com o bebê. E, a não ser em casos de uma tempestade de neve, de um temporal ou de temperaturas extremamente frias, você poderia muito bem ter continuado a sair com ele desde aquele dia. As histórias das velhas comadres (que continuam a ser perpetuadas por nossas mães e sogras nem tão velhas assim) que mantinham os recém-nascidos e suas mães presos em casa por duas semanas depois do parto (ou mais) são completamente indefensáveis. Qualquer bebê forte o suficiente para deixar o hospital é bastante forte para resistir a um passeio ao parque, uma ida ao supermercado, e até mesmo para enfrentar uma pequena viagem à casa da avó (ainda que, em épocas de gripes, você talvez prefira restringir a exposição do seu bebê às multidões da rua, sobretudo no primeiro mês). Admitindo-se que você esteja disposta a exercitar-se (você provavelmente precisará de mais repouso do que o bebê, e seria bom que descansasse bastante, pelo menos durante a primeira semana após o parto), sinta-se à vontade para planejar essa primeira fuga dos limites de sua casa.

Ao sair com o bebê, vista-o adequadamente, e leve sempre um agasalho extra se houver alguma possibilidade de queda da temperatura. Se estiver ventando ou chovendo, use o protetor do carrinho para abrigar o bebê; em dias muito frios, ou extremamente quentes e úmidos, restrinja a quantidade de tempo que ficará fora com seu bebê — se você estiver congelando ou suando em bicas, ele também estará. A exposição direta à luz do sol deve ser breve, mesmo que não esteja tão quente. Se sair de carro, certifique-se de que o bebê esteja bem firme em seu assento especial.

EXPOR O BEBÊ A ESTRANHOS

"Todos querem tocar nosso filho: o porteiro, o funcionário do supermercado, as senhoras que encontro nas lojas, as visitas que recebemos em casa. Estou sempre preocupada com germes."

Não há nada que mais peça para ser apertado do que um bebezinho. As bochechas, os dedos, o queixo, os dedos do pé — é tudo irresistível. E, no entanto, resistir é tudo quanto as mães gostariam que os estranhos fizessem quando se trata de seus bebês.

É legítimo esse medo de que o bebê apanhe germes desse jeito. Um bebê muito novinho é mais suscetível às infecções porque seu sistema imunológico ainda é relativamente imaturo, e a criança ainda não teve oportunidade de criar imunidades. Portanto, pelo menos por ora, peça delicadamente aos estranhos que olhem, mas não toquem — sobretudo as mãos, que em geral vão parar na boca do bebê. Sempre se pode jogar a culpa no médico: "O pediatra pediu para não deixar que ninguém fora da família toque nele por enquanto". Quanto aos amigos e familiares, peça-lhes que lavem as mãos antes de pegarem o bebê, pelo menos durante o primeiro mês. Esse cuidado deve ser mantido indefinidamente quando se tratar de pessoas portadoras de doença transmissível. O contato pele a pele deve ser evitado no caso de qualquer pessoa que tenha brotoejas ou feridas abertas.

Não importa o que você faça ou diga, esteja certa que, uma vez ou outra, o seu bebê acabará tendo algum contato com estranhos. Nem tudo está perdido. Se um simpático funcionário do supermercado der um dedo para seu bebê agarrar, tire um lenço de limpeza e limpe as mãos do bebê — discretamente, é claro.

Contudo, seu bebê não vai — e nem deve — crescer dentro de uma bolha de plástico, completamente isolado do ambiente. Ele precisa ser exposto a uma grande variedade de "bichinhos", a fim de começar a desenvolver imunidade aos que são mais comuns na comunidade onde você vive. Portanto, depois do primeiro mês, relaxe um pouco e deixe que os germes caiam onde caírem.

MUDANÇA NA COR DA PELE

"De repente, meu bebê passou a ter duas cores — arroxeado nas nádegas e um tom pálido no tronco. O que há de errado com ele?"

Não existe provavelmente nada mais assustador do que ver seu bebê mudar de cor diante dos seus olhos. E, no entanto, não há na verdade nada a temer quando, de repente, um recém-nascido fica com uma aparência bicolor, tanto de lado para lado quanto de cima para baixo. Em decorrência do sistema circulatório imaturo, o sangue às vezes simplesmente concentra-se na metade do corpo do bebê. Vire-o de cabeça para baixo (ou, se a diferença de cor for de um lado para o outro, vire-o de bruços) por alguns momentos, e a cor normal voltará.

Você poderá notar também que as mãos e os pés de seu bebê parecem azulados, ainda que o resto do corpo seja cor-de-rosa. Isto também decorre da circulação imatura e geralmente desaparece lá pelo fim da primeira semana.

"Às vezes, quando estou trocando meu bebê percebo que a pele dele está toda sarapintada. Por que isso acontece?"

O matiz violáceo (às vezes mais para o vermelho, outras mais para o azul) da pele de um bebezinho é uma coisa que sempre enche de dúvidas e perguntas a cabeça dos pais. Isto, porém, não é incomum quando o bebê está com frio ou chorando. Essas alterações transitórias são mais um indício de um sistema circulatório imaturo, visíveis através da pele ainda muito fina do bebê. Ele deve superar esse fenômeno em poucos meses. Nesse ínterim, sempre que acontecer, examine-lhe a nuca para ver se ele está frio demais. Se estiver, agasalhe-o melhor. Se não estiver, relaxe e espere que o problema desapareça, o que provavelmente vai acontecer dentro de alguns minutos.

HORÁRIOS DE ALIMENTAÇÃO

"Tenho a impressão de que passo o tempo todo dando de mamar a minha filha. Que foi feito dos intervalos de quatro horas de que ouvi falar?"

Infelizmente, seu bebê (e todos os outros que você vai ver mordiscando os peitos de suas mães quase sem parar nos primeiros meses de vida) não ouviu falar do horário de 4 horas. A fome chega, e a criança quer alimentar-se — com freqüência bem maior do que a maioria dos "horários" lhe permitiria fazer.[3]

Deixe seu bebê à vontade — pelo menos por enquanto. Os horários de 3 e 4 horas são baseados nas necessidades de recém-nascidos que usam mamadeira, os quais, em geral, dão-se muito bem com tais regimes. Contudo, a maioria dos be-

3. Não se esqueça, porém: assim como as contrações do parto, os intervalos entre as mamadas são cronometrados do começo de uma ao começo da seguinte. Portanto, um bebê que mama durante 40 minutos, começando às 10 da manhã, e depois dorme durante 1 hora e 20 minutos antes de alimentar-se novamente está num horário de 2 horas, não de 1 hora e 20 minutos.

bês amamentados pela mãe precisa alimentar-se com maior freqüência. Em primeiro lugar, porque o leite materno é digerido mais rapidamente do que o artificial, levando-os a sentir fome mais depressa. Em segundo lugar, porque as mamadas freqüentes ajudam a estabelecer um bom suprimento de leite — a base de uma relação bem-sucedida entre a mãe que amamenta e o bebê.

Nas primeiras semanas, dê de mamar ao bebê todas as vezes que ele solicitar. Contudo, se por volta da terceira semana ele ainda estiver pedindo alimento de hora em hora, consulte o médico para ver se ele está ganhando peso normalmente. Se não estiver peça ao pediatra que a oriente e leia "O Bebê Amamentado Que Não se Desenvolve Bem", na página 109 deste livro. Mas se ele estiver se desenvolvendo bem, chegou o momento de *você* começar a fazer algumas exigências. Amamentar de hora em hora não só representa um grande desgaste emocional, como também um desgaste físico, e provavelmente irá resultar em mamilos doloridos e extremo cansaço. Tampouco é o melhor para o bebê, pois ele precisa de períodos mais longos de sono e períodos mais longos de vigília quando não está se alimentando — e então deveria estar olhando para alguma outra coisa que não seja o seu peito.

Admitindo-se que o seu suprimento de leite esteja estável, você pode começar a pensar em adaptar o bebê a uma espécie de horário. Tente aumentar os intervalos entre as mamadas (o que também poderá ajudar a criança a dormir melhor à noite). Quando ela acordar chorando uma hora depois de ter mamado, não corra a amamentá-la outra vez. Se ela ainda parecer sonolenta, tente fazê-la retomar o sono sem lhe dar de mamar. Antes de pegá-la, dê-lhe umas palmadinhas nas costas ou a acaricie nesse ponto, ligue um brinquedo musical e veja se ela cai no sono novamente. Se não funcionar, pegue-a, cante-lhe alguma coisa bem suave, ande com ela, embale-a, sempre com o objetivo de fazê-la dormir de novo. Se parecer desperta, não lhe dê de mamar mesmo assim. Troque-lhe a fralda, converse com ela, ofereça-lhe algum outro tipo de distração, ou, até mesmo, faça um pequeno passeio com ela. Talvez ela fique tão interessada em você e no resto do mundo que acabe por esquecer-se de seus peitos — pelo menos durante alguns minutos.

Quando você finalmente lhe der de mamar, não aceite a mamada tipo "lanche rápido" que alguns bebês gostam de fazer; incentive-o a mamar pelo menos 10 minutos em cada peito — 20 minutos seria o ideal. Se o bebê recusar-se a mamar tanto assim, comece com 5 minutos em cada lado, de tal modo que, em 10 minutos, ele tenha ingerido a maior parte do leite dos dois peitos; depois, ponha-o de novo no primeiro peito e deixe que mame o tanto que quiser. Se adormecer, tente acordá-lo para que continue mamando. Se você conseguir aumentar o intervalo entre as mamadas um pouco mais a cada dia, tanto você quanto a criança vão acabar entrando num esquema mais razoável: de 2 a 3 horas e, por fim, cerca de 4. Esse horário, porém, deve basear-se na fome da criança, não no relógio.

SOLUÇOS

"Meu bebê soluça o tempo todo — e sem motivo aparente. Será que os soluços o incomodam tanto quanto a mim?"

Alguns bebês não são apenas "soluçadores" natos — já soluçavam muito antes de nascer. E se o seu bebê soluçava muito dentro de você, são grandes as possibilidades de que continue a fazê-lo durante os primeiros meses aqui fora. Ao contrário, porém, do que acontece com os adultos, os soluços dos recém-nascidos não têm causa conhecida. Acredita-se que sejam mais um dos reflexos do bebê, ainda que, mais tarde, sejam freqüentemente provocados pelo riso. E, também ao contrário dos soluços dos adultos, não são incômodos – não para o bebê, pelo menos. Se você fica aflita com eles, tente oferecer o seio ao bebê ou uma mamadeira com água, o que pode abrandar o acesso.

EVACUAÇÃO

"Meu bebê mama no peito, e esperava que ele evacuasse uma vez, talvez duas vezes por dia. Na verdade, porém, ele parece evacuar a cada troca de fralda — o que pode chegar a dez vezes por dia. As fezes são muito moles. Ele poderia estar com diarréia?"

Dentre os bebês amamentados ao seio, o seu não é o único que parece estar querendo entrar para o *Guinness* na condição de maior sujador de fraldas. Essa eliminação constante não constitui um mau sinal; é, na verdade, bastante positiva. Como a quantidade que sai está relacionada com a quantidade que entra, qualquer mãe que amamenta cujo recém-nascido evacue cinco ou mais vezes por dia pode ficar certa de que ele está sendo adequadamente alimentado. (As mães cujos bebês alimentados ao seio evacuam menos vezes devem consultar a página 110 deste livro.) O número de evacuações diminui progressivamente e, no mês seguinte, pode chegar a não mais de uma por dia, ou uma a cada dois dias, ainda que alguns bebês continuem evacuando várias vezes por dia ao longo de todo o primeiro ano. Não é preciso contar — o número de vezes pode variar de um dia para o outro, o que também é perfeitamente normal.

No caso de bebês amamentados, também é normal a evacuação de fezes muito moles, às vezes até mesmo líqüidas. A diarréia, porém — fezes freqüentes, líqüidas, malcheirosas, que podem conter muco e são quase sempre acompanhadas por febre e/ou perda de peso —, é rara entre crianças que tomam leite materno. Quando ocorre, as evacuações são menos freqüentes e com menos quantidade de fezes do que na diarréia de bebês que tomam mamadeira, e a recuperação é mais rápida, talvez devido às propriedades antibacterianas do leite materno.

CONSTIPAÇÃO

"Estou preocupada que meu bebê esteja constipado. Ele evacua em média só uma vez a cada dois ou três dias. O problema poderia estar no leite artificial que ele toma?"

A constipação (ou prisão de ventre) foi levianamente definida como evacuações menos freqüentes do que as da mãe. A comparação, porém, não é confiável, pois cada indivíduo tem um padrão próprio de eliminação, e não se trata, necessariamente, de um caso do tipo "tal mãe, tal filho". Alguns bebês que tomam mamadeira apresentam intervalos de três ou quatro dias entre as evacuações. Contudo, só se considera que estejam constipados quando essas evacuações esporádicas apresentam fezes compactas ou em forma de grânulos duros, ou se provocam dor ou sangramento (proveniente de uma fissura anal decorrente da passagem das fezes). Se as fezes do bebê são macias e não ocasionam problemas, não se preocupe. Mas, se você suspeitar de prisão de ventre, consulte o médico. A mudança do leite artificial ou o acréscimo de algumas colheres de suco de ameixa seca (ou de outra fruta) à alimentação do bebê podem ajudar. (Os sucos cítricos não devem ser introduzidos num estágio assim precoce, pois são extremamente alergênicos e muito ácidos.) Não dê laxantes (principalmente óleo mineral) ou chás de ervas, nem faça lavagens sem antes consultar o médico.

"Eu achava que os bebês amamentados pelas mães jamais ficavam constipados — mas minha filha grita, geme e se contorce toda vez que evacua."

É verdade que os bebês de peito raramente ficam constipados, pois o leite materno é o que existe de melhor para o trato digestivo deles. Mas também é verdade que alguns bebês têm de esforçar-se muito para evacuar, ainda que as fezes sejam moles, dando a impressão de que deveriam sair facilmente.[4] Não se sabe ao certo porque isto acontece. Alguns estudiosos acreditam que isso ocorre porque as fezes do bebê, sendo moles, não pressionam adequadamente o ânus. Outros especulam que os músculos do ânus não são nem suficientemente fortes nem suficientemente coordenados para eliminar quaisquer fezes com facilidade. Outros, ainda, chamam a atenção para o fato de que bebês muito novos, que em geral evacuam deitados, não contam com a ajuda da gravidade.

Seja qual for o motivo, a dificuldade deverá atenuar-se quando os alimentos sólidos forem introduzidos na alimentação do bebê. Enquanto isso não acontece, não fique preocupada. E lembre-se: não use laxantes (principalmente de óleo mineral), não faça lavagens, não recorra a qualquer remédio caseiro para tentar resolver o problema — pois, na verdade, não existe problema algum. Quando um adulto está constipado, quase sempre se sente aliviado ao caminhar; se o seu bebê mostrar-se inquieto, você poderá ajudá-lo flexionando e estendendo-lhe as pernas (imitando o movimento de uma bicicleta) com ele deitado de costas. E, assim que ele começar a comer alimentos sólidos, certifique-se de que sua alimentação seja pródiga em grãos integrais, legumes, frutas e verduras — e, por fim, que se exercite bem.

EVACUAÇÃO "EXPLOSIVA"

"As evacuações do meu filho vêm com tanta força e fazem tanto barulho, que fico preocupada com a possibilidade de que ele esteja com algum problema digestivo. Ou então que haja algo de errado com o meu leite."

Os recém-nascidos amamentados pela mãe raramente são discretos quando se trata de suas evacuações. O "ribombar" que ressoa no quarto quando estão enchendo as fraldas quase sempre pode ser ouvido até no quarto ao lado, podendo deixar alarmados os pais inexperientes. Contudo, essas evacuações e a surpreendente variedade de ruídos que ponteiam sua passagem são normais — é a conseqüência da eliminação forçada de gases de um sistema digestivo imaturo. As coisas devem melhorar dentro de um ou dois meses.

GASES

"Meu bebê expele gases o dia inteiro — e sempre com muito ruído. Será que está tendo problemas estomacais?"

As exclamações digestivas que freqüentemente explodem do minúsculo traseiro de um recém-nascido (quase tão enfaticamente quanto a variedade adulta) podem ser perturbadoras — e às vezes constrangedoras — para os pais. Contudo, da mesma forma que as defecações explosivas, são perfeitamente normais. À medida que o sistema digestivo do recém-nascido amadurece, os gases são expelidos com menos barulho e freqüência.

ALERGIA AO LEITE

"Meu bebê está chorando muito, e uma amiga sugeriu-me que ele talvez seja alérgico ao leite artificial que está tomando. Como posso saber?"

Ainda que as amigas costumem responsabilizar a alergia ao leite pelo excesso de choro, e que as mães, ansiosas por atribuir o choro a qualquer coisa que não elas mes-

4. Se o seu bebê mama no peito e tem evacuações muito pouco freqüentes, e não está ganhando peso, volte à página 109 deste livro e consulte o médico. É possível que ele não esteja se alimentando bem e, portanto, não tenha muito a eliminar.

mas, inclinem-se a aceitar essa explicação, os médicos não a aceitam com a mesma presteza. A alergia ao leite é a mais comum das alergias a alimentos que os bebês apresentam, mas é menos comum do que muita gente crê. Em sua maioria, os médicos acreditam tratar-se de uma possibilidade muito remota numa criança cujos pais não têm alergias, e também naquela cujo único sintoma é o choro. O bebê que está apresentando uma forte reação alérgica ao leite em geral vai vomitar com freqüência e ter fezes moles e líqüidas, possivelmente manchadas de sangue. (É importante descobrir a causa desses sintomas o mais rápido possível, já que eles podem levar à desidratação e a um grave desequilíbrio químico.) As reações menos graves podem incluir vômitos ocasionais e fezes moles com a presença de muco. Bebês alérgicos ao leite também podem ter eczemas, urticária, respiração ofegante e/ou secreção nasal ou falta de ar sempre que forem expostos à proteína do leite.

Infelizmente, não existe um teste simples que determine a hipersensibilidade (alergia) ao leite com um certo grau de exatidão, a não ser o método da tentativa e erro. Se você suspeitar de alergia ao leite, discuta a possibilidade com o seu pediatra antes de tomar qualquer atitude. Se não existir um histórico de alergias na sua família, e se o único sintoma for o choro, é provável que o médico vá sugerir que você trate os acessos de choro como cólica normal (veja página 137).

Se houver alergias na família ou outros sintomas além do choro, talvez seja recomendada uma mudança experimental do leite artificial tomado pela criança — para o leite hidrolisado (em que a proteína é parcialmente quebrada, ou pré-digerida) ou para o leite de soja. Uma rápida melhora dos sintomas de cólica e o desaparecimento de outros sintomas eventuais poderiam sugerir a possibilidade de uma alergia ao leite — ou, talvez, não passasse de uma coincidência. Retomar a ingestão do leite que foi substituído constitui uma maneira de comprovar o diagnóstico; se os sintomas voltarem com o leite, é provável que se trate mesmo de alergia.

Em muitos casos não se verifica mudança alguma quando a criança passa a tomar leite de soja. Isto pode significar que ela também é alérgica à soja, ou tem um problema clínico que nada tem a ver com o leite, e que precisa ser diagnosticado, ou, simplesmente, que o seu sistema digestivo é imaturo. A mudança da soja para uma fórmula de leite hidrolisado deveria ajudar, caso o bebê pareça sensível tanto à soja quanto ao leite. Em alguns casos, o leite de cabra pode ser recomendado, mas, como esse leite não contém ácido fólico, procure um tipo que tenha sido enriquecido com essa vitamina.

Muito raramente, o problema é uma deficiência de enzimas — a criança nasce incapaz de produzir lactase, a enzima necessária para digerir a lactose, o açúcar do leite. Uma criança com esse problema tem diarréia persistente desde o início e não consegue ganhar peso. Em geral, o problema pode ser resolvido com um leite artificial contendo pouca ou nenhuma lactose. Ao contrário da intolerância temporária à lactose, que às vezes se desenvolve durante uma infecção intestinal, a deficiência congênita de lactase costuma ser permanente. É provável que o bebê com tal deficiência nunca seja capaz de tolerar os produtos normais do leite — ainda que talvez se dê muito bem com os que têm lactose reduzida.

Se não se conseguir ligar o problema à alergia ou intolerância ao leite, você talvez deva voltar ao leite em pó de origem bovina, já que se trata do melhor substituto do leite materno.

Em geral, a alergia dos bebês ao leite de vaca é superada no final do primeiro ano, e quase sempre por volta do final do segundo. Se o seu bebê está rejeitando esse tipo de leite, o seu médico pode sugerir uma nova experiência com o produto depois de seis meses, com uma fórmula substituta, ou talvez sugira que se espere até o primeiro aniversário da criança.

DETERGENTE NAS ROUPAS DO BEBÊ

"Tenho usado sabão especial para lavar as roupas da minha filha, mas nada parece ficar limpo e já estou ficando cansada de lavar separadamente as roupas dela. Quando posso começar a usar sabão em pó?"

Ainda que os fabricantes de sabões especiais para roupas de bebês não apreciem nem um pouco a divulgação desse fato, muitos bebês provavelmente não precisem ter suas roupas lavadas em separado das do resto da família. Até mesmo os detergentes extremamente concentrados, aqueles que realmente deixam as roupas limpas e eliminam a maior parte de manchas e cheiros não são irritantes para um número enorme de bebês — desde que sejam bem enxaguados. (É muito mais fácil enxaguar, e a eliminação de manchas é muito mais eficaz, quando se usam detergentes líqüidos.) Outra vantagem do uso de detergentes: como eles não são interditos para as roupas que retardam a ação do fogo, como acontece com os saponáceos, todas as roupas do bebê podem ser lavadas juntas na mesma máquina.

Para testar a sensibilidade do seu bebê ao seu detergente favorito, a próxima vez que você for lavar a roupa da família ponha para lavar uma peça que vá ser usada em contato com a pele dele (uma camiseta, por exemplo), tendo o cuidado de não usar detergente em excesso e de enxaguar bem. Se a pele do bebê não ficar irritada ou com brotoejas, sinta-se à vontade para lavar as roupas da sua garotinha junto com as suas. Se surgir algum problema de pele, tente outro detergente (de preferência um que não tenha cores nem perfumes) antes de decidir que tem que ficar presa ao sabão especial.

SONO AGITADO

"Nosso bebê, que dorme no mesmo quarto conosco, mexe-se e vira no berço a noite inteira. Será que a proximidade de nossa presença o está impedindo de dormir um sono profundo?"

Ainda que a expressão "dormir como um bebê" quase sempre remeta a um sono invejavelmente tranqüilo e restaurador — sobretudo para os fabricantes de colchões e outros acessórios do gênero —, o sono dos bebês não é absolutamente repousante. Os recém-nascidos dormem muito, mas também acordam muito durante o sono. Isso acontece porque a maior parte do seu sono ocorre nos ciclos chamados de REM, um sono ativo, com sonhos e muito movimento. Ao término de cada período de REM, a pessoa que dorme costuma acordar por um breve tempo. Quando você ouve o seu bebê choramingando à noite, isso talvez se deva ao fato de ele ter terminado um período de REM, e não ao de vocês dividirem o quarto com ele.

Quando o bebê crescer mais, os seus padrões de sono vão amadurecer. Ele terá menos sonos do tipo REM, e períodos mais longos de "sono calmo", muito mais profundo, do qual será bem mais difícil acordá-lo. Vai continuar agitando-se e choramingando de vez em quando, mas com muito menos freqüência.

Ainda que o fato de vocês compartilharem o mesmo quarto provavelmente não perturbe o sono do bebê nesse estágio do seu desenvolvimento (embora possa fazê-lo em breve), sem dúvida não se pode dizer o mesmo do seu sono e do seu marido. Vocês não só acordam a cada gemido, como também se sentem tentados a pegá-lo muito mais do que o necessário ao longo da noite. Tente ignorar os murmúrios do seu bebê de madrugada, e só pegue-o quando ele começar a chorar intensa e seriamente. Todos vocês dormirão melhor. Se você acha difícil fazer isso, talvez seja melhor ir pensando em separar os quartos — se é que vocês dispõem do espaço para tanto.

Fique atenta, porém, ao despertar e ao choro súbitos, a qualquer inquietação incomum ou a outras alterações do padrão de sono que não parecem ter ligação com os acontecimentos da vida do bebê (como a dentição ou um dia com excesso de estímulos). Se você perceber essas coisas, procure sinais de doença como febre, perda de apetite ou diarréia (veja o capítulo 17). Se os sintomas persistirem, consulte o médico.

PADRÕES DE SONO

"Eu pensava que os recém-nascidos dormissem o tempo todo. Com três semanas de idade, nossa filha dá a impressão de não dormir quase nunca."

Em geral, os recém-nascidos parecem não se dar conta daquilo que se espera deles. Mamam desordenadamente quando se espera que estivessem seguindo um intervalo de 3 ou 4 horas, ou dormem 12 horas por dia (ou 22) quando se espera que durmam 16 horas e meia. Isto acontece porque eles sabem aquilo de que freqüentemente nos esquecemos — que não existe quase nada que se possa esperar que um bebê faça a qualquer momento específico. Os bebês "médios", que fazem tudo conforme o regulamento, de fato existem — mas são minoria. As dezesseis horas e meia, que constituem o tempo médio de sono para os bebês em seus primeiros meses de vida, levam em conta bebês que dormem 10 horas por dia e outros que dormem 23, bem como todos os que ficam no meio. O bebê situado em qualquer das extremidades do espectro não é menos normal do que o que está perto da média. Alguns bebês, assim como alguns adultos, parecem precisar de mais horas de sono do que outros, e há os que parecem precisar de menos.

Portanto, admitindo-se que o seu bebê pareça saudável sob todos os aspectos, não se preocupe com a sua constante vigília, mas trate de habituar-se a ela. Bebês que dormem muito pouco tendem a transformar-se em crianças que dormem muito pouco — com pais que, não por coincidência, também dormem muito pouco.

"Meu bebê acorda várias vezes durante a noite. Minha mãe diz que, se eu não ajustá-lo desde já a um padrão de sono regular, ele talvez nunca venha a desenvolver bons hábitos de sono. Ela diz que devo deixá-lo chorar, em vez de dar-lhe de mamar a noite inteira."

Qualquer mãe experiente, sobretudo aquela que já passou por dificuldades com um bebê que não dormia à noite ou que tinha dificuldade em adormecer sabe da importância de se criarem bons hábitos de sono nas crianças, quando são ainda bem novas. No primeiro mês de vida, porém, é cedo demais. O seu bebê mal começou a aprender as primeiras coisas sobre o mundo. Neste momento, a coisa mais importante que ele precisa aprender é que sempre poderá contar com você quando chamá-la — mesmo que o faça às 3 da madrugada, mesmo que esteja acordando pela quarta vez em 6 horas. "Chorar até dormir" tem o seu lugar para ajudar um bebê a perceber de que modo pode adormecer por si próprio, mas não antes de decorrerem vários meses — não, pelo menos, enquanto ele não começar a sentir-se mais seguro e com mais controle sobre o seu ambiente.

Se você está dando de mamar, a tentativa de instituir um horário de sono agora também poderia interferir no estabelecimento de um bom suprimento de leite — e no desenvolvimento do seu bebê. Os recém-nascidos que mamam no peito precisam alimentar-se mais freqüentemente do que os que usam mamadeira, em geral a cada 2 horas, o que quase sempre os impede de dormir a noite toda — até um determinado ponto entre o terceiro e o sexto meses. Assim como o tradicional esquema de alimentação com intervalos de quatro horas, a crença em que bebês de uns dois meses de idade devem dormir a noite toda tem por base aquilo que se verifica no desenvolvimento dos bebês que usam mamadeira, e é quase sempre irreal no que diz respeito aos que são amamentados pela mãe.

Portanto, como a sua mãe aconselha, pense no futuro e institua uma certa disciplina quanto aos hábitos de sono do seu bebê, mas não deixe que, pelo menos por ora, ele chore até dormir.

BARULHO QUANDO O BEBÊ ESTÁ DORMINDO

"Tenho uma amiga que desliga o telefone quando o seu bebê está dormindo, coloca um aviso na porta, pedindo às pessoas que batam, em vez de tocarem a campainha, e anda pelo apartamento na ponta dos pés enquanto o bebê dorme à tarde. Não se trata de um certo extremismo?"

Sua amiga está programando o bebê para ser incapaz de dormir a não ser sob condições de controle ambiental, condições que ela descobrirá serem virtualmente impossíveis de manter em base permanente — a menos que o quarto do bebê seja uma cela acolchoada.

E, mais importante ainda, seus esforços provavelmente serão contraproducentes. Ainda que um barulho repentino possa acordar alguns bebês, outros podem dormir ao lado de uma queima de fogos de artifício, de sirenes ou de cães latindo. Para a maioria, porém, a permanência de um barulho de fundo — de uma televisão ou rádio, de um ventilador ou ar condicionado, de um brinquedo musical, de algo que imite os sons do útero de uma máquina emissora de "ruído branco" — parece induzir a um sono mais repousante do que o silêncio total, sobretudo se, ao dormir, o bebê estava ouvindo tais sons.

A intensidade (bem como os tipos) de ruído com o qual um bebê consegue dormir depende, em parte, dos sons a que ele se habituou antes de nascer, e em parte do seu temperamento. Portanto, os pais devem observar o comportamento dos seus bebês para poderem determinar até onde devem ir para protegê-los de interrupções desnecessárias do sono do dia e da noite. Se um bebê termina por mostrar-se especialmente sensível aos sons durante o sono, talvez seja conveniente pôr a campainha do telefone no baixo, trocar a campainha da porta por outra, bastante suave, ouvir rádio e ver televisão numa altura que não incomode ninguém. São táticas desnecessárias, porém, se o bebê dormir apesar de todo o barulho.

Ao tentar acabar com todos os sons na vida do seu bebê, a sua amiga muito provavelmente estará tornando difícil para ele ter uma boa noite de sono mais tarde, quando ele tiver de dormir no mundo real.

CHUPETA

"Meu bebê tem acessos de choro durante a tarde. Será que devo tentar acalmá-lo com uma chupeta?"

A longo prazo, provavelmente é melhor que os bebês aprendam, até certo ponto, a confortar a si mesmos, em vez de se valerem de recursos artificiais, como é o caso da chupeta. Um polegar (ou a mão fechada) pode ajudar o bebê a ter outros lugares onde sugar, tanto por prazer quanto para acalmar-se, e, mais importante, sob o controle do próprio bebê, e não dos pais. O polegar, por exemplo, está sempre ali, pode ser tirado da boca quando ele quiser sorrir, chorar, "falar enrolado" ou expressar-se de alguma outra maneira, e não vai provocar a chamada "confusão de bicos", como acontece com a chupeta para os bebês que estão aprendendo a sugar no peito.

Devido à confusão de bicos, não é uma boa idéia dar uma chupeta a um bebê enquanto a amamentação no peito não estiver bem estabelecida. A chupeta não deve ser usada de modo algum no caso de um bebê que não esteja ganhando peso num ritmo adequado, ou que não aprende a mamar direito, pois ela pode satisfazer de tal modo a necessidade de sugar desse tipo de criança que esta acaba perdendo o interesse em fazê-lo no peito da mãe.

Por vezes a chupeta pode ser dada, temporariamente a um bebê que chora muito e não se deixa acalmar por nada mais, ou que quer sugar mais, para sua satisfação, mas ainda não descobriu como levar os dedos à boca. Os pais não devem esquecer, porém, que o uso da chupeta leva facilmente ao abuso da mesma. Aquilo que começa como uma "muleta" para o bebê pode transformar-se com rapidez em algo semelhante para a mãe. Haverá sempre a tentação de usar a chupeta como um substituto conveniente da atenção que ela deveria estar dando ao filho. A mãe bem-intencionada que oferece uma chupeta para que o seu bebê tenha uma boa experiência com a sucção pode acabar enfiando-lhe uma chupeta na boca sempre que ele se mostrar inquieto, em vez de tentar determinar o motivo da inquietação ou de descobrir outros modos possíveis de acalmá-lo. Ela pode usar a chupeta para fazer a criança dormir, em vez de ler-lhe uma história; para que fique quieta enquanto ela fala ao telefone, em vez de pegá-la no colo e acalmá-la enquanto conversa, ou para comprar o seu silêncio enquanto estiver escolhendo um par de sapatos, em vez de envolver a criança na interação. Quase sempre, o resultado é um bebê que só está feliz quando tem alguma coisa na boca, e que é incapaz de acalmar-se, divertir-se ou dormir por si mesmo.

Usada à noite, a chupeta pode interferir de modo a não permitir que o bebê aprenda a dormir por si mesmo, além de interromper-lhe o sono sempre que ele perdê-la no meio da noite e perceber que não consegue voltar para o país dos sonhos sem ela — e quem você acha que vai ter de levantar para colocá-la de novo na boca do bebê?

Outra desvantagem, ainda que temporária: o uso da chupeta (assim como o hábito de chupar um dedo) pode deformar a boca, mas a deformação pode ser corrigida se o hábito for abandonado antes do aparecimento dos dentes permanentes.

Se você acha que às vezes deve dar uma chupeta ao seu bebê, faça-o sensatamente. Para minimizar os possíveis danos à boca, compre uma chupeta de tipo ortodôntico, que tenha ventilação e seja inteiriça, para que uma parte dela não possa quebrar e transformar-se num risco de asfixia. (As de silicone são mais macias que as de borracha, duram mais, podem ir para a máquina de lavar pratos e não ficam pegajosas.) *Nunca* amarre uma chupeta no berço, no cercadinho ou no carrinho, nem a coloque no pescoço do bebê, presa por uma fita, um barbante ou qualquer coisa do gênero — muitos bebês já morreram estrangulados por causa disso. Para evitar o desenvolvimento de um vício, comece a tirar a chupeta do seu bebê quando ele estiver com cerca de três meses. Até lá, sempre que você pensar em oferecê-la, pergunte-se primeiro se é de você ou da chupeta que o bebê está precisando.

VERIFICAR A RESPIRAÇÃO DO BEBÊ

"Sempre ouvi muitas piadas sobre pais que entravam furtivamente no quarto do bebê, para ouvirem se ele estava respirando. É exatamente o que me vejo fazendo agora — até mesmo no meio da noite. Às vezes, mal dá para ouvir a respiração dele; outras vezes, está com uma respiração ofegante."

Os pais que tentam neuroticamente verificar a respiração do bebê realmente se prestam muito bem a piadas — para quem nunca teve um bebê. Quando isto acontece, não há motivo para risadas. Você acorda suando frio no silêncio total, depois de ter colocado o bebê no berço cinco horas antes. Alguma coisa estaria errada? Por que ele não acordou? Ou você passa pelo berço e o vê ali, tão quieto e imóvel que sente necessidade de dar-lhe uma mexidinha para certificar-se de que ele está vivo. Ou então ele ronca e resmunga tanto que você tem certeza de que ele está tendo problemas respiratórios. *Você* — e milhões de outros pais inexperientes.

Não só as suas preocupações são normais, como também os diversos tipos de respiração do bebê. A maior parte do sono de um recém-nascido ocorre no padrão chamado de REM, quando respira irregularmente, ronca, resmunga e se contorce muito — você pode ver os olhos deles se mexendo sob as pálpebras. O resto do sono transcorre em sono calmo, quando a respiração é mais profunda e serena e o bebê parece bastante imóvel, a não ser em alguns momentos em que ele tem sobressaltos ou parece estar sugando alguma coisa. Ao ficar um pouco mais velho, os períodos de sono REM serão menos freqüentes, e o sono tranqüilo vai assemelhar-se mais ao dos adultos. Você deixará de entrar em pânico por não saber se ele vai ou não acordar pela manhã, e vai sentir-se melhor, pois tanto você quanto o seu bebê vão poder dormir oito horas seguidas.

Ainda assim, talvez você só abandone o hábito de verificar a respiração do seu bebê quando ele já estiver longe de casa, estudando fora e dormindo no seu próprio quarto — longe dos olhos, mas perto do seu coração.

TROCANDO O DIA PELA NOITE

"Meu bebê de três semanas passa a maior parte do dia dormindo, e quer ficar acordado a noite inteira. Como posso fazer para reverter esse padrão e permitir que eu e meu marido tenhamos um pouco de descanso?"

Bebês que trabalham (ou brincam) no turno da noite e passam a maior parte do dia dormindo podem transformar os pais, normalmente ativos e dinâmicos, em dois zumbis ambulantes. Felizmente, essa alegre ignorância da diferença entre o dia e a noite não é um problema permanente. O recém-nascido que, antes de vir para o mundo da luz do dia e do escuro da noite, foi mantido no escuro durante nove meses, só precisa de um certo tempo para adaptar-se.

É provável que, por conta própria, o seu bebê deixe de trocar o dia pela noite em poucas semanas. Se você quiser ajudá-lo a acelerar esse processo, tente restringir as sonecas diurnas a não mais de três ou quatro horas cada uma. Ainda que possa ser complicado acordar um bebê que está dormindo — a não ser quando você não quer que ele acorde —, em geral é possível fazê-lo. Tente mantê-lo em pé, provocar um arroto, tirar-lhe as roupas, passar-lhe a mão por sob o queixo ou fazer-lhe cócegas nos pés. Assim que ele se mostrar um pouco desperto, tente estimulá-lo ainda mais: converse com ele, cante bem alto, agite um brinquedo dentro do seu campo de visão, que vai de 20 a 35 cm. (Na página 65 você encontrará outras sugestões para manter um bebê acordado.) Não tente, porém, privá-lo de todo e qualquer sono durante o dia, com a esperança de que ele durma à noite. Não é provável que um bebê muito cansado (e talvez superestimulado) tenha uma boa noite de sono. Uma coisa que pode ser útil é estabelecer uma nítida diferença entre dia e noite. Durante o dia, ponha o bebê para dormir no carrinho, talvez numa parte externa da casa. Se ele dormir no quarto, evite deixá-lo no escuro ou reduzir o nível do barulho. Quando ele acordar, encha-o de atividades que o estimulem. À noite, faça o contrário. Coloque o bebê no berço ou no moisés, e tente escurecer o ambiente (use um abajur que deixe o quarto em penumbra) e manter um silêncio e uma inatividade relativos. Por maior que seja a tentação, não converse nem brinque com ele quando ele acordar; não acenda a luz nem ligue a TV enquanto o estiver amamentando; comunique-se através de sussurros ou canções de ninar cantadas bem baixinho, e, ao colocá-lo de novo no berço, certifique-se de que as condições para ele dormir sejam as ideais (veja página 133, "Um Sono Melhor para o Bebê").

Ainda que possa parecer uma bênção duvidosa, considere-se uma pessoa de sorte pelo fato de seu bebê dormir por muitas horas — ainda que durante o dia. É um bom sinal de que ele é capaz de dormir bem, e também de que, assim que ajustar devidamente o seu relógio interno, dormirá um bom sono à noite.

UM SONO MELHOR PARA O BEBÊ

Seja o bebê dorminhoco ou não, é possível ajudá-lo a ter um sono melhor, desde que se tomem algumas medidas positivas — muitas das quais ajudam a recriar alguns dos confortos da vida no útero:

Um espaço aconchegante para dormir. O berço é uma grande invenção moderna, mas, nas primeiras semanas, muitos recém-nascidos de algum modo sentem que ele é grande demais, reclamam ao se sentirem condenados à solidão, agitam-se no meio do colchão, tão nitidamente afastados das paredes distantes. Se o seu bebê parece sentir-se desconfortável no berço, um moisés ou um carrinho podem ser usados nos primeiros meses, com a finalidade de oferecer-lhe um aconchego mais próximo daquele que ele tinha nos nove meses que passou no útero. Para maior segurança, enrole o bebê, use roupa de cama macia, e ponha-lhe uma roupa de dormir de prender por baixo. Em vez de cobertor, use um saco de dormir.

Controle a temperatura. O excesso de frio ou calor pode perturbar o sono de um bebê. Na página 445 você encontrará sugestões para manter o bebê confortável quando estiver calor, e, na página 454, quando estiver frio.

Delicadeza de movimentos. No útero, os bebês são mais ativos quando as mães estão em repouso; quando elas se levantam e ficam ativas, são eles que moderam suas atividades, embalados pelo movimento. Fora do útero, o movimento ainda exerce sobre eles um efeito tranqüilizador; ninar o bebê e dar-lhe pancadinhas são coisas que podem contribuir para alegrá-lo e induzi-lo a um bom sono.

Sons suaves. Durante muitos meses, o bater de seu coração, o gorgolejo da sua barriga e a sua voz distraíram e deram conforto a seu bebê. Agora, talvez fique difícil dormir sem algum ruído de fundo. Tente o som de um ventilador ou de um filtro de ar, os suaves acordes de um rádio, de uma caixinha de música ou de um móbile musical, ou, ainda, aqueles sons que imitam os que ele ouvia quando ainda no útero.

Isolamento. O bebê dorme melhor quando tem o seu próprio quarto. Nessa fase, não é tanto que ele fique perturbado pela presença dos pais — o problema é que eles tendem a pegá-lo ao primeiro sinal de choro, interrompendo desnecessariamente o seu sono. Ainda assim, você deve estar perto o suficiente para ouvir os gritos do seu bebê antes que eles se transformem em berros ensurdecedores — ou instalar um sistema de intercomunicação entre o seu quarto e o dele (por exemplo, babá eletrônica).

Rotina. Já que, na maioria das vezes, o seu recém-nascido vai cair no sono enquanto estiver mamando ou tomando mamadeira, um procedimento rotineiro para a hora de dormir talvez pareça desnecessário. No entanto, nunca é cedo demais para dar início a tal rotina, e, sem dúvida, quando ele estiver com seis meses será conveniente pô-la em prática todas as noites. O ritual de um banho quente, seguido pela colocação de roupas aconchegantes para dormir, brincadeiras tranqüilas na sua cama, uma canção de ninar ou de um livro ilustrado podem funcionar como um calmante ou um perfeito indutor do sono até mesmo para os bebês mais novinhos. O peito ou a mamadeira podem vir por último para os bebês que ainda adormecem quando estão sendo alimentados, mas podem vir primeiro para os que já aprenderam a dormir por si mesmos.

Descanso adequado durante o dia. Algumas mães tentam resolver os problemas do sono noturno dos seus bebês deixando-os sem dormir durante o dia, mesmo quando eles querem dormir. Trata-se de um grande equívoco (ainda que esteja certo restringir um pouco a extensão das sonecas, com o objetivo de delimitar o contraste entre dia e noite), pois um bebê muito cansado tem um sono mais intermitente do que um bebê descansado.

POSIÇÕES PARA DORMIR

"Disseram-nos que o nosso primeiro bebê deveria dormir de bruços. Agora, o médico diz que o nosso novo bebê deve dormir de costas. Estou confusa."

Está ficando cada vez mais difícil conviver com a diversidade de opiniões. Durante anos, os especialistas afirmaram que os recém-nascidos deveriam dormir de bruços, e não de costas, para não correrem o risco de asfixiar-se com o próprio vômito. Agora, porém, muitos especialistas acreditam que pode ser mais seguro dormir de costas ou de lado. Estudos recentes sugerem que, apesar de haver poucos indícios de que a aspiração de vômito seja um problema muito grave, existe um risco *ligeiramente* maior de Síndrome de Morte Súbita quando os bebês dormem de bruços. Esta informação levou a Academia Americana de Pediatria a recomendar que os bebês saudáveis e nascidos depois de um período normal de gestação sejam postos para dormir de costas. Tendo em vista que a recomendação é nova e controvertida, alguns médicos podem adotar um ponto de vista diferente. Existe consenso geral, porém, quanto ao fato de que alguns bebês (prematuros com problemas respiratórios, ou os que regurgitam demais, por exemplo) ficam muito mais seguros quando dormem de bruços.

Em termos ideais, você deve pôr o seu bebê dormindo de costas imediatamente — para que ele se habitue a essa posição e se sinta confortável. Se ele ficar muito inquieto, tente ajeitá-lo de lado (tendo por suporte uma toalha ou um cobertor compactamente enrolado). É claro que muitos bebês mudam de posição e ficam de bruços ou de costas depois de algum tempo dormindo de lado, sobretudo se não estiverem enrolados. Se o seu bebê não gosta de dormir de costas ou de lado, pergunte ao médico se não seria o caso de deixá-lo dormir de bruços (mas sobre uma superfície firme). O risco ligeiramente maior dessa posição não é tão grande que compense deixar vocês dois num estado deplorável.

Você talvez descubra que o seu bebê leva mais sobressaltos quando dorme de costas, o que pode fazê-lo acordar com freqüência um pouco maior. Também é possível que surja em sua cabeça uma área achatada ou calva, por ficar sempre olhando na mesma direção — em geral, porque o bebê focaliza sempre o mesmo lugar (quase sempre uma janela) — quando está deitado de costas. Para minimizar esse problema, alterne a posição dele (a cabeça numa extremidade do berço numa noite, e na noite seguinte, ao contrário). Se, apesar dos seus esforços, a cabeça achatar-se ou surgir um ponto calvo, não se preocupe. À medida que ele for crescendo, esses problemas irão gradativamente desaparecer por si mesmos.

Dentro de alguns meses, quando o seu bebê começar a virar-se no berço, esta discussão vai se tornar acadêmica. Seja qual for a posição em que você colocá-lo, ele vai ser capaz de descobrir, por conta própria, aquela que se tornou a sua preferida.

LEVAR UM BEBÊ ADORMECIDO PARA O BERÇO

"Fico com os nervos à flor da pele quando tento colocar o meu bebê no berço depois que ele dormiu. Estou sempre com medo de que acorde — e ele geralmente acorda."

Finalmente, ele dormiu — depois daquilo que vem à lembrança da mãe como horas de amamentação com os seios doloridos, de embalo em braços alquebrados, de canções de ninar cantadas numa voz cada vez mais rouca. Você se levanta lentamente da poltrona e vai em direção ao berço com o máximo de cuidado, prendendo a respiração e mexendo apenas os músculos absolutamente necessários. Em seguida, com uma prece silenciosa mas fervorosa, você ergue-o por sobre as grades do berço e começa a perigosa descida rumo ao colchão. Finalmente, deixa-o ali, mas, por uma fração de segundo, fez a coisa cedo demais. Ele deitou, e já está querendo levantar-se. Virando a cabeça de um lado para o outro, fungando e choramingando de mansinho, depois soluçando em altos brados. Quase chorando também, você o tira do berço e começa tudo outra vez.

Esta cena acontece em praticamente todas as casas onde existe um bebê. Se você não está conseguindo pôr o seu bebê para dormir sem esse tipo de problema, espere 10 minutos até que ele caia em sono profundo e então tente o seguinte:

Um colchão alto. Se você fosse um gorila, talvez conseguisse colocar o seu bebê num berço com colchão baixo sem ter de escalar as grades, ou, alternativamente, deixá-lo cair nos últimos 15 cm. No entanto, como você é humana, vai achar muito mais fácil colocar o colchão no nível mais alto possível (mas pelo menos a 10 cm da borda), embora não possa esquecer de rebaixá-lo quando o bebê já tiver idade suficiente para sentar-se. Ou, então, nas primeiras semanas, use um substituto para o berço (um carrinho, um moisés), algo que torne mais fácil pegar o bebê e colocá-lo de volta. Esses substitutos que sugerimos quase sempre oferecem a importante vantagem de se poder embalar a criança, de tal modo que o movimento de embalo que começou nos seus braços pode prosseguir depois que o bebê já está deitado.

A luz ideal. Ainda que seja uma boa idéia pôr um bebê para dormir num quarto escuro, certifique-se de que nele haja luz suficiente (um pequeno abajur, por exemplo) para você conseguir chegar até o berço sem tropeçar na cômoda ou escorregar num brinquedo — o que, sem dúvida, seria muito desagradável para ambos.

Proximidade. Quanto maior a distância entre o lugar onde o bebê adormece e o lugar onde fica o berço, maiores as possibilidades de que ele acorde durante o trajeto. Portanto, alimente-o ou embale-o o mais perto possível do berço.

Um lugar de onde você possa levantar-se facilmente. Você deve alimentar ou embalar o seu bebê numa cadeira ou poltrona de onde possa levantar-se com facilidade, sem perturbá-lo.

Uma cama feita. Prepare o campo de pouso antes da hora do bebê dormir, a menos que você tenha coordenação suficiente para puxar as cobertas ou tirar algum ursinho de brinquedo com os dedos dos pés. É menos provável que o bebê continue adormecido se você tiver que fazer uma série de malabarismos para preparar o terreno para a aterrissagem.

Uma cama quentinha. O choque de lençóis frios em contato com bochechas quentinhas é capaz de despertar o mais dorminhoco dos bebês. Nas noites frias, aqueça o berço com uma bolsa de água quente ou uma almofada de calefação elétrica ligada em baixa intensidade. Antes de deitar o bebê, desligue-a e verifique a temperatura da cama. Ou então use lençóis de flanela ou tricô que são mais confortáveis do que um tecido liso.

Esquerda ou direita? Alimente ou embale o seu bebê com qualquer braço que lhe permita colocá-lo no berço sem precisar, primeiro, mudá-lo de lado. Se ele dormir antes da hora, e do lado errado, troque-o delicadamente de lado e embale-o, ou dê-lhe de mamar mais um pouco antes de tentar colocá-lo no berço. Outra possibilidade consiste em colocar o berço um pouco afastado da parede, ou arrumar as roupas de cama de tal maneira que você possa deitar o seu anjo adormecido de qualquer lado.

Contato constante. Quando o bebê está confortável e seguramente instalado nos seus braços, ser abaixado de repente num espaço vazio — ainda que por poucos centímetros — vai assustá-lo, e, conseqüentemente, acordá-lo. Segure o bebê com firmeza ao levá-lo para o berço, tirando a mão que está por baixo dele (ao mesmo tempo em que o vira delicadamente para baixo, caso ele costume dormir de bruços) pouco antes de chegar ao colchão. Conserve-o por mais algum tempo em contato com as suas mãos, dando-lhe algumas pancadinhas se ele começar a mexer-se.

Uma canção de ninar. Para fazer o seu bebê dormir, hipnotize-o com uma canção de ninar tradicional (ele não vai se importar se você não for muito afinada), ou improvise uma canção com alguma vocalização monótona e repetitiva (Aah-ah aah-ah ne-nê, aah-ah aah-ah ne-nê). Continue cantarolando durante o caminho até o berço, enquanto o põe para dormir e ainda por mais alguns minutos. Se ele começar a agitar-se, cantarole mais um pouco, até que ele se acalme completamente.

CHORO

"No hospital, demo-nos os parabéns por termos um bebê tão bonzinho. Menos de 24 horas depois de chegarmos em casa, ele desatou a berrar."

Se os bebês de um ou dois dias chorassem tanto quanto estão destinados a chorar cerca de duas semanas mais tarde, os novos pais certamente pensariam duas vezes antes de sair do hospital com os recém-nascidos. Assim que se vêem seguramente refestelados em casa, os bebês parecem não hesitar em mostrar sua verdadeira face: alguns choram um pouco, muitos choram bastante. Afinal, chorar é o único jeito que os bebês têm de demonstrar suas necessidades e seus sentimentos — sua primeiríssima linguagem. O seu bebê não tem outro modo de dizer-lhe que está solitário, faminto, molhado, cansado, desconfortável, muito quente, muito frio ou frustrado. E, ainda que possa parecer impossível agora, logo você vai ser capaz (pelo menos em parte) de decifrar os diferentes choros do seu bebê, e saber o que é que ele está querendo.

Contudo, uma parte do choro dos recém-nascidos parece não ter absolutamente nada a ver com necessidades básicas. Na verdade, quatro entre cinco bebês (alguns estudos mencionam nove entre dez) têm sessões de choro diárias que vão de 15 minutos a uma hora e não são facilmente explicáveis. Esses acessos de choro, a exemplo daqueles associados à cólica (uma forma mais grave e persistente de choro inexplicável), ocorrem quase sempre no começo da noite. Pode ser que esta seja a hora mais frenética do dia, com o jantar sendo preparado, o pai voltando do trabalho, os pais tentando comer, os outros filhos (caso existam) querendo atenção — ou seja, uma movimentação que talvez se torne intolerável para o bebê. Pode ser, também, que depois de todo um dia recebendo e processando imagens, sons, cheiros e outros estímulos do seu ambiente, um bebê simplesmente precise relaxar com uma boa choradeira.

Alguns bebês perfeitamente felizes dão a impressão de que precisam chorar para dormir, o que talvez se deva ao cansaço. Se o seu bebê chora por 5 ou 10 minutos antes de apagar, não fique preocupada. Ele vai acabar superando isso, e, se você pegá-lo para acalmá-lo, ou dar-lhe uma chupeta, só estará fazendo com que, mais tarde, ele tenha dificuldades para dormir por conta própria. O que pode ajudar é um ritual regular antes de fazê-lo dormir, e descanso suficiente durante o dia, para que ele não esteja cansado demais à noite.

Enquanto isso, procure acalmar-se. Ainda que você vá enxugar algumas lágrimas nos próximos dezoito anos, ou mais, é possível que esses acessos de choro do bebê (provavelmente sem lágrimas) se transformem em coisa do passado quando ele completar três meses. Quando ele conseguir comunicar-se melhor, e transformar-se num indivíduo com mais confiança em si mesmo, e quando você começar a entendê-lo melhor, ele vai chorar menos, por períodos mais breves, e será mais fácil consolá-lo quando se puser a chorar.

Contudo, um súbito acesso de choro num bebê que nunca chorou muito antes pode ser um sinal de doença, ou de que estão nascendo os primeiros dentes. Verifique se ele não está com febre, ou outros sinais de que ele possa não estar bem, ou com a dentição começando, e chame o médico se perceber que algo de incomum está se passando com ele.

CÓLICA

"Meu marido e eu não jantamos juntos desde que o nosso bebê completou três semanas. Temos de nos revezar, engolindo às pressas alguma coisa e andando com ele no colo, enquanto ele chora durante horas todo começo de noite."

Para os pais de um bebê com cólicas, até mesmo um grande jantar tem de ser engolido às pressas, e sempre com o acompanhamento de gritos capazes de provocar indigestão. O fato de o médico ter prometido que o bebê vai superar a cólica é muito pouco consolo para tanta aflição.

E, se a aflição gosta de companhia, isso é o que não falta aos pais de bebês com cólicas. Avalia-se que um em cada cinco bebês tenha crises de choro que em geral começam no fim da tarde e às vezes se prolongam até a hora de dormir, crises suficientemente graves para serem chamadas de cólica. A cólica difere do choro comum (veja acima) no sentido de que o bebê parece inconsolável, o choro se transforma em gritos, e a provação se arrasta de duas a três horas, às vezes muito mais — chegando mesmo a durar praticamente o dia todo. O mais comum é que os períodos de cólica ocorram diariamente, ainda que alguns bebês tirem às vezes uma noite de folga.

O bebê com um caso clássico de cólica puxa os joelhos para cima, cerra os punhos e em geral aumenta sua atividade. Cerra ou escancara os olhos, franze as sobrancelhas e chega mesmo a suspender a respiração por alguns momentos. Sua atividade intestinal aumenta e ele emite gases. Os padrões de alimentação e sono são perturbados pelo choro — o bebê procura freneticamente um mamilo, só para rejeitá-lo assim que começou a mamar, ou cochila um pouquinho só para acordar aos gritos em seguida. Poucos bebês, porém, se ajustam exatamente a esse modelo clássico. Não há dois bebês que experimentem precisamente o mesmo padrão e a mesma intensidade de choro e comportamento, assim como inexistem dois pais que reajam exatamente da mesma maneira.

A cólica costuma ter início durante a segunda ou terceira semana de vida (mais tarde, no caso de bebês prematuros, e em geral atinge o ápice quando a criança está com seis semanas). Durante algum tempo, o pesadelo parece que vai durar para sempre, mas, por volta da décima segunda semana, o problema quase sempre começa a atenuar-se, e, aos três meses de idade (novamente, mais tarde no caso de prematuros), a maior parte dos bebês com cólicas parece ter passado por uma cura milagrosa — são muito poucos os que continuam com o choro problemático no quarto e quinto meses. A cólica pode acabar de uma vez ou aos poucos com alguns dias bons e outros ruins, até que todos sejam tranqüilos.

Ainda que esses períodos de gritos diários — quer do tipo maratona, quer não tão longos assim — sejam normalmente chamados de "cólica", não existe uma definição precisa do que seja exatamente a cólica, ou em que difere (se é que difere) de outros tipos de choros problemáticos, como o choro paroxístico ou o periódico-irritável. Definições e diferenças, porém, interessam muito pouco aos pais que tentam desesperadamente acalmar o seu bebê.

A causa da cólica continua a ser um mistério, ainda que as teorias a respeito sejam abundantes. Hoje, muitas das teorias apresentadas a seguir já foram total ou parcialmente rejeitadas: os bebês com cólica choram para exercitar os pulmões (não existe comprovação médica de tal possibilidade); choram devido a um mal-estar gástrico provocado por alergia, ou por sensibilidade a alguma coisa na alimentação de suas mães, se forem amamentados, ou do leite artificial, caso usem mamadeira (só muito ocasionalmente essa é uma causa de cólica); choram devido à inexperiência dos pais (a cólica não é menos comum nos bebês subseqüentes de um casal, ainda que este possa lidar com o choro com mais segurança e autodomínio); a cólica é hereditária (ela não parece atingir todos os membros da família); a cólica é mais comum nos bebês cujas mães tiveram complicações durante a gravidez ou o parto (as estatísticas não confirmam essa explicação); a exposição ao ar fresco provoca a cólica (na prática, muitos pais descobrem que o ar fresco é a única maneira de acalmar o choro dos seus bebês).

A teoria de que os bebês têm cólicas porque as suas mães são tensas é bastante controvertida. Ainda que, para muitos especialistas, o mais provável seja a mãe ficar tensa devido ao choro do bebê, alguns insistem que uma mãe muito ansiosa pode, inconscientemente, comunicar sua ansiedade ao bebê, levando-o a chorar. Pode ser que, apesar de não provocar a cólica, a ansiedade da mãe possa agravar-lhe os sintomas.

Segundo uma teoria contemporânea o choro é simplesmente uma manifestação normal da imaturidade fisiológica do recém-nascido: todos os bebês choram, e a cólica é apenas uma forma extremada desse comportamento normal. Outra sugere que o trato digestivo imaturo contrai-se violentamente quando da passagem de gases, provocando a dor da cólica. Segundo uma terceira teoria, os dolorosos espasmos intestinais ocorrem devido à diminuição da progesterona, quando cai o nível dos hormônios maternos no organismo do bebê. Mais uma explicação: o sistema nervoso imaturo do bebê ainda não aprendeu a inibir os comportamentos indesejáveis, como é o caso do choro.

Dentre todas as teorias, talvez a mais plausível seja aquela segundo a qual os recém-nascidos, que em geral não choram muito, têm um mecanismo de bloqueio inato que os faz fechar-se aos estímulos, permitindo que eles durmam e se alimentem sem dar muita atenção ao ambiente. Perto do fim do primeiro mês (quando, em geral, começam as cólicas), esse mecanismo desaparece, deixando-os mais dinâmicos e interessados no mundo que os cerca. Bombardeados por sensações (sons, imagens e cheiros) o dia todo, e incapazes de desligar-se delas quando começa a sobrecarga, eles chegam ao começo da noite exaustos e superestimulados. Resultado: choro inexplicável e, nos casos extremos, cólica. Quando o bebê completa três ou quatro meses, ou, às vezes, cinco (ainda segundo essa teoria), esses bebês adquiriram a capacidade de desligar-se do ambiente antes que ocorra uma sobrecarga, e assim terminam os acessos de cólica.

Um fator ambiental que realmente parece contribuir para o aumento da cólica nos bebês é a fumaça de cigarro em casa, ainda que as razões de tal fato não estejam claras. Quanto mais fumantes houver na casa, maior a probabilidade de cólica e muito maior a intensidade da mesma.

Existe algo de reconfortante a propósito da cólica e do choro paroxístico: os bebês que têm esses acessos de choro não parecem se desgastar com eles (ainda que o mesmo nem sempre possa ser dito sobre os seus pais), tanto emocional quanto fisicamente — eles desenvolvem-se bem, em geral ganham tanto peso (ou mais) que os bebês que choram muito pouco e, mais tarde, não apresentam mais problemas de comportamento do que as outras crianças. Na verdade, quando começam a andar, as crianças que choram vigorosamente quando ainda bebês parecem ter uma capacidade muito maior de resolver problemas do que as que pouco choram. Mais reconfortante ainda é a certeza de que o problema não vai durar para sempre. Enquanto durarem, porém, consulte as páginas 141 e 142,

UM REMÉDIO PARA A CÓLICA

Os pais desesperados de um bebê com cólica freqüentemente procuram o médico em busca de uma poção mágica que resolva o problema. Infelizmente, não se sabe de nenhum remédio que cure completamente a cólica de todos os bebês, e, como todos os medicamentos receitados têm efeitos colaterais, a maioria dos médicos prefere não usar o seu receituário para tratar desses chorões crônicos. Existe, porém, um remédio amplamente usado na Europa para o tratamento da cólica — um remédio que, nos Estados Unidos, é vendido sem receita para problemas de gases, e que realmente parece ajudar a reduzir ou a aliviar os sintomas de muitos bebês que sofrem de cólica. Seu ingrediente ativo é a dimeticona, o mesmo ingrediente antigases encontrado em muitos medicamentos para adultos. Ainda que não haja consenso de que os gases são a causa da cólica infantil, sabe-se que muitos bebês com cólica realmente expelem gases (não se sabendo ao certo, porém, se isso é causa ou efeito do choro), e estudos demonstram que a redução dos gases parece reduzir o mal-estar de muitas crianças. Como o produto não é absorvido pelo corpo, é completamente seguro e não tem efeitos colaterais, se o seu bebê tem cólica e está com gases, consulte o seu médico sobre gotas de dimeticona. São comercializadas com os nomes de Luftal®, Silidron® e outros.

onde você encontrará sugestões que vão ajudá-la a lidar com o problema.

AJUDAR OS IRMÃOS A CONVIVER COM A CÓLICA

"O choro constante do nosso novo bebê parece estar realmente irritando nosso filho de três anos. Que posso fazer?"

Se existe uma vítima inocente numa casa onde há um recém-nascido com cólica, trata-se, sem dúvida, de um irmão mais velho. Ali está aquele bebê que ele não pediu — e que, na sua cabeça, talvez esteja ameaçando substituí-lo —, e que transforma num inferno aquilo que, até pouco tempo, era uma das ocasiões do dia que mais lhe dava prazer: o jantar com papai e mamãe. Não só o choro lhe é insuportável, como também toda a agitação que dele decorre. Em vez de ser um momento de comer, conviver com os pais e brincar tranqüilamente, o começo da noite se transformou numa ocasião de refeições interrompidas, movimentações frenéticas e pais aturdidos. O pior de tudo, talvez, seja o desamparo em que a pequena vítima se sente mergulhada. Enquanto os adultos são pelo menos capazes de fazer alguma coisa contra a cólica (muitas vezes inutilmente), e de condoer-se mutuamente em função do problema, a criança mais velha pode apenas ficar sentada por ali, totalmente impotente.

É impossível fazer com que a cólica seja uma coisa fácil de lidar para seu filho mais velho, assim como esse problema nunca será fácil para vocês. No entanto, é possível ajudá-lo a enfrentar melhor a situação, desde que vocês:

Conversem sobre o assunto. Expliquem, em palavras que a criança seja capaz de entender, o que é a cólica. Assegure-lhe que aquilo não vai durar para sempre, e que, assim que o bebê se habituar a estar neste novo e estranho mundo, grande parte daquela choradeira vai acabar. Se ela também foi um bebê com cólica, digam-lhe — para ela, assim talvez seja mais fácil entender que esses monstros que berram vão realmente crescer e se

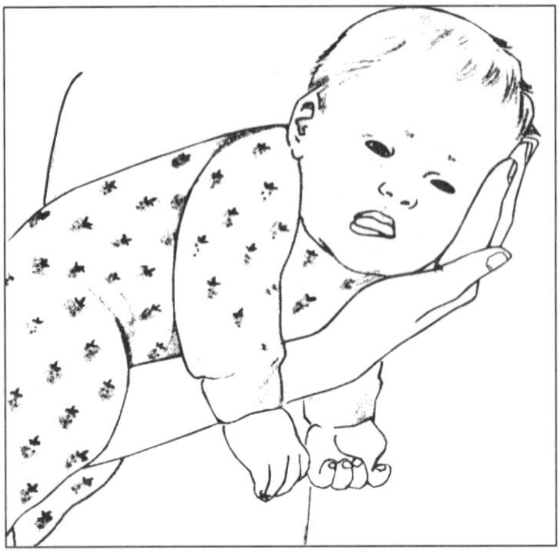

Como pegar o bebê com cólica. *Alguns bebês com cólica sentem-se aliviados com a pressão aplicada ao seu abdome quando são transportados nesta posição.*

transformar em crianças legais e relativamente tranqüilas.

Deixem que ela saiba que a culpa não é dela. As crianças pequenas tendem a culpar-se por tudo quanto acontece de errado numa casa, desde as discussões entre o pai e a mãe até a morte do avô ou o choro de um novo bebê. É preciso assegurar-lhes que a culpa não é de ninguém, muito menos delas.

Mostrem e digam-lhe que vocês a amam. Lidar com um bebê com cólica pode ser uma coisa tão absorvente e cuidar da alimentação básica, das roupas e das necessidades de abrigo do resto da família pode consumir um tempo tão grande, que vocês talvez acabem se esquecendo de fazer aquelas coisinhas especiais que demonstram a um filho mais velho, começando a andar, o quanto se preocupam com ele. Portanto, não se esqueçam de fazer pelo menos uma dessas coisas (pentear o cabelo dele de um jeito diferente, brincar de "nadar" na banheira, fazer bolinhos junto com ele, ajudá-lo a pintar um mural num pedaço de papel bem grande) todos os dias — e, é claro, não se esqueçam de dizer-lhe várias vezes por dia como ele é maravilhoso, e o quanto vocês o amam.

Reservem algum tempo só para ele. Mesmo que seja só meia hora, tente encontrar um tempo, todos os dias, só com o seu filho mais velho, sem o bebê por perto. Arranjem esse tempo quando o bebê estiver tirando uma soneca (é mais importante do que limpar o pó da casa), quando alguém estiver andando com ele, quando a mãe de um de vocês estiver em visita à casa, ou — se vocês tiverem condições — quando houver em casa uma babá.

SOBREVIVER À CÓLICA

"Tivemos o nosso primeiro bebê, e ele chora o tempo todo. O que estamos fazendo de errado?"

Relaxe: a culpa não é de vocês. A teoria segundo a qual a cólica de um bebê de algum modo é culpa dos pais simplesmente não se sustentou. E, na verdade, a situação seria provavelmente a mesma se você estivesse fazendo tudo certo (é claro que não existem pais que façam tudo certo, além do que o "certo" é uma coisa que varia muito de bebê para bebê e de pais para pais). E, provavelmente, não seria muito pior se você estivesse fazendo um monte de coisas erradas (não existem pais que façam *tudo* errado). A cólica, segundo indicam as últimas pesquisas, tem a ver com o desenvolvimento do bebê, e não com o seu.

A coisa "mais certa" que você pode fazer é tentar conviver com o choro do seu bebê da maneira mais calma e racional possível. Como sabem todos aqueles que já tiveram um bebê com cólica, isso não é fácil, mas as sugestões que apresentamos a seguir podem ser úteis. Ainda que você não seja responsável pelo choro do bebê, ficar calma pode ajudá-lo a acalmar-se também.

SABER LIDAR COM O CHORO

Nenhum remédio, de farmácia ou de ervas, e nenhum tipo de tratamento podem assegurar uma cura infalível para o choro de um bebê, e, na verdade, alguns podem torná-lo ainda pior. Contudo, existem várias coisas que os pais podem fazer com relação ao choro do seu bebê; nenhuma delas vai funcionar o tempo todo, algumas não funcionarão nunca, em certos momentos nenhuma vai funcionar — mas vale a pena tentar.

Tente a prevenção. Nas sociedades em que os bebês são transportados às costas, desconhecem-se os longos períodos de choro ou irritação em crianças saudáveis. Nos Estados Unidos, um estudo recente mostrou que os bebês que são carregados nos braços ou num carrinho por pelo menos 3 horas por dia, choram muito menos do que os que são muito pouco carregados. Ser carregado não só dá ao bebê o prazer da proximidade física com a mãe (uma coisa que ele desfrutou no útero), como também pode levar a mãe a ficar mais afinada com as necessidades do seu bebê.

Resposta. Chorar é a única maneira de que o seu bebê dispõe para exercer algum controle sobre um ambiente vasto e assustadoramente novo, e para fazer as coisas acontecer em: "Quando chamo, alguém responde". Se você deixar regularmente de responder, o bebê pode sentir-se não só impotente, mas também inútil ("Tenho tão pouca importância que, quando chamo, ninguém aparece"). Ainda que muitas vezes pareça que você está respondendo em vão, pois, não importa o que faça, nada resolve, uma resposta imediata aos chamados do seu bebê pode acabar diminuindo o choro. E, na verdade, estudos mostram que os bebês cujas mães respondiam-lhes prontamente choram bem menos quando estão começando a andar. Além disso, o choro que a mãe deixa intensificar-se por mais de alguns minutos torna-se mais difícil de interpretar — o bebê fica muito irritado, e nem mesmo se lembra do motivo que o levou a chorar. E, quanto mais ele chorar, mais difícil será fazê-lo parar. É evidente que você não precisa largar tudo que esteja fazendo para responder a um chamado do seu bebê — pode ser que esteja tomando banho, escorrendo o macarrão ou atendendo à porta. Deixar o bebê chorando um pouco uma vez ou outra não vai ser prejudicial — desde que ele não vá meter-se em algum problema enquanto espera.

Não fique preocupada com a possibilidade de mimar o seu bebê pelo fato de responder-lhe prontamente. Não há como mimar um bebê novinho, e os bebês que recebem muita atenção nos primeiros meses são mais precoces. Os que recebem pouca atenção tornam-se mais dependentes e mais exigentes.

Em casos particularmente difíceis de choro incontrolável, alguns especialistas sugerem a criação de uma rotina na qual você deixa o bebê chorar de 10 a 15 minutos, num lugar seguro como o berço dele, pega-o e tenta acalmá-lo por mais 15 minutos, depois o devolve ao berço e repete a seqüência. Se você se sentir bem fazendo isso vá em frente, pois, aparentemente, trata-se de um procedimento que não resulta em quaisquer problemas a longo prazo.

Avalie a situação. Antes de decidir que o seu bebê só está chorando por chorar, procure descobrir se o choro não tem uma causa simples e remediável. Se achar que ele pode estar com fome, tente dar-lhe o peito ou a mamadeira, mas não cometa o erro de sempre reagir às lágrimas dele com leite. Mesmo numa idade tão tenra, o alimento deve ser sempre uma resposta à necessidade de alimentar-se, e não uma forma de atenção. Se desconfiar de cansaço, tente ninar o bebê para fazê-lo dormir — nos seus braços, num carrinho, num berço. Se uma fralda molhada pode estar provocando o choro, mude-a (é evidente que, se você usar alfinetes para fraldas, convém verificar se não há um deles aberto). Se o bebê parecer acalorado (a transpiração é um indício), tire uma ou duas peças de roupa dele, abra a janela ou ligue o ventilador ou o ar condicionado. Se o problema for o frio (o pescoço, os braços ou o corpo ficam frios ao toque), vista-o melhor ou ligue o aquecedor. Se o bebê começar a chorar quando você tirar-lhe as roupas para o banho (quase todos os recém-nascidos detestam ficar nus), cubra-o rapidamente com uma toalha ou um cobertor. Se você achar que a causa do desconforto está no fato de ele ficar por algum tempo na mesma posição, reposicione-o. Se ele passou a última meia hora olhando para o mesmo lugar, tente fazer com que veja alguma coisa diferente.

Ritualismo. Para os bebês que se desenvolvem bem seguindo uma rotina, estabelecer horários tão regulares quanto possível (alimentação, banho, troca de fralda, passeios etc., até o ritual da hora de ir para o berço) é uma estratégia capaz de diminuir o choro. Seja coerente até mesmo com o método que usa para acalmar o bebê ou reduzir-lhe o choro — de nada adiantará levá-lo para um passeio um dia, dar umas voltas de carro no dia seguinte e colocá-lo num balanço no terceiro dia. Assim que você descobrir o que funciona, permaneça fiel a isso a maior parte do tempo.

Um pouco de consolo. Às vezes, isso é tudo de que um bebê precisa, bem como a razão do seu choro: ficar separado da mãe depois de nove meses de um contato tão constante pode ser uma experiência muito solitária. Tente as técnicas sugeridas na página 143, "Console o Chorão".

A satisfação de sugar. Os bebês com freqüência precisam "sugar por sugar", e não apenas por uma questão de alimentação. Alguns bebês gostam que você os ajude a levar um dedo à boca (em geral, o polegar) para a satisfação do seu prazer de sugar. Outros preferem o dedo mindinho dos adultos — mas, por favor, com unhas limpas e muito bem aparadas. Outros, ainda, sentem mais prazer com uma chupeta, mas certifique-se que seja de tipo ortodôntico; que você *nunca* a prenda ao pescoço da criança com um cordão (que poderia enrolar-se ao pescoço dela); que só a ofereça depois que as outras necessidades tiverem sido atendidas, e que só seja usada enquanto durar a cólica.

Um novo rosto e outros braços. Depois de passar cerca de uma hora tentando acalmar uma criança que não pára de chorar, é quase certo que a mãe (ou o pai) comece a mostrar sinais de estresse e cansaço, os quais serão percebidos pelo bebê e terminarão por provocar mais choro ainda. Passe-o para os braços de outra pessoa — o outro progenitor, um parente ou amigo, uma babá — e é possível que ele pare de chorar.

Ar fresco. É comum que o humor de um bebê passe por uma transformação milagrosa sempre que o levam para um lugar diferente, ao ar livre. Tente um passeio de carro, ou no carrinho do bebê. Mesmo que esteja escuro lá fora, ele certamente vai distrair-se com as luzes da rua e dos carros.

Controle do ar. Grande parte do desconforto dos recém-nascidos é provocado pelo ar que engolem. Os bebês engolirão menos ar se você deixá-los na posição mais vertical possível enquanto se alimentam e arrotam. O tamanho certo do orifício do bico da mamadeira também ajudará a reduzir a ingestão de ar; certifique-se de que não seja muito grande (para não favorecer a ingestão de ar junto com o leite artificial), nem muito pequeno (para que o bebê não engula ar enquanto se esforça muito para tomar o leite). Segure a mamadeira de um jeito que evite a entrada de ar (veja página 63), e tome o cuidado de não servir ao bebê um leite quente ou frio demais (ainda que a maior parte dos bebês goste de leite não aquecido, alguns parecem não ter a mesma preferência). Faça o bebê arrotar freqüentemente durante o tempo em que ele mama ou toma mamadeira, pois assim ele irá expelindo todo o ar engolido. Uma sugestão para fazê-lo arrotar: mais ou menos a cada quinze ou trinta gramas de leite ingerido e, em ambos os casos, depois de terminada a refeição.

Menos excitação. Ter um novo bebê pode ser uma coisa muito divertida — todos querem vê-lo, e você quer levá-lo a toda parte, para que seja visto. Você quer expor o bebê a novas experiências e a ambientes que o estimulem. Isto é muito bom para alguns bebês, mas estimulante *demais* para outros. Se o seu bebê tiver cólica, restrinja a excitação, os visitantes e os estímulos, sobretudo no fim da tarde e ao cair da noite.

Acompanhamento do regime alimentar. Alguns bebês choram muito porque não estão se alimentando o suficiente. Se o seu bebê usa mamadeira e não está ganhando peso como deveria, você deve conversar com o médico a propósito de um aumento da quantidade do leite artificial que você está usando. Se o seu bebê é amamentado ao peito, mas está com peso abaixo do esperado, procure, na página 109 deste livro, algumas sugestões para avaliar e lidar com o desenvolvimento insuficiente. Mas não lhe dê alimentos sólidos, pois não é uma técnica que funcione nem que seja conveniente para um bebê muito novinho. Às vezes, a alergia ou sensibilidade a alguma coisa no leite em pó ou no seu próprio leite pode provocar choro e mal-estar, mas, em geral, existem também outros sintomas.

Diversões ao vivo. Nos primeiros meses, alguns bebês dão-se por satisfeitos com o simples fato de ficar vendo o mundo, enquanto outros choram de tédio e frustração pelo fato de existir por enquanto tão pouca coisa que eles possam fazer por conta própria. Levá-los para lá e para cá, e explicar-lhes o que você está fazendo enquanto cuida de suas atividades, além de fazer um esforço extra para encontrar brinquedos e outros objetos do ambiente para os quais eles possam olhar, e com os quais possam brincar mais tarde, são coisas que podem ajudá-los a manter-se ocupados.

Ajuda de outras pessoas. Essa é uma fase da sua vida em que não faz o menor sentido dizer: "Prefiro fazer sozinha". Aproveite toda e qualquer possibilidade de compartilhar essa carga (veja página 17).

Aceitação. Tenha a sabedoria de aceitar as coisas que não pode mudar. Você não pode curar a cólica do seu bebê, e, em muitos casos, nem mesmo será capaz de acabar com a choradeira dele. Eis aqui a outra (e única) opção que lhe resta, e que talvez não seja fácil de aceitar: aprenda a conviver com o problema.

CONSOLE O CHORÃO

Existem várias maneiras de consolar um recém-nascido, e o que pode ser tranqüilizante para um bebê pode fazer com que outro se ponha a berrar ainda mais. Use um método de cada vez, tendo o cuidado de experimentá-lo bem antes de passar para outro, ou você acabará descobrindo que está tentando, tentando e tentando, e que o bebê está chorando, chorando e chorando. Misturar novos e antigos métodos, ou usar vários ao mesmo tempo, é um tipo de procedimento capaz de estimular mais ainda o bebê, fazendo-o sentir-se pior, embora você possa combinar palavras carinhosas ao embalar o bebê ou desenvolver qualquer outra atividade que envolva algum tipo de movimento. Tente os procedimentos sugeridos abaixo:

- Embale-o cadenciadamente nos seus braços, num carrinho, num berço ou num balanço automático para bebês (mas nunca antes de ele ter completado seis semanas de vida). Alguns bebês respondem melhor a um ritmo mais rápido do que a um lento — mas nunca embale ou movimente vigorosamente o seu bebê, pois isto pode provocar um grave traumatismo em chicotada.* Para alguns bebês, ser embalados de um lado para o outro tende a estimulá-los, ao mesmo tempo em que outros se acalmam quando são embalados para cima e para baixo. Teste a reação do seu bebê a diferentes tipos de embalo.
- Um passeio num carrinho ou no carro da família. Uma alternativa recentemente criada: um mecanismo (aprovado pela FDA) que faz o berço parecer um carro a cerca de 80 km/h, com o acompanhamento relaxante de sons de vento. Estudos indicam que o produto (comercializado com o nome Sleeptight) funciona. Consulte o médico do seu bebê. Os pedidos podem ser dirigidos a Ross Laboratories, 1-800-NO-COLIC, nos Estados Unidos.
- Andar pela casa com o bebê transportado a tiracolo ou em suas costas ao estilo índio, ou em simplesmente seus braços. É um método que quase sempre funciona, apesar de ser cansativo.
- Enfaixar o bebê. Alguns bebês acham muito confortável ficar bem enfaixados.
- Aconchegar o bebê nos seus braços. Assim como acontece quando ele é enfaixado, o bebê gosta muito de aconchego, pois são duas coisas que o fazem sentir-se seguro. Segure-o bem junto ao seu peito, aconchegando-o dentro dos seus braços. Se quiser, pode dar-lhe tapinhas carinhosos.
- Um banho de água morna. Mas só se o seu bebê gostar de banhos. Alguns bebês gritarão mais assim que entrarem na água.
- Cantar. Descubra se o seu bebê se acalma com suaves canções de ninar, alegres rimas infantis ou canções populares, e também se ele prefere um tom de voz agudo e ligeiro, ou mais grave e forte. Se você descobrir que ele gosta de uma determinada música, não hesite em cantá-la quantas vezes quiser — quase todos os bebês adoram repetições.
- Sons rítmicos. Muitos bebês se deixam acalmar, por exemplo, pelo som de um ventilador ou aspirador de pó, de uma fita com o tipo de sons borbulhantes que ele ouvia no útero ou de um disco que reproduza os sons da natureza — ondas quebrando-se na praia, ou o vento soprando através das árvores.
- Use as suas mãos. Para os bebês que gostam de ser acariciados, a massagem pode ser algo bem relaxante, apesar de provocar um choro ainda mais intenso naqueles que não gostam. Se você quiser aperfeiçoar sua técnica, compre um livro sobre massagens em bebês, ou simplesmente tente acariciar o seu bebê nas costas, na barriga, nos braços e nas pernas fazendo movimentos firmes, mas delicados. Tenha o cuidado, porém, de não ser tão delicada a ponto de fazer-lhe cócegas. Pode ser relaxante para ambos colocar o bebê deitado de bruços sobre o seu corpo enquanto você o massageia deitada de costas.
- Pressão. Deitar-se de atravessado no colo de um adulto, com a barriga para baixo enquanto recebe pancadinhas nas costas é uma das posições favoritas de muitos bebês que têm cólicas, e que quase sempre os faz sentir-se melhor. Alguns preferem ficar em posição vertical, encostados no ombro de um adulto, tendo sempre o abdome pressionado e recebendo pancadinhas ou fricções nas costas.

"Às vezes, quando estou ninando o bebê por volta da terceira hora de cólica, e ele não pára de gritar, sinto uma terrível vontade de jogá-lo pela janela. É claro que não faço tal coisa, mas que tipo de mãe sou eu se chego a pensar numa coisa dessas?"

Você é uma mãe perfeitamente normal. Mesmo as mulheres com uma aura de santidade não conseguiriam sobreviver à agonia e à frustração de conviver com um

* Nome popular do traumatismo por hiperextensão e hiperflexão do pescoço. (N. do T.)

bebê que não pára de chorar sem experimentar alguns sentimentos de raiva — e, até mesmo, de ódio passageiro — com relação a ele. Ainda que poucos pais admitam sem rodeios esse tipo de coisa, muitos dos que têm esses choradores crônicos precisam lutar regularmente contra os impulsos apavorantes do tipo que você vem sentindo. Se você achar que tais sentimentos são mais que passageiros, e/ou estiver com medo de que possa, de fato, ferir o bebê, procure ajuda imediatamente.

Sem dúvida, sobra para os pais o que existe de pior na cólica. Embora se possa afirmar, com segurança, que o choro não parece prejudicar o bebê, a mãe e o pai certamente ficarão marcados por ele. Ouvir um bebê chorar é algo irritante e que nos enche de ansiedade. Estudos objetivos demonstram que todos, até mesmo uma criança, reagem ao choro constante de um bebê com aumento da pressão arterial, aceleração do batimento cardíaco e mudanças no fluxo sangüíneo que vai para a pele. Se o bebê nasceu prematuro, foi mal nutrido no útero ou se a mãe teve toxemia (pré-eclâmpsia/eclâmpsia), o tom do choro pode ser incomumente agudo e particularmente difícil de tolerar.[5]

Para sobreviver com alguma sanidade aos dois ou três meses de cólicas do seu bebê, tente as sugestões que apresentamos a seguir:

Faça uma pausa. Se você é a única pessoa que tem de lidar com o bebê sete noites por semana quando ele está com cólicas, o esforço excessivo vai perturbar não só a sua atuação enquanto mãe, como também a sua saúde e o relacionamento com o seu marido. Portanto, faça uma pausa pelo menos uma vez por semana, diariamente se possível, durante o tempo em que o bebê estiver com cólicas — pague alguém para ajudá-la, se puder, ou convoque as avós, outros parentes e amigos. (Mas evite os amigos ou parentes que ficam dizendo ou insinuando que o choro é culpa sua — não é verdade).

Se você e o seu marido nunca conseguem ter um jantar tranqüilo graças ao seu pequeno berrador, saiam de vez em quando para jantar fora. Não é difícil espremer o jantar entre as mamadas do bebê, ainda que as saídas *mais demoradas possam ser complicadas* caso você esteja dando de mamar. Se for impossível jantar fora, tentem um pequeno passeio, uma visita a um amigo (que, de preferência, não tenha em casa um bebê), um jogo de tênis, uma massagem.

Dê uma pausa para o bebê. Sem dúvida, é importante reagir ao choro do bebê; contudo, assim que você tiver atendido a todas as necessidades dele (alimentação, arroto, troca de fralda, consolo e carinho etc.) sem que tenha havido uma alteração perceptível do nível de choro, você pode dar-lhe uma pausa de si mesma — colocando-o no berço ou moisés durante algum tempo. Não vai lhe acontecer nada de mau se ele chorar no berço, e não nos seus braços, por 10 ou 15 minutos, enquanto você faz alguma coisa de relaxante: deitar-se, lavar os pratos, fazer alguns bolinhos, assistir televisão ou ler algumas páginas de um livro. Na verdade, para ele será melhor ter uma mãe com as forças renovadas, e não caindo aos pedaços.

Desligue-se. Para diminuir o impacto dos gritos do seu bebê, use protetores para os ouvidos — não vão bloquear totalmente o som, mas apenas reduzir a sua intensidade de tal modo que fique tolerável. Com eles nos ouvidos, você pode relaxar durante uma pausa dos seus cuidados com o bebê, ou mesmo enquanto estiver andando com ele pela casa.

Faça exercícios físicos. Exercitar-se é uma maneira excelente de acabar com a tensão, uma coisa que você tem de sobra. Faça exercícios em casa no começo do dia, junto com o bebê (veja página 606), nade

5. Se o choro de um bebê for inexplicavelmente agudo, consulte o médico, pois tal tipo de choro pode ser um sinal de doença.

ou exercite-se numa academia de ginástica (se possível, esmurre uma dessas bolas de couro usadas para o treino de pugilistas) que tenha uma creche, ou leve o seu bebê para um animado passeio no seu carrinho sempre que ele estiver irritado (algo que poderá acalmá-lo enquanto acalma você também).

Peça ajuda. Já que a carga maior dos cuidados com o bebê pode ficar com você, caso esteja em licença-maternidade ou tenha preferido ficar em casa enquanto o seu marido continua cuidando normalmente da sua vida profissional, é possível que pouco mais tarde você esteja querendo desistir, achando que ser mãe é um "mau negócio" — a não ser que consiga algum tipo de ajuda. Na linha de frente dos possíveis auxílios deve estar o seu marido. Em sua maioria, os pais são muito bons para acalmar um bebê, mas é preciso que invistam nessa possibilidade — ainda que uma minoria não consiga, de modo algum, lidar com o choro de um bebê. Se você tem a sorte de contar com outros parentes nas redondezas, convoque-os também. Graças aos longos anos de experiência, muitas avós parecem ter um toque mágico para lidar com bebês — ainda que uma minoria, como acontece com os pais, não saiba o que fazer com uma criança que não pára de berrar. Uma irmã, uma cunhada ou uma boa amiga também podem ser excelentes substitutas. Se uma dessas pessoas tiver filhos, no mínimo ela poderá trazer-lhe experiência para lidar com esse tipo de trabalho. Se não os tiver, poderá trazer entusiasmo, energia e uma nova maneira de encarar as coisas.

Se você não conseguir voluntários, terá de procurar ajuda paga — uma enfermeira ou babá experiente, por exemplo, que possa passear com o seu bebê aos berros durante mais ou menos uma hora por semana. Um adolescente que tenha experiência com bebês quase sempre representa uma ajuda não muito cara — embora eficiente — para levar o seu bebê a passear no carrinho ou andar com ele pela casa enquanto você toma banho, prepara o jantar, ou mesmo enquanto come.

Fale sobre o assunto. Chore um pouquinho você também — e faça-o sobre qualquer ombro amigo: o do seu marido, o do médico do bebê, o do médico da família, o de um padre, o de algum parente ou amigo. Desabafar não vai resolver o problema da cólica, mas você talvez se sinta um pouco melhor depois de compartilhar com alguém a sua triste história. Pode ser muito útil discutir a sua situação com outros pais de bebês com cólicas, sobretudo aqueles que enfrentaram com sucesso a tempestade e estão agora navegando por águas calmas.

Se você realmente sentir-se violenta, procure ajuda. São pouquíssimas as pessoas que não ficam irritadas com o choro constante de um bebê. Para algumas, porém, tal choro acaba por tornar-se insuportável. Às vezes, o resultado é a prática de alguma violência contra a criança. Se as suas idéias de jogar o bebê pela janela são mais do que passageiras, se você está sentindo que a qualquer momento vai ceder ao impulso de bater no seu bebê, sacudi-lo ou fazer qualquer coisa do gênero, procure ajuda *imediatamente.* Procure uma vizinha, se tiver alguma, e deixe o bebê com ela até você conseguir recuperar o controle sobre si mesma. Depois, procure alguém que possa ajudá-la — o marido, a mãe, a sogra, uma amiga íntima, o médico do bebê ou o seu, o SOS Criança ou alguma entidade local de atendimento às crianças que sofrem maus-tratos (o número deve estar bem visível na parte interna da capa de sua lista telefônica). Mesmo que os seus sentimentos não a levem a cometer nenhuma violência, eles poderão começar a destruir o seu relacionamento com o bebê e a sua confiança em si mesma enquanto mãe — a menos que procure ajuda especializada com a máxima rapidez possível.

QUANDO PROCURAR O MÉDICO POR CAUSA DO CHORO

É provável que as sessões diárias de choro do seu bebê sejam devidas à cólica normal ou ao choro paroxístico. Contudo, caso exista algum problema médico subjacente, não se esqueça de conversar com o médico sobre o choro, sua duração, intensidade, padrão, e, principalmente, quaisquer desvios daquilo que até então constituía a norma comportamental do seu bebê. À medida que a comunidade médica aprende mais sobre o choro, ela vem descobrindo que alguns dos seus aspectos (o tom, por exemplo) podem ser indícios de problemas de saúde.

Existem bebês que choram por causa de alguma coisa que as suas mães andam comendo, ou devido à alergia ao leite artificial. Se existir um histórico familiar de alergia, consulte o médico do seu bebê sobre essa possibilidade. Ele talvez sugira que você elimine um dos alimentos que compõem o seu regime alimentar (quase sempre, derivados do leite), caso você esteja amamentando, ou que mude o tipo de leite, se estiver dando mamadeira. Se a alteração reduzir significativamente a intensidade da cólica, então é possível que a causa esteja na alergia. Para chegar a uma prova mais conclusiva (se você tiver nervos de aço e um espírito científico), você pode reintroduzir o alimento ou leite artificial que estava prejudicando a criança, e ver se ela recomeça a chorar. O choro que persiste por mais de três meses também pode ser um sinal de alergia. E um súbito choro constante (num bebê que não vinha chorando muito) pode ser sinal de doença ou dor. Consulte o médico.

O BEBÊ MIMADO

"Sempre pegamos no colo o nosso bebê quando ele chora. Será que o estamos mimando?"

Não poupar bem-estar ao bebê não vai torná-lo mimado, pelo menos enquanto ele não completar seis meses de idade. Na verdade, os estudos mostram que dar-lhe o máximo de atenção agora — pegando-o por alguns minutos sempre que ele chorar e satisfazendo todas as suas necessidades — é um comportamento que não só não criará um fedelho mimado, como também ajudará a formar uma criança mais feliz e mais confiante em si mesma — alguém que, a longo prazo, vai chorar menos e exigir menos atenção. Ele também terá uma ligação mais forte com você (ou com a pessoa que cuida dele), e será mais confiável. Outra vantagem: como ele vai chegar com calma ao peito ou à mamadeira, sem uma barriga cheia do ar que entrou enquanto chorava, vai alimentar-se muito melhor.

É claro que nem tudo estará perdido se, de vez em quando, você não puder pegar o seu bebê imediatamente — você talvez esteja tomando banho, falando ao telefone, lidando com as panelas no fogão. Não há problema, desde que você volte sua atenção para a criança assim que for possível. Os resultados também não serão catastróficos se, periodicamente, você ficar por uns 15 minutos longe de um bebê que tem cólicas.

SANGUE QUANDO O BEBÊ REGURGITA

"Hoje, quando o meu bebê de duas semanas regurgitou, havia alguns traços avermelhados junto com o leite coagulado. Estou muito preocupada com ele."

Qualquer sangue que pareça estar saindo de um bebê de duas semanas, particularmente quando encontrado no seu regurgitamento, deve ser alarmante. Mas, antes de entrar em pânico, tente determinar se não se trata do seu próprio sangue (o que é muito provável) ou se realmente é sangue do bebê. Se você estiver amamentando, e os seus mamilos estiverem rachados, ainda que ligeiramente, pode ser que o bebê esteja ingerindo um pouco de sangue junto com o leite todas as vezes que mama. E, como tudo que entra num bebê deve sair — às vezes em forma de regurgitamento —, tal situação poderia, definitivamente, explicar o sangue que você percebeu.

Se os seus mamilos não forem a causa óbvia (pode ser que sejam, mesmo que você não consiga ver as minúsculas fissuras), comunique o fato ao seu pediatra e peça-lhe que a ajude a resolver o mistério.

MUDAR A SUA CABEÇA QUANTO À AMAMENTAÇÃO

"Eu estava decidida a não amamentar minha filha, e deixei que o meu leite secasse. Agora, quando vejo outras mães amamentando os seus bebês, começo a pensar que deveria ter feito o mesmo. É tarde demais para ter o meu leite de volta?"

A natureza permite mudanças de sentimentos — pelo menos durante a maior parte do tempo. Na fase inicial, particularmente quando os seus bebês têm entre quatro e sete semanas, as mulheres que querem amamentar depois de terem deixado o seu leite secar (ou aquelas que desmamaram os bebês só para se arrependerem de tê-lo feito algumas semanas depois) podem ser razoavelmente bem-sucedidas em sua tentativa de retomar a lactação.

Antes de você pensar numa tentativa, porém, certifique-se de que sua mudança de sentimento é firme e sincera. O sucesso não virá facilmente, e, para consegui-lo, você vai precisar, no mínimo, dedicar-se em dobro. Esteja certa de que, nas primeiras semanas, a relactação vai consumir um tempo enorme (de início, você terá de amamentar o seu bebê com muita freqüência), muito esforço (você talvez precise recorrer a alguma forma manual ou mecânica de tirar o seu leite), e de que o processo vai ser muito estressante tanto para você quanto para o bebê (que, a princípio, talvez se oponha a essa nova maneira de alimentar-se). Mesmo que você consiga produzir leite, talvez não seja capaz de suprir todas as necessidades nutricionais do seu bebê, tornando-se necessário complementar a alimentação dele com leite artificial.

Se você decidir que amamentar é algo que realmente quer tentar, ou tentar pela segunda vez, mude para o "regime mais promissor para lactantes" (página 615), e siga as sugestões para induzir a lactação que são apresentadas na página 580. Para muitas mulheres — e seus bebês — os resultados compensam o esforço.

"Estou amamentando o meu filho há três semanas, e não estou gostando da experiência. Gostaria de dar-lhe mamadeira, mas sinto-me tão culpada."

Não há motivo para sentir-se culpada pela sua decisão, nem mesmo para arrepender-se dela — desde que você esteja certa de tê-la tomado pelas razões corretas. De início, a amamentação costuma ser uma série de tentativas e erros. No que diz respeito a gostar dessa prática, trata-se de um prazer que pode ser ilusório tanto para você quanto para seu filho nesse período de ajustamento inicial. Se você tem certeza de que a sua insatisfação com a amamentação não é apenas o resultado de um início turbulento (que quase sempre se transforma num caminho suave por volta da metade do segundo mês), e de que deu o máximo de si nessa tentativa, tanto em termos de tempo quanto de empenho, continuar amamentando talvez não seja uma experiência positiva. Ainda assim, tente esperar até que o seu bebê complete seis semanas (dois meses seria ainda melhor), pois a essa altura ele já terá recebido os mais importantes benefícios que a amamentação pode oferecer à sua saúde. Nesse momento, se você continuar achando que amamentar não é uma experiência agradável, sinta-se livre — livre de remorsos, também — para desmamá-lo.

FOTOS COM "FLASH"

"Percebi que o nosso bebê pisca sempre que tiramos fotos dele com flash. *Será que os seus olhos estão sendo prejudicados?"*

Só as maiores celebridades vivem tão cercadas pelo espoucar de *flashes* quanto um recém-nascido, cujos pais, verdadeiros *paparazzi*, querem fotografar cada detalhe dos seus primeiros dias de vida. Mas, ao contrário das celebridades, os bebês não podem esconder-se por trás de óculos escuros assim que os *flashes* começam a disparar. Para proteger os olhos do seu bebê contra a possibilidade de problemas decorrentes da explosão de uma lâmpada perto dele e da exposição muito próxima e intensa às luzes das câmeras, é uma boa idéia tomar alguns cuidados durante as sessões fotográficas. Tente manter a câmera a pelo menos um metro do bebê e use uma tela de difusão sobre o *flash*, para que o clarão se conserve num nível mínimo de segurança. Se o seu equipamento fotográfico permitir, projete a luz numa parede ou no teto, e não sobre o rosto da criança. Se você não tomou essas precauções em todas as fotos anteriores, não se preocupe. O risco de problemas nos olhos do seu bebê é extremamente pequeno.

MÚSICA BARULHENTA

"Meu marido gosta de ouvir rock *com o som ligado muito alto. Tenho medo de que isso possa prejudicar os ouvidos de nossa filha."*

Todos os ouvidos, jovens e velhos, têm muito a perder sempre que são expostos a longos períodos de música barulhenta (*rock*, música clássica ou qualquer outro tipo de música) — a saber, uma certa perda de sua capacidade auditiva. Ainda que alguns ouvidos sejam naturalmente mais sensíveis e predispostos a problemas do que outros, em geral a audição dos bebês (e das crianças muito novas) é mais suscetível aos efeitos prejudiciais de qualquer som muito alto. Os danos aos ouvidos podem ser temporários ou permanentes, dependendo do nível de barulho e da duração e freqüência da exposição.

Qual altura de som é perigosa? Ainda que o choro de um bebê possa ser um sinal de que a música (ou outro barulho) está alta demais para ele, não espere pelos seus protestos antes de diminuir o volume: os ouvidos de um bebê não precisam ser "perturbados" para sofrerem danos. De acordo com os padrões para locais de trabalho determinados pela Administração da Segurança e Saúde Ocupacional, o nível máximo de barulho seguro para adultos é de noventa decibéis — um nível que pode ser facilmente superado por uma aparelhagem estéreo. Se você não dispõe do equipamento para medir os decibéis que o seu estéreo está emitindo enquanto o seu marido ouve *rock*, é possível regular o volume a um nível que não comprometa a segurança do seu bebê: basta deixar a música numa altura que não comprometa a conversação, ou seja, se você tiver de gritar, é porque ela está excessivamente alta.

SUPLEMENTOS VITAMÍNICOS

"Todas as pessoas com quem falamos têm uma opinião diferente sobre as vitaminas para bebês. Não conseguimos decidir se devemos ou não dá-las ao nosso novo filho."

É provável que a sua bisavó nunca tenha ouvido falar em suplementos vitamínicos quando era uma jovem mãe, ou mesmo de vitaminas (que só receberam esse nome em 1912); a sua avó talvez tenha sido aconselhada a dar aos seus filhos óleo de fígado de bacalhau, "por suas vitaminas", e a sua mãe talvez não tenha sido aconselhada a dar-lhe quaisquer suplementos. Com a ciência da nutrição ainda na sua infância, você pode estar certa de que as recomendações vão continuar mudando à medida que novas informações sejam descobertas. Levando-se em consideração as mudanças constantes no âmbito da comunidade científica, não é de surpreender que haja tanta confusão entre os leigos a propósito do que faz ou não sentido.

A pesquisa atual indica que, em geral, recém-nascidos saudáveis não precisam de um suplemento multivitamínico. Eles terão a maior parte das vitaminas e sais minerais que se acredita que necessitem já no leite materno, desde que suas mães estejam se alimentando adequadamente e tomando, todos os dias, um suplemento para a lactação, ou no leite artificial, desde que se trate de um produto comercial aprovado pela comunidade médica, e não de um preparado feito em casa. As exceções são os bebês com problemas de saúde que comprometem o seu estado nutricional (aqueles que não são capazes de absorver bem certos nutrientes dos alimentos, e/ou estão seguindo regimes alimentares restritos, por exemplo), e os bebês de mães vegetarianas que não comem produtos de origem animal e também não ingerem quaisquer suplementos. Estes últimos devem receber, no mínimo, vitamina B_{12}, que pode estar totalmente ausente do leite da mãe, e, talvez, também ácido fólico; um completo suplemento vitamínico-mineral com ferro provavelmente será uma ótima idéia.

Já no caso de saber se um suplemento é necessário para um bebê de poucos meses, as coisas ficam menos claras. Um leite comercial com ferro vai continuar suprindo todos os nutrientes que se sabe serem necessários ao bebê — tudo que possa estar nas gotas, e mais. O leite materno, por outro lado, é variável e muito menos fácil de analisar; sua constituição nutricional depende em parte da alimentação da mãe, em parte da sua saúde, e em parte de fatores que nem mesmo compreendemos.

Quando os alimentos sólidos são introduzidos, a alimentação de um bebê torna-se ainda menos fácil de avaliar e controlar. Um dia ele ingere um grande prato de cereais nutritivos condensados no café da manhã, algumas colheres de sopa de iogurte no almoço, depois volta para as cenouras e ervilhas da noite. No dia seguinte, ele pode rejeitar tudo, menos a mamadeira. Passa-se mais um dia, e o mingau de aveia acaba no assoalho, a maior parte do iogurte está espalhada pela bandeja da cadeira do bebê, e a carne que se oferece à noite só é experimentada para ser imediatamente cuspida.

Portanto, apesar de ser verdade que algumas das vitaminas que você coloca cuidadosamente na boca do bebê possam, em certos dias, ser eliminada na sua urina (afirma-se que os americanos têm a urina mais saudável do mundo, graças à enorme quantidade de suplementos vitamínicos que ingerem), alguns médicos ainda assim recomendam que as gotas sejam dadas diariamente, como uma forma de garantir a saúde da criança. Outros afirmam que nada disso é necessário. Se o seu médico é daqueles que insistem: "Tudo de que os bebês precisam é de uma alimentação equilibrada", mas você se sentiria mais tranqüila sabendo que o seu bebê está nutricionalmente "segurado" contra os lapsos alimentares do cotidiano, não há mal algum — e, talvez, até mesmo um certo bem — em dar-lhe por iniciativa própria um suplemento que lhe forneça *não mais* que a cota diária recomendada de vitaminas e sais minerais.

Contudo, existem alguns nutrientes individuais sobre os quais não pairam dúvidas: segundo um consenso geral, é preciso suplementá-los:

Vitamina D. Pelo menos meia hora à luz do sol por semana, cerca de 4 minutos por dia, quando vestido apenas com uma fralda, ou cerca de 17 minutos por dia, quando bem vestido, mas sem gorro — eis a quantidade de luz solar que se imagina deva um bebê receber para a prevenção do raquitismo. Mas, como conseguir a vitamina D necessária dessa maneira não só depende do acaso (uma brusca mudança de temperatura pode acabar com o sol durante uma semana, e sair com o bebê sem gorro quando a temperatura está muito quente ou fria não é possível), como também pode ser potencialmente perigoso (veja, página 447, os riscos de insolação que correm os bebês), a Academia Americana de Pediatria (AAP) recomenda a suplementação de vitamina D para os bebês, começando de duas a quatro semanas de idade. Essa suplementação é encontrada em leites comercializados para bebês (e no leite de vaca integral e enriquecido ao qual o seu bebê vai adaptar-se aos poucos, mais tarde), mas não se sabe ao certo se existe ou não vitamina D adequada no leite materno, ainda que a mãe tome um suplemento. Portanto, se você estiver dando de mamar, é provável que o seu pediatra recomende a suplementação através de gotas de vitamina. *Não dê* a um bebê (ou a ninguém, a propósito) mais que a dose diária recomendável para essa vitamina (400 UI) — é muito tóxica em níveis não muito acima desse. Um bebê que esteja tomando leite artificial contendo vitamina D *não* deve receber suplementação adicional.

Ferro. Tendo em vista que a deficiência de ferro durante os primeiros 18 meses de vida pode provocar graves problemas de desenvolvimento e comportamento, as mães devem certificar-se de que a ingestão de ferro seja adequada. A menos que prematuro, ou com baixo peso ao nascer, o seu bebê provavelmente chegou com uma considerável reserva de ferro, uma reserva que vai exaurir-se mais ou menos entre quatro e seis meses de idade.

A recomendação da AAP é que alguma fonte de ferro seja introduzida na dieta do bebê já aos dois meses de idade. O leite artificial enriquecido com ferro (mas não o leite de vaca comum) vai dar conta do recado no caso dos bebês que tomam mamadeira, mas os que são amamentados ao peito precisarão de outra fonte. Uma opção, quando os alimentos sólidos forem introduzidos, são os cereais enriquecidos com ferro, mas o médico também pode sugerir um suplemento de ferro (sulfato ferroso, em doses baseadas no peso do seu bebê, é barato e eficiente), isoladamente ou fazendo parte de um suplemento vitamínico-mineral do bebê.

A ingestão adequada de vitamina C vai melhorar a absorção do ferro, e, quando o bebê começar a ingerir muitos alimentos sólidos, é uma boa idéia dar-lhe um alimento com vitamina C a cada refeição, para que os benefícios do ferro ingerido sejam intensificados ao máximo (veja página 417). A despeito do que você possa ouvir, os estudos clínicos mostram que os suplementos de ferro não provocam problemas estomacais nos bebês. Lembre-se, porém, que o mineral pode ser tóxico em doses altas. Para não correr riscos, você pode ter em casa um suprimento suficiente para apenas um mês, guardando-o bem longe do alcance de bebês e crianças.

Flúor. Este mineral oferece excelente proteção contra o apodrecimento dos dentes, e a AAP recomenda que todas as crianças recebam flúor de uma forma ou de outra, começando já com duas ou quatro semanas de idade. Você pode certificar-se de que o seu bebê siga esta recomendação de qualquer das diversas maneiras possíveis — aquela pela qual você optar vai depender dos níveis de flúor na água da sua casa. Pode ser que o médico do seu bebê tenha condições de aconselhá-la a esse respeito; em caso contrário, ligue para o serviço de Saúde local. Se a sua água provém de um poço, ou de alguma outra fonte privada, você pode pedir que o conteúdo de flúor seja verificado por um laboratório (consulte a entidade de Saúde local sobre como fazê-lo).

Se a sua água de torneira estiver adequadamente fluorada (0,3 partes por milhão é o mínimo recomendado para proteção), tente qualquer dos procedimentos seguintes para assegurar a ingestão por parte do seu bebê:

- Prepare o leite artificial instantâneo, líqüido ou em pó (*não* pronto para servir, pois neste caso não poderia ser diluído) com água da torneira. Quando o bebê já puder tomar sucos, faça-os também com água de torneira.

- Crie, no seu bebê, o hábito de tomar água todos os dias. Ofereça-a numa mamadeira ou xícara, quando esta já estiver sendo usada por ele.
- Peça ao médico para receitar flúor, ou gotas vitamínico-minerais com flúor se o seu bebê não toma água de torneira de nenhuma maneira.

Se a água de sua casa não for fluorada, ou contiver menos fluoreto de sódio do que o necessário, peça ao seu médico que receite o mineral, sozinho ou em gotas vitamínico-minerais. Quando os dentes aparecerem, uma suplementação tópica com enxaguaduras e cremes dentais também pode ser usada. A dose será ajustada à porcentagem de fluoreto de sódio existente no suprimento de água do local onde você mora.

Como acontece com a maior parte das boas coisas, o flúor em excesso pode ser prejudicial. A ingestão excessiva quando os dentes estão surgindo nas gengivas pode causar "fluorose", ou lesões maculares de formas ou cores variadas — talvez como resultado de o bebê tomar uma água fortemente fluorada e além disso um suplemento. As formas menos graves dessas lesões (estrias brancas) não são perceptíveis, nem comprometem esteticamente a criança; em suas manifestações mais graves, porém, não só podem desfigurá-la, como também as depressões formadas predispõem à queda dos dentes.

Os bebês e as crianças são particularmente suscetíveis à fluorose, por serem muito pequenos e por seus dentes ainda estarem em fase de desenvolvimento. Portanto, muito cuidado com as doses excessivas. Antes de dar uma suplementação de flúor, certifique-se de que a água de torneira já não esteja adequadamente fluorada. E, assim que o bebê começar a ter os dentes escovados, não use creme dental — se a criança insistir, use-o em quantidades mínimas. Não deixe o creme dental sem tampa quando estiver fora de uso, e coloque-o fora do alcance do bebê — alguns deles adoram comer creme dental.

Ainda que possa ser uma boa idéia dar ao bebê um suplemento vitamínico-mineral que lhe ofereça não mais do que a necessidade mínima diária para bebês quando ele não mais depender exclusivamente do leite materno ou artificial, não é uma boa idéia dar-lhe quaisquer suplementos vitamínicos ou minerais extras, qualquer que seja o modo de fazê-lo. Um "nutricionista" *não* deve receitar vitaminas, minerais ou ervas para o seu bebê sem a aprovação de um médico. Há relatos de crianças acometidas de doenças graves devido ao excesso de vitaminas, ou ao fato de seus pais lhes terem dado remédios de ervas achando que estavam fazendo o melhor para elas.

Se o seu bebê é daqueles que detestam a dose diária de gotas, procure, na página 476, as sugestões para ajudar o remédio a descer.

CUIDADOS COM A CIRCUNCISÃO

"Meu filho foi circuncidado ontem, e hoje parece haver uma exsudação ao redor da área. É normal?"

O corpo não pode perder uma de suas partes — nem mesmo um pedaço de pele tão pequeno e desnecessário quanto o prepúcio — sem reagir à perda. Neste caso, geralmente verifica-se uma ulceração, e às vezes um pouco de sangramento e exsudação no local da cirurgia, depois de feita a circuncisão — um sinal de que os fluidos curativos do corpo estão se dirigindo para a área.

O uso de fraldas duplas durante o primeiro dia vai ajudar a proteger o pênis, e também impedir que as coxas do bebê o pressionem; mais tarde, este procedimento não costuma ser necessário. Em geral, o pênis do bebê é envolvido em gaze pelo médico ou *mohel* (um circuncisador ritual da religião judaica). A você será pedido que, a cada troca de fralda, coloque no pênis um novo pedaço de gaze com vaselina ou alguma pomada, e que tenha o cuidado de não molhá-lo durante o banho (seja como for, você ainda não estará dando grandes banhos no seu bebê, pois é provável que, a essa altura, o cordão umbilical ainda não tenha caído) enquanto a cicatrização não estiver completa.

INCHAÇO NO ESCROTO

"Quase chego a ter a impressão de que o nosso novo bebê tem três testículos."

Os testículos do seu filho estão dentro de uma bolsa protetora chamada escroto, que tem dentro de si um pouco de líqüido para absorver choques. Às vezes, uma criança nasce com uma quantidade excessiva de líqüido no saco escrotal, fazendo-o parecer inchado. Chamado de hidrocele, esse problema não deve ser objeto de preocupações, uma vez que se resolve gradativamente durante o primeiro ano, quase sempre sem necessidade de tratamento.

Ainda assim, você deve mostrar o inchaço ao médico do bebê, para certificar-se de que não se trata de hérnia inguinal (mais provável se também houver hipersensibilidade dolorosa, vermelhidão e descoloração; veja página 175), que tanto pode assemelhar-se à hidrocele quanto ocorrer ao mesmo tempo. Ao iluminar o saco escrotal, o médico pode determinar se o inchaço é devido a um excesso de fluido ou se se trata de hérnia.

HIPOSPÁDIA

"Ficamos muito perturbados quando constatamos que o orifício do pênis do nosso filho fica no meio, e não na extremidade."

De vez em quando, alguma coisa vai mal durante o desenvolvimento pré-natal da uretra e do pênis. No caso do seu filho, em vez de a uretra (o canal por onde passam tanto a urina quanto o sêmen, mas não ao mesmo tempo) ir diretamente para a glande do pênis, ela se abre em outro lugar. Essa anomalia é chamada de hipospádia; estima-se que ocorra em um a três entre cada mil meninos que nascem nos Estados Unidos. A hipospádia de primeiro grau, em que o orifício uretral fica na extremidade do pênis, mas não no lugar certo, é considerada uma anomalia pouco importante que não precisa de tratamento. A hipospádia de segundo grau, em que o orifício fica no lado inferior do pênis, pode ser corrigida com cirurgia de restauração. A hipospádia de terceiro grau, em que o orifício fica perto do escroto, em geral pode ser corrigida, mas, nesses casos, costumam ser necessárias duas operações.

Como o prepúcio pode ser usado para a restauração, a circuncisão (mesmo a ritual) não é feita num bebê com hipospádia.

Às vezes, uma menina nasce com hipospádia, com a uretra abrindo-se para dentro da vagina. Em geral, o problema também é passível de correção através de cirurgia.

A SEGURANÇA DO BEBÊ

Apesar do seu aspecto frágil, os bebês são criaturas bastante fortes. Eles não "quebram" quando os pegamos, suas cabeças não se desprendem do corpo quando nos esquecemos de apoiá-las, e suportam a maioria das quedas sem se ferir gravemente. Ainda assim, podem ser vulneráveis. Mesmo os muito novinhos, que parecem inocentes demais para se envolver em problemas, se envolvem — às vezes já na primeira vez em que mudam de posição para tentar alcançar alguma coisa. Para proteger o seu bebê contra acidentes que não precisam acontecer, ponha em prática, *o tempo todo*, todas as sugestões de segurança que apresentamos a seguir:

- Quando sair para um passeio de carro, use sempre o assento especial para o seu bebê. Use o cinto de segurança e certifique-se de que o motorista também usa o dele; se o motorista não estiver seguro, ninguém estará. E nunca dirija depois de ter bebido, nem ponha o seu bebê num carro cujo motorista tenha bebido.
- Se você der banho no bebê numa banheira grande, coloque embaixo um pedaço de pano ou uma pequena toalha, para impedir escorregões. Durante o banho, segure sempre o bebê com uma das mãos.
- Nunca se descuide do seu bebê numa mesa onde o esteja trocando, numa cama, cadeira ou poltrona — nem por um minuto. Até um recém-nascido, que não consegue virar-se deitado, pode estender repentinamente o corpo e cair. Se você não tiver correias de segurança na mesa onde troca a criança, não deixe nunca de segurá-la com uma das mãos.
- Quando estiver usando um bebê-conforto, não o coloque sobre uma mesa pequena, sobre a mesa em que lhe troca as fraldas, sobre a pia da cozinha ou qualquer superfície elevada que não seja larga o suficiente para impedir que o bebê escorregue e caia no chão.
- Nunca deixe um bebê sozinho com um animal de estimação, mesmo com o mais bem-comportado deles.
- Nunca deixe um bebê sozinho num quarto com um irmão de menos de cinco anos. Uma brincadeira de esconde-esconde, muito divertida para uma criança em idade pré-escolar, pode terminar em trágica asfixia para um bebê. Um abraço apaixonado, mas caloroso demais, pode resultar numa costela quebrada.
- Não deixe o bebê sozinho com uma babá com menos de quatorze anos, que você não conheça bem ou cujas referências não tenham sido confirmadas. Todas as babás devem ter recebido treinamento em RCP (ressuscitação cardiopulmonar) e ser informadas sobre as normas de segurança que os pais querem ver observadas.
- Nunca agite ou balance vigorosamente o seu bebê, nem o arremesse para o alto.
- Nunca deixe o bebê sozinho em casa, nem mesmo quando você vai apanhar a correspondência, tirar o carro da garagem ou pegar a roupa na lavanderia; bastam alguns segundos para que um incêndio se inicie e se alastre.
- Nunca deixe um bebê (ou uma criança) a sós dentro de um carro. No verão, nem mesmo a janela do carro abaixada pode impedir que uma criança fique com insolação. Em qualquer tempo, os freios podem ceder, derrubando o bebê, ou um ladrão de crianças que esteja à espreita pode desaparecer rapidamente com a preciosa carga do carro.
- Nunca tire os olhos do bebê quando estiver fazendo compras, passeando ou sentada num *playground*. O carrinho de bebê pode ser um alvo muito fácil para um ladrão de crianças.
- Evite o uso de qualquer tipo de corrente ou cordão no corpo do bebê, ou em quaisquer dos seus brinquedos ou pertences — nada de colares, cordões para chupetas ou chocalhos, correntinhas com imagens religiosas nem berços enfeitados com fitas maiores de 12 cm. Certifique-se de que as extremidades dos cordões de capuzes, camisolas e calças terminem em nós que não se desfaçam facilmente, e nunca deixe barbantes, cordões ou cadarços de qualquer tipo em lugares nos quais o bebê possa alcançá-los. Certifique-se, também, de que o berço, o cercadinho e a mesa onde você troca as fraldas do bebê não fiquem perto de fios de ligações elétricas (que representam um duplo perigo), fios de telefone, cordões de venezianas ou de cortinas. Tudo isso é capaz de provocar estrangulamentos acidentais.
- Para evitar que o bebê se asfixie acidentalmente, não use películas de plásticos, como as que são usadas nas tinturarias de lavagem a seco, revestindo colchões ou quaisquer outras coisas às quais ele possa ter acesso. Não deixe um bebê sozinho, adormecido ou acordado, próximo de travesseiros, de brinquedos de pano ou de pelúcia. Não deixe o bebê dormir com eles ou sobre colchões de pele de carneiro, de pelúcia, de estofo de grãos, colchões d'água ou sobre camas fixas na parede.

- Não coloque um bebê em nenhuma superfície próxima a uma janela desprotegida — nem mesmo por um segundo, nem mesmo se ele estiver dormindo.
- Use detectores de fumaça na sua casa, e instale-os segundo as recomendações do corpo de bombeiros local. Periodicamente, submeta-os à manutenção.

O QUE É IMPORTANTE SABER: Os Bebês se Desenvolvem Diferentemente

A corrida se inicia no dia em que o bebê nasce — e não há dúvida de que, torcendo por sua prole desde a linha de partida, os pais ficarão desapontados se o seu competidor não mostrar um bom desempenho. Se o quadro do desenvolvimento infantil mostra que alguns bebês começam a mudar de posição com dez semanas de vida, por que isto ainda não se passou com o bebê deles, que já tem doze semanas? Se, no parque, o bebê no carrinho ao lado, com três meses e meio de idade, apanha um objeto, por que o bebê deles ainda não consegue fazer o mesmo? Se a avó insiste que todos os seus filhos conseguiam sentar por volta dos cinco meses de idade, por que os deles, que já têm seis meses, ainda estão caindo pateticamente sempre que tentam fazê-lo?

Nessa corrida, porém, a criança que domina precocemente as suas habilidades desenvolvimentais não vai ser, necessariamente, a vencedora, nem aquela que vai muito devagar em seu desenvolvimento está fadada a não vencer nunca. Ainda que o bebê muito esperto possa, de fato, transformar-se numa criança dinâmica e num adulto bem-sucedido, as tentativas de medir a inteligência infantil e correlacioná-la com a inteligência demonstrada anos depois têm sido infrutíferas. Segundo parece, o bebê que dá a impressão de ser um pouco lento também pode tornar-se brilhante e bem-sucedido. Na verdade, há estudos que demonstram que uma em sete crianças ganha quarenta pontos de Q.I. da metade do terceiro ano à idade de dezessete. Isto significa que uma criança de dois anos "média" pode transformar-se num adolescente "talentoso".

Parte da dificuldade, sem dúvida, está em desconhecermos o modo como a inteligência se manifesta na infância, ou, mesmo, se isto acontece. E, mesmo que soubéssemos, seria muito difícil submetê-la a um teste, pois os bebês são criaturas que ainda não verbalizam. Não podemos fazer perguntas e esperar respostas, não podemos pedir-lhes que leiam um texto para depois avaliarmos a sua capacidade de compreensão, não podemos apresentar um problema para avaliarmos a capacidade de raciocínio. Aproximadamente tudo que podemos fazer é avaliar as aptidões motoras e sociais — e estas não são comparáveis àquilo que, mais tarde, entendemos por inteligência. Mesmo quando avaliamos as primeiras aptidões desenvolvimentais, os nossos resultados ficam quase sempre em aberto; nunca sabemos se um bebê não está apresentando um bom desempenho por inaptidão, falta de oportunidade ou por uma falta de interesse momentânea.

Qualquer pessoa que tenha convivido durante algum tempo com bebês sabe que as crianças se desenvolvem em ritmos diferentes. Talvez essas diferenças se devam mais à natureza do que à nutrição. Cada bebê parece nascer programado para sorrir, levantar a cabeça, sentar-se e dar os primeiros passos numa determinada idade. Estudos mostram que há pouco que possamos fazer para acelerar as seqüências cronológicas do desenvolvimento, ainda que possamos retardá-la ao não oferecermos um ambiente favorável ao desenvolvimento, pela falta de estímulo, pela má alimentação, pelo descaso com a saúde (certos problemas médicos ou emocionais podem retardar o desenvolvimento), e pura e simplesmente, pela falta de amor.

Social. A rapidez com que o seu bebê aprende a sorrir, a balbuciar e a reagir ao rosto e à voz humanos projeta luz sobre ele enquanto ser social. Um sério atraso nessa área pode indicar um problema de visão ou audição, ou do desenvolvimento emocional ou intelectual.

Linguagem. A criança que tem um grande vocabulário numa idade precoce, ou que fala usando frases longas antes do momento usual provavelmente vai ter um bom domínio da palavra. Mas a criança que faz os seus pedidos com gestos e resmungos no segundo ano de vida pode recuperar o tempo perdido e sair-se igualmente bem — ou melhor — quando crescer. Uma vez que o desenvolvimento da linguagem receptiva (quão bem um bebê entende aquilo que lhe dizem) é um melhor aferidor do progresso do que o desenvolvimento da linguagem expressiva (quão bem o bebê realmente fala), a criança que "entende tudo", mas fala muito pouco, talvez não esteja tendo um atraso do seu desenvolvimento. Também nesse caso, o desenvolvimento muito lento nessa área às vezes pode apontar para um problema de visão ou audição, devendo ser avaliado pelo médico.

Grande desenvolvimento motor. Alguns bebês parecem fisicamente ativos desde os primeiros pontapés no útero; depois que nascem, firmam a cabeça muito cedo, sentam-se, levantam-se e andam precocemente, e podem acabar sendo mais atléticos do que a maioria. Dentre os que começam lentamente, porém, existem aqueles que também acabam por sobressair-se em coisas como futebol e tênis. Ainda assim, os que começam com lentidão excessiva devem ser avaliados para que os pais possam certificar-se da inexistência de obstáculos físicos ou de saúde ao desenvolvimento normal.

Pequeno desenvolvimento motor. A precoce coordenação olho/mão, e a capacidade de estender as mãos, pegar e manipular objetos antes da idade média são coisas que *podem* predizer que uma pessoa vai lidar muito bem com as mãos. Contudo, o bebê que demora mais a tornar-se habilidoso nessa área não vai, necessariamente, transformar-se num indivíduo desastrado. A maioria dos indicadores do desenvolvimento intelectual — criatividade, senso de humor e aptidões para a solução de problemas, por exemplo — só costuma tornar-se evidente, no mínimo, quando a criança está por completar o seu primeiro ano de vida. No entanto, dado um amplo leque de oportunidades, o estímulo e o reforço, as diversas aptidões inatas de um recém-nascido terminarão combinando-se de modo a criar o adulto que é um talentoso pintor, um habilidoso mecânico, um eficiente financista, um excelente corretor de valores, um sensível professor, uma estrela do futebol.

Em geral, o ritmo do desenvolvimento nas diferentes áreas é desigual. Uma criança pode sorrir já na sexta semana, mas só conseguir alcançar um brinquedo por volta dos seis meses; outra pode andar com oito meses, mas só falar depois de um ano e meio. Quando uma criança se desenvolve por igual em todas as áreas, isso pode nos dar uma pista mais clara do seu futuro potencial. Uma criança que faz tudo precocemente, por exemplo, talvez seja mais viva e dinâmica do que a média; a criança que parece extremamente lenta em todas as áreas pode estar com um sério problema de saúde ou de desenvolvimento, e, nesse caso, é necessária a avaliação e intervenção de um profissional.[6]

Ainda que as crianças se desenvolvam em ritmos diferentes, o desenvolvimento de cada criança — admitindo-se que não existam obstáculos físicos ou ambientais — segue os mesmos três padrões básicos. Primeiro, a criança se desenvolve de cima para baixo, da cabeça aos dedos dos pés. Os bebês erguem a cabeça antes de conseguirem firmar as costas para sentar, e conseguem firmá-las antes de serem capazes de firmar-se nas pernas. Segundo, desenvolvem-se do tronco para os membros. As crianças usam os braços antes de conseguirem usar as mãos, e usam as mãos antes de conseguirem usar os dedos. De modo não surpreendente, o desenvolvimento avança do simples para o complexo.

Outro aspecto do aprendizado infantil é a profunda concentração envolvida no aprendizado de uma habilidade específica. A criança talvez não se interesse por aprender a "falar enrolado" enquanto está tentando ficar de pé. Assim que uma habilidade é dominada, outra desloca-se para o centro do palco, e o bebê pode dar a impressão de que se esqueceu da anterior, pelo menos durante algum tempo, de tão envolvido que está com a outra. Posteriormente, o seu bebê será capaz de integrar todas as diferentes habilidades, usando cada uma delas espontânea e apropriadamente. Enquanto isso não acontece, porém, não desespere se ele der a impressão de ter esquecido aquilo que aprendeu há pouco, ou olhar para você com um olhar vazio quando *solicitado a mostrar* a mais recente habilidade adquirida.

Seja qual for o ritmo do desenvolvimento do seu bebê, aquilo que é realizado no primeiro ano é extraordinário — ele nunca mais passará por um aprendizado tão rápido. Aproveite esse tempo, e demonstre ao seu bebê o quanto você está gostando de tudo. Ao aceitar o "cronograma" do seu bebê, você também lhe estará demonstrando que ele está se saindo bem. Evite comparar o seu bebê com outros (seus também, ou de outras pessoas), ou com normas de quadros de desenvolvimento. Os bebês só devem ser comparados consigo mesmos, há uma semana ou um mês atrás.

6. O Teste Seletivo de Denver para o Desenvolvimento é muitas vezes usado para avaliar o desenvolvimento infantil. Se a criança não for capaz de realizar uma determinada aptidão na idade em que 90% das outras crianças conseguem, existe um atraso desenvolvimental na referida área. Se existir um atraso em duas ou mais áreas, provavelmente será a hora de procurar a causa subjacente e tentar corrigir o problema. Às vezes, a intervenção precoce pode fazer uma extraordinária diferença para a vida futura de crianças que estão apresentando um desenvolvimento lento.

CAPÍTULO 5

O Segundo Mês

O QUE O SEU BEBÊ PODE ESTAR FAZENDO

Ao final deste mês, o seu bebê
... deve ser capaz de (veja a Nota):

- sorrir, em resposta ao seu sorriso
- acompanhar um objeto movimentado em arco a cerca de 15 cm acima do rosto, de um dos lados até a linha média (bem em frente)
- reagir de alguma forma a uma campainha: levando um susto, chorando, aquietando-se (por volta de um mês e meio)
- fazer outras vocalizações além do choro ("arrulhar", por exemplo)

Nota: Se o seu bebê parece não ter feito uma ou mais dessas conquistas, consulte o médico. Em raros casos, a demora pode indicar um problema, ainda que, na maior parte dos casos, ela venha a mostrar-se normal para o seu bebê. Em geral, os bebês prematuros alcançam essas aptidões mais tarde do que outros da mesma data de nascimento, quase sempre alcançando-os mais perto de sua idade ajustada (a idade que teriam se tivessem nascido depois de um período normal de gestação) e, às vezes, mais tarde.

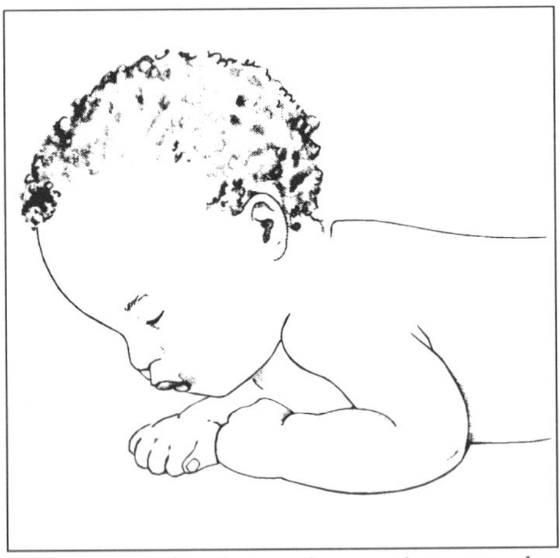

Por volta do fim deste mês, a maior parte dos bebês consegue levantar a cabeça num ângulo de 45°.

... provavelmente será capaz de:

- deitado de bruços, erguer a cabeça num ângulo de 45°
- acompanhar um objeto movimentado em arco a cerca de 15 cm acima do rosto, *ultrapassando* a linha média (bem em frente)

... pode até ser capaz de:

- manter a cabeça firme quando erguida
- deitado de bruços, erguer o peito com o apoio dos braços
- virar-se na cama (para um só lado)
- agarrar um chocalho entre um dedo e outro ou com as pontas dos dedos
- ficar atento a uma uva passa ou a qualquer outro objeto muito pequeno
- tentar alcançar um objeto
- dizer ah-gu, ou emitir qualquer combinação vocálico-consonantal semelhante

... talvez seja capaz de:

- Sorrir espontaneamente
- juntar as duas mãos (aos 2 2/3 meses)
- deitado de bruços, erguer a cabeça num ângulo de 90º (2 1/4 meses)
- rir alto
- dar gritinhos de prazer (2 1/4 meses)
- acompanhar um objeto movimentado em arco a cerca de 15 cm acima do rosto por 180º (de um lado até o outro do corpo)

O QUE VOCÊ PODE ESPERAR DO EXAME DESTE MÊS

Cada médico e cada enfermeira especializada terão uma abordagem pessoal do exame para verificar a saúde geral do bebê. A organização geral do exame físico, bem como o número e o tipo das técnicas de avaliação usadas e dos procedimentos observados vão igualmente variar conforme as necessidades individuais da criança. Em termos gerais, porém, você pode esperar o seguinte, num exame, quando o seu bebê estiver com mais ou menos de dois meses de idade.

- Perguntas sobre como você, o bebê e o resto da família vão indo em casa, e sobre a alimentação, o sono e o progresso geral do bebê. Perguntas sobre a assistência que será prestada ao bebê, caso você esteja pensando em retornar ao trabalho.
- Medição do peso, do comprimento e da circunferência da cabeça do bebê, e avaliação dos progressos da criança desde o nascimento.
- Exame físico, do qual fará parte uma reavaliação de eventuais problemas anteriores.
- Avaliação do desenvolvimento. O examinador pode submeter o bebê a uma série de "testes" que permitam avaliar o controle da cabeça, o uso das mãos, a visão, a audição e a interação social; é possível, também, que ele simplesmente confie na observação e nos seus relatos sobre o que o bebê anda fazendo.
- Primeira rodada de imunizações, se o bebê estiver bem de saúde e não houver outras contra-indicações. Veja as recomendações na página 174.
- Orientação sobre o que esperar no próximo mês a propósito de tópicos como alimentação, sono e desenvolvimento, além de conselhos sobre a segurança do bebê.
- Recomendações sobre a suplementação de flúor, caso necessária no lugar onde vocês moram, e sobre a suplementação de vitamina D, se você amamenta o seu bebê. Recomendações sobre a suplementação de ferro para os bebês que não usam leite artificial enriquecido com ferro.

Algumas perguntas que você talvez queira fazer, caso o médico ainda não as tenha respondido:

- Que reações você pode esperar que o bebê tenha às imunizações? Como você deve lidar com elas? Quais reações devem ser comunicadas ao médico? Coloque, também, as preocupações que surgiram no mês passado sobre a saúde do bebê, problemas de alimentação ou ajustamento familiar. Anote por escrito todas as informações e instruções que receber do médico. Faça um registro permanente de todas as informações importantes que dizem respeito ao bebê: peso, comprimento, circunferência da cabeça, sinais de nascença, imunizações, doenças, remédios usados, resultados de testes etc.

PARA ALIMENTAR O SEU BEBÊ ESTE MÊS: Mamadeiras Suplementares

A mamãe canguru não tem muita escolha. O seu bebê sai do canal de nascimento, sobe para a sua bolsa, agarra-se a uma das mamas, começa a sugar e continua a fazê-lo enquanto for necessário, até estar pronto para o desmame. O sistema é bem semelhante em muitas culturas primitivas; os bebês são colocados num tipo de mochila bem perto dos seios de suas mães, e mamam sempre que sentem vontade. Não há, nunca, necessidade de alimentação suplementar. Em nossa sociedade, na qual reverenciamos a independência, é comum que até mesmo bebês novinhos fiquem separados de suas mães a uma distância e por um período de tempo suficientemente longos para que se cogite a necessidade de uma ou mais refeições suplementares. Com um número cada vez maior de mães de recém-nascidos retomando muito cedo o trabalho fora de casa, tal suplementação vem se tornando cada vez mais comum; mas, graças ao desenvolvimento de leites artificiais de excelente qualidade, e de bombas tira-leite fáceis de usar, está ficando cada vez mais fácil dar esses alimentos extras aos bebês.

POR QUE SUPLEMENTAR?

A mãe que amamenta pode dar início à alimentação suplementar por uma ou mais razões, dentre uma grande variedade delas:

- Planeja voltar ao trabalho ou à escola enquanto o bebê ainda é bem novo.
- Planeja desmamar antes que o seu bebê seja capaz de tomar o leite de que precisa numa xícara (em geral, oito ou nove meses no mínimo).
- A vontade de ter uma tarde ou noite livre, sem o bebê (sozinha, ou com o marido, amigos ou outro filho), de cuidar dos seus compromissos (com um médico ou dentista, com clientes etc.), ou de participar de reuniões e assistir aulas sem ter de levar consigo a criança.
- A vontade de estar preparada em caso de emergência — você fica doente e não pode amamentar, uma reunião demora mais do que o planejado e você não consegue chegar em casa a tempo de amamentar na hora prevista, ou você precisa ausentar-se da cidade por um ou dois dias.

As mães que decidem não suplementar são menos livres do que as que o fazem, mas, de vez em quando, muitas descobrem que é possível sair para um jantar entre as mamadas, ou para ver um filme depois que o bebê já foi colocado no berço para o sono noturno. Dentre as razões para não suplementar, podemos citar as seguintes:

- O medo de que, se o bebê ficar dependente de uma mamadeira, o desmame tenha que ser feito duas vezes: primeiro do peito, depois da mamadeira. Em geral, es-

ARMAZENAR PARA AS EMERGÊNCIAS

Mesmo que você não tenha planos de dar mamadeiras suplementares ao seu bebê, talvez seja uma boa idéia tirar e congelar uma quantidade de leite de peito que dê para encher seis mamadeiras — como segurança. Isto vai deixá-la com uma boa reserva para fazer frente a situações emergenciais: se você ficar doente, se estiver tomando alguma medicação temporária que possa passar para o seu leite ou se precisar ausentar-se da cidade inesperadamente. Ainda que o seu bebê nunca tenha usado uma mamadeira, ele terá mais facilidade em aceitá-la se ela estiver cheia de leite materno, seu velho conhecido, e não de algum leite artificial que ele desconheça por inteiro.

sas mães começam a dar leite numa xícara assim que os seus bebês conseguem sentar-se com apoio, e usam a xícara para alimentações suplementares de leite em pó ou leite materno.

- A vontade de não interferir no suprimento de leite do peito.
- Ter um bebê que rejeita a mamadeira. As mães que não vêem uma necessidade concreta de insistir na suplementação podem decidir não forçar as coisas.

COMO SUPLEMENTAR

Quando começar. Alguns bebês não têm dificuldades para passar do seio à mamadeira, e desta para aquele, já desde o início, mas a maioria se dá melhor com ambos se a mamadeira só é introduzida quando a criança estiver com cinco ou seis semanas de idade. Antes disso, a alimentação suplementar pode prejudicar a criação do hábito da amamentação, e os bebês podem confundir os bicos, já que é preciso usar técnicas diferentes para mamar no peito e na mamadeira. Se a mamadeira for introduzida muito depois da quinta ou sexta semana, muitos bebês irão rejeitar os bicos de borracha, pois já estarão habituados aos mamilos de sua querida mamãe.

O que usar. Já que o leite de vaca não é alimentação apropriada para um bebê novinho, as duas opções ao alcance das mães que querem complementar são o leite materno e o leite artificial.

- Leite materno. Tem a vantagem de ser gratuito depois da compra de toda a parafernália para o uso das bombas tira-leite (que podem ser muito baratas, como quase todas as manuais, ou bem caras, como as bombas elétricas). Quase sempre, porém, é preciso investir muito tempo para tirar o leite do peito (de início, de 45 minutos a uma hora, e talvez de 15 minutos a meia hora mais tarde, ainda que algumas mulheres consigam esvaziar os dois seios em menos de 10 minutos depois que adquirem experiência). Sem dúvida, o leite materno tem a vantagem de oferecer uma nutrição excelente, além da resistência às doenças; ainda que uma ou outra mamadeira com leite artificial não comprometa essa imunidade, o uso freqüente do leite artificial poderia prejudicá-la.

- Leite artificial. O consumo de tempo e dinheiro vai variar conforme o tipo de leite pelo qual você optar. Os prontos para usar são caros, mas o seu preparo não consome praticamente tempo algum; costuma ser o tipo favorito das mães que só ocasionalmente dão leite artificial para suplementar a alimentação dos seus bebês. O leite artificial que precisa ser misturado é menos caro, mas exige maior tempo de preparo. Em termos nutricionais, o leite artificial é menos perfeito que o materno, mas, sem dúvida, trata-se de um suplemento adequado.[1]

Quer você suplemente com leite artificial, quer com leite materno, não se esqueça de que talvez seja necessário retirar o seu leite sempre que você ficar mais de 3 ou 4 horas longe do bebê; isto deve ser feito para evitar a obstrução dos dutos lácteos, o vazamento e a diminuição do seu suprimento de leite. O leite também pode ser tirado e guardado para futuras mamadas. Se você estiver realmente decidida a usar leite artificial, dê-o já nas primeiras mamadeiras, para que o bebê vá se habituando ao seu sabor.

Quanto usar. Uma das maravilhas da amamentação está no fato de você não precisar nunca preocupar-se com a quantidade que o seu bebê está ingerindo. Assim que você começa a usar uma mamadeira, fica fácil sucumbir ao jogo dos números. Resista. Diga à pessoa que cuida do seu bebê para dar-lhe somente a quantidade que ele quiser, sem forçá-lo a dar fim a uma quantidade qualquer que tenha ficado na mamadeira. O bebê médio, de 4 kg, pode tomar até 170 g por mamada, ou menos de 60 g. Não se esqueça, também, de lembrar à pessoa em questão que, ao voltar para casa, você vai amamentar o bebê umas duas vezes, e que, portanto, ela não deve sentir-se obrigada a dar leite em excesso ao bebê, o que poderia resultar numa criança com peso acima do normal — ou numa criança que não quer mamar quando se apresenta a oportunidade.

Convencer o bebê. Espere até que o seu bebê esteja com fome (mas não morrendo de fome) e bem-humorado, e só então tente dar-lhe a mamadeira. É provável que as primeiras mamadeiras sejam aceitas se os bicos tiverem sido aquecidos à temperatura do corpo numa torneira de água quente, e se forem dadas por outra pessoa — de preferência, quando você não estiver no mesmo aposento, para que o bebê não reclame. A pessoa que estiver dando a mamadeira deve ser carinhosa com o bebê e conversar com ele durante o processo, exatamente como você faz quando lhe dá de mamar. Se for preciso que você mesma lhe dê a mamadeira, talvez seja aconselhável deixar os seus seios bem camuflados (não dê mamadeira sem sutiã, nem com uma blusa muito decotada) e distrair a atenção do bebê com uma música de fundo, um brinquedo ou qualquer outra coisa capaz de entretê-lo. Se houver distração demais, porém, pode ser que o seu bebê prefira brincar a alimentar-se. Se ele experimentar o bico, e em seguida soltá-lo com aparente desaprovação, tente usar um tipo de bico diferente da próxima vez. Para o bebê que usa chupeta, talvez funcione dar-lhe um bico de forma parecida.

Manter um horário regular. Se os seus horários vão exigir que você deixe de amamentar duas vezes por dia, substitua as mamadas pela mamadeira, uma por vez, começando pelo menos duas semanas antes de voltar para o trabalho ou à escola. Dê ao seu bebê uma semana inteira para ele habituar-se a uma mamadeira, antes de passar para duas. Isto não só ajudará o bebê a adaptar-se aos poucos — o mesmo vai acontecer com o seu corpo, caso você esteja pensando em suplementar com leite artificial, e não com o seu próprio leite. O maravilhoso mecanismo de oferta e procura que controla a produção de leite vai reduzir a sua produção à medida que você começar a amamentar menos, deixando-a mais confortável quando, finalmente, retomar o seu trabalho.

Dar mamadeira de vez em quando. Se você pensa em dar mamadeira somente de vez em quando, o excesso de leite e o vazamento ficarão menos problemáticos se, an-

1. Muito raramente, um bebê que adquiriu sensibilidade ao leite na fase uterina, ou quando o leite lhe foi dado inadvertidamente no berçário do hospital, vai apresentar uma reação desfavorável aos primeiros pequenos goles de leite de vaca (artificial ou puro). Se o seu bebê chorar como se sentisse dor, ou se você perceber algum inchaço nos lábios, na língua e nas mucosas da boca, ou se ele ficar ofegante alguns minutos depois de tomar o leite, chame imediatamente o médico. Se você perceber que o bebê está tendo dificuldade para respirar, ligue para o serviço local de emergências. Se você só lhe dá leite artificial de vez em quando, não use o tipo enriquecido com ferro.

tes de sair de casa, você der de mamar nos dois seios. (Ainda assim, convém colocar compressas absorventes dentro de seu sutiã, para evitar surpresas.) Certifique-se de que o bebê não vá ser alimentado pouco antes de você voltar (menos de duas horas já seria inconveniente), pois desse modo, se você estiver desconfortável devido ao excesso de leite, poderá amamentar a criança assim que chegar em casa.

SUPLEMENTAR QUANDO O BEBÊ NÃO ESTIVER SE DESENVOLVENDO BEM

Ocasionalmente, a suplementação com leite artificial é recomendada porque o bebê não está se desenvolvendo bem só com o leite materno. Isso costuma deixar as mães inseguras quanto ao que fazer. Por um lado, ela ouve dizer que dar mamadeira em tal situação pode eliminar por completo as suas possibilidades de amamentar; por outro, o médico lhe diz que, se ela não começar a suplementar a alimentação do bebê com leite artificial, as conseqüências para a saúde dele podem ser graves. Em muitos casos desse tipo, a melhor solução é o sistema nutricional suplementar, apresentado na página 112 — um sistema que oferece leite artificial ao bebê ao mesmo tempo em que estimula os seios da mãe a produzir mais leite.

O QUE PODE ESTAR PREOCUPANDO VOCÊ

CROSTA LÁCTEA

"Lavo os cabelos da minha filha todos os dias, mas parece que não consigo acabar com as escamas em seu couro cabeludo."

Não se desespere: a crosta láctea, uma dermatite seborréica do couro cabeludo muito comum nos bebês novinhos, não vai condenar a sua filha a uma vida inteira de caspa. A crosta láctea amena, em que flocos de superfície oleosa aparecem no couro cabeludo, quase sempre reage bem a uma vigorosa massagem com óleo mineral ou vaselina, que ajuda a desprender as crostas; em seguida, lave com xampu para remover as crostas e o óleo. Os casos mais difíceis, em que há um grande acúmulo de escamas e/ou manchas pardas, bem como a presença de crostas amarelas, pode beneficiar-se do uso de um xampu anti-seborréico e/ou uma pomada salicilada (que jamais deve atingir os olhos do bebê) depois do tratamento com óleo. (Alguns casos são agravados pelo uso de tais preparados. Se acontecer com o seu bebê, interrompa o uso e discuta o problema com o médico.) Tendo em vista que a crosta láctea costuma piorar quando o couro cabeludo transpira, mantê-lo fresco e seco também pode ajudar — portanto, só coloque um gorro no bebê se for absolutamente necessário, e tire-o assim que entrar em casa ou num carro aquecido.

Nos casos mais graves de crosta láctea, a erupção seborréica pode espalhar-se pelo rosto, pelo pescoço ou pelas nádegas. Se isto acontecer, é provável que o médico do seu bebê receite uma pomada tópica.

Às vezes, a crosta láctea vai persistir ao longo do primeiro ano — e, em poucos casos, até bem depois de a criança ter deixado o berço. Como a dermatite seborréica não provoca mal-estar, sendo, portanto, considerada apenas um problema estético, o uso de uma terapia agressiva (como cortisona tópico, que pode conter a formação de crostas por algum tempo) não costuma ser recomendado, mas, em última instância, vale a pena discutir o problema com o médico do bebê.

SORRIR

"Meu filho tem cinco semanas de idade, e achei que, a esta altura, ele já estaria dando verdadeiros sorrisos — só que isso não está acontecendo."

Não desanime. Até mesmo alguns dentre os bebês mais felizes não começam a dar verdadeiros "sorrisos sociais" enquanto não completarem seis ou sete semanas de vida. E, quando começam a sorrir, alguns são naturalmente mais sorridentes do que outros. Você saberá distinguir o primeiro sorriso verdadeiro das tentativas pelo modo como o bebê vai usar o rosto todo — e não só a boca. Os bebês mais durões não sorriem enquanto não estão prontos, e ficam prontos mais depressa quando as pessoas conversam com eles, brincam com eles e os tratam com muito carinho. Portanto, sorria muito para o seu bebê e converse bastante com ele, e logo ele estará retribuindo.

FALAR ENROLADO

"Meu bebê de seis semanas emite sons vocálicos intensos e muito freqüentes, mas absolutamente nenhuma consoante. Será que ele está com algum defeito de fala?"

Os sons mais comuns que os bebês novinhos emitem são os "ais" e os aa, ee, oo e uu — os sons vocálicos que eles começam a emitir em algum ponto entre as primeiras semanas e o fim do segundo mês. De início, o "arrulhar" melódico (e adorável) e os balbucios guturais parecem totalmente emitidos ao acaso; depois, você percebe que eles se dirigem a você, quando você fala com a criança, a um animalzinho de brinquedo que divide o cercadinho com ela, a um móbile no seu campo de visão, ou mesmo a uma flor do tecido do sofá. Em geral, esses exercícios vocais são feitos tanto para o prazer do bebê quanto para o seu; na verdade, os bebês parecem adorar ouvir o som de suas próprias vozes. São, também, exercícios educativos: o bebê está descobrindo quais combinações dos movimentos da garganta, da língua e da boca produzem quais sons.

Para o pai e a mãe, o falar enrolado é um bem-vindo degrau da escada da comunicação — algo já muito acima do choro. E trata-se apenas do começo. Dentro de algumas semanas a alguns meses, o bebê vai começar a rir alto (em geral, por volta de três meses e meio de idade), a dar gritinhos de prazer (aos quatro meses e meio) e a acrescentar algumas consoantes ao seu repertório. A diversidade das primeiras vocalizações consonantais é muito ampla — alguns emitem alguns sons parecidos com consoantes no terceiro mês, e outros só vêm a fazê-lo por volta do quinto ou sexto mês, ainda que a média seja o quarto mês.

Quando os bebês começam a fazer experiências com consoantes, é comum descobrirem uma ou duas por vez e repetirem a mesma combinação (ba, ga, ou da) um sem-número de vezes. Na semana seguinte, talvez passem para novas combinações, aparentemente esquecidos das primeiras. Na verdade, não as esqueceram, mas, como a sua capacidade de concentração é limitada, eles quase sempre procuram dominar uma coisa por vez.

Depois dos sons consonantais de duas sílalas (a-ga, a-ba, a-da), vem a melopéia das seqüências de consoantes (da-da-da-da-da), chamadas de "tartamudeio", o que em geral acontece por volta dos seis meses de idade. Aos oito meses, muitos bebês são capazes de produzir consoantes duplas que se assemelham a palavras (pa-pa, ma-ma, ba-ba), em geral sem associar-lhes quaisquer significados — o que só passarão a fazer dois ou três meses depois. (Para delícia dos pais, da-da de "papai", em inglês se costuma vir antes de mama). O domínio de todas as consoantes só ocorre muito mais tarde, nunca antes dos quatro ou cinco anos de idade. Algumas crianças perfeitamente normais apresentam dificuldades com algumas consoantes (em geral l ou s) quando vão para a escola.

"Parece que o nosso bebê não emite o mesmo tipo de 'arrulho' que o seu irmão mais velho emitia com seis semanas. Devemos ficar preocupados?"

Alguns bebês normais desenvolvem as aptidões lingüísticas antes do que a média das criancas, e outros mais tarde. Cerca de 10% dos bebês começam a falar enrolado antes do fim do primeiro mês, e outros 10% só vão começar quando estiverem perto dos três meses. Alguns começam a emitir séries de consoantes antes de terem quatro meses e meio; outros só vêm a fazê-lo depois de terem completado oito meses. Os verbalizadores precoces podem tornar-se muito fortes em habilidades lingüísticas (ainda que a comprovação de tal hipótese não seja muito clara); os que ficam para trás, nos 10% mais baixos, talvez apresentem um problema físico ou de desenvolvimento, mas tampouco existe certeza absoluta de que assim seja. Sem dúvida, é cedo demais para achar que pode ser esse o caso do seu bebê, uma vez que ele provavelmente ainda se encontre bem dentro da norma.

Se, nos próximos meses, você achar que o seu bebê está ficando muito para trás em termos das conquistas mensais e a despeito de todo o seu incentivo, converse com o médico sobre as suas preocupações. Uma avaliação da capacidade auditiva do bebê ou outros testes talvez precisem ser feitos. Pode ser que, de tão ocupada, você não esteja percebendo bem as conquistas vocais do seu filho (o que muitas vezes acontece com os segundos filhos). No caso menos provável de que realmente exista um problema, os cuidados imediatos podem ajudar a resolvê-lo.

PÉS TORTOS

"Os pés do nosso filho parecem dobrar-se para dentro. Será que vão endireitar-se sozinhos?"

A resposta é, quase certamente, *sim*. A maioria dos bebês parece ter pernas tortas e as pontas dos pés voltadas para dentro. Isto acontece devido à curva rotatória normal das pernas de um recém-nascido, e também porque o espaço exíguo do útero quase sempre força um ou ambos os pés a ficar em posições anormais. Quando o bebê nasce, depois de ter passado vários meses em tal posição, os pés ainda estão tortos, ou parecem voltados para dentro.

Nos meses seguintes, os pés do bebê vão começar a endireitar à medida que forem desfrutando da nova liberdade e à medida que ele for aprendendo a ficar em pé, a engatinhar e, por último, a andar. Isto quase sempre acontece sem a necessidade de correção precoce, dos sapatos e barras especiais que no passado constituíam um tratamento rotineiro. Talvez seja por isso que esses tratamentos, quase todos hoje em dia considerados totalmente ineficazes, em geral dessem a impressão de "curar" o problema.

Para certificar-se de que a causa dos problemas com os pés do seu bebê não esteja em alguma anomalia, converse com o médico sobre as suas preocupações na próxima visita que que lhe fizer. É provável que ele já tenha examinado os pés da criança à procura de alguma anomalia, mas não custará nada fazer um novo exame. À medida que o bebê for crescendo, o médico também vai ficar atento aos progressos dos seus pés. Se eles não se estiverem endireitando por conta própria, mais tarde talvez seja preciso recorrer à modelagem, ou a sapatos especiais. O tipo de problema e o ponto de vista do médico é que vão determinar o momento certo de proceder a tal tipo de intervenção.

COMPARAR BEBÊS

"Costumo reunir-me com outras mães que tiveram bebês na mesma época em que tive o meu, e é inevitável que surjam comparações sobre o que os nossos bebês estão fazendo. Isso me deixa louca — e preocupada com a possibilidade de a minha filha não estar tendo um desenvolvimento normal."

Se existe uma coisa mais passível de provocar ansiedade do que uma sala cheia de mulheres grávidas comparando as respectivas barrigas, trata-se de uma sala cheia de mulheres comparando os feitos dos seus bebês. Assim como não existem duas barrigas iguais, também não existem dois bebês iguais. As normas de desenvolvimento (como as que são encontradas em todos os capítulos deste livro) são úteis para comparar o seu bebê com uma ampla faixa de bebês normais, com a finalidade de avaliar o seu progresso e identificar eventuais atrasos. Contudo, comparar o seu bebê com o bebê de outra pessoa, ou com outro filho seu, só pode ter como resultado um grande número de medos e frustrações desnecessários. Dois bebês perfeitamente "normais" podem desenvolver-se de modo totalmente diverso em áreas diferentes — um pode avançar muito em termos de vocalização e socialização, enquanto outro pode sair-se melhor no terreno do desenvolvimento físico, como, por exemplo, aprender a mudar de posição. As diferenças entre os bebês ficam ainda mais acentuadas à medida que o primeiro ano vai avançando — um bebê pode aprender a engatinhar bem cedo, mas só vai andar aos quinze meses de idade; outro talvez nunca aprenda a engatinhar, mas, de repente, começa a dar os primeiros passos já no décimo mês de vida. Além disso, a avaliação que as mães fazem do desenvolvimento de seus bebês é extremamente subjetiva — e nem sempre muito exata. Uma mãe talvez não identifique nas primeiras "falas enroladas" do seu bebê o início da aquisição da linguagem, ao passo que outra, ao ouvir as primeiras vocalizações da criança, jure que ela acabou de dizer "mamã".

Isto posto, é mais fácil concluir que comparar bebês não é uma idéia muito boa — o melhor é parar efetivamente de fazê-lo e evitar as pessoas que têm esse hábito. Muitas comparadoras compulsivas são incapazes de sentar-se a três metros de outra mãe com um bebê no colo, dentro de um ônibus, na sala de espera do médico ou num parque, sem começar a fazer uma série de perguntas aparentemente inocentes que levam às inevitáveis comparações ("Que encanto de bebê! Ele já consegue sentar? Qual é a idade dele?") O melhor conselho, caso você não consiga evitar comparações, é ter em mente o quanto elas são inúteis. O seu bebê, assim como a sua barriga antes que ele viesse ao mundo, tem características absolutamente únicas.

O USO DO PORTA-BEBÊS

"Em geral, transportamos o nosso bebê num porta-bebês. É uma boa idéia?"

Ainda que os porta-bebês — mochilas de pano que atrelam os bebês às pessoas que cuidam deles — só muito recentemente tenham se tornado populares nos Estados Unidos, de uma forma ou de outra eles já vêm ajudando a transportar bebês em outras culturas desde tempos pré-históricos. Esse uso prolongado se justifica pelo menos por três boas razões. Em primeiro lugar, os bebês quase sempre ficam felizes ao serem transportados desse jeito; gostam do movimento firme e delicado e da proximidade do calor de um corpo. Em segundo lugar, os bebês tendem a chorar menos no restante do dia sempre que são bastante carregados, uma coisa que o uso do porta-bebês facilita muito. E, por último, os porta-bebês dão aos pais, às mães e a outras pessoas que cuidam da criança a liberdade de cuidar dos seus afazeres diários ao mesmo tempo em que transportam os seus bebês.

Contudo, se os porta-bebês podem ser uma dádiva para os pais de hoje, eles também podem se transformar num grande problema. Se você pretende continuar usando o seu, não perca de vista os seguintes riscos:

Superaquecimento. Num dia muito quente, até mesmo um bebê com pouca roupa pode cozinhar dentro de um porta-bebês — sobretudo se este contiver as pernas, os pés e a cabeça dele, ou se for feito de um tecido muito grosso (veludo cotelê, por exemplo). Esse superaquecimento pode provocar brotoejas, ou mesmo insolação. Se você usar um porta-bebês no verão, ou em lugares (ou veículos) muito quentes, verifique constantemente se o bebê não está transpirando e se o corpo dele não parece estar mais quente do que o seu. Se ele parecer superaquecido, tire algumas peças de roupa dele ou coloque-o totalmente fora do porta-bebês.

Falta de estímulos. Um bebê que está sempre confinado a um porta-bebês, com a sua perspectiva visual limitada a um peito — e a um rosto, se levantar a cabeça —, não terá a necessária oportunidade de ver o mundo. Isso não constitui um problema grave nas primeiras semanas de vida, quando o interesse do bebê quase sempre se restringe aos confortos mais básicos da existência, mas pode tornar-se grave agora, quando ele está pronto para expandir os seus horizontes. Procure um porta-bebês conversível, no qual o bebê possa acomodar-se bem para uma soneca ou onde possa ter também uma boa visão do mundo; você também pode limitar a permanência do bebê aos momentos em que ele estiver dormindo, ou em que ele vai acalmar-se somente pelo fato de estar sendo carregado, e nos quais você precisa dos seus braços para outras finalidades. Em outras ocasiões, use um carrinho ou uma cadeira para bebês.

Excesso de sono. Os bebês que são muito transportados em porta-bebês tendem a dormir demais — em geral, muito mais do que precisam, com duas conseqüências nem um pouco desejáveis. Em primeiro lugar, habituam-se aos cochilos (15 minutos quando você corre até a mercearia, 20 quando leva o cachorro a passear), e não a períodos de sono mais longos nos seus berços. Em segundo lugar, podem ficar tão descansados durante o dia que não precisem de muito descanso à noite. Se o seu bebê cai no sono imediatamente ao ser colocado num porta-bebês, não o ponha ali a menos que queira que ele durma e esteja com a expectativa de carregá-lo durante todo o período em que ele estiver dormindo.

Excesso de solavanco. O pescoço de um bebezinho ainda não é forte o suficiente para suportar-lhe a cabeça quando ele é muito sacudido e balançado. Ainda que colocá-lo num porta-bebês enquanto você faz *cooper* possa parecer a maneira ideal de fazer o seu exercício e deixar o seu bebê igualmente feliz, os solavancos podem ser perigosos. Em vez disso, deixe-o num carrinho quando você for fazer *cooper*; será bem melhor para ambos.

Embora o uso correto e cuidadoso do porta-bebê possa ser bom tanto para a mãe quanto para o bebê, ainda é cedo demais para começar a usar um desses nos quais a criança é levada nas costas da mãe. O bebê só estará pronto para esse tipo de transporte quando conseguir sentar-se sozinho.

IMUNIZAÇÃO

"O pediatra do meu bebê diz que a imunização é perfeitamente segura. Mas tenho ouvido inúmeras histórias de horror sobre reações muito graves — até mesmo fatais —, e não sei se devo deixá-lo dar as injeções na minha filha."

Vivemos numa sociedade que não tem o devido apreço pelas boas notícias. Um relato sobre os efeitos positivos das imunizações não consegue competir com uma história dos casos extremamente raros em que a elas estão associadas complicações fatais. Assim, é mais provável que os pais de hoje em dia tenham ouvido falar muito mais sobre os riscos da imunização do que sobre os seus benefícios. Apesar disso, como certamente o seu pediatra já lhe disse, para a maioria dos bebês esses benefícios continuam superando em muito os possíveis riscos.

Há não muito tempo, nos Estados Unidos, as causas mais comuns da mortalidade infantil eram doenças infecciosas como a difteria, a febre tifóide e a varíola. O sarampo e a coqueluche eram tão comuns que se esperava que todas as crianças contraíssem essas doenças, que mataram milhares de bebês ou deixaram-nos com deficiências permanentes. Os pais viam com apreensão a chegada do verão e das epidemias de paralisia infantil (pólio) que pareciam chegar invariavelmente junto, matando ou incapacitando milhares de bebês e crianças. Hoje, a varíola foi virtualmente eliminada, e a difteria e a febre tifóide são extremamente raras. Só uma pequena porcentagem de crianças pega sarampo ou coqueluche a cada ano, e a paralisia infantil é uma doença que as jovens mães não só deixaram de temer, mas com a qual, em sua maioria, nem mesmo estão familiarizadas. Hoje, é mais provável que um bebê norte-americano morra por não ter sido devidamente colocado no seu assento de carro, e não de alguma doença contagiosa. E a razão disso chama-se imunização.

A imunização baseia-se no fato de que a exposição a microorganismos causadores de doenças, enfraquecidos ou mortos (em forma de vacinas), ou aos venenos (as toxinas) que eles produzem, tornados inócuos pelo aquecimento ou por tratamentos químicos (quando passam a chamar-se toxóides), vai levar um indivíduo a produzir os mesmos anticorpos que se desenvolveriam caso a pessoa tivesse realmente contraído a doença. Armados com a memória especial que é exclusiva do sistema imunológico, esses anticorpos vão "reconhecer" os microorganismos específicos, caso eles ataquem no futuro, e destruí-los.

Até mesmo os antigos reconheciam que, quando alguém sobrevivia a uma determinada doença, era improvável que voltasse a contraí-la; os que se recuperavam de uma epidemia às vezes eram usados para cuidar das novas vítimas. Ainda que algumas sociedades tenham tentado formas incipientes de imunização, a moderna imunização só se iniciou quando Edward Jenner, um médico escocês, resolveu pôr à prova a velha crença em que a pessoa que contraísse vacínia, uma doença mais branda, transmitida pelo gado, jamais contrairia varíola. Em 1796, Jenner esfregou pus das feridas de uma ordenhadora com vacínia em dois pequenos cortes no braço de um garoto saudável de oito anos. Depois de uma semana a criança desenvolveu uma febre ligeira, e então surgiram duas pequenas cascas de ferida no seu braço. Posteriormente, foi exposta à varíola e continuou saudável — tornara-se imune.

Hoje, a imunização salva milhares de vidas todos os anos nos Estados Unidos. Ainda que a maior parte das crianças só apresente uma reação muito branda à imunização, algumas ficam doentes e muito poucas gravemente doentes. Com alguns tipos de vacina, pode haver um risco mínimo de danos graves ou permanentes, e até mesmo de morte. Mas, assim como as vantagens de se atravessar uma rua ou fazer um passeio no carro da família superam os riscos reais que decorrem de tais atividades, também as vantagens da proteção contra doenças graves superam os riscos da imunização para todas as crianças, com exceção das de alto risco (veja página 170). E, assim como você toma precauções para diminuir os riscos ao atravessar uma rua (obedecendo ao semáforo e olhando dos dois lados) e ao dirigir um carro (fazendo-o com cuidado e usando assentos e cintos de segurança), é preciso

O QUE VOCÊ DEVE SABER SOBRE A DPT (Tríplice)

REAÇÕES COMUNS À DPT

As reações à DPT que apresentamos a seguir estão descritas em ordem de freqüência, com as três primeiras, mais comuns, ocorrendo em cerca da metade das crianças imunizadas. Em geral, todas duram somente um ou dois dias.

- Dor no local onde foi aplicada a injeção
- Febre branda ou moderada (de 37ºC a 38,5ºC).
- Agitação.
- Inchaço no local.
- Vermelhidão no local.
- Sonolência.
- Perda de apetite.
- Vômitos.

O acetaminofen infantil pode ser dado nos casos de febre e dor — administrado logo após a imunização, como uma medida profilática, parece reduzir significativamente as reações. A aplicação de compressas quentes sobre o local da injeção também pode ajudar a reduzir o mal-estar do bebê. A febre e a irritação no local podem tornar-se mais problemáticas a cada dose subseqüente da DPT, mas a agitação e vômitos podem ser menos freqüentes.

QUANDO CHAMAR O MÉDICO

Se o seu bebê apresentar qualquer das reações seguintes nas 48 horas que se seguirem a uma injeção da DPT, ligue para o médico. Quanto mais informações forem reunidas para avaliação científica, mais rapidamente os riscos da imunização poderão ser reduzidos.

- Choro agudo e persistente por mais de 3 horas.
- Sonolência excessiva (pode ficar difícil acordar o bebê).
- Letargia ou palidez incomuns.
- Temperatura axilar de (38,5ºC), ou mais.
- Convulsões.

Os sintomas de inflamação cerebral, como as convulsões ou alterações de consciência, podem ocorrer até uma semana depois da imunização. (Um estudo recente mostrou que até mesmo uma reação dessa gravidade não tende a provocar lesões neurológicas significativas e permanentes).

QUANDO OMITIR A VACINA CONTRA COQUELUCHE

A Academia Americana de Pediatria (AAP) recomenda que o componente Pertussis da DPT seja omitido (e a vacina seja substituída pela DT, que contém apenas o toxóide tetânico e o diftérico) em crianças:

- Com história de convulsões ou crises epilépticas, a menos ou até que a doença neurológica tenha sido controlada.
- Com doença neurológica confirmada ou mesmo suspeita, como epilepsia.
- Que tenham tido uma reação alérgica severa horas após uma injeção anterior de DPT, ou convulsões nos 3 primeiros dias subseqüentes, febre de mais de 39ºC nos 2 primeiros dias ou sérios problemas neurológicos na primeira semana.
- Após o exame de cada caso específico, que reagiram a uma injeção anterior com um choro incomumente agudo, com um choro atipicamente persistente durante mais de três horas, com sonolência e letargia excessivas e com uma palidez incomum. Discuta a importância dessas reações com o médico do seu bebê.
- Que estão tomando remédios ou passando por outras formas de tratamento que diminuem a resistência do organismo às infecções (cortisona, prednisona, certos remédios contra o câncer ou terapia por radiação).

Os programas para a administração da DPT variam ligeiramente de médico para médico, e você deve informar-se sobre os procedimentos observados pelo médico do seu bebê. A maior parte vai adiar a vacina se uma criança estiver com febre, e alguns farão o mesmo no caso de um simples resfriado. Depois de uma febre, muitos esperam um mês para administrar a DPT. Em geral, a vacinação não é adiada se uma criança sofre de obstrução nasal freqüente, provocada por alergia, e não por infecção.

Durante uma epidemia, até mesmo as crianças de alto risco costumam ser imunizadas, já que o perigo da coqueluche em si, que mata uma entre cem crianças infectadas com menos de seis meses de idade, é muito mais grave do que o perigo representado pela vacina.

Em geral recomenda-se que as imunizações de reforço, depois dos sete anos não contenham a vacina contra coqueluche, já que a doença é menos perigosa e menos comum depois dessa idade e que o perigo da vacina é maior. Uma dose reduzida da vacina contra difteria também é sugerida depois dessa idade, quando as reações tendem a ser mais graves. A vacina combinada para crianças mais velhas é chamada de Td (dupla), e as doses de reforço são recomendadas a cada sete ou dez anos durante a vida toda.

tomá-las também quando levar a sua criança para ser vacinada (ficando atenta aos efeitos colaterais e comunicando-os ao médico, bem como certificando-se de que a criança desfruta de boa saúde antes que lhe apliquem uma vacina).

O primeiro tipo de imunização amplamente administrado, a vacinação contra a varíola, foi tão bem-sucedida que não se faz mais necessária. A doença parece ter sido erradicada do planeta inteiro. Espera-se que, algum dia, a imunização também acabe com outros graves flagelos. Enquanto isso não acontece, a não ser nos casos para os quais chamamos a atenção, o seu bebê provavelmente receberá as imunizações apresentadas a seguir, começando aos dois meses de idade e estendendo-se ao longo de toda a sua infância.

DPT (Tríplice). A primeira injeção que talvez seja dada no seu bebê é a DPT, que contém toxóides de difteria e tétano e vacina contra a coqueluche (*pertussis*). Embora as reações aos dois toxóides sejam extremamente raras, as reações à vacina contra a coqueluche são muito comuns (veja página 169). Felizmente a maioria dessas reações vão de suaves a moderadas, e não apresentam sérios riscos. Embora tenha existido muita preocupação com a possibilidade de a vacina *pertussis* poder causar sérios danos cerebrais, ou mesmo a morte, os estudos mais recentes levaram os especialistas a concluir que não há evidências para ligar tais danos à vacina. A aprovação de uma nova vacina acelular, que aparenta causar menos reações adversas febris do que o tipo anterior (celular), contribui para tranqüilizar os pais. No momento, a nova vacina é permitida apenas na 4ª dose (entre 12 e 18 meses) e na 5ª (entre 4 e 6 anos); após maiores pesquisas, ela poderá estar disponível para toda a série de imunização DPT. Por menor que seja o risco, mesmo assim é aconselhável observar a seguinte seqüência para se certificar de que seu bebê está seguramente imunizado:

Certifique-se de que o médico tenha feito um exame acurado em seu bebê, antes da vacinação DPT para descartar doenças em fase de desenvolvimento que não estejam ainda aparentes.

Observe seu bebê cuidadosamente, por 72 horas após a vacinação (especialmente as primeiras 48), e comunique qualquer reação mais intensa ao médico, *imediatamente* (veja página 169).

Também comunique ao médico, qualquer comportamento incomum, durante a primeira semana após a vacina, pois estes podem ser sinais de comprometimento neurológico.

▪ Peça que o médico coloque o nome do fabricante da vacina e o número do lote e da remessa da vacina Tríplice nos registros de seu filho, juntamente com quaisquer reações que você mesma comunicar-lhe. Peça uma cópia das informações para os seus próprios registros. Nos Estados Unidos, as reações graves devem ser comunicadas pelo médico aos Centros de Controle de Doenças de Atlanta.

- Quando o seu bebê for tomar a próxima DPT, lembre o médico a respeito de *quaisquer* reações anteriores à vacina.
- Se você tiver receios sobre a segurança das vacinas, discuta-os com o médico do seu bebê. Faz sentido tomar todas as precauções possíveis, quando seu filho estiver sendo imunizado, mas entrar em pânico e recusar-se a permitir que a sua criança de baixo risco seja imunizada contra a difteria, o tétano e a coqueluche é um total absurdo. Se os pais dessem início a um amplo boicote da DPT, em breve estaríamos presenciando o retorno dessas doenças em proporções epidêmicas, com a morte e a invalidez que quase sempre chegam junto com elas. As quedas dramáticas da imunização contra a coqueluche que recentemente se verificaram na Inglaterra e no Japão, devido ao medo do público, foram seguidas por aumentos igualmente dramáticos de casos dessa doença. O mesmo poderia acontecer aqui.

Sabin. (Vacina antipólio). Faz mais de trinta anos que a vacina contra a poliomielite vem salvando vidas; desde que um amplo sistema de imunização foi instituído, tem havido menos de doze casos por ano nos Estados Unidos. Em geral, no Brasil as crianças recebem um mínimo de 5 doses antes de irem para a escola: aos dois, quatro e seis meses, aos dezoito meses e entre quatro e seis anos.*

A vacina mostrou ser bastante segura, e as crianças raramente apresentam quaisquer reações em seguida a uma dose. Existe, porém, um risco mínimo (cerca de 1 em 8,7 milhões) de paralisia, e um risco ligeiramente maior (cerca de 1 em 5 milhões) de que um dos pais ou algum outro parente suscetível possa contrair a poliomielite da criança imunizada.

A vacina de vírus oral, contra a poliomielite, costuma ser adiada no caso de bebês que apresentem qualquer problema mais grave que um resfriado. Não deve ser administrada a crianças com câncer, com sistema imunológico naturalmente deficiente ou inibidos por doença ou tratamento médico, ou que vivam numa família onde exista alguém com o sistema imunológico comprometido. Uma vacina injetável, não-ativada (IPV), que vai diretamente para a corrente sangüínea, está disponível para aquelas pessoas que poderiam passar a vacina oral a membros imunodeficientes da família através de suas fezes infectadas, ou que têm, elas próprias, um sistema imunológico deprimido.

Sarampo, Caxumba, Rubéola (MMR). É possível que você não tenha sido imunizada contra essas doenças infantis muito comuns na sua infância, mas o seu bebê quase certamente o será — em geral, com uma vacina combinada, entre os doze e quinze meses de idade, pois antes disso é menos eficaz.[2] O sarampo, apesar do pouco caso com que às vezes é tratado, é na verdade uma doença grave que eventualmente pode apresentar complicações sérias e potencialmente fatais. Por outro lado, a rubéola, também conhecida como sarampo alemão, é quase sempre tão branda que os seus sintomas não são percebidos. Mas, tendo-se em vista que ela pode causar defeitos congênitos no feto de uma mulher grávida infectada, a imunização na infância é recomendada — tanto para proteger os futuros fetos de bebês do sexo feminino quanto para reduzir o risco de crianças infectadas colocarem em perigo

* Mas as crianças poderão receber doses extras durante as campanhas de vacinação em massa, sem nenhum risco. (N. do R. T.)

2. Crianças com menos de um ano de idade geralmente não desenvolvem imunidade completa ao sarampo, à caxumba e à rubéola quando vacinadas; por isso a vacina MMR não é dada antes.

as suas mães grávidas. A caxumba raramente constitui um problema grave na infância, mas, como pode ter graves conseqüências (como esterilidade ou surdez) na vida adulta, a imunização precoce também é recomendada.

As reações à MMR, sigla em inglês de *Measles* (sarampo), *Mumps* (caxumba) e *Rubella* (rubéola) — são bastante comuns, mas costumam ser muito brandas e em geral só ocorrem uma ou duas semanas depois da injeção. Cerca de uma entre cinco crianças apresentará erupções de pele ou febre leve durante alguns dias, devido ao componente relativo ao sarampo. Cerca de uma entre sete crianças terá erupções de pele ou algum tipo de inchamento das glândulas do pescoço, e uma entre vinte apresentará dores ou inchamento das juntas, devido ao componente da rubéola, às vezes até três semanas depois da injeção. *Ocasionalmente, poderá haver* aumento de volume das glândulas salivares devido ao componente da caxumba. Muito menos comuns são o formigamento, a insensibilidade ou a dor nas mãos e nos pés, todos sintomas difíceis de perceber nos bebês, e reações alérgicas. Também é possível (mas os especialistas não têm certeza) que a vacina MMR seja responsável, em raros casos, por encefalite (inflamação do cérebro), por convulsões com febre ou surdez neurológica.

É preciso ter cuidado antes de vacinar uma criança com algum problema maior que um simples resfriado, alguém com câncer ou com uma doença que diminua a resistência do organismo às infecções, alguém que esteja tomando um remédio que diminua a resistência, ou qualquer pessoa que recebeu gamaglobulina nos três meses anteriores. A vacina também poderia ser perigosa para os que já tiverem apresentado uma *grave* reação alérgica a ovos ou a um antibiótico chamado neomicina, a ponto de precisarem de tratamento.

Vacina contra a catapora. A catapora, ou varicela, é geralmente uma doença branda que não tem efeitos colaterais graves. Pode haver complicações, porém, como a síndrome de Reye e infecções bacterianas; e a doença pode ser fatal para crianças de alto risco, como as que têm leucemia ou deficiências do sistema imunológico, ou cujas mães foram infectadas pouco antes de elas nascerem. Uma vacina contra a catapora que parece oferecer proteção a longo prazo está atualmente disponível mas ainda não foi aprovada para uso rotineiro em crianças saudáveis. Caso seja aprovada pela FDA é provável que seja administrada a bebês com quinze meses de idade possivelmente junto com a MMR, que assim se tornará a MMRV.

Vacinas contra Haemophilus b. Essas vacinas se destinam a impedir o avanço dos mortais bacilos *Haemophilus influenzae* tipo b (Hib), que são a causa de uma grande variedade de infecções muito graves em bebês e crianças. O Hib é responsável por cerca de doze mil casos de meningite em crianças norte-americanas todos os anos (5% das quais são fatais), e por praticamente todos os casos de epiglotite (uma infecção potencialmente fatal que obstrui as vias aéreas superiores). Também é a causa principal da septicemia (infecção sangüínea), da celulite infecciosa (infecção da pele e do tecido conjuntivo), da osteomielite (infecção nos ossos) e pericardite (infecção da membrana que envolve o coração) em crianças pequenas.

Uma vacina Hib conjugada, aprovada em 1990, parece apresentar poucos efeitos colaterais, ou mesmo nenhum. A AAP recomenda que a vacina seja dada aos dois, aos quatro e aos seis meses, ao mesmo tempo que a DPT, com uma quarta dose dos doze aos quinze meses.

Como acontece com as outras vacinas, as vacinas Hib não devem ser dadas a uma criança com um problema maior que um simples resfriado, ou que possa ser alérgica a qualquer um dos seus componentes (confirme com o médico). Ainda que as reações adversas sejam raras, uma porcentagem muito pequena de crianças pode ter febre, vermelhidão e/ou hipersensibilidade

TABELA DE IMUNIZAÇÃO RECOMENDADA PELA AAP (Academia Americana de Pediatria)

As idades são aproximadas; em alguns casos as vacinas podem ser combinadas. Quando a vacinação for retardada, as datas poderão diferir dessa recomendação.

IDADE	DPT	Td (Dupla)	Sabin	MMR	Hib	HBV	VZ (Varicela) §§§
ao nascer						x**	
1 a 2 meses						x	
2 meses	x*		x*		x		
4 meses	x		x		x		
6 meses	x				x***		
6 a 18 meses			x			x	
12 a 15 meses				x	x		
15 a 18 meses	x****						
4 a 6 anos	x		x				
11 a 12 anos					x§		
14 a 16 anos		x§§					

* Pode ser dada mais cedo em caso de epidemia. ** A HBV pode também ser dada entre 0-2 meses (1ª dose) e aos 4 meses (2ª dose). *** Algumas vacinas Hib não requerem essa dose. **** Ou DPT. § Dispensável se a criança houver recebido pelo menos duas doses após o 1º ano. §§ Repetidas de 2 em 2 anos por toda a vida. §§§ A vacina de Varicela ainda não foi aprovada para uso em crianças saudáveis.

NOTA: A tabela acima é utilizada nos Estados Unidos. No Brasil, recomenda-se o calendário mínimo do quadro seguinte: Vacinas como a Hib e a HBV não constam desse calendário que é obrigatório, mas estão disponíveis em postos particulares de vacinação

dolorosa no local da picada, diarréia, vômitos e choro depois de receber a vacina Hib conjugada.

Vacina contra Hepatite b (HBV). Tendo em vista que os programas de imunização de adultos contra essa séria infecção não tiveram sucesso, atualmente recomenda-se que todas as pessoas sejam vacinadas contra Hepatite b na infância.

De preferência, todos os recém-nascidos devem receber a primeira dose da vacina HBV assim que nascem. Essa imunização é obrigatória no caso de bebês cujas mães estejam contaminadas. Doses adicionais são recomendadas de dois a quatro meses, e de seis a dezoito meses. Crianças que não foram vacinadas anteriormente também devem ser imunizadas, não importa que idade tenham. A vacina não demonstrou possuir efeitos colaterais graves.

HbOC-DPT. Uma nova vacina combinada, que protege contra difteria, tétano e coqueluche está agora disponível nos EUA e pode ser usada aos dois, quatro, seis e quinze meses, ou apenas nas 3 primeiras doses, substituindo-se a 4ª pela DPT. A vantagem: a criança, desse modo, será pica-

CALENDÁRIO DE VACINAÇÃO DA SOCIEDADE BRASILEIRA DE PEDIATRIA

IDADE	VACINA
1 mês	BCG intradérmico
2 meses	Vacina Tríplice, DPT (difteria, *pertussis*, tétano) Vacina antipólio oral, trivalente (Sabin)
4 meses	Vacina tríplice, DPT Vacina antipólio oral, trivalente (Sabin)
6 meses	Vacina tríplice, DPT Vacina antipólio oral, trivalente (Sabin)
9 meses	Vacina anti-sarampo
15 meses	Vacina tríplice viral (MMR*) (sarampo, caxumba e rubéola)
18 meses	Vacina tríplice, DPT Vacina antipólio oral, trivalente (Sabin)
5 a 7 anos	Vacina tríplice, DPT Vacina antipólio oral, trivalente (Sabin)
14 a 16 anos	Vacina dupla (difteria-tétano) tipo adulto, que deve ser repetida a cada 10 anos.

* Se esta vacina não estiver disponível na rede pública de saúde, informe-se com o seu pediatra sobre a maneira de adquiri-la em sua cidade.

da menos vezes por injeções. Se, por algum motivo, qualquer das vacinas do seu bebê for adiada, não há razão para preocupações. A imunização pode ser reiniciada onde parou; começar de novo não é necessário.

IMUNIZAÇÃO CONTRA A GRIPE

"Todo mundo está falando sobre uma grande epidemia de gripe. Devo mandar vacinar o meu bebê de dois meses?"

Em geral, a gripe é uma doença branda com poucas complicações graves em pessoas saudáveis, além de ser uma doença que nem todos pegam, mesmo durante uma epidemia. Por esse motivo, as vacinas contra a gripe só são recomendadas para crianças extremamente suscetíveis: as que têm graves doenças cardíacas ou pulmonares, as que têm o sistema imunológico deprimido e as que têm anemia falciforme ou doenças sangüíneas semelhantes. Ainda que os recém-nascidos sejam particularmente suscetíveis à gripe, a imunização contra ela não é atualmente recomendada para eles, pois pouco se sabe sobre os benefícios e os riscos de se darem vacinas contra gripe a crianças com menos de seis meses de idade.

Se, por alguma razão, o seu médico sugerir que o seu bebê seja imunizado contra a gripe, certifique-se de que a injeção não seja dada ao mesmo tempo que a DPT. A combinação dessas injeções aumenta o risco de uma reação adversa.[3]

Não confunda a vacina contra gripe (ou influenza) com a imunização contra o *Haemophilus influenzae* tipo b (Hib), que é rotineiramente recomendada.

TESTÍCULOS RETIDOS DENTRO DO ABDOME

"Meu filho nasceu com os testículos retidos no abdome. O médico nos disse que eles provavelmente desceriam ao lugar normal quando o bebê estivesse com um ou dois meses, mas até agora isso não aconteceu."

O abdome pode parecer um local bizarro para abrigar os testículos, mas não é. Os testículos, nos homens, e os ovários, nas mulheres, desenvolvem-se no abdome fetal a partir do mesmo tecido embrionário. Os ovários, é evidente, continuam ali. Os testículos são programados para descer através dos canais inguinais da virilha até o saco escrotal na base do pênis, mais ou menos por volta do oitavo mês de gestação. No entanto, em 3 a 4% dos meninos que nascem depois de um período normal de gestação, e em cerca de um terço daqueles que nascem antes, os testículos não fazem essa trajetória antes do nascimento. Resultado: testículos retidos dentro do abdome.

Devido aos "hábitos migratórios" dos testículos, nem sempre é fácil determinar que um não desceu. Normalmente, os testículos pendem afastados do corpo quando estão sob perigo de superaquecimento (protegendo o mecanismo de produção de esperma contra temperaturas muito altas). Mas eles se retraem para cima quando ficam muito frios (protegendo o mecanismo de produção de esperma contra temperaturas demasiado baixas), ou quando são manuseados (para proteger-se e evitar ferimentos). Em alguns meninos os testículos são particularmente sensíveis, e passam grande parte do tempo abrigados dentro do corpo. Na maior parte deles, o testículo esquerdo é mais baixo que o direito, possivelmente fazendo com que este último pareça retido no abdome (e levando muitos garotos a ficarem preocupados). O diagnóstico dos testículos (ou do testículo) retidos no abdome só é feito, portanto, quando um ou ambos nunca foram observados no escroto, nem mesmo quando o bebê está tomando um banho morno.

O testículo retido não provoca dor ou dificuldades para urinar, e, como o seu médico lhe assegurou, costuma descer por conta própria. Com um ano de idade, só três ou quatro meninos em mil ainda apresentam testículos retidos em alguma parte de seu trajeto. Nos raros casos em que continuam retidos até os cinco anos idade, a cirurgia é recomendada e costuma ser bem-sucedida.

HÉRNIA

"Fiquei muito preocupada quando o pediatra disse que os meus dois gêmeos têm hérnias inguinais e precisarão submeter-se a uma cirurgia."

Em geral, pensa-se que a hérnia é algo que só ocorre num homem adulto que ergueu um peso excessivo. Contudo, as hérnias não são incomuns no caso de recém-nascidos, sobretudo se forem do sexo masculino, e mais ainda quando são prematuros (como costumam ser os gêmeos).

3. A vacina contra a gripe não deve ser aplicada em nenhuma pessoa sensível a ovos — algo que não se tem como saber no caso de um bebê de seis meses, mas que deve deixá-la atenta se o seu bebê for imunizado com mais idade.

Numa hérnia inguinal, uma parte dos intestinos introduz-se num dos canais inguinais (os mesmos canais por onde os testículos descem para a bolsa escrotal) e formam uma saliência na virilha. Em geral, o defeito é percebido pela primeira vez como um inchaço em uma das dobras da pele onde a coxa junta-se ao abdome, principalmente quando um bebê está chorando ou em grande atividade; em geral, retrai-se quando ele está quieto. Quando a parte da alça intestinal desce totalmente até a bolsa escrotal, a hérnia pode ser vista como um aumento ou inchaço nessa mesma região do corpo, sendo chamada de hérnia escrotal.

Ainda que uma hérnia inguinal não cause problemas durante a maior parte do tempo, às vezes ela fica "estrangulada". A porção da alça intestinal fica presa pelo revestimento muscular do canal inguinal, obstruindo o fluxo do sangue e a digestão nos intestinos. Podem ocorrer vômitos, dores fortes e até mesmo choque. Por esse motivo, qualquer pai ou mãe que perceba uma saliência ou um inchaço na virilha ou no escroto do seu bebê deve comunicar a descoberta ao médico o mais rápido possível. Como o estrangulamento de uma hérnia inguinal é muito comum em bebês com menos de seis meses de idade, em geral os médicos aconselham a restauração assim que a hérnia é diagnosticada — admitindo-se que o bebê tenha condições de passar por uma cirurgia. Tal cirurgia é geralmente simples e bem-sucedida, com um período muito breve de hospitalização (às vezes um único dia). Só muito raramente uma hérnia inguinal reaparece em seguida à cirurgia, ainda que, em algumas crianças, uma hérnia possa aparecer do lado oposto numa época posterior.

Devido ao tratamento geralmente imediato da hérnia inguinal infantil diagnosticada, a maior parte dos casos de hérnia estrangulada aparece em bebês cujas hérnias não foram previamente diagnosticadas. Portanto, quando os pais percebem que, de repente, um bebê começa a chorar de dor, a vomitar e a não evacuar, é preciso verificar se ele não está com uma saliência na virilha. Se estiver, é preciso contactar o médico imediatamente. Se este não puder ser encontrado, o bebê deve ser levado ao pronto-socorro mais próximo. Elevar ligeiramente as nádegas do bebê e aplicar uma bolsa de gelo durante o trajeto para o pronto-socorro pode ajudar o intestino a retrair-se, mas não tente empurrá-lo de volta com a mão. E não ofereça o peito ou a mamadeira para acalmar o bebê, pois talvez seja preciso fazer uma cirurgia, e será melhor que ele esteja em jejum.

MAMILOS INVERTIDOS

"Um dos mamilos da minha filha afunda, em vez de projetar-se. O que há de errado com ele?"

Parece que o mamilo dela está invertido, o que não é nada incomum nos bebês. Em geral, um mamilo invertido no nascimento corrige-se espontaneamente, mais tarde. Se isso não acontecer, não haverá nenhum problema funcional enquanto ela não tiver de dar de mamar ao seu próprio bebê, quando então poderá observar alguns procedimentos capazes de trazer o mamilo para a posição correta.

REJEIÇÃO DO PEITO

"Meu bebê estava indo muito bem com a amamentação — e agora, de repente, já faz 8 horas que se recusa a mamar. Haverá algo de errado com o meu leite?"

Alguma coisa provavelmente está errada — ainda que não necessariamente com o seu leite. A rejeição temporária do seio não é uma coisa incomum, e quase sempre tem uma causa específica; apresentamos, a seguir, as mais comuns dentre elas:

Alimentação da mãe. Será que você não anda se regalando com *pasta al pesto*, ou qualquer outro prato que tresanda a alho? Empanturrando-se de carne de porco no seu restaurante chinês favorito? Comendo bifes muito temperados e repolho? Se assim for, o seu bebê talvez esteja simplesmente protestando contra os temperos fortes e apimentados que a sua alimentação está transferindo para o seu leite. Se você descobrir os alimentos que desagradam ao seu bebê, evite comê-los enquanto ele não for desmamado.

Resfriado. Os bebês que não conseguem respirar devido ao nariz entupido também não são capazes de mamar e respirar pela boca ao mesmo tempo; de modo muito compreensível, eles optam por respirar. Use um vaporizador, aspire delicadamente as narinas dele com um aspirador nasal infantil ou consulte o médico sobre a possibilidade de usar gotas para o nariz.

Dentição. Embora a maioria dos bebês só comece a sua luta com os dentes aos cinco ou seis meses de idade, a dentição de alguns deles começa bem mais cedo, e existem até mesmo aqueles que, aos dois meses, já aparecem com um ou dois dentes. A sucção quase sempre pressiona as gengivas inchadas, fazendo com que mamar se transforme numa experiência dolorosa. Quando os dentes são a causa da rejeição ao peito, é comum que o bebê comece avidamente a mamar, mas que, ao sentir a dor, afaste o peito de imediato.

Dor de ouvido. Como a dor de ouvido pode irradiar-se para a mandíbula, os movimentos de sucção para mamar podem tornar ainda pior o mal-estar da criança. Na página 489, apresentamos outros indícios para descobrir se o bebê está com dor de ouvido.

Sapinhos. Se o seu bebê está com essa infecção fúngica na boca, mamar pode ser doloroso. Certifique-se de que o problema seja tratado, de tal modo que a infecção não passe para você através das rachaduras dos seus mamilos, ou que se espalhe por outras partes do corpo do bebê (veja página 76).

Fluxo de leite lento. Um bebê muito faminto pode ficar impaciente quando o leite não flui imediatamente (em algumas mulheres, esse fluxo pode demorar até 5 minutos para iniciar-se), e talvez, cheio de raiva, afaste o mamilo antes de o leite começar a fluir. Para evitar esse problema, tire um pouco de leite antes de levar o bebê ao seio, para que ele tenha algo que recompense os seus esforços no momento em que começar a sugar.

Uma mudança hormonal em você. Uma nova gravidez (muito improvável agora, se você estiver amamentando exclusivamente, e mais possível se você iniciou o seu bebê em alimentos sólidos e/ou inúmeras suplementações com leite artificial) pode produzir hormônios que alteram o gosto do leite materno, levando o bebê a rejeitar o peito. O mesmo pode acontecer com a volta da menstruação, o que também não costuma ser um problema enquanto o desmame parcial não se inicia.

Tensão em você. Se você está preocupada ou irritada, é possível que as suas tensões estejam sendo comunicadas ao bebê, deixando-o agitado demais para mamar. Relaxe.

Disposição para o desmame. Um bebê de mais idade que rejeita o peito pode estar querendo dizer: "Mamãe, já estou cheio de mamar. Estou pronto para algo novo". Ironicamente, os bebês parecem fazer isso quando suas mães não estão nem um pouco interessadas em desmamá-los, e não quando elas estão dispostas a interromper a amamentação.

De vez em quando, parece não haver explicação óbvia para o fato de um bebê rejeitar o peito. Como um adulto, um bebê pode estar "sem apetite" para uma ou duas refeições. Felizmente, esse tipo de interrupção costuma ser temporário. Se o desinteresse prosseguir, ou se ocorrer em conjunto com outros indícios de doença, converse com o médico da criança.

A PREFERÊNCIA POR UMA DAS MAMAS

"Minha garotinha quase nunca quer mamar no meu peito esquerdo, que acabou ficando bem menor do que o direito."

Alguns bebês têm suas preferências. Não se sabe ao certo porque um bebê prefere um peito ao outro. Pode ser que ele se sinta mais confortável ao ver-se abrigado no braço preferido (e talvez mais forte) de sua mãe, e acabe desenvolvendo uma preferência pelo peito que fica do mesmo lado. Pode ser, também, que a mãe destra tenda a colocar a criança no peito esquerdo, ficando com a mão direita livre para comer, segurar um livro ou o telefone, ou, ainda, para cuidar de outros afazeres domésticos; ao fazê-lo, ela deixa que o peito direito tenha o seu tamanho e a sua produção reduzidos. Talvez um dos peitos seja o melhor provedor devido ao fato de a mãe ou o bebê favorecer um dos lados já desde o início das relações entre mãe e filho, por razões tão variadas quanto o local da dor de uma incisão de cesareana e o lugar ocupado pelo aparelho de TV no seu quarto.

Seja qual for o motivo, preferir um peito ao outro é um "fato de amamentação" para alguns bebês, e a assimetria entre os seios um "fato da vida" para as suas mães. Embora você possa tentar aumentar a produção do lado menos favorecido, bombeando todos os dias e/ou começando todas as mamadas por ele (se o seu bebê cooperar), pode ser que essas tentativas não dêem resultado. Em muitos casos, as mães passam por toda a experiência da amamentação com um peito maior que o outro. A assimetria vai diminuir depois do desmame, ainda que possa continuar existindo uma diferença ligeiramente maior que a normal. Enquanto isso não acontece, a única solução segura consiste em colocar um enchimento na taça mais espaçosa do sutiã, para fazer com que os seios pareçam iguais e com que as roupas fiquem melhor no corpo.

Muito raramente, o bebê rejeita um peito pelo fato de nele estar se desenvolvendo um tumor maligno. Portanto, não deixe de falar com o médico sobre a predileção do seu bebê.

O BEBÊ DIFÍCIL

"Nossa garotinha é adorável, mas parece chorar por qualquer motivo, e por menor que este seja: se há barulho demais, se há luz demais, ou mesmo se ela estiver um pouco molhada. Meu marido e eu estamos ficando loucos. Estaremos fazendo alguma coisa de errado?"

Os pais nunca esperam ter um bebê difícil. As fantasias durante a gravidez são colagens em rosa e azul de uma criança alegre que arrulha agradavelmente, sorri, dorme tranqüilamente, só chora quando sente fome e, com o passar do tempo, transforma-se num jovem de temperamento dócil e cooperativo. Os bebês inconsoláveis que berram o tempo todo e as crianças que gritam e dão pontapés quando já sabem andar sempre pertencem aos outros — aos pais que fizeram tudo errado e estão pagando o devido preço.

E então, para pais como vocês, a realidade vem acabar com a fantasia algumas semanas depois de seu bebê perfeito ter nascido. De repente, é o seu bebê que chora o tempo todo, que não dorme ou que parece eternamente infeliz e insatisfeito. Por que você não deveria perguntar-se: "O que fiz de errado?"

A resposta é: provavelmente nada, a não ser, talvez, transmitir alguns genes infelizes ao seu rebento, já que o temperamento de um bebê parece ter muito mais a ver com a hereditariedade do que com o ambiente. O modo como se estrutura o ambiente da infância, porém, pode fazer uma diferença quanto à maneira pela qual o temperamento inato afeta o desenvolvimento futuro. Com mais atenção à estimulação, por exemplo, é comum que as crianças difíceis acabem tendo Q.I.s mais altos do que a média. E a criança que, com a ajuda do pai e da mãe, aprende a direcionar e a desenvolver traços inatos de personalidade, transformando-os de deficiências em trunfos, pode deixar de ser problemática e tornar-se um adulto bem-sucedido.[4]

O papel dos pais nessa metamorfose é fundamental. O primeiro passo consiste em identificar qual dos diferentes tipos de personalidade ligados a comportamentos difíceis é demonstrado pelo seu bebê (alguns deles apresentam uma combinação desses tipos). O seu bebê parece ser aquilo que se conhece por "bebê de baixo limiar sensorial". Uma fralda molhada, uma roupa engomada, um decote alto, uma luz brilhante, um rádio fora de sintonia, um cobertor áspero, um berço frio — qualquer uma dessas coisas (ou uma combinação delas) pode irritar profundamente um bebê que parece demasiado suscetível aos estímulos sensoriais. Em algumas crianças, os cinco sentidos — audição, visão, paladar, tato e olfato — ficam facilmente sobrecarregados; em outras, apenas um ou dois. Lidar com a criança de baixo limiar sensorial exige que se conserve baixo o nível geral de estímulos sensoriais, devendo-se além disso evitar aquelas coisas específicas que você percebeu que aborrecem o bebê. Eis alguns exemplos:

- Sensibilidade aos sons. Reduza o nível de som na sua casa, ligando bem baixinho o rádio, o aparelho de som e a televisão. Reduza a intensidade da campainha do telefone, peça às pessoas que batam à porta em vez de tocar a campainha, e, para absorver os sons, mande instalar cortinas e tapetes onde for possível. Fale ou cante suavemente com o bebê e peça aos outros que façam o mesmo. Certifique-se de que todos os tipos de aparelhos que produzam sons em sua casa não estão perturbando a criança. Se os ruídos externos parecerem constituir um problema, tente impedir que cheguem até o quarto do bebê, colocando ali uma filtradora de sons (produtora de "ruído branco") ou um filtro de ar.
- Sensibilidade visual ou sensibilidade à luz. Use cortinas e outros recursos que não deixem entrar muita claridade no quarto, para que o bebê possa dormir até mais tarde, de manhã, e tirar suas sonecas durante o dia; evite luzes muito fortes nos aposentos da casa que ele costuma freqüentar. Não o exponha a um excesso de estímulos visuais de uma só vez — dependure somente um brinquedo no berço, ou coloque no máximo dois dentro do cercadinho. Escolha brinquedos macios, de cores e formatos delicados, evitando os muito brilhantes e movimentados.
- Sensibilidade ao paladar. Se o seu bebê é amamentado, e costuma ter um dia difícil sempre que você come alho ou cebola, pense que a causa da irritação dele pode estar no gosto estranho do seu leite. Se ele usar mamadeira, e parecer muito mal-humorado, tente um leite artificial de sabor diferente. Quando introduzir os alimentos sólidos, leve em conta o fato de que seu bebê talvez não aprecie todos os novos sabores, e que rejeite totalmente alguns deles.
- Sensibilidade ao tato. Alguns bebês perdem a compostura assim que molham a fralda, ficam furiosos quando estão com excesso de roupas (ou quando os tecidos delas são ásperos), gritam quando colocados na água da banheira ou num colchão muito frio, ou, mais tarde, quando você lhes afivela os sapatos que foram colocados sobre meias que não entraram direito nos pés.

Portanto, deixe a criança sempre com roupas confortáveis (tecidos de algodão com costuras não salientes e botões macios, colchetes, etiquetas e colarinhos que não irritem devido ao tamanho, à forma ou localização). A água do banho e a temperatura ambiente devem estar sempre nos níveis que você já percebeu serem os favoritos da criança, e não se esqueça de trocar-lhe as fraldas sempre que necessário (as fraldas descartáveis absorventes talvez sejam preferidas às de pano).

Uma pequena porcentagem de bebês é tão hipersensível ao tato que eles não querem que ninguém os pegue ou manipule.

4. Uma valiosa ajuda para lidar com bebês difíceis pode ser encontrada em *The Difficult Child* (Bantam), do Dr. Stanley Turecki.

Evite ao máximo o contato físico com esse tipo de bebê; com ele, todas as modalidades de carinho e interação devem ser feitas com os olhos e com palavras, e não através de contato físico. Quando você pegar no colo um bebê assim, procure descobrir como ele prefere ser segurado (bem solto ou mais firmemente, por exemplo).

VOCÊ TEM UM BEBÊ DIFÍCIL?

O bebê ativo. Com freqüência os bebês já emitem do útero os primeiros sinais de que vão ser mais ativos do que a maioria; as suspeitas são confirmadas pouco depois do nascimento, quando cobertores são chutados, as trocas de fraldas e roupas transformam-se em verdadeiros combates e o bebê é sempre encontrado na extremidade oposta do berço depois de uma simples soneca. Os bebês ativos são um desafio constante (dormem menos que a maioria, ficam inquietos quando estão sendo alimentados e estão sempre correndo o risco de ferir-se), mas também podem ser uma fonte de muita alegria (são quase sempre muito dinâmicos, interessados e interessantes e aprendem rapidamente a fazer as coisas). Ainda que você não queira reprimir o entusiasmo e a natureza aventureira de um bebê assim, será preciso tomar alguns cuidados especiais para protegê-lo, bem como aprender as maneiras mais eficientes de acalmá-lo para que se alimente e durma bem. As sugestões que apresentamos a seguir podem ser bastante úteis:

- Use um macacão de dormir quando estiver frio, e um macacão leve no verão, sempre que o bebê tiver o hábito de chutar as roupas de cama.

- Tome muito cuidado para nunca deixar um bebê muito ativo sozinho no berço, na mesa em que você lhe troca as fraldas ou em qualquer outro lugar alto, nem mesmo por um segundo — eles costumam aprender bem cedo a mudar de posicão, e muitas vezes o fazem nas ocasiões em que você menos espera. Será conveniente colocar uma correia de segurança na mesa para a troca de fraldas e roupas, mas não confie muito nesse recurso quando você estiver a uma distância de mais de um passo da criança.

- Ajuste o colchão do berço no seu nível mais baixo assim que um bebê ativo começar a sentar-se sozinho, ainda que só consiga fazê-lo por alguns segundos — o passo seguinte pode ser tentar ficar em pé e subir nas grades do berço. Devem ficar fora do berço e do cercadinho todos os objetos nos quais o bebê possa tentar subir.

- Não deixe um bebê ativo numa cadeirinha para crianças, a menos que ele esteja no centro de uma cama bem larga, ou no assoalho — eles quase sempre dão um jeito de virar a cadeira. Não se esqueça, também, de que o bebê deve estar sempre preso com correias de segurança.

- Descubra as coisas que diminuem o ritmo de atividade do seu bebê ativo — música suave (de um disco, uma fita ou cantada por você mesma), um banho morno (mas nunca deixe o bebê sozinho durante esse tempo), um livro ilustrado (ainda que um bebê ativo talvez não goste de livros ilustrados tanto quanto os bebês mais calmos). Habitue o seu bebê a desenvolver essas atividades relaxantes antes de alimentar-se e dormir.

O bebê irregular. Mais ou menos de seis a doze semanas de idade, exatamente quando os outros bebês parecem estar ajustando-se a determinados padrões e tornando-se mais previsíveis, esses bebês irregulares parecem ficar mais extravagantes ainda. Além de não criarem os seus próprios horários, não demonstram o menor interesse pelos que você venha a propor-lhes.

Em vez de seguir o comando de tal bebê e deixar que, na sua casa, a vida se transforme num caos, ou de tomar a direção das coisas você mesma, impondo horários muito rígidos que contrariem a natureza da criança, tente descobrir um meio termo. Tanto para o seu bem quanto para o do bebê, é preciso colocar um mínimo de ordem nas suas vidas, mas empenhe-se ao máximo em estabelecer esquemas que se ajustem às tendências naturais que o seu bebê parece demonstrar. Talvez você precise manter um diário para registrar reincidências de horários ao longo do dia da criança, como, por exemplo, fome por volta de 11 da manhã, todos os dias, ou períodos de agitação sempre depois das 7 da noite.

Tente enfrentar qualquer imprevisibilidade com sua própria previsibilidade. Isto significa que você deve tentar, tanto quanto possível, fazer as coisas nas mesmas horas e do mesmo jeito todos os dias. Procure amamentar sempre na mesma poltrona, dê banho no mesmo horário, use sempre os mesmos métodos para acalmar o bebê (ninar, cantar ou qualquer outra coisa que dê resultado). Tente alimentá-lo todos os dias mais ou menos no mesmo horário, mesmo que ele não pareça estar com fome, e procure não desviar-se do horário proposto ainda que ele se mostre faminto entre as refeições, oferecendo-lhe uma refeição ligeira, se necessário. Use a delicadeza, e não a força, para levar o seu bebê a ter um dia mais estruturado. E não pense que vai obter uma verdadeira regularidade: apenas um pouco menos de caos.

As noites passadas com um bebê irregular podem ser uma tortura, principalmente porque ele não costuma fazer distinção entre dias e noites. Você pode tentar pôr em prática as sugestões para lidar com os problemas relativos ao sono (página 133), ou aquelas que dizem respeito à diferenciação entre noite e dia (página 132), mas é bem possível que elas não funcionem com o seu bebê, que talvez queira ficar a noite inteira acordado. Para sobreviverem, pode ser que papai e mamãe tenham de alternar os deveres noturnos enquanto as coisas não melhorarem, o que vai acabar acontecendo se eles se mostrarem persistentes e conservarem a cabeça fria. Em situações extremas, o médico talvez recomende um sedativo (para o bebê, não para vocês) que acalme a criança o suficiente para vocês terem condições de estabelecer algum tipo de "rotina de sono".

O bebê que se adapta mal ou demonstra retraimento precoce. Esses bebês rejeitam o tempo todo aquilo que não lhes é familiar — novos objetos, pessoas, alimentos. Alguns se irritam com qualquer tipo de mudança, mesmo as mais comuns, como sair de casa para entrar no carro. Se o seu bebê parece ser desse tipo, tente criar-lhe uma rotina diária sem muitas surpresas. As mamadas, os banhos e as sonecas devem acontecer sempre nos mesmos horários e lugares, com o mínimo possível de quebras de rotina. Introduza novos brinquedos e novas pessoas (e alimentos, quando o bebê estiver preparado para eles) de modo muito gradual. Por exemplo, dependure um novo móbile acima do berço por não mais que 1 ou 2 minutos. Retire-o e coloque-o novamente por mais algum tempo, alguns minutos a mais do que da primeira vez. Continue aumentando o tempo de exposição até que o bebê pareça disposto a aceitar e curtir o móbile. Introduza da mesma maneira todos os outros brinquedos e objetos. Peça às pessoas que se limitem a ficar por um bom tempo no mesmo espaço que o bebê, depois conversando longe dele aproximando-se aos poucos e só mais tarde tentando algum contato físico. Posteriormente, quando você introduzir os alimentos sólidos, faça-o também aos poucos, começando com quantidades minúsculas e aumentando as porções no decorrer de uma ou duas semanas. Não acrescente outro alimento enquanto o último não tiver sido bem aceito. Tente evitar as mudanças desnecessárias quando fizer compras — uma nova mamadeira de forma ou cor diferente, um novo brinquedo para o cercadinho, um novo cobertor para o berço. Se alguma coisa ficar desgastada ou quebrar-se, tente substituí-la por um modelo idêntico ou parecido.

O bebê de alta intensidade. Você provavelmente se deu conta disso logo de início — o seu bebê chorava mais alto do que qualquer outra criança do berçário. O choro e os gritos, do tipo capaz de arrebentar até mesmo nervos de aço, continuaram quando vocês chegaram em casa. Infelizmente, você não pode acionar um interruptor que diminua o volume de som do seu bebê — mas a diminuição dos sons e das atividades da casa pode ajudar a acalmar um pouco a criança. Além disso, também será conveniente tomar algumas medidas puramente práticas para impedir que o barulho incomode os outros membros da família e os vizinhos. Se possível, impermeabilize o quarto do bebê aos sons, isolando as paredes com painéis de isolamento, instalando carpetes, cortinas e tudo quanto possa absorver os sons. Você pode tentar usar protetores para os ouvidos, uma máquina produtora de ruído branco, um ventilador ou ar condicionado que ajudem a diminuir o desgaste dos seus ouvidos e nervos sem bloquear totalmente os gritos do seu bebê. Quando o choro diminuir nos meses subseqüentes, o mesmo acontecerá com esse problema, mas é provável que a sua criança nunca deixe de ser mais intensa e barulhenta do que a maioria.

O bebê negativo ou "infeliz". Em vez de sorrir e "arrulhar" de maneira encantadora, alguns bebês simplesmente parecem estar o tempo todo arrasados. Os pais não têm culpa disso (a menos, é claro, que tenham sido negligentes), mas o impacto sobre eles pode ser profundo. Em geral, acham difícil amar esses bebês infelizes, e às vezes chegam a rejeitá-los. Se nada parece satisfazer o seu bebê (e não se encontra nenhuma explicação médica para tal fato), dê o máximo de si para ser amorosa e atenciosa, sabendo que um desses dias, quando ele aprender outras formas de expressar-se, o choro e a infelicidade geral vão diminuir — ainda que o bebê talvez seja daqueles que sempre pertencerão ao tipo "sério".

COMO SE DEVE FALAR COM UM BEBÊ?

As maneiras de comunicar-se com um bebê são infinitas, e cada pai e mãe acaba descobrindo a sua modalidade preferida. Apresentamos, a seguir, algumas sugestões que você talvez queira aproveitar, agora ou nos meses que vêm pela frente:

Não pare de fazer comentários. Enquanto você estiver ao lado do bebê, não faça um movimento que não seja acompanhado por um comentário sobre o mesmo. Descreva o processo de vestir a criança: "Agora estou pondo as suas fraldas... fique firme, a camiseta vai passar pela sua cabeça... agora estou abotoando o seu macacão". Na cozinha, descreva a lavagem dos pratos ou o processo de preparar o molho do macarrão. Durante o banho, fale sobre o sabonete e o jeito de enxaguar, e explique que o xampu deixa o cabelo dele limpo e brilhante. Não importa que o bebê não entenda uma só palavra do que você diz. A descrição contínua vai ajudá-la a não parar de falar, e fará com que o bebê fique de ouvidos atentos. É uma excelente maneira de ajudá-lo a chegar ao entendimento.

Faça muitas perguntas. Para fazer perguntas, não é preciso esperar que o bebê comece a exigir respostas. Pense em você mesma como se fosse um repórter, e faça de conta que o bebê é um entrevistado muito interessante. As perguntas podem ser tão diversificadas quanto o seu dia: "Você quer que eu lhe ponha as calças vermelhas ou o macacão verde?"; "O azul do céu não está maravilhoso hoje?"; "Para o jantar, será que devo comprar vagem ou brócolis?" Faça uma pausa para as respostas (um dia, você terá a grande surpresa de obter uma), e depois responda você mesma, bem alto ("Brócolis? Que ótima escolha!").

Dê uma oportunidade ao bebê. Os estudos mostram que os bebês cujos pais falam com eles, e não para eles, são os que começam a falar mais cedo. Dê ao seu bebê a oportunidade de fazer uma vocalização qualquer, um "gu", ou mesmo de dar uma risadinha. Enquanto você narra as coisas que faz, certifique-se de que o bebê também tenha espaço para fazer os seus próprios comentários.

Durante uma parte do tempo, use um vocabulário simples. Ainda que, em sua fase atual, o bebê talvez adorasse ouvir uma dramática declaração dos nomes de uma lista telefônica, ou mesmo uma animada avaliação da economia nacional, você deverá usar palavras simples, capazes de serem identificadas individualmente, quando ele ficar um pouco mais velho. Portanto, pelo menos durante uma parte do tempo, tente usar palavras e frases mais simples. "Olha a luz", "Tchau", "Os dedinhos do bebê", "Que lindo cachorrinho".

Nada de pronomes. Para um bebê, é difícil saber que "eu" ou "mim", ou "você" são palavras que podem remeter à mãe, ao pai, à avó, ou mesmo ao bebê — dependendo de quem fala. Durante a maior parte do tempo, portanto, refira-se a si mesma como "mamãe" (ou "papai", ou "vovó"), e, ao mencionar o bebê, use sempre o nome dele: "Agora, mamãe vai mudar a fralda de Jason").

Use um tom mais alto. A maioria dos bebês prefere um tom de voz mais agudo, o que talvez explique o fato de a voz feminina ser normalmente mais aguda que a masculina, e também o fato de que a maioria das vozes das mães suba uma ou duas oitavas sempre que elas estão se dirigindo aos seus bebês. Tente subir o tom de voz quando estiver falando diretamente com a criança, e fique atenta à reação dela (tendo em vista que algumas preferem um tom de voz mais grave, faça experiências para descobrir o que mais agrada ao seu bebê).

Não saia do "aqui e agora". Ainda que você possa dizer qualquer coisa ao seu bebê, durante algum tempo não haverá compreensão alguma por parte dele. À medida que a compreensão começar a desenvolver-se, será bom você prender-se mais àquilo que o bebê pode ver, ou às coisas que ele estiver vivenciando no momento. Um bebê novinho não tem lembranças do passado, nem um conceito do futuro.

Imite. Os bebês adoram a adulação que acompanha a imitação. Quando o bebê balbuciar, faça o mesmo, e imite-o, também, sempre que ele emitir um "ahh". A imitação logo vai transformar-se num jogo que vocês dois vão curtir, e que vai lançar as bases da imitação da sua linguagem pelo bebê.

Fale cantando. Não se preocupe se você não for capaz de cantarolar uma música — os bebezinhos são notoriamente pouco exigentes em termos musicais. Vão adorar tudo quanto você cantar para eles, seja uma velha canção, a mais nova música das paradas de sucesso, ou apenas alguma frase absurda que você musicou. Se a sua suscetibilidade (ou a dos vizinhos) proibi-la de cantar uma canção, basta cantarolar qualquer coisa improvisada. Até mesmo os bebês mais novinhos ficam maravilhados com a maioria das rimas infantis. E, se você quiser duplicar o prazer do bebê, acompanhe tudo com gestos de mão, desde os conhecidos até os que você inventar. Em pouco tempo, ele vai dar-lhe a entender quais são as suas rimas favoritas, ou seja, quais que você terá de cantar e repetir até ficar rouca.

Leia em voz alta. Ainda que, de início, as palavras não tenham significado algum, nunca é cedo demais para começar a ler algumas rimas infantis bem simples para o seu bebê. Quando você não estiver disposta a ficar ouvindo e fazendo vocalizações inarticuladas, e sentir vontade de um estímulo mais adulto, partilhe o seu amor pela literatura (ou receitas, política, fofocas) com o seu bebezinho, lendo-lhe, em voz alta, as coisas que normalmente gosta de ler.

Fique atenta à disposição do bebê. Conversas e canções incessantes podem ser uma coisa cansativa para qualquer um, até mesmo para um bebê. Quando o seu deixar de prestar atenção às suas brincadeiras verbais, fechar ou desviar os olhos, ficar irritado ou mal-humorado, ou indicar, de alguma outra forma, que chegou ao ponto de saturação, dê-lhe um descanso.

▪ Sensibilidade ao cheiro. Não é provável que os cheiros incomuns incomodem um bebê novinho, mas algumas crianças começam a demonstrar uma reação negativa a certos cheiros antes de terminado seu primeiro ano de vida. O cheiro de cebola frita e do remédio para assaduras, um novo perfume da mãe (ou uma nova loção após barba do pai) são coisas capazes de deixar um desses bebês inquieto e infeliz. Se o seu bebê parece sensível aos odores, restrinja os cheiros fortes sempre que puder.

▪ Sensibilidade aos estímulos. O excesso de qualquer tipo de estímulo parece ser problemático para alguns bebês. Eles precisam ser manipulados lenta e delicadamente. Conversas em voz alta, movimentos apressados, muitos brinquedos, muita gente por perto, um excesso de atividades durante o dia — todas essas coisas são capazes de deixá-los irritados. Para ajudar um desses bebês a dormir melhor, evite as brincadeiras ativas antes da hora de dormir, substituindo-as por um banho morno seguido por uma tranqüila sessão de histórias ou canções de ninar. Música suave é outra coisa que quase sempre consegue relaxar um bebê.

Viver com um bebê difícil é complicado, mas, com muito amor, paciência e compreensão, é possível — e, a longo prazo, pode ser até mesmo gratificante. Porém, antes de decidir que o seu bebê é um dos difíceis, você deve certificar-se de que não existe nenhuma causa física subjacente que justifique esse comportamento perturbador. Conte tudo ao médico, de tal modo que qualquer explicação médica possível — doença ou alergia, por exemplo — possa ser descartada. Às vezes, um bebê que parece difícil é simplesmente uma criança alérgica ao tipo de leite artificial que está tomando; pode ser, também, que esteja doente, ou que a sua dentição esteja começando. No box da página 180 são descritos outros tipos de bebês difíceis.

UMA SEGUNDA LÍNGUA

"Meu marido é francês, e só quer falar francês com o nosso bebê, enquanto eu só falo inglês. Acho que, para o bebê, seria maravilhoso falar uma segunda língua, mas, tão cedo assim, isso não o confundiria?"

Uma vez que a fluência em outra língua não é necessária para a atuação e o sucesso em quase todas as partes do nosso país (ao contrário do que acontece em outros países), os americanos estão, lamentavelmente, ficando para trás no que diz respeito à capacidade de dominar qualquer idioma que não seja o seu próprio. Existe consenso geral sobre o fato de que o ensino de uma segunda língua à criança é algo que lhe confere uma valiosa aptidão, que pode ajudá-la a pensar de maneiras diferentes, e até mesmo melhorar a imagem que tem de si mesma. Se a segunda língua foi falada pelos seus antepassados, essa criança terá, também, uma importante ligação com as suas raízes.

O mesmo consenso inexiste quanto ao momento de introduzir a segunda língua. Alguns especialistas sugerem que se comece assim que nasce o bebê, mas outros acreditam que isso põe a criança em desvantagem em ambas as línguas — ainda que só por algum tempo, provavelmente. Em geral, recomenda-se esperar que a criança tenha dois anos e meio ou três antes de começar a aprender o segundo idioma. A essa altura, é provável que ela já tenha um bom domínio de sua língua materna, mas que também seja capaz de assimilar fácil e naturalmente um novo idioma. Acredita-se que, se a segunda língua só começar a ser aprendida depois que a criança já sabe ler, ela dificilmente terá fluência para comunicar-se nela.

Quer você comece agora, quer espere mais alguns anos, existem várias maneiras de incentivar uma criança a aprender uma segunda língua. Um dos pais pode falar inglês e o outro o idioma estrangeiro (como foi sugerido pelo seu marido), ou os dois podem falar a língua estrangeira (com a expectativa de que a criança aprenda inglês na escola e em outros lugares), ou, um dos avós, ou uma babá pode falar a língua estrangeira, enquanto os pais se expressam em inglês (em geral, o método menos bem-sucedido). Nenhum dos métodos para o ensino de uma segunda língua será especialmente bem-sucedido se a pessoa que ensina não tiver fluência na língua em questão.

Os especialistas recomendam que você tire da cabeça a idéia de "ensinar", uma segunda língua, e que, em vez disso, "mergulhe" nela a criança — faça-a ocupar-se com jogos nessa língua, leia-lhe livros (muitos livros infantis conhecidos foram traduzidos do inglês para outras línguas, inclusive *The Cat in the Hat* e os livros de *Sesame Street*), cante canções, ouça fitas e assista a filmes em vídeo nessa mesma língua, visite amigos que sejam fluentes nela e, se possível, vá a lugares onde ela seja falada. Quem estiver falando a segunda língua deve usá-la o tempo todo com a criança, resistindo à tentação de recorrer ao inglês ou de traduzir, caso ela esteja às voltas com problemas de compreensão. Durante os anos escolares, a criança deve aprender a ler e escrever na segunda língua, para que esta possa ser-lhe mais útil e importante. Se não houver cursos disponíveis na escola, pode-se contratar um professor particular ou recorrer a cursos por computador.

FALA DE CRIANÇA

"As outras mães parecem saber como falar com seus bebês, mas eu não sei o que dizer ao meu filho de seis semanas. Quando tento comunicar-me com ele, sinto-me uma perfeita idiota. Estou preocupada com a possibilidade de retardar a sua aquisição da linguagem devido às minhas inibições."

Eles são minúsculos. São passivos. Não são capazes de responder quando alguém fala com eles. E, ainda assim, para muitas mães e muitos pais inexperientes, os recém-nascidos formam o público mais intimidador com o qual já se defrontaram. A "conversa enrolada", de tom agudo e tão pouco digna, que parece manifestar-se naturalmente aos outros pais, deixa-os desconcertados e de língua presa — sem contar o sentimento de culpa devido ao silêncio constrangedor em que fica mergulhado o berçário.

Ainda que o seu bebê vá aprender a sua língua mesmo que você nunca aprenda a dele, essa aquisição da linguagem será mais rápida e eficiente se você fizer um esforço consciente para comunicar-se com ele desde cedo. Os bebês com os quais ninguém se comunica costumam ter problemas não só de aquisição da linguagem, mas também em todas as áreas do seu desenvolvimento. Isto, porém, raramente acontece. Mesmo a mãe que se acanha com a conversa de bebê comunica-se com o seu durante o dia inteiro — quando o acaricia, responde ao seu choro, canta-lhe uma canção de ninar, diz "É hora de fazermos um passeio", ou resmunga "Ah não, esse telefone outra vez!"quando acabou de sentar-se para dar de mamar. Os pais ensinam sua língua aos bebês quando falam entre si, e também quando "conversam" com o bebê; estes assimilam quase tanto dos diálogos alheios do que quando fazem parte da conversação.

Portanto, embora não seja provável que o seu bebê vá passar o próximo ano na companhia de uma mãe emudecida, existem maneiras de aumentar o seu poder de "falar enrolado", mesmo que você não seja o tipo de adulto que emite, com naturalidade, os sons da fala de bebês. O truque consiste em começar a praticar sem ninguém por perto, de tal modo que o constrangimento de gorgolejar e arrulhar para o seu bebê na frente de outros adultos não comprometa o seu modo de falar. Se você não sabe por onde começar, use as sugestões apresentadas na página 182, orientando-se por elas. Quando você sentir-se mais à vontade com a fala dos bebês, é provável que comece a praticá-la sem perceber, até mesmo em público.

O QUE É IMPORTANTE SABER: Estimular o seu Bebê nos Primeiros Meses

Em nossa sociedade voltada para a realização do indivíduo, muitos pais se preocupam em tornar os seus bebês capazes de competir — e começam a preocupar-se bem cedo. Ficam preocupados com o fato de que, se o bebê não sorrir quando estiver com três semanas de idade, talvez não consiga acompanhar o programa da pré-escola. Preocupam-se com a possibilidade do seu bebê não conseguir fazer parte do time de tênis do colégio, pois ele já está com dois meses e ainda não consegue mudar sozinho de posição. Preocupam-se também com o fato de que, se não fizerem tudo certo, não serão capazes de transformar aquela massa que trouxeram do hospital num candidato à Universidade de Princeton.

Na verdade, eles têm poucos motivos para preocupações. Os bebês — mesmo aqueles que se destinam aos pergaminhos das grandes universidades — desenvolvem-se em ritmos diferentes, e os que têm um começo meio lento com freqüência se sobressaem mais tarde. E os pais — mesmo aqueles cronicamente inseguros — costumam estimular com muita competência a sua prole, muitas vezes sem fazerem esforços conscientes.

Contudo, por mais reconfortante que esse conhecimento possa ser, ele nem sempre acaba com as preocupações. Para muitos pais, existe o medo insidioso de que, quando se trata de cuidar dos filhos, não é suficiente deixar que as coisas corram naturalmente. Se você quer conferir o que já vem fazendo instintivamente, para ver se está no caminho certo, talvez seja útil atentar para as sugestões que apresentamos a seguir, com a finalidade de ajudá-la a criar a atmosfera ideal para a aprendizagem e oferecer à criança os estímulos sensórios de que ela necessita.

CRIAR UM BOM AMBIENTE

Ame o seu bebê. Não existe nada que ajude mais um bebê a desenvolver-se bem do que sentir-se amado. Uma relação amorosa com um dos pais, ou com ambos, e/ou com alguém que os substitua, é crucial para que a criança apresente um desenvolvimento normal.

Relacione-se com o seu bebê. Aproveite todas as oportunidades para falar, cantar ou fazer vocalizações para o seu bebê — enquanto você está mudando uma fralda, dando-lhe um banho, comprando coisas na mercearia ou dirigindo o carro. Essas comunicações fortuitas, mas estimulantes, ajudam muito mais a criar um bebê inteligente do que a apresentação de cartões com imagens. E até mesmo os melhores brinquedos do mundo serão inúteis se o bebê não puder contar com você para brincar com ele, pelo menos durante uma parte do tempo. Seu objetivo não é "ensinar" seu bebê, mas se envolver com ele.

Conheça o seu bebê. Descubra o que é que deixa o seu bebê feliz ou infeliz, excitado ou entediado, calmo ou agitado; para fazer isso, fique mais atenta àquilo que aprende com o próprio bebê do que às coisas que lê em livros ou ouve dos conselheiros. Direcione suas tentativas de estímulo ao seu bebê, que não é igual a nenhum outro, e não a uma criança típica dos livros sobre bebês. Se os barulhos altos e/ou brincadeiras violentas irritam o seu bebê, emite sons suaves e brinque delicadamente com ele. Se o excesso de estímulos deixa o seu bebê agitado, limite a extensão das brincadeiras e a intensidade de suas atividades.

Elimine as pressões e divirta-se. Nem você, nem o seu bebê vão beneficiar-se da sua preocupação com o nível do desempenho dele. O aprendizado e o desenvolvimento não são acelerados por pressões, e podem ser retardados. Por mais camuflada que seja, é prejudicial para o bebê a mensagem de que você não está satisfeita com os seus progressos na escalada rumo ao desenvolvimento. Em vez de pensar nas ocasiões em que você tenta estimular o seu bebê como sessões extremamente desgastantes, relaxe e divirta-se — tanto para o seu bem quanto para o do bebê.

Dê espaço ao seu bebê. A atenção adequada é vital, mas o excesso de atenção pode ser sufocante. Ainda que as crianças precisem saber que a ajuda estará ao seu alcance quando precisarem dela, também precisam aprender a buscá-la. A sua presença constante também vai privar o seu bebê da oportunidade de procurar e encontrar diversão em outros lugares e objetos — no ursinho de pelúcia que divide o berço com ele, no desenho que as venezianas projetam na parede, nos seus dedos das mãos e dos pés, no som de um avião que passa, de um carro de bombeiros que desce pela rua, no cachorro que late na casa ao lado. O excesso de atenção também poderá tolher o bebê em sua futura capacidade de brincar e aprender com independência — e um bebê dependente vai fazer com que fique muito difícil, para você, voltar a sua atenção para qualquer outra coisa. Empenhe-se ao máximo em brincar com o seu bebê, aproveitando bem esse tempo, mas não se esqueça de que, às vezes, é preciso deixar a criança a sós com os seus brinquedos, para que ele possa conhecê-los melhor.

Siga o líder. E lembre-se: a liderança deve ficar com o bebê, não com você. Se ele estiver fascinado pelo móbile, não lhe ofereça nenhuma outra atividade; em vez disso, concentre-se totalmente no móbile. Deixar que o bebê assuma a liderança de vez em quando é um procedimento que não só incentiva a aprendizagem, tirando proveito do "momento suscetível de ensino", como também, ao dar-lhe a entender que os seus interesses são dignos da atenção da mamãe, reforça-lhe a incipiente auto-estima.

Deixe que o seu bebê também assuma a liderança no que diz respeito a decidir quando pôr fim a uma sessão de brincadeiras. O bebê vai dizer-lhe "para mim já chega" de várias maneiras diferentes: afastando-se, ficando irritado, chorando ou emitindo outros sinais de desinteresse ou desprazer. Ignorar a mensagem e pressionar é um comportamento que vai privar o bebê do senso de controle, acabar com o interesse pela atividade (pelo menos por algum tempo), e, em última instância, transformar as brincadeiras em algo bem menos divertido para vocês dois.

Escolha o momento certo. Um bebê está sempre num desses seis estados de consciência: (1) sono profundo, ou tranqüilo; (2) sono leve, ou ativo; (3) sonolência; (4) vigília ativa, com interesse por atividades físicas; (5) irritabilidade e choro; (6) vigília em repouso. O desenvolvimento físico pode ser mais eficientemente estimulado na fase de vigília ativa, e é durante a vigília em repouso que você pode incentivar melhor outros tipos de aprendizagem. Tenha em mente, também, que os bebês têm períodos de atenção muito breves. O bebê que se desliga depois de ter passado 2 minutos olhando para um livro não está demonstrando aversão às atividades intelectuais — está simplesmente sem a devida concentração.

Ofereça reforço positivo. Quando o bebê começar a fazer suas conquistas (sorrir, agitar o chocalho, erguer-se no colchão apoiado nos ombros e braços, mudar de posição, conseguir agarrar um brinquedo), demonstre-lhe a sua aprovação. Faça-o com abraços e gritos de aplauso — qualquer coisa que passe ao bebê a seguinte mensagem: "Você é o máximo!"

SUGESTÕES PRÁTICAS PARA O APRENDIZADO E AS BRINCADEIRAS

Sem que jamais tenham lido um livro ou feito qualquer curso sobre estimulação infantil, alguns pais parecem ter mais facilidade para iniciar, com os seus bebês, as atividades ligadas ao aprendizado e às brincadeiras. E, por serem incomumente receptivos, alguns bebês têm mais facilidade para engajar-se em tais atividades. Com um pouco de orientação, porém, qualquer grupo de pais e bebê pode ser bem-sucedido nessa questão de aprender e brincar.

As áreas a serem reforçadas e estimuladas são as seguintes:

O sentido do paladar. Por ora, você não precisa dar-se ao trabalho de estimular este sentido. O início do paladar do bebê é estimulado a cada refeição, seja ela no peito ou na mamadeira. À medida que ele cresce, porém, "degustar" é algo que vai transformar-se numa forma de exploração, e todas as coisas que estiverem por perto acabarão sendo levadas à boca. Resista à tentação de desestimular esse procedimento, a não ser, é claro, que o bebê esteja levando à boca coisas venenosas, pontudas ou pequenas o suficiente para serem engolidas e possíveis, até mesmo, de asfixiá-lo.

O sentido do olfato. Na maior parte dos ambientes, o aguçado aparato olfativo dos bebês tem muito com que exercitar-se. Há o leite materno, o perfume da mãe, o frango assado. A menos que o seu bebê dê sinais de ser excessivamente sensível aos cheiros, pense nos diferentes odores como oportunidades adicionais para ele aprender sobre o meio ambiente.

O sentido da visão. Ainda que no passado acreditássemos que os bebês não enxergavam ao nascer, hoje sabemos que eles não somente enxergam, como também começam o seu aprendizado a partir do que vêem. Através da visão, eles aprendem muito rapidamente a estabelecer diferenças entre objetos e seres humanos (e entre um objeto ou ser humano e outro), a interpretar a linguagem corporal e outros estímulos não-verbais, e a entender, um pouco mais a cada dia que passa, o mundo que os cerca.

Decore o quarto ou o cantinho do seu bebê com o objetivo de oferecer-lhe um ambiente visualmente estimulante, e não para satisfazer os seus próprios gostos. Ao escolher o papel de parede, acolchoados, cortinas, brinquedos ou livros, tenha em mente o fato de que os bebês gostam de contrastes agudos, e que os desenhos mais nítidos e alegres, e não os sóbrios e delicados, são os que eles preferem (os desenhos em branco e preto são preferidos durante as seis primeiras semanas, as cores brilhantes vêm em seguida). Limite a quantidade de brinquedos no berço, no carrinho, no cercadinho e na cadeira do bebê — no máximo dois de cada vez, mais do que isso pode levar à confusão e ao excesso de estímulos.

Muitos objetos, dentre os quais os brinquedos, podem estimular visualmente os bebês:

- Móbiles. As figuras de um móbile devem ser plenamente visíveis quando olhados de baixo (a perspectiva do bebê), e não de lado (a perspectiva do adulto). Um móbile não deve ficar a mais de 20 ou 40 cm acima do rosto da criança, e deve ser pendurado de um dos lados da sua linha de visão, e não bem acima dela (a maioria das crianças prefere olhar para a direita, mas observe o seu bebê para descobrir qual é a preferência dele).
- Outras coisas que se mexem. Você pode movimentar um chocalho, ou algum outro brinquedo colorido ao longo da linha de visão do bebê, para incentivá-lo a rastrear com os olhos objetos móveis. Leve-o a uma loja de animais e coloque-o diante de um aquário ou de uma gaiola com pássaros, para que os observe em movimento. Faça bolhas de sabão para o bebê.
- Objetos imóveis. Os bebês ficam muito tempo olhando para as coisas. Não se trata

de ócio, mas de aprendizado. Em geral, dão preferência aos desenhos geométricos ou a rostos simples, em preto e branco, feitos à mão ou comprados em forma de *posters*. As cores fortes e os contrastes agudos são preferidos aos desenhos mais esmaecidos e delicados.

- Espelhos. Os espelhos dão aos bebês uma visão que muda constantemente, e quase todos os adoram. Tenha o cuidado de usar espelhos seguros, de metal, e não os de vidro; pendure-os no berço, no carrinho, na mesa onde troca as fraldas da criança.
- Pessoas. Os bebês adoram olhar rostos bem de perto, e então você e outros membros da família devem passar muito tempo em estreita proximidade com o bebê. Mostre-lhe, também, retratos de pessoas da família, dizendo quem é quem.
- Livros. Mostre ao bebê fotos simples de bebês, crianças, animais ou brinquedos, e identifique-os. As fotos ou os desenhos devem ser nítidos e bem definidos, sem o que seria, para um bebê, excesso de detalhes.
- O mundo. Dentro em breve, o seu bebê vai começar a demonstrar interesse por tudo que existe além do seu nariz. Ofereça-lhe muitas oportunidades de ver o mundo — a partir do carrinho, do seu assento no carro, ou transportando-o de rosto voltado para a frente. De vez em quando, chame-lhe a atenção para carros, árvores, pessoas etc. Mas não fique perambulando horas e horas; você ficará entediada, e o bebê vai começar a desligar-se de você.

O sentido da audição. É através da audição que os bebês fazem o seu aprendizado da linguagem, dos ritmos, do perigo, das emoções e dos sentimentos — e de tantas outras coisas que se passam ao seu redor. Os estímulos auditivos podem vir de praticamente qualquer fonte.

- A voz humana. Este, sem dúvida, é o mais importante tipo de som na vida de um bebezinho, o que significa que você deve usar muito a sua voz — fale, cante e faça sonorizações para o seu bebê. Tente as rimas infantis, canções de ninar, cantigas sem sentido que você mesma vai inventando. Imite sons de animais, sobretudo aqueles que o seu bebê ouve regularmente, como o latido dos cães ou o miado dos gatos. Acima de tudo, repita para o bebê os sons que ele mesmo produz.
- Os sons da casa. Muitos bebezinhos adoram música de fundo, suave ou não, o zumbido do aspirador de pó ou do liqüidificador, o assobio da chaleira ou o jorro da água corrente, o amarfanhar de papel (mas não dê jornal a um bebê, pois esse tipo de papel pode ser venenoso), o tilintar das campainhas ou o som de sinos — ainda que, no final de seu primeiro ano de vida, possam ficar com medo de muitos desses sons.
- Chocalhos e outros brinquedos que fazem sons suaves. Você não precisa esperar que o seu bebê consiga sacudir um chocalho sozinho. Nos primeiros meses, você mesma pode fazer o movimento, ou colocar o chocalho nas mãos do bebê e ajudá-lo a chacoalhar, ou, ainda, prender-lhe um chocalho no pulso. A coordenação entre a visão e a audição vai desenvolver-se à medida que o bebê for aprendendo a voltar-se em direção aos sons.
- Caixas de música. Você ficará surpresa com a rapidez com que o seu bebê vai aprender a identificar uma determinada música; em especial, eles gostam das caixas de música que têm um apelo visual, mas, se você colocar uma delas perto do seu bebê, certifique-se de que ela não tem peças miúdas que possam ser quebradas e levadas à boca pelo bebê.
- Brinquedos musicais. Certifique-se de que as chaves ou outras partes do brinquedo não ofereçam riscos à criança. Brinquedos que emitem sons musicais, e que, além disso, oferecem estímulos visuais e treino de pequenas habilidades motoras (como o coelhinho que se mexe e emite música quando o bebê puxa uma corda) são particularmente aconselháveis. Evite os brinquedos muito barulhentos, que podem acarretar problemas de audição, e não coloque perto do ouvido do bebê nem mesmo os moderadamente ruidosos.

■ Discos e fitas para crianças. Para saber se vale a pena comprá-los, ouça-os primeiro. A idade também é propícia para começar a introduzir a música clássica (toque-a bem baixinho enquanto estiver brincando com o bebê no berço, durante o jantar ou o banho), ainda que muitos bebês pareçam preferir ritmos mais vivos, como os do *rock* e da música *country*. Fique sempre atenta às reações do bebê à música que você estiver tocando; se ele der a impressão de estar perturbado, desligue.

O sentido do tato. Apesar de subestimado, o tato é um dos instrumentos mais valiosos de que o bebê dispõe para explorar o mundo e começar a conhecê-lo. É através do tato que um bebê vem a conhecer a maciez da mamãe, a relativa "dureza" do papai, a delícia de passar a mão por um ursinho de pelúcia, a sensação pouco agradável de esfregar uma escova dura, e, em especial, o fato de que ele é amado por todos aqueles que cuidam dele — uma mensagem que você lhe envia sempre que lhe dá um banho, troca-lhe as fraldas, amamenta-o ou o faz dormir.

Você pode diversificar as experiências táteis do seu bebê através das sugestões que apresentamos a seguir:

■ Mãos amorosas. Tente descobrir de que modo o seu bebê gosta de ser manuseado — com firmeza ou delicadeza, rápida ou lentamente. Quase todos os bebês adoram ser beijados e acariciados, bem como que lhes façam cócegas na barriga ou lhe assoprem delicadamente por entre os dedos das mãos ou dos pés. Adoram a diferença entre o toque da mãe e o do pai, o jeito brusco com que os irmãos costumam pegá-los e a facilidade experiente com que as avós os fazem dormir.

■ Massagem. Os bebês massageados por pelo menos 20 minutos todos os dias ganham peso mais rapidamente, e, em termos gerais, fazem tudo melhor do que os que não são nunca massageados (não se sabe ao certo se isso acontece devido à massagem em si ou ao fato de serem mais manuseados). Os bebês que nunca são tocados não se desenvolvem num ritmo normal. Descubra os tipos de massagem que o seu bebê prefere, e evite os que parecem irritá-lo.

■ Texturas. Tente acariciar a pele do bebê com texturas diferentes (cetim, veludo, pelúcia, lã, pelo de animais ou algodão absorvente), para que ele comece a aprender como é o toque de cada uma dessas coisas; mais tarde, incentive a exploração independente. Coloque o bebê com o rosto para baixo sobre superfícies de diferentes texturas: o carpete da sala, uma toalha felpuda, o casaco de pele da vovó, sua saia de veludo cotelê, o suéter de lã do papai, o tampo de mármore da mesa da cozinha — as possibilidades são ilimitadas.

■ Brinquedos com textura. Ofereça ao bebê brinquedos que tenham texturas interessantes. Um ursinho de pelúcia e um cachorrinho bem peludo; blocos duros de madeira e outros que sejam acolchoados; uma colher de pau e um prato de metal bem polido; um travesseiro de seda e outro de tecido mais rústico.

O desenvolvimento social. O seu bebê torna-se um ser social através da observação dos pais, da interação com eles e com o resto da família, e, mais tarde, com outras pessoas. Ainda não chegou o momento de ensinar o seu bebê a dar uma festa bem-sucedida, nem a manter uma conversa ligeira sobre culinária, mas já é tempo de começar a ensinar-lhe, através de exemplos, de que modo as pessoas devem comportar-se com os seus semelhantes. Daqui a alguns anos, quando sua criança estiver conversando com amigos, professores e vizinhos, ou começar a "brincar de casinha", você ouvirá muitas vezes o eco do seu exemplo naquela vozinha miúda; é de esperar que você fique encantada (e não chocada ou decepcionada) com o que vai ouvir então.

Os brinquedos que ajudam os bebês em seu desenvolvimento social são os animais com enchimentos, móbiles com figuras de animais e bonecas. Ainda que vá demorar muitos meses para eles serem capazes de acariciá-los e brincar, mesmo assim eles já podem dar início à interação social com esses brinquedos — observe um bebê conversando com figuras de bichinhos dependurados no seu berço, ou acompanhando os movimentos de um móbile. Mais tarde, livros e oportunidades de brincar de "faz-de-conta" e com roupas também ajudarão a criança a desenvolver suas aptidões sociais.

Pequeno desenvolvimento motor. Neste momento, os movimentos de mão do seu bebê são feitos totalmente ao acaso, mas, dentro de alguns meses, essas minúsculas mãos vão movimentar-se com mais controle e finalidade. Você pode ajudar a criança a desenvolver esses movimentos intencionais, bastando, para tanto, que dê muita liberdade às mãos do seu bebê; não as deixe enroladas ou enfiadas em um cobertor (a não ser quando saem de casa no inverno). Arrume muitos objetos fáceis de serem apanhados e manipulados por mãos pequenas, que não exijam grande habilidade. E, como os bebezinhos não costumam agarrar objetos que ficam diretamente na sua frente, coloque-os sempre em um dos lados.

Dê ao seu bebê muitas oportunidades de fazer experiências com as mãos. Apresentamos, a seguir, alguma sugestões:

- Chocalhos que se ajustam bem a mãos pequenas. Os que têm duas alças ou superfícies que facilitam o ato de pegá-los permitem que o bebê passe-os de uma mão para a outra (uma habilidade importante), e os que o bebê pode levar à boca vão darlhe um certo alívio quando a dentição começar.
- "Aparelhos de ginástica" do bebê. São apetrechos que se adaptam aos carrinhos, ao berço ou aos cercadinhos, com diversas partes que o bebê pode agarrar, girar, puxar e remexer à vontade; cuidado, porém, com aqueles que têm cordões com mais de 15 cm de comprimento. Tire esses apetrechos do lugar onde estiverem colocados assim que o bebê for capaz de sentar-se.
- Painéis para atividades que exigem uma grande diversidade de movimentos de mão para serem operados, muitos dos quais o seu bebê não vai ser capaz de fazer intencionalmente ainda por algum tempo; existem alguns, porém, que até mesmo um bebezinho pode fazer funcionar, bastando, para tanto, um movimento não-intencional de mãos ou de pés. Além das habilidades que esses brinquedos ensinam (girar, discar, puxar e pressionar), eles também introduzem o conceito de causa e efeito.

Grande desenvolvimento motor. Fazer com o seu bebê os exercícios demonstrados num vídeo com ginástica para bebês não vai aumentar-lhe a força muscular, nem acelerar o seu desenvolvimento motor. As boas habilidades motoras, os corpos bem desenvolvidos e a aptidão física dos bebês dependem, em vez disso, do seguinte: boa alimentação, bons cuidados com a saúde (tanto para o bebê doente quanto para o saudável) e muitas oportunidades de atividade física automotivada. Os bebês confinados a um balanço ou cadeira, presos num carrinho ou cercadinho ou enfaixados num cobertor ou acolchoado vão ter muito poucas oportunidades de aprender de que modo os seus corpos funcionam. Os que nunca são colocados de bruços vão demorar a aprender a erguer a cabeça e os ombros, ou a girar o corpo no berço. Mude o seu bebê de posição várias vezes durante o dia (coloque-o sentado, apoiado em alguma coisa, deite-o de bruços algumas vezes, depois de costas etc.), pois assim serão muito maiores as suas oportunidades de desenvolver atividades físicas.

Incentive o desenvolvimento físico colocando o seu bebê sentado, deixando que ele "voe" (permitindo o exercício dos braços e das pernas) ou "cavalgue" (colocando-o de rosto para baixo, deitado de comprido sobre as suas canelas). Incentive-o a girar o corpo, colocando um objeto interessante de um dos lados sempre que ele estiver deitado de costas; se o bebê girar só um pouco, ajude-o a completar totalmente o movimento para o lado em questão. Estimule-o a avançar de gatinhas, deixando que ele impulsione o corpo para a frente apoiando-se em suas mãos quando estiver deitado de barriga para baixo.

O desenvolvimento intelectual. O estímulo ao desenvolvimento de todos os sentidos, bem como do pequeno e do grande controle motor, vai ajudar o seu bebê a desenvolver-se intelectualmente. Fale bastante com ele, desde o início. Nomeie as pessoas, os objetos e os animais vistos pelo bebê, chame-lhe a atenção para partes do corpo, explique o que você está fazendo. Leia-lhe histórias simples e rimas infantis, mostrando ao bebê as ilustrações. Exponha-o a uma grande variedade de cenários (o supermercado, a igreja ou sinagoga, uma loja de departamentos, museus). Viaje de ônibus, de carro, de táxi. Mesmo em casa, diversifique o ponto de vista do bebê: coloque a cadeirinha dele perto de uma janela (mas *só* se ela tiver peitoril) ou na frente de um espelho, ponha-o no carpete, bem no meio da sala, para que ele possa acompanhar todos os movimentos da casa, ou no meio da cama, para que ele possa vê-la enquanto você guarda as roupas limpas, ou, ainda, coloque-o na cozinha, dentro do moisés, para que ele possa acompanhar todos os seus movimentos enquanto você prepara o jantar.

Faça o que fizer, porém, não coloque a si mesma ou ao bebê sob a pressão de fazer o que quer que seja. O negócio é brincar, e tudo deve ser muito divertido — o aprendizado que vai decorrer de tudo isso é uma gratificação, embora das mais importantes.

CAPÍTULO 6

O Terceiro Mês

O QUE O SEU BEBÊ PODE ESTAR FAZENDO

Ao final deste mês, o seu bebê
... deve ser capaz de (veja Nota):

- deitado de bruços, levantar a cabeça num ângulo de até 45° (2 meses e 20 dias)
- acompanhar um objeto num arco de cerca de 15 cm acima do rosto, bem a frente em relação a linha média (por volta de 2 meses e 15 dias)

Nota: Se o seu bebê parece não ter alcançado uma ou mais dessas conquistas, converse com o médico. Em raros casos, a demora poderia indicar algum problema, ainda que, em geral, ela acabe por mostrar-se normal para o seu bebê. Os bebês prematuros costumam alcançar tais conquistas mais tarde do que os que têm a mesma idade, adquirindo-as quase sempre mais perto de sua idade ajustada (a idade que teriam se tivessem nascido a termo), e por vezes mais tarde.

... provavelmente será capaz de:

- rir alto
- deitado de bruços, levantar a cabeça num ângulo de até 90°
- dar gritos de alegria
- juntar as mãos
- sorrir espontaneamente
- acompanhar um objeto num arco de 15 cm acima do rosto, num ângulo de 180° — de um lado para o outro (3 meses e 7 dias)

Muitos bebês de 3 meses, mas nem todos, conseguem levantar a cabeça num ângulo de 90°.

... talvez seja capaz de:

- manter a cabeça firme quando estiver em posição vertical
- deitado de bruços erguer o peito com o apoio dos braços
- girar ou rolar o corpo (para um lado)
- pegar um chocalho entre os dedos ou com as pontas dos dedos (3 meses e 10 dias)
- concentrar sua atenção numa uva passa ou em outro objeto bem pequeno (3 meses e 10 dias)

... pode até mesmo ser capaz de:

- suportar algum peso com as pernas quando mantido em pé — tentar alcançar um objeto (3 meses e 20 dias)
- manter a cabeça nivelada com o corpo quando colocado sentado
- voltar-se para a direção de (onde provém) uma voz, principalmente a da mãe
- dizer ah-gu, ou alguma combinação vocálico-consonantal semelhante
- produzir sons com a língua entre os lábios

O QUE VOCÊ PODE ESPERAR DO EXAME DESTE MÊS

A maioria dos médicos não marca exames de rotina para este mês. Procure o médico do seu bebê se estiver com qualquer tipo de preocupação que não possa esperar até a visita do próximo mês.

PARA ALIMENTAR O SEU BEBÊ ESTE MÊS: Amamentando a Criança Enquanto se Está Trabalhando Fora

Existe uma responsabilidade adicional que não está incluída em nenhuma descrição de emprego, mas que está sendo assumida por muitas mães que trabalham fora. Consome muito tempo, pode ser árdua e até mesmo enfadonha. Interrompe as pausas para o café e os horários de almoço, e faz com que a confusão e o desassossego de antes e depois do trabalho tornem-se ainda piores. E, no entanto, a maior parte das mulheres que acrescentou a amamentação ao seu dia de trabalho está feliz por tê-lo feito — e certamente o faria de novo.

As razões são muito fortes. Em primeiro lugar, as mães que trabalham e amamentam podem continuar a oferecer aos seus bebês muitas das vantagens físicas da amamentação (menos doenças, menor risco de alergias), e todas as vantagens existentes, caso nenhum leite artificial suplementar seja dado à criança. Em segundo lugar, elas podem sentir-se menos culpadas por se afastarem dos seus bebês durante o dia, pois sabem que estão fazendo algo de importante para eles até mesmo quando estão distantes. Em terceiro lugar, tendo em vista que as mães que amamentam precisam alimentar os seus bebês antes de irem para o trabalho e quando voltam para casa, elas têm a oportunidade de ficar em estreito contato com eles pelo menos duas vezes ao dia. Por mais ocupadas que estejam, não podem dar uma mamadeira, nem pedir que alguém a dê em seu lugar, enquanto tomam um banho ou preparam o jantar. E por último — mas talvez mais importante que tudo, as mães que continuam a amamentar quando retomam os seus trabalhos fora de casa podem, junto com os seus bebês, desfrutar das vantagens emocionais da amamentação por um período mais longo.

COMBINANDO BEM A AMAMENTAÇÃO E O TRABALHO

Como acontece com tudo que está relacionado a retomar o trabalho quando você tem um bebê, uma grande dose de reflexão prévia se faz necessária. Para fazer com que a amamentação e o seu trabalho funcionem, tenha em mente o seguinte:

- Não comece a dar mamadeira enquanto o seu suprimento de leite não estiver bem estabelecido. É tentador começar bem cedo, para que a mamadeira não venha a ser rejeitada. Contudo, começar cedo demais pode levar tanto à confusão com os bicos (veja página 111) quanto a um suprimento de leite inadequado. Introduza a mamadeira somente quando já tiver resolvido quaisquer problemas relativos à amamentação (como a inflamação dos mamilos) e sentir-se confiante quanto à adequação do seu suprimento de leite. Para a maioria das mulheres, isso acontece dentro de mais ou menos seis semanas — ainda que para algumas as coisas se resolvam mais facilmente um pouco antes ou depois.
- Introduza a mamadeira bem antes do dia de voltar para o trabalho. Ainda que você não queira introduzir a mamadeira muito antes da sexta semana, também não espere muito mais que isso, mesmo que por enquanto não vá retomar o seu trabalho. Quanto maiores e mais espertos ficam os bebês, menos fácil se torna convencê-los a aceitar a mamadeira. Tente habituar o seu bebê a tomar pelo menos uma mamadeira suplementar por dia — de preferência numa hora em que geralmente, você esteja trabalhando, quando já estiver pronta para reassumir o seu emprego. Use leite artificial, ou o seu próprio leite dependendo do tipo que planeja usar mais tarde.
- Se você pretende suplementar com leite materno, e não artificial, aprenda a retirar o seu próprio leite bem antes de retornar ao trabalho. Congele algumas mamadeiras com o excesso de leite, tendo em vista alguma emergência nos primeiros e frenéticos dias de sua volta ao trabalho. Se você pretende usar leite artificial, ainda assim terá de aprender a bombear o seu próprio leite — é provável que seja necessário retirar leite no trabalho, para evitar que os seus ductos lácteos fiquem obstruídos e que o seu suprimento de leite diminua.
- Se possível, espere o seu bebê completar pelo menos dezesseis semanas antes de retomar o seu trabalho fora de casa. Em geral, quanto mais idade tiver o bebê no momento em que a mãe dá esse passo, mais bem-sucedida será a continuação da amamentação — provavelmente porque tanto esta última quanto o relacionamento entre mãe e bebê já tiveram mais tempo para adquirir maior solidez.
- Se puder, pelo menos de início trabalhe somente meio período. Um maior número de horas com o seu bebê vai reforçar as ligações relativas à amamentação. Por várias razões, trabalhar meio período por quatro ou cinco dias é mais prático do que dois ou três dias em período integral. Se trabalhar meio período, em alguns casos você talvez não tenha de perder nenhuma mamada, e, sem dúvida, não mais de uma por dia. Você terá poucos problemas de extravazamento e provavelmente não terá de retirar o próprio leite no local de traba-

lho. E vai passar a maior parte de cada dia com o seu bebê, o que na opinião de muitos especialistas é extremamente benéfico. Trabalhar à noite é outra opção que interfere pouco na amamentação, sobretudo se o bebê dorme a noite inteira, mas pode haver interferências com relação ao seu descanso e seu relacionamento amoroso.

▪ Mantenha-se fiel à sua Dieta Para Uma Melhor Amamentação*. Você precisará dela não só para a produção de leite, mas também para o maior equilíbrio de suas energias e emoções.

▪ Obtenha apoio no seu local de trabalho. Se o seu chefe ou os seus colegas de trabalho não entenderem e não apoiarem a sua decisão de continuar amamentando enquanto trabalha, as suas probabilidades de ser bem-sucedida cairão drasticamente. Tente conseguir com antecedência um tempo e um lugar para retirar o próprio leite, bem como para a sua refrigeração e armazenamento. Se não tiver como armazenar e/ou transportar esse leite, precisará desfazer-se dele e depender do leite bombeado e armazenado quando estiver em casa durante as manhãs, as noites e os fins de semana — ou terá de alimentar o seu bebê com leite artificial.[1]

▪ Quando conseguir alguém para tomar conta do seu bebê, certifique-se de que essa pessoa compreenda e apóie o seu projeto de continuar amamentando. Se assim não for, você correrá o risco de encontrar o seu bebê recém-alimentado e plenamente saciado quando chegar em casa, ávida por amamentá-lo. Dê à babá um curso rápido sobre os porquês da amamentação e as maneiras de lidar com os bebês que são amamentados, caso ela não esteja familiarizada com eles. Explique-lhe as diferenças de horários de amamentação e evacuações, bem como a importância de amamentar com freqüência, para manter um bom suprimento de leite. Deixe ordens expressas de não dar mamadeira de leite (ou suco, ou água) pelo menos 2 horas antes do momento esperado para você retornar a casa.

▪ Peça também o apoio do seu marido. Ele terá de arcar com alguns dos encargos domésticos para que você disponha do tempo necessário para amamentar quando estiver em casa.

▪ Selecione as suas prioridades. Você não terá condicões de fazer tudo, muito menos de fazer tudo bem. Priorize o seu bebê e o relacionamento com o seu marido (e quaisquer outros filhos que porventura tenha), e não se preocupe muito com as outras coisas — a não ser, é claro, com o seu trabalho, sobretudo se ele significar muito para você em termos financeiros, emocionais ou profissionais.

▪ Seja flexível. Uma mãe tranqüila e feliz é muito mais valiosa para o bem-estar de um bebê do que uma dieta exclusivamente de leite materno. Ainda que seja perfeitamente possível que você continue provendo todo o leite de que o seu bebê necessita (se é isso que você quer), também é possível que aconteça o contrário. Às vezes, as tensões físicas e emocionais de manter um trabalho fora de casa e amamentar reduzem o suprimento de leite de algumas mães. Se o seu bebê não está se desenvolvendo bem somente com o leite materno, tente amamentá-lo mais vezes quando estiver em casa e, se possível, volte para casa no horário de almoço para amamentar e refazer o seu suprimento de leite. Se isso não funcionar, talvez seja preciso suplementar com leite artificial.

▪ Roupas adequadas à amamentação. Para que o extravazamento de leite não seja visível, e para não manchar as suas melhores roupas, use blusas ou camisas bem soltas, de estampas coloridas, sobre tecidos de algodão ou mescla em tons opacos, que são fáceis de cuidar. Evite as cores apagadas, os tecidos aderentes e muito finos bem como as roupas muito

---

* Dieta não padronizada no Brasil (N. do R. T.)

1. Estudos recentes indicam que o leite materno pode conservar-se fresco por até seis horas em temperatura ambiente; contudo, para maior segurança, armazene o seu leite em garrafas ou outros recipientes esterilizados, e se possível congele-o.

justas na parte superior do corpo, que tanto podem provocar extravazamentos (ao esfregarem-se contra os seus mamilos) quanto inibir o fluxo de leite (ao fazerem pressão, como uma espécie de cinta ou faixa). Certifique-se de que a sua blusa (ou parte de cima do vestido) possa ser facilmente erguida ou aberta a partir da frente, para que você possa bombear leite no local de trabalho, e procure usar modelos que não fiquem desalinhados ou amarrotados em função desses movimentos. Para proteger melhor a sua roupa, utilize compressas absorventes sob o sutiã, e leve sempre algumas adicionais que possam substituir as já molhadas.

- Faça algumas tentativas. Ensaie o seu projeto para o dia de trabalho, fazendo tudo como faria se fosse realmente retomar o seu emprego (até mesmo tirando o seu leite fora de casa), mas da primeira vez afaste-se apenas por algumas horas, aumentando o período de ausência na próxima vez. Observe que problemas surgem e tente imaginar de que maneira poderia resolvê-los.

Se você vai retomar um trabalho em tempo integral, talvez fosse bom tentar retornar numa quinta ou sexta-feira, para dar-se a oportunidade de, começando, ver como andam as coisas e avaliar a situação durante o fim de semana. Também será um pouco menos árduo do que começar já com cinco dias pela frente.

- Organize os seus horários de modo a poder amamentar o máximo de vezes. Ofereça duas mamadas antes de ir para o trabalho, se possível, e programe duas ou três (ou mais) para a noite. Se você trabalha perto de casa e pode voltar durante o horário de almoço para amamentar, ou fazer com que a babá vá encontrá-la em algum lugar levando junto o bebê, escolha uma dessas opções. Se você deixar o bebê na casa da babá, amamente-o quando chegar lá, ou no seu carro, se desse modo as coisas funcionarem melhor. Tente também amamentar o bebê quando passar para pegá-lo, em vez de esperar até que cheguem em casa.
- Tente levar para casa qualquer trabalho que possa ser feito fora do escritório ou da loja (com a aprovação do seu chefe, é claro). Isto vai dar-lhe mais flexibilidade e permitirá que esteja mais tempo em casa durante o tempo em que o bebê vai estar acordado. Ainda que provavelmente você tenha de transferir a maior parte dos cuidados com o bebê a uma babá sempre que estiver trabalhando em casa, o fato de estar ali permitirá que você amamente a criança quando necessário.
- Se o seu trabalho exige que você viaje, tente evitar as viagens que vão afastá-la de casa por mais de um dia enquanto o seu bebê não for desmamado; se precisar viajar, tente, com a devida antecedência, tirar e congelar leite suficiente para a duração da viagem, ou acostumar o bebê ao leite artificial antes de partir. Para o seu próprio bem-estar e para manter o seu suprimento de leite, leve consigo uma bomba tira-leite (ou alugue uma no lugar onde vai estar), e retire o seu próprio leite a cada 3 ou 4 horas. Quando voltar para casa talvez você constate que o seu suprimento de leite está um pouco reduzido, porém amamentações oferecidas mais freqüentemente em combinação com uma atenção especial à sua alimentação e ao descanso podem restabelecer a situação. Se isto não acontecer, você talvez tenha de usar leite artificial pelo menos para alimentar o bebê durante o período de trabalho.
- Se para garantir que o seu bebê receba a nutrição adequada para o crescimento e desenvolvimento, você precisar recorrer a suplementações de leite artificial para a alimentação em casa, amamente antes de dar o leite artificial e não depois, para interferir o mínimo possível na sua produção de leite.
- Faça aquilo que funciona e parece bom para você e o bebê, seja suplementando com leite artificial ou amamentando exclusivamente com o seu leite, trabalhando em regime de meio período ou período integral, abrindo mão totalmente da amamentação ou até mesmo abrindo mão do seu emprego.

O QUE PODE ESTAR PREOCUPANDO VOCÊ

ESTABELECER HORÁRIOS REGULARES

"Sei que a velha idéia de ajustar um bebê a um determinado horário é vista com maus olhos, mas estou exausta com as tentativas de ajustar-me aos horários dele. Ele exige, e eu o amamento quase que de hora em hora durante o dia inteiro."

As mulheres desta geração não vacilam em exigir os seus direitos em seus locais de trabalho, mas às vezes esquecem que também têm direitos no que diz respeito aos seus filhos. À medida que o seu bebê for crescendo, você pode começar a exigir que ele observe esses direitos seus.

Antes disso porém, certifique-se de que a gulodice aparente do bebê não seja a sua maneira de tentar obter adequada nutrição — seja porque você não está produzindo leite suficiente, seja por ele ser excepcionalmente ativo, ou ainda, por estar passando por uma aceleração do seu crescimento. Ele parece estar crescendo conforme o esperado? O corpo dele está se desenvolvendo satisfatoriamente? Os seus primeiros pijamas já não lhe servem mais? Em caso contrário, veja na página 110 as sugestões para melhorar o seu suprimento de leite. Se não funcionarem, converse com o médico sobre a conveniência de complementar a dieta do seu bebê com algum tipo de leite artificial.

Uma vez assegurado que o seu bebê está se desenvolvendo bem, e que não é a fome que motiva os seus freqüentes pedidos de "Por favor, mamãe, posso mamar um pouco mais?", então chegou o momento de assegurar que você também possa se desenvolver. Dar de mamar de hora em hora é um desgaste muito grande, tanto física quanto emocionalmente; além disso, essa freqüência pode provocar lesões e, compreensivelmente levá-la a ressentir-se de seu bebê por consumir tanto dos seus dias e suas noites devido a esse hábito voraz. Quanto ao bebê, o excesso de amamentações não só não é necessário como também pouco saudável. Interfere no sono dele, algo de que ele precisa por longos períodos agora, além de interferir no seu desenvolvimento nas horas que passa acordado. Passar o dia inteiro com um seio na boca não lhe dá oportunidade de fazer muitas outras coisas.

Por volta dos três meses de idade, muitos bebês já terão estabelecido um ritmo diário bastante regular. Quase sempre, trata-se de algo assim: ele acorda mais ou menos na mesma hora pela manhã, alimenta-se, talvez fique acordado por um breve período, dorme superficialmente, acorda de novo para o almoço, dorme outro sono leve, alimenta-se, e depois talvez fique um bom tempo acordado no fim da tarde, finalizando o dia com uma refeição e outra soneca no começo da noite. Se esta última se estender até a hora de os pais irem dormir, eles podem acordá-lo para mamar antes de se deitarem, talvez por volta das 23 horas. A essa altura, o bebê pode voltar a dormir, só acordando no início da manhã seguinte, já que os bebês dessa idade geralmente dormem seis horas ininterruptas, quando não mais. Alguns bebês têm horários mais peculiares. Um bebê, por exemplo, pode acordar às 6 da manhã, alimentar-se e voltar a dormir por mais uma ou duas horas. Ao acordar de novo, talvez goste de brincar um pouco antes de mamar, mas uma vez iniciada a mamada, quer continuar mamando sem parar durante as 3 horas seguintes. Depois de uma soneca de 20 minutos, entretanto, acorda pronto para brincar a tarde toda, alegremente, com apenas mais uma mamada e outra soneca de 5 minutos. Volta a mamar de novo por volta das 18 horas e lá pelas 19 já caiu num sono profundo, ficando assim até que a mãe o acorde para mamar antes que ela própria vá dormir. Os horários desse bebê não se encaixam no tradicional esquema de quatro horas, mas a mãe pode planejar o seu dia tomando-os por base.

Infelizmente muitos bebês não se ajustam bem a horários, mesmo quando já passaram dos três meses de idade. Eles acordam, mamam, depois dormem segundo um padrão totalmente aleatório, alimentando-se com grande ou pequena freqüência, outras vezes combinando esses padrões de forma imprevisível. Se o seu bebê é um desses, cabe a você tomar a iniciativa de tentar organizar tanto quanto possível as partes da vida dele sobre as quais você detém um certo controle. Os banhos, os passeios e a hora de dormir devem ocorrer sempre mais ou menos nos mesmos horários. Tente aumentar os períodos entre as mamadas, conversando com o bebê, cantando para ele ou fazendo brincadeiras antes de levá-lo ao peito ou dar-lhe mamadeira. Coloque-o num balanço para bebês por alguns minutos, ou ponha-o no berço com um móbile musical ou apetrechos para ele exercitar-se — qualquer coisa que o divirta e distraia e que tenha condições de impedir que ele tome a refeição seguinte tão cedo quanto gostaria. Certifique-se também de que ele tenha coisas suficientes para fazer entre as mamadas. O grande apetite dele talvez tenha mais a ver com o tédio do que com outra coisa qualquer. Ele não é mais um recém-nascido e precisa levar uma vida mais ativa (veja, página 186, as sugestões, para estimulá-lo).

Depois de diminuir o número de mamadas e de desenvolver algum tipo de rotina diária, você vai ter mais tempo para cuidar de sua própria vida e mais controle sobre a vida do bebê.

"As pessoas acham que sou estranha ou negligente quando lhes digo que não tenho horários específicos para o meu bebê — que não estipulei nenhum horário definitivo para a hora de alimentar-se, dormir ou tomar banho. Mas é assim que me sinto melhor."

Ainda que a maior parte de nossa sociedade funcione com base em esquemas e horários — horários para os trens, para o trabalho, para aulas, para estacionar o carro em certos lugares —, existem pessoas que funcionam perfeitamente bem sem eles. E se o bebê não apresenta problemas sérios de sono à noite, e parece ativo, interessado e alegre durante o dia, é possível que uma atitude mais flexível com relação aos horários seja conveniente por ora.

Existem, porém, algumas armadilhas que podem pôr em risco a criação de crianças num ambiente não-estruturado. Se você optar por esse estilo de vida, esteja atenta aos seguintes problemas:

- Alguns bebês exigem horários desde o início. Ficam mal-humorados quando passa da hora de mamar, e extremamente cansados quando os sonos e as sonecas também se atrasam. Se o seu bebê reage mal aos seus dias e noites sem horários definidos, pode ser que ele precise de esquemas mais estruturados — ainda que não seja este o seu caso.
- Com o tempo, os horários tornam-se cada vez mais importantes para a estabilidade da família e o bem-estar do bebê. Muitas crianças parecem passar perfeitamente bem sem um horário na primeira infância, quando são extremamente deslocáveis e podem adormecer ou ser alimentadas em qualquer lugar. Mais tarde, quase sempre começam a reagir aos horários irregulares de sono e alimentação com choro e irritabilidade regulares.
- Sem um horário regular de dormir para os seus bebês, os pais acabam descobrindo que nunca dispõem de tempo para ficarem sozinhos. De tanto curtir o trio que formam nos fins de tarde, muitas vezes se esquecem do prazer que podem — e devem — ter a dois.
- As famílias que não estabelecem horários regulares para o sono e as refeições às vezes lesam os seus bebês ao omitirem inadvertidamente os rituais de sono e alimentação de que a maioria dos bebês parece precisar.

- Para as mães que planejam retomar um trabalho fora de casa em algum momento dos dois primeiros anos de vida do seu bebê, o fato de não ter horários regulares dentro dos quais uma babá possa trabalhar vai significar que os seus bebês não só ficarão o dia inteiro sem a mãe por perto, como também não terão uma rotina familiar que possam seguir de modo a ajudá-los a ajustar-se à nova situação.
- Para todos os bebês, a ausência de estrutura em suas vidas desde muito cedo pode interferir no seu desenvolvimento e no exercício da autodisciplina em uma fase posterior. Não chegar atrasado na escola, fazer as tarefas de casa e apresentar os trabalhos escolares no devido prazo são coisas que podem tornar-se muito difíceis para as crianças que anteriormente nunca se viram expostas a qualquer tipo de estrutura.

Apesar dessas armadilhas, os bebês podem desenvolver-se bem em famílias nas quais inexistem horários regulares, até mesmo nos mais flexíveis. E, na verdade, os horários extremamente rigorosos podem tornar-se tão sufocantes quanto pode ser desorientadora a falta deles. A intensidade com que você estrutura a vida do bebê deve depender dos padrões naturais de sono e alimentação dele, sua personalidade inata (parece precisar de mais ou de menos estrutura?) e das necessidades do resto da família. O que funciona melhor para outras pessoas pode não ser o melhor para você. Se quem se opõe aos horários regulares é o seu bebê, consulte a página 180.

COLOCAR O BEBÊ NO BERÇO

"Meu bebê sempre adormece enquanto está mamando. Ouvi dizer que não se trata de um bom hábito."

É uma idéia que parece boa na teoria: colocar um bebê no berço quando ele está acordado para que mais tarde quando tiver sido desmamado consiga dormir sem a ajuda de ninguém, sem ter de mamar ou tomar mamadeira. Na prática, como sabe qualquer mãe que já tentou impedir que o seu bebê adormeça quando está mamando, ou que tentou acordar um bebê que pegou no sono nas mesmas circunstâncias, trata-se de uma idéia não necessariamente compatível com a realidade. Se o bebê que está mamando quiser dormir, é muito pouco o que você pode fazer para impedir que isso aconteça. E, se pudesse acordá-lo, gostaria mesmo de tirá-lo do seu sono?

Ensinar o seu bebê a adormecer sem a ajuda do peito (ou da mamadeira) é algo que pode esperar até que ele cresça um pouco — até que tenha seis ou nove meses de idade — e esteja mamando com menos freqüência. E se o hábito persistir, sem dúvida será mais fácil e rápido acabar com ele depois que o bebê tiver sido desmamado.

Sempre que a oportunidade apresentar-se, faça com que o seu bebê esteja acordado na hora de tirar uma soneca ou de ir para o berço — não tão acordado que seja muito difícil adormecer, mas num estado de sonolência. Embalá-lo um pouco, amamentar ou cantar algumas canções de ninar são coisas que quase sempre colocam um bebê nesse estado (mas tente não prolongar essas técnicas de relaxamento a ponto de o bebê cair num sono profundo).

O BEBÊ NÃO DORME A NOITE TODA

"O bebê de uma amiga vem dormindo a noite inteira desde que chegou do hospital, mas o meu continua acordando e mamando com a mesma freqüência com que o fazia quando era um recém-nascido."

Os bebês são criaturas dadas a hábitos. Crie um hábito para eles, veja como se apegam a ele na maior parte dos casos, sobretudo se for um hábito que lhes resulte em comida e atenção.

Nos bebês muito novos, o hábito de alimentar-se freqüentemente à noite é geralmente necessário, em termos nutricionais. Ainda que alguns bebês, como o de sua amiga, não mais precisem alimentar-se à noite por volta do terceiro mês de idade (antes ainda, em outros casos), a maior parte dos que têm entre dois e três meses, principalmente quando são amamentados, ainda precisam alimentar-se uma ou duas vezes durante a noite. Contudo, se o hábito de acordar à noite ainda persistir no quinto ou sexto mês, você pode começar a desconfiar que o seu bebê está acordando não porque ele *precisa* alimentar-se nesse período, mas porque foi habituado a fazê-lo; um estômago acostumado a ser preenchido a intervalos regulares vai gritar que está vazio mesmo quando estiver suficientemente saciado para poder aquietar-se por mais algum tempo.

Ainda que possa ser plausível que o seu bebê se alimente no meio da noite, ele certamente não precisa fazê-lo três ou quatro vezes. Você precisa reduzir aos poucos o número de vezes das mamadas mais tardias. Assim, estará dando o primeiro passo para prepará-lo para dormir a noite inteira, posteriormente. Algumas sugestões:

- Aumente a quantidade do alimento ingerido antes de dormir. Muitos bebês sonolentos começam a inclinar a cabeça de sono antes de seus estômagos estarem totalmente repletos para a noite. Se isso acontecer com o seu, não deixe que ele durma: faça-o arrotar, balance-o ou utilize qualquer manobra parecida, recomece a alimentá-los e não pare enquanto não sentir que ele ingeriu leite suficiente. Dentro de um ou dois meses, quando o bebê estiver pronto para os alimentos sólidos, você talvez queira incrementar a refeição noturna com cereais ou algum outro tipo de alimento — ainda que não esteja cientificamente provado que isso ajude os bebês a dormir a noite inteira, às vezes funciona.

- Antes de você retirar-se para o seu sono noturno, acorde o bebê para amamentá-lo; talvez assim ele fique saciado ao longo das suas 6 ou 8 horas de sono. Infelizmente alguns bebês ficam sonolentos demais quando são acordados, o que não lhes dá condições de alimentar-se bem, mas às vezes até uma refeição frugal pode mantê-los dormindo por 1 ou 2 horas a mais do que ficariam caso não ingerissem alimento algum. (É claro que, se o bebê começar a acordar mais vezes a partir da introdução dessa prática, você deve interrompê-la. Pode ser que o fato de ser acordado por você deixe-o mais predisposto a despertar por si próprio.)

- Certifique-se de que o seu bebê esteja tendo alimento suficiente para o dia inteiro. Se assim não for, pode ser que ele esteja usando as refeições noturnas para completar as calorias de que necessita. Se você acha que é esse o caso, pense na possibilidade de amamentá-lo mais vezes durante o dia, para estimular a produção de leite (veja, também, as sugestões apresentadas na página 109). Se o seu bebê recebe mamadeira, aumente a quantidade de leite que ele ingere de cada vez. Tenha em mente, porem, que para alguns bebês a alimentação a cada duas horas, durante o dia, cria um padrão que eles vão querer manter.

- Se o bebê está acordando e exigindo alimentação a cada 2 horas (o que talvez seja necessário para um recém-nascido, mas não para uma criança de dois ou três meses com um bom desenvolvimento), tente aumentar o intervalo entre as mamadas, acrescentando meia hora a cada noite ou a cada duas noites. Em vez de pular da cama para pegar o bebê ao primeiro sinal de choro, dê-lhe a oportunidade de retomar o sono por si próprio — talvez ele a surpreenda. Se ele não conseguir, e se a irritabilidade transformar-se em gritos, tente acalmá-lo sem tirá-lo do berço — acaricie-lhe as costas, dê-lhe palmadinhas, cante uma canção de ninar suave e monótona ou ligue algum brinquedo musical que fique no berço. Se o choro continuar depois de um certo tempo (nessa idade, espere cerca de 15 minutos), pegue-o e tente acalmá-lo nos seus braços, ninando-o, acariciando-o ou cantando para ele.

Se você estiver amamentando, a tática de relaxamento terá maior probabilidade de sucesso se o pai se envolve; um lactente que vê, ouve ou cheira a sua fonte de alimento não desvia facilmente a atenção do ato de alimentar-se. Mantenha o quarto escuro e evite o excesso de conversas e estímulos.

Se, depois de todos os seus esforços, o bebê não volta a dormir e continua querendo ser alimentado, dê-lhe de mamar — mas a essa altura é provável que você tenha aumentado o intervalo entre as mamadas em pelo menos meia hora, tomando-se por base o período anterior. O que se espera é que o bebê encontre um novo patamar nas noites seguintes, e que durma meia hora a mais no intervalo entre as mamadas. Aos poucos, tente aumentar o tempo entre elas, até que o bebê só acorde uma vez por noite para mamar, algo de que ele pode continuar precisando ainda por dois ou três meses.

▪ Reduza as quantidades nas refeições noturnas que você pretende eliminar. Reduza o número de gramas da mamadeira (uma grama a menos por vez) e o número de minutos que ele fica mamando (dois por vez). Continue reduzindo um pouco mais toda noite, ou a cada duas noites. No caso dos bebês que usam mamadeira, talvez funcione diluir o leite artificial, acrescentando um pouco mais de água e cada vez menos leite, todas as noites, até que a mamadeira só contenha água nas refeições que você deseja eliminar. A essa altura, alguns bebês vão decidir que acordar para tomar água não compensa o esforço, e preferirão continuar dormindo. A maioria, porém, vai preferir água a coisa nenhuma, e continuará acordando para tomar sua mamadeira. Mas, levando-se em conta que a fome de um bebê não se satisfaz com água, você pelo menos terá eliminado o ciclo fome/alimentação, tornando mais fácil eliminar no futuro essa refeição. (Converse com o médico do seu bebê antes de diluir o leite da mamadeira, para certificar-se de que não estará eliminando calorias de que a criança necessita.)

▪ Aumente a quantidade de alimento oferecida na refeição noturna que você pretende conservar. Se o seu bebê está acordando à meia-noite, às 2 e às 4 horas, por exemplo, você talvez queira cortar a primeira e a última dessas mamadas. Para fazer isso será melhor aumentar a quantidade que o seu bebê ingere na refeição do meio, seja leite materno ou de mamadeira. Um pouco de leite materno ou da mamadeira provavelmente não fará a criança dormir por muito tempo. Na página 65 você encontrará sugestões para manter acordado um bebê sonolento sempre que for preciso alimentá-lo.

▪ Não ponha fralda no bebê durante a noite, a menos que seja absolutamente necessário — em geral, basta um olfato ligeiramente alerta para informar-se de tal necessidade. (É claro que, quanto menos forem as refeições com que você brindar o seu bebê no meio da noite, menos necessárias serão as trocas noturnas de fraldas). Se ele usar fraldas de pano (que ficam muito encharcadas e desconfortáveis), talvez fosse bom usar forros de papel absorvente, iguais aos das fraldas descartáveis na hora de colocá-lo no berço, ou mudar para as descartáveis superabsorventes à noite. Se o seu bebê estiver num tamanho intermediário, coloque nele uma fralda do número imediatamente maior, enrolando-a bem para que não haja vazamentos (a menos que ele seja propenso a assaduras), pois assim haverá uma superfície extra para a absorção. Pense, também, que se for preciso trocar-lhe a fralda, será mais rápido e menos desagradável colocar uma descartável do que uma de pano.

▪ Se você está dividindo um quarto com o bebê, chegou o momento de pensar em separar-se (veja página 212). A sua proximidade pode ser a razão pela qual ele está acordando com tanta freqüência, e o motivo de ser preciso pegá-lo tantas vezes durante a noite.

O BEBÊ CONTINUA USANDO CHUPETA

"Eu estava pensando em só deixar que minha filha usasse chupeta até os três meses de idade, mas ela parece estar tão dependente que não sei se será possível acabar com esse hábito agora."

Os bebês também são criaturas que gostam de conforto. Este pode vir de várias maneiras — através do peito da mãe, da mamadeira, de uma canção de ninar ou de uma chupeta. E, quanto mais se habituam a uma determinada fonte de bem-estar, mais difícil é levá-los a privar-se dela. Se você não quer enfrentar os problemas que, mais tarde, podem estar associados ao uso da chupeta, este é o momento ideal para interromper o hábito. Em primeiro lugar, nessa idade a criança tem memória curta, e vai esquecer-se facilmente da chupeta assim que esta desaparecer de sua vida. Em segundo lugar, ela é mais aberta às mudanças do que um bebê de mais idade — tende mais a aceitar uma forma alternativa de acalmar-se. Um bebê que já aprendeu a andar não só não vai esquecer-se da chupeta, como também é provável que a exija tempestuosamente. E, sem dúvida, um hábito de três meses é mais fácil de interromper do que um que já se venha enraizando na criança há um ano ou mais.

Para reconfortar o bebê sem chupeta, tente embalá-lo, cantar para ele, dar-lhe um dedo limpo para chupar (ou ajudá-lo a encontrar os próprios dedos), ou recorra a alguma das outras técnicas apresentadas na página 143. Sem dúvida todas levam mais tempo e exigem mais empenho de sua parte do que o ato de enfiar-lhe uma chupeta na boca, mas, a longo prazo, serão melhores para o bebê, sobretudo se forem eliminadas aos poucos, para que ele aprenda a descontrair-se sozinho. (Na página 79, você encontrará os prós e contras relacionados ao uso da chupeta).

MOVIMENTOS ESPASMÓDICOS

"Meu filho nunca é bem-sucedido quando tenta alcançar alguma coisa, e, de tão espasmódicos que parecem os seus movimentos, estou preocupada com a possibilidade de haver algo errado com o seu sistema nervoso."

É provável que não haja nada de errado com o sistema nervoso dele — é apenas muito novo e inexperiente. Embora tenha passado um bom tempo desde o dia em que você sentiu pequenas contrações no seu útero, o sistema nervoso do bebê ainda é muito incipiente. Quando o braço dele vai em direção a um brinquedo que estimulou os seus olhos, e passa longe do alvo, a falta de coordenação pode ser preocupante para os pais inexperientes, mas, na verdade, trata-se de um estágio normal do desenvolvimento motor do bebê. Logo ele terá adquirido mais controle, e o quadro atual será substituído por movimentos hábeis que levarão a criança a atingir o alvo. E, quando ela chegar a esse estágio de transformar em suas presas todas as coisas que estiverem ao seu alcance, você vai ter muita saudade da época em que ela olhava, mas não tinha condições de tocar.

Se você quer uma segurança adicional, exponha o problema ao médico do bebê quando ele fizer o próximo exame.

DAR LEITE DE VACA AO BEBÊ

"Estou amamentando, e gostaria de dar um suplemento ao meu bebê, mas não quero usar leites especiais para bebê. Posso dar-lhe leite de vaca?"

O leite de vaca é um excelente alimento para os bezerros, mas não contém a mistura exata de nutrientes para os bebês humanos. Tem mais sal (muito mais) e proteína do que o leite materno ou os leites artificiais, e esses excessos exigem um esforço muito grande dos rins dos bebês. Também é deficiente em ferro. Os bebês alimentados exclusivamente com leite de vaca, bem como os que usam leites artificiais muito pobres em ferro, precisam de uma suplementação em forma de gotas vitamínico-minerais (mais tarde, os cereais enriquecidos com ferro também podem suprir essas necessidades). A composição do leite de vaca também difere da do leite materno de outras maneiras. Além disso, provoca hemorragias intestinais brandas numa pequena porcentagem de bebês. Ainda que o sangue perdido nas fezes geralmente não seja visível a olho nu, a hemorragia é importante, pois pode levar à anemia.

Portanto, se você está pensando em suplementar as mamadas do bebê, é melhor usar leite materno retirado ou algum tipo de leite artificial que o médico recomende — de preferência, até o bebê completar um ano. Os mais práticos são os leites prontos para usar, que exigem apenas uma mamadeira limpa. Se, depois de introduzidos os alimentos sólidos, o uso de um pouco de leite materno ou artificial para misturar o cereal do bebê for problemático, converse com o médico sobre a possibilidade de usar pequenas quantidades de leite de vaca integral.

DERMATITE DA FRALDA

"Troco freqüentemente as fraldas do meu bebê, mas ele ainda fica com assaduras — e não estou conseguindo fazer com que desapareçam."

Existe um bom motivo para o seu bebê (e de 7 a 35% dos seus companheiros de fraldas) não estarem apresentando um traseiro livre de problemas.

A parte do corpo coberta pela fralda fica exposta a muita umidade, a pouco ar, a diversos irritantes químicos e germes da urina e das fezes e, muitas vezes, ao esfregar de fraldas e roupas, tornando-se um alvo fácil para uma grande variedade de problemas. A dermatite da fralda (assadura das nádegas) pode continuar sendo um problema durante todo o tempo que o bebê usar fraldas, mas a incidência geralmente tem o seu ponto culminante entre sete e oito meses de idade, quando a alimentação mais diversificada vai refletir-se na natureza mais irritante das fezes, começando a diminuir à medida que a pele do bebê fica mais forte.

Infelizmente, a dermatite da fralda tende a repetir-se em alguns bebês — talvez devido a uma suscetibilidade inata, tendências alérgicas, um pH anormal das fezes (um desequilíbrio entre acidez e alcalinidade), excesso de amônia na urina ou simplesmente ao fato de que, uma vez irritada, a pele fica suscetível a ainda mais irritação.

O exato mecanismo responsável pelas assaduras não é conhecido, mas acredita-se que pode iniciar-se quando a delicada pele do bebê fica irritada devido à crônica umidade. Ao ser ainda mais irritada pela fricção de uma fralda ou outra peça de roupa, ou por substâncias irritantes das fezes ou da urina, a pele fica aberta ao ataque de germes que se encontram nela própria, na urina ou fezes. A agressiva e freqüente limpeza da região ocupada pela fralda com sabão ou detergente aumenta a suscetibilidade da pele do bebê, e o mesmo efeito pode ser provocado por fraldas muito justas ou calças de plástico, que não deixam entrar o ar e concentram a umidade. A amônia da urina, antes considerada a grande culpada pelas assaduras, não parece ser uma causa fundamental, ainda que possa irritar uma pele já comprometida. As dermatites tendem a começar onde a urina fica concentrada na fralda, ou seja, mais no fundo no caso das meninas e na frente no caso dos meninos.

O termo "dermatite da fralda" descreve uma variedade de problemas de pele na parte do corpo que fica coberta pela fralda. A comunidade médica ainda não chegou a um consenso quanto ao que distingue uma dermatite de outra (talvez o assunto não tenha despertado um interesse suficiente para estimular estudos sérios e definições mais precisas), mas geralmente as dermatites são assim descritas:

Dermatite perianal. A vermelhidão ao redor do ânus costuma ser provocada pelas fezes alcalinas de um bebê que usa mamadeira, e em geral só vem a ocorrer, no caso dos bebês amamentados no peito, depois da introdução dos alimentos sólidos.

Dermatite por fricção. Esta é a assadura mais comum, e manifesta-se com uma vermelhidão nas partes que sofrem maior fricção, mas não nas dobras da pele do bebê. Em geral, vai e vem, provocando pouco mal-estar se não for complicada por uma infecção secundária.

Dermatite atópica. Esta dermatite provoca coceiras, e, de início, pode manifestar-se em outras partes do corpo. Geralmente começa a espalhar-se para a parte coberta pela fralda entre seis e doze meses.

Dermatite seborréica. Essa dermatite de um vermelho profundo, quase sempre com crostas amareladas, geralmente começa no couro cabeludo, como crosta láctea, ainda que algumas vezes comece na região coberta pela fralda e depois se espalhe para cima. A exemplo da maioria das dermatites da fralda, costuma ser mais importuna para os pais do que para o bebê.

Dermatite micótica. Tenra e de um vermelho vivo, essa desagradável dermatite aparece nas dobras inguinais (as dobras de pele entre o abdome e as coxas), com pústulas que vão se espalhando a partir desse ponto. Em geral, as dermatites da fralda que duram mais de 72 horas ficam infectadas com o fungo *Candida albicans*, o mesmo agente responsável pelos sapinhos. Este tipo de dermatite também pode desenvolver-se num bebê que esteja tomando antibióticos.

Impetigo. Provocado por bactérias (estreptococos ou estafilococos), o impetigo na região coberta pela fralda ocorre em duas formas diferentes: bolhoso, com bolhas grandes e de paredes finas que se rompem e deixam uma crosta espessa e amarela, ou não-bolhoso, com cascas grossas e amarelas e uma forte coloração vermelha ao redor. Pode cobrir as coxas, as nádegas e a parte inferior do abdome, bem como espalhar-se por outras partes do corpo.

Intertrigem. Este tipo de dermatite, que se manifesta como uma área avermelhada e mal definida, ocorre em decorrência da fricção de pele com pele. Nos bebês, costuma ser encontrada nas fundas dobras inguinais entre as coxas e a parte inferior do abdome, e muitas vezes também nas axilas. A intertrigem pode, em certos casos, exsudar uma substância cuja cor vai do branco ao amarelo, e arder ao ser tocada pela urina, fazendo o bebê chorar.

Dermatite da borda da fralda. Trata-se de uma irritação provocada pela fricção da extremidade da fralda, que fica esfregando-se contra a pele da criança.

A melhor cura para a dermatite de fralda é a prevenção — embora esta nem sempre seja possível. Um dos mais importantes princípios da prevenção consiste em manter seca e limpa toda a parte do corpo coberta pela fralda. Veja, página 85, as maneiras de usar a fralda que podem ajudar a fazer tal prevenção. Se as medidas preventivas não funcionarem, as sugestões que apresentamos a seguir podem ajudar a eliminar a dermatite simples, bem como ser úteis para evitar recorrências:

Menos umidade. Para diminuir a umidade da pele, troque freqüentemente as fraldas da criança, mesmo no meio da noite se o bebê estiver acordado. Enquanto a dermatite não se curar, desista de todos os seus planos de treinar o bebê para dormir a noite inteira. No caso de dermatite persistente, mude a fralda assim que perceber que a criança está molhada ou evacuou. O bebê também deve ingerir o mínimo possível de líqüidos supérfluos. Tomar uma mamadeira de suco atrás da outra leva ao excesso de urina, que, por sua vez, provoca mais assaduras. Para evitar doses exageradas, use uma xícara para dar suco à criança.

Mais ar. Deixe as nádegas do bebê nuas durante parte do tempo, colocando-o sobre umas duas fraldas de pano dobradas ou uns dois cobertores absorventes que fiquem, por sua vez, sobre uma almofada ou um lençol (impermeáveis ou de plástico) que protejam a superfície abaixo. Se necessário, ponha a criança para dormir desse mesmo jeito, mas certifique-se de que o quarto esteja suficientemente aquecido para ela não sentir frio. Se o bebê estiver com fraldas de pano, use cueiros em vez de calças plásticas, ou esqueça completamente esse tipo de calças e coloque o bebê sobre uma almofada impermeável. Se ele estiver usando fraldas descartáveis, faça alguns furos na parte impermeável de cima. Isto vai permitir que entre um pouco de ar, e também que uma parte da umidade escape — o que vai levar a mais freqüentes trocas de fraldas.

Menos substâncias irritantes. Os irritantes naturais, como a urina e as fezes, só podem ser limitados através da constante troca de fraldas, mas você pode restringir o uso daqueles que aplica no bumbum do bebê. Os sabonetes podem ressecar e irritar a pele, só devendo ser usados uma vez por dia. Os sabonetes infantis Dove e Johnson's são geralmente recomendados para os bebês (o que não acontece com a maioria dos sabonetes "suaves"), mas você também pode pedir alguma sugestão ao médico da criança. Para a troca de fralda quando o bebê evacuou, lave totalmente a pele (por cerca de trinta segundos a um minuto) com água quente e bolas de algodão, e não com limpadores do tipo lenço de papel umedecidos. Estes contêm substâncias que irritam a pele do bebê (bebês diferentes são sensíveis a substâncias diferentes); os que contêm álcool são os que mais ressecam a pele. Se o que você está usando parece causar problemas, mude — mas não use limpadores quando o bebê tiver alguma dermatite. Quando ele sujar-se muito ao evacuar, a melhor maneira de limpá-lo é dar-lhe um banho na pia ou na banheira. Tenha o cuidado de enxugá-lo completamente depois da limpeza. Um bebê que apenas urinou não precisa de um banho — basta trocar-lhe a fralda.

Fraldas diferentes. Se o seu bebê tem uma dermatite recorrente, talvez fosse o caso de usar outro tipo de fralda (passar das de pano para as descartáveis, ou vice-versa, e até mesmo tentar diferentes tipos de descartáveis) para ver se a troca resulta em algum efeito benéfico. Se você lava as fraldas em casa, enxagúe-as com meia xícara de vinagre ou com algum produto especialmente destinado a esse fim. Se preciso, ferva-as durante 10 minutos.

Táticas de bloqueio. Passar uma espessa camada protetora de creme (Hipoglós, óxido de zinco, creme de Lassar, Nívea, pomada para os mamilos ou o que quer que o médico do bebê recomende) nas nádegas do bebê, depois de lavá-las durante a troca de fralda, vai impedir que a urina chegue a essa parte do corpo. Se você comprar esses produtos nos tamanhos maiores, estará economizando dinheiro e poderá usá-los em maiores quantidades, o que é melhor para a criança. Não use esses produtos quando estiver arejando as nádegas do bebê.

Não use ácido bórico ou talco durante o tratamento de uma dermatite. Ainda que o ácido bórico possa ajudar a aliviar a forma mais simples de assadura, trata-se de um produto muito tóxico quando usado internamente, e a maioria dos médicos sugere às mães que não o usem perto dos bebês, ou mesmo que não o tenham em casa. O talco também pode ajudar a absorver a umidade e a manter o bebê mais seco, mas, além de ser carcinogênico, pode provocar pneumonia se for inalado pela criança. A maisena é um substituto mais eficiente e seguro. Não use medicamentos que tenham sido receitados para outros membros da família em diferentes partes da casa; alguns cremes combinados (aqueles que contêm agentes esteróides, antibacterianos ou antifúngicos) são uma das causas principais das reações alérgicas da pele, e, ao usá-los, você poderia sensibilizar o bebê.

Se a dermatite do seu bebê não parece ceder ou melhorar em um ou dois dias, ou se aparecerem bolhas ou pústulas, avise ao médico; ele vai tentar descobrir a causa e fará o devido tratamento. Para a dermatite seborréica, pode ser indicado um creme esteróide (que não deve ser usado a longo prazo); para o impetigo, os antibióticos dados por via oral; para a intertrigem, a limpeza cuidadosa mais um creme de hidrocortisona e pomadas protetoras, e, para a candidíase, a mais comum das dermatites da fralda, um bom creme ou uma boa pomada antifúngicos, de uso tópico. Pergunte ao médico quanto tempo a dermatite vai demorar a ceder, e depois comunique-se com ele para dizer-lhe se realmente cedeu no prazo previsto, ou se o tratamento parece estar tornando as coisas ainda piores. Se a dermatite persistir, o médico pode tentar descobrir se a alimentação, ou outros fatores, estão contribuindo para o agravamento. Em raros casos, a solução do mistério da dermatite do bebê talvez tenha de passar pelas mãos especializadas de um dermatologista.

INFLAMAÇÃO DO PÊNIS

"Estou muito preocupada com uma área vermelha e em carne viva na extremidade do pênis do meu filho."

O que você vê provavelmente é apenas uma dermatite da fralda localizada. É comum, e às vezes pode inchar a ponto de impedir que o bebê consiga urinar. Tendo em vista que a disseminação para a uretra poderia provocar uma cicatriz, você deve esforçar-se para acabar com a dermatite o mais rápido possível. Se está usando fraldas lavadas em casa, mude para um serviço de fraldas (ou para as descartáveis) até que o problema seja solucionado, e siga as outras orientações que apresentamos acima para o tratamento das dermatites da fralda, acrescentando compressas quentes caso o bebê esteja tendo dificuldade para urinar. Se a dermatite persistir depois de dois ou três dias de tratamento doméstico, chame o médico.

Se você voltar a lavar as fraldas em casa, tenha o cuidado de usar um produto especial para enxaguar, garantindo a devida sanitarização.

SÍNDROME DA MORTE SÚBITA INFANTIL

"O bebê perfeitamente saudável de uma vizinha teve morte súbita, e esse fato deixou-me tão nervosa que venho acordando o meu bebê várias vezes por noite para certificar-me de que ele está bem. Seria uma boa idéia consultar o meu médico sobre um aparelho de monitoração?"

O medo de que um bebê possa morrer subitamente no meio da noite talvez já venha apavorando as mães desde o início dos tempos — muito antes de essas mortes receberem um nome médico: Síndrome da Morte Súbita Infantil (SMSI). Tais mortes são descritas em textos antigos; o bebê descrito no Livro dos Reis como tendo sido "sufocado" pela mãe provavelmente foi vitimado por essa síndrome.

Contudo, a menos que o seu bebê tenha passado por algum episódio que lhe tenha posto em risco a vida, quando parou de respirar e precisou ser reanimado (se for esse o caso, veja página 209), as possibilidades de ele sucumbir à SMSI são de menos de duas em mil. E a preocupação de que o seu bebê venha a ser um desses dois é mais prejudicial do que útil — tanto para ele quanto para você.

Para a maioria das mães, não há certeza que elimine por inteiro a necessidade que às vezes sentem de verificar, à noite, se os seus bebês estão respirando normalmente. Na verdade, muitas nem mesmo respiram direito enquanto os seus bebês não ultrapassam a idade de um ano, quando as crianças parecem deixar para trás os problemas que provocam a SMSI. O fato não é grave, desde que você não deixe que a sua preo-

O QUE É A SMSI?

A SMSI, ou Síndrome da Morte Súbita Infantil, é definida como a morte repentina de um bebê, inexplicável tanto através do histórico da criança quanto do exame *post-mortem* ou do local da morte. É a principal causa da morte de bebês entre duas semanas e um ano de idade, matando mais de seis mil crianças por ano nos Estados Unidos. Ainda que no passado se acreditasse que as vítimas fossem bebês "perfeitamente saudáveis" que de repente perdiam a vida sem razão alguma, hoje os pesquisadores estão convencidos de que os bebês vitimados pela SMSI só *parecem* saudáveis, tendo, na verdade, algum defeito — ainda não identificado — que os predispõe à morte súbita.

É muito pequeno o risco de o bebê médio morrer de SMSI — cerca de 1,7 em mil, um risco ainda menor para a maioria dos bebês saudáveis. Ainda assim, pequenos grupos específicos correm um risco maior. Pertencem ao grupo de alto risco as crianças que sobreviveram a uma ameaça de vida muito grave, não associada a ferimento ou acidente, em que pararam de respirar, ficaram arroxeadas e precisaram ser reanimadas. (Os bebês que tiveram acessos de apnéia de menos de vinte segundos parecem não pertencer a grupos de alto risco.) Ainda que mais suscetíveis do que os bebês "normais", apresentam menos riscos os bebês pequenos e/ou prematuros, bem como os de nascimento múltiplo. A SMSI atinge com mais freqüência os bebês do sexo masculino.

A teoria de que a origem do problema pode remontar ao desenvolvimento pré-natal do feto é corroborada pelo fato de que os bebês de mulheres que tiveram pouca assistência pré-natal ou fumaram durante a gravidez, e, possivelmente, de fumantes que tiveram anemia profunda durante a gravidez, também correm um risco relativamente maior. O mesmo acontece com os bebês de mães jovens (com menos de vinte anos), mas isto pode dever-se tanto (ou mais) à falta de assistência pré-natal quanto à idade.

A suspeita de que a hereditariedade representa um fator importante nos casos de SMSI ainda não foi comprovada pelas pesquisas, mas parece que os irmãos de vítimas dessa síndrome correm um risco ligeiramente maior de serem também vitimados por ela, talvez porque os mesmos fatores que contribuíram para o primeiro caso — pouca assistência médica ou o fato de a mãe fumar, por exemplo — estejam presentes tanto numa quanto noutra gravidez. As diferenças raciais — a SMSI ocorre com mais freqüência entre negros do que brancos, é mais comum entre os bebês indígenas e menos entre os orientais — parecem apontar para algum fator genético. Não fica claro, porém, se essas diferenças são parcial ou inteiramente devidas a desigualdades econômicas e/ou diferenças culturais, uma vez que a SMSI é mais comum entre os pobres.

Não parece haver correlação entre a SMSI e o uso de anestesia ou analgésicos durante o parto, a extensão do primeiro ou segundo estágio deste, os partos por cesariana, as infecções do trato urinário, a vaginite ou as doenças sexualmente transmissíveis da mãe.

Muitas pesquisas estão sendo feitas para se tentar determinar o que provoca a SMSI; talvez se descubra que existe mais de um tipo dessa síndrome, cada qual com uma causa diferente, ou que vários fatores se combinam para provocá-la. Segundo uma teoria muito aceita, a demora da maturação do tronco do cérebro predispõe o bebê à SMSI. Outros estudos sugerem que em alguns casos pode haver uma correlação entre a SMSI e maus-tratos à criança. Estudos recentes apontam como um dado significativo da síndorme o fato de a criança dormir com o rosto para baixo, principalmente sobre uma superfície macia, no qual possam se formar reentrâncias. Um resfriado leve ou outra infecção, cueiros e superaquecimento podem compor uma situação de risco quando o bebê dorme de barriga para baixo.Estão sendo coletadas informações sobre as características que os bebês com SMSI têm em comum (que incluem certos tipos de mudanças teciduais e sinais de asfixia não-explicável), e também sobre outros fatores comuns nas mortes (que tendem a ocorrer entre o segundo e o quarto meses de vida, em casa, no berço, mais comumente no inverno, e quase sempre entre meia-noite e oito da manhã).

cupação tome conta de todas as suas outras atividades.

Ainda que a compra de um monitor, um aparelho capaz de sinalizar se o seu bebê parou repentinamente de respirar, possa parecer uma excelente (e cara) maneira de atenuar os seus medos, monitorar um bebê normal pode provocar problemas, muito mais do que resolvê-los. Perturba a dinâmica da família, e geralmente afeta de modo negativo a interação entre mãe e filho. Além disso, os alarmes falsos que os monitores costumam dar resultam mais em preocupações do que em alívio. Os monitores só são recomendados para os bebês que já tiveram suas vidas ameaçadas por episódios de apnéia (interrupção da respiração), que têm problemas cardíacos e pulmonares que os tornem particularmente suscetíveis à SMSI, que tenham um ou mais irmãos que tenham morrido em decorrência dessa síndrome ou que escaparam por pouco.

Você, e todas as outras mães, podem sentir-se mais seguras se aprenderem RCP (Reanimação cardiopulmonar) infantil, certificando-se de que o pai, as babás, as empregadas domésticas e todas as outras pessoas que passam algum tempo a sós com o seu bebê também aprendam essa técnica de salvamento — de tal modo que, se o seu bebê alguma vez parar de respirar por algum motivo, a tentativa de reanimá-lo possa ser feita imediatamente (veja página 519). Se você continuar a sentir-se atormentada por esses medos, talvez fosse o caso de conversar com o médico do bebê a propósito de uma avaliação das funções cardíacas e pulmonares dele — o que se costuma reservar para os casos em que houve indicações prévias de algum problema — , para que você possa sentir-se mais tranqüila. Se a avaliação demonstrar que o seu bebê não apresenta um alto risco de ser vitimado pela SMSI, relaxe. Se não conseguir, converse com um terapeuta familiarizado com a SMSI e que tenha condições de dissipar os seus temores.

"Ontem à tarde, entrei no quarto do meu bebê, que parecia estar dormindo muito além do esperado. Encontrei-o no berço, absolutamente imóvel e azulado. Em desespero, agarrei-o e sacudi-o, e ele ficou bem. Agora, o médico quer que ele se submeta a testes no hospital, e estou apavorada."

Por mais terrível que essa experiência tenha sido, considere-se uma pessoa de muita sorte exatamente por ela ter acontecido. Não só o seu bebê sobreviveu como também lhe passou uma advertência muito boa de que esse tipo de coisa pode voltar a ocorrer (ainda que, em geral, não seja assim), e de que você deveria procurar auxílio médico para impedir uma reincidência mais grave.

É muito boa a sugestão do seu médico, de que o seu bebê — que teve um problema chamado "apnéia da primeira infância" — seja levado a um hospital. Esse tipo de episódio realmente aumenta o risco de um bebê ser vitimado pela SMSI, embora as probabilidades sejam de noventa e nove a um a seu favor. Uma breve permanência no hospital vai permitir que os profissionais avaliem a saúde do bebê através de um histórico e de um exame físico completo, de testes para diagnósticos e, possivelmente, através da monitoração de novos acessos de apnéia prolongada (quando o bebê pára de respirar por mais de 20 segundos), com o objetivo de tentar descobrir uma causa subjacente de tal fato. Às vezes, é algo bem simples — uma infecção, uma convulsão, uma obstrução das vias respiratórias —, que pode ser tratado, eliminando-se o risco de futuros problemas.

Infelizmente, não há como testar uma criança de modo a saber se ela pertence ao grupo de risco da SMSI. Contudo, uma avaliação abrangente vai dizer ao médico se o bebê deve ou não ser monitorado em casa, ou se será preciso medicá-lo.

Esse tipo de avaliação também pode ser feito com um bebê que não tenha um histórico de apnéia, mas que teve irmãos que morreram de SMSI, ou um que morreu e outros que passaram por acontecimentos que, aparentemente, ameaçaram-lhes a vida. Talvez seja preciso avaliar também um bebê com primos que foram vítimas da SMSI.

Se os testes num hospital local não forem conclusivos, o médico pode encaminhar o paciente a um dos grandes centros que lidam com essa síndrome. Para maiores informações sobre a SMSI, converse com o seu pediatra.

Se se revelar que uma doença provocou a apnéia do seu bebê, ela será tratada. Se a causa for indeterminada, ou se os problemas cardíacos ou pulmonares que o colocam em risco de morte súbita forem descobertos, o médico talvez recomende a colocação do seu bebê num aparelho que, em sua própria casa, monitora a respiração e/ou a pulsação. Em geral, o monitor é ligado ao bebê por meio de eletrodos, ou fica embutido no berço, no cercadinho ou no colchão do moisés. Você, e qualquer pessoa que tome conta do bebê, aprenderão a ligar o monitor e a reagir a uma emergência com RCP. O monitor não dará ao bebê uma proteção absoluta contra a SMSI, mas ajudará o seu médico a informar-se melhor sobre as condições da criança e dará a você a sensação de estar fazendo alguma coisa, em vez de ficar sentada, totalmente impotente e à espera de que algo aconteça.

Contudo, não permita que o problema do seu bebê e o monitor se transformem na coisa mais importante da sua vida. Fazê-lo poderia ser muito destrutivo, levando o seu bebê (provavelmente normal) a transformar-se num inválido, interferindo em seu crescimento e desenvolvimento e prejudicando o seu relacionamento com ele e com outros membros da família. Se o monitor estiver aumentando as tensões familiares, em vez de atenuá-las, peça ajuda ao seu médico ou a um conselheiro especializado.

Ainda que os critérios possam variar de médico para médico e de comunidade para comunidade, os bebês que não apresentaram mais episódios críticos desde o primeiro geralmente abandonam o monitor após dois meses, sem ocorrerem eventos que exigem uma estimulação prolongada e vigorosa, ou salvamento. Exigências mais rigorosas para abandonar o monitor costumam ser feitas no caso dos que tiveram um segundo episódio crítico. Ainda que raramente os bebês sejam tirados do monitor antes dos seis meses de idade, quando o período de máximo risco da SMSI já foi superado, um total de 90% não está mais com os monitores por ocasião do seu primeiro aniversário.

"Meu bebê prematuro teve períodos ocasionais de apnéia nas primeiras semanas de vida, mas o médico dele diz que não devo ficar preocupada, e que a criança não precisa de um monitor."

A apnéia é muito comum nos bebês prematuros; na verdade, cerca de 50% dos bebês nascidos antes de trinta e duas semanas de gestação passa por esse problema. No entanto, quando essa "apnéia da prematuridade" ocorre antes da data ajustada de nascimento, ela parece não ter nada a ver com a SMSI; não há um aumento do risco da SMSI ou da própria apnéia, mais tarde. Portanto, a menos que o seu bebê tenha graves episódios de apnéia depois da data em que nasceria, caso fosse a termo, não há motivos para preocupação ou acompanhamento.

Mesmo no caso dos bebês a termo, que tiveram um período normal de gestação, os breves lapsos respiratórios que não deixam a criança azulada ou letárgica, não sendo necessário reanimá-la, não costumam ser vistos pela maioria dos especialistas como uma previsão de risco da SMSI; poucos bebês com tal apnéia morrem de SMSI, e a maior parte dos que morrem desse mal não teve nenhuma experiência anterior de apnéia.

"Ouvi dizer que as imunizações com a vacina DPT podem provocar a síndrome da morte súbita infantil, e estou realmente preocupada, sem saber se devo ou não imunizar o meu bebê."

Difundiu-se a teoria de que a SMSI pode estar associada às injeções de DPT — ainda que, sem dúvida, se assim fosse só estaríamos diante de uma causa, tendo em vista que essa síndrome antecede consideravelmente o uso da imunização. Até hoje, porém, o único estudo de caso rigorosamente controlado não descobriu relação alguma entre a SMSI e a DPT. Não surpreende, por certo, que alguns bebês que tomam essa vacina também morram de SMSI, já que essas injeções são rotineiramente dadas aos dois e aos quatro meses de idade, e a SMSI apresenta o seu máximo índice de incidência nas crianças entre dois e quatro meses. Mas, se você ainda estiver preocupada, converse com o médico do seu bebê. Ele poderá tranqüilizá-la de tal modo que você irá sentir-se mais à vontade para prosseguir com as aplicações da vacina tríplice.

AS EMERGÊNCIAS RESPIRATÓRIAS DEVEM SER COMUNICADAS AO SEU MÉDICO

Ainda que os períodos muito breves (de menos de 20 segundos) de lapsos respiratórios possam ser normais, os períodos mais longos, ou os mais breves nos quais o bebê fica pálido, azulado ou letárgico, e apresenta uma pulsação muito lenta, exigem atenção médica. Se você tiver de tomar providências para reanimar o seu bebê, chame imediatamente o médico ou o Pronto-Socorro. Se você não conseguir reanimar o seu bebê sacudindo-o com delicadeza, tente a técnica de RCP (veja página 448), e ligue para o serviço local de emergências, ou peça para alguém ligar. Tente observar o seguinte, para informar melhor ao médico:

- O lapso respiratório ocorreu quando o bebê estava dormindo ou acordado?
- Quando o fato ocorreu, o bebê estava dormindo, alimentando-se, chorando, regurgitando, com náusea, ou tossindo?
- O bebê passou por mudanças de cor? Ficou com o rosto pálido, azulado ou vermelho?
- Houve alguma modificação no choro do bebê (ficou mais agudo, por exemplo)?
- O bebê parecia letárgico ou enrijecido, ou movimentava-se normalmente?
- O bebê costuma ter uma respiração ruidosa (veja, página 416, a discussão sobre o estridor)? Ele ronca?
- O bebê precisou ser reanimado? Como você o reanimou, e quanto tempo demorou para fazê-lo?

O DESMAME PRECOCE

"Vou retomar meu trabalho em período integral no fim do mês, e gostaria de parar de amamentar minha filha. Vai ser difícil para ela?"

Em geral, um bebê de três meses de idade é uma criatura agradável e adaptável. Ainda que já tenha deixado bem para trás o estágio indefinido de recém-nascido, e nele já venha se desenvolvendo uma personalidade própria, ainda está longe do dogmático (e às vezes tirânico) bebê que já aprendeu a andar. Portanto, se você está à procura de uma ocasião propícia para interromper a amamentação no peito, pode ser esta a hora. Ainda que ele talvez goste muitíssimo de mamar, é provável que não se aferre ao hábito com a inflexibilidade de uma criança de seis meses que nunca tomou uma só mamadeira e de repente vê-se privada do peito da mãe. Em termos gerais, talvez você ache que desmamar o seu bebê aos três meses de idade seja mais difícil para você do que para ele.

Para as mães que querem interromper cedo a amamentação, o ideal é começar a dar ao bebê mamadeiras suplementares com o seu próprio leite ou com leite artificial. Isto deve ser feito por volta da quinta ou sexta semana, para que a criança se adapte tanto à sucção da mamadeira quanto do mamilo. Se você não fez isso, o primeiro passo deve ser habituar o bebê a um bico artificial; os de silicone podem ser mais atraentes do que os de borracha, e você talvez tenha de experimentar vários estilos diferentes antes de descobrir o favorito do seu bebê. A essa altura, seria melhor usar leite artificial, para que o seu suprimento de leite comece a diminuir. Seja persistente, mas não force a mamadeira. Tente dar a mamadeira antes do seio; se o bebê rejeitar a mamadeira da primeira vez, tente novamente quando for alimentá-lo da próxima vez. Para os bebês, as mamadeiras podem ser mais aceitáveis se não forem dadas pela própria mãe. (Veja, na página 161, outras sugestões para a introdução da mamadeira).

Continue tentando, até que ele tome pelo menos cerca de 30 g da mamadeira. Depois disso, substitua uma das mamadas do meio do dia por uma refeição de leite artificial. Alguns dias depois, substitua outra mamada diurna por leite artificial. A mudança gradual, uma mamada por vez, vai dar aos seus seios a oportunidade de ajustar-se à nova situação sem o desagradável ingurgitamento. Elimine a mamada do fim da tarde por último, o que vai dar a você e ao bebê um tempo calmo e relaxante juntos sempre que você chegar em casa depois do trabalho. Se preferir — admitindo-se que o seu leite não secou inteiramente, e que o bebê ainda se mostra interessado —, talvez você possa continuar por mais algum tempo com essa mamada uma vez por dia, adiando o desmame total para uma data posterior, ou até o momento em que o seu leite exaurir-se de vez.

COMPARTILHAR O QUARTO COM O BEBÊ

"Desde que nasceu, nosso bebê de dez semanas tem dormido no nosso quarto. Quando deveríamos passá-lo para um quarto só dele?"

Nas primeiras semanas de vida, quando o bebê passa tanto tempo sugando o peito da mãe ou a mamadeira quanto no berço, e as noites são um amontoado indistinto de amamentações, trocas de fraldas e sessões de ninar só às vezes interrompidas por alguns sonos rápidos, faz sentido tê-lo ao alcance dos seus braços extenuados. Depois que ele superou a necessidade fisiológica de alimentações noturnas freqüentes (num momento qualquer entre duas semanas e três meses, ou mais tarde, em alguns casos), ficar com ele no seu quarto traz alguns problemas sérios:

Menos sono para os pais. Quando você dorme no mesmo quarto com o bebê, vai sentir-se tentada a pegá-lo cada vez que ele choramingar. E, mesmo que resistir ao impulso, certamente ficará acordada, esperando que os resmungos se transformem em berros. Você também estará correndo o risco de perder boas noites de sono devido à agitação do bebê no berço — lembre-se de que eles são famosos pelo sono inquieto.

Menos sono para o bebê. O fato de que você vai pegá-lo mais vezes, à noite, se ele estiver no seu quarto, significa que ele também dormirá menos. Além disso, durante as fases de sono leve ele provavelmente será acordado pelos seus movimentos, mesmo que você ande na ponta dos pés ou com chinelos macios e seja extremamente silenciosa para enfiar-se na cama.

Menos noites de amor. Sem dúvida, você sabe (ou pensa saber) que o seu bebê está dormindo quando começa a fazer amor. Até que ponto, porém, você será desinibida no auge do seu ardor quando tem uma companhia (que respira ruidosamente, lança a cabeça para trás e para a frente, resmunga baixinho no sono) tão próxima?

Mais problemas posteriores de ajustamento. Nas sociedades em que a família toda dorme num só quarto, não é preciso socializar as crianças para que aprendam a dormir sozinhas. Em nossa cultura, porém, onde se espera que a maioria das crianças passe por esse aprendizado, ficar com o bebê no seu quarto durante muito tempo vai tornar as coisas mais difíceis quando, finalmente, você resolver transferi-lo para um quarto só dele.

É claro que "um quarto só dele" não é uma coisa possível em toda e qualquer família. Se você vive num apartamento de quarto e sala, ou divide uma casa pequena com muitos filhos, pode ser que seu bebê tenha de compartilhar um quarto. Se for esse o caso, pense em instalar uma divisória — um biombo, ou uma cortina que desça do teto (a cortina, inclusive, isola muito bem o som). Outra solução consiste em ceder o quarto ao bebê e passar a dormir num sofá-cama na sala. Você também pode reservar um canto da sala para o bebê, e conversar ou ver televisão tarde da noite no quarto.

Se o bebê tiver de compartilhar o quarto com outra criança, a garantia de um bom sono para ambos vai depender do quão bem eles durmam. Se um (ou ambos) tiver sono leve, com a tendência a acordar no meio da noite, a sua família talvez passe por um difícil período de adaptação enquanto ambos não aprenderem a dormir enquanto um está acordado. Mais uma vez, uma divisória ou cortina pode ajudar a abafar o som, ao mesmo tempo em que dará uma certa privacidade à criança de mais idade.

COMPARTILHAR A CAMA COM O BEBÊ

"Já ouvi muita coisa sobre as vantagens de se permitir que crianças compartilhem a cama dos pais. E, do jeito que nossa filha vem acordando durante a noite, parece-me que semelhante esquema poderia significar mais sono para todos."

A divisão da mesma cama por pais e filhos realmente funciona bem — mas, segundo parece, funciona bem em outras sociedades. Numa sociedade como a nossa, que enfatiza o desenvolvimento da independência e a importância da privacidade, dormir junto com os filhos é um procedimento normalmente associado a grande número de problemas:

Problemas de sono. Para os pais muito cansados, talvez o que haja de mais significativo em partilhar a cama com um bebê seja o fato de tal procedimento parecer aumentar a incidência de distúrbios do sono nas crianças. Um estudo com crianças de seis meses a quatro anos de idade mostrou que os problemas de sono estavam presentes em 50% das que dormiam junto com os pais, uma porcentagem que caía para 15% no caso de crianças que dormiam em suas próprias camas. Outro estudo revelou que, das crianças que já andavam, 35% das que dormiam com os pais tinham problemas para dormir, ao passo que o problema só afligia 7% das que dormiam sozinhas. Afirma-se que o fato de dormir com os pais priva a criança da oportunidade de aprender a pegar no sono por si mesma — uma habilidade muito importante ao longo de toda a vida de uma pessoa.

Problemas dentários. Ao contrário do que se imagina, parece que o hábito de dormir com os pais incentiva a voracidade crônica dos bebês durante a noite. E, para o bebê que aproveita a proximidade da mãe para mamar e cochilar a noite inteira, a cárie dentária (provocada, como no caso dos bebês que usam mamadeira, por leite que fica na boca da criança enquanto ela dorme) pode ser o triste resultado — particularmente se a alimentação noturna continuar até depois do primeiro aniversário da criança.

Problemas de desenvolvimento. Ainda que sejam necessárias mais pesquisas que analisem os efeitos do hábito de dormir junto com os pais sobre o desenvolvimento emocional da criança, alguns especialistas têm especulado que o hábito pode interferir no desenvolvimento, por parte da criança, da sólida consciência de ser uma pessoa distinta, do seu sentimento de independência e do senso de privacidade. Pode ocorrer, também, que a ansiedade da separação dure mais do que o normal; a criança pode sentir-se solitária e insegura sempre que não estiver com os pais.

Problemas com os amigos. Se uma criança continuar dormindo com os pais quando já estiver na escola, talvez seja ridicularizada pelos amigos.

Problemas conjugais. Se o fato de compartilhar o mesmo quarto com um bebê já representa um fator de inibição no que diz respeito ao relacionamento sexual dos pais, ter um bebê dormindo na mesma cama pode ser fatal para esse relacionamento. E, ainda que nenhum indício comprove que um bebê muito novinho fique com traumas emocionais por acordar acidentalmente e deparar-se com os pais fazendo amor, é possível que as crianças maiores fiquem traumatizadas.

Problemas de segurança. Os riscos de um bebê se asfixiar na cama dos pais são pequenos mas reais. Entre os perigos possíveis incluem-se: colchões de pelúcia, travesseiros, acolchoados, colchões d'água; um espaço entre a cama e a parede; um dos pais inavertidamente se virar sobre o corpo da criança.

Problemas de demarcação. Uma coisa é deixar o bebê, ou mesmo uma criança que já começou a andar, dormir na sua cama — onde porém, você estabelece a linha divisória? E, se demarcá-la, como vai ensinar uma criança que sempre dormiu com você a passar, de repente, a dormir na sua própria cama? E será justo acostumar uma criança a ter o calor de um corpo todas as noites a seu lado, só para depois ter de bani-la para a solidão de uma cama fria? Mesmo que você ache justo, é possível que perceba que é quase impossível. Uma criança que adquiriu o hábito de dormir com os pais vai querer voltar sempre a fazê-lo.

Ainda que pareçam muitos e sólidos os argumentos em favor de camas e quartos separados para os bebês com mais de três meses (ou seja, quando o excesso de choro noturno já tornou-se menor), a questão continua sendo pessoal. É verdade que dormir junto com os bebês tem funcionado em inúmeras sociedades, ao longo de incontáveis gerações, e que as crianças realmente desfrutam de um calor humano e um bem-estar especiais quando dormem com os pais. Algumas famílias poderão decidir que não querem ceder às pressões sociais, e que vão optar pela "cama familiar". Muito bem, desde que estejam conscientes dos possíveis riscos. Quanto aos que optarem por dormir sós, sempre será possível ter essa proximidade que decorre de um contato mais íntimo — basta, por exemplo, trazer o bebê para a cama algumas manhãs, ou todas, para brincar com ele ou dar-lhe de mamar.

BRINCADEIRAS VIOLENTAS

"Meu marido adora fazer essas brincadeiras violentas com nossa filha de doze semanas, e ela adora que ele as faça. Mas ouvi dizer que sacudir demais uma criança, ainda que por brincadeira, pode fazer-lhe mal."

Ao observarmos a alegria que toma conta de um bebê quando o seu adorado papai o atira ao ar, fica difícil imaginar que tanto prazer possa terminar em tragédia — mas não há dúvida de que pode. Dois tipos de lesões podem ocorrer durante tais brincadeiras. A primeira é o descolamento da retina, que pode provocar graves problemas de visão, ou mesmo levar à cegueira. A segunda é o traumatismo em chicotada,* que, tendo em vista a pouca firmeza do pescoço de um bebê, pode levar a grave lesão cerebral e, em raros casos, até mesmo à morte.

Tais lesões ocorrem mais freqüentemente quando um bebê é sacudido com raiva, mas também podem ocorrer em situações de brincadeira. Portanto, evite as brincadeiras que sacodem vigorosamente, ou que forcem a cabeça e o frágil pescoço da criança. Evite, também, fazer *jogging* ou outras atividades "sacolejantes" sempre que a criança estiver num porta-bebês (em vez disso, corra quando a estiver empurrando num carrinho). Isto não significa que as brincadeiras estejam totalmente proibidas — os bebês adoram um "vôo" suave pelo ar, com o apoio de mãos firmes, e outras brincadeiras físicas que não sejam violentas.

Embora essas brincadeiras devam ser evitadas futuramente, não se preocupe caso o bebê tenha sido submetido a elas no passado. Se algum problema tivesse ocorrido, as suas conseqüências teriam transparecido.

* Nome popular do traumatismo por hiperextensão e hiperflexão do pescoço. (N. do T.)

INTESTINO PRESO

"Amamento o meu bebê, e estou preocupada com a possibilidade de ele estar obstipado. Ele sempre evacuou de seis a oito vezes por dia, e agora raramente evacua mais de uma vez. Às vezes, chega a passar um dia todo sem evacuar."

Não fique preocupada — agradeça. Essa diminuição da produção não só é normal, como também vai deixá-la menos vezes presa à mesa de troca de fraldas. Trata-se, definitivamente, de uma mudança para melhor.

No caso de muitos bebês amamentados, como o seu, é normal evacuar com menos freqüência em algum momento entre um mês e três meses de idade. Alguns, inclusive, chegam a ficar vários dias sem evacuar. Outros continuam tendo uma produção prodigiosa durante todo o tempo em que mamam, o que também é normal.

A prisão de ventre raramente é um problema para os bebês amamentados, e a infreqüência não é um sinal disso. Mas fezes duras, difíceis de evacuar, são um problema (veja página 125).

DEIXAR O BEBÊ COM UMA BABÁ

"Adoraríamos sair sozinhos por uma noite, mas, como nossa filha ainda é um bebê, temos medo de deixá-la com uma babá."

Podem ter a sua noitada — e logo. Admitindo-se que, nos próximos dezoito anos, vocês vão querer ficar algum tempo juntos (ou simplesmente sozinhos), habituar o seu bebê a ficar às vezes sob os cuidados de alguém que não pertence à família é uma parte importante do seu desenvolvimento. E, nesse caso, tanto melhor quanto mais cedo ele começar a habituar-se. Pode ser que os bebês de dois a três meses reconheçam suas mães, mas estar longe dos olhos significa estar longe do coração. E, enquanto as suas necessidades estiverem sendo atendidas, os bebezinhos costumam ficar contentes com qualquer pessoa que lhes dê atenção. Ao completarem nove meses (em alguns casos bem antes), a maioria dos bebês começa a experimentar aquilo que se conhece por *separação*, ou *ansiedade frente aos estranhos* — não só se sentem infelizes quando se vêem separados das mães, como também reagem mal à presença de novas pessoas.

De início, pode ser que você só pretenda fazer passeios rápidos, sobretudo se estiver amamentando e tiver de espremer a sua saída entre duas mamadas do bebê. O que não deve ser breve, porém, é o tempo que você vai passar escolhendo e preparando a babá, pois é preciso certificar-se de que a criança ficará sob bons cuidados. Na primeira noite, peça à babá que chegue pelo menos meia hora antes de você sair, para que seja possível habituá-la às excentricidades do seu bebê, bem como às suas necessidades, e para que ambos possam conhecer-se. (Veja, na página 217, "Como Orientar a Babá", e, na página 218, "O que É Importante Saber").

"Quando saímos, quase sempre levamos o bebê conosco; só o deixamos com uma babá quando ele está dormindo, mesmo assim só por algumas horas. Os amigos dizem que isso vai torná-lo excessivamente dependente."

Hoje, muitas pessoas parecem mais preocupadas com a criança cuja mãe ou cujo pai nunca a deixam sozinha do que com aquela cujos pais fazem isso regularmente. Mas não há indícios que corroborem tal preocupação. Ainda que existam algumas vantagens em fazer com que o bebê se adapte agora a uma babá (antes que a ansiedade frente aos estranhos mostre todo o seu lado hostil) e em não se sentir tão amarrada, um bebê cuja mãe está sempre por perto não se torna necessariamente um modelo de dependência. Quase sempre, na verdade, a criança que passa a maior parte do tempo de sua primeira infância com um dos pais (ou com ambos) acaba tornando-se segura e confiante. Tem a convicção inabalável de que é amada, de que qualquer babá que os pais lhe arrumem vai cuidar bem dela, e de que os pais sempre voltarão depois de suas saídas.

Portanto, faça aquilo que mais contribua para o seu bem-estar, e não aquilo que os seus amigos gostariam que você fizesse.

A FALTA DE LIBERDADE DA MÃE QUE AMAMENTA

"Eu estava muito feliz com a minha decisão de não dar ao nosso garotinho mamadeiras suplementares, até o momento em que percebi que é quase impossível ter uma noite livre na qual eu possa ausentar-me por um bom tempo."

Nada é perfeito, nem mesmo a decisão de só amamentar. É claro que existem vantagens, mas há ocasiões em que pode provocar arrependimento. Muitas mulheres, porém, sobreviveram a tal decisão e, apesar dela, conseguiram manter uma certa aparência de vida social. Em primeiro lugar, embora possa ser difícil sair de casa agora, ficará mais fácil assim que o bebê começar a pegar no sono às 8 ou 9 da noite, permitindo que você saia para uma boa noitada. Além disso, depois da introdução dos alimentos sólidos, uma babá sempre terá algo a oferecer a um bebê que acorde com fome. E, por último, depois de introduzida a xícara, o bebê poderá até

COMO ORIENTAR A BABÁ

Até mesmo a melhor babá do mundo precisa receber instruções. Antes de deixar o seu bebê com alguém, certifique-se de que a pessoa em questão esteja familiarizada com o seguinte:

- A maneira mais fácil de acalmar o seu bebê (embalá-lo, cantar-lhe uma musiquinha especial, o móbile favorito, levá-lo para um passeio de carrinho).
- Qual é o brinquedo favorito do seu bebê.
- Como ele gosta de dormir (de bruços, de costas ou de lado).
- Qual a melhor maneira de fazê-lo arrotar (passando-o por sobre o ombro, no colo, depois de mamar, quando está se alimentando).
- Como limpá-lo e trocar-lhe a fralda (você usa lenços de papel ou bolas de algodão? Fraldas duplas ou simples? Calças plásticas? Alguma pomada para assaduras? E onde ficam as fraldas e os demais apetrechos para a troca.
- Onde ficam as roupas extras do bebê, para o caso de ele precisar ser trocado.
- Como dar a mamadeira, caso o seu bebê seja alimentado desse modo ou se receber um suplemento de leite artificial ou materno.
- Alimentos que o bebê pode ou não ingerir (deixando claro que nenhum líqüido, alimento ou remédio deve ser dado a ele sem o seu consentimento, ou o do médico).
- A organização da sua cozinha, do quarto do bebê etc., bem como todas as informações pertinentes sobre sua casa ou seu apartamento (alarme contra assaltos, saídas de incêndio etc.).
- Quaisquer hábitos ou características do seu bebê com os quais a babá talvez não esteja contando (regurgita muito, evacua com freqüência, chora quando fica molhado, só dorme com uma luz acesa, pode rolar da mesa onde lhe trocam as fraldas).
- Os hábitos de quaisquer animais de estimação da casa que devam ser de conhecimento da babá, bem como as normas relativas ao seu bebê e a esses animais.
- Normas sobre a segurança do bebê (veja página 153); você poderia tirar uma cópia dessas normas e afixá-las num lugar bem visível para a babá.
- Onde fica a caixa de primeiros socorros (ou os itens individuais que tenham a mesma finalidade).
- Onde ficam a lanterna e as velas.
- O que fazer caso dispare o alarme de incêndio, ou se houver fogo e fumaça na casa, ou, ainda, se algum estranho tocar a campainha.
- Quem está autorizado a entrar na casa quando você estiver ausente, e a sua orientação para as visitas que a babá queira receber.

Ao sair, você também deve deixar com a babá:

- Os números de telefones importantes (o do médico do bebê, do lugar onde você pode ser encontrada, de algum vizinho que esteja em casa, dos seus pais, do pronto-socorro, do centro de controle de envenenamentos, do zelador do prédio, do encanador ou de alguém que faça qualquer tipo de conserto), e também lápis e papel para a babá anotar recados.
- O endereço do pronto-socorro mais próximo e o jeito mais fácil de chegar até ele.
- Dinheiro para o táxi para alguma emergência inesperada (por exemplo, levar o bebê para um pronto-socorro ou para o consultório médico); e o número do telefone para pedir o táxi.
- Uma autorização assinada para a babá providenciar cuidados médicos dentro de certos limites, caso você não possa ser encontrada (este item deve ser antecipadamente combinado com o médico).

Será útil deixar, num bloco de apontamentos, todas as informações necessárias à assistência ao bebê — números de telefone, orientação sobre saúde e segurança e tudo quanto você considerar imprescindível. As informações podem ser facilmente mudadas, ou acrescentadas, e tudo estará ao alcance imediato da babá. O dinheiro para as emergências pode ficar num envelope preso à capa do bloco de apontamentos.

mesmo tomar alguma coisa quando estiver com sede.

Nesse ínterim, se você tiver algum programa especial e não quiser perdê-lo, ainda que tenha de passar mais de duas horas fora de casa, tente o seguinte:

- Leve junto o bebê e a babá, caso haja um lugar onde possam ficar, como um saguão. Pode ser embaraçoso, mas permitirá que o bebê cochile no carrinho enquanto você se diverte. Se ele acordar, a babá pode avisá-la e você pode sair para amamentá-lo na toalete ou em algum outro lugar.

- Se o evento for fora da cidade, leve junto a família. Vão com sua própria babá, ou contrate uma no lugar onde estiver. Se você estiver hospedada perto do local da recepção, poderá sair na hora de amamentar o bebê.

- Se possível, modifique o horário de o bebê ir dormir. Se ele só costuma ir para o berço depois das 9, e você precisa sair às 7, tente privá-lo do sono da tarde, e coloque-o para dormir 2 horas antes do normal. Alimente-o bem antes de sair, e, se necessário, planeje as coisas de modo a ser possível amamentá-lo novamente quando voltar para casa.

- Ao sair, deixe uma mamadeira com o seu próprio leite (ou com água), e torça pelo melhor. Se o bebê acordar, e estiver realmente faminto, poderá tomá-la. Nessa fase, a confusão com os bicos não vai interferir nas mamadas dele, e você não precisará preocupar-se a esse respeito. Se ele não a tomar, pode ser que chore e grite por algum tempo, mas é bem provável que acabe caindo no sono outra vez. Ao chegar em casa, alimente-o se for necessário. Não se esqueça: se a babá achar que ele está tão irritado que você deve voltar para casa, esteja pronta para fazê-lo imediatamente.

O QUE É IMPORTANTE SABER: As Pessoas Certas para Cuidar do Bebê

Deixar o seu bebê com uma babá pela primeira vez já é uma experiência traumática mesmo sem a preocupação de saber se você está deixando a criança com a pessoa certa no lugar certo. Além disso, encontrar o tipo de assistência à criança no qual você possa confiar já não é tão fácil — pelo menos para a maioria — quanto pegar o telefone e pedir a ajuda da avó, ou daquela vizinha que é sempre tão prestativa. Com muitos membros da família com freqüência vivendo em outras cidades ou outros estados, e com grande número de avós trabalhando fora de casa, a mãe que precisa de uma babá quase sempre terá que depender de uma pessoa estranha.

Quando a avó era a babá, a maior preocupação das mães estava em saber se a criança não ia ser empanturrada de doces; contudo, deixar um bebê com um estranho (ou com um grupo de estranhos) é uma decisão que suscita um número muito maior de preocupações. A pessoa é confiável e responsável? É atenta e sensível às necessidades da criança? Terá condições de oferecer ao bebê o tipo de estímulo que, por envolver brincadeira e aprendizagem, ajudará a desenvolver o corpo e a mente em seu potencial máximo? A filosofia de assistência infantil da babá irá ajustar-se harmoniosamente à sua? Ela vai aceitar as suas idéias e respeitar as suas vontades? Vai ser suficientemente terna e amorosa para agir como substituta da mãe sem a pretensão de tomar-lhe o lugar?

Separar-se do seu bebê — seja para um expediente das 9 às 5, ou para um *show* e um jantar no sábado à noite — jamais será fácil, sobretudo nas primeiras vezes. Contudo, separar-se dele sabendo que o deixou em excelentes mãos é algo que vai contribuir para deixá-la mais tranqüila e sem culpas.

A BABÁ QUE VAI À CASA DO BEBÊ

Para a maior parte dos especialistas, se a mãe não pode estar com o bebê a maior parte do tempo (em função de trabalho, escola ou outros compromissos), a melhor opção é arranjar uma mãe substituta (uma ama-seca, babá ou uma moça diarista) que cuide da criança em casa.

As vantagens são muitas. O bebê fica no ambiente que conhece, no seu próprio berço, com o seu cadeirão e seus brinquedos; não fica exposto a grande número de germes de outros bebês e não precisa ser levado para lá e para cá. Além disso, conta com a total atenção da pessoa que estiver cuidando dele (admitindo-se que a mãe não lhe tenha atribuído uma infinidade de outras tarefas), o que favorece o desenvolvimento de um forte relacionamento entre o bebê e a pessoa que lhe dá assistência.

Existem, porém, algumas desvantagens. Se a babá estiver doente, incapaz de vir trabalhar por outros motivos ou se de repente abandonar o trabalho, não haverá quem a substitua automaticamente. Uma relação muito forte entre a criança e a babá pode terminar em crise sempre que esta última for embora de repente, ou se a mãe entrar numa crise de ciúme. Para alguns pais, o fato de a pessoa que cuida do bebê morar com eles acrescenta mais uma circunstância agravante; a perda da privacidade. Esse tipo de assistência à criança pode custar caro, mais ainda no caso de a pessoa escolhida ser uma babá com formação profissional, e menos no caso da escolha recair sobre uma estudante, uma diarista ou alguém com pouca experiência.

Começando a procurar

Descobrir a babá ideal pode ser um processo muito demorado, e, por esse motivo, reserve cerca de dois meses para essa procura. Vários procedimentos podem ser postos em prática para se tentar encontrá-la:

O médico do bebê. Dentre os seus conhecidos, provavelmente ninguém conhece mais bebês — e seus pais — do que ele. Peça-lhe algumas indicações, dê uma olhada nos anúncios nos quadros de aviso do consultório, onde sempre há pessoas se oferecendo para cuidar de crianças (alguns pediatras exigem que tais pessoas deixem suas referências quando anunciam seus serviços no consultório), ou coloque um anúncio você mesma. Você também pode pedir informações às outras mães na sala de espera.

Outros pais. Não deixe que eles passem por você impunemente. Sempre que encontrá-los — no *playground*, na aula de exercícios do bebê, em festas ou encontros profissionais —, pergunte se eles podem indicar-lhe uma pessoa confiável para cuidar do seu bebê.

Sua igreja. Aqui, também, o quadro de avisos pode ser um recurso valioso. O mesmo se pode dizer do seu pastor, padre ou rabino, que talvez saibam de congregados interessados em cuidar de crianças.

Professores de escolas maternais. Em geral, esses professores conhecem, ou empregam para participar de seus programas em regime de meio-expediente, pessoas com experiência em cuidar de crianças. Às vezes, os próprios professores estão disponíveis às noites e nos fins de semana.

A Liga dos Pais. Em Nova York, essa organização pode fornecer a seus membros listas de pessoas com experiência em cuidar de crianças. As taxas de inscrição são pequenas, e também habilitam os pais a receber informações sobre escolas, serviços de festas de aniversário e quase tudo que diga respeito à assistência e formação de crianças. Procure saber se existem organizações do tipo na cidade ou região em que você mora.

Agências e registros de profissionais qualificados. Esses serviços oferecem pessoal especializado (em geral bem pago) para trabalhar com crianças; a escolha de um desses profissionais elimina grande parte do trabalho de pedir informações e sair atrás das pessoas indicadas. (De qualquer modo, sempre é bom confirmar as referências.)

Serviços de babás. Babás qualificadas podem ser encontradas através desses serviços, que em algumas localidades são encontrados nas páginas amarelas. Trata-se de profissionais que podem ser contratados em regime de tempo integral e de meio-expediente, ou, ainda, para a prestação de serviços ocasionais.

O hospital local. Alguns hospitais oferecem indicações de babás. Em geral, todas as babás por eles indicadas fizeram um curso de especialização no hospital, adquirindo boas informações sobre RCP infantil e outros procedimentos de primeiros socorros. Em outros hospitais, bem como em escolas de enfermagem, é possível encontrar alunas que trabalham como babás.

Jornais locais. Procure, nos jornais diários e naqueles especializados em pais e filhos, anúncios de pessoas que querem cuidar de crianças, ou publique você mesma o seu anúncio.

Centros de emprego de universitários. Ajuda em tempo integral ou parcial, para o ano inteiro ou apenas para o verão, pode ser encontrada junto às faculdades locais.

Grupos de terceira idade. Pessoas idosas com boa disposição podem tornar-se excelentes babás e avós substitutas ao mesmo tempo.

Organizações de intercâmbio de amas-secas. Tais organizações podem oferecer às famílias os serviços de moças que dormem no emprego. Em geral, trata-se de jovens estrangeiras que querem visitar os Estados Unidos e estudar no país por um ano ou mais; também é possível contratar amas-secas com boa experiência.

Um exame minucioso das possibilidades

Você não vai querer passar dias e dias entrevistando candidatos obviamente insatisfatórios, então é melhor examinar cada caso através de currículos mandados pelo correio, ou por entrevistas ao telefone. Antes de começar a série de entrevistas, prepare uma descrição minuciosa do tipo de trabalho que está oferecendo, pois assim saberá melhor o que é que está querendo. Dessa relação podem fazer parte coisas como idas ao supermercado ou lavagem de roupa, mas tome o cuidado de não sobrecarregar a babá a tal ponto que ela mal tenha tempo para cuidar do bebê. Numa entrevista preliminar por telefone, obtenha várias informações sobre o candidato: nome, endereço, telefone, idade, formação escolar, experiência (coisas que, na verdade, são menos importante do que o entusiasmo e a aptidão natural para o serviço), pretensões salariais (verifique, com antecedência, quanto se costuma pagar no lugar onde você mora) e a razão pela qual a pessoa está querendo o emprego. Explique o que o trabalho vai exigir dela, e verifique se, ainda assim, ela continua interessada. Marque uma entrevista pessoal com os candidatos que pareçam promissores.

Durante as entrevistas, procure descobrir coisas sobre os candidatos através das perguntas e comentários que venham a fazer ("O bebê chora muito?" é uma pergunta que pode refletir impaciência com o comportamento normal dos bebês), bem como através do seu silêncio (a mulher que nunca diz nada sobre gostar de crianças e nunca faz um comentário sobre o seu bebê pode estar lhe dizendo alguma coisa), para conhecer um pouco melhor a pessoa. Para saber mais, faça perguntas como as sugeridas a seguir, de tal modo que a resposta não possa ser apenas um "sim" ou um "não" (quando você pergunta se a pessoa gosta de bebês, e a resposta é "sim", isso não quer dizer muita coisa):

- Por que você quer este trabalho?
- Onde você trabalhou da última vez, e por que saiu?
- Na sua opinião, de que é que mais precisa um bebê da idade do meu?
- Como você vê a si mesma passando o dia com um bebê dessa idade?
- Como você vê o seu papel na vida do meu bebê?
- O que você pensa da amamentação? (Isso só tem importância se você está amamentando e pretende continuar — uma decisão que vai precisar do apoio da babá).
- Como você vai lidar com o meu bebê quando ele ficar mais ativo e começar a criar problemas? Como você disciplina crianças bem novinhas?
- Como pretende chegar ao trabalho quando o tempo estiver tempestuoso?
- Você tem carteira de habilitação e gosta de dirigir? (Esta pergunta só deve ser feita se a pessoa em questão precisar dirigir).
- Por quanto tempo você pretende ficar neste trabalho? (A babá que vai embora assim que o bebê se acostuma com ela pode criar uma enormidade de problemas para a família toda).
- Você tem filhos? As necessidades deles vão interferir no seu trabalho? (Deixar que uma babá venha trabalhar trazendo os filhos tem algumas vantagens e desvantagens. Por um lado, dá ao seu bebê a oportunidade de ter a companhia diária de outras crianças; por outro lado, também cria condições para que ele fique diariamente exposto aos germes de outras crianças. Além disso, o fato de ter outras crianças com as quais preocupar-se pode afetar a qualidade e a quantidade da atenção que a babá dá ao seu bebê. O resultado pode ser, também, um maior desgaste em sua casa.)
- Você cozinha ou faz serviço doméstico? (Se alguém cuidar dessas coisas você terá mais tempo para ficar com o bebê quando chegar em casa, mas, se a pessoa em questão demorar muito para fazê-las, pode ser que a criança seja negligenciada.)
- Você tem boa saúde? Peça a comprovação de um exame médico completo e um exame negativo de tuberculose feito recentemente. Pergunte, também, sobre o hábito de fumar (o ideal é que ela não fume), de tomar bebidas alcoólicas ou drogas. É provável que esta última informação seja omitida por um toxicômano, mas fique atenta a indícios como inquietação, loquacidade, nervosismo, agitação, pupilas dilatadas, pouco apetite (estimulantes, como as anfetaminas ou a cocaína); fala enrolada, oscilação do corpo, desorientação, falta de concentração e outros sinais de embriaguez com ou sem o cheiro de álcool (álcool, barbitúricos e outros sedativos); pupilas fixas e ansiedade por doces (fase inicial do vício em heroína); euforia, falta de inibições, maior apetite, perda da memória, pupilas talvez dilatadas e olhos injetados, até mesmo paranóia (maconha). Uma babá que esteja tentando não consumir drogas ou bebidas alcoólicas no trabalho pode dar sinais de carência da substância, como olhos úmidos e lacrimejantes, bocejos, irritabilidade, ansiedade, tremores, calafrios e transpiração. É claro que muitos desses sinais podem ser sintomas de doença (mental ou física), e não do uso de drogas. Seja como for, são preocupantes no caso de alguém que se oferece para cuidar de uma criança. Também é preciso evitar alguém que tenha um problema de saúde capaz de interferir no bom desempenho do trabalho.
- Você fez recentemente, ou planeja fazer em breve, um treinamento em RCP ou primeiros socorros infantis?

Ainda que você faça as perguntas, a candidata não deve ser a única pessoa a respondê-las. Com base na observação de cada candidata, faça as seguintes perguntas a você mesma, e responda-as honestamente:

- A candidata chegou para a entrevista com boa aparência e bem vestida? Ainda que você possa não exigir uma babá com uniforme engomado, roupas descuidadas, cabelo não lavado e unhas sujas são um mau sinal.
- O senso de ordem da candidata parece compatível com o seu? Se ela precisa ficar 5 minutos vasculhando a bolsa até encontrar as referências, e você tem mania de organização, é provável que não veja com bons olhos a desorganização da candidata. Por outro lado, se ela parecer compulsivamente organizada e você é uma pessoa compulsivamente desordeira, pode ser que também não se entendam bem.
- Ela parece confiável? Se ela chegou tarde para a entrevista, tome cuidado. Pode ser que se atrase todas as vezes que vier trabalhar. Confirme essa tendência a atrasar-se com os patrões anteriores.
- Ela é fisicamente capaz de enfrentar o trabalho? Uma mulher velha e frágil talvez não consiga ficar boa parte do dia com o seu bebê no colo, ou, mais tarde, tenha dificuldades para ficar correndo atrás da criança que já sabe andar.
- Ela parece bondosa com crianças? A entrevista não terá sido completa se a candidata não passar algum tempo com o seu bebê, para que você possa observá-la interagindo com a criança — ou mostrando-se incapaz de fazê-lo. Ela parece paciente, bondosa, interessada, realmente atenta e sensível às necessidades do seu bebê? Descubra mais sobre a aptidão dela para lidar com crianças junto aos seus antigos patrões.
- Ela parece inteligente? Você vai querer alguém que saiba ensinar e divertir o bebê do mesmo jeito que você faria, e que demonstre um bom discernimento nas situações difíceis.
- Você se sente à vontade com ela? Quase tão importante quanto a harmonia entre a candidata e a criança é a harmonia entre vocês duas. Para o bem do bebê, é preciso haver uma comunicação constante, franca e satisfatória entre você e a babá escolhida; certifique-se não só de que isto seja possível, mas que também flua com naturalidade.

Se a primeira rodada de entrevistas não revelou candidatas que lhe agradem, não desista, continue tentando. Se, ao contrário, você encontrou pessoas que a impressionaram bem, o passo seguinte consiste em confirmar-lhes as referências. Quanto às habilidades e à confiabilidade de uma candidata, não se baseie na palavra de amigos ou membros da família dela — insista nos nomes de antigos patrões, caso seja possível obtê-los, mas, se a experiência anterior dela for restrita, ou não existente, tente obter informações junto a professores, religiosos ou outras pessoas cuja avaliação de personalidade seja mais objetiva.

Travando conhecimento

É provável que você se sentisse muito pouco à vontade se tivesse de passar um dia inteiro com um completo estranho. Esteja certa de que o seu bebê, que terá de passar pelo desgaste adicional de ficar longe da mãe, também vai sentir-se infeliz. Para minimizar a aflição, apresente com antecedência a babá ao bebê. Se ela vai trabalhar à noite, peça-lhe que chegue meia hora antes no primeiro dia (uma hora, caso o bebê tenha mais de cinco meses de idade), para que a criança tenha algum tempo para adaptar-se. Deixe que se conheçam aos poucos, começando com o bebê no seu colo e depois passando-o para uma cadeira ou balanço, para que a babá possa fazer sua abordagem em território neutro. Por fim, quando o bebê já estiver mais à vontade com a recém-chegada, passe-o para os braços dela. Depois desse primeiro encontro, fique longe por uma ou duas horas. Da segunda vez, peça à babá que também chegue meia hora antes de você sair, e fique longe um pouco mais de tempo. Da terceira vez, um período de 15 minutos com você ainda em casa deve ser suficiente, e depois disso a babá e o bebê devem ter-se transformado em amigos do peito. (Se isso não acontecer, convém pensar se você realmente escolheu a pessoa certa.)

A babá que vai ficar o dia todo precisa de um período ainda maior para ser apresentada à criança. Deve passar pelo menos um dia inteiro com você e o bebê, familiarizando-se não só com ele, mas também com a sua casa, o seu estilo de cuidar de crianças e a rotina doméstica. Com isso, você terá oportunidades de apresentar sugestões, e a babá poderá fazer perguntas. Você também terá a oportunidade de vê-la em ação — e uma possibilidade de mudar de opinião sobre ela, caso não goste do que vê. (Não julgue a babá com base nas reações do bebê, mas pela maneira como esta age frente a tais reações. Por melhor que seja uma babá, as crianças — mesmo as muito novinhas — costumam protestar quando se vêem com uma delas ainda em presença da mãe.)

A propósito, é provável que o seu bebê se adapte melhor a uma nova babá antes de ter completado seis meses, antes que entre em cena a ansiedade frente aos estranhos.

O período experimental

Ao contratar alguém para cuidar do seu bebê, faça-o sempre por um período inicial de experiência, para poder avaliar o seu desempenho antes de decidir se vai ficar com a pessoa por um período mais longo. Tanto para você quanto para ela, é mais justo deixar claro de antemão que as duas primeiras semanas (ou o primeiro mês, ou qualquer outro período especificado) serão um estágio probatório. Durante esse tempo, observe o bebê. Ele parece feliz, limpo e esperto quando você chega em casa? Ou parece mais cansado do que o normal, e mais mal-humorado? A fralda que está usando dá a impressão de ter sido trocada há pouco? É importante observar, também, o estado de espírito da babá ao término do dia de trabalho. Parece descontraída e à vontade? Ou tensa e irritável, obviamente feliz por ver-se livre de um peso? Está ávida por contar-lhe como foi o dia com o bebê e falar-lhe sobre as últimas proezas da criança, bem como sobre quaisquer problemas que possam ter surgido, ou conta-lhe mecanicamente por quantas horas o bebê dormiu e quantos gramas da mamadeira foram esvaziados — ou, pior, por quanto tempo o bebê ficou chorando? Ela não perde de vista o fato de que o bebê é seu, e aceita a idéia de que as decisões mais importantes devem ser tomadas por você? Ou, ao contrário, dá a impressão de achar que é a ela que agora compete tomar decisões?

Se a sua avaliação mostrar que a babá deixa a desejar, comece a procurar novamente. Se você estiver em dúvida, tente chegar cedo em casa, sem avisar, para ver o que realmente está acontecendo na sua ausência. Outra coisa que se pode fazer é pedir a amigas ou vizinhas que observem o comportamento da babá sempre que a encontrarem no supermercado, no parque ou nas ruas, e estiver com o bebê. Se uma dessas pessoas lhe disser que o seu bebê, geralmente alegre, está chorando muito durante a sua ausência, isso pode ser um indício de que as coisas vão mal.

Se, do seu ponto de vista, a perfeita babá em tempo integral parece não ter nascido ainda, talvez seja melhor repensar a sua decisão de voltar a trabalhar fora, e não ficar submetendo a criança a uma série de babás incompetentes e insensíveis.

CRECHES

Ainda que, para muitos, não seja a solução ideal, algumas mães acabam colocando seus filhos em creches por não terem outra opção.

Contudo, uma creche com um bom programa oferece algumas vantagens significativas. Nas melhores delas, um pessoal especializado desenvolve programas que se destinam especificamente ao desenvolvimento e crescimento do bebê, além de oportunidades de brincar e aprender com outros bebês e crianças. Uma vez que esses lugares não dependem de uma só pessoa, como é o caso da babá na casa da criança, em geral não ocorre nenhuma crise quando um professor fica doente ou se demite, ainda que o bebê precise adaptar-se ao que vem substituí-lo. E, nas comunidades onde os serviços de creche são licenciados, pode ser que haja uma supervisão dos programas em termos de segurança, saúde e até mesmo educação.

As desvantagens para os bebês também podem ser significativas. Em primeiro lugar, nem todos os programas são igualmente bons. Mesmo quando é bom, a atenção é menos individualizada do que na casa do bebê, existem mais crianças por atendente e a rotatividade dos professores pode ser alta. Há menos flexibilidade de horários do que num contexto mais informal, e, se a creche segue um calendário de escola pública, pode ser que feche nas férias, quando você está trabalhando fora de casa. As mensalidades geralmente são altas, a menos que o local seja subsidiado pelo governo ou pela iniciativa privada, mas podem ser mais baratas do que se você pagar uma boa babá na sua própria casa. É possível que a maior desvantagem seja o crescente índice de infecções entre crianças que freqüentam creches. Como muitas mães que trabalham não têm outra opção quando os seus filhos ficam resfriados ou pegam outras doenças de menor gravidade, acabam quase sempre mandando-os para a creche assim mesmo.

É claro que existem ótimas creches; a questão está em descobrir uma que tenha vaga para o seu bebê.

Onde procurar

Você pode conseguir os nomes de creches locais (que podem ter fins não-lucrativos, ser pagas, funcionar em esquema de cooperativa ou pertencerem à prefeitura, através de recomendações de amigos e conhecidos, ou telefonando para órgão regulamentador do seu estado (a Secretaria de Saúde ou de Educação do seu estado deve ter condições de indicar-lhe o órgão apropriado) ou perguntando na sua igreja. Na lista telefônica também é possível encontrar os números de serviços de indicação de creches, ou os das próprias creches.

O que procurar

Em termos de qualidade, as creches vão do que há de melhor até o fundo do barril, sendo que a maioria delas fica no limite da mediocridade. Se você só vai aceitar a melhor das creches para o seu bebê, terá de examinar cada aspecto de cada possibilidade. Procure:

Licenciamento. Quase todos os estados licenciam as creches, supervisionando-as em termos de saneamento e segurança, mas não da qualidade do atendimento. Alguns estados, porém, nem mesmo têm uma legislação adequada sobre saneamento e incêndios. (Se você tiver alguma dúvida, entre em contato com o Corpo de Bombeiros e a Secretaria de Saúde locais.) Ainda assim, o licenciamento oferece algumas garantias.

Pessoal com boa formação e experiência. Os principais professores, pelo menos, devem ter formação em educação infantil, e o resto do pessoal deve ter experiência em cuidar de crianças. Em geral, devido aos baixos salários, as pessoas que trabalham numa creche ali estão por não terem qualificação para mais nada; é muito provável, então, que também não sejam qualificados para cuidar de crianças. A rotatividade do pessoal deve ser baixa — cuidado se houver vários professores novos a cada ano.

Pessoal saudável e digno de confiança. Todos os funcionários que cuidam de crianças devem ter feito exames completos, inclusive o teste de tuberculose. A verificação de sua vida pregressa deve deixar claro que eles jamais estiveram envolvidos com nada de condenável.

Boa relação proporcional entre professores e bebês. Deve haver, no mínimo, um atendente para cada três bebês. Se houver menos que isso, um bebê que está chorando pode ter de esperar até que alguém esteja livre para atender às suas necessidades.

Tamanho moderado. Uma creche enorme talvez seja menos bem operada e supervisionada do que uma menor — ainda que existam exceções a tal regra. Além disso, quanto mais crianças, maiores as possibilidades de difusão de doenças. Seja qual for o tamanho da creche, deve haver um espaço adequado para cada criança. Salas abarrotadas são um sinal de que os programas desenvolvidos são inadequados.

Separação por grupos etários. Bebês com menos de um ano não devem ser misturados com os que já sabem andar e crianças mais velhas.

Uma atmosfera amorosa. Todos os funcionários da creche devem dar a impressão de realmente gostar de crianças e preocupar-se com o seu bem-estar. As crianças devem parecer felizes, dinâmicas e limpas. Apareça de surpresa na creche no meio ou no fim do dia, quando será possível ter dela uma imagem mais exata da que você teria no período da manhã. (Cuidado com aquelas que não permitem visitas de pais sem que estes se anunciem com antecedência.)

Uma atmosfera estimulante. Até mesmo um bebê de dois meses pode beneficiar-se de uma atmosfera estimulante, na qual haja muita interação — tanto verbal quanto física — entre as crianças e os que cuidam delas, e na qual os brinquedos sejam apropriados às diferentes faixas etárias. Quando as crianças ficam maiores e capazes de lidar melhor com os objetos, devem ser muitas as oportunidades de manipular brinquedos, e também é preciso que elas sejam expostas a livros, à música e às saídas ao ar livre. Os melhores programas incluem eventuais "atividades de campo": um grupo de três a seis crianças acompanhadas por um ou dois professores vão ao supermercado, ao tintureiro ou a outros lugares aos quais um bebê iria se estivesse em sua casa.

O envolvimento dos pais. Os pais são convidados a participar do programa de alguma forma? Há um conselho de pais que estabelece ou sugere programas?

Uma filosofia compatível. Você se sente à vontade com a filosofia da creche — em termos educacionais, religiosos e ideológicos?

Boas oportunidades de descanso. Em creches ou em suas casas, a maior parte dos bebês tira muitas sonecas durante o dia. Para isso, é preciso haver um lugar calmo com berços individuais, e as crianças devem dormir de acordo com os seus próprios horários — e não os da escola.

Normas rigorosas de saúde e saneamento. Na sua própria casa, você não precisa preocupar-se com o fato de seu bebê levar qualquer coisa à boca; numa creche, onde há crianças de diversas procedências — cada uma com o seu grupo de germes —, você precisa preocupar-se. As creches podem tornam-se um foco de irradiação de muitas doenças intestinais e do trato respiratório. Para minimizar a disseminação de germes e proteger a saúde das crianças, uma creche bem dirigida precisa contar com um consultor médico e com um programa por escrito que inclua o seguinte:

- Todos os funcionários devem lavar muito bem as mãos (com sabão líqüido) depois de trocarem fraldas ou ajudarem as crianças a evacuar ou urinar, bem como depois de ajudá-las a assoar o nariz. O mesmo procedimento deve ser observado ao se cuidar de crianças resfriadas e antes das refeições.
- Os lugares onde se preparam as refeições e onde se trocam as fraldas devem ser totalmente separados, e ambos devem ser limpos imediatamente após serem usados.
- As fraldas sujas devem ser colocadas num recipiente fechado, fora do alcance das crianças.

- Os brinquedos devem ser enxaguados com água sanitária antes de serem manipulados por diferentes crianças, ou cada criança deve ter sua caixa de brinquedos.
- Os animais de tecido ou pelúcia não devem ser compartilhados, e é preciso lavá-los freqüentemente.
- As borrachas em forma de anel para exercitar os dentes do bebê, as chupetas, as toalhas e os pentes não devem ser compartilhados.
- Os utensílios para alimentação devem ser lavados numa máquina de lavar pratos, mas o melhor é que sejam descartáveis (devem-se marcar as mamadeiras com os nomes de seus donos, para que não venham a misturar-se).
- Para as crianças que já comem alimentos sólidos, o preparo deve ser feito em condições de absoluta higiene (veja página 264).
- Todas as crianças devem ter suas imunizações atualizadas.
- As crianças moderada ou gravemente doentes, particularmente as que tiverem diarréia, vômitos, febre alta e certos tipos de dermatite devem ficar em casa (isto não se aplica aos resfriados, que são mais contagiosos antes de se tornarem evidentes) ou em alguma enfermaria da própria creche.
- A medicação das crianças doentes deve ser administrada conforme as diretrizes escritas da escola;
- Quando um bebê estiver com uma doença contagiosa, todos os pais das crianças da creche devem ser notificados; nos casos de *Haemophilus influenzae* deve-se medicar ou imunizar para impedir a disseminação da doença.[2]

2. Um problema específico para as mães que planejam voltar a engravidar logo é a possibilidade de transmissão do citomegalovírus (CMV), facilmente disseminado entre os bebês devido ao contato mais freqüente com a urina e a saliva sobrecarregadas de vírus. Na mãe grávida que não é imune, o CMV apresenta um risco para o feto. O CMV, que, segundo estudos, dissemina-se em um entre cinco pais sem imunidade, em geral não provoca sintomas em adultos e crianças. Devido ao risco para a criança em gestação, as mulheres que estão pensando em outra gravidez, e não são imunes, talvez não devam colocar o seu bebê numa creche.

Procure saber, na Secretaria de Saúde local, se a creche não costuma ser alvo de reclamações ou se não existem transgressões ligadas ao seu histórico.

Rigor nas normas de segurança. Os ferimentos, sobretudo os menos graves, não são incomuns em creches. Os maiores perigos são os trepadores, escorregadores, brinquedos de mão e blocos, outros equipamentos de *playground*, portas e superfícies de assoalho. São coisas capazes de machucar até mesmo os bebês que engatinham; todos eles podem arrumar problemas com objetos pequenos (que podem ser engolidos e provocar asfixia), objetos pontudos, materiais venenosos etc. Uma creche deve atender às mesmas exigências de segurança que existem na sua casa. Uma atenção especial deve ser dada às escadarias abertas, às portas que podem fechar-se sobre dedos miúdos ou abrir-se sobre rostinhos, às janelas acima do nível do chão (não devem abrir-se mais de 15 cm, e/ou devem ter peitoril), aos radiadores e outros aparelhos de aquecimento, às tomadas elétricas, aos materiais de limpeza e medicação (é comum que os professores precisem medicar crianças convalescentes ou com problemas crônicos de saúde) e aos assoalhos (não devem ficar abarrotados de brinquedos capazes de derrubar alguém com uma criança no colo). Materiais usados por crianças maiores (tintas, argila etc., bem como brinquedos com partes pequenas ou pontudas) devem ser mantidos fora do alcance dos bebês. Detectores de fumaça, saídas de incêndio claramente demarcadas, extintores de incêndio e outras precauções de segurança devem estar muito visíveis. Os atendentes devem ser treinados em RCP e primeiros socorros, e uma caixa de primeiros socorros totalmente equipada deve estar bem acessível.

Muito cuidado com a nutrição. Todas as refeições e todos os lanches devem ser saudáveis, seguros e de acordo com as idades das crianças. É preciso seguir a orientação dos pais quanto ao leite artificial (ou materno), alimentos sólidos e horários de alimentação. As mamadeiras nunca devem ser apoiadas em algum objeto.

FAMÍLIAS QUE CUIDAM DE BEBÊS

Muitos pais sentem-se mais à vontade quando deixam um bebê num contexto familiar, na casa de uma família onde, ao contrário do que acontece numa creche mais "impessoal", ele vai ter a companhia de apenas algumas outras crianças. Essa costuma ser a melhor opção para os pais que não conseguem arrumar uma babá para trabalhar em suas próprias casas.

Esse tipo de assistência tem muitas vantagens, pois geralmente oferece à criança um ambiente caloroso e semelhante ao lar a um preço inferior aos dos outros tipos. Como o número de crianças é menor do que seria numa creche, é menor a exposição às infecções, e maior o potencial de estímulos e de assistência individualizada (ainda que esse potencial nem sempe se concretize). Em geral, é possível estabelecer horários mais flexíveis — levar a criança mais cedo, ou ir buscá-la mais tarde sempre que necessário.

As desvantagens variam para cada caso. Esse tipo de prestação de serviços em geral não é licenciado, oferecendo pouca proteção em termos de segurança e saúde. A pessoa responsável geralmente não tem formação específica nem experiência profissional em cuidar de crianças, e pode ter uma filosofia de educação infantil que não seja a mesma dos pais. Se essa pessoa (ou algum dos seus filhos) ficar doente, pode ser que não haja ninguém para substituí-la, e, ainda que o risco seja menor do que numa grande creche, sempre é possível que germes se disseminem entre as crianças, sobretudo se os cuidados com o saneamento forem relapsos.

CRECHES PERTO DO TRABALHO DOS PAIS

Uma opção comum nos países europeus já há muitos anos, esses tipos de creches que funcionam no trabalho dos pais ou nas imediações são raramente oferecidos nos Estados Unidos. Trata-se de uma opção que muitos pais fariam, caso pudessem.

As vantagens são atraentes. Se acontecer alguma emergência, seu bebê estará perto de você; você pode visitá-lo no horário de almoço, ou no intervalo para o café, e até mesmo dar-lhe de mamar; e, como a criança é levada junto para o trabalho, vocês ficam mais tempo juntos. Esse tipo de creche costuma ter bons profissionais e ser muito bem equipado. Saber que o seu bebê está por perto, e que está sendo bem cuidado, permite que você se concentre mais no seu trabalho. E os preços de tais creches, se forem pagas, não são altos.

Há algumas desvantagens possíveis. Se o seu trabalho for longe e de difícil acesso, vai ser difícil para a criança também. Em alguns casos, o fato de ver você durante o dia — caso isto faça parte do programa — pode transformar cada separação num momento ainda mais difícil para o bebê, sobretudo quando ele estiver estressado. E as visitas à criança podem desviar sua atenção do trabalho.

Sem dúvida, essas creches na empresa devem estar de acordo com todos os padrões de educação, saúde e segurança. Se a estabelecida por seu patrão não faz nada disso, converse com os responsáveis sobre o que pode ser feito para sanar as deficiências existentes.

LEVAR O BEBÊ PARA O TRABALHO

Muito ocasionalmente, uma mãe tem condições de levar o bebê para o trabalho quando é impossível deixar a criança sob qualquer outro tipo de cuidados. E, muito ocasionalmente também, isso funciona.

Funciona melhor antes de o bebê tornar-se uma criatura móvel, e desde que ele não tenha cólicas — e, sem dúvida, quando a mãe dispõe do espaço para a colocação de um berço portátil, mais toda a parafernália necessária, perto do lugar onde fica trabalhando, e quando pode contar com o apoio do seu patrão e de todas as pessoas que trabalham com ela. Em termos ideais, ela deveria ter uma babá no local, pelo menos por parte do tempo. Esse tipo de situação é perfeito para a mãe que amamenta, ou para qualquer mãe que não queira abrir mão nem da companhia do bebê, nem do seu trabalho.

QUANDO A CRIANÇA ESTÁ DOENTE

Não há mãe que goste de ver o seu bebê doente, mas, para a mãe que trabalha fora, os primeiros sinais de febre ou de problemas digestivos da criança são particularmente aterradores. Ela sabe que a assistência ao bebê doente pode apresentar um grande número de problemas, e que são dois os principais: quem vai tomar conta dele, e onde?

Em termos ideais, ou você ou o seu marido deveriam poder tirar uma licença médica quando o bebê fica doente, para que a devida assistência possa ser dada em casa mesmo. A segunda melhor solução consiste em poder contar com uma babá de confiança, ou com algum outro membro da família que você possa convocar para ficar em casa com o bebê. Algumas creches dispõem de uma enfermaria ou dependência anexa onde a criança fica num ambiente conhecido, ao lado de rostos conhecidos. Existem, também, creches especiais para crianças doentes, tanto em casas de pessoas quanto em centros maiores que vêm sendo criados para atender a essa necessidade; nestes últimos, porém, a criança precisa adaptar-se ao fato de ser assistida por estranhos num ambiente estranho, num momento em que a criança tem dificuldade em lidar bem com mudanças. Há empresas que, com o objetivo de manter os pais em seus trabalhos, pagam por esses lugares para crianças doentes, colocando-as em creches ou sob os cuidados de uma enfermeira que fique com a criança em casa (o que também vai criar, para esta última, o problema de adaptar-se a um estranho).

É claro que essas opções são melhores do que deixar a criança sem assistência alguma. Contudo, como bem sabe qualquer pessoa que já foi uma criança doente, não existe nada melhor do que ter a mãe por perto para segurar-lhe as mãos, enxugar-lhe a testa febril e administrar doses especiais de amor e atenção. E, tendo em vista as necessidades especiais de uma criança doente, a Academia Americana de Pediatria recomenda que sejam concedidas mais licenças aos pais de crianças doentes, que assim poderão dar-lhes a devida assistência enquanto elas não estiverem recuperadas.

SEU FILHO COMO O BARÔMETRO DA ASSISTÊNCIA QUE RECEBE

Seja qual for o tipo de assistência que você escolher para o seu bebê, fique alerta para qualquer sinal de indisposição: mudanças bruscas de personalidade ou humor, apego, agitação, que não tenham nenhum motivo aparente. Se o seu bebê parece infeliz, verifique a situação em que ele está sendo cuidado; pode ser necessário fazer alguma alteração.

CAPÍTULO 7

O Quarto Mês

O QUE O SEU BEBÊ PODE ESTAR FAZENDO

Ao final deste mês, o seu bebê
... deve ser capaz de (veja a Nota):

- deitado de bruços, levantar a cabeça num ângulo de 90°
- rir alto (3 meses e meio)
- acompanhar um objeto numa trajetória em arco, a cerca de 15 cm acima do rosto por 180° (de um lado para o outro)

Nota: Se o seu bebê parece não ter feito uma ou mais dessas conquistas, converse com o médico. Em raros casos, a demora poderia indicar algum problema, ainda que, em geral, ela acabe por mostrar-se normal para o seu bebê. Os bebês prematuros costumam fazer tais conquistas mais tarde do que os que têm a mesma idade de nascimento, fazendo-as quase sempre mais perto de sua idade ajustada (a idade que teriam se tivessem nascido depois de um período normal de gestação), e às vezes mais tarde.

... provavelmente será capaz de:

- manter a cabeça firme quando o colocarem de pé
- deitado de bruços, erguer o peito com o apoio dos braços
- girar o corpo (para um lado)
- pegar um chocalho entre um dedo e outro ou com as pontas dos dedos
- concentrar sua atenção numa uva passa ou em outro objeto bem pequeno (4 meses e 1 semana)

Muitos (mas não todos) bebês de quatro meses conseguem erguer o corpo com o apoio dos braços.

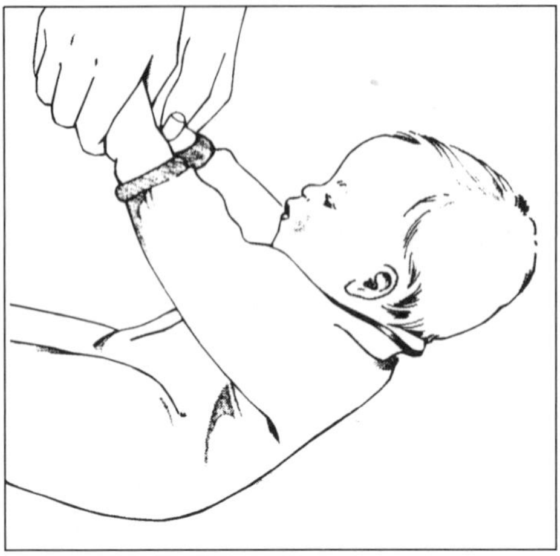

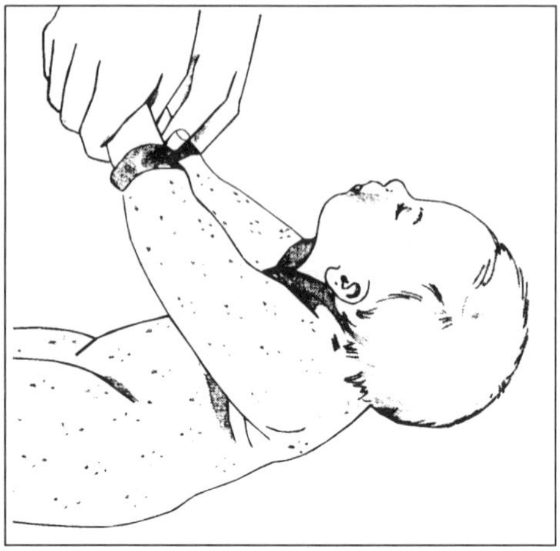

No fim do quarto mês, a maioria dos bebês ainda não consegue manter a cabeça nivelada com o corpo quando são erguidos para sentar-se (esquerda). Em geral, a cabeça cai para trás (direita).

- tentar alcançar um objeto

... talvez seja capaz de:

- manter a cabeça nivelada com o corpo quando o colocam sentado (4 meses e 1 semana)
- voltar-se para o lugar de onde provém uma voz, principalmente a da mãe
- dizer ah-gu, ou algumas combinações vocálico-consonantais semelhantes
- produzir sons com a língua entre os lábios (por volta de 4 meses e meio)
- dar gritinhos de alegria

... pode até ser capaz de:

- suportar algum peso sobre as pernas quando colocado em pé
- sentar-se sem apoio
- demonstrar desaprovação sempre que você tirar algum brinquedo de perto dele
- voltar-se para o lugar de onde provém uma voz

O QUE VOCÊ PODE ESPERAR DO EXAME DESTE MÊS

Qualquer médico ou enfermeira especializada vai ter uma abordagem pessoal dos exames para verificar se o bebê está bem. A organização geral do exame físico e o número e tipo de técnicas de avaliação usadas, bem como dos procedimentos observados, também vão variar conforme as necessidades individuais da criança. Em termos gerais, porém, você pode esperar pelo seguinte num exame realizado quando o seu bebê estiver com cerca de quatro meses de idade:

- Perguntas sobre como você, o bebê e o resto da família estão se relacionando em casa, bem como sobre o sono, a alimentação e o progresso geral da criança. Sobre os cuidados com a criança, se você está trabalhando.

- Tomada do peso, do comprimento e da circunferência da cabeça do bebê, e mapeamento de seu progresso desde o nascimento.
- Exame físico, inclusive uma reavaliação de quaisquer problemas anteriores. A fontanela posterior, na parte de trás da cabeça, pode estar fechada a essa altura; a anterior, na parte de cima da cabeça, talvez tenha crescido desde a última visita.
- Avaliação do desenvolvimento. O examinador pode efetivamente submeter a criança a uma série de testes que avaliem o controle da cabeça, o uso da mão, a visão, a audição e a interação social, ou talvez se limite a confiar na observação aliada a suas informações sobre o que o bebê vem fazendo.
- Segunda rodada de imunizações, caso o bebê esteja com boa saúde e não existam outras contra-indicações. Veja o esquema recomendado na página 173. Tenha o cuidado de discutir, antecipadamente, quaisquer reações à primeira rodada de imunizações.
- Orientação sobre o que esperar no mês seguinte em relação a questões como alimentação, sono, desenvolvimento e segurança do bebê.
- Recomendações sobre a suplementação de flúor, caso isto se faça necessário no lugar onde você mora, e sobre a suplementação de vitamina D, caso você amamente o bebê. Recomendações sobre a suplementação de ferro para os bebês que tomam leite artificial não enriquecido com ferro.

Perguntas que você talvez queira fazer, caso o médico ainda não as tenha respondido:

- Que reações você deve esperar que o bebê apresente após a segunda rodada de imunizações? Como você deve tratá-las? Que reações devem levá-la a procurar o médico?
- Quando se sugere que você comece a dar alimentos sólidos ao bebê?

Fale, também, das preocupações que surgiram no último mês. Tome nota por escrito das informações e instruções do médico (de outro jeito, não há dúvida de que vai esquecê-las). Anote todas as informações pertinentes (peso, comprimento, circunferência da cabeça, marcas de nascença, imunizações, doenças, medicamentos dados, resultados de testes etc.) em algum tipo de registro permanente.

PARA ALIMENTAR O SEU BEBÊ ESTE MÊS: Pensando nos Alimentos Sólidos

As mensagens que a mãe de hoje recebe sobre o momento de introduzir os alimentos sólidos são muitas e confusas. A mãe dela declara: "Comecei a introduzir os alimentos sólidos quando você só tinha duas semanas. O que é que está esperando?" Para reforçar o argumento, ela chama a atenção para o óbvio: "Você é saudável, não é?" O pediatra instrui a mãe a esperar até que o bebê esteja com cinco ou seis meses de idade, e reforça o argumento fazendo menção às poucas pesquisas feitas na área. Uma amiga bem-intencionada insiste que começar logo a oferecer alimentos sólidos ajudará o bebê a dormir bem a noite inteira. Sua prova: algum bebê que dorme maravilhosamente desde que lhe foi dada a primeira colherada de cereal.

A quem vai dar ouvidos? Quem sabe das coisas é a mãe? Ou será o médico? Ou as suas amigas? Na verdade, quem sabe mesmo é o seu bebê — ninguém, melhor do que ele, poderá dizer-lhe quando é preciso dar-lhe alimentos sólidos. Pesquisas recentes indicam que o fator decisivo para começar a dar ao bebê uma alimentação mais variada é o seu desenvolvimento individual, e não os habituais parâmetros arbitrários de idade.

A introdução muito precoce dos sólidos (muito em voga quando a sua mãe a carregava no colo, e ainda comum na Europa) não é considerada fisicamente prejudicial na maioria dos casos. Contudo, a pesquisa médica indica que o sistema digestivo de um bebezinho — desde uma língua que expulsa qualquer substância estranha que nela seja colocada, até intestinos que não têm muitas enzimas digestivas — ainda não está suficientemente desenvolvido para os alimentos sólidos. A pesquisa, porém, não parece corroborar a idéia de que, como os sólidos interferem em alguns dos aspectos benéficos do leite materno e na absorção de ferro, eles devem ser adiados, para a maioria das crianças, até o término do primeiro ano.

Descobrir o momento certo de introduzir os alimentos — nem cedo demais, nem tarde demais — é muito importante. A introdução extremamente precoce dos sólidos não é prejudicial em termos físicos, mas pode comprometer hábitos futuros de alimentação. Quando o bebê despreparado para esses alimentos rejeita-os, a frustração de ambos os lados do prato de cereais pode estar preparando o terreno para futuros problemas durante as refeições. Contudo, esperar um tempo excessivo para introduzir os alimentos sólidos (quase no fim da segunda metade do primeiro ano) também pode levar a dificuldades futuras. O bebê de mais idade pode não querer que lhe ensinem coisas como mastigar e engolir, caso já esteja habituado há muito tempo a obter nutrição e satisfação oral através do peito ou mamadeira. E, assim como os hábitos, a essa altura pode ser difícil mudar os gostos; ao contrário do bebê de quatro a seis meses, mais maleável, a criança de um ano talvez não esteja aberta a novas experiências gastronômicas.

Para decidir se o seu bebê está pronto para dar o grande passo rumo ao universo dos alimentos sólidos (em geral entre os quatro e seis meses), tente descobrir, no seu bebê, as características que apresentamos a seguir, e depois consulte o médico.

- O seu bebê levanta a cabeça e a mantém firme. Mesmo os alimentos peneirados não devem ser oferecidos enquanto o bebê não ficar com a cabeça firme quando o colocam sentado; os alimentos em pedaços devem esperar até que a criança consiga sentar-se bem sozinha, o que em geral só acontece por volta do sétimo mês.
- O reflexo de impulso da língua já desapareceu. Esse reflexo leva os bebês novinhos a expelirem da boca qualquer substância estranha (um mecanismo inato que os protege contra a asfixia por corpos estranhos). Faça um pequeno teste: coloque uma minúscula porção de cereal de arroz diluído em leite materno ou artificial na boca do seu bebê, usando uma pequena xícara, ou a ponta de uma colher, ou mesmo do seu dedo. Se o alimento for imediatamente expelido pela língua, e isto continuar acontecendo em seguida a várias tentativas, o reflexo ainda está presente, e o bebê não está pronto para ser alimentado com colher.
- O bebê tenta alcançar os alimentos que vê à mesa, ou demonstra por eles algum outro tipo de interesse. O bebê que arranca o garfo da sua mão ou tenta pegar o pão do seu prato, ou que fica alvoroçado cada vez que vê uma pessoa comendo, está tentando dizer que está ávido por experimentar a comida dos adultos.
- A capacidade de movimentar a língua para trás e para a frente, bem como para cima e para baixo, já está presente. É possível descobrir isso através da observação.
- O bebê é capaz de retrair o lábio inferior, de tal modo que o alimento pode ser ingerido a partir de uma colher.

Em alguns casos, porém, mesmo um bebê cujo desenvolvimento dá a impressão de tê-lo predisposto aos alimentos sólidos precisa esperar — quase sempre devido a um forte histórico de alergia entre os membros da família. Enquanto não se conhecer mais sobre o desenvolvimento das alergias, costuma-se recomendar que as crianças de tais famílias sejam exclusivamente amamentadas ao longo de quase todo o primeiro ano, e que os alimentos sólidos sejam introduzidos com muito cuidado, um de cada vez.

O QUE PODE ESTAR PREOCUPANDO VOCÊ

AGITAÇÃO NA HORA DE MUDAR DE ROUPA OU FRALDA

"Minha filha não pára quieta quando a estou trocando — fica sempre tentando mudar de posição. Como posso levá-la a cooperar?"

Quanto à cooperação ao mudar roupas e fraldas de sua filha, esteja certa de que vai ser praticamente inexistente à medida que os meses passam e o seu desenvolvimento físico continua avançando à frente do desenvolvimento moral. A indignidade da colocação de fraldas, aliada à frustração de ficar temporariamente imobilizada de costas, farão com que ela declare uma guerra a cada mudança. Eis o truque: seja rápida (esteja com toda a parafernália para as fraldas bem acessível antes de colocar o bebê no lugar onde costuma fazer a troca), e arranje alguma forma de distração (um móbile pendurado bem acima dele, uma caixa de música que seja visualmente tentadora, um chocalho ou outro brinquedo que lhe ocupe as mãos, e, espera-se, também o interesse).

COLOCAR O BEBÊ SENTADO

"Com o apoio de um travesseiro, coloquei o meu bebê sentado no carrinho, e fui muito criticada por duas mulheres mais velhas, que insistiram que ele ainda era muito novinho para sentar-se."

Se o seu bebê ainda não tivesse idade suficiente para sentar-se, ele mesmo se encarregaria de dizer-lhe isso. Não com palavras, é claro, mas afundando o corpo no carrinho, ou virando-se para um lado a cada tentativa de colocá-lo sentado. Ainda que você não deva fazer sentar um bebê muito novinho, cujo pescoço e cuja cabeça precisam de mais apoio do que um travesseiro

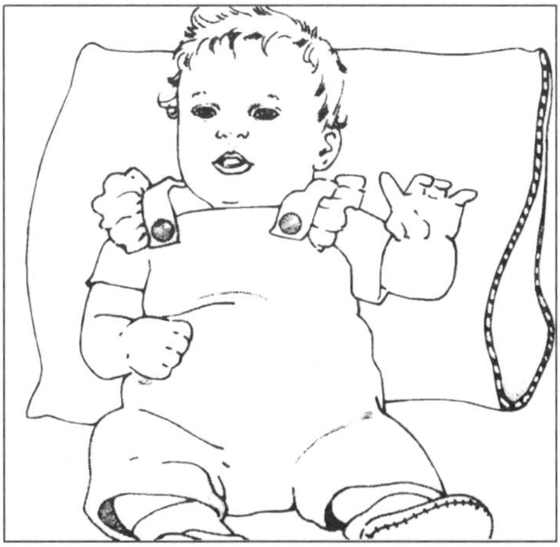

Apoiar o bebê em alguma coisa para que ele fique sentado não só vai oferecer-lhe uma bem-vinda mudança de perspectiva, com também ajudá-lo a exercitar os músculos e a experiência necessários para o momento em que ele começar a sentar-se por conta própria.

lhe daria, uma criança de três a quatro meses que mantenha a cabeça firme e não desmorone quando se tenta colocá-la sentada com algum apoio já está pronta para ficar em tal posição. (Apoios especiais para a cabeça dos bebês, que ajudam-nos a mantê-la ereta quando apoiados em algo para sentar-se, podem ser encontrados.) Em geral, os bebês vão demonstrar quando já se cansaram de ficar sentados; começarão a reclamar, ou a tentar colocar o corpo em posição horizontal.

Além de proporcionar à criança uma agradável mudança de posição, estar sentada vai oferecer-lhe também uma visão mais ampla do mundo. Em vez de ver apenas o céu, a parte interna do carrinho ou o colchão do mesmo, o bebê sentado pode ver as pessoas que passam (inclusive aquelas que vão censurá-la por tê-lo colocado nessa posição), lojas e casas, árvores, cães, outros bebês em carrinhos, crianças voltando da escola para casa, ônibus, carros — e todas as outras coisas maravilhosas que habitam o seu universo em expansão. Também é possível que ele fique feliz por mais tempo do que ficaria se estivesse deitado, o que vai tornar os passeios mais agradáveis para vocês dois.

O BEBÊ QUER FICAR DE PÉ

"Meu bebê gosta de 'ficar de pé' no meu colo, e chora quando o faço sentar-se. Mas minha avó insiste em dizer que o fato de colocá-lo em pé tão precocemente vai deixá-lo com as pernas arqueadas."

Quase sempre, os bebês sabem ainda melhor do que as suas bisavós para que tipo de coisa estão preparados. E muitos bebês da idade do seu já estão prontos (e ansiosos) para "ficar de pé" no colo de alguém que lhe dê apoio. É divertido, é um bom exercício, é uma mudança estimulante para quem passa a maior parte do tempo deitado de costas ou afundado numa cadeirinha — e, acima de tudo, não deixa ninguém com as pernas arqueadas.

Por outro lado, qualquer bebê que pareça não querer levantar-se não deve ser forçado a fazê-lo enquanto não estiver pronto. O bebê que pode determinar o ritmo do próprio desenvolvimento será mais feliz e saudável do que aquele cujos pais querem determinar tudo para ele.

CHUPAR O POLEGAR

"Meu filho começou a chupar o polegar. De início fiquei contente, pois ele dormia mais facilmente, mas agora estou com medo de que a coisa se transforme num hábito que seja difícil eliminar mais tarde."

Não é fácil ser um bebê. Cada vez que um deles se agarra a alguma coisa que lhe traz bem-estar e satisfação, aparece alguém para dizer que aquilo não está certo. E, em alguns casos, com boas razões.

Virtualmente, todos os bebês chupam os dedos durante algum tempo em seu primeiro ano de vida; muitos deles, inclusive, adquirem esse hábito ainda no útero. Nada disso é surpreendente. Para um bebê, a boca é um órgão importante não só para comer, mas também para a exploração e o prazer (como você logo vai ter o desprazer de descobrir, assim que o bebê começar a levar à boca tudo que lhe for parar nas mãos, trate-se de um chocalho ou de um inseto morto que ele encontrou em baixo de um armário). Mas, mesmo antes de o bebê conseguir alcançar objetos, ele descobre as mãos — e como é natural colocar essas mãos recém-descobertas naquela maravilhosa cavidade sensória, a boca. Da primeira vez, pode ser que elas cheguem ali por acaso, mas o bebê aprende rapidamente que os dedos na boca provocam uma sensação agradável. Dentro em breve, esse é um movimento que ele estará fazendo com regularidade. Em seguida, muitos bebês decidem que o polegar é o dedo mais eficiente e satisfatório para chupar (talvez seja o mais suculento). É então que abandonam o hábito de levar os dedos à boca e começam a chupar o polegar. Alguns continuam levando um ou dois dedos à boca, ou mesmo o punho inteiro.

De início, você pode achar o hábito engraçadinho, ou mesmo ficar aliviada pelo fato de a criança ter descoberto uma maneira de acalmar-se sem a sua intervenção. Depois, quando as semanas vão passando e o hábito se intensifica, você começa a ficar preocupada, já prefigurando o dia em que o seu filho irá para a escola com um dedo firmemente implantado na boca, tornando-se alvo da zombaria dos colegas e das censuras dos professores. Será que vai precisar passar coisas amargas nas unhas dele, para que fiquem desagradáveis ao paladar, e depois discutir e implorar sempre que a coisa não funcionar? Vai ser preciso ir uma vez por mês ao ortodontista, para o necessário trabalho de corrigir a arcada dentária, deformada pelo fato de a criança chupar os dedos, ou, pior do que isso, ir uma vez por semana ao terapeuta, para tentar descobrir os problemas emocionais subjacentes que levaram-na a adquirir esse hábito?

Bem, pare de preocupar-se e comece a deixar que o seu bebê se satisfaça. Não existem indícios de que, em si, o hábito de chupar os dedos seja "perigoso", ou mesmo um sinal de problemas emocionais. E, se a criança abandoná-lo por volta dos cinco anos de idade, parece que nem mesmo prejudica o alinhamento dos dentes permanentes; qualquer distorção da arcada que tenha ocorrido antes dos cinco anos volta ao normal quando o hábito é abandonado. Para a maioria dos especialistas, como se trata de um comportamento desenvolvimental que, de qualquer modo, desaparece quando a criança fica mais velha, as tentativas de levar a criança ao abandono desse hábito só devem ser feitas depois dos quatro anos.

Alguns estudos mostram que quase a metade de todas as crianças chupa o polegar ou outro dedo depois da primeira infância. Em média, o comportamento atinge sua maior intensidade entre os dezoito e vinte e um meses, ainda que, a essa altura, algumas já tenham abandonado o hábito. Quase 80% desistem aos cinco anos, e 95% aos seis anos, geralmente por conta própria. As crianças que chupam o dedo para conseguir dormir ficam presas ao hábito por mais tempo do que aquelas que só o fazem para obter uma forma de gratificação oral.

Quando se aproxima a época do nascimento dos dentes permanentes, quando chupar os dedos pode impedir o desenvolvimento adequado da boca, levando a deformidades, a criança também está suficientemente amadurecida para desempenhar um papel ativo na eliminação do hábito. E, como chupar os dedos quase nunca decorre de distúrbios emocionais, o modo mais fácil de acabar com esse hábito está muito mais no uso de aparelhos dentários especialmente projetados do que no aconselhamento psicológico. (Algumas crianças de fato chupam os dedos por uma questão de apoio emocional, e podem beneficiar-se de tal aconselhamento.)

Nesse meio-tempo, deixe que o seu bebê chupe os dedos à vontade. Contudo, se você estiver dando de mamar, certifique-se de que ele não está chupando o polegar para compensar uma insuficiência de aleitamento; se ele quiser ficar por mais algum tempo no peito depois de cada mamada, deixe-o ficar (ele não vai ingerir muito mais leite, pois a essa altura o seio já estará vazio, ou quase). E, se o hábito de chupar os dedos está se transformando no foco de suas atividades cotidianas, impedindo que ele use as mãos para outros tipos de exploração, tire-lhe às vezes o dedo (ou os dedos) da boca durante um tempo suficiente para ele poder distrair-se com brinquedos, com jogos que envolvam o uso da mão e dos dedos ("este porquinho", ou "tão grande", por exemplo), ou para segurar-lhe as mãos e colocá-lo em pé, caso ele goste disso.

Se o seu bebê já começou a andar e ainda assim continua chupando os dedos, saiba que você vai ouvir alguns comentários desfavoráveis, sobretudo vindos de pessoas da geração dos seus pais — muitas das quais foram totalmente programadas para demonstrar desdém pelo hábito de chupar os dedos. Se você sentir-se obrigada a dar alguma explicação, diga que pesquisas recentes indicam que chupar os dedos não faz mal à criança, nem significa que ela tenha problemas emocionais.

Se você mesma está perturbada com esse hábito do bebê por também ter sido ensinada a abominá-lo, tente convencer-se do contrário. Se não conseguir, dê uma chupeta à criança durante um certo tempo — admitindo-se que também não tenha aversão às chupetas. Sem dúvida, porém, isso vai deixá-la às voltas com mais um hábito a ser eliminado.

O BEBÊ RECHONCHUDO

"Todo mundo admira a minha filhinha rechonchuda. No íntimo, porém, estou preocupada com a possibilidade de ela estar ficando gorda demais. De tão roliça, mal consegue mexer-se."

Covinhas nos joelhos e cotovelos, uma barriga que rivaliza com a de qualquer imagem de Buda, vários queixos para serem beliscados de leve, e um rosto deliciosamente carnudo, que convida a novos beliscões, sua filha pode ser considerada, dos pés à cabeça, o retrato perfeito da graça infantil. Contudo, será que o bebê gorducho também pode ser visto como um retrato de saúde? Os avós provavelmente pensem assim. Quanto à mãe, convencida de que é esbeltez que está em voga, o que temos é a provável preocupação de que o bebê rechonchudo esteja a caminho de transformar-se numa criança gorda e infeliz e, mais tarde, num adulto obeso e angustiado. Em sua maioria, porém, os médicos adotam uma posição intermediária. Concordam que gordura não é sinônimo de beleza, mas estão menos preocupados com o excesso de peso dos bebês desde que ficou claro que o aumento das células adiposas na infância não leva, necessariamente, à obesidade futura. Na verdade, só um entre cinco bebês gordos está destinado a transformar-se num adulto obeso.

Ainda assim, o excesso de gordura precoce tem as suas desvantagens. O bebê demasiado gordo para mexer-se pode tornar-se vítima de um círculo vicioso de inatividade e excesso de peso. Quanto menos se movimenta, mais gordo fica. A incapacidade de movimentar-se deixa-o frustrado e inquieto, o que pode levar a mãe a alimentá-lo excessivamente, para mantê-lo feliz. Se a criança continuar gorda ao longo do quarto ano de vida, um problema cada vez mais comum entre as crianças norte-americanas, aumentam as probabilidades de que se torne um adulto obeso.

Contudo, antes de fazer uma reserva para o bebê numa clínica de emagrecimento, certifique-se de que ele é realmente obeso, e não apenas lindamente roliço (lembre-se que, como os bebês ainda não se desenvolveram muito em termos de músculos, até mesmo uma criança esbelta vai ostentar uma certa quantidade de "recheio" macio). Compare o crescimento do bebê com a curva no quadro de altura/peso na página 744. Se o peso dele parece estar consistentemente aumentando mais do que a altura, discuta o assunto com o médico.

Ao contrário do que se prescreve para um adulto obeso, geralmente não é um regime o que se recomenda a um bebê. Em vez de tentar fazer com que o bebê muito gordo emagreça, o objetivo é diminuir o ganho de peso — algo que muitos bebês fazem sem a intervenção de ninguém assim que se tornam mais ativos. Algumas das sugestões que apresentamos a seguir podem ajudar não só se você já tiver um bebê obeso, mas também se estiver com medo de que ele esteja a caminho de tornar-se mais um deles.

- Use o alimento somente para aliviar a fome, não para satisfazer outras necessidades. O bebê alimentado por todos os motivos errados (quando se machucou ou está triste, quando a mãe está ocupada demais para brincar com ele, quando está entediado no carrinho) vai continuar a exigir alimentos por motivos errados, e, em sua vida adulta, comerá pelos mesmos motivos errados. Em vez de alimentar o bebê toda vez que ele chorar, acalme-o com uma carícia ou com uma canção bem suave. Em vez de pôr-lhe uma mamadeira na boca, coloque-o na frente de um móbile ou de uma caixinha de música sempre que estiver ocupada demais para brincar com ele, ou deixe que ele observe o que você está fazendo (corte as cenouras ou prepare a roupa para a lavanderia sentada no chão, ao lado de seu filho). Em vez de ficar o tempo todo oferecendo-lhe biscoitos para exercitar os dentes para ver se consegue acalmá-lo nas idas ao supermercado, coloque um brinquedo no seu carrinho, para que o bebê fique ocupado enquanto você faz as compras. A despeito das velhas crenças de sua mãe, ficar constantemente enchendo o seu bebê de comida não é um sinal de amor.

▪ Se necessário, faça ajustes dietéticos. Uma das razões pelas quais os bebês amamentados pela mãe tendem menos a ter excesso de peso é que o leite materno adapta-se automaticamente às necessidades do bebê. O leite "inicial", menos gorduroso e menos calórico, que vem no início da mamada, incentiva o bebê faminto a mamar. O leite "final", mais gorduroso e mais calórico, que vem no final da mamada, tende a refrear o apetite ao enviar a seguinte mensagem: "Você está se sentindo saciado". Se o desestímulo não for suficiente e o bebê continuar mamando, o peito termina por esvaziar-se. A criança pode continuar mamando por mamar, sem ingerir um excesso de calorias. Embora os leites artificiais para bebês não possam variar da mesma forma, se o seu bebê estiver engordando muito rapidamente, com excesso de peso, o médico pode recomendar a mudança pra um leite artificial menos calórico. Antes de fazer a troca, porém, certifique-se de não estar diluindo muito pouco o leite instantâneo que está usando no momento — o que aumentaria consideravelmente o total de calorias por grama. Não vá, também, diluí-lo em excesso sem a aprovação do médico, nem mudar para leite desnatado ou pouco gorduroso. Os bebês, mesmo quando muito gordos, precisam do colesterol e da gordura existentes no leite materno e no artificial (ou, quando ficam maiores, no leite de vaca integral).

▪ Tente água, o máximo em termos de líqüido sem calorias. A maioria de nós tende a tomar muito pouca água. As dietas infantis (por serem totalmente líqüidas, ou quase totalmente) não exigem, de modo algum, a suplementação com água, mas esta pode ser muito útil para o bebê obeso que quer continuar mamando depois de sua fome ter sido satisfeita, ou que, devido ao calor, está sedento, e não faminto. Em vez do seio ou de leite artificial, ofereça-lhe uma mamadeira ou xícara de água pura (sem açúcar ou adoçante) sempre que ele der a impressão de estar querendo "lambiscar" entre as refeições — isto é, uma ou duas horas depois de uma mamada. (Se você habituar o seu bebê ao sabor — à ausência de sabor — da água quando ele ainda é bem novinho, é mais provável que, mais tarde, ele adquira o saudável hábito de tomar água.)

▪ Não introduza prematuramente os alimentos sólidos, como uma forma de incentivar o bebê a dormir a noite inteira — é um recurso que raramente funciona, podendo levar à obesidade. (Em vez disso, tente pôr em prática as sugestões apresentadas na página 200 para ajudar o bebê a dormir a noite inteira.)

▪ Avalie a alimentação do bebê. Se você já o iniciou nos alimentos sólidos (por iniciativa própria ou recomendação médica), e ele está ingerindo mais do que algumas colheradas de cereais, veja se ele está tomando tanto leite materno ou artificial quanto tomava antes. Se estiver, talvez esteja aí a explicação para o excesso de peso. Diminua a quantidade de sólidos, caso os tenha introduzido prematuramente, ou elimine-os durante um ou dois meses (a maioria dos especialistas só recomenda a introdução dos alimentos sólidos quando a criança tiver de quatro a seis meses). Um bebezinho não precisa dos nutrientes dos alimentos sólidos (com exceção do ferro, que pode ser fornecido num suplemento). Mais tarde, quando mais sólidos forem acrescentados, a quantidade de leite materno ou artificial deve ser reduzida aos poucos, e a ênfase deve incidir sobre os sólidos: legumes, iogurtes, frutas, cereais e pães, por exemplo. Se o bebê estiver tomando sucos, deve-se diluí-los meio a meio com água. E não coloque cereais diluídos ou outros alimentos sólidos numa mamadeira, assim os bebês ingerem alimentos em excesso.

- Faça com que o seu bebê se movimente. Se a sua filha "mal consegue mexer-se", estimule a sua atividade. Ao mudar-lhe a fralda, leve o joelho direito dela ao cotovelo esquerdo várias vezes, e depois faça o contrário. Com ela agarrada aos seus polegares, e os seus outros dedos segurando-lhe os antebraços, deixe-a "erguer-se" para ficar sentada. Deixe que ela fique em pé no seu colo, e que fique pulando, caso goste disso. (Veja página 190, outras sugestões para movimentar o seu bebê.)

O BEBÊ MAGRO

"Os bebês de minhas amigas são todos rechonchudos, e o meu é comprido e magro — o 75º percentil em altura e o 25º em peso. O médico diz que vai tudo bem com ele, e que não devo ficar preocupada, mas fico."

COMO CRESCE O BEBÊ?

Como cresce um bebê? Bem ao contrário dos temores de pais preocupados, que examinam freneticamente as tabelas de peso e altura, em busca de indícios de que nem tudo está bem, em geral ele cresce segundo um padrão que para ele é normal.

A altura e o peso futuros do bebê são, em grande parte, pré-programados na concepção. E, admitindo-se que as condições pré-natais sejam apropriadas, e que depois do nascimento não lhe faltem nem amor, nem nutrição, a maior parte dos bebês vai acabar realizando o seu potencial genético.

A programação da altura baseia-se, fundamentalmente, no ponto médio entre a altura do pai e da mãe. Estudos mostram que, em geral, os meninos tendem a ultrapassar um pouco esse ponto médio, e que as meninas tendem a ficar um pouco abaixo dele.

O peso também parece ser pré-programado. Em geral, um bebê nasce com os genes que o predispõem a ser magro ou gordo, ou a ficar num feliz meio-termo. Contudo, os hábitos alimentares adquiridos na infância podem ajudá-lo a realizar o seu destino ou a invalidá-lo.

As tabelas de crescimento, como as apresentadas na seção "Pronta Referência", na Parte III deste livro, não devem transformar-se numa fonte de ansiedade para os pais — é muito fácil lê-las ou interpretá-las erroneamente. Contudo, são úteis para dizer aos pais e aos médicos quando o crescimento do bebê está divergindo da norma, e quando uma avaliação, levando em conta o tamanho dos pais, o estado nutricional e a saúde geral, se faz necessária. Uma vez que o crescimento quase sempre se dá por saltos durante o primeiro ano, uma medida que pareça apontar para crescimento de mais ou de menos pode não ser significativa. Deve, porém, ser vista como uma indicação de alerta. Uma interrupção do ganho de peso durante dois meses pode indicar apenas que o bebê está "abrandando a marcha" porque, geneticamente, está destinado a ser pequeno (sobretudo se o aumento de sua altura também estiver em ritmo mais lento), mas também pode ser uma indicação de que o bebê não está sendo bem alimentado, ou que está doente. Um aumento de peso que é o dobro do normal durante os mesmos 2 meses (quando não acompanhado por um avanço semelhante na altura) pode ser apenas o modo de o bebê colocar-se em dia, caso o seu peso ao nascer tenha sido baixo, ou caso ele venha engordando pouco desde então, mas também pode ser um sinal de que está no caminho da obesidade futura.

Ser magro continua em alta por toda parte, menos no berçário. O que se favorece nos adultos são as formas esguias, mas de um bebê sempre se espera que seja adoravelmente gorducho. E, ainda que não tenham a aparência necessária para fazer os comerciais de fraldas que os bebês rechonchudos fazem, os bebês mais magros costumam ser igualmente saudáveis.

Em termos gerais, se o seu bebê é esperto, ativo e basicamente contente, se está ganhando peso regularmente (ainda que abaixo da média), e continua mantendo um bom equilíbrio entre peso e altura, o seu médico tem razão ao dizer-lhe que não há motivos para preocupar-se. Muitas vezes, existem fatores que afetam o tamanho de um bebê, sobre os quais você poderá fazer muito pouco. Fatores genéticos, por exemplo — se você e/ou o seu marido são magros e têm ossos pequenos, é provável que o seu bebê seja assim. E os fatores relativos à atividade — o bebê ativo costuma ser mais magro do que o inativo.

Contudo, alguns dos motivos da magreza precisam ser remediados. Um dos principais é a subnutrição. Se a curva de peso do bebê continua em movimento decrescente por uns dois meses, e se a perda não for compensada por uma arrancada no mês seguinte, em geral o médico vai levar em conta a possibilidade de a criança não estar tendo o suficiente para comer. Se você estiver amamentando, e for esta a razão, as sugestões apresentadas na página 109 devem ajudar o bebê a voltar a engordar. Se ele toma mamadeira, você pode complementar-lhe a alimentação com os sólidos, desde que o médico aprove a iniciativa, ou pode tentar diluir o leite artificial um pouco menos — sempre com a aprovação do médico.

Além disso, não subalimente a criança intencionalmente. Alguns pais, ansiosos por colocar o seu bebê no caminho da futura esbeltez e boa saúde, restringem as calorias e gorduras na primeira infância. É uma prática muito perigosa, já que o bebê precisa das duas coisas para o crescimento e o desenvolvimento normais. Você pode colocá-lo no caminho dos bons hábitos alimentares sem privá-lo da nutrição de que precisa agora.

Certifique-se, também, de que o seu bebê não é um daqueles que, de tão sonolentos ou inquietos, se esquecem de exigir regularmente as suas refeições. Entre três e quatro meses de vida, um bebê deve estar sendo alimentado pelo menos a cada 4 horas durante o dia (em geral, no mínimo cinco refeições), ainda que ele possa dormir a noite inteira sem acordar para alimentar-se. Alguns bebês amamentados podem alimentar-se mais vezes ainda, mas um número menor de mamadas poderia significar que o seu não está ingerindo a quantidade suficiente de alimento. Se o seu bebê é do tipo que não faz estardalhaço quando não se alimenta, tome a iniciativa e ofereça-lhe refeições com mais freqüência — mesmo que isto implique a redução de uma soneca durante o dia, ou a interrupção de uma atividade fascinante nos "aparelhos de ginástica" do berço.

Em raros casos, a magreza de um bebê está associada à incapacidade de absorver determinados nutrientes, a um ritmo metabólico que não funciona bem, ou a uma doença crônica ou infecciosa. Não é preciso dizer que tal tipo de doença exige atenção médica imediata.

SOPRO CARDÍACO

"O médico diz que o meu bebê tem um sopro cardíaco, mas que isso não significa nada. Ainda assim, estou apavorada."

Tudo tende a ser apavorante quando a palavra "coração" faz parte do diagnóstico. Afinal, o coração é o órgão que mantém a vida; qualquer possibilidade de um defeito é assustadora, sobretudo para os pais de uma criança cuja vida está apenas começando. Contudo, na maior parte dos casos de sopro cardíaco realmente não existem motivos para preocupação.

Quando o médico lhe diz que o seu bebê tem um sopro cardíaco, isto significa que, durante o exame, são ouvidos sons cardíacos anormais, provocados pela turbulência do fluxo de sangue através do coração. Quase sempre, o médico pode dizer qual tipo de anomalia é responsável pelo sopro a partir da intensidade dos sons (dos que mal são audíveis até aqueles que são fortes o suficiente para quase não deixar ouvir os sons normais do coração), e a partir do tipo de som (musical ou vibratório, um zunido, um estalo ou um ruído surdo e prolongado, por exemplo).

Na maioria dos casos, e provavelmente no caso do seu bebê, o sopro é o resultado de irregularidades na forma do coração, à medida que ele cresce. Esse tipo de sopro é chamado de "inocente" ou "funcional", e geralmente pode ser descoberto a partir de um exame com estetoscópio. Não são necessários novos testes, nem tratamentos ou limitações das atividades. Mas a existência do sopro deve ser anotada nos registros do seu bebê, para que todos os médicos que futuramente venham a examiná-lo saibam que ele sempre existiu. Quase sempre, o sopro desaparece quando o coração está plenamente desenvolvido.

Existem, porém, sopros cardíacos que exigem um acompanhamento. Alguns curam-se por si mesmos, mas outros requerem tratamento médico ou cirúrgico, e alguns poucos podem tornar-se mais graves. Se o sopro do seu bebê é problemático, o médico vai comunicar-lhe o fato e recomendar um tratamento médico. Na maior parte dos casos, as crianças com sopro podem — e devem — manter suas atividades regulares. As exceções são aquelas que ficam ofegantes ou azuladas quando se exercitam, ou que não estão apresentando um desenvolvimento satisfatório.

Se você está preocupada, digam as pessoas o que disserem, pergunte ao médico do seu bebê qual é, exatamente, o tipo de sopro que o seu bebê tem, e se a expectativa é de que venha a causar quaisquer problemas, agora ou no futuro; peça-lhe, também, que lhe explique por que motivo você não tem com que preocupar-se. Se as respostas não a deixarem suficientemente tranqüila, peça-lhe que a encaminhe a um cardiologista infantil.

FEZES PRETAS

"A última fralda da minha filha estava cheia de fezes pretas. Ela poderia estar tendo algum problema digestivo?"

O mais provável é que ela esteja recebendo um suplemento de ferro. Em algumas crianças, a reação entre as bactérias normais do trato gastrointestinal e o sulfato ferroso de um suplemento faz com que as fezes fiquem pretas, marrom-escuras ou esverdeadas. Não há importância médica nessa mudança, nenhuma necessidade de preocupar-se com ela e nenhuma necessidade de suspender o suplemento. Estudos mostram que este último não aumenta o incômodo ou o peristaltismo intestinal. Se o seu bebê está com fezes pretas, e não está tomando um suplemento ou um leite artificial com ferro, consulte o médico dele.

MASSAGEM PARA O BEBÊ

"Uma de minhas amigas faz massagem no seu bebê, e diz que, entre outras coisas, é uma prática necessária à boa ligação entre mãe e bebê. Não sei se me sentiria bem massageando o meu. Devo fazê-lo?"

Qualquer atividade de interação entre a mãe e o bebê — seja um livro, cantar uma canção de ninar ou abraçar-se — aumenta a ligação entre ambos. A massagem não é exceção. Também sabemos que a massagem (feita com delicadeza) pode, de fato, contribuir para o crescimento e o melhor desenvolvimento de bebês prematuros. O que não se sabe é se o efeito é o mesmo no caso de bebês de termo, que têm muito mais estímulos em suas vidas, são muito mais ativos fisicamente e podem prescindir do estímulo adicional que a massagem proporciona.

Talvez o melhor que se possa dizer atualmente é que os pais que gostam de massagear os seus bebês devem continuar a fazê-lo, se não tendo em vista os possíveis benefícios, pelo menos pelo simples prazer de massagear a criança. Por outro lado, os pais que não gostam muito da idéia podem perfeitamente não colocá-la em prática, sem se preocupar com a possibilidade de estarem prejudicando a criança de alguma forma. Existem muitas outras maneiras de estabelecer uma relação mais íntima com o bebê.

EXERCÍCIO

"Ouvi dizer muitas coisas sobre a importância de exercitar o bebê. É preciso, realmente, que eu proporcione aulas de exercícios para a minha garotinha?"

Os norte-americanos tendem a ser extremistas. Ou são totalmente sedentários, e no máximo fazem o exercício de ligar a TV ou alcançar um copo de cerveja, ou entram de cabeça num rigorosíssimo programa de exercícios físicos que termina por levá-los, cheios de dores, ao consultório de um especialista em esportes. Da mesma maneira, ou confinam os seus bebês a uma vida sedentária em suas cadeiras, carrinhos e cercadinhos, ou se apressam em matriculá-los em aulas de exercícios assim que eles conseguem levantar a cabeça, com a esperança de criar um bebê atlético.

Contudo, o extremismo na busca de boa saúde tende a ser ineficaz, e quase sempre está condenado ao fracasso. A moderação é um objetivo muito mais apropriado, tanto no seu estilo de vida quanto no do seu bebê. Portanto, em vez de ignorar o desenvolvimento físico da sua garotinha, ou de forçá-la para além de sua capacidade, observe os seguintes procedimentos para colocá-la no caminho do bem-estar físico:

Estimule tanto o corpo quanto a mente. Temos a tendência de desenvolver o intelecto de nossos filhos desde o berço, mas muitas vezes achamos que o lado físico vai resolver-se por si próprio. E, na maior parte dos casos, vai mesmo — mas um pouquinho mais de atenção a esse aspecto do desenvolvimento fará com que você e o seu bebê não percam de vista a sua importância. Durante parte do tempo em que estiver brincando com a criança, tente desenvolver alguma atividade física. Nesse estágio, isto talvez não vá além de colocá-la sentada (ou em pé, quando ela estiver preparada), erguer-lhe delicadamente as mãos por sobre a cabeça, fazer com que os joelhos toquem os cotovelos num movimento cadenciado, ou segurá-la no ar, com as suas mãos ao redor da cintura dela, levando-a a flexionar os braços e as pernas.

Torne a atividade física divertida. Já que você pretende que o bebê sinta-se bem com o seu corpo e com as atividades físicas, certifique-se de que ele realmente aprecia essas pequenas sessões — e, nem é preciso dizer, não vá você ficar irritada com elas. Converse ou cante para a criança e vá descrevendo as coisas que faz. Ela vai acabar relacionando pequenas frases musicadas (por exemplo, "exercício, exercício, como adoro meu exercício") com o prazer e a diversão da atividade física.

Não tolha a liberdade de movimentos do bebê. O bebê que está sempre preso com correias no carrinho ou na cadeira, sem a oportunidade de fazer suas explorações físicas, está a caminho de transformar-se numa criança sedentária e fisicamente inapta. Mesmo um bebê ainda muito novo para engatinhar pode beneficiar-se da liberdade de movimentos que lhe pode ser oferecida ao ser colocado num cobertor no assoalho, ou no centro de uma cama grande (com constante supervisão, é evidente). Deitados de costas, muitos bebês de três e quatro meses vão ficar bastante tempo tentando mudar de posição (ajude-os, mudando-lhes delicadamente o corpo de um lado para o outro). De bruços, muitos deles vão avançar aos poucos, explorando com as mãos e a boca, erguendo as nádegas, levantando os ombros e as cabeças. Toda essa atividade exercita naturalmente os seus minúsculos braços e pernas — e é impossível fazer o mesmo num espaço restrito.

Faça tudo numa atmosfera de informalidade. As aulas de exercícios, ou os programas gravados em vídeo para os bebês, não são necessariamente bons para o desenvolvimento físico, e, na verdade, podem ser prejudiciais. Se tiverem oportunidade, os bebês fazem todos os exercícios de que necessitam. A despeito do que você possa ter ouvido, as aulas e os vídeos com pais demonstrando exercícios às crianças não vão acelerar o desenvolvimento, melhorar o tônus muscular ou ensinar as crianças a adorar fazer exercícios. O seu valor básico está no fato de estimularem você a brincar com o bebê, e, quando feitos em forma de aulas, a vantagem está no contato entre o bebê e outras crianças. Se você pretende colocar o seu bebê num programa de exercícios, primeiro examine bem o programa em busca das seguintes características:

- Os professores têm boas credenciais? O programa conta com a aprovação de pediatras? (Este detalhe, às vezes, pode ser enganador; um pediatra mal informado pode associar o seu nome a um programa que não seja de boa qualidade.) Qualquer programa que incentive a prática de exercí-

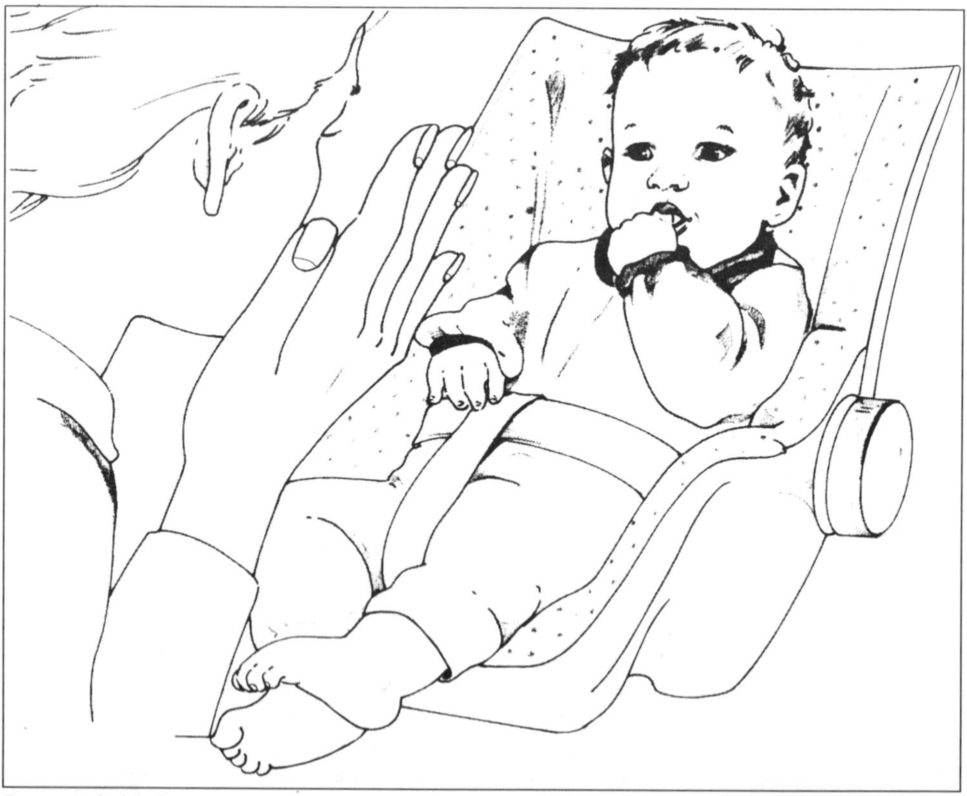

Para um bebê, brincar é sinônimo de aprender. Além de arrancar deliciosas risadinhas de uma criança, uma brincadeira de esconde-esconde vai também ensinar-lhe a importante lição da permanência dos objetos: quando a mamãe ou o papai escondem o rosto por trás das mãos, não deixam de estar ali.

cios que empurram ou sacodem os bebês é perigoso (veja página 215). Cuidado, também, com as aulas em que existe muita pressão em vez de prazer e divertimento, incentivando a competição em detrimento do crescimento individual.

- Os bebês parecem divertir-se? Se qualquer um deles não estiver sorrindo ou rindo ao fazer um exercício, é porque não está gostando. Tenha um cuidado especial quando perceber que os bebês parecem confusos ou amedrontados, ou pressionados a fazer coisas que não os deixam à vontade.
- Há um bom número de equipamentos apropriados à faixa etária da criança para o seu bebê brincar — coisas como degraus acarpetados, escorregadores pequenos e cadeiras de balanço?
- Os bebês têm bastante oportunidade de brincar livremente — de fazer suas explorações sozinhos, ou com você? A maior parte de uma aula deveria ser assim, e não em forma de atividades de grupo predeterminadas.
- A música faz parte do programa? Os bebês gostam de música e de atividades rítmicas, como ouvir canções e ser embalados, duas coisas que se combinam bem nesses programas de exercícios.

Deixe que o bebê siga o seu próprio ritmo. Forçar um bebê a exercitar-se, ou a fazer qualquer outra coisa que ainda não esteja pronto ou disposto a fazer pode deflagrar atitudes muito negativas. Só comece a exercitar o seu bebê quando ele parecer receptivo, e pare quando, através de desinteresse ou irritabilidade, ele mostrar que já está cansado.

Mantenha-o cheio de energia. Para o bom desenvolvimento físico do seu bebê, a boa nutrição é tão importante quanto os exercícios. Quando os alimentos sólidos já tiverem sido introduzidos (com a permissão do médico, é claro), introduza-o também na "Dieta Mais Promissora para os Iniciantes" (página 252), pois assim ele terá mais energia para as brincadeiras e os nutrientes necessários ao seu melhor desenvolvimento.

Exercite-se você também. Ensine através do exemplo; a família que se exercita unida permanece em boa forma física. Se a criança cresce observando os pais caminhando 1 km para ir ao supermercado, em vez de usar o carro, fazendo aeróbica todos os dias diante da TV, em vez de ficar o tempo todo comendo salgadinhos, dando boas braçadas na piscina, em vez de ficar bronzeando-se ao sol, ela entrará na vida adulta com um interesse pela boa forma física que, mais tarde, poderá transmitir aos seus próprios descendentes.

O QUE É IMPORTANTE SABER: Brinquedos para o Bebê

Entrar numa loja de brinquedos é como estar no meio de um desfile de carnaval no auge da animação. Com todos os corredores chamando a atenção, abarrotados de brinquedos atraentes, bombardeando os sentidos e a sensibilidade com um interminável arranjo de caixas e vitrines coloridas, fica muito difícil saber por onde começar. E, ainda que uma viagem dessas possa despertar a criança que existe dentro de qualquer adulto, para os pais não deve existir somente o prazer de escolher um brinquedo, mas também a responsabilidade que envolve esse ato de escolha.

Para certificar-se de que não vai sucumbir às embalagens mais bonitas, nem aos truques mais sedutores que a indústria dos brinquedos tem a oferecer, terminando por comprar um monte de brinquedos errados para o seu bebê, leve em consideração as perguntas apresentadas a seguir sempre que você estiver pensando em fazer uma compra, ou refletindo sobre a conveniência de ficar ou não com algum brinquedo com que a criança tenha sido presenteada:

É adequado à idade do bebê? O motivo mais óbvio para saber se um brinquedo que você comprou é ou não apropriado à idade do bebê é para ter certeza de que o bebê vai apreciá-lo plenamente desde agora. Contudo, uma razão menos aparente é igualmente importante. Mesmo um bebê mais adiantado, que talvez esteja interessado num brinquedo que se considera apropriado para criança de mais idade, e que até poderia brincar com ele em um nível mais primitivo, pode acabar sendo prejudicado pelo brinquedo, tendo em vista que a adequação à idade também leva em conta a segurança. Dar brinquedos ao seu bebê antes que ele esteja preparado para lidar com eles também tem outra desvantagem: é possível que, ao chegar à idade certa para um determinado brinquedo, a criança já tenha perdido o interesse por ele.

Como saber se um brinquedo é ou não apropriado ao seu bebê? Uma das maneiras consiste em verificar os limites de idade relacionados na embalagem, ainda que o seu bebê possa apreciar um determinado brinquedo um pouco antes ou um pouco depois da média das crianças. Outro recurso é observar a criança com o brinquedo — se você já o tem em casa, ou em casa de amigos, ou, ainda, na loja. O bebê parece interessado? Brinca do jeito certo? O brinquedo ideal para o bebê vai ajudá-lo a aperfeiçoar aptidões já adquiridas, ou a fomentar o desenvolvimento de habilidades que ele está prestes a adquirir. Não deve ser nem fácil demais (o que provoca tédio), nem difícil demais (o que leva ao fracasso).

É estimulante? Um brinquedo não tem de preparar o seu filho para o ingresso na melhor universidade do país. A primeira e a segunda infância também são épocas para simplesmente se brincar muito e com prazer. Contudo, o seu bebê vai divertir-se mais com um brinquedo se este estimular os sentidos da visão (um espelho ou móbile), da audição (uma caixinha de música ou um palhaço com um pequeno sino na barriga), do tato (apetrechos para fazer ginástica afixados ao berço, ou um painel de atividades), ou do paladar (uma borracha em forma de anel para exercitar os dentes, ou qualquer coisa passível de ser levada à boca). Não basta, portanto, que um brinquedo seja simplesmente bonito ou engraçadinho. Quando o seu bebê crescer, você vai querer brinquedos que ajudem a criança a adquirir a coordenação olho-mão, o grande e o pequeno controle motor, o conceito de causa e efeito, a identificação e a correspondência das cores, a discriminação auditiva, as relações espaciais, bem como que estimulem o desenvolvimento social e da linguagem, a imaginação e a criatividade.

É seguro? Esta talvez seja a pergunta mais importante de todas, uma vez que os brinquedos (sem incluir bicicletas, trenós, patins e *skates*, que, por conta própria, já provocam centenas de milhares de acidentes) são responsáveis por mais de cem mil ferimentos por ano. Ao escolher brinquedos para o seu filho, procure o seguinte:

- Firmeza. Os brinquedos que quebram ou se desmancham facilmente quase sempre são uma ameaça à integridade física da criança.
- Acabamento seguro. Certifique-se de que a tinta ou outro tipo de acabamento não seja tóxico.
- Construção segura. Brinquedos com peças pequenas, extremidades pontudas ou partes quebráveis costumam ser perigosos para os bebês.
- Facilidade para lavar. Os brinquedos não laváveis podem transformar-se num foco de procriação de germes — um problema para os bebês que costumam levar tudo à boca.

- Tamanho seguro. Brinquedos suficientemente pequenos para serem engolidos (menores do que o punho do bebê), ou que têm partes removíveis ou quebráveis muito pequenas, representam um sério risco para a criança.
- Nada de fitas ou cordões. Os brinquedos (ou qualquer outra coisa) com cordões, barbantes ou fitas com mais de 15 cm de comprimento jamais devem ser deixados nas imediações de um bebê, devido ao risco de estrangulamento. Os brinquedos podem ser presos a berços, cercadinhos etc., com pedaços de plástico que, além de seguros, são também brinquedos bonitos e atraentes.
- Som que não agrida a criança. Os sons muito altos, como os de revólveres e aviões de brinquedo e veículos motorizados, podem pôr em risco a audição do bebê. Portanto, procure os brinquedos que têm sons suaves e musicais, e não aqueles que emitem sons agudos e estridentes.

Você aprova filosoficamente o brinquedo? Este problema é menos grave para os bebês do que para crianças maiores, mas nunca é cedo demais para começar a pensar na mensagem subliminar que um brinquedo envia, e refletir sobre o fato de a mensagem estar ou não em sintonia com os seus valores. Não permita que a sociedade — pelo menos a parte da sociedade que cria os brinquedos violentos que todos os dias vemos na televisão — decida quais valores devem ser transmitidos ao seu bebê. Mesmo no caso de brinquedos para bebês, você vai encontrar coisas imprestáveis, e, antes que você perceba, o seu inocente bebezinho vai estar louco por aquele brinquedo muito popular que você nunca deveria adquirir — a menos que verdadeiramente o aprove. E, caso um dos seus filhos acabe tendo um brinquedo que você não teria comprado por iniciativa própria (às vezes acontece), diga-lhe claramente qual é a sua opinião sobre o tal brinquedo. Se, por exemplo, você não está gostando nem um pouco da metralhadora que o tio João deu ao seu filho como presente de aniversário, explique, quando a criança crescer o suficiente para entender que aquilo é um brinquedo, que as armas verdadeiras são muito perigosas, que ferem pessoas.

CAPÍTULO 8

O Quinto Mês

O QUE O SEU BEBÊ PODE ESTAR FAZENDO

Ao final deste mês, o seu bebê
... deve ser capaz de (veja a Nota):

- manter a cabeça firme quando colocado de pé (por volta de 4 meses e 1 semana)
- deitado de bruços, levantar o peito com o apoio dos braços (por volta de 4 meses e meio)
- girar o corpo (para um lado)
- concentrar sua atenção numa uva passa, ou em outro objeto bem pequeno
- dar gritinhos de alegria
- sorrir espontaneamente
- tentar alcançar um objeto
- pegar um chocalho entre os dedos ou com as pontas dos dedos

Nota: Se o seu bebê parece não ter feito uma ou mais dessas conquistas, converse com o médico.

Em raros casos, a demora poderia indicar algum problema, ainda que, em geral, ela acabe por mostrar-se normal para o seu bebê. Os bebês prematuros costumam fazer tais conquistas mais tarde do que os que têm a mesma idade de nascimento, fazendo-as quase sempre mais perto de sua idade ajustada (a idade que teriam se tives-

Perto do fim do mês, alguns bebês serão capazes de sentar sem ajuda, contando apenas com o apoio das próprias mãos, mas a maioria deles ainda vai pender para a frente ao ficar nessa posição.

sem nascido depois de um período normal de gestação), e às vezes mais tarde.

... provavelmente será capaz de:

- suportar algum peso sobre as pernas quando colocado em pé (5 meses e 7 dias)
- manter a cabeça nivelada com o corpo quando o colocam sentado
- dizer ah-gu, ou combinações vocálico-consonantais semelhantes
- produzir sons com a língua entre os lábios

... talvez seja capaz de:

- sentar sem ajuda (5 meses e meio)
- voltar-se para o lugar de onde provém uma voz

... pode até ser capaz de:

- estando sentado, erguer o corpo até ficar em pé
- ficar em pé apoiando-se em alguma coisa ou pessoa
- comer sozinho uma bolacha
- demonstrar desagrado quando você lhe tira um brinquedo
- esforçar-se para pegar um brinquedo fora do seu alcance
- passar um cubo (ou outro objeto) de uma mão para a outra
- procurar algum objeto que tenha caído
- pegar uma uva passa e segurá-la com a mão fechada
- balbuciar, combinando vogais e consoantes como ga-ga-ga-ga, ba-ba-ba-ba, ma-ma-ma-ma, da-da-da-da.

O QUE VOCÊ PODE ESPERAR NO EXAME DESTE MÊS

A maioria dos médicos não marca consultas regulares para este mês. Se surgirem quaisquer preocupações que não possam esperar até a visita do mês seguinte, entre em contato com o médico.

PARA ALIMENTAR O SEU BEBÊ ESTE MÊS: A Introdução dos Alimentos Sólidos

Chegou o momento tão esperado, e você está no auge da expectativa. Enquanto o pai prepara a câmera de vídeo para registrar o grande acontecimento, o bebê, com suas melhores roupas e um babador novinho em folha, é colocado em seu novo cadeirão. Com a câmera em funcionamento, a primeira porção de alimento sólido do bebê — devidamente colocada numa colher de prata presenteada por uma tia-avó — vai do prato para a boca do bebê. A boca se abre, e,quando o alimento provoca uma estranha primeira impressão nas papilas gustativas inexperientes, o bebê faz cara de nojo e cospe o estranho presente, que vai todo para o seu queixo, para o babador e a bandeja do cadeirão. Corta!

Começou o desafio de fazer o bebê comer (ou, pelo menos, comer aquilo que você gostaria que ele comesse), um desafio que provavelmente vai continuar existindo enquanto vocês compartilharem a mesma mesa de refeições. Mas não se trata apenas de proporcionar uma boa nutrição à criança; é também uma questão de induzi-la a ter hábitos alimentares saudáveis durante as refeições principais e os lanches rápidos. Assegurar que a alimentação do bebê seja saudável é tão importante quanto assegurar que ele coma numa atmosfera agradável e pacífica.

Nos primeiros meses de alimentos sólidos, a quantidade de alimento consumido não terá grande importância enquanto o bebê continuar tomando mamadeira ou sendo amamentado. De início, comer é menos uma questão de sustento do que de aquisição de experiência — a experiência das maneiras de comer, dos diferentes sabores e das diversas texturas, dos aspectos sociais da alimentação.

A NOITE DE ESTRÉIA — E TODAS AS OUTRAS

Ficar com o equipamento de vídeo a postos não é a única atividade preparatória para se ter a certeza de que a primeira refeição de sólidos vai ser memorável. Você também deve cuidar muito bem de coisas como a hora em que vai servi-la, o cenário e os acessórios capazes de transformar essa refeição — e todas as outras — num grande acontecimento.

Faça na hora certa. Se você estiver amamentando, o *show* deve acontecer quando o seu suprimento de leite estiver no ponto mais baixo (na maioria das mulheres, isso ocorre no fim da tarde ou começo da noite). O anoitecer também é uma boa opção se o bebê costuma acordar com fome em horas avançadas; uma refeição noturna substancial pode ajudá-lo a dormir por mais tempo. Por outro lado, se a criança parece mais faminta pela manhã, talvez você deva oferecer-lhe alimentos sólidos nesse horário. Não se preocupe se o cardápio for cereal, e o momento de servi–lo for às seis da manhã — o bebê certamente não está esperando um bife.

Agrade o seu ator principal. Você marcou um espetáculo para as 5 da manhã só para descobrir que a estrela está mal-humorada e extremamente cansada. É impossível apresentar ao bebê alguma coisa nova (inclusive alimentos) quando ele se encontra nesse estado. Marque as refeições para os momentos em que o bebê normalmente está alegre e dinâmico.

Nada de barriga cheia na estréia. Estimule o apetite do bebê antes de oferecer-lhe um alimento sólido, mas não com exageros que possam levá-lo a perder a fome. O aperitivo pode ser um pouco de leite, tanto seu quanto artificial. Assim, o bebê não estará esfomeado demais para submeter-se à nova experiência, nem tão saciado que o prato seguinte não lhe desperte o menor interesse. É claro que, no caso dos bebês com pouco apetite, é melhor começar pelos sólidos, você terá de descobrir o que funciona melhor para o seu bebê.

Esteja preparada para uma longa produção. Não tente programar as refeições do bebê em segmentos de 5 minutos entre os seus outros afazeres. A alimentação de um bebê é um processo que leva tempo, então trate de reservar uma boa quantidade de tempo para cada uma das suas refeições.

Prepare o cenário. Segurar no colo um bebê aos berros enquanto se tenta enfiar uma substância desconhecida numa boca nada receptiva é o roteiro perfeito para um desastre. Compre um cadeirão resistente ou uma cadeira especial para o bebê comer (veja página 270) vários dias antes da primeira experiência com alimentos sólidos, e dê à criança o tempo necessário para acostumar-se com esse acessório. Se o seu bebê desliza para os lados ou afunda-se na cadeira, coloque nela um pequeno cobertor, um acolchoado, ou algumas toalhas. Ajuste as correias de segurança, pois assim o bebê não correrá perigo e você terá uma preocupação a menos. Se o bebê não consegue sentar de modo algum nessa cadeira, talvez seja uma boa idéia retardar um pouco a introdução dos alimentos sólidos.

Certifique-se, também, de que você tem em casa o tipo certo de colher. Não precisa ser uma peça luxuosa da herança da família, nem uma colher infantil, mas deve ter um bojo pequeno (talvez uma colher de chá ou café) e, se possível, um revestimento de plástico que não machuque a gengiva do bebê. Ao dar ao bebê a sua própria colher para ele segurar e tentar alimentar-se com ela, você estará desestimulando a verdadeira luta que pode seguir-se a cada bocado, e também dará ao seu individualista ainda em botão um sentimento de independência. Um cabo comprido é bom para você alimentar a criança, mas escolha um curto e curvo para o próprio bebê usar; assim, você estará evitando muitas cutucadas involuntárias no olho dele. Se o seu pequeno *gourmand* insistir em "ajudá-la" com a sua colher, permita que a mãozinha dele segure-a enquanto você a dirige com firmeza para o alvo — que na maior parte das vezes será atingido.

Por fim, ponha no bebê um babador grande, fácil de lavar, fácil de tirar e confortável. Dependendo da sua preferência, ele poderá ser de plástico duro ou macio que possa ser limpo e enxaguado, de pano ou plástico que possa ser colocado na máquina de lavar roupas, ou de papel descartável. Você pode não se incomodar agora com o fato do bebê sujar e manchar macacões que quase não lhe servem mais, mas, se o hábito do babador não for iniciado já, será quase sempre difícil (ou impossível) instituí-lo mais tarde. E não se esqueça de arregaçar as mangas compridas. Outra alternativa, quando o bebê come em casa e a temperatura ambiente permite, é deixá-lo comer sem nada da cintura para cima. Mesmo assim, você terá de limpá-lo — mas estará livre do problema das manchas.

Desempenhe um papel secundário. Se você der ao bebê a oportunidade de ser a estrela do *show*, as probabilidades de sucesso da refeição serão muito maiores. Antes de tentar levar a primeira colherada à boca do bebê, coloque um pedacinho do alimento sobre a mesa ou bandeja e dê-lhe a oportunidade de examiná-lo, espremê-lo, esmagá-lo, esfregá-lo, até mesmo prová-lo. Desse modo, quando você avançar com a colher, o que estiver oferecendo não será totalmente desconhecido. Ainda que oferecer o novo alimento numa mamadeira (com um orifício bem maior no bico) possa parecer uma boa maneira de dar ao bebê a oportunidade de alimentar-se sozinho, isso não é recomendável por várias razões. Em primeiro lugar, o bebê pode engasgar-se. Em segundo, lugar, vai reforçar o hábito da mamadeira e não ensinará o bebê a comer como todos nós comemos — e é para isso, afinal, que servem todas essas primeiras refeições com alimentos sólidos. E, por último, como os bebês alimentados assim tendem a comer demais, trata-se de um hábito que pode levar à obesidade.

Comece com as próximas atrações. Muitas das primeiras refeições não serão absolutamente dignas desse nome, mas meras introduções às que virão pela frente. A princípio, sirva de um quarto a uma colher de chá inteira do alimento escolhido. Coloque um pedaço minúsculo entre os lábios do bebê e fique à espera da reação. Se a guloseima agradar, é provável que a boca se abra um pouco mais para o próximo bocado, que você pode colocar mais fundo para o bebê engolir melhor. Mesmo que ele pareça receptivo, as primeiras tentativas podem resultar na devolução do alimento; na verdade, as primeiras refeições talvez pareçam um fracasso completo. No entanto, o bebê que estiver pronto para os alimentos sólidos logo vai começar a ingerir muito mais do que devolve. Se isto não acontecer, é porque o desenvolvimento dele ainda não o preparou para o grande momento. Você pode continuar perdendo tempo, esforço e comida com tentativas inúteis — ou esperar mais uma ou duas semanas, e então tentar outra vez.

Saiba quando encerrar o show. Termine uma refeição assim que perceber que o bebê não está mais interessado. Os sinais serão claros, ainda que possam variar de bebê para bebê e de refeição para refeição: irritação, afastamento da cabeça, boca fechada, alimento devolvido ou arremessado por toda parte.

Se o bebê rejeitar um alimento anteriormente apreciado, experimente-o para saber se não está estragado ou mal preparado. É claro que a rejeição pode ter outras razões. Talvez as preferências gastronômicas do seu bebê tenham mudado (os bebês são volúveis no que diz respeito a comida), ou talvez ele esteja mal-humorado, ou simplesmente sem fome. Seja qual for o motivo, não o force a comer. Tente outra seleção, e, se mesmo assim a coisa não funcionar, desça as cortinas.

OS ALIMENTOS DO PRINCIPIANTE

Ainda que todos concordem que o primeiro líqüido perfeito para o bebê seja o leite materno, não há consenso geral — mesmo entre os pediatras — quanto ao primeiro sólido perfeito. Não existem provas científicas concretas que apontem para um determinado alimento sólido como o melhor para começar, e, além disso, os bebês parecem dar-se bem com uns e outros (admitindo-se que sejam apropriados para um bebê). Se o médico do seu bebê não fizer nenhuma recomendação específica, tente uma das sugestões que apresentamos a seguir. Tenha em mente que você não conseguirá avaliar com exatidão a primeira reação do bebê com base na expressão dele — de início, a maioria dos bebês vai devolver os alimentos por mais que lhes agrade a oferta, sobretudo se o gosto for ácido. A melhor maneira de saber se ele está gostando ou não é orientar-se pelos momentos em que ele abre a boca para mais um bocado.

Cereal de arroz. Por ser facilmente diluído, ficando com uma textura não muito mais espessa do que o leite, o cereal de arroz é digerido com facilidade pela maioria dos bebês, não tende a provocar reações alérgicas e contém o ferro de que a criança necessita. Por esses motivos, o cereal de arroz infantil enriquecido com ferro talvez seja o alimento mais recomendado para a iniciação nos sólidos, e é sugerido como primeira opção pela Academia Americana de Pediatria. Misture-o com leite materno, artificial, água ou leite de vaca integral (desde que o seu médico aprove; muitos permitirão o acréscimo de pequenas quantidades de leite de vaca antes dos seis meses, para misturar com o cereal). Resista à tentação de acrescentar banana amassada, compota de maçã ou sucos de frutas, ou de comprar cereais já prontos à base de frutas, ou o seu bebê passará rapidamente a só aceitar alimentos doces, rejeitando tudo o mais.

Um alimento semelhante ao leite. Com base na teoria segundo a qual um bebê aceitará mais facilmente alguma coisa que lhe seja familiar, os alimentos que mais se assemelham ao leite em consistência e/ou sabor (como quefir ou iogurte natural, não adoçado, de leite integral) são os mais usados para a iniciação do bebê. Quer você dê iogurte primeiro, quer acrescente-o mais tarde, não vá servi-lo com frutas ou açúcar, uma mistura que, em sua opinião, poderia torná-lo mais palatável; a maioria dos bebês tomará gulosamente o iogurte sem mistura, e desenvolverá uma preferência pelo sabor ácido e não adoçado que futuramente só lhes trará benefícios. É claro que, no caso dos bebês alérgicos ou intolerantes aos produtos derivados do leite, é preciso começar com alguma outra coisa.

BONS ALIMENTOS SÓLIDOS PARA A INICIAÇÃO DO BEBÊ

Os bebês novinhos costumam apreciar e tolerar bem todos os alimentos sugeridos a seguir. Contudo, antes de introduzir as seleções da lista de frutas mais doces, faça uma boa tentativa de habituar o bebê aos alimentos das três primeiras categorias. As carnes de vaca e de frango costumam ser introduzidas mais tarde — entre o sétimo e o oitavo meses. Os alimentos, que podem ser preparados em casa ou comprados prontos para usar, devem de início ter uma textura bem macia — peneirados, amassados, em forma de purê e diluídos em líqüido se necessário, de modo que fiquem com a consistência do creme grosso. A textura deve continuar macia até o sexto ou sétimo mês, tornando-se progressivamente mais espessa à medida que o bebê adquirir maior experiência em comer. Em geral, os bebês comem menos de meia colher de chá de início, mas muitos não demoram a chegar a duas ou três colheres de sopa, às vezes até mais. O alimento pode ser servido à temperatura ambiente (como prefere a maioria dos bebês) ou ligeiramente aquecido — ainda que o aquecimento tenha muito mais a ver com as preferências dos adultos do que com as dos bebês.

Cereais de arroz	Abóbora	Iogurte (não adoçado)	Compota de maçã	Carne de vaca
Cereais de cevada	Batata-doce	Coalhada (não adoçado)	Banana	Carne de frango
Cereais de aveia	Cenoura		Pêssego	Carne de peru
	Feijão verde		Pêra	Carne de cordeiro
	Ervilha			
	Abacate			

Obs.: O espinafre, com alto teor de ácido oxálico, só costuma ser recomendado quando o bebê estiver maior.

Alguma coisa doce. Muitos bebês são iniciados com banana bem amassada e peneirada (se preciso, diluída num pouco de leite materno ou artificial), ou com compota de maçã. É verdade que quase todos se apegam gulosamente a esses alimentos, mas também tendem a recusar as guloseimas menos doces, como legumes e cereais não adoçados, quando estas são oferecidas mais tarde. Quase sempre, não se trata de uma escolha ideal.

Legumes. Teoricamente, os legumes são excelentes para a introdução do bebê aos alimentos sólidos, pois são nutritivos e não doces. Contudo, seus sabores fortes e marcantes fazem com que, para algumas crianças, tornem-se menos atraentes do que os cereais ou iogurtes, o que pode impedir o desenvolvimento de uma atitude positiva com relação à experiência gastronômica. É mais sensato, porém, introduzi-los antes das frutas, quando o paladar do bebê ainda é mais receptivo aos novos sabores. Os "amarelos", como as batatas-doces e cenouras, costumam ser mais palatáveis (bem como mais nutritivos) do que os "verdes", como ervilhas ou feijões verdes.

AUMENTANDO O REPERTÓRIO DO BEBÊ

Mesmo que o seu bebê devore o seu primeiríssimo café da manhã de cereais, não planeje servir-lhe um almoço de iogurte e vagem, seguido por um jantar à base de carne peneirada e batata-doce. Do primeiro ao último, cada novo alimento que você apresentar ao bebê deve ser oferecido sozinho (ou com alimentos que já tenham sido aprovados); assim, será fácil identificar algum alimento ao qual o bebê venha eventualmente a mostrar-se alérgico ou sensível. Se você estiver começando pelos cereais, por exemplo, restrinja-se a um único, pelo menos durante três ou quatro dias (alguns médicos recomendam cinco dias). Se o seu bebê não apresentar nenhuma reação adversa ao cereal em questão (distensão abdominal ou excesso de gases, diarréia ou muco nas fezes, vômitos, uma feia dermatite no rosto, principalmente em volta da boca ou perto do ânus, nariz escorrendo e/ou olhos lacrimejantes ou respiração ofegante que não parecem ter ligação com algum resfriado, falta incomum de sono à noite e irritação durante o dia), você pode ter certeza de que ele o tolera bem.

Se você perceber alguma coisa que imagina ser uma reação, espere mais ou menos uma semana e tente dar o mesmo alimento outra vez. A mesma reação duas ou três vezes é um bom indício de que o seu bebê é sensível ao alimento. Espere vários meses antes de oferecê-lo novamente, e, nesse meio-tempo, tente o mesmo procedimento com um novo tipo de alimento. Se o bebê apresentar reação a vários alimentos, ou se existir um histórico de alergias na sua família, espere uma semana inteira entre a introdução de novos alimentos. Se todos os que você experimentar parecem causar problemas, converse com o médico do bebê sobre a conveniência de esperar alguns meses antes de reintroduzir os sólidos.

Introduza cada novo alimento com o mesmo cuidado, mantendo um registro do alimento em questão, as quantidades aproximadas que foram ingeridas e quaisquer reações que a criança tenha apresentado (a memória pode falhar). Tenha o cuidado de começar com um só tipo de alimento — cenouras peneiradas ou ervilhas peneiradas, por exemplo. Muitos fabricantes de alimentos para bebês têm linhas especiais de um só tipo de alimento para principiantes (vendidos em embalagens pequenas, para evitar desperdício). Quando o bebê tiver comido separadamente as ervilhas e cenouras, e não tiver apresentado problemas, pode-se então servi-las numa só refeição. Mais tarde, ao expandir-se o repertório do bebê, um novo alimento (tomate, por exemplo) pode ser introduzido de mistura com outros legumes que o bebê já tenha aceito bem.

Por serem mais alergênicos, alguns alimentos são introduzidos numa fase posterior. O trigo, por exemplo, costuma ser acrescentado à dieta do bebê depois que o arroz, a aveia e a cevada foram bem aceitos. Isso às vezes acontece um pouco tarde, no oitavo mês, ainda que o consentimento médico geralmente seja dado antes, no caso dos bebês que não apresentam indícios (e não têm um histórico familiar) de alergia a alimentos. As frutas e os sucos cítricos são introduzidos depois de outras frutas e sucos, e os frutos do mar vêm depois da carne de vaca e de aves. Em geral, a gema de ovos (mexida, ou bem cozida e amassada) só costuma ser dada no oitavo mês; a clara, que tem muito mais probabilidades de provocar uma reação alérgica, quase sempre só é introduzida no fim do primeiro ano. Chocolate e nozes não só são extremamente alergênicos, como também impróprios para a alimentação infantil, e costumam ser excluídos da dieta do bebê ao longo de todo o seu primeiro ano de vida.

A DIETA MAIS PROMISSORA PARA OS INICIANTES

Por ora, o seu bebê está apenas experimentando os sólidos; a maior parte das suas exigências nutricionais ainda provém do leite materno ou artificial. A partir do sexto mês, porém, esses dois alimentos sozinhos não serão suficientes para atender a todas as necessidades da criança, e, ao final do ano, quase toda a sua nutrição proverá de outras fontes. Portanto, não é cedo demais para começar a pensar em termos dos "Nove Princípios Básicos da Boa Nutrição" (página 412) ao planejar, hoje, as refeições do bebê, nem para basear-se numa Dúzia Diária simplificada (apresentada a seguir) assim que o bebê começar a ingerir uma boa variedade de alimentos — em geral entre os oito e nove meses. Uma vez que uma alimentação cuidadosa e equilibrada é a melhor prevenção contra as doenças cardíacas e muitas formas de câncer, os hábitos alimentares que você ajudar o bebê a desenvolver podem salvar-lhe a vida futuramente. Uma nutrição ideal que seja ensinada desde cedo vai dar ao seu filho o melhor em termos de desenvolvimento físico, emocional, intelectual e social, e também fará dele um estudante melhor e uma pessoa mais feliz.

Nos próximos meses, você pode começar a introduzir a Dúzia Diária do Bebê, acrescentando aos poucos novos alimentos e aumentando as quantidades sugeridas abaixo. Ao aproximar-se o primeiro aniversário do bebê, a Dúzia Diária da Criança que Anda será mais apropriada. Novas opções relativas à Dúzia Diária serão apresentadas a partir da página 414.

NADA DE MEL PARA O SEU DOCINHO

O mel não somente oferece pouco mais que calorias vazias*, como também põe em risco a saúde da criança em seu primeiro ano de vida. Pode conter os esporos do *Clostridium botulinum*, que nessa forma é inofensiva aos adultos, mas pode causar botulismo (com constipação, redução da capacidade de sugar, falta de apetite e letargia) nos bebês. Essa doença grave, ainda que raramente fatal, pode levar à pneumonia e à desidratação. Alguns médicos liberam o mel aos oito meses, mas outros recomendam que se espere até a criança completar um ano. Como o xarope de glicose pode conter esses esporos, também se recomenda que não seja dado aos bebês. É seguro, porém, nos leites artificiais para bebês.

A DÚZIA DIÁRIA DO BEBÊ

Calorias. Você não precisa contar as calorias do seu bebê para saber se ele as está ingerindo em quantidade suficiente — ou em excesso. Ele é desagradavelmente roliço? A razão provável está no excesso de calorias. Ou é magro e cresce muito lentamente? Então é provável que a ingestão de calorias seja insuficiente. Por ora, a maior parte das calorias que garantem o bom desenvolvimento do bebê vem do leite materno ou artificial; aos poucos, um número cada vez maior virá dos alimentos sólidos.

Proteínas. Duas ou três colheres de sopa diárias de gema de ovo (desde que aprovadas pelo médico), carne de vaca, frango, peixe, ricota ou iogurte, ou 28 g de queijo, ou, ainda, cerca de 55 g de tofu serão suficientes, enquanto a maior parte das proteínas ainda for proveniente do leite materno ou artificial.

Alimentos com cálcio. O leite materno e/ou artificial contêm o cálcio suficiente para um bebê, mas, quando são dados em

* Calorias sem valor nutricional. (N. do R. T.)

RECIPIENTES COM DUAS FUNÇÕES

Use os recipientes vazios dos alimentos infantis, totalmente lavados numa máquina de lavar ou à mão, com detergente e água quente, para aquecer e/ou servir pequenas porções dos alimentos consumidos pelo bebê. Aqueça em banho-maria (com pouca água quente) e não no microondas, que pode aquecer os alimentos de modo desigual.

menor quantidade, e o bebê começa a ingerir maior quantidade de alimentos sólidos, outros alimentos contendo cálcio devem ser acrescentados à dieta do bebê — queijos de consistência firme, iogurte, leite integral e tofu coalhado. As necessidades totais podem ser satisfeitas com cerca de duas xícaras de leite integral, ou o equivalente em leite materno, artificial, outros derivados do leite ou outros alimentos com cálcio, até que o bebê complete um ano de vida (veja, na página 417, os equivalentes).

Grãos integrais e outros carboidratos complexos concentrados. De duas a quatro refeições diárias de grãos, legumes ou ervilhas secas vão acrescentar as vitaminas e os minerais necessários (bem como algumas proteínas) à dieta do bebê. Uma refeição equivale a 1/4 de xícara de cereal para bebês, meia fatia de pão integral ou 1/4 de xícara de cereais ou massas integrais cozidos, 1/2 xícara de cereal integral seco, ou 1/4 de xícara de purê de lentilhas, feijões ou ervilhas, mas não tenha a expectativa dessa ingestão durante meses.

Legumes folhudos e amarelos e frutas amarelas. Duas ou três colheres de sopa de abóbora, batata-doce, cenoura, brócolis, couve-galega, damasco, pêssegos amarelos (de início em forma de purê, depois em pedaços), ou 1/4 de xícara de cubos de melão maduro, manga ou de pêssego, quando o bebê passar a comer com os dedos, serão suficientes para a ingestão adequada de vitamina A.

Alimentos com vitamina C. Apenas 1/4 de xícara de suco de fruta infantil enriquecido com vitamina C, ou suco de laranja ou *grapefruit* (que em geral só são introduzidos depois do oitavo mês) vão oferecer a quantidade necessária de vitamina C. O mesmo se pode dizer de 1/4 de xícara de cubos de manga ou melão, ou de 1/4 de xícara de brócolis ou couve-flor em forma de purê.

Outras frutas e outros legumes. Se o seu bebê tiver espaço para mais alimentos em sua dieta, acrescente diariamente uma das seguintes sugestões: uma ou duas colheres de sopa de compota de maçã, banana amassada, purê de ervilhas, feijões verdes ou batatas amassadas.

Alto teor de gorduras. O bebê exclusivamente alimentado com leite materno ou artificial recebe toda a gordura e todo o colesterol de que necessita. Contudo, quando ocorre a mudança para uma alimentação mais variada, e ele passa menos tempo no peito ou na mamadeira, é importante certificar-se de que a ingestão de gordura e colesterol continua adequada. A maior parte dos laticínios servidos não deve ser desnatado, ou ser feita com leite integral. Se você acrescenta leite em pó instantâneo desnatado aos alimentos, como parte do consumo de proteínas e cálcio do seu bebê, adicione duas colheres de sopa, de leite semidesnatado, a cada 1/3 de xícara de leite em pó, para substituir a gordura. Se você usa ricota com baixo teor de gordura para o resto da família, poderá usar a mesma coisa para o bebê se acrescentar um pouquinho de creme de leite doce ou azedo, ou certifique-se de que o bebê também coma diariamente um pouco de queijo duro com o máximo de gordura (queijo suíço ou o Cheddar, por exemplo, de preferência com baixo teor de sódio). Ainda que seja importante não tirar as gorduras dos laticínios da dieta do bebê, é igualmente importante não sobrecarregá-la com grandes quantidades de outras gorduras ou frituras, que podem acrescentar alguns gramas de peso desnecessários, ser de difícil digestão e criar maus hábitos alimentares.

Alimentos ou suplementações que contêm ferro. Para ajudar a prevenir a anemia por insuficiência de ferro, o seu bebê deve ingerir, todos os dias, cereal ou leite artificial enriquecido com ferro ou um suplemento vitamínico com ferro. O ferro adicional pode vir de alimentos como carne de vaca, gema de ovo, germe de trigo, pães e cereais integrais e ervilhas secas e outros legumes, à medida que forem sendo introduzidos na alimentação do bebê.

Alimentos salgados. Tendo em vista que os rins do bebê não conseguem lidar com grandes quantidades de sódio, e que o desenvolvimento de uma preferência pelo sal já no começo da vida pode levar a problemas de hipertensão no futuro, não se deve pôr sal nos alimentos consumidos pelo bebê. A maior parte deles já contêm algum sódio naturalmente, sobretudo os laticínios e muitos legumes, razão pela qual o bebê não terá problemas de desenvolvimento se você deixar de acrescentar sal ao cardápio.

Líqüidos. Durante os quatro ou cinco primeiros meses de vida, praticamente todos os líqüidos que o bebê ingere provêm do peito ou da mamadeira. Agora, pequenas quantidades estarão vindo de outras fontes: sucos, leite oferecido numa xícara, frutas e legumes. Quando a quantidade de leite materno ou artificial começa a diminuir, é importante certificar-se de que não diminua a ingestão total de líqüidos, sobretudo nos meses de verão. Portanto, sempre que a temperatura estiver elevada, dê à criança água e sucos de frutas diluídos em água.

Suplemento vitamínico. Uma simples "apólice de seguro nutricional" consiste em dar ao bebê gotas de vitaminas e sais minerais especialmente preparadas para ele. Essas gotas devem conter ferro, caso o seu bebê não tome um leite artificial enriquecido com esse mineral, e não mais que a Dose Diária Recomendada de vitaminas e minerais para os bebês. Não dê nenhum outro suplemento vitamínico ou mineral sem a aprovação do médico.

O QUE PODE ESTAR PREOCUPANDO VOCÊ

DENTIÇÃO

"Como posso saber se a dentição do meu bebê está começando? Ele morde muito as mãos, mas não vejo nada nas suas gengivas."

Quando a fada dos dentinhos faz sua visita, não há como saber quão longo ou desagradável vai ser o convívio com ela. Para uma criança, pode ser um processo longo, arrastado e doloroso; para outra, pode dar a impressão de resolver-se a um simples toque da varinha de condão numa noite tranqüila. Em alguns casos, um inchaço ou uma protuberância é visível na gengiva durante semanas ou meses; em outros, a única indicação de que a dentição está começando vai ser o surgimento do próprio dente.

Em média, o primeiro dente surge em algum ponto do sétimo mês de vida da criança, ainda que a sua reluzente extremidade possa despontar aos três meses ou se atrasar até os doze, em casos muito raros, surgir ainda mais cedo ou mais tarde do que isso. Em geral, o surgimento dos dentes segue um padrão hereditário, o que significa que, se você ou o seu marido tiveram uma dentição precoce ou atrasada, o mesmo pode acontecer com o seu bebê. Os sintomas da dentição, porém, com freqüência precedem de uns dois ou três meses o aparecimento do dente. Esses sintomas variam de criança para criança, e as opiniões sobre o que eles são exatamente, e quão dolorosa a dentição pode ser, também variam de médico para médico. Em geral, porém, admite-se que um bebê em fase de dentição possa passar por uma das experiências seguintes, quando não por todas:

Salivação. Para muitos bebês, começando em algum momento entre a décima semana e o terceiro ou quarto mês de vida, a torneira parece estar com vazamento. O nascimento dos dentes estimula a salivação, mais em alguns bebês do que em outros.

Dermatite no rosto ou no queixo. Num salivador prolífico, não é incomum que o contato constante com a saliva provoque fissuras ou dermatites no queixo e ao redor da boca. Para impedir que isso aconteça, limpe delicadamente a saliva durante o dia, e, para absorver o excesso, coloque uma toalha por baixo do lençol do berço enquanto o bebê estiver dormindo. Se a pele ficar ressecada em algum ponto, mantenha-a bem lubrificada com um creme suave para a pele (peça ao seu médico que lhe recomende um).

Um pouco de tosse. O excesso de saliva pode levar o bebê a sentir náusea ou a tossir de vez em quando. Desde que ele não demonstre sintomas de resfriado, gripe ou alergia, não há motivos para preocupar-se. Em geral, os bebês continuarão tossindo, seja para chamar atenção ou por verem, na tosse, um interessante acréscimo ao seu repertório de vocalizações.

Morder. Neste caso, dar uma mordida não é nenhum sinal de hostilidade. Um bebê em fase de dentição vai tentar morder qualquer coisa que conseguir levar à boca — sua mãozinha, o peito que o amamenta, o dedo de um estranho desprevenido —, pois a contrapressão de qualquer dessas mordidas vai ajudar a aliviar a pressão existente sob as suas gengivas.

Dor. A inflamação é a resposta protetora do delicado tecido da gengiva ao dente que vem surgindo, que é visto como um inimigo a ser rechaçado. O processo provoca uma dor aparentemente intolerável em alguns bebês, e uma dorzinha insignificante em outros. Em geral, o desconforto é pior no caso dos primeiros dentes (aparentemente, a maior parte dos bebês habitua-se às sensações da dentição e aprende a conviver com ela), e quando surgem os molares. Estes, devido ao maior tamanho, parecem ser mais dolorosos, mas, felizmente, você só terá de preocupar-se com eles algum tempo depois do primeiro aniversário do bebê.

Irritabilidade. À medida que a inflamação aumenta e um dentinho pontudo está quase aflorando à superfície, ameaçando nascer, a dor na gengiva do bebê pode tornar-se mais constante. Como qualquer pessoa com uma dor crônica, ele pode ficar mal-humorado, indisposto, "fora de si". Também neste caso, alguns bebês (e os seus pais) vão sofrer mais do que outros, e a irritabilidade pode durar semanas, em vez de dias ou horas.

Recusa a alimentar-se. Um bebê cujos dentes estejam começando a nascer pode parecer cheio de caprichos quando se trata de mamar. Ainda que, por um lado, ele anseie por ter alguma coisa na boca — e possa dar a impressão de "querer mamar o tempo todo" —, por outro lado, o peito ou a mamadeira que ele tanto desejava alguns minutos atrás podem ser rejeitados assim que ele começar a mamar e o movimento de sucção aumentar-lhe o desconforto. A cada repetição dessa cena (e alguns bebês tendem a repeti-la o dia inteiro em sua fase de dentição), bebês e mães ficam mais frustrados e mal-humorados. Nesse período, os bebês que já começaram a comer alimentos sólidos podem perder o interesse por eles, um fato que não deve ser fonte de nenhuma preocupação, pois a criança está recebendo quase todos os líqüidos e nutrientes através da amamentação ou da mamadeira, e o seu apetite vai voltar com a mesma intensidade assim que o dente tiver nascido. É claro que convém chamar o médico caso o seu bebê se recuse a ser alimentado mais de duas vezes, ou se parece estar se alimentando muito pouco durante vários dias.

Diarréia. Se este sintoma tem ou não alguma relação efetiva com o nascimento dos dentes é algo que vai depender da pessoa a quem você perguntar. Algumas mães insistem em que os seus bebês evacuam mais sempre que há dentes começando a nascer. Alguns médicos admitem que parece existir uma ligação entre as duas coisas — talvez porque o excesso de saliva engolida amoleça as fezes. Outros médicos se recusam a admitir tal relação, pelo menos oficialmente — provavelmente não porque tenham certeza absoluta de que ela não existe, mas por temerem que a legitimização da teoria possa levar as mães a negligenciar possíveis sintomas gastrointestinais importantes, atribuindo-os à dentição. Portanto, ainda que possa acontecer que o seu bebê apresente fezes mais moles durante a dentição, você deve comunicar ao seu médico a ocorrência de uma verdadeira diarréia, dessas que se repetem por mais de duas evacuações.

Febre baixa. A exemplo da diarréia, a febre é um sintoma que os médicos hesitam em associar à dentição. Ainda assim, alguns deles reconhecem que uma febre baixa (37,5°C) pode eventualmente acompanhar a dentição, como decorrência de inflamação das gengivas. Para maior segurança, tente diminuir a febre que surge com a dentição do mesmo jeito que você tentaria diminuir qualquer febre que se manifestasse em outra ocasião qualquer, e chame o médico se ela persistir por três dias.

Falta de sono. Os dentes dos bebês não nascem apenas durante o dia. O mal-estar que o deixa irritado durante o dia também pode mantê-lo acordado à noite. Mesmo o bebê que vem dormindo bem a noite inteira pode, de repente, voltar a acordar à noite. Para impedir que ele retome os velhos hábitos, não corra a acalmá-lo ou alimentá-lo. Em vez disso, espere algum tempo até ver se ele consegue voltar a conciliar o sono por conta própria. A falta de sono à noite, como muitos outros problemas associados à dentição, é mais comum com os primeiros dentes e com os molares.

Hematoma na gengiva. Às vezes, a dentição provoca algum sangramento sob as gengivas, e o resultado disso pode parecer uma saliência azulada. Não é preciso preocupar-se com esses hematomas, e a maioria dos médicos recomenda que se deixe que se resolvam sozinhos, sem intervenção médica. A aplicação de compressas frias pode diminuir o mal-estar e acelerar a solução dos hematomas das gengivas.

Puxar as orelhas e esfregar o rosto. A dor nas gengivas pode difundir-se para as orelhas e bochechas através de ligações nervosas que compartilham, sobretudo quando os molares começam a abrir caminho. É por isso que, em sua fase de dentição, alguns bebês puxam as orelhas ou esfregam o rosto ou o queixo. Não se esqueça, porém, de que os bebês também puxam as orelhas quando há nelas alguma infecção. Se você desconfia que seja este o problema (veja página 489), com ou sem dentição, entre em contato com o médico.

É provável que o número de tratamentos domésticos para o mal-estar provocado pela dentição seja igual ao número de avós existentes no mundo. Alguns funcionam, outros não. Eis aqui alguns dos melhores dentre aqueles que as velhas avós e a medicina moderna têm a oferecer:

Alguma coisa para mascar. Isso não tem em vista benefícios nutricionais, mas o alívio que vem da pressão contra as gengivas — que se torna ainda maior quando o objeto mascado for gelado ou provocar entorpecimento. Um pedaço de pão gelado, uma banana gelada (embora amassada), um pedaço de pano limpo com um cubo de gelo dentro, bem preso por uma tirinha de borracha, uma cenoura gelada com a extremidade pouco consistente cortada (mas não use cenouras quando os dentes já tiverem nascido e puderem arrancar pedaços capazes de asfixiar a criança), uma borracha em forma de anel para exercitar os dentes do bebê, ou algo do gênero — até mesmo a grade de plástico do berço ou do cercadinho serão ótimos para mascar. As casas de alimentos naturais vendem bolachas nutritivas para a fase de dentição; estas bolachas são muito boas antes do surgimento dos dentes, mas depois, com o seu alto teor de carboidratos, poderiam levar a problemas de cárie se ficassem por muito tempo na boca. Seja qual for o alimento que você use para acalmar um bebê com dentes nascendo, ele só deve ingeri-los sentado e sob a supervisão de um adulto.

Algo que possa ser esfregado. Muitos bebês gostam que um adulto lhes esfregue a gengiva com um dedo. De início, alguns podem protestar contra essa intromissão, já que a massagem dói no começo, mas costumam acalmar-se assim que a pressão contra a gengiva começa a aliviar-lhes a dor.

Alguma coisa fria para comer. Compota de maçã, purê de pêssego ou iogurte podem ficar no *freezer* para serem usados com essa finalidade. São coisas que os bebês em fase de dentição talvez apreciem mais do que os alimentos à temperatura ambiente, além de serem muito mais nutritivas do que as borrachas em forma de anel.

Alguma coisa fria para beber. Ofereça ao seu bebê uma mamadeira com água gelada. Se ele recusar, ou tiver dificuldade para fazer os movimentos de sucção, ofereça o mesmo líqüido numa xícara — mas tire antes os cubinhos de gelo. Isto irá aumentar a ingestão de líqüidos dos bebês que estão em fase de dentição, o que é importante se eles os estiverem perdendo através da salivação e das evacuações.

PADRÃO DA DENTIÇÃO

Este é o padrão mais comum do surgimento dos dentes, mas existem muitas variações individuais. Muito raramente, um dente (ou par de dentes) deixa de aparecer — caso em que o médico talvez encaminhe o seu bebê a um dentista especializado em crianças. Se os dentes do seu bebê estão nascendo precoce ou tardiamente agora, é provável que o mesmo padrão ocorra quando se iniciar a segunda fase da dentição.

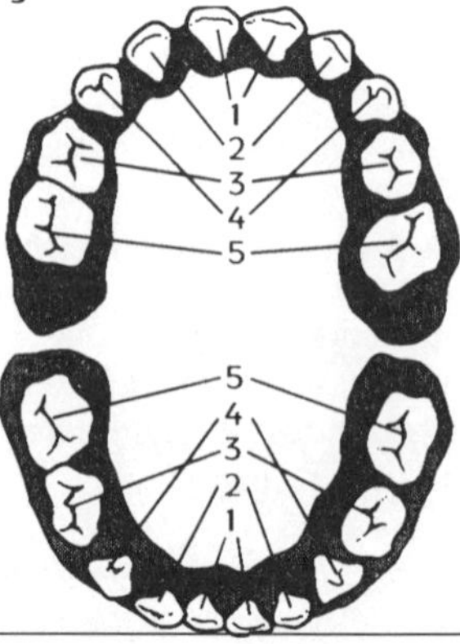

Alguma coisa para aliviar a dor. Quando nada mais funciona, o acetaminofen pode ser a solução. Consulte o médico sobre a dose certa, ou a página 719 deste livro caso não o encontre. Não dê outros medicamentos por via oral, nem esfregue nada nas gengivas do bebê sem a recomendação do médico. Esta advertência inclui conhaque e outras bebidas alcoólicas. O álcool é um veneno perigoso para os bebês — e até mesmo algumas gotas poderiam incentivá-lo a desenvolver um gosto pela coisa.

TOSSE CRÔNICA

"Já faz três semanas que o meu bebê está com um pouco de tosse. Ele não parece doente, e quase dá a impressão de estar tossindo de propósito. Isso é possível?"

Bem cedo, muitas vezes em seu quinto mês de vida, muitos bebês já começaram a perceber que o mundo é um grande teatro, e que não existe nada melhor do que um público embevecido. Assim, quando um bebê descobre que uma tossezinha — ou por excesso de saliva, ou em decorrência das vocalizações que vem tentando fazer — coloca-o no centro do palco, ele quase sempre dá continuidade a essa representação, fazendo-o apenas em nome dos bons efeitos obtidos. Enquanto ele continuar saudável, e der a impressão de que detém o controle da tosse, e não o contrário, ignore-a. E, ainda que o seu futuro ator talvez nunca perca a sua queda para o dramático, é bem possível que pare de querer chamar a atenção desse jeito quando a repetição entediá-lo — ou tornar-se muito enfadonha para o seu público.

PUXAR AS ORELHAS

"Minha filha puxa muito uma de suas orelhas. Não parece estar sentindo dor alguma, mas estou preocupada com a possibilidade de haver alguma infecção em seu ouvido."

Os bebês têm muito território a conquistar — e boa parte dele em seus próprios corpos. Os pés e as mãos (e os respectivos dedos), o pênis ou a vagina, e esse outro apêndice curioso, a orelha, vão transformar-se em objeto de suas explorações a qualquer momento. Se os puxões de orelha não forem acompanhados por choro ou por um óbvio mal-estar, por febre e/ou outros sinais de doença (se for esse o caso, consulte a página 489 deste livro), é muito provável que se trate apenas de uma manifestação de curiosidade, e não de um sintoma de infecção no ouvido. Alguns bebês também costumam mexer muito nos ouvidos quando os seus dentes estão nascendo. A cor vermelha do lado de fora do ouvido não é um sinal de infecção, mas apenas o resultado da manipulação freqüente. Se você desconfia de algum problema, converse com o médico.

Esses maneirismos característicos, como puxar as orelhas, são comuns e têm vida breve; são substituídos por outros, novos e mais excitantes, assim que o bebê os supera ou cansa-se deles.

SONECAS

"Meu bebê agora fica mais tempo acordado durante o dia, e não estou certa — e acho que tampouco ele esteja — de quantas sonecas ele precisa."

É inevitável. Nas primeiras semanas em casa, de volta do hospital, os orgulhosos papai e mamãe, ansiosos por entrar no desempenho de suas novas funções, não saem de perto do berço do bebê, à espera de que ele acorde daquilo que parece um sono interminável. E então, quando o bebê começa a passar a maior parte do tempo acordado, os pais começam a perguntar-se: "Por que ele não dorme nunca?"

Embora no quinto mês, o bebê típico durma três ou quatro sonecas regulares (de mais ou menos uma hora) durante o dia, alguns bebês se desenvolvem bem com cinco ou seis sonecas de uns 20 minutos cada, e outros com duas mais longas, de uma hora e meia a duas horas. Contudo, o número e a duração das sonecas do bebê são menos importantes do que a quantidade total de tempo que ele passa dormindo (em média, 14 horas e meia por dia durante o quinto mês, com grandes variações). As sonecas mais longas são mais práticas para você, pois vão deixá-la com mais tempo livre para cuidar dos seus outros afazeres. Além disso, o bebê que apenas cochila durante o dia pode seguir o mesmo padrão à noite, acordando freqüentemente.

Eis algumas maneiras de incentivar sonecas mais longas:

- Oferecer ao bebê um lugar aconchegante. Deixá-lo dormir no seu ombro não só vai resultar num ombro dolorido, como também incentivá-lo a dormir menos. Será preferível oferecer-lhe o berço, o carrinho ou mesmo um sofá (e, ao lado deste, uma cadeira ou mesinha baixa com travesseiros, para a eventualidade de o bebê aproximar-se muito da extremidade).
- Proporcionar-lhe uma temperatura agradável, nem muito fria nem muito quente, e um cobertor adequado à mesma. Lembre-se, porém, de que todos precisamos de um cobertor extra durante o sono, quando estamos inativos.
- Não deixar o bebê adormecer pouco antes da hora de ser alimentado (quando o estômago vazio tenderá a acordá-lo prematuramente), quando é preciso trocar-lhe a fralda (ele não dormirá enquanto estiver molhado), quando alguma companhia (e barulho, portanto) for esperada, ou em qualquer outra ocasião em que você saiba que a soneca vai durar pouco.
- Evitar as perturbações previsíveis. Você vai aprender rapidamente a saber o que é que perturba o sono do seu bebê. Talvez seja rodar com ele de carrinho pelo supermercado; ou transferi-lo do assento do carro para o berço; ou o latido agudo do cachorro; ou o telefone que toca perto do quarto dele. Ao tentar controlar as circunstâncias nas quais o seu bebê dorme, talvez você consiga eliminar essas perturbações.
- Manter o bebê acordado por períodos mais longos entre as sonecas. A essa altura, o seu bebê deve ser capaz de ficar acordado, ininterruptamente, por cerca de três horas e meia. Se ele conseguir, é muito provável que sua soneca seja mais demorada. Tente pôr em prática qualquer das idéias apresentadas nas páginas 188 e 304; elas se destinam a estimular os bebês, levando-os a ficar mais tempo acordados.

Ainda que muitos bebês controlem-se muito bem quando se trata de assegurar a sua quota de sono, nem todos acabam tendo a quantidade de que necessitam. Se o seu bebê vive mal-humorado, pode ser que as suas sonecas estejam deixando a desejar, ou que ele não esteja tendo a quantidade total de sono de que precisa. Se você acha que ele está precisando de mais sono, terá de interferir para que ele passe a dormir mais. Mas, se o seu bebê dorme muito pouco e parece perfeitamente feliz, você terá de aceitar o fato de que ele é uma dessas crianças que não precisam de muito sono.

ECZEMA

"Assim que desmamei o meu bebê e passei a dar-lhe mamadeira, começou a aparecer-lhe uma dermatite vermelha nas bochechas. Deve coçar, pois é o que ele fica o tempo todo tentando fazer, e o resultado é que a pele dele está ficando em carne viva."

Isto soa como um caso clássico de eczema infantil, também conhecida como dermatite atópica. Um problema de pele que às vezes surge quando um bebê começa a alimentar-se com sólidos, ou passa do peito para o leite artificial, ou deste para o leite de vaca, o eczema costuma ser visto como um tipo de reação alérgica. É raro nos bebês exclusivamente amamentados, e mais comum nos que têm históricos familiares de eczema, asma ou febre do feno. Nos bebês alimentados com leite artificial, a dermatite geralmente aparece pela primeira vez por volta de três meses de idade.

Em geral, uma dermatite vermelha e escamosa começa nas bochechas, de onde se espalha para outras partes, quase sempre para a área atrás das orelhas, o pescoço, os braços e as pernas. (Normalmente só se espalha para a parte coberta pelas fraldas quando o bebê está entre o sexto e o oitavo meses.) Pequenas pústulas (ou bolhas) desenvolvem-se e enchem-se de líqüido, depois exsudam e formam crostas. O forte prurido faz a criança coçar-se, o que, por sua vez, pode levar à infecção. A não ser nos casos menos graves, que se limitam por si próprios, o eczema exige tratamento médico para prevenir complicações. Desaparece aos dezoito meses em cerca de 50% dos casos, e em geral fica menos grave por volta de três anos, nos demais casos. Contudo, aproximadamente uma entre cada três crianças com eczema terá asma ou outra manifestação alérgica mais tarde.

Apresentamos, a seguir, algumas informações importantes para lidar-se com o eczema:

Cortar as unhas. Para reduzir ao mínimo possível o problema de o bebê coçar o eczema, deixe-o sempre com as unhas bem curtas. Para impedir que ele se coce, pode-se também cobrir-lhe as mãos com um par de meias ou luvas, principalmente enquanto estiver dormindo, mas mesmo assim ele pode esfregar o rosto contra as roupas de cama para aliviar-se.

Reduzir a duração do banho. Uma vez que o contato com o sabonete e a água aumenta o ressecamento da pele, restrinja os banhos a não mais que 10 ou 15 minutos, três vez por semana. Ainda que nenhum sabonete deva ser usado nas partes afetadas, você pode usar um que seja extremamente suave (Dove, ou sabonete infantil líqüido, por exemplo) para limpar as mãos, os joelhos e a parte do corpo que fica sob a fralda. Use esse mesmo sabonete (e não xampu) para lavar os cabelos do bebê. E não se esqueça de manter o bebê afastado de piscinas com cloro e da água salgada, ainda que possam ser dados banhos de água fresca.

Untar profusamente o bebê. Passe bastante creme para a pele recomendado pelo médico nas partes afetadas depois dos banhos, quando o bebê está com a pele úmida. Não use gorduras vegetais, óleos ou vaselina.

Controlar o ambiente. Uma vez que o excesso de calor, de frio ou de ar seco podem piorar o eczema, procure não sair com o bebê nessas condições; sua casa não deve ser nem muito fria nem muito quente, e você deve usar um umidificador de névoa fria para conservar a umidade do ar. (Certifique-se, porém, de que o umidificador seja regularmente limpo; veja página 720.)

Usar muito algodão. Tendo em vista que a transpiração pode piorar o eczema, evite os tecidos sintéticos, as lãs e o excesso de roupas. Evite também os tecidos que provocam coceira e os tecidos com costuras ou remates ásperos, que podem agravar o problema. O mais confortável e menos irritante será vestir o bebê com roupas de linho macio, em camadas confortáveis. Quando ele estiver brincando no tapete ou carpete, que também podem irritar a pele, coloque por baixo um lençol de algodão.

Deixar o bebê de quarentena por algum tempo. Isto deve ser feito não para proteger outras crianças do seu bebê (o eczema não é contagioso), mas para protegê-lo de outras crianças que possam passar-lhe um vírus (principalmente o do herpes) ou outras doenças que levem a uma grave infecção secundária da pele, que se encontra aberta e vulnerável.

Controlar a alimentação. Com a supervisão do médico, elimine qualquer alimento que pareça provocar um aumento ou agravamento do eczema.

Procurar tratamento médico. Em geral, o eczema que vai e vem na primeira infância não deixa efeitos permanentes. Contudo, se o problema continuar existindo na segunda infância, a pele afetada pode tornar-se grossa, despigmentada e rachada. É fundamental, portanto, fazer um tratamento — que normalmente vai incluir um creme esteróide para passar nas partes afetadas, anti-histamínicos para diminuir a coceira, e antibióticos, caso se desenvolva uma infecção secundária.

LEVAR O BEBÊ ÀS COSTAS

"Nosso bebê está ficando grande demais para ser transportado num porta-bebês frontal. É seguro usar um porta-bebês para levá-lo às costas?"

Quando o seu bebê conseguir sentar-se sozinho, embora por pouco tempo, ele estará pronto para o porta-bebês das costas — desde que este seja conveniente para ambos. Para alguns pais, é um jeito confortável e conveniente de carregar os bebês, mas, para outros, esse tipo de transporte é desajeitado e um esforço para os músculos. Alguns bebês adoram a altura e a maior visibilidade de que desfrutam quando levados às costas de alguém, mas outros têm medo da precariedade da posição. Para descobrir se esse tipo de porta-bebês é bom para você e para a criança, faça um teste dentro de uma loja que vende esse acessório, ou peça emprestado o de alguma amiga. Dependendo do resultado, compre-o ou não.

Se decidir usá-lo, certifique-se de que o bebê fique sempre bem seguro. Esteja consciente, além disso, que a posição da criança lhe permitirá fazer muito mais coisas do que admirar a paisagem — inclusive derrubar latas de supermercados ou um vaso na loja de brinquedos, ou arrancar (e em seguida comer) folhas de árvores no parque. Tenha em mente, também, que a aquisição desse acessório vai exigir de você uma avaliação diferente das distâncias — ao afastar-se dentro de um elevador superlotado ou passar pelo vão de uma porta baixa, por exemplo.

CONSELHOS GRATUITOS

"Todas as vezes que saio com o meu filho, sou obrigada a escutar pelo menos uma dúzia de conselhos de estranhos: como agasalhá-lo melhor, o que fazer a propósito da dentição, ou como fazê-lo parar de chorar. De que modo se espera que eu lide com todos esses conselhos indesejáveis?"

Embora seja verdade que, se você for muito judiciosa, poderá às vezes beneficiar-se dessas "vozes da experiência" que fazem coro ao redor do carrinho toda vez que você sai de casa com o bebê, o melhor a fazer será deixar entrar por um ouvido e sair pelo outro a maior parte do que esses estranhos bem-intencionados têm a lhe dizer.

Você tanto pode sair-se bem na sua argumentação quanto passar 15 minutos frustrantes e inúteis tentando convencer os conselheiros do acerto do seu modo de cuidar do bebê. Ainda assim, o mais sábio nesse tipo de situação é abrir um sorriso, dizer um "muito obrigada" mecânico e afastar-se o mais rapidamente possível. Ao deixar que eles digam o seu texto sem que este a irrite, você permitirá que eles façam a sua boa ação do dia, mas nem por isso terá estragado o seu dia.

Se os conselhos dados parecem ter alguma validade, mas você não está totalmente convencida, converse com o médico do seu bebê ou procure alguma outra fonte confiável.

INTRODUZINDO O USO DA XÍCARA

"Não dou mamadeira ao meu bebê, mas o médico disse que já posso dar-lhe alguns sucos. Será cedo demais para iniciá-lo no uso da xícara?"

Seja ele iniciado no quinto, décimo ou décimo oitavo mês, o fato é que o seu bebê acabará tendo de usá-la para tomar todo e qualquer líqüido que venha a ingerir. Além disso, há algumas vantagens em ensiná-lo desde cedo a usar a xícara. Em primeiro lugar, ele aprenderá que existem outras maneiras de alimentar-se com um líqüido além daquelas que já conhece, o peito e a mamadeira, e a alternativa da xícara fará com que fique mais fácil desmamá-lo de ambos. Em segundo lugar, a xícara oferece outra maneira de dar líqüidos à criança (água, sucos, e, depois dos seis meses, leite) quando a mãe não estiver por perto, não puder ou não quiser amamentar, ou quando uma mamadeira não estiver acessível.

Outra vantagem do treino precoce no uso da xícara: um bebê de cinco meses é marcadamente maleável. Se você tentar introduzir o uso da xícara quando o seu bebê já tiver um ano, é muito provável que venha a defrontar-se com uma resistência considerável. Além de aferrar-se obstinadamente aos seus hábitos, ele talvez perceba que, se admitir a entrada da xícara no seu mundo, terá de abrir mão do peito ou da mamadeira. E, mesmo que aceite a xícara, talvez demore algum tempo para aprender a usá-la bem; isto, por sua vez, significa que poderiam passar-se semanas ou meses antes que ele fosse capaz de usá-la para beber quantidades significativas — conseqüentemente, semanas ou meses antes de você poder desmamá-lo.

Para ajudar o seu bebê a fazer um bom uso precoce da xícara:

Espere até que ele consiga sentar-se com apoio. Os bebês muito novinhos, como os de dois meses, podem começar a usar uma xícara, mas os engasgos serão menos problemáticos quando eles já conseguirem sentar-se com apoio.

Escolha uma xícara segura. Mesmo que você esteja segurando a xícara, o bebê pode derrubá-la, ou dar-lhe tapas quando estiver saciado; portanto, tenha o cuidado de comprar uma xícara inquebrável. Uma xícara bem pesada no fundo não vai ser derrubada facilmente. Apesar de inquebráveis, as xícaras de papel ou plástico não funcionarão para esse tipo de treino, pois — para a delícia do bebê — são muito boas para apertar e esmagar.

Escolha uma xícara compatível. O tipo preferido de xícara difere de criança para criança; portanto, você terá de experimentar vários deles até chegar àquele de que o seu bebê realmente goste. Algumas crianças preferem as xícaras com uma ou duas alças; outras preferem as que não têm nenhuma. (Se uma dessas xícaras tende a escorregar das mãozinhas úmidas do bebê, passe-lhe algumas voltas de fita adesiva, que deve ser trocada assim que ficar suja.) Uma caneca com bico oferece, teoricamente, uma excelente transição da sucção para o gole (provavelmente mais para os bebês que tomam mamadeira do que para os que se habituaram ao bico do peito), mas algumas crianças simplesmente não gostam de xícaras — talvez porque achem mais difícil extrair o líqüido, talvez porque querem beber de uma xícara exatamente igual à da mamãe ou do papai. E, ainda que de início as canecas com bico resultem em menos líqüidos derramado, o bebê acabará tendo de aprender a não mais contar com a sua proteção — o que poderá resultar em mais líqüido derramado em ocasiões vindouras.

Proteja todos os envolvidos. Ensinar o seu bebê a beber de uma xícara não vai ser coisa muito asseada; durante algum tempo, você pode estar certa de que vai haver mais líqüidos descendo pelo queixo dele do que pela garganta. Portanto, até ele tornar-se mais apto, mantenha-o coberto por um grande babador absorvente ou impermeável durante as "aulas". Se estiver com o bebê no colo, proteja também essa parte do seu corpo com um avental impermeável.

Ofereça ao bebê uma posição confortável. Sente-o de tal modo que ele se sinta seguro — no seu colo, numa cadeira de bebê ou no cadeirão.

Encha a xícara com o conteúdo certo. É mais fácil e menos desastroso começar com água. Depois, você pode tentar servir o seu próprio leite (tirado com antecedência) ou leite artificial (mas nada de leite de vaca enquanto o médico não der autorização); de início, algumas crianças só aceitarão suco na xícara, e não leite; outras só vão querer tomar leite.

Use a técnica dos pequenos goles de cada vez. Coloque apenas uma pequena quantidade de líqüido na xícara. Leve-a aos lábios do bebê, e verta algumas gotas em sua boca. Depois, afaste a xícara, dando-lhe a oportunidade de engolir sem sentir náusea. Interrompa cada sessão quando o seu bebê sinalizar que já se fartou, o que fará afastando a cabeça, empurrando a xícara ou começando a mostrar-se inquieto.

Mesmo com essa técnica, você pode esperar que praticamente a mesma quantidade de líqüido vai entrar e sair pela boca do bebê. Depois de muitas tentativas, com muita prática, paciência e perseverança, haverá mais líqüido entrando do que saindo.

Incentive a participação. Pode ser que o bebê tente arrancar a xícara da sua mão, numa atitude de "deixe que eu cuido disso". Deixe-o tentar. Alguns bebês conseguem usar bem uma xícara mesmo com tão pouca idade. Não se preocupe se ele derramar tudo — faz parte do processo de aprendizagem. Ele também pode aprender através da "divisão do trabalho", ou seja, segurando a xícara junto com você.

Não se oponha a uma reação negativa. Se o bebê não quer saber da xícara nem mesmo depois de algumas tentativas, e nem mesmo depois de você ter-lhe oferecido líqüidos diferentes em diversos tipos de xícaras, não o pressione a aceitá-la. Em vez disso, adie o projeto por algumas semanas. Quando fizer uma nova tentativa, use uma outra xícara e faça um certo estardalhaço ("Olhe só o que a mamãe arranjou para você!") para tentar estimular a criança. Outra possibilidade consiste em deixar que o seu insistente opositor passe algum tempo usando uma xícara vazia como um brinquedo.

ALIMENTANDO O BEBÊ COM SEGURANÇA

Estima-se em 10 milhões o número de casos de intoxicação alimentar que ocorrem por ano nos Estados Unidos, o que torna esta uma das doenças mais comuns desse país. Contudo, é também uma das mais facilmente preveníveis. Outras fontes de risco originárias da mesa (por exemplo, partículas transmissoras de vírus da gripe na louça) podem também ser evitados. Para garantir que seja feito tudo o que é possível para tornar segura a alimentação de seu bebê, tome as seguintes precauções a cada vez que for preparar as refeições:

- Sempre lave as mãos com água e sabão antes de alimentar o bebê; caso você tenha tocado em carnes, aves, peixes ou ovos crus (os quais abrigam bactérias) durante a alimentação, lave-as novamente. Lave-as também caso você limpe seu nariz ou toque sua própria boca. Se houver um ferimento aberto em sua mão, cubra-o com um curativo adesivo antes de alimentar seu bebê.

■ Armazene cereais secos e potes fechados de alimento infantil em um local fresco e seco, a salvo de temperaturas extremas de calor (sobre o forno, por exemplo) ou de frio (como em uma depensa muito fria).

■ Limpe as tampas dos potes de alimento com um pano ou com a corrente de água da torneira para remover a sujeira antes de abri-los.

■ Se for difícil abrir um determinado pote, mergulhe sua parte superior em água quente ou use um abridor de garrafa para forçar a borda lateral da tampa até ouvir um pequeno estalo. Não bata na tampa, pois isso poderá espalhar fragmentos de vidro no conteúdo.

■ Não tire o alimento diretamente do pote para o bebê, a menos que esta seja a última refeição contida neste pote, e não guarde qualquer recipiente com alimentos que tenham sobrado de uma refeição anterior para usar em uma próxima, pois as enzimas e bactérias contidas na saliva do bebê irão começar um processo de "digestão" desses alimentos, tornando-os mais liquefeitos e propensos a se deteriorar mais facilmente.

■ Assegure-se de que a base do pote esteja apoiada em uma superfície segura antes de abri-lo pela primeira vez; durante a abertura, atenção para ouvir o "estalo" do ar entrando, certificando-se assim de que a tampa estava bem selada. Descarte ou devolva ao fornecedor todo pote que estiver com a tampa abaulada ou que não apresentar esse ruído característico ao abrir. Se você usa enlatados comuns para um bebê mais crescido (ou para qualquer outra pessoa), descarte as latas que estiverem amassadas ou abertas. Não use alimentos nos quais a parte líqüida, que deveria ser clara, estiver leitosa ou turva.[2]

■ Sempre que usar um abridor de latas certifique-se de que ele esteja limpo (lave-o sempre após o uso, escovando suas engrenagens (se for o caso) com uma escova de dentes reservada para essa finalidade e inutilize-o quando ele começar a enferrujar ou quando você já não conseguir mantê-lo limpo.

■ Retire uma porção por vez do pote de alimento, com uma colher limpa. Se, ao final, o bebê quiser mais, use uma outra colher, também limpa.

■ Após ter retirado a porção do pote, tampe-o e guarde-o na geladeira, até que necessite usá-lo novamente; se, isso não ocorrer dentro de três dias para sucos e frutas e dois dias para todos os outros alimentos, jogue-os fora.

■ Não é necessário aquecer o alimento infantil (os adultos podem preferir carnes e vegetais quentes, mas os bebês ainda não desenvolveram tais predileções gastronômicas), mas se você o fizer, aqueça somente o necessário para uma refeição, e descarte tudo o que restar dessa refeição (mesmo que não tenha sido utilizada). Não use forno de microondas para aquecer o alimento do bebê; apesar de o recipiente permanecer frio, o conteúdo continua em processo de cozimento por alguns minutos após sua retirada do forno, e pode atingir uma temperatura alta o suficiente para queimar a boca do bebê. Prefira os dispositivos elétricos próprios para aquecimento de pratos, ou um recipiente de vidro refratário colocado em banho-maria (os pratos em cuja base se coloca água quente não aquecem os alimentos, mas mantém sua temperatura inicial). Ao testar a temperatura, retire uma pequena porção do alimento e pingue-a na parte interna de seu pulso, ao invés de experimentar diretamente da colher do bebê; se acontecer de você levar essa colher à boca, use uma outra limpa para o bebê.

■ Ao preparar comidas fescas para o bebê, certifique-se de que os utensílios e superfícies a serem utilizados estejam limpos. Mantenha alimentos frios resfriados e alimentos quentes, aquecidos; os alimentos se deterioram mais rapidamente entre 15,5° e 50°C, portanto não exponha os alimentos infantis a essas temperaturas por mais que uma hora. (Para adultos, esse tempo de segurança é de 2 a 3 horas aproximadamente.)

- Quando o pediatra liberar as claras de ovo para seu bebê, certifique-se de que estejam completamente cozidas antes de servi-las. Claras cruas podem conter *salmonella**.

- Quando for provar a comida durante sua preparação, utilize a cada vez uma colher limpa, ou lave a mesma colher antes de cada prova.

- *Se ficar em dúvida* a respeito do estado de conservação de um alimento, *jogue-o fora.*

- Durante uma saída com o bebê, leve potes lacrados ou comida desidratada para bebês (à qual você possa acrescentar água fresca). Transporte todos os frascos já abertos ou embalagens de qualquer coisa que necessite refrigeração em um saco com gelo, se for se passar mais de uma hora antes de servir seu conteúdo. Se mesmo assim o alimento não parecer fresco, é melhor não servi-lo ao bebê.

Outra fonte de perigo nos alimentos infantis é a contaminação química-pesticidas nas frutas e legumes, aditivos nos alimentos industrializados, contaminantes acidentais ou incidentais nas carnes, aves e peixes (veja página 278).

Embora, na maioria dos casos, evitar essas químicas signifique não comprar alimentos que as contenham, você também poderá se livrar de algumas delas na cozinha:

- Descasque legumes e frutas, quando possível, a menos que eles tenham uma procedência que garanta que seu cultivo foi orgânico.

- Lave todas as frutas e legumes que você não descascar com água e detergente para louças usando uma escova macia quando possível. Enxagúe bem para remover todos os traços do detergente.

ALERGIA A ALIMENTOS

"Eu e meu marido temos muitas alergias, e estou preocupada com a possibilidade de que o meu filho também possa tê-las."

Infelizmente, um bebê não herda apenas as melhores características de seus pais — cabelos brilhantes, longas pernas, talento musical ou aptidão mecânica. Os traços menos desejáveis também podem ser herdados, e o fato de ter pais alérgicos realmente torna um bebê muito mais propenso a ter alergias do que se os seus pais não tivessem esse problema. No entanto, isso não significa que o seu bebê esteja condenado a toda uma vida de espirros e urticária. Significa, apenas, que é preciso discutir as suas preocupações com o médico da criança, e, se necessário, também com um especialista em alergia infantil.

Um bebê torna-se alérgico a uma substância quando o seu sistema imunológico fica sensível a ela através da produção de anticorpos. A sensibilização pode ocorrer na primeira vez que o bebê entra em contato com uma substância, ou na centésima vez. Depois que acontece, porém, os anticorpos entram em ação sempre que o bebê tiver contato com a substância, provocando em qualquer pessoa uma grande variedade de reações físicas, dentre as quais corrimento do nariz e dos olhos, dor de cabeça, respiração ofegante, eczema, urticária, diarréia, dor ou mal-estar abdominal, vômitos intensos e, nos casos mais graves, choque anafilático. Existem indícios de que a alergia também pode manifestar-se através de sintomas comportamentais, a exemplo da irritabilidade.

* Uma bactéria que pode causar infecção intestinal. (N. do T.)

Os mais comuns agressores alimentares incluem leite, ovos, amendoim, trigo, milho, mariscos, frutas como morango, amora, framboesa etc., nozes, castanhas, amêndoas, ervilhas e feijões, chocolate e alguns temperos. Em alguns casos, até mesmo uma minúscula quantidade de alimento provoca uma reação muito forte; em outros, pequenas quantidades não parecem causar problema algum. As crianças costumam superar as alergias a alimentos, porém mais tarde podem desenvolver hipersensibilidade a outras substâncias do seu ambiente, como o pó doméstico, os pólens e as escamas do couro cabeludo, da pele, de penas ou pelos de animais.

Mas nem toda reação adversa a um alimento ou outra substância é uma alergia. Na verdade, estudando algumas crianças os especialistas puderam confirmar a presença da alergia em menos da metade dos casos — todos anteriormente diagnosticados como "alérgicos". Às vezes, o que parece ser uma alergia acaba por revelar-se uma deficiência enzimática. Por exemplo, crianças com níveis insuficientes da enzima lactase são incapazes de digerir a lactose — o açúcar do leite, o que faz com que reajam mal ao leite e aos seus derivados. As que têm doença celíaca não conseguem digerir o glúten, uma substância encontrada em muitos grãos, e então parecem alérgicas a esses grãos. O funcionamento de um sistema digestivo imaturo, ou os problemas infantis mais comuns (a cólica, por exemplo) também podem ser erroneamente diagnosticados como alergia.

Para os bebês de famílias onde existe um histórico de alergia, os médicos costumam recomendar as seguintes precauções:

Amamentação. Os bebês que usam mamadeira tendem mais a desenvolver alergias do que os que são amamentados — talvez porque o leite de vaca seja uma causa relativamente comum da reação alérgica. Se você está amamentando o seu bebê, continue a fazê-lo, se possível, durante todo o seu primeiro ano de vida. Quanto mais tarde o leite de vaca tornar-se um dos esteios da alimentação dele, tanto melhor. Nas famílias alérgicas, muitas vezes se sugere o uso de um leite artificial à base de soja quando é preciso dar um suplemento, mas alguns bebês acabam por mostrar-se alérgicos também à soja.[3] Para tais bebês, é preciso dar um leite artificial com proteína hidrolisada.

Demora para introduzir os alimentos sólidos. Hoje acredita-se que, quanto mais tarde for exposto a um alérgeno potencial, menos provável será a sensibilização. Portanto, a maioria dos médicos recomenda que os sólidos sejam adiados nas famílias alérgicas — não antes dos cinco meses, quase sempre depois do sexto e às vezes mais tarde ainda.

Uma introdução mais gradual dos novos alimentos. É sempre prudente dar ao bebê um alimento novo de cada vez, mas isso é especialmente importante nas famílias alérgicas. Talvez se recomende que você passe toda uma semana dando à criança um só alimento, antes de passar para outro. Se houver algum tipo de reação adversa — intestino solto, gases, problemas de pele (inclusive a dermatite da fralda), regurgitação excessiva, respiração ofegante ou corrimento nasal — costuma-se aconselhar que o alimento seja imediatamente retirado da alimentação do bebê, e que, no mínimo, só volte a ser introduzido depois de várias semanas, quando talvez seja aceito sem problemas.

De início, alimentos menos alergênicos. O cereal de arroz para bebês, um alimento que praticamente não provoca reação alérgica, costuma ser recomendado

3. Segundo pesquisas recentes, às vezes os bebês podem ter uma reação alérgica à proteína do ovo ou do leite de vaca contida no leite de suas mães. Ainda assim, mais estudos se fazem necessários para que tal suspeita venha a confirmar-se definitivamente.

como o primeiro dos sólidos. A cevada e a aveia são menos alergênicas do que o trigo e o milho, e costumam ser dadas antes. A maioria das frutas e dos legumes não provoca problemas, mas em geral se recomenda que os pais demorem a introduzir os tomates e frutas como morangos, amoras, framboesas etc. Os mariscos, as ervilhas e os feijões também podem esperar. A maior parte dos outros alimentos extremamente alergênicos (nozes, avelãs, amendoins, temperos e chocolates) não são mesmo apropriados para os bebês, e podem ser introduzidos depois dos dois anos de idade.

As dietas por eliminação e as dietas líqüidas especiais podem ser usadas para diagnosticar a alergia, mas são complicadas e consomem muito tempo. Os testes de pele para detectar alergias a alimentos não são muito precisos; uma pessoa pode ter um teste de pele positivo a um determinado alimento e não apresentar reação alguma ao comê-lo. Os testes "de sensibilidade alimentar" (RAST) com os quais se pretende diagnosticar as alergias a partir de amostras do sangue são ainda menos precisos, extremamente caros, e até o momento não foram aprovados nem pela FDA nem pela Academia Americana de Pediatria.

Felizmente, muitas alergias da infância são superadas. Portanto, mesmo que no momento o seu bebê seja hipersensível ao leite ou ao trigo, é possível que deixe de sê-lo dentro de alguns anos — ou menos ainda.

A página 478 traz mais informações sobre as alergias e os testes para detectá-las.

ANDADORES

"Minha filha parece muito frustrada por ainda não poder locomover-se. Não gosta de ficar deitada no berço ou sentada na cadeirinha, mas não posso levá-la no colo o tempo todo. Já posso colocá-la num andador?"

Para o bebê que já está a todo vapor e não consegue locomover-se, ou que, pelo menos, não consegue fazê-lo por conta própria, as frustrações são infinitas — como são para a mãe, cujas únicas opções parecem restringir-se a carregar o bebê para lá e para cá o dia inteiro, ou a ouvi-lo chorar o tempo todo. Em geral, essas frustrações chegam ao seu ponto máximo a partir do momento em que o bebê começa a sentar-se bem, sem a ajuda de outras pessoas, e logo depois passa a locomover-se sozinho (engatinhando, segurando-se nos móveis ou recorrendo a qualquer outro método que tenha criado). Para muitas mães, a solução abençoada é um andador (um assento geralmente colocado dentro de uma estrutura semelhante a uma mesa, sobre quatro pernas com rodinhas), que dá ao bebê a liberdade de movimentos que ele está louco por ter. Existem, porém, duas coisas muito importantes a serem lembradas a propósito de um andador: primeiro, ele não dá a você nenhuma liberdade de movimentos — você continua tendo de ficar por perto e de olho atento —, e, segundo, provocam anualmente cerca de vinte e quatro mil ferimentos que exigem tratamento médico, e outros milhares de pequenos acidentes que são resolvidos em casa mesmo, com um beijinho. Para certificar-se de que o seu bebê não acabe fazendo parte dessas estatísticas, e de que o uso do andador venha a ajudá-lo, em vez de comprometer-lhe o desenvolvimento motor, esteja atenta às seguintes normas (na página 47 você encontrará sugestões para a escolha de um andador seguro):

Deixe que o seu bebê faça um teste. A melhor maneira de assegurar se o bebê está ou não pronto para um andador consiste em deixá-lo fazer uma experiência. Se nenhuma de suas amigas comprou ainda esse aparelho, vá até uma loja e deixe o seu bebê fazer uma tentativa num modelo próprio para assoalho. Se ele parecer feliz, e não afundar-se desajeitadamente dentro dele, está pronto para ter um andador. Por ora, não espere que ele vá muito longe; de início, talvez não vá a parte alguma, e é provável que fique dando passos para trás antes de dar o primeiro para a frente.

Não saia de perto enquanto ele estiver "andando". O seu bebê não deve ficar nunca sem a presença de um adulto enquanto estiver num andador, o que é válido mesmo para os casos em que a criança não tenha demonstrado uma grande mobilidade dentro dele. Uma resvalada na parede, ou alguns passos mais vigorosos, e o seu bebê pode ir parar na outra extremidade da sala — quando não fora de casa, ou mesmo pela escada abaixo.

Proteja o seu bebê enquanto é tempo. Dentro de um andador, um bebê pode meter-se na maior parte dos problemas arrumados por crianças que engatinham ou andam com as próprias pernas. Portanto, mesmo que o seu bebê não consiga locomover-se sem a ajuda de um andador, é preciso considerá-lo tão capaz de pôr em risco a própria saúde quanto um bebê que consegue andar sem ajuda de pessoas ou aparelhos. Na página 338 deste livro, leia "Como Deixar a Casa Segura para o Bebê", e faça todos os ajustes necessários antes de deixar o seu bebê à vontade no seu andador.

Mantenha os perigos fora do caminho do andador. Para um bebê num andador, o lugar potencialmente mais perigoso é o topo de um lanço de escada; não permita que o seu bebê use o andador à vontade perto de uma escadaria, mesmo que ela esteja bem protegida por um portão. Ainda que a maior parte dos acidentes com andadores em escadas ocorra em escadarias sem portão de segurança, ou com o portão aberto, alguns deles acontecem quando um portão não está bem preso à parede. Portanto, o melhor a fazer quando o bebê estiver no andador é bloquear totalmente as escadarias da casa (com cadeiras ou outros objetos pesados), e até mesmo as áreas que levam a elas. Outros perigos para o bebê no andador, que devem ser removidos ou bloqueados, incluem as soleiras de cômodos da casa, as mudanças de nível (do tapete para o linóleo, da calçada do quintal para a grama), os brinquedos esquecidos no assoalho, os enrugamentos de tapetes e outras obstruções que, apesar de pouco altas, possam derrubar o andador.

Não deixe o bebê andar o dia inteiro. Restrinja o tempo que a criança fica no andador a 30 minutos por sessão. O andador dá ao bebê um meio artificial de locomoção que pode torná-lo preguiçoso quanto a aprender a locomover-se por conta própria. Todos os bebês precisam passar algum tempo no assoalho, adquirindo habilidades que terminarão por fazê-lo engatinhar — por exemplo, erguer a barriga com o apoio dos braços e das pernas. Eles precisam da oportunidade de erguer-se apoiados em cadeiras e mesas, preparando-se para ficar em pé e, mais tarde, andar. Precisam de maiores oportunidades de explorar e manipular objetos seguros do seu ambiente, e um andador não permite que façam isso. E, por último, precisam da interação com você e com outras pessoas, algo que só poderão ter se tiverem a oportunidade de brincar livremente.

Tire o andador antes da criança aprender a andar. Assim que o seu bebê conseguir locomover-se de alguma outra maneira — engatinhando ou apoiando-se nos móveis, por exemplo —, tire-lhe o andador. Lembre-se de que este último tinha por objetivo exclusivo atenuar a frustração do bebê por não conseguir locomover-se. Mantê-lo no andador significaria não só impedir que ele aprenda a andar mais cedo, como também o seu uso constante poderia levá-lo a confundir os jeitos de andar (do mesmo modo que dar a um bebê uma mamadeira antes dele aprender a mamar no peito pode provocar a confusão dos bicos), pois andar num andador e andar por conta própria são coisas que exigem movimentos diferentes do corpo. O andador não exige o aprendizado do equilíbrio, nem de como cair, ambos necessidades absolutas para que uma criança aprenda a andar independentemente. E, afinal, andar nele é mais fácil e menos arriscado do que serão aqueles primeiros passos sem apoio.

"JUMPERS"

"Recebemos, de presente para o bebê, um jumper, *que é instalado no vão da porta e que permite que o bebê fique brincando pendurado como um móbile. Ele parece ter gostado do brinquedo, mas nós não estamos convencidos quanto à segurança do equipamento."*

Em sua maior parte, os bebês estão prontos (e ansiosos) para exercícios mais vigorosos muito antes de conseguirem locomover-se com independência. Por esse motivo, muitos adoram as acrobacias que podem fazer num *jumper*. O uso de tais equipamentos, porém, apresenta alguns problemas potenciais. Pediatras especializados em ortopedia advertem que certos tipos de lesões de ossos e articulações podem ocorrer quando os bebês estiverem brincando com esses equipamentos. Além disso, a animação do bebê com a liberdade de movimentos oferecida pelo *jumper* pode transformar-se rapidamente em frustração assim que ele se der conta de que, por mais que agite braços e pernas, não vai passar além da porta.

Converse com seu médico sobre a questão da segurança do *jumper*. Como deve fazer com qualquer equipamento destinado a manter o bebê ocupado, certifique-se de que o que vai pôr em uso atende às necessidades do seu bebê e não às suas; se ele demonstrar desagrado, interrompa imediatamente o uso, e nunca deixe o seu bebê sozinho no *jumper* — nem por um minuto —, mesmo que ele esteja louco de alegria.

CADEIRAS PARA O BEBÊ COMER

"Até o momento, tenho alimentado o meu bebê no meu colo, mas o resultado está sendo uma sujeira cada vez maior. Quando posso colocá-lo num cadeirão?"

Ainda que não exista uma maneira perfeitamente limpa de alimentar um bebê (vocês dois vão precisar de roupas facilmente laváveis ainda por algum tempo), o uso de algum tipo de cadeira para bebês realmente diminui a sujeira, ao mesmo tempo em que aumenta a eficiência do processo de alimentação. Enquanto o bebê ainda precisar de apoio para sentar-se, uma cadeirinha comum de bebê (com o bebê bem preso e sob a sua constante supervisão) pode servir para alimentá-lo. Quando ele já for capaz de sentar-se sozinho, chegou o momento de passá-lo para algum tipo de cadeira especialmente destinada a sua alimentação.

De início, a maior parte dos bebês vai deslizar, escorregar e afundar-se na nova cadeira. Pequenas almofadas, toalhas dobradas, um acolchoado ou cobertor para bebês podem ser usados para acomodar bem o iniciante, e é preciso lembrar-se, sempre, de apertar as correias de segurança.

SUGESTÕES PARA OS BEBÊS COMEREM COM SEGURANÇA EM SUAS CADEIRAS

Alimentar os bebês com segurança não significa apenas introduzir aos poucos os novos alimentos e cuidar muito bem para que ele não se contamine com alimentos estragados. Na verdade, a alimentação segura começa até mesmo antes da primeira colherada — quando o bebê é colocado numa cadeira alta para as refeições. Para garantir a segurança de cada refeição, siga as seguintes normas:

Todas as cadeiras para as refeições

■ Nunca deixe um bebezinho desacompanhado numa cadeira onde ele esteja tomando uma refeição; tenha ao seu alcance todas as coisas que serão necessárias durante a refeição (alimento, babador, guardanapos, utensílios), para que você não precise deixar a criança sozinha enquanto vai buscar algo que não esteja à mão.

■ Prenda sempre as correias de segurança, mesmo quando o bebê ainda parece novinho demais para soltar-se. Prenda as correias na virilha, para impedir que a criança deslize pela parte de baixo da cadeira.

■ Mantenha a cadeira e as superfícies onde o bebê vai comer em estado de perfeita limpeza (lave com detergente ou saponáceo, e enxagúe meticulosamente); os bebês não têm o menor escrúpulo de pegar um pedaço já deteriorado de uma refeição anterior e levá-lo à boca.

Cadeiras altas e mesas baixas para as refeições do bebê

■ Nunca deixe de verificar se as bandejas que deslizam estão bem fixas em seu lugar. Uma bandeja que não esteja bem firme pode fazer com que o bebê livre das correias de segurança vá para o chão de pontacabeça.

■ Certifique-se de que uma cadeira de dobrar esteja bem firme, e que não vá fecharse de repente, com o bebê sentado nela.

■ Coloque a cadeira longe de mesas, pias, balcões, paredes ou outras superfícies que o bebê possa chutar, levando a cadeira para o chão junto com ele.

■ Para proteger os dedos do bebê, veja bem onde eles estão antes de colocar ou retirar a bandeja.

Assentos de dependurar

■ Só use o assento numa mesa estável, de madeira ou metal, nunca em mesas de tampo solto ou de vidro, nem nas que têm suporte no centro (o peso do bebê pode derrubá-las). Evite, também, as mesas de jogo, as de alumínio dobrável e as tábuas sobressalentes de mesa.

■ Se o bebê dentro de um assento de dependurar é capaz de fazer a mesa balançar, ela não é segura; não a use para afixar o assento.

■ Procure não usar jogos ou toalhas de mesa, que podem comprometer a capacidade de preensão do assento.

■ Certifique-se de que quaisquer fechaduras, presilhas ou partes que se ligam estejam bem presas antes de colocar o seu bebê no assento, e tire-o do mesmo sempre que for desprender ou desamarrar algum desses tipos de fecho. Verifique se as presilhas estão limpas e em perfeito estado de funcionamento.

■ Não coloque uma cadeira ou outro objeto sob o assento, como forma de proteção para a eventualidade de uma queda do bebê, nem posicione o assento na frente de um suporte ou de uma perna de mesa; um bebê pode pressionar essas superfícies, deslocando o assento de seu lugar. E não permita que um cachorro grande ou outra criança fique sob o assento enquanto o bebê estiver nele, pois eles também poderiam deslocá-lo a partir de baixo.

O QUE É IMPORTANTE SABER:
Os Perigos do Ambiente e o seu Bebê

Que efeito exerce sobre os jovens e vulneráveis corpos dos bebês o fato de crescerem num mundo de segurança questionável, cheio de contaminantes e poluentes, bem como de carcinógenos suspeitos e comprovados (coisas que provocam câncer) e de mutágenos (coisas que provocam alterações genéticas)? Até que ponto os pais devem estar vigilantes para protegerem os seus filhos de tais perigos?

Felizmente, a vida não é tão perigosa como imaginam muitas mães, ou como sugerem tantos jornalistas. E, do mesmo jeito que acontece durante a gravidez, está sob o controle da mãe a maior parte dos fatores que influenciam a saúde da criança a longo prazo: assegurar, desde o nascimento, o bem-estar tanto do bebê doente quanto do que tem saúde; oferecer-lhe, desde o começo, a alimentação mais nutritiva possível; incentivar os hábitos de vida saudáveis, como a prática de exercícios, e desestimular os hábitos nocivos através do exemplo (não fumar, não beber).

Ainda assim, o nosso ambiente apresenta alguns riscos sobre os quais só exercemos controle parcial ou indireto. E, embora se pense que apresentam um risco menor do que as coisas que podemos controlar, sem dúvida existem perigos a eles associados. São objeto de uma preocupação específica dos pais de crianças muito novas, pois estas são mais suscetíveis às suas conseqüências nefastas do que os adultos. Um dos motivos é o menor tamanho dos seus corpos — a mesma dose de uma substância perigosa pode causar danos muito maiores. Outra é o fato de que os seus órgãos ainda estão em processo de amadurecimento, sendo, portanto, mais vulneráveis a vários tipos de agressão. Outro motivo é o maior tempo de vida que a criança provavelmente terá. Como em geral o dano leva muitos anos para desenvolver-se, há mais tempo para que se desenvolva numa criança. Então, é preciso conhecer esses riscos potenciais e saber o que se pode fazer para enfrentá-los — quando o enfrentamento é possível.

Também é importante ter em mente que inexiste a possibilidade de se viver num mundo livre de perigos, e que apenas podemos torná-lo menos perigoso. Estamos constantemente na situação de ter de avaliar riscos e benefícios: a penicilina salva milhões de vidas, mas, em raros casos, pode matar (é evidente que o benefício justifica que se corra o risco); o fumo dá um grande prazer aos fumantes, mas é responsável por centenas de milhares de mortes prematuras todos os anos (muitos concordariam que o benefício não justifica o risco); dezenas de milhares de pessoas morrem todos os anos em decorrência de acidentes de trânsito, mas o carro oferece o benefício do transporte para bilhões de pessoas (neste caso, a maioria parece admitir que as vantagens são muito maiores do que os riscos).

Não podemos eliminar todos os riscos, mas, na maioria dos casos, é possível reduzi-los em maior ou menor grau. No caso da penicilina, por exemplo, estaremos reduzindo os riscos ao não administrarmos a droga a alguém que já tenha tido uma reação adversa a ela. No caso do fumo, até certo ponto os fumantes podem diminuir os riscos ao deixarem de tragar (ainda que, ao fazê-lo, aumentem os riscos das pessoas que vivem ao seu lado), ou ao fumarem cigarros com baixos índices de alcatrão e nicotina (com a possível agravante de que passarão a fumar um número maior de cigarros). E, no caso do uso do carro, existem maneiras extremamente capazes de reduzir os riscos: não beber antes de dirigir, dirigir com cuidado, evitar o excesso de velocidade, escolher carros mais seguros e usar os equipamentos de segurança (assentos para bebês e cintos de segurança).

Todas as coisas que mencionaremos a seguir apresentam riscos e benefícios, mas a diminuição dos riscos é quase sempre possível.

PESTICIDAS DOMÉSTICOS

Os insetos e outros animais nocivos em sua casa portam e transmitem doenças, são esteticamente desagradáveis e, no caso dos roedores, podem infligir mordidas doloridas e perigosas. Em sua maior parte, os pesticidas domésticos são venenos perigosos, sobretudo nas mãos (ou nas bocas) de bebês e crianças que já aprenderam a andar. Apresentamos, a seguir, alguns procedimentos que poderão ajudá-la a diminuir os riscos e, ao mesmo tempo, manter a sua casa livre de infestação:

Táticas de bloqueio. Use telas nas janelas ou outro recurso para impedir a entrada de insetos e vermes.

Armadilhas pegajosas para insetos e roedores. Não dependentes de substâncias químicas que matam, esses dispositivos capturam insetos rastejantes dentro de caixas (armadilhas para baratas) ou contêineres (armadilhas para formigas), moscas (em antiquados papéis pega-moscas) e ratos, que são apanhados em retângulos viscosos. Uma vez que a pele humana também pode ficar grudada nessas superfícies (e que a separação pode ser dolorosa), quando abertas essas armadilhas devem ser mantidas fora do alcance de crianças, ou armadas depois que elas já tiverem ido para o berço à noite, e retiradas antes de levantarem pela manhã. Uma das desvantagens dessas armadilhas está no fato de prolongarem a morte dos roedores.

Alçapões. Os mais sensíveis podem prender os roedores em alçapões e depois soltar as vítimas nos campos ou nas matas distantes de zonas residenciais, ainda que nem sempre seja fácil fazer isso. Tendo em vista que esses roedores podem morder, as armadilhas devem ficar longe das crianças, ou ser armadas quando elas não estiverem por perto.

Uso seguro de pesticidas químicos. Todos eles (inclusive o tão alardeado ácido bórico) são extremamente tóxicos, tanto para insetos e roedores quanto para os seres humanos. Se você resolver usá-los, não os passe (nem os guarde) em lugares que possam ser alcançados por crianças e bebês, nem nas superfícies onde o alimento é preparado. Use sempre a substância menos tóxica (consulte a Secretaria da Saúde de seu estado ou município). Se usar um *spray*, mantenha as crianças fora de casa enquanto estiver espargindo o veneno, e, no mínimo, não deixe que elas entrem até o fim do dia. Melhor ainda: faça essa operação quando você estiver de férias, visitando a sua mãe ou fora de casa com as crianças por qualquer outro motivo. Ao voltar, abra todas as janelas para ventilar bem a casa ou o apartamento.

CHUMBO

Há muito se sabe que grandes quantidades de chumbo podem provocar graves lesões cerebrais nas crianças. Hoje admite-se que, mesmo em quantidades relativamente pequenas, o chumbo pode diminuir o QI, alterar as funções das enzimas, retardar o crescimento, prejudicar os rins e levar a problemas de comportamento e aprendizagem e a deficiências auditivas e de atenção — e ainda afetar negativamente o sistema imunológico.

É importante, então, que os pais conheçam as fontes de chumbo existentes no ambiente do bebê, e que saibam o que se pode fazer para minimizar a exposição da criança a ele.

Tinta à base de chumbo. Apesar da legislação que proíbe o seu uso, as tintas à base de chumbo continuam sendo a maior fonte de exposição das crianças a esse metal. Muitas casas antigas ainda são pintadas com esse tipo de tinta, quase sempre contendo uma concentração muito elevada de chumbo por baixo de camadas de aplicações mais recentes. Quando a tinta se racha ou descama, são libertadas partículas microscópicas que contêm chumbo, as quais vão terminar nas mãos dos bebês, bem como em seus brinquedos e suas roupas — às vezes, até mesmo em suas bocas. Se existir a possibilidade da presença de chumbo na pintura da sua casa, faça com que ela seja inteiramente removida. Durante o processo, tenha o cuidado de retirar de casa a família toda, principalmente as crianças e mulheres grávidas. Certifique-se, também, de que não haja chumbo em qualquer objeto pintado — brinquedos, berços ou qualquer outra coisa com a qual o bebê possa entrar em contato. Recomenda-se um cuidado especial com as coisas importadas, ou que tenham sido compradas em outros países.

TELEFONES DO SERVIÇO DE CONTROLE DE INTOXICAÇÕES PARA CASOS DE EMERGÊNCIA: (011) 275-5311 E (011) 578-5111

Emissões de gasolina. Enquanto não foram aprovadas as leis federais que resultaram na eliminação da maior parte do chumbo no combustível dos veículos, esta foi uma das principais fontes de chumbo no meio ambiente. Graças à legislação, foram drasticamente reduzidos os níveis de chumbo no ar e nos indivíduos expostos.

Água para beber. Entidades de proteção ambiental avaliam que a água de dezenas de milhões de lares norte-americanos talvez esteja contaminada com chumbo. Em geral, o chumbo passa para a água nos edifícios em que existem encanamentos de chumbo, ou em que as tubulações sejam soldadas a chumbo, principalmente onde a água é particularmente corrosiva. Tendo em vista que a maior parte da contaminação ocorre depois que a água entrou nas residências, e não no abastecimento público, a maioria das comunidades não têm feito grandes esforços para corrigir o problema. Se você tem medo de que a água que bebe esteja contaminada com chumbo (ou outras substâncias perigosas), submeta-a a um teste no Departamento de Tratamento de Água, na Secretaria da Saúde ou em algum órgão de proteção ambiental, caso façam tal tipo de teste, ou procure uma agência privada que essas instituições recomendem. Se for encontrado chumbo, existem várias maneiras de diminuí-lo ou acabar com ele: instalar sistemas de purificação de água; pedir à sua companhia de tratamento de água que reduza a corrosibilidade da água que oferece; só usar água fria para cozinhar (o calor faz com que mais chumbo entre pelas tubulações), e substituir os tubos do lugar onde você mora. Enquanto a água que sai da sua torneira não for absolutamente segura, use água engarrafada para beber e preparar os alimentos.

Solo. O chumbo da pintura das casas que se descama com o tempo, os resíduos industriais, a poeira proveniente da demolição de casas pintadas com tinta à base de chumbo — todas essas coisas podem contaminar o solo. Ainda que você não precise ser fanática, tente impedir que o seu bebê engula bocados de terra.

Jornais e revistas. Devido ao elevado índice de chumbo das tintas para impressão, sobretudo nas que são usadas para imprimir em quatro cores, esse material de leitura não deve fazer parte da alimentação do seu bebê. Quando ele deixar de fazer uma leitura superficial das manchetes e começar a querer comê-las, é preciso dar um basta imediato nessa atividade.

Além de manter o seu bebê distante das fontes conhecidas de chumbo, você também deve tentar aumentar-lhe a resistência ao envenenamento por esse metal. Para tanto, é preciso que ele receba uma boa nutrição, e que dela constem, principalmente, níveis apropriados de ferro e cálcio. Converse com o médico sobre os exames para a detecção de chumbo no organismo, sobretudo se você vive numa provável área de alto risco.

OUTRAS FORMAS DE CONTAMINAÇÃO DA ÁGUA

A maior parte da água dos Estados Unidos é boa para beber, mas uma pequena porcentagem (cerca de 2%) do fornecimento de água das comunidades contém substâncias que apresentam riscos significativos à saúde. Acredita-se que os sistemas de água purificada com carvão ativado (e não com cloro) ofereçam uma água mais segura, mas atualmente só alguns departamentos de água usam esse tipo de purificação. Se você desconfia que a água da sua casa não é segura, consulte o órgão local responsável para saber de que modo é possível testá-la.

Caso ela se mostre contaminada, quase sempre um purificador tem condições de torná-la segura para beber. A escolha do melhor tipo de purificador para a sua casa vai depender dos contaminantes presentes na sua água, e de quanto você pode gastar.

AR POLUÍDO DENTRO DE CASA

A maioria dos bebês passa quase todo o tempo dentro de casa, e por isso a qualidade do ar que eles respiram é extremamente importante. Como em alguns casos, o ar da casa pode ser tão poluído quanto aquele que respiramos numa rodovia com trânsito intenso, esteja alerta quanto a certas coisas que podem comprometer o ar de dentro da sua casa:

Emanações de utensílios não-aderentes de cozinha. Aparentemente seguras para cozinhar, as fumaças liberadas pelos revestimentos do tipo Teflon ou Silverstone podem ser extremamente tóxicas quando o utensílio for queimado ou submetido a temperaturas muito elevadas. Existem inúmeros relatos de pássaros mortos devido à exposição a tais fumaças, e de adultos vitimados pela "febre da fumaça de polímero". Os efeitos a longo prazo da toxicose por Teflon são desconhecidos, mas podem incluir alterações potencialmente graves dos pulmões, como a fibrose e a formação de cicatrizes. Os efeitos sobre as crianças também não são conhecidos. Para evitar qualquer possível problema na sua casa, nunca use bandejas de Teflon para a coleta de óleo no seu fogão (ficam rapidamente superaquecidas), nunca use utensílios não-aderentes em temperaturas altas (diretamente sobre a chama, ou no forno, onde podem gotejar), e nunca deixe esses utensílios esquecidos durante o preparo dos alimentos (os líqüidos poderiam evaporar-se, e a superfície se queimaria).

Monóxido de carbono. Esse gás incolor, inodoro, sem sabor, mas muito traiçoeiro (pode provocar doenças do pulmão, prejudicar a visão e o funcionamento do cérebro, e é fatal em altas doses) que resulta da queima de combustível pode entrar de muitas maneiras na sua casa: fogões a lenha ou aquecedores a querosene mal ventilados (peça ao corpo de bombeiros que verifique e ventilação); fogões a lenha que demoram para queimar a madeira (para acelerar a queima, mantenha aberto o registro da chaminé); fogões a gás mal ventilados ou mal ajustados, ou outros dispositivos (mande fazer ajustes periódicos — a chama deve ser sempre azul — e instale um exaustor para enviar a fumaça para fora); fogões a gás, cada vez que são acesos (a ignição elétrica reduz a quantidade de gases de combustão liberados); lareiras com as chaminés bloqueadas por resíduos (nunca se deve deixar o fogo arder sem chama, e as chaminés devem ser regularmente limpas), e uma garagem ao lado da casa (nunca deixe um carro com o motor ligado, mesmo por pouco tempo, numa garagem que compartilha com a sua casa uma parede ou um teto, pois pode haver infiltração da fumaça).

Benzopirenos. Uma longa lista de doenças respiratórias (da irritação no olho, no nariz e na garganta ao enfisema e ao câncer, passando pela bronquite e pelo enfisema) pode ser atribuída à presença das partículas orgânicas semelhantes ao alcatrão que resultam da combustão incompleta do tabaco ou da madeira. Para evitar a exposição do seu bebê, não permita que se fume dentro da sua casa (peça aos hóspedes fumantes que acendam seus cigarros num local bem afastado), certifique-se de

AREIA PERIGOSA PARA BRINCAR

Más notícias para os pequenos fãs da areia. Recentes pesquisas indicam que alguns montes de areia podem estar contaminados por um tipo de amianto chamado tremolita. As fibras da tremolita flutuam no ar, e quando são aspiradas podem provocar graves doenças. O problema é mais grave em ambientes fechados (quando a areia tende a ficar seca e empoeirada) do que ao ar livre, onde costuma ser úmida. Embora seja impossível saber se a areia onde o seu filho brinca (em casa, no *playground* ou na creche) está ou não contaminada, é possível verificar se ela está poeirenta; se estiver, pode ser arriscado respirá-la. Devolva a areia (ou livre-se dela de alguma outra forma) sempre que ela formar uma nuvem de pó quando você esparramar um punhado, ou se, depois de misturar uma colher da areia numa garrafa de água, esta continuar poeirenta mesmo depois de a areia assentar-se no fundo. Procure outro tipo de areia, de preferência a comum, das praias (boa parte da areia de praia é pedra ou mármore triturado).

que o cano da chaminé não tenha vazamentos, dirija para fora da casa a fumaça dos dispositivos de combustão (como os secadores), troque regularmente os filtros de ar dos diferentes aparelhos e aumente a ventilação da sua casa. A calafetagem de portas e janelas aquecerá bem a casa, mas também impedirá que saiam fumaças potencialmente perigosas.

Matéria particulada. Uma grande variedade de partículas invisíveis a olho nu pode encher o ar de nossas casas e pôr em risco a saúde de nossos filhos. Elas provêm de fontes como a poeira (que pode provocar alergias em crianças suscetíveis), a fumaça dos cigarros e da madeira, os aparelhos a gás com ventilação insuficiente, os aquecedores a querosene e os materiais de construção de amianto (que contribuem para uma grande variedade de doenças, inclusive algumas formas de câncer e de doenças cardíacas). As mesmas precauções (não fumar, ventilar adequadamente, trocar os filtros) acima discutidas podem minimizar essa ameaça. Em geral, os filtros de ar podem remover muitas dessas partículas, e são particularmente úteis se alguém da família sofrer de alergia. Se, na sua casa, você encontrar amianto que talvez precise ser removido, consiga assistência profissional para lidar com o problema antes que as partículas comecem a voar.

Exalações variadas. As exalações dos líqüidos para limpeza, de alguns aerossóis (quando contêm fluorocarbonos, também são nocivos ao ambiente), da terebintina e de outros materiais de pintura podem ser extremamente tóxicos. Se você emprega alguma dessas substâncias, escolha sempre o produto menos tóxico (tintas à base de água, cera de abelha para o assoalho, diluidores de tintas feitos de óleos vegetais), use-os em áreas bem ventiladas (ou, melhor ainda, fora de casa), e nunca quando houver crianças por perto. Assim como faz com todos os outros produtos usados em casa, guarde-os de tal modo que nunca estejam ao alcance de mãozinhas curiosas. É melhor guardá-los fora de casa, pois, se começarem a evaporar, as exalações não irão infiltrar-se nas áreas residenciais.

Formaldeído. Com tantos produtos modernos contendo formaldeído (das resinas dos móveis em madeira compensada à cola para tecidos decorativos e aos adesivos usados para a colocação de carpetes), não surpreende que o gás, que comprovadamente provoca câncer nasal em animais e problemas respiratórios, dermatites, náusea e outros sintomas nos seres humanos, esteja por toda parte. Os níveis de formaldeído liberado são mais elevados quando um produto é novo, mas os gases podem continuar sendo liberados durante anos. Para minimizar os danos potenciais, procure produtos sem formaldeído quando estiver construindo ou mobiliando a sua casa. Para diminuir os efeitos do formaldeído que já existe na sua casa, sele os materiais como os compensados com um lacrador de epoxi, ou faça algo mais simples e agradável: um pequeno jardim interno. Aparentemente, quinze ou vinte plantas podem absorver o gás formaldeído numa casa de tamanho médio. Se você desconfia da existência de altos níveis de formaldeído em sua casa, entre em contato com a 3M Corporation de St. Paul, Minnesota, que produz um aparelho de testagem.

Radônio. Esse gás incolor, inodoro e radioativo, um produto que provém naturalmente da decomposição do urânio nas rochas e no solo, é a segunda dentre as causas principais do câncer de pulmão nos Estados Unidos. Respirado por moradores desavisados de casas nas quais se acumulou, o radônio bombardeia os pulmões com radiação. Com o passar dos anos, essa exposição pode provocar câncer.

A acumulação ocorre quando o gás entra numa casa a partir de rochas em decomposição e do solo abaixo dela, e fica retido devido à ventilação insuficiente. As precauções que sugerimos a seguir podem ajudar a impedir as graves conseqüências do radônio:

- Antes de comprar uma casa, principalmente numa área de alta concentração de radônio, faça com que ela seja submetida a um teste de contaminação por esse gás. Uma entidade de proteção ambiental poderá informá-la sobre as instituições que fazem esse tipo de teste.
- Se você mora numa região de alta incidência de radônio, ou desconfia que a sua esteja contaminada, submeta-a a um teste. Em termos ideais, os testes devem ser feitos ao longo de um período de vários meses, para que se chegue a uma média. Em geral, os níveis são mais altos nas épocas em que as janelas costumam ficar fechadas.
- Se ficar comprovado que a sua casa contém altos níveis de radônio, procure localizar uma empresa de eliminação de radônio na sua comunidade, e depois peça qualquer material escrito que ela tenha sobre o tema da redução do radônio. O primeiro passo talvez seja a vedação das fendas e outras aberturas nos alicerces e no assoalho. O mais importante, porém, será aumentar a ventilação da casa: abrir janelas, instalar respiradouros em espaços apertados, sótãos e outros locais fechados, e eliminar a calafetagem e os permutadores térmicos de ar a ar. Em alguns casos, talvez seja preciso instalar um sistema especial de ventilação na casa inteira.

CONTAMINANTES NOS ALIMENTOS

Neste mundo de produção em massa, os fabricantes aprenderam a usar vários tipos de substâncias químicas que tornam os seus produtos mais bonitos, mais saborosos (pelo menos com um sabor mais próximo da coisa verdadeira) e mais duradouros. Contudo, mesmo os alimentos que não passaram por um processo industrial costumam estar contaminados — por pesticidas ou outros produtos químicos usados no crescimento ou na armazenagem, ou com os quais entraram acidentalmente em contato, através da água ou do solo. Em muitos casos, os riscos de tais produtos para os seres humanos são desconhecidos ou considerados pequenos; outras vezes, são menores do que os riscos apresentados pelos alimentos "naturais", como o óleo de coco (que pode contribuir para o surgimento de doenças cardíacas) ou por amendoins estragados (cujas aflatoxinas podem provocar câncer). Não obstante, ao escolher e

COISAS QUE DEVEM FICAR LONGE DA BOCA DOS BEBÊS

- Carnes defumadas ou curadas, como cachorros quentes e toucinho defumado. Geralmente altos em gordura e colesterol, bem como em nitratos e outras substâncias químicas, e às vezes contendo farinha de ossos (que pode estar contaminada por chumbo e outras substâncias), esses alimentos devem ser raramente (ou nunca) servidos aos bebês.
- Peixes defumados, como salmão, linguado etc. Em geral curados com nitritos para manter o frescor, não são alimentos ideais para os bebês.
- Peixes de águas contaminadas. A Secretaria da Saúde local deve saber informar quais peixes são ou não seguros em qualquer época do ano na sua comunidade, e quais podem ser servidos de vez em quando.
- Alimentos ou bebidas como café, chá e chocolate, que contenham cafeína ou compostos afins. A cafeína pode tornar o bebê nervoso, ou, pior ainda, interferir na absorção de cálcio e substituir itens importantes da dieta do bebê.
- Alimentos de imitação, como cremes não provenientes de laticínios (saturados de gordura, açúcar e substâncias químicas), sobremesas de tofu congelado (*idem*), sucos prontos de frutas cítricas e de outros tipos (contêm açúcar desnecessário, e, às vezes, aditivos químicos). Sirva alimentos ao seu bebê, e não coquetéis de substâncias químicas.
- Chás de ervas. Em geral, esses chás contêm substâncias questionáveis (o chá de confrei, por exemplo, contém um carcinógeno), e freqüentemente resultam em efeitos indesejáveis, e até mesmo perigosos, para o corpo.
- Suplementos vitamínicos diferentes dos que se destinam especificamente ao uso dos bebês (e que devem ser dados segundo instruções). O excesso de vitaminas pode ser particularmente prejudicial para os bebês, cujos corpos não as processam com a mesma rapidez do organismo adulto. O ácido da vitamina C na forma mastigável pode estragar o esmalte dos dentes, devendo ser evitado tanto por adultos quanto por crianças.
- Peixe cru, como nos sushis. Crianças muito novas não mastigam o suficiente para destruir os parasitas que o peixe cru pode abrigar e que podem provocar doenças graves.
- Bebidas alcoólicas. Ninguém as colocaria na alimentação regular dos bebês, mas existem pessoas que acham engraçado dar-lhes alguns goles — uma brincadeira perigosa por dois motivos: o álcool pode ser venenoso para o bebê, e também pode fazer com que ele comece a gostar da coisa.
- Água de torneira contaminada com chumbo ou quaisquer outros materiais perigosos. Consulte um serviço local de proteção do ambiente ou o departamento de águas e esgotos, ou submeta a água da sua casa a um teste, caso desconfie de contaminação.
- Frutas ou legumes contaminados. Quando surgem rumores de que uma determinada fruta ou legume está contaminado, evite comprá-lo enquanto o problema não for resolvido, ou compre uma variedade que não esteja contaminada.

preparar os alimentos, é preciso não perder de vista alguns princípios básicos que contribuirão para proteger o seu bebê:

- Não compre alimentos processados com muitos aditivos químicos. Além do conteúdo químico, geralmente são menos nutritivos do que os alimentos frescos, e, portanto, representam uma escolha muito fraca para a alimentação da criança. Embora se acredite que alguns dos aditivos neles colocados sejam seguros, existem muitos cuja segurança continua questionável. Tenha um cuidado especial com os alimentos

PERIGOS ALIMENTARES EM PERSPECTIVA

Ainda que faça sentido restringir os aditivos químicos da alimentação de sua família sempre que possível, o medo dos aditivos e das substâncias químicas pode limitar de tal modo a variedade de alimentos ingeridos por sua família que se verifique uma interferência em termos da qualidade da nutrição. É importante lembrar que uma alimentação nutritiva e bem equilibrada, rica em grãos integrais, frutas e legumes (principalmente os crucíferos, como o brócolis, a couve-flor e a couve-de-bruxelas, e os ricos em vitamina A, como os de folhas verdes e forte cor amarela) não só vai oferecer os nutrientes necessários ao crescimento e à boa saúde, como também ajudarão a combater os efeitos de possíveis carcinógenos existentes no meio ambiente. Portanto, restrinja a ingestão de aditivos químicos quando isto for prático, mas não permita que você e a sua família enlouqueçam ao longo desse processo de seleção.

que contenham o seguinte: óleos vegetais combinados com bromo, hidroxianisol butilado, hidroxitolueno butilado, cafeína, glutamato de monossódio, galato de propila, quinino, sacarina, nitrato e nitrito de sódio, sulfetos e cores e sabores artificiais, todos os quais estão na lista de "a ser evitado" do Center for Science in the Public Interest. Questionáveis são a carragenina, o hyptil parabeno, o ácido fosfórico e outros compostos de fósforo (não porque o fósforo seja perigoso, mas porque os excessos poderiam provocar um desequilíbrio dietético, principalmente de cálcio).

▪ Não dê ao seu bebê alimentos que contenham adoçantes artificiais. Já se comprovou que a sacarina provoca câncer em animais, e ela só se mantém no mercado por acreditar-se que seja útil para o controle do peso. Já que os bebês não precisam de uma alimentação limitada em termos de calorias (e nem devem ser submetidos a tal coisa), os adoçantes não devem fazer parte de suas dietas. E, ainda que o adoçante aspartame realmente pareça seguro para indivíduos normais,[4] e talvez até mesmo para os bebês (ainda não foram feitos testes suficientes com crianças muito novas), também não deve constar da alimentação da criança, pois como dissemos não deve haver restrições calóricas na dieta dos bebês.

▪ Sempre que possível, compre frutas e legumes sem aditivos químicos. (Mas não se preocupe quando isso não for possível, pois, na opinião de muitos cientistas, os riscos de tais aditivos são pequenos). Os alimentos da estação (e cultivados na sua própria região) costumam ser os mais seguros, já que não é preciso usar uma grande quantidade de substâncias químicas para conservá-los durante o transporte ou a armazenagem. Mais seguros, também, são os gêneros que têm cascas, folhas ou películas de proteção (como o milho, a couve-flor e a banana) que não deixam entrar os pesticidas. O alimento que não parece perfeito (tem marcas ou manchas escuras) também pode ser mais seguro, já que, em geral, é a proteção química que dá aos alimentos uma bela aparência. Comprar alimentos rotulados de "organicamente cultivados" pode ajudar, mas nem sempre esse tipo de aquisição dá a certeza de que se está livre de aditivos químicos (veja página 280).

▪ Descasque as frutas e os legumes antes de usá-los (sobretudo os recobertos por

4. O aspartame não deve ser usado pelos que sofrem de fenilcetonúria, nem por pessoas que tenham dificuldade para metabolizar a fenilalanina, um dos constituintes do adoçante.

uma camada de consistência mole), ou lave com água e detergente de cozinha, esfregando com uma escova dura quando possível. Não tente escovar alface e morangos, mas use a escova à vontade nas maçãs e na abobrinha. Ainda assim, os resíduos químicos sistêmicos não serão removidos, mas consegue-se alguma proteção.

- Depois que um bom número de novos alimentos foi introduzido na alimentação do bebê, mantenha-a tão variada quanto possível. A variedade confere à vida algo além do sabor — com ela vem um certo grau de segurança (para não falarmos em melhor nutrição, que é o que se obtém quando se oferece ao bebê uma grande quantidade de vitaminas e sais minerais provenientes de diversas fontes). Em vez de oferecer sempre suco de maçã, sirva um suco diferente a cada dia (maçã no primeiro dia, laranja no segundo, mamão no terceiro, pêra no quarto). Varie os alimentos

ALIMENTOS ORGÂNICOS — CADA VEZ MAIS ACESSÍVEIS

Os alimentos organicamente cultivados estão aparecendo com mais freqüência nas lojas de produtos naturais, e até mesmo nos supermercados. Ainda assim, para a maior parte das pessoas continua sendo impossível encher os carrinhos de supermercado com gêneros exclusivamente orgânicos. A quantidade produzida não é suficiente, e o que existe à venda é muito caro. Contudo, à medida que cresce a demanda e os agricultores descobrem que o cultivo de alimentos orgânicos não só é melhor para os seus clientes, para o meio ambiente e para si mesmos, mas que também pode ser lucrativo, é possível que mais alqueires comecem a ser lavrados e plantados sem o uso de substâncias químicas. E então encontraremos um número cada vez maior de alimentos orgânicos em nossas compras.

No momento, infelizmente, não existem critérios federais, de tal modo que nem tudo que se apresenta sob o rótulo de "orgânico" foi cultivado sem herbicidas, pesticidas e outros aditivos químicos. Procure a certificação de um órgão público ou privado.

Felizmente, para as crianças ainda muito novas e para os seus pais, um número cada vez maior de alimentos orgânicos infantis — produtos sem aditivos químicos, sem açúcar ou sal — começam a aparecer nos supermercados e nas lojas de produtos naturais. Tudo que um bebê possa desejar pode ser encontrado nessa linha de produtos orgânicos, de cereais e frutas para os principiantes até as carnes, os legumes e as combinações de pratos principais. Dentro em breve, também será possível encontrar esse tipo de alimentação para as crianças que já sabem andar.

A compra de alimentos orgânicos, quando você encontra aquilo de que precisa e tem condições de pagar um preço geralmente mais alto, serve a dois propósitos. O primeiro, sem dúvida, é proteger sua família contra produtos químicos indesejáveis. Ainda que não existam indícios definitivos que associem os alimentos quimicamente tratados às doenças dos seres humanos, também é certo que ainda não foram feitos estudos suficientes para provar, de uma vez por todas, que não há efeitos a longo prazo. O segundo propósito consiste em incentivar os mercados a estocar produtos orgânicos. Se os alimentos orgânicos não forem encontrados no lugar onde você mora, peça ao seu supermercado ou armazém que passe a vendê-los; o interesse dos consumidores vai ajudar a aumentar os estoques e abaixar os preços. E, como afirmamos há pouco, não se preocupe se não conseguir encontrar produtos orgânicos, ou se não tiver condições de pagar por eles — os riscos de servir outros tipos de produtos são pequenos.

de proteínas, cereais e pães, bem como as frutas e os legumes que serve. Embora isso nem sempre seja fácil — algumas crianças adquirem hábitos alimentares dos quais não arredam pé —, é importante fazer a tentativa.

▪ Restrinja a ingestão de gordura animal para o bebê (com exceção daquela contida no leite materno ou artificial), pois a gordura é o lugar onde se deposita as substâncias químicas (antibióticos, pesticidas etc.). Cozinhe com óleo ou margarina, e não com manteiga (também é melhor para o coração), retire as partes gordurosas das carnes e faça o mesmo com a pele, no caso de aves. Sirva a carne de vaca, de porco e de aves em pequenas porções. Sempre que possível, compre carne que você saiba ser proveniente de animais criados sem produtos químicos ou antibióticos.

▪ Nunca dê ao seu bebê carne de peixe pescado em águas possivelmente contaminadas (veja página 278).

▪ Não use alimentos de frescor duvidoso. Alguns dos mais graves perigos que decorrem da alimentação dizem respeito a alimentos estragados. Não só podem levar à intoxicação alimentar (veja, na página 264, as sugestões para a prevenção desse problema), como também alguns deles — amendoim, milho ou outros grãos nos quais houve formação de aflatoxinas — podem, na verdade, contribuir até mesmo para o desenvolvimento do câncer.

▪ Mantenha-se em dia com o que há de mais recente em termos de segurança alimentar através da leitura dos jornais locais, assinando alguma publicação sensata e não-alarmista e adaptando a alimentação da sua família de acordo com o acréscimo de informações de fontes seguras.

▪ Sirva alimentos que se imagina terem um efeito anticâncer, como os legumes crucíferos (brócolis, brotos de couve-de-bruxelas, couve-flor, repolho), ervilhas e feijões secos, alimentos ricos em betacaroteno (cenoura, abóbora, batata-doce, brócolis, melão) e os que têm bastante fibras (grãos integrais, frutas e legumes frescos).

▪ Não esqueça que, se é sensato tomar cuidado, nada justifica um comportamento histérico. Mesmo de acordo com as avaliações mais pessimistas, só uma pequena porcentagem dos tipos de câncer é provocada pela contaminação química dos alimentos. Para a saúde do seu bebê, são muito maiores os riscos associados a fumo, ao álcool, à alimentação pouco nutritiva, à falta de imunização ou à negligência com certas medidas de segurança, a exemplo do uso do cinto de segurança nos assentos de automóvel.

O SEU PAPEL ENQUANTO CONSUMIDORA

Não basta tomarmos todas as precauções possíveis para proteger nossos filhos contra as ameaças do meio ambiente. Para proteger o futuro deles (e o futuro dos filhos que um dia terão), precisamos pressionar e tentar convencer aqueles que controlam as coisas sobre as quais não exercemos um controle total: a qualidade do ar, os alimentos que comemos, a água que bebemos — e os governos que criam as leis. A longo prazo, fazer com que o nosso apelo seja ouvido talvez seja o que de mais importante podemos fazer para o bem dos nossos bebês. Pressione os seus representantes — municipais, estaduais ou federais — a criarem leis mais rigorosas a propósito dos aditivos químicos usados no cultivo e processamento dos alimentos e a exigirem a inclusão de informações impressas nos alimentos que contenham resíduos químicos (antibióticos em frangos, Alar nas maçãs, por exemplo). Além disso, escreva para a FDA e para a EPA, manifestando a sua preocupação com a proliferação de substâncias químicas nos alimentos. Para maiores informações, escreva para o Center for Science in the Public Interest, 1501 16th Street, N.W., Washington, D.C., 20036*.

DE VOLTA AO VELHO HÁBITO: UMA MAÇÃ POR DIA

O furor desencadeado pelo uso do Alar (daminozida) no final da década de 1980 é um exemplo de como, por um lado, as manifestações extremistas podem confundir os consumidores e, por outro, de como a pressão pública pode afetar as políticas públicas. Usado para apressar o amadurecimento de frutos (sobretudo de maçãs, uvas e amendoins), o Alar despertou preocupações porque alguns estudos haviam demonstrado que ele poderia representar uma ameaça de câncer, sobretudo para as crianças pequenas, que costumam tomar bateladas de suco de maçã por semana. Sentindo um medo enorme das possíveis conseqüências, os pais baniram de vez a maçã e todos os produtos dela derivados de suas casas e da alimentação de seus filhos. Alguns começaram até mesmo a restringir todos os tipos de frutas e legumes, num extremismo injustificado que, por algum tempo, deve ter privado as crianças de vitaminas e minerais necessários. Contudo, o fato dos consumidores terem erguido suas vozes, recusando-se a comprar os produtos com Alar, e de terem questionado armazenadores e fabricantes, contribuiu para provocar uma queda imediata do uso desse aditivo químico e resultou numa legislação subseqüente que o baniu de uma vez por todas dos pomares. Moral da história: não entre em pânico diante de ameaças alimentares, mas faça com que a sua voz seja ouvida.

* No Brasil, cada Estado tem seu órgão competente. Em São Paulo, o controle da poluição ambiental é feito pela Cetesb, telefones: (011) 210-6655 e 210-6877, ou pelo IPT (USP), e no Rio de Janeiro pela FEEMA. (N. do R. T.)

CAPÍTULO 9

O Sexto Mês

O QUE O SEU BEBÊ PODE ESTAR FAZENDO

Ao final deste mês, o seu bebê
... deve ser capaz de (veja a Nota):

- manter a cabeça nivelada com o corpo quando o colocam sentado (6 meses e meio)
- dizer ah-gu, ou emitir combinações vocálico-consonantais semelhantes

Nota: Se o seu bebê parece não ter feito ainda uma ou mais dessas conquistas, consulte o seu médico. Em raros casos, a demora poderia indicar um problema, ainda que na maioria das vezes ela acabe por mostrar-se normal para o seu bebê. Os bebês prematuros geralmente fazem essas conquistas depois dos que têm a mesma idade de nascimento, o que quase sempre ocorre num período mais próximo de sua idade ajustada (a idade que teriam caso tivessem nascido depois de um período de gestação normal), ou às vezes mais tarde.

... provavelmente será capaz de:

- suportar algum peso com as pernas ao ser colocado de pé
- sentar-se sem ajuda (por volta de 6 meses e meio).

... talvez seja capaz de:

- ficar de pé segurando-se em alguém ou alguma coisa

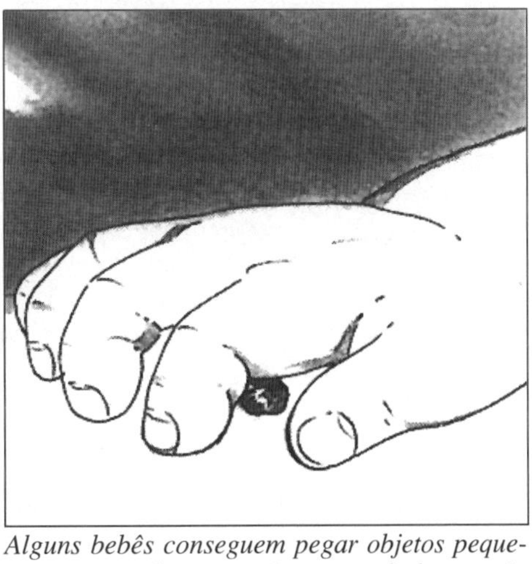

Alguns bebês conseguem pegar objetos pequenos e possivelmente perigosos ao fechar a mão sobre eles. Portanto, tenha o cuidado de não deixar esse tipo de coisa ao seu alcance.

- comer sozinho uma bolacha (5 meses e meio)
- demonstrar contrariedade quando você tenta tirar-lhe um brinquedo
- tentar pegar um brinquedo fora do seu alcance
- passar um cubo (ou outro objeto) de uma mão para outra
- procurar algum objeto que tenha caído
- pegar uma uva passa e levantá-la dentro da mão fechada (5 meses e meio)
- voltar-se para o lugar de onde provém uma voz
- balbuciar, combinando vogais e consoantes como ga-ga-ga, ba-ba-ba, ma-ma-ma, da-da-da (por volta de 6 meses e meio).

... pode até ser capaz de:

- estando sentado, erguer-se e ficar de pé
- estando de bruços, erguer-se e ficar sentado
- apanhar algum objeto minúsculo com qualquer parte do polegar e de outros dedos ("em pinça")
- dizer mama ou papa indiscriminadamente

O QUE VOCÊ PODE ESPERAR DO EXAME DESTE MÊS

Cada médico ou enfermeira vai ter uma abordagem pessoal dos exames para verificar a saúde do bebê. A organização geral do exame físico, bem como o número e o tipo das técnicas de avaliação e dos procedimentos usados também vão variar de acordo com as necessidades individuais de cada criança. Em termos gerais, porém, você pode esperar pelo seguinte quando for fazer o *checkup* do seu bebê de mais ou menos seis meses:

- Perguntas sobre o relacionamento entre você, o seu bebê e o resto da família, sobre a alimentação, o sono e o progresso geral do bebê, e sobre a situação dele na creche, caso você esteja trabalhando fora.
- Tomada do peso, do comprimento e da circunferência da cabeça do bebê, e o registro do seu progresso desde o nascimento.
- Exame físico, inclusive uma reavaliação de quaisquer problemas anteriores. É provável que a boca seja examinada agora e nas próximas visitas, tendo em vista a chegada (ou a chegada iminente) dos primeiros dentes. A esta altura, a fontanela posterior, na parte de trás da cabeça, já deve terse fechado; a fontanela anterior, na parte de cima da cabeça, provavelmente estará começando a ficar menor.
- Avaliação do desenvolvimento. O examinador pode confiar na observação e nos relatos que você fizer sobre o que está se passando com o bebê, ou pode submetê-lo a uma série de "testes" de avaliação sobre aspectos como o controle da cabeça quando se coloca o bebê sentado, a visão, a audição, a capacidade de alcançar e pegar objetos, pegar objetos minúsculos, rolar quando deitado e suportar algum peso com as pernas e a interação social e a vocalização.
- Terceira etapa de imunizações, se o bebê estiver com boa saúde e não houver outras contra-indicações. Veja, na página 174, o calendário recomendado, que pode variar dependendo da situação. Não se esqueça de discutir quaisquer reações às imunizações anteriores.
- Possivelmente, um teste de hemoglobina e hematócrito para investigar se o bebê está anêmico (em geral, mediante uma picada no dedo), sobretudo no caso de bebês que nasceram com pouco peso.

- Orientação quanto ao que esperar no mês seguinte a propósito de tópicos como alimentação, sono, desenvolvimento e segurança.
- Recomendações sobre a suplementação de flúor, caso seja necessária no lugar onde você mora, e sobre a suplementação de vitamina D, caso o seu bebê seja amamentado. Recomendações sobre a suplementação de ferro para os bebês que não tomam leite enriquecido com ferro.

Perguntas que você pode querer fazer, caso o médico ainda não as tenha respondido:

- Que reações você pode esperar que o seu bebê tenha depois da terceira etapa de imunizações? Como deve lidar com elas? Quais reações devem exigir a presença de um médico?
- Quais alimentos podem ser introduzidos na alimentação do bebê neste momento? Ele já pode tomar leite numa xícara?

Coloque, também, todas as preocupações que tenham surgido no mês passado. Anote por escrito as informações e instruções do médico (de outra forma, esteja certa de que vai esquecê-las). Mantenha todas as informações pertinentes (peso, tamanho, circunferência da cabeça, imunizações, doenças, medicamentos dados, alimentos que já podem ser introduzidos etc.) num registro permanente da saúde da criança.

PARA ALIMENTAR O SEU BEBÊ ESTE MÊS: Alimentos Industrializados ou Preparados em Casa

Quando os alimentos para bebês fizeram a sua estréia nas prateleiras dos supermercados na década de 1930, foram recebidos com gratidão por mães fatigadas e ansiosas por não terem mais de preparar os alimentos dos filhos e orgulhosas por terem entrado na era das facilidades modernas. Hoje, no mínimo tão fatigadas quanto antes, só que com menos tempo, muitas mães estão rejeitando os alimentos industrializados para bebês e reativando as suas “fábricas de alimentos” (ou, melhor dizendo, seus liqüidificadores e processadores de alimentos). As que continuam optando pelas “facilidades modernas” quase sempre o fazem com constrangimento.

Os alimentos infantis industrializados merecem o rótulo nocivo que neles foi colocado nos últimos tempos? São menos saudáveis do que os preparados em casa? Serão estes últimos mais nutritivos — e também mais seguros? Antes de decidir, leia o que vem a seguir.

ALIMENTOS INFANTIS INDUSTRIALIZADOS

A mudança de atitudes com relação aos alimentos infantis industrializados começou na década de 1970, quando se descobriu que os alimentos que as mães estavam comprando porque pensavam que eram especialmente bons para os seus bebês poderiam ser especialmente prejudiciais. A eles eram adicionados açúcar e sal, espessantes não nutritivos e aditivos questionáveis, como o MSG. Essa descoberta trouxe consigo uma melhora dos alimentos industrializados para bebês, em parte devido às pressões dos consumidores e da comunidade médica, e em parte devido ao desejo da indústria de melhorar tanto o seu produto quanto a sua imagem.

Hoje em dia, esses alimentos geralmente não contêm sal ou aditivos químicos, e o açúcar e espessantes raramente são acrescentados às variedades de um só ingrediente. As vantagens e facilidades de antes continuam existindo: os alimentos vêm em recipientes prontos para servir e nas porções certas para os bebês, e as sobras podem ser novamente fechadas e colocadas na geladeira. Não são estas, porém, as únicas vantagens. Tendo em vista que as frutas e os legumes são cozidos e embalados pouco depois de terem sido colhidos, eles conservam uma proporção bastante confiável de seus nutrientes. Os alimentos têm sabor e textura consistentes e são seguros e higiênicos. São, também, relativamente econômicos, sobretudo se o tempo que você ganha ao usá-los pode servir-lhe para fazer outras coisas. Além disso, é provável que o desperdício de alimentos seja muito maior quando você mesma os prepara em quantidades maiores.

As vantagens de usar esses alimentos infantis industrializados são maiores nos primeiros meses da introdução dos sólidos. Os peneirados têm a consistência perfeita para os iniciantes, e os que são feitos com um único ingrediente fazem com que fique mais fácil detectar possíveis alergias. Ainda que os principais fabricantes ofereçam texturas mais firmes para serem usadas quando os bebês estiverem prontos para elas, muitos pais dispensam os alimentos industrializados assim que o bebê consegue lidar com os alimentos bem cozidos, amassados, em flocos ou cortados em pedaços que fazem parte do cardápio familiar. Mas também eles podem considerar os alimentos prontos para comer muito úteis nas viagens, e bons para se ter à mão nas emergências ou quando se sai para comer fora.

É claro que nem tudo aquilo que se vende como "alimento para bebês" é bom para eles. Leia os rótulos, e evite ingredientes como açúcar e xarope de milho, sal, amido modificado e outros espessantes, manteiga ou gordura parcial ou completamente hidrogenada, glutamato de monossódio (MSG), sabores ou cores artificiais e conservantes. O açúcar acrescentado em certos cereais, certas frutas e outras sobremesas não é necessário para um bebê, cujas papilas gustativas ainda estão intatas e satisfazem-se perfeitamente bem com a doçura natural de tais alimentos. (Se, em alguns momentos, você quiser regalar o seu bebê com alguma coisa extra doce, use as receitas que começamos a apresentar na página 708, ou compre produtos adoçados apenas com concentrados de suco de frutas.) Alguns cremes e pudins contêm ovos; se o seu bebê ainda não começou a comê-los, evite esse tipo de sobremesa.

Os alimentos infantis "instantâneos" ou desidratados são muito práticos, pois são leves, não precisam ir para a geladeira depois de serem abertos, e podem ser misturados com outros líqüidos além da água, tornando ainda maior o seu valor nutricional. Apresentam, porém, algumas desvantagens: em primeiro lugar, alguns deles contêm óleos vegetais parcialmente hidrogenados ou saturados e/ou substâncias adicionais com amido, ingredientes dos quais o seu bebê não necessita. Em segundo lugar, o valor nutricional dos instantâneos às vezes é menor, quando comparados aos que vêm em frascos de vidro. Por último, o sabor de um alimento desidratado reidratado é inevitavelmente diferente de um alimento fresco, e talvez possa confundir as papilas gustativas do bebê quando este passar para os alimentos servidos à mesa. Portanto, se os alimentos infantis desidratados podem ser muito úteis durante uma viagem, é provável que não sejam o que há de melhor para ser servido o tempo todo ao seu bebê.

Novos no mercado, os alimentos infantis "orgânicos" são caros e não muito disponíveis. São seguros e bastante nutritivos, mas não se preocupe se não encontrá-los, ou se não tiver condições de comprá-los. As variedades industrializadas, ainda que não orgânicas, em geral não contêm os conhecidos riscos potenciais (como o MSG, Alar, conservantes e corantes), não constituindo, portanto, nenhum risco para o bebê.

ALIMENTOS INFANTIS PREPARADOS EM CASA

Se você dispõe de tempo, energia e motivação, é evidente que não há nada de errado em preparar você mesma os alimentos que serão servidos ao seu bebê — desde que fique atenta às seguintes normas:

- Ao introduzir um novo alimento, prepare-o e sirva-o sem quaisquer outros ingredientes.
- Não acrescente açúcar ou sal. Se estiver cozinhando para a família toda, retire a porção do bebê antes de acrescentar sal e temperos.
- Não coloque gordura à comida do bebê, nem durante o preparo nem à mesa.
- Não cozinhe em panelas de cobre, pois a vitamina C pode ser destruída.
- Não cozinhe alimentos ácidos (como os tomates) em utensílios de alumínio, pois pequenas quantidades desse metal podem dissolver-se e ser absorvidos pelo alimento.
- Cozinhe os legumes a vapor, em panela de pressão ou a seco, expondo-os a um mínimo de luz, ar, calor e água.
- As batatas devem ser fervidas ou assadas (ou preparadas no microondas) com a pele, sendo descascadas depois do cozimento.
- Nunca acrescente bicarbonato de sódio; a cor pode ser preservada, mas as vitaminas e os sais minerais desaparecerão.
- Não refogue nem ferva legumes secos pré-cozidos (ervilhas ou feijões) de um dia para o outro; deixe levantar fervura, mantenha-os fervendo por 2 minutos, depois deixe-os descansar por uma ou duas horas e prepare-os na água em que foram fervidos.
- Siga os princípios para o preparo seguro dos alimentos que são sugeridos na página 264 ("Alimentando o Bebê com Segurança").

Nas primeiras semanas após a introdução dos alimentos sólidos, ou pelo menos até que o bebê complete seis meses de idade, o alimento que você lhe servir deverá ser em forma de purê e peneirado (ainda que você possa amassar bananas e diluí-las com algum líqüido). Para maior comodidade, você pode preparar boa quantidade de cenouras, ervilhas ou outros legumes e em seguida congelar tudo em cubinhos de gelo. Coloque cada cubinho dentro de um saquinho para *freezer* hermeticamente fechado. Antes de usar, descongele na geladeira, numa panela para banho-maria, num microondas (ligado para descongelar, e não para cozinhar) ou com água fria (ainda dentro do saquinho plástico) — e não à temperatura ambiente.

O QUE PODE ESTAR PREOCUPANDO VOCÊ

ALTERAÇÕES INTESTINAIS

"A partir da semana passada, quando comecei a dar alimentos sólidos para o meu bebê, as fezes dele ficaram mais sólidas — o que eu já esperava — mas estão também mais escuras e malcheirosas. Isso é normal?"

Infelizmente, a época em que tudo quanto entrasse no seu bebê dele sairia sem maiores cheiros ou alterações já ficou no passado. Para a mãe que amamenta, a mudança de fezes moles, cor de mostarda e inofensivas para fezes espessas, escuras e malcheirosas pode ser uma espécie de choque. Mas, ainda que a transformação não seja esteticamente agradável, o que está acontecendo é normal. À medida que a alimentação do seu bebê for se assemelhando cada vez mais à dos adultos, saiba que o mesmo vai acontecer com relação às suas fezes — ainda que as fezes de um bebê amamentado possam permanecer um tanto mais moles do que as do bebê que usa mamadeira — pelo menos até a época do desmame.

"Assim que dei cenouras pela primeira vez para o meu bebê, as fezes dele ficaram de uma forte cor laranja".

Tudo que entra deve sair. E, no caso dos bebês, com os seus tubos digestivos imaturos, às vezes não muda muito durante o processo. Quando eles começam a ingerir alimentos sólidos, as fezes parecem variar de evacuação para evacuação, quase sempre refletindo, na cor e na textura, o alimento ingerido por último. Mais tarde, os alimentos não muito bem mastigados, em especial os mais difíceis de digerir, podem sair inteiros, ou quase. Enquanto as fezes não contiverem muco e não forem excessivamente moles, o que poderia ser um sinal de irritação gastrointestinal (e de que o alimento em questão deve ser suspendido por algumas semanas), você pode prosseguir com essa alimentação nova e variada sem preocupações

REJEIÇÃO DA MAMADEIRA

"Às vezes, gostaria de dar ao meu bebê uma mamadeira suplementar com o meu próprio leite, para ficar um pouco livre da amamentação, mas ele recusa-se a tomá-lo. Há alguma coisa que eu possa fazer?"

O seu bebê não nasceu ontem. E, ao contrário de um calouro inexperiente, ele sabe muito bem o que quer, o que não quer e a melhor maneira de conseguir o que quer. O que ele quer: os seus peitos macios e calorosos. O que não quer: uma borracha fabricada ou um mamilo de plástico. O melhor que pode fazer para conseguir o que quer: chorar, pedindo o peito, e rejeitar a mamadeira.

O fato de ter demorado tanto para introduzir a mamadeira na vida do seu bebê tornou as coisas mais difíceis para você; essa introdução deve ser feita por volta da sexta semana de vida da criança (veja página 161). Ainda assim, se seguir as sugestões que oferecemos, talvez você seja capaz de reverter essa batalha:

Alimente o bebê quando ele estiver de estômago vazio. Muitos bebês serão mais receptivos à mamadeira enquanto fonte de nutrição quando estiverem querendo algo de nutritivo. Portanto, tente oferecer a mamadeira quando o seu bebê estiver realmente com fome, e não quando faz pouco tempo que ele se alimentou.

Ou alimente-o quando ele estiver de estômago cheio. No caso de alguns bebês, oferecer-lhes uma mamadeira quando estão querendo um peito é algo que os torna hostis com relação ao impostor, e que talvez os leve a sentir-se um pouco traídos por quem lhe dá a mamadeira. Se for esse o caso com o seu bebê (e você só conseguirá descobrir através de um processo de tentativa e rejeição), não ofereça a mamadeira quando ele estiver morrendo de fome; em vez disso, ofereça-a ocasionalmente entre as mamadas — quando ele talvez esteja mais disposto a fazer uma experiência, e então acabe cedendo a um lanchinho rápido.

Finja indiferença. Em vez de agir como se o mundo fosse acabar caso o bebê se recuse a mamar (ainda que isso possa ser verdade), mostre-se indiferente, qualquer que seja a reação da criança.

Deixe o bebê brincar antes de alimentar-se. Antes de tentar ir direto ao que interessa, deixe que ele brinque com a mamadeira. Se o bebê tiver oportunidade de explorá-la por conta própria, é mais provável que a deixe fazer parte de sua vida, e, melhor ainda, que a aceite dentro de sua boca. Pode ser que até mesmo tente levá-la à boca por iniciativa própria — como costuma fazer com tudo que lhe vem às mãos.

Mantenha os seus peitos longe do bebê. Aliás, mantenha-se por inteiro afastada dele quando do seu primeiro contato com a mamadeira. O bebê amamentado tenderá mais a aceitar a mamadeira que lhe for dada pelo pai, pela avó ou por alguma outra pessoa sempre que lhe for impossível sentir o cheiro da mãe. Pelo menos enquanto a alimentação suplementar ainda não for coisa bem resolvida, é possível que até o som da voz materna estrague o apetite do bebê por uma mamadeira.

Tente algum líqüido preferido. Pode ser que o bebê não esteja rejeitando a mamadeira em si, mas o que vem dentro dela. Alguns bebês vão adaptar-se melhor à mamadeira se ela estiver cheia do leite materno que já conhecem bem, mas outros, que não perdem de vista a fonte original desse leite, dão-se melhor com outro tipo de líqüido. Tente oferecer leite artificial ou suco de maçã diluído, ou, se o médico aprovar, leite de vaca integral.

Saiba quando se render — temporariamente. Não deixe que a mamadeira se transforme no objeto de uma batalha, pois, se assim for, o seu exército não terá muitas probabilidades de ganhar a guerra. Assim que o seu bebê colocar objeções à mamadeira, tire-a de circulação e faça nova tentativa em algum outro dia. A perseverança — ao mesmo tempo em que você continua a fazer-se de indiferente — pode ser tudo de que se precisa. Tente dar a mamadeira uma vez a cada dois ou três dias durante pelo menos duas semanas, antes de admitir que perdeu a guerra.

Contudo, se a derrota tornar-se uma realidade, não perca as esperanças. Existe outra alternativa para os seus peitos: a xícara. A maioria dos bebês gosta de beber da xícara, mesmo aos quatro ou cinco meses de idade, e com ela fazem, prazerosamente, as suas alimentações suplementares (veja página 263); no fim do primeiro ano (às vezes antes ainda, aos oito ou nove meses de idade), muitos deles ficam tão eficientes no uso da xícara que já podem ser desmamados diretamente do peito para ela — o que poupa às suas mães o trabalho adicional de desmamar da mamadeira.

SAPATOS PARA O BEBÊ

"É claro que o meu bebê ainda não anda, mas não sinto que ele esteja totalmente vestido sem sapatos".

Ainda que ficar de meias ou descalço, se o tempo permitir, seja o melhor para o bebê nesta fase do seu desenvolvimento, não há nada de errado em envolver os pés dele em vistosos sapatinhos em ocasiões especiais — desde que sejam do tipo apropriado. Já que os pés do seu bebê não são feitos para andar (pelo menos por enquanto), os sapatos que você comprar-lhe também não devem ser sapatos para andar. Os sapatinhos dos bebês devem ser leves, feitos de materiais porosos (couro ou tecido, mas não plástico), e com solas tão flexíveis que dê para sentir os dedinhos do pé através delas (as solas duras estão absolutamente fora de cogitação). Os sapatos com apoio rígido no tornozelo (os de cano alto) não são apenas desnecessários e prejudiciais nesta fase, mas também o serão quando o bebê começar a andar. E, levando-se em conta a rapidez com que eles deixarão de servir, é mais sensato que também sejam baratos.

Para descobrir o tamanho ideal, pressione cada um dos dedos com o seu polegar. Se este se encaixar por inteiro entre o dedo mais longo do bebê (em geral o dedão, mas às vezes o que lhe fica ao lado) e a extremidade do sapato, o tamanho está bom e há espaço para o crescimento. Para checar a largura, tente prender entre dois dedos o sapato na parte mais larga do pé. Se conseguir, estará tudo bem quanto à largura. Não coloque sapatos apertados no seu bebê — nem hoje, nem nunca.

BANHO NA BANHEIRA GRANDE

"Meu filho já está grande demais para a banheirinha, mas tenho medo de dar-lhe banho na banheira grande".

Mergulhar o bebê na banheira da família pode parecer uma perspectiva assustadora tanto para você quanto para o bebê; afinal, ele é um peixinho tão pequeno — e escorregadio — para um lago tão grande. Contudo, se forem tomados os cuidados necessários para impedir acidentes e aliviar os temores do bebê, a banheira grande pode acabar se transformando num paraíso aquático para o bebê de seis meses, e a hora do banho passará a ser o ritual favorito — ainda que molhado — da família. Para assegurar que o bebê se dê bem com a água, siga as sugestões básicas para o banho de banheira que apresentamos no "Bê-á-Bá dos Cuidados com o Bebê", página 80, e tente fazer o seguinte:

Espere até que o bebê consiga sentar-se. O banho de banheira será mais agradável para ambos se o seu bebê já conseguir sentar-se por conta própria, ou com a ajuda mínima de alguém.

Ofereça uma banheira segura. Um bebê molhado é um bebê escorregadio, e mesmo um bebê que já senta-se bem (aliás, até mesmo um adulto) pode escorregar na banheira. Não haverá perigo se ele ficar submerso momentaneamente, mas o susto pode criar, a longo prazo, um medo de tomar banho. (É evidente que, se ele escorregar e você não estiver por perto, as conseqüências podem ser muito mais graves). Felizmente, os pais de hoje em dia têm uma alternativa à necessidade de ficar o banho inteiro segurando o bebê com uma das mãos: o assento da banheira, com ventosas de borracha que o prendem com firmeza ao fundo da banheira. O assento pode ser simples, como um círculo em cujo interior se coloca o bebê sentado, mas existem modelos mais elaborados, como um grande cavalo-marinho de plástico. Alguns assentos têm almofadas de espuma que ficam sob as nádegas do bebê e impedem que ele escorregue ou caia. Se o seu modelo não tiver uma dessas almofadas, coloque um pedaço de pano limpo ou uma pequena toalha por baixo do bebê, e o efeito será o mesmo. Lave bem esse acessório improvisado, esfregue-o e ponha-o para secar, ou use um novo a cada banho, para impedir a multiplicação de germes no material úmido. Pelo mesmo motivo, se o assento tiver uma almofada de espuma, ponha-o na secadora depois de cada utilização.

Deixe o bebê testar as águas dentro de um barco conhecido. Alguns dias antes de o bebê tornar-se um banhista mais graduado, dê-lhe banho na banheirinha, colocando-a dentro da banheira grande vazia. Assim, esta não vai parecer tão gigantesca ao ser enchida — com água e com ele.

Nada de banhos depois de comer. Ainda não se sabe ao certo se a velha ladainha da sua mãe sempre que o verão chegava tinha ou não fundamento médico. Ainda assim, convém não dar banho no seu bebê logo após as refeições, pois o aumento de atividade e manipulação pode levá-lo a vomitar.

Evite o frio. Os bebês não gostam do frio, e, se o associarem aos banhos, talvez se rebelem contra eles. Portanto, certifique-se de que o banheiro esteja agradavelmente aquecido. Se o seu banheiro não tiver um bom aquecimento, você pode optar por um aquecedor de ambientes ou por uma unidade de aquecimento colocada no teto (quanto às medidas de segurança a serem tomadas, consulte a página 342). Não tire a roupa do bebê enquanto a banheira não estiver cheia e você não estiver pronta para colocá-lo dentro dela. Deixe à mão uma toalha grande e felpuda (de preferência com capuz) para agasalhar o bebê assim que for tirado da água. No inverno, aquecer a toalha num radiador é uma iniciativa simpática, mas certifique-se de que a toalha não fique quente demais. Enxugue totalmente o bebê, inclusive nas dobras de pele, antes de tirá-lo da toalha e vesti-lo.

Esteja preparada. Toalha de banho, de rosto, sabonete, xampu, brinquedos de banheira e todas as outras coisas das quais você vai precisar para dar banho no bebê devem estar à mão antes de colocá-lo na banheira. Se alguma coisa foi esquecida, e você tiver de ir buscá-la, enrole o bebê numa toalha e leve-o junto. Tire da borda da banheira todos os objetos potencialmente perigosos: sabonetes, lâminas de barbear e xampus.

Faça o teste do cotovelo. As suas mãos toleram a água quente muito mais do que a pele sensível do bebê. Para certificar-se de que a temperatura da água está apropriada, teste-a com o seu cotovelo ou punho antes de nela mergulhar o bebê. A água não deve ser quente, mas apenas agradavelmente aquecida. Desligue primeiro a torneira de água quente, para que as gotas que venham a cair sejam frias e não queimem o bebê. A cobertura da torneira da banheira impedirá que o bebê sofra queimaduras e colisões.

Esteja ali o tempo todo. O bebê precisa da supervisão de um adulto a cada momento do seu banho — o que vai continuar acontecendo durante os próximos cinco anos. Nunca deixe o bebê sozinho na banheira por um só segundo, mesmo que ele esteja num assento para bebês.

Tenha algumas distrações à mão. Transforme a banheira num cercadinho flutuante para o seu bebê, para que ele tenha como distrair-se enquanto você cuida da tarefa mais séria de lavá-lo. Os brinquedos especiais para banheiras (principalmente os que ficam boiando) e os livros de plástico são ótimos, mas os recipientes de plástico dos mais diversos tamanhos e formas também são excelentes. Para impedir que esses brinquedos embolorem, enxugue-os sempre depois de usá-los, e guarde-os num lugar bem seco.

Deixe que o bebê se esbalde dentro da água. Mas não faça o mesmo. Para a maioria dos bebês, chapinhar e espadanar representam uma grande parte do prazer do banho, e quanto mais ele deixar a mãe ensopada, tanto mais estará se divertindo (se você não gosta de ficar molhada, use um avental de plástico). No entanto, o mesmo bebê que adora jogar água por toda parte talvez não goste de ver-se alvo de borrifos. Muitos bebês passam a detestar os banhos por causa de um único borrifo brincalhão.

Não esvazie a banheira com o bebê ainda dentro dela. A experiência de ver-se dentro de uma banheira vazia pode ser desagradavelmente fria, mas também perturbadora devido à frieza psicológica que dela resulta. O gorgolejo da água que se esvai pode assustar até mesmo um bebê muito novinho, e um bebê de mais idade que passe pela experiência de ver a água descendo pelo escoamento pode temer que seja ele o próximo a ser tragado.

MEDO DE TOMAR BANHO

"Minha filha tem tanto pavor de tomar banho na banheira que se põe a gritar irracionalmente, e temos de forçá-la a permanecer na banheira."

Ainda que esse comportamento possa parecer irracional a um adulto que já tomou incontáveis banhos, o medo do seu bebê é muito real, e, a cada banho, fica maior do que a banheira. Forçar o bebê a defrontar-se com a fonte do seu temor não o ajudará em nada a superá-lo. O objetivo dos pais deve ser o de reverter os sentimentos da criança com relação ao banho, aos poucos, com paciência e compreensão — transformar a banheira num lugar amigável, e a água numa companhia igualmente amistosa.

Não se afaste dos caminhos conhecidos. Enquanto o bebê não estiver realmente disposto a tomar um banho de banheira, não o force a tomá-lo. Continue a banhá-lo na familiar banheirinha, ou, se ele também tiver medo dela (ou não couber mais nela), dê-lhe banhos de esponja.

Faça uma tentativa a seco. Se o bebê estiver demonstrando boa vontade, coloque-o na banheira (dentro de uma toalha de banho ou num assento especial para banhos, para que não escorregue) sem água e ponha junto um monte de brinquedos, para que ele possa habituar-se ao cenário e descobrir que se trata de um lugar onde é possível divertir-se muito. Se o ambiente for estimulante e estiver agradavelmente aquecido, e se o seu bebê for um daqueles que se sentem à vontade quando ficam nus, deixe que ele fique ali brincando, sem roupa. Se ele não gosta de ficar pelado, não lhe tire as roupas. Como deve acontecer em qualquer situação dentro de uma banheira, não o deixe sozinho nem por um minuto.

Use um doublé. Enquanto outra pessoa segura o seu bebê, dê um banho numa boneca ou num bichinho de brinquedo dentro da banheira, fazendo comentários ao longo de todo o processo. Quando o seu bebê já tiver idade suficiente, deixe que ele a ajude a dar-lhe banho, ou que banhe o seu próprio "bebê" dentro de uma pequena bacia enquanto estiver sentado na banheira ainda sem água.

Tente algumas brincadeiras molhadas e divertidas. Para o bebê que já consegue sentar-se, encha uma banheira de plástico (use a banheirinha dele, ou uma bacia) com água morna e bolhas feitas com sabão líqüido para bebês, mais alguns brinquedos aquáticos. Ponha isso numa banheira sem água, sobre uma toalha, ou no chão da cozinha ou do banheiro, caso o seu bebê se recuse terminantemente a entrar na banheira. Coloque-o, com ou sem roupa, perto dessa banheira ou bacia de plástico, e deixe-o explorar à vontade, mas sob a sua constante supervisão. Para o bebê que ainda não consegue sentar-se bem, encha uma pequena bacia e coloque-a na bandeja da cadeira onde ele se alimenta ou no andador, para que ele também possa brincar com a água.

Vestido ou não, ele pode tentar subir para a pequena banheira — um sinal de que está pronto para tentar novamente um banho. Se ele não fizer nada disso, caberá a você tomar a iniciativa: mergulhe na água os dedos das mãos e dos pés do bebê, com a esperança de que ele se anime a mergulhar o resto. Se nada disso acontecer, dê-lhe um pouco mais de tempo.

Ponha em prática o banho a dois. Alguns bebês aceitam melhor o banho se tiverem companhia. Tente tomar banho junto com o seu, com a água a uma temperatura que seja agradável para ele. Assim que ele se habituar a esses banhos em dueto, tente fazer com que inicie sua carreira solo.

Seja paciente. Mais cedo ou mais tarde, o seu bebê vai aceitar um retorno definitivo à banheira grande. Contudo, esse processo será mais rápido se ele puder fazer as coisas no seu próprio ritmo, sem ser pressionado pelos pais.

ESCOVAR OS DENTES DO BEBÊ

"Acabou de nascer o primeiro dente da minha filha. Uma vizinha me disse que devo começar a escová-lo já, mas isto me parece uma bobagem."

Aquelas minúsculas pérolas que provocam tanta dor antes de chegarem, e tanta comoção depois que rompem as gengivas pela primeira vez, estão fadadas à extinção. Com certeza, cairão todos durante o início e a metade dos anos escolares, quando então serão substituídos pelos dentes permanentes. Portanto, por que cuidar deles agora?

Há vários motivos para que se tomem alguns cuidados: em primeiro lugar, já que eles "guardam o lugar" para os dentes permanentes, a cárie e a perda desses primeiros dentes podem deformar permanentemente a boca. E depois, também, o seu bebê vai precisar desses primeiros dentes para morder e mastigar durante muitos anos; dentes ruins podem interferir na boa nutrição. Os dentes saudáveis também são importantes para o desenvolvimento da fala e da aparência — duas coisas fundamentais para que a criança venha a ter confiança em si mesma. A criança que não consegue falar bem devido a dentes defeituosos, ou que fica de boca fechada para não mostrar dentes podres ou inexistentes, não vai nunca sentir-se bem consigo mesma. Por último, se você começar logo a escovar os dentes do seu bebê, é provável que ele adquira bons hábitos de higiene também com relação a isso.

Os primeiros dentes podem ser limpos com um chumaço de gaze úmida ou uma toalhinha, mas também podem ser escovados com uma escova infantil pequena e macia (com não mais de três fileiras de cerdas), umedecida com água, após as refeições e na hora de dormir. Peça ao dentista ou farmacêutico que recomende uma boa escova. O chumaço de gaze provavelmente funcione melhor até o nascimento dos molares, mas o uso da escova criará no bebê o hábito de escovar os dentes, e então o melhor talvez seja combinar os dois procedimentos.[1] Mas seja delicada — os dentes dos bebês são frágeis. Suavemente, limpe também a língua, que abriga germes.

1. Um odontopediatra talvez saiba dizer-lhe onde comprar envoltórios para os dedos, muito mais eficientes para a limpeza dos dentes do que os chumaços de gaze.

Não é preciso usar creme dental para escovar os dentes dos bebês, embora você possa aromatizar a escova com uma minúscula quantidade de dentifrício, caso isto leve o bebê a interessar-se pelo ritual de escovar os dentes. Ainda assim, não use mais que uma quantidade do tamanho de uma ervilha enquanto o bebê não tiver aprendido a cuspir o creme dental — a maioria das crianças tende a engoli-lo, e poderia ocorrer uma overdose de flúor, sobretudo se a água já for fluorada. Quase todos os bebês ficam loucos por "escovar os dentes sozinhos". Assim que o seu tiver a destreza necessária, o que ainda vai demorar vários meses para acontecer, você poderá deixá-lo escovar os dentes sozinho depois das refeições, mas não se esqueça de limpá-los melhor com um chumaço de gaze, como parte do ritual de colocar o bebê no berço. Mostre-se a ele, também, quando estiver escovando os seus próprios dentes. Se a mãe e o pai derem um bom exemplo de como se deve cuidar da higiene bucal, é provável que o bebê adquira o hábito de escovar os dentes, e, mais tarde, o de usar fio dental.

Ainda que o uso da escova de dentes e do fio dental continue sendo importante ao longo de toda a vida do seu bebê, a nutrição apropriada exercerá um impacto igualmente importante sobre a saúde dos seus dentes, que agora começa a merecer cuidados (na verdade, já começou antes mesmo que ele nascesse). O horror que acompanha uma boca cheia de dentes podres e de gengivas que sangram pode ser evitado mediante a ingestão adequada de cálcio, fósforo, flúor e outras vitaminas e sais minerais (sobretudo de vitamina C, que ajuda a conservar a saúde das gengivas), bem como através da restrição de alimentos ricos em açúcar refinado (inclusive as bolachas para uso durante a dentição) ou no viscoso açúcar natural (a exemplo das frutas secas, inclusive das uvas passas). Em termos ideais, os doces (até mesmo os saudáveis) devem ser servidos no máximo duas vezes por dia, pois quanto maior for a ingestão de açúcar durante o dia, tanto maior será o perigo para a boa saúde

A PRIMEIRA ESCOVA DO BEBÊ

As cerdas devem ser macias, e, quando ficarem tortas, é preciso comprar outra escova. Mesmo uma escova que parece nova tem de ser trocada depois de seis ou oito semanas de uso (há quem recomende uma troca a cada seis semanas), pois, com o tempo, as bactérias da boca acumulam-se nas escovas. Usar escovas que trazem desenhos infantis pode ser bem mais agradável e atraente para o bebê, mas, antes de usá-las, convém consultar o dentista a propósito de sua qualidade.

quando prejudicam menos os dentes, e não nos intervalos entre as refeições, ou escove os dentes do bebê assim que ele tiver comido alguma coisa doce.

Quando o seu bebê comer doces ou qualquer outra coisa com alto índice de carboidratos entre os refeições, e não for possível escovar-lhe os dentes, sirva-lhes logo em seguida um pedaço de queijo (suíço, ou Cheddar), que parece ser capaz de bloquear a ação dos ácidos produzidos pelas placas bacterianas responsáveis pelo apodrecimento dos dentes. Para assegurar mais ainda a boa saúde dos dentes do seu bebê, habitue-o desde já a tomar suco numa xícara, e jamais permita que ele adormeça com uma mamadeira na boca.

Além da boa nutrição e dos bons cuidados em casa, o seu bebê também vai precisar dos bons cuidados de um profissional que cuide dos seus dentes e das suas gengivas. Antes que surja alguma emergência, peça ao médico do seu bebê que lhe indique um odontopediatra ou um dentista geral de confiança, alguém que cuide de muitas crianças e trabalhe bem com elas. Se você tiver alguma dúvida sobre os dentes do seu bebê, telefone ou marque uma consulta assim que surgir o problema. Se não houver dúvidas, você não precisará marcar um *checkup* até o período que vai do segundo ao terceiro aniversário do seu bebê. Alguns problemas com os dentes das crianças, como a mordida defeituosa ou as cáries provocadas pelo uso da mamadeira, precisam de correção precoce. Outros, como os dentes muito espaçados, que geralmente se aproximam mais com o passar do tempo, raramente devem ser a causa de uma intervenção precoce.

DAR LEITE DE VACA AO BEBÊ

"Estou amamentando, e quero desmamar o meu bebê. Não pretendo começar o desmame com leite artificial; posso darlhe leite de vaca?"

Embora em pequenas quantidades o leite de vaca talvez não seja problemático para uma criança em seu primeiro ano de vida, hoje é cada vez mais claro que desmamar um bebê amamentado pela mãe ou que toma mamadeira, e fazer o desmame exclusivamente à base de leite de vaca, não é uma boa idéia quando a criança ainda não completou um ano. A Academia Americana de Pediatria recomenda que, quando possível, deve-se continuar amamentando o bebê até o fim do seu primeiro ano de vida. Quando não for possível, a opção deve ser um leite artificial para bebês enriquecido com ferro. Existem várias razões para isso. Em primeiro lugar, o leite de vaca contém reservas inadequadas de ferro, ácido linólico e vitamina E, e níveis excessivos de sódio, potássio e proteínas. Em segundo lugar, a composição do leite de vaca também pode interferir na absorção de ferro de outros alimentos ingeridos pelo bebê, a exemplo dos cereais. E, por último, o leite de vaca pode provocar hemorragia intestinal em alguns bebês.

Tendo em vista que as necessidades nutricionais de uma criança de seis meses diferem daquelas de um recém-nascido, converse com o médico sobre a possibilidade de desmamar o seu bebê passando a dar-lhe alguns dos leites artificiais que se destinam a bebês de mais idade.

Quando você mudar para o leite de vaca depois do primeiro aniversário do bebê, certifique-se de usar leite integral, e não leite desnatado (sem gordura) ou leite com baixo teor de gordura. O leite integral geralmente é recomendado até os dois anos de idade, ainda que alguns médicos liberem o uso de leite semidesnatado depois do décimo oitavo mês.

CÁRIES DE MAMADEIRA

"Os dentes da frente do bebê de uma amiga tiveram de ser arrancados por estarem com cárie de mamadeira. Como posso impedir que o mesmo aconteça como o meu garotinho?"

Não existe nada de mais engraçadinho do que um bebê de um ano cujo sorriso revela um charmoso espaço no lugar onde antes ficavam os seus dois dentes da frente. Mas, no caso de um bebê que já aprendeu a andar e que, devido à cárie de mamadeira, perdeu os dois dentes da frente anos antes do momento certo de perdê-los, não existe nada de engraçadinho. E, a cada ano, costuma ser esse o destino de um grande número de bebês.

Por sorte, trata-se de algo perfeitamente evitável. Na maior parte dos casos, ocorre nos dois primeiros anos de vida, quando os dentes são mais vulneráveis, e quase sempre resulta do fato do bebê dormir regularmente com a mamadeira na boca. Os açúcares de qualquer líqüido que ele esteja tomando (leite de vaca, materno, artificial, suco de frutas etc.), combinam-se em sua boca com as bactérias, e o resultado é o apodrecimento dos dentes. Isso ocorre durante o sono, quando se reduz drasticamente a produção de saliva, que normalmente dilui os líqüidos e alimentos e estimula o reflexo de engolir. Com a criança engolindo muito pouco, os últimos goles que o bebê dá antes de adormecer ficam estagnados na sua boca, onde permanecem em contato com os dentes durante muitas horas.

Para evitar a cárie de mamadeira:

- Nunca dê água com açúcar, mesmo antes dos dentes do bebê surgirem, para que ele não fique "viciado". A mesma proibição vale para os líqüidos açucarados, como suco de uva, ponches de frutas, sucos de frutas ou bebidas contendo suco de frutas.
- Quando os dentes do bebê nascerem, não o ponha para dormir à noite (ou para uma soneca diurna) com uma mamadeira de leite ou suco. Um esquecimento eventual não vai resultar no problema, mas esquecimentos constantes vão provocá-lo. Se você precisa dar mamadeira para fazer o bebê dormir, encha-a de água, que não vai prejudicar os dentes, e que, se estiver fluoretada, ajudará a fortalecê-los.
- Não permita que o seu bebê use uma mamadeira para acalmar-se, para engatinhar ou ficar se locomovendo por onde quiser, mamando à vontade. Ficar com uma mamadeira na boca o dia inteiro pode ser tão prejudicial para os dentes quanto usá-la durante a noite. A mamadeira deve ser vista como parte de uma refeição (ou de um "lanche rápido"), e, como tal, deve ser sempre dada num contexto rotineiro (nos seus braços, num assento para bebês e, mais tarde, na cadeira alta) e nos momentos certos.
- Se o seu bebê dorme com você, não permita que ele fique a noite toda no seu peito, mamando quando lhe der vontade. Assim usado, o leite materno pode apodrecer os dentes, sobretudo depois do décimo segundo mês.
- Desmame o seu bebê do peito ou da mamadeira quando ele estiver com mais ou menos um ano de idade.

ANEMIA

"Não entendo por que motivo o médico pretende, na próxima visita, fazer um teste de anemia no meu bebê. Ele nasceu prematuro, mas hoje é uma criança saudável e ativa."

Houve época em que muitos bebês ficavam anêmicos em algum momento entre o sexto e o décimo segundo meses de vida, e, nas famílias de baixa renda, isso continua a acontecer. Os exames para detectar anemia tornaram-se rotineiros porque, em geral, os bebês com anemia leve parecem saudáveis e ativos, sem apresentar os tipos de sintomas que se manifestam nos adultos,[2] e o único meio de descobrir o problema é fazer um teste que determine a proporção de hemoglobina no sangue. Quando a hemoglobina (a proteína nos glóbulos vermelhos que desempenha a importante função de distribuir o oxigênio) está em baixa quantidade, a anemia é diagnosticada.

Hoje em dia, graças à maior atenção dada à suplementação de ferro, só dois ou três entre cada cem bebês de classe média ficam anêmicos, e a realização de testes rotineiros não é mais vista como absolutamente necessária. Ainda assim, muitos médicos continuam a exigir esse teste (entre o sexto e o nono meses para os bebês que nasceram com pouco peso, e entre o nono e o décimo segundo para os outros) como forma de precaução.

Às vezes os bebês nascem anêmicos, geralmente devido a uma perda de glóbulos vermelhos em hemorragias, à destruição de células devido a algum problema de incompatibilidade sangüínea, ou a uma doença hereditária, como a anemia falciforme ou a talassemia (veja páginas 560 e 577). Na primeira infância, podem ficar anêmicas mais tarde, devido a um sangramento oculto (como a que pode decorrer da ingestão de leite de vaca quando a criança é ainda muito novinha), ou em decorrência de uma infestação de parasitas (quase sempre ancilóstomos). A anemia também pode manifestar-se devido à ingestão insuficiente de ácido fólico ou vitamina B_{12}, ambos encontrados em pequena quantidade no leite materno de mães que seguem uma rigorosa dieta vegetariana, ou ainda de vitamina C, pois todos eles interferem na produção de hemoglobina.

Mas é o ferro a principal unidade de construção da hemoglobina, e a deficiência de ferro é a razão mais comum dos bebês ficarem com anemia. Em geral, os bebês nascidos depois de um período normal de gestação vêm ao mundo com reservas de ferro criadas durante os últimos meses de gravidez, reservas que os sustentam nos primeiros meses de idade. Depois, quando continuam exigindo o mineral em grandes quantidades, para ajudar a expandir o seu volume de sangue de tal modo que este se ajuste às exigências de um rápido crescimento, os bebês precisam de uma fonte de ferro em sua alimentação, como, por exemplo, um suplemento vitamínico ou mineral que contenha ferro, um cereal infantil enriquecido com ferro, ou um leite artificial que também contenha esse mineral (no caso dos bebês que usam mamadeira).[3] E, ainda que a amamentação exclusiva nos quatro ou seis primeiros meses geralmente seja considerada a melhor maneira de alimentar um bebê, e ainda que o ferro no leite materno seja muito bem absorvido, a amamentação não assegura a ingestão ideal de ferro depois que as reservas pré-natais de ferro do bebê já se consumiram.

A anemia por deficiência de ferro é mais comum nos bebês nascidos com reservas insuficientes desse mineral, como os pre-

---

2. Em adultos ou crianças não muito novinhas, os sintomas da anemia incluem: de início, palidez, irritabilidade, fraqueza, falta de apetite, pouco interesse pelo que se passa à sua volta; mais tarde, pele com aparência cerosa e amarelada e suscetibilidade às infecções.

3. Os fitatos dos grãos, que normalmente aglutinam o ferro, tornando-o inutilizável pelo corpo, antigamente tornavam ineficaz o enriquecimento de ferro nos cereais infantis. O problema foi superado pelos novos métodos de produção, e hoje esses cereais constituem uma boa fonte de ferro.

maturos que, antes do nascimento, não tiveram tempo de armazenar reservas suficientes, e aqueles cujas mães não tinham ferro suficiente durante a gravidez. Geralmente, essa anemia se desenvolve mais tarde nos bebês com problemas intestinais (como a diarréia) ou metabólicos (como a doença celíaca), que interferem na absorção do ferro. Mas a anemia também pode desenvolver-se em bebês sem problemas de absorção que começam com boas reservas de ferro, mas que não recebem nenhuma forma de suplementação desse mineral quando as suas reservas se esgotam.

Exatamente quando deve ser iniciada a suplementação de ferro é uma questão de opinião dos médicos, e você deve pedir ao seu que lhe faça as devidas recomendações a esse respeito.

Quase sempre, o bebê que desenvolve anemia por deficiência de ferro costuma ser aquele que basicamente depende do leite materno ou de vaca, ou de leite artificial deficiente em ferro, e que também ingere uma quantidade muito pequena de alimentos sólidos. Tendo em vista que a anemia tende a diminuir o seu apetite pelos sólidos, a sua única fonte de ferro, estabelece-se um ciclo de menos ferro/menos alimento/menos ferro, o que contribui para tornar as coisas ainda piores. Em geral, a prescrição de gotas de ferro resolve o problema.

Para ajudar a impedir a anemia do bebê por deficiência de ferro, tente as seguintes sugestões:

- Se o seu bebê usar mamadeira, certifique-se de que ele esteja tomando um leite artificial enriquecido com ferro.
- Se ele for amamentado por você, não deixe de dar-lhe alguma forma de suplementação de ferro, como, por exemplo, um cereal ou gotas de vitamina que contenham esse mineral. Sempre que possível, ofereça-lhe ao mesmo tempo um alimento que contenha vitamina C (veja página 417), para melhorar a absorção de ferro.
- Quando o seu bebê passar a comer mais alimentos sólidos, certifique-se de colocar, no cardápio dele, uma quantidade maior de alimentos ricos em ferro.
- Evite dar farelo (de trigo etc.) ao seu bebê, pois pode haver interferência na absorção de ferro.

DIETA VEGETARIANA

"Somos vegetarianos estritos, e assim pretendemos criar nossa filha. O vegetarianismo pode oferecer-lhe o suficiente em termos de nutrição?"

Existem milhões de vegetarianos que educam os seus filhos como tais, sem que disso decorra alguma conseqüência de monta, a não ser um peso menor das crianças. Contudo, é arriscado restringir todos os produtos de origem animal, tanto para crianças quanto para adultos. O que é bom para os pais também será bom para os filhos desde que você:

- Amamente o seu bebê. Como o leite de soja é um substituto imperfeito do leite materno, a mãe vegetariana que pode amamentar deve fazê-lo, para assegurar que o seu bebê receba todos os nutrientes necessários nos primeiros seis meses, e a maioria deles durante o primeiro ano — admitindo-se que ela esteja recebendo todos os nutrientes dos quais precisa (inclusive o ácido fólico e a vitamina B_{12} em forma de suplemento) para produzir um leite de alta qualidade. Se ela não puder amamentar, deve certificar-se de que o leite de soja que usa é o recomendado pelo médico do bebê.
- Dê ao seu bebê amamentado um suplemento vitamínico-mineral infantil que contenha ferro, vitamina D (além da luz do Sol, a fonte principal é o leite, ao qual a vitamina D é rotineiramente acrescentada), ácido fólico e vitamina B_{12} (que só é encontrada em produtos de origem animal). (Veja, na página 149, maiores informações sobre os suplementos vitamínicos.) Dê um suplemento, também, quando o seu bebê for desmamado do leite materno ou artificial.

- Sirva somente feijões e cereais integrais quando o seu bebê deixar para trás a fase dos cereais infantis para principiantes. Esses alimentos vão oferecer bem mais do que os seus equivalentes refinados, mais em termos das vitaminas, sais minerais e proteínas geralmente fornecido pelos produtos de origem animal.
- Use tofu e outros produtos à base de soja para oferecer proteínas adicionais quando o seu bebê passar a comer alimentos sólidos. Perto do fim do primeiro ano, também podem ser acrescentados à alimentação da criança, como fontes de proteína, arroz integral bem mole, grão-de-bico ou outras leguminosas em forma de purê (feijões, lentilhas e ervilhas), e massas de alto teor protéico ou de grãos integrais. (Veja, na página 416, sugestões para uma relação mais completa de proteínas vegetais);
- Depois de desmamar o seu bebê, certifique-se de que ele tenha em sua alimentação todo o cálcio de que necessita para desenvolver ossos e dentes fortes e saudáveis. As boas fontes vegetarianas incluem tofu preparado com cálcio (mas tome cuidado com a grande quantidade de líqüidos e sobremesas geladas à base de soja, que contêm pouco ou nenhum cálcio), brócolis e outras hortaliças verdes, e amêndoas e pinhões muito bem moídos (para que o bebê não engasgue). Tendo em vista que esses alimentos não estão entre os preferidos pelos bebês, talvez você também precise acrescentar um suplemento de cálcio à dieta da sua filha, caso prefira não lhe dar leite. Converse com o médico a respeito.

Os vegetarianos que usam produtos derivados do leite têm muito mais condições de oferecer uma boa nutrição aos seus filhos do que os que se recusam a usá-los. Os laticínios fornecem as proteínas e o cálcio necessários ao crescimento e à boa saúde, além das quantidades necessárias de vitamina A, B_{12} e D. Se as gemas de ovos também fizerem parte da alimentação da criança, estará sendo usada mais uma fonte de ferro — mas, para a maioria delas, os suplementos de ferro continuam sendo uma boa idéia. (E é claro que, quando o seu bebê crescer mais, não se deve dar-lhe ovos todos os dias.) Mais uma vez, é preciso conversar com o médico.

SAL NOS ALIMENTOS

"Tomo cuidado com a quantidade de sal que eu e meu marido ingerimos. Mas como devo proceder quanto ao sal na alimentação da minha filha?"

Assim como acontece com todos nós, os bebês também precisam de um pouco de sal. Mas, como acontece conosco, não precisam de um monte de sal no que comem. Na verdade, os seus rins não conseguem lidar com grandes quantidades de sódio, o que talvez explique porque a Mãe Natureza fez do leite materno um líqüido no qual o sódio está quase ausente (apenas 5 mg de sódio por xícara, enquanto uma xícara de leite de vaca tem 120 mg). E há indícios crescentes de que o excesso de sal dado a uma criança muito nova, principalmente quando existe um histórico familiar de hipertensão, pode preparar o terreno para a pressão alta na vida adulta. Estudos também mostram que os bebês não têm uma preferência inata por coisas salgadas, mas que podem desenvolver tal preferência se lhes for dada uma alimentação muito alta em sódio — uma preferência que pode mostrar-se fatal em sua vida futura.

Em resposta aos indícios cada vez maiores de que o excesso de sódio não é bom para os bebês, os principais fabricantes de alimentos infantis eliminaram o sal de suas receitas. As mães que preparam o alimento dos filhos devem fazer o mesmo. Os adultos não devem pensar que, só porque adoram comer coisas com sal, as crianças não vão apreciar vagens, purês de batata etc., se não tiverem sido preparados da mesma maneira. Se dermos às suas papilas gustativas a oportunidade de conhecer o sabor dos alimentos não adulte-

QUANTIDADES DE SÓDIO NOS ALIMENTOS DADOS AOS BEBÊS

ALIMENTO	QUANTIDADE	MG DE SAL
Leite materno	1 xícara	5 mg
Leite artificial	1 xícara	Variável, mas em geral se aproxima da do leite materno
Leite de vaca integral	1 xícara	120 mg
Cereal para bebês	1/4 de xícara	0 mg
Frutas para bebês	1/2 potinho	2-10 mg
Batata doce para bebês	1/2 potinho	20 mg
Cenoura para bebês	1/2 potinho	35 mg
Ervilhas para bebês	1/2 potinho	7 mg
Iogurte de leite integral	2 porções	20 mg
Ricota de leite integral	2 porções	110 mg
Ricota sem sal*	2 porções	15 mg
Pão de trigo integral	1/2 fatia	90 mg
Pão de trigo integral sem sal	1/2 fatia	5 mg
Bolos de arroz	1 inteiro	28 mg
Bolos de arroz sem sal	1 inteiro	0 mg

* Se você usar ricota sem sal, que em geral só é encontrável nas variedades com baixo teor de gordura, certifique-se de que o seu bebê receba toda a gordura de que precisa através de outras fontes, como o leite materno ou artificial, queijo duro e iogurte natural. Você também pode acrescentar uma colher de sopa de creme pouco doce ou azedo a cada 1/4 de xícara de ricota.

rados pelo sal, elas desenvolverão um gosto pela comida ao natural que poderá durar pela vida afora.

Para certificar-se de que o bebê não adquira o hábito de só comer com sal, e ajudar o resto da família a reduzir a ingestão de sal, passe a ler os rótulos dos alimentos preparados que compra. Você descobrirá grandes quantidades de sal nos produtos mais improváveis, inclusive na ricota e nos queijos duros (escolha os tipos com menos sal), nos pães e cereais para o café da manhã, em bolos e doces. Já que, entre o sexto mês e o primeiro ano, um bebê não precisa de mais de 250 a 750 mg de sal por dia, os alimentos que contiverem 300 mg ou mais por porção vão rapidamente fazer com que a ingestão extrapole esse nível. Ao fazer compras para o bebê, escolha quase sempre alimentos com menos de 50 mg por porção.

O HÁBITO DOS GRÃOS INTEGRAIS

"Sei que o pão integral é melhor para o meu bebê, mas não gosto desse tipo de pão, e duvido que o meu bebê venha a gostar. Não será melhor, para ele, comer pão branco em vez de não comer pão nenhum?"

Qual foi o primeiro pão que a sua mãe lhe deu quando você ainda comia no cadeirão? Que tipo de torrada você comia com os seus ovos quando estava crescendo? Que tipo de pão era usado para fazer o sanduíche de atum que você levava para a escola? Aposto que a resposta a essas três perguntas é "pão branco" — e não admira que hoje você continue a preferi-lo. As preferências alimentares que desenvolvemos no início de nossas vidas ficam conosco para sempre (a não ser que façamos um grande esforço para nos livrarmos delas), e é exatamente por isso que, agora e ao longo de toda a sua infância, é importante dar ao seu bebê apenas grãos integrais. Se você fizer isso, ele não só crescerá gostando de grãos integrais, mas passará a preferi-los — e a achar que o pão branco é insípido e pastoso. Se a família toda embarcar na mesma preferência, logo mais vocês todos estarão preferindo o pão integral, mais escuro e saudável.

ACORDAR CEDO

"No começo, achamos ótimo que a nossa filha dormisse a noite inteira. Mas agora, quando ela acorda todos os dias às 5 da manhã, com a precisão de um relógio, quase estamos preferindo que acordasse no meio da noite".

Quando o bebê acorda no meio da noite, existe pelo menos a perspectiva de que poderemos ter mais algumas horas de sono assim que ele volte a dormir. Mas, com os bebês que saúdam os pais com energia e vigor atroadores, prontos para começar cada dia quando até mesmo os galos ainda estão dormindo, não há esperança de mais descanso até que a noite chegue. E é incontável o número de pais que todos os dias têm de enfrentar um amanhecer desse tipo.

Em geral, a única opção que lhes resta é aprender a conviver com o problema, mas, em alguns casos, pode-se introduzir algumas modificações no mecanismo desse caprichoso despertador:

Não deixe que o bebê veja a primeira luz do dia. Alguns bebês (e alguns adultos) são particularmente sensíveis à luz quando estão dormindo. Sobretudo quando os dias são mais longos, e amanhece mais cedo, uma das maneiras de fazer com que o bebê durma mais é manter escuro o seu quarto. Compre biombos ou cortinas forradas, ou dependure um cobertor bem grosso na janela, antes de dormir.

Nada de trânsito por perto. Se a janela do seu bebê dá para uma rua onde o trânsito é intenso nas primeiras horas da manhã, pode ser que ele esteja acordando prematuramente devido ao barulho. Tente manter a janela fechada, e ponha nela cortinas ou um cobertor pesado que ajudem a abafar o som, ou, ainda, transfira o bebê para um quarto mais afastado da rua.

À noite, deixe o bebê acordado até mais tarde. É possível que o seu bebê esteja acordando mais cedo do que deveria devido ao fato de estar indo cedo demais para o berço. Tente fazê-lo dormir 10 minutos mais tarde a cada noite, até que o horário dele dormir avance mais ou menos uma hora. Para que isso funcione, talvez as sonecas e as refeições dele devam ser alteradas simultaneamente e no mesmo ritmo.

Faça-o ficar acordado o máximo possível durante o dia. Alguns madrugadores querem cair no sono novamente uma ou duas horas depois de terem acordado. Para desestimular esse comportamento, demore cerca de 10 minutos a cada dia para levar o bebê de volta ao berço, até que ele passe a tirar sua soneca mais ou menos uma hora depois do que está acostumado. Pode ser que isso ajude-o a dormir um sono mais prolongado à noite.

Reduza as horas de sono diurno do bebê. Em média um bebê necessita de um total de 14 horas e meia de sono nessa idade, com grandes variações de bebê para bebê. Talvez o seu esteja dormindo muito durante o dia, e então precise de poucas horas de sono à noite. Limite as sonecas durante o dia, tirando uma delas ou diminuindo a duração de todas. Mas não chegue ao ponto de deixar o bebê exausto no fim do dia.

Faça-o esperar. Não corra para o bebê assim que ele emitir os primeiros "chamados". Aos poucos, vá aumentando o tempo que o faz esperar — começando com 5 minutos —, a menos que ele esteja chorando convulsivamente. Se você tiver sorte, pode ser que ele vire para um lado e volte a dormir, ou que, no mínimo, distraia-se sozinho por algum tempo.

Encha o berço de brinquedos. Se de nada adianta manter o quarto escuro, tente deixar entrar um pouco de luz, e coloque muitos brinquedos seguros (centros de atividade presos numa das laterais do berço, animais de brinquedo, mas não felpudos, que poderiam apresentar um risco de sufocamento, e outros brinquedos seguros para se colocar em berços) ao alcance do bebê, para que ele tenha com que se distrair enquanto você não levanta.

Faça-o esperar pelo café da manhã. Se ele está acostumado a alimentar-se às 5 e meia da manhã, a fome baterá regularmente nesse horário. Mesmo que você esteja levantando na mesma hora, não o alimente de imediato. Aos poucos, vá postergando o café da manhã, de tal modo que ele não tenda a acordar cedo para tomá-lo.

Infelizmente, todos esses esforços podem ser inúteis. Alguns bebês precisam de menos sono total do que outros, e, se o seu for um deles, você terá de madrugar até ele crescer o suficiente para acordar e preparar o seu café da manhã. Até lá, sua melhor técnica de sobrevivência talvez seja irem todos deitar-se mais cedo, e se revezar com seu parceiro na tarefa de madrugar junto com o bebê (o que só vai funcionar se a presença da mãe não for necessária para a amamentação).

O BEBÊ AINDA NÃO DORME A NOITE INTEIRA

"Meu bebê ainda acorda duas vezes por noite, e, por mais que o embalemos ou tentemos acalmá-lo, não volta a dormir enquanto eu não lhe der de mamar. Será que algum dia conseguiremos dormir em paz?"

O seu bebê continuará acordando várias vezes durante a noite pelo resto de sua vida, como acontece com todos nós. Mas, enquanto ele não aprender a retomar o sono por conta própria, nem vocês nem ele terão condições de dormir direito.

Ajudá-lo a voltar a dormir — com o peito, a mamadeira, a chupeta, embalando-o, acariciando-o, cantando para ele, colocando música relaxante — só vai fazer com que ele demore ainda mais para aprender a dormir sem ajuda. No entanto, o momento inevitável vai chegar quando não for mais viável ou possível, para você, fazer o papel de João-pestana. Se esse momento for antecipado para já, tanto você quanto ele terão mais horas de sono.

O seu primeiro passo deve ser retomar as sugestões apresentadas na página 200 deste livro para reduzir a vigília noturna e as sonecas durante o dia. Depois, escolha uma das seguintes abordagens para ensinar o seu bebê a ser independente também no que diz respeito ao sono:

Abstinência forçada. Se o seu bebê costuma acordar uma ou duas vezes por noite para mamar, não responda — deixe que ele chore à vontade;

Retraimento gradual. Se ele tem o hábito de acordar de três a quatro vezes por noite, ou mais, ou se você não está se sentindo muito bem com a técnica da abstinência forçada, comece a atrasar os seus movimentos. Responda quando ele chamar, mas não para alimentá-lo. Em vez disso, tente fazê-lo retomar o sono de alguma outra maneira (acariciando-o, embalando-o, cantando para ele). Quando ele conseguir passar sem as mamadas noturnas, introduza um programa gradual de deixá-lo chorar sem interferir.

Se, apesar das suas complexas maquinações, o seu bebê continuar acordando no meio da noite, o problema provavelmente está no modo como ele adormece no início de uma soneca, ou do sono noturno. Enquanto alguns bebês conseguem deixar aos poucos o peito ou a mamadeira na hora da soneca ou de ir para o berço, e ainda assim são capazes de voltar a dormir sem esse tipo de ajuda no meio da noite, o mesmo não acontece com outros. Se o seu bebê for um desses, você também terá de modificar o ritual de colocá-lo no berço. Alimente-o muito antes de uma soneca ou da hora de dormir à noite, e depois, mais tarde, quando ele parecer sonolento, tente colocá-lo no carrinho ou no berço assim mesmo — meio entorpecido de sono, mas acordado. De início, a maioria dos bebês vai ter dificuldades para pegar no sono desse jeito, mas quase todos conseguirão depois de alguns choros de protesto.

Parece sensato — mas será possível? E se o seu bebê invariavelmente cai no sono enquanto está sendo alimentado, tenha você planejado isso ou não? Em tais circunstâncias, talvez seja mais sensato adiar a sua cruzada, em vez de tentar despertar o seu bebê nos seus braços depois de cada refeição, para que ele possa voltar a dormir por iniciativa própria. Felizmente, quando crescem os bebês tendem menos a cochilar enquanto mamam, e você terá mais oportunidades de colocá-lo acordado no berço. Aproveite a oportunidade quando ela se apresentar, e você acabará tendo um bebê que sabe como dormir sem ajuda de ninguém.

Alguns bebês amamentados continuam acordando e alimentando-se durante a noite quando já começaram a andar, não pelo fato de precisarem de alimento, mas porque, noite após noite, deparam-se com uma oferta irrecusável: o conforto e o bem-estar da amamentação. E, em geral, continuam acordando à noite enquanto a oferta for feita. Suas mães normalmente estão dispostas a sacrificar um sono contínuo para dar-lhes leite o tempo todo, até o momento em que os seus filhos são desmamados (quando então, como se por um passe de mágica, eles aparentemente começam a dormir a noite inteira), mas não se sabe ao certo se as amamentações prolongadas durante a noite trazem quaisquer benefícios às crianças. Os bebês que tendem a dormir menos à noite são os que mamam e dormem com as mães — uma prática mais comum do que imaginamos, e que, através de mamadas noturnas freqüentes quando já nasceram os dentes, pode contribuir para a cárie dentária.

O CHORO NO MEIO DA NOITE

"Todos insistem comigo para que eu deixe o meu bebê chorar e não o atenda sempre que ele acorda no meio da noite, mas isso me parece tão cruel."

Para a mãe programada a satisfazer todas as necessidades do bebê, deixar que ele chore até dormir pode, realmente, parecer um castigo cruel e desumano, sobretudo quando o único crime da criança é querer a mamãe ou o papai ao seu lado no meio da noite. Na verdade, porém, como nos ensinam os especialistas, deixar o bebê chorar sem interferir é a melhor maneira de contribuir para que ele aprenda a retomar o sono por conta própria. Ainda assim, se você se opõe filosoficamente a essa idéia, não tente colocá-la em prática. Talvez você não siga

OUTRA TÁTICA PARA DORMIR UM SONO ININTERRUPTO?

Se você é um desses pais ou mães de coração mole e nervos frágeis que não suportam ouvir um bebê gritar no meio da noite sem correr a atendê-lo, talvez possa contar com outra opção além das noites mal dormidas. Um estudo recente mostrou que um programa chamado "despertar sistemático" pode funcionar tão bem quanto deixar o bebê chorar sem interferir, ainda que mais lentamente. Muitas dúvidas ainda cercam o despertar sistemático — dentre as quais a principal é o porquê do seu êxito. Mesmo assim, vale a pena fazer uma tentativa.

Eis como fazê-la: mantenha um diário com o registro das diferentes horas em que o bebê acorda durante uma semana, para que você possa ter uma idéia da maior incidência do seu despertar. Depois, ponha o despertador para mais ou menos meia hora antes da hora em que você espera os primeiros sinais de choro. Ao soar o despertador, levante-se, acorde o bebê e faça tudo o que costuma fazer quando ele acorda espontaneamente (troque-lhe a fralda, alimente-o, embale-o etc.). Antecipe da mesma maneira todas as ocasiões em que ele costuma acordar. Aos poucos, aumente o tempo entre cada despertar sistemático, e depois comece a eliminá-los. Dentro de algumas semanas, você deverá estar em condições de começar a eliminá-los por etapas, até que caiam a zero.

direito as regras do jogo, e os sinais ambíguos que vai enviar ao bebê só servirão para confundi-lo mais ainda, e não para ajudá-lo a pegar no sono. Em vez disso, deixe-o usar algum apoio que o ajude a voltar a dormir (de preferência, qualquer coisa que não seja uma mamada no meio da noite) durante todo o tempo necessário.

Para as almas mais insensíveis — ou mais desesperadas —, deixar o bebê chorar sem interferir é uma tática que quase invariavelmente funciona. Você pode recorrer a uma destas duas abordagens:

Não ceder à tentação de interferir. Se você for capaz de tolerar uma hora ou mais de choros e gritos convulsivos, não atenda ao chamado do bebê, não o acaricie, não o alimente, não fale com ele sempre que ele acordar no meio da noite. Deixe-o chorar até ficar exausto e voltar a dormir, convencido de que toda aquela choradeira não vai atrair ninguém para o seu lado. Na noite seguinte, faça o mesmo; é quase certo que o choro vai durar menos. Sua duração deve reduzir-se ainda mais nas noites seguintes, até reduzir-se a nada. O seu bebê terá aprendido uma coisa que, antes, nem você nem ele teriam julgado possível: que ele pode retomar o sono interrompido sem um bico de peito ou mamadeira na boca, e sem um par de braços para niná-lo noite após noite.

Até a madrugada daquele dia importantíssimo, no qual você acorda às 6 e se dá conta de que dormiu a noite inteira — e o bebê também —, é provável que os seus nervos e os dele estejam em farrapos. Você talvez descubra que os dispositivos de tapar os ouvidos, o zumbido do ventilador, o burburinho das vozes ou a música no rádio ou na TV podem embotar o barulho do choro sem bloqueá-lo por inteiro. Se você tiver um sistema de intercomunicação com o quarto do bebê, o choro ampliado pode ser particularmente desagradável. Você pode atenuar esse problema desligando o sistema assim que o choro iniciar-se. Se o bebê estiver verdadeiramente histérico, você não terá como deixar de ouvi-lo. Se não conseguir ouvi-lo de jeito nenhum, ponha um relógio para despertar dentro de 20 minutos. Assim que tocar, ligue novamente o sistema de intercomunicação para verificar se o bebê ainda está chorando. Repita esse procedimento a cada 20 minutos, até que o choro cesse.

Se, a qualquer momento, o choro do bebê mudar e ele der a impressão de estar com algum problema de fato, vá ver se ele não está enredado nos cobertores, ou se tentou erguer-se no berço e ficou "encalhado", incapaz de deitar-se de novo. Se ele estiver com algum problema concreto, acalme-o, dê-lhe algumas pancadinhas carinhosas, converse um pouco com ele e volte para o seu quarto.

Responder ao choro do bebê um pouco por vez. Se você não é daquelas que suportam uma hora de apelos de cortar o coração, deixe o seu bebê chorar por alguns minutos (pelo tempo que você agüentar), depois vá para o quarto dele (ou, se for você a "conexão alimentar", peça ao pai que vá em seu lugar), acalme-o com algumas carícias e sussurros do tipo "eu te amo" (sem pegá-lo no colo), e depois deixe-o sozinho novamente. Não fique com o bebê o tempo suficiente para que ele adormeça enquanto você está tentando acalmá-lo. Repita o processo, aumentando o tempo em que o deixa sozinho em 5 minutos ou mais de cada vez, até que ele pegue no sono. Na noite seguinte, aumente em alguns minutos os períodos de tempo que ele passa sozinho, e continue a aumentá-los durante várias noites, até que ele adormeça depois do primeiro período. Esta abordagem, porém, apresenta um problema: alguns bebês podem ficar irrequietos com as visitas dos pais e, na verdade, sentir-se estimulados a chorar ainda mais, aumentando o tempo de que precisarão para retomar o sono.

Infelizmente para os pais, alguns não aprenderão a retomar o sono sozinhos mesmo quando eles se dedicarem com o máximo afinco a algum programa voltado para tal aprendizado. Alguns talvez não estejam se alimentando bem durante o dia, e só acordam no meio da noite porque estão realmente famintos. Se for esse o caso, a solução está em aumentar-lhes as refeições diurnas, sobretudo as do fim da tarde. (Lembre-se: se o seu bebê foi prematuro, ou pequeno para a idade gestacional, pode ser que continue precisando dessas mamadas noturnas por mais tempo do que os outros bebês). Outros talvez estejam sofrendo de alguma alergia ou doença. Para tais bebês, e para qualquer um cuja vigília noturna pareça um problema insolúvel, é imprescindível consultar um médico. Outros, ainda, podem ser hipersensíveis, perturbados por estímulos dos quais outros bebês nem mesmo tomariam conhecimento num despertar normal, e incapazes de retomar o sono. Para esses bebês, a solução do problema pode estar num ambiente cuidadosamente controlado — com o máximo de conforto em termos de barulho, luz, roupas e temperatura. Também existem aqueles para os quais bastam poucas horas de sono, e que consideram as duas da madrugada um horário excelente para começar a brincar. No caso desses bebês, só resta esperar que logo comecem a prescindir de companhia para essas sessões de brincadeiras no meio da noite.

Alguns bebês sempre choram por alguns minutos antes de adormecer, e também quando acordam à noite. Não é nada digno de preocupações — a não ser que esse choro também acorde invariavelmente os pais.

O QUE É IMPORTANTE SABER: Estimular o seu Bebê

Se é preciso engenho para estimular um bebê em seus primeiros meses de vida, a coisa chega à sofisticação quando se trata de estimular um bebê que chegou à metade do seu primeiro ano de vida. Já não é mais possível manipulá-lo física, emocional e intelectualmente. Agora, ele está pronto para assumir um papel ativo no processo de aprendizagem e coordenar os sentidos — ver o que está sendo tocado, olhar para o que está sendo ouvido, tocar tudo aquilo cujo sabor sente.

As mesmas diretrizes gerais discutidas em "Estimular o seu Bebê nos Primeiros Meses" (página 186) continuarão válidas quando você estiver se aproximando da segunda metade do primeiro ano de vida do bebê, mas aumentaram muito os tipos de atividade que você pode oferecer-lhe. Basicamente, elas irão voltar-se para as seguintes áreas do desenvolvimento:

Grandes habilidades motoras. A melhor maneira de ajudar um bebê a desenvolver a grande força e coordenação motoras necessárias para sentar-se, engatinhar, andar, arremessar uma bola e andar de triciclo consiste em oferecer-lhe o máximo de oportunidades. Mude sempre a posição do bebê — quando estiver deitado de bruços, deite-o de costas, coloque-o sentado e depois deite-o com o rosto para baixo, faça com que passe do berço para o assoalho — para que ele tenha oportunidades de fazer as suas proezas físicas. Quando o seu bebê estiver pronto (o que você só saberá se tentar), dê-lhe a oportunidade de fazer o seguinte:

- Ficar de pé no seu colo e dar pulos.
- Erguer o corpo para sentar-se.
- Sentar em posição de "rã".
- Sentar-se direito, se necessário com o apoio de travesseiros.
- Erguer-se e ficar de pé, segurando-se nos seus dedos.
- Erguer-se e ficar de pé segurando-se no berço ou no cercadinho, ou em algum outro móvel.
- Ficar de quatro.
- "Voar" pelos ares.

Os bebês adoram um colo para ficar de pé. Colocar o bebê nessa posição não serve apenas para diverti-lo, mas também para ajudá-lo a desenvolver os músculos das pernas de que vai precisar para erguer-se e, mais tarde, ficar de pé sem ajuda.

Pequenas habilidades motoras. O desenvolvimento da destreza dos dedos e das mãos do bebê terminará por levar ao domínio de muitas aptidões fundamentais: ser capaz de alimentar-se sozinho, desenhar, escrever, escovar os dentes, amarrar os laços de tênis e sapatos, girar uma chave na fechadura, e muitas outras. A eficiência se desenvolverá mais rapidamente se se der aos bebês amplas oportunidades de usar as mãos, manipular objetos de todo tipo, tocar, explorar e experimentar. As sugestões que apresentamos a seguir ajudarão a aguçar as habilidades motoras:

- Painéis de atividades — uma grande diversidade de atividades dá ao bebê bastante prática com as pequenas habilidades motoras, ainda que decorram meses para a maioria dos bebês tornar-se eficiente em todas elas.
- Blocos — nessa idade, os cubos simples de madeira, plástico ou pano, grandes ou pequenos, são muito apropriados.
- Bonecas macias e animais de pano — a manipulação desses brinquedos ajuda a desenvolver a habilidade manual.
- Objetos domésticos de verdade ou de brinquedo — em geral, os bebês adoram telefones, sejam eles de verdade ou de

brinquedo (sem fios ou cordões), espumadeiras, xícaras de medidas, canecas e panelas, copos de papel, caixas vazias.

- Bolas — de diferentes tamanhos e texturas, para segurar e apertar; são especialmente divertidas quando o bebê já consegue sentar-se, jogá-lo longe ou engatinhar atrás delas.
- Brincadeiras com os dedos — de início, será você a companhia para brincar de bater palmas, fura-bolos e outras brincadeiras do tipo, mas, quando você menos esperar, o bebê já estará fazendo algumas delas sozinho, Depois de fazer uma ou duas demonstrações, ajude o bebê a brincar com os dedos enquanto canta uma musiquinha para ele.

Aptidões sociais. A metade do primeiro ano é um período muito sociável para a maioria dos bebês. Eles sorriem, riem, dão gritinhos e comunicam-se de muitas outras maneiras, dispostos a compartilhar sua afabilidade com todos os que chegam — a maior parte ainda não desenvolveu a "ansiedade frente aos estranhos". Portanto, trata-se do momento ideal para incentivar a socialização e expor o seu bebê a muitas pessoas de diferentes idades — de outros bebês a gente bem avançada em anos. Você pode fazer isso na igreja, enquanto faz compras, quando recebe amigos ou visita-os, e até mesmo levando o bebê a confraternizar com a própria imagem refletida num espelho. Ensine-lhe um cumprimento simples, do tipo "oi", e algumas das outras prendas sociais básicas, como fazer sinal de adeus com a mão, jogar beijos e dizer "obrigado".

Aptidões lingüísticas e sociais. A compreensão está começando a surgir. Os nomes (da mãe, do pai, dos irmãos) são reconhecidos primeiro, depois vêm as palavras básicas ("não", "mamadeira", "tchau", por exemplo), logo seguidas por frases simples e bastante ouvidas ("Quer mamar?", ou "Olha o cachorrinho"). Essa linguagem receptiva (o entendimento do que você diz) virá antes da linguagem falada. Outros tipos de desenvolvimento intelectual também já assomam no horizonte. Ainda que de início não pareça, o seu bebê está dando os primeiros passos rumo à aquisição das aptidões necessárias a uma solução de problema rudimentar, bem como da observação e memorização. Para ajudá-lo, algumas coisas podem ser feitas:

- Faça jogos e brincadeiras que estimulem o intelecto (veja página 369), que ajudem o bebê a observar causa e efeito (na banheira, encha um xícara com água e depois deixe que o bebê a derrame), e que expliquem a permanência dos objetos (cubra um dos brinquedos favoritos com um pedaço de pano e depois mostre-o ao bebê, ou brinque de esconde-esconde).
- Continue aguçando a percepção auditiva do bebê. Quando um avião passar, ou quando um caminhão do Corpo de Bombeiros descer a rua com as sirenes ligadas, mostre-os ao bebê, dizendo: "Aquilo é um avião?", ou "Está ouvindo as sirenes dos bombeiros?". Esse tipo de coisa ajudará a pôr o seu bebê em sintonia com o universo dos sons. Ao enfatizar e repetir as palavras principais (avião, bombeiro), você também estará ajudando a criança a identificar palavras. Faça a mesma coisa quando ligar o aspirador de pó ou encher de água a banheira, quando a chaleira de chá apitar ou sempre que o telefone e a campainha tocarem. E não se esqueça, também, de que aqueles sons engraçados — soprar a barriga e os braços do bebê, estalar a língua e assobiar — são igualmente educativos e incentivam a imitação, o que, por sua vez, vai estimular o desenvolvimento da linguagem.
- Introduza conceitos. Este ursinho é macio, aquele café está quente, o carro vai rápido, você levantou cedo, a bola está embaixo da mesa. A vassoura é para varrer, a água é para lavar e beber, a toalha é para enxugar, o sabonete é para lavar. De início, as suas palavras não terão significado algum para o bebê, mas, graças à repetição contínua, com o tempo você perceberá que também está se fazendo compreender.
- Estimule a curiosidade e a criatividade. Se o seu bebê quer usar um brinquedo de

COMO VOCÊ FALA COM O SEU BEBÊ AGORA?

Agora que o seu bebê está no limiar do desenvolvimento da linguagem, as coisas que você lhe diz assumem um novo significado. É assim que estarão lançadas as base da aquisição de linguagem, tanto da receptiva (entender o que ouve), que vem primeiro, quanto da expressiva (falar), que demora mais a desenvolver-se. Eis algumas maneiras de você ajudar o seu bebê a desenvolver os dois tipos de linguagem:

Fale devagar. Quando o seu bebê está tentando começar a decodificar nosso confuso jargão, as conversas rápidas vão atrasá-lo nos seus esforços. Para dar ao bebê a oportunidade de começar a entender palavras, você deve falar mais lentamente, mais claramente e com mais simplicidade a maior parte do tempo.

Concentre-se em palavras isoladas. Continue a comentar as coisas que faz, mas comece a enfatizar algumas palavras isoladas. Ao dizer "Agora vamos mudar a sua fralda", continue assim: "Fralda — esta é a sua fralda". Ao alimentar a criança, quando disser "Estou colocando suco na xícara", segure a jarra de suco e diga: "Suco, aqui está o suco"; depois, levante a xícara e diga: "Xícara". Em termos gerais, use frases mais curtas e menos complexas, enfatizando basicamente as palavras mais usadas no cotidiano do bebê. Faça pausas para dar-lhe bastante tempo de entender o que você está dizendo, e só depois diga outras coisas.

Continue abstendo-se de usar pronomes. Os pronomes ainda são muito confusos para o seu bebê. Portanto, diga sempre frases do tipo "Este é o livro da mamãe", "Aquela é a boneca da Márcia" etc.

Estimule a imitação. Agora que é maior o número de sons feitos pelo seu bebê, maior também poderá ser a diversão que ambos poderão ter ao imitarem-se mutuamente. Conversas inteiras que podem ser mantidas ao redor de algumas vogais e consoantes. O bebê diz "Ba-ba-ba-ba", e lá vem você com um profundo "Ba-ba-ba-ba" em resposta. Aí ele diz "Da-da-da-da", e você imediatamente responde "Da-da-da-da". Esse diálogo estimulante pode continuar por todo o tempo que vocês acharem divertido. Se o bebê parece receptivo, você pode tentar introduzir algumas novas sílabas ("Ga-ga-ga-ga", por exemplo), incentivando a imitação. Mas, se a inversão dos papéis não fez o sucesso esperado, volte ao esquema anterior. Dentro de não muitos meses, você verá que o seu bebê estará começando a imitar as suas palavras — sem que seja preciso incentivá-lo.

Crie um repertório de rimas e canções. Talvez você ache enfadonho repetir a mesma canção de ninar ou rima vezes seguidas. O bebê, porém, não só vai adorar a repetição, como aprenderá com ela. Pouco importa quais sejam os livros de rimas e canções que você estiver usando; o que interessa é a consistência. Também chegou o momento de aumentar a variedade das músicas que o bebê ouve; use discos ou um gravador.

Espere por uma resposta. Embora o bebê talvez ainda não esteja falando, ele está começando a processar informações, e quase sempre terá uma resposta ao que você disser — mesmo que apenas um gritinho excitado (quando você propuser um passeio de carrinho), ou uma choradeira rabugenta (quando você anunciar que chegou a hora de pôr fim às brincadeiras).

Faça-se obedecer. É importante que o seu bebê aprenda a obedecer ordens simples como "Beije a mamãe", "Diga tchau" ou "Dê a boneca para a mamãe" (acrescente "por favor" se quiser que essas palavras passem naturalmente a fazer parte do repertório dele). Ele não vai obedecer aos seus comandos logo de início, mas não fique decepcionada com a demora. Em vez disso, ajude o bebê a atender aos seus pedidos, e verá que ele terminará por entender o que é que se espera dele. Quando acontecer, cuidado para não tratar o seu bebê como uma foca amestrada, exigindo que ele ponha em prática a última gracinha sempre que houver público.

um jeito diferente do habitual, não o desestimule nem se mostre depreciativa. (O que seríamos hoje se os pais de Edison, Einstein e Marie Curie tivessem combatido o jeito diferente dos seus filhos fazerem as coisas?) Dê ao seu filho a oportunidade de experimentar e explorar — mesmo que isto signifique arrancar tufos de grama do jardim, ou espremer uma esponja molhada dentro da banheira. O bebê aprenderá muito mais através da experiência do que de palavras;

- Incentive o amor pela aprendizagem. Ainda que seja importante ensinar fatos e conceitos específicos para o seu bebê, igualmente importante é ensinar-lhe como aprender — e demonstrar o seu apreço pelo aprendizado.

CAPÍTULO 10

O Sétimo Mês

O QUE O SEU BEBÊ PODE ESTAR FAZENDO

Ao final deste mês, o seu bebê
... deve ser capaz de (veja a Nota):

- comer sozinho uma bolacha (6 meses)
- emitir um som "molhado" com a língua entre os lábios (por volta de 6 meses e meio)

Nota: Se o seu bebê parece não ter feito ainda uma ou mais dessas conquistas, consulte o seu médico. Em raros casos, a demora poderia indicar um problema, ainda que na maioria das vezes ela acabe por se mostrar normal para o seu bebê. Os bebês prematuros geralmente fazem essas conquistas depois dos que têm a mesma idade de nascimento, o que quase sempre ocorre num período mais próximo de sua idade ajustada (a idade que teriam caso tivessem nascido depois de um período de gestação normal), ou às vezes mais tarde.

... provavelmente será capaz de:

- suportar algum peso com as pernas ao ser colocado de pé
- sentar-se sem apoio
- demonstrar contrariedade quando você tenta tirar-lhe um brinquedo
- tentar pegar um brinquedo fora do seu alcance
- passar um cubo (ou outro objeto) de uma mão para a outra
- procurar algum objeto que tenha caído
- pegar uma uva passa e levantá-la dentro da mão fechada
- voltar-se para o lugar de onde provém uma voz (por volta de 7 meses)
- balbuciar, combinando vogais e consoantes como ga-ga-ga-ga, ba-ba-ba-ba, ma-ma-ma-ma, da-da-da-da
- brincar de esconde-esconde (por volta de 7 meses)

... talvez seja capaz de:

- ficar de pé, segurando-se em alguém ou alguma coisa

... pode até ser capaz de:

- estando sentado, erguer-se e ficar de pé
- estando de bruços, erguer-se e ficar sentado

- brincar de bater palmas, ou dar adeus com a mão
- apanhar algum objeto minúsculo com qualquer parte do polegar e de outros dedos
- andar segurando-se nos móveis
- dizer mama ou papa indiscriminadamente

O QUE VOCÊ PODE ESPERAR DO EXAME DESTE MÊS

A maioria dos médicos não marca consultas regulares para os bebês de sete meses. Se houver qualquer preocupação que não possa esperar até a visita do próximo mês, telefone para o médico.

PARA ALIMENTAR O SEU BEBÊ ESTE MÊS: Deixando para Trás os Alimentos Peneirados

Se a passagem do bebê para os alimentos sólidos foi suave ou tempestuosa e cheia de contratempos até o presente momento, chegou a hora de cruzar outra barreira: aquela que separa os alimentos peneirados das texturas menos refinadas. E, se o bebê demonstrou ser um comilão aventureiro ou alguém difícil de agradar, se já é um veterano comedor de alimentos sólidos ou alguém que mal chegou ao cadeirão, o fato é que é melhor fazer essa travessia agora do que no fim do primeiro ano, quando é extremamente provável que as novas experiências sejam recebidas com ruidosas recusas.

Contudo, ainda não chegou a hora de uma excursão familiar ao seu restaurante favorito. Mesmo quando os dois primeiros dentes já tiverem nascido, os bebês continuarão mastigando com as gengivas — que não são páreo para um naco de carne. Por ora, os alimentos ideais para o bebê são os purês mais ou menos amassados, que só têm um pouco mais de textura do que os peneirados.

Você pode usar alimentos industrializados do tipo "júnior" ou "segundo estágio", ou amassar para o bebê a mesma comida que serve ao resto da família, desde que esta tenha sido preparada sem sal ou açúcar. Também é possível preparar em casa um mingau de aveia com leite (mas não se esqueça: ao contrário do mingau de aveia pronto para bebês, o preparado em casa não costuma ser enriquecido com ferro); ricota amassada (de preferência sem sal, veja a nota de rodapé da página 299); maçã ou pêra ralada (com uma faca, raspe pedacinhos minúsculos da fruta num prato); frutas cozidas e preparadas em forma de um purê não muito amassado (maçãs, damascos, pêssegos, ameixas), e também o mesmo tipo de purê de legumes (cenoura, batata branca e doce), couve-flor, abóbora etc. Por volta do sétimo mês geralmente pode-se acrescentar carne, inclusive carne de frango sem pele (em forma de purê, moída ou bem picadinha), e pequenos pedaços de peixe. Quando o médico autorizar a introdução da gema de ovo (talvez ele sugira que você só introduza depois a clara, que é muito alergênica), sirva-a bem cozida e amassada, mexida ou com torradas e panquecas, e sirva na mesma refeição um alimento rico em vitamina C, como o suco de laranja, que facilitará a absorção do ferro. Cuidado com as fibras de frutas (como de mangas e bananas), de legumes (brócolis, vagens e couve por exemplo) e de carnes. E certifique-se de que, ao servir peixe, não sirva também espinhos.

Aos sete meses, alguns bebês também conseguem comer pão e bolachas, mas é preciso que sejam muito bem escolhidos. Devem ser integrais, sem sal ou açúcar, e ter uma textura que se derreta na boca. Para iniciar, o ideal são os *bagels* (pães judeus) de trigo integral que foram congelados (são duros, mas tudo que o bebê conseguir raspar se tornará mole) e os bolos de arroz sem sal (esfarelam facilmente, mas dissolvem-se na língua, e, apesar de não muito saborosos, são muito apreciados pela maioria dos bebês). Quando o bebê conseguir lidar bem com essas coisas, estará preparado para os pães de trigo integral. Para diminuir o risco de engasgo, tire as crostas e sirva o pão em pequenos cubos. Os pãezinhos devem ser servidos aos pedaços. Evite os pães brancos industrializados, que tendem a tornar-se pastosos quando molhados e podem provocar náuseas ou fazer o bebê engasgar. Só ofereça pão e bolachas — e todos os alimentos de comer com os dedos — quando o bebê estiver sentado e sob os cuidados de um adulto. E aprenda antes o que fazer se o bebê engasgar (veja página 526).

O QUE PODE ESTAR PREOCUPANDO VOCÊ

MORDER OS MAMILOS

"Minha filha está agora com dois dentes, e parece que acha divertido usá-los para morder os meus mamilos enquanto dou-lhe de mamar".

Nada justifica que você deixe o seu bebê divertir-se às suas custas. Já que eles não conseguem morder quando estão mamando (a língua fica entre os dentes e o peito), morder costuma ser um sinal de que estão saciados e brincando com você. Pode ser que a graça tenha começado num dia em que, acidentalmente, a sua filha mordeu o seu mamilo, você deu um grito, ela achou divertido, você acabou rindo e, a partir de então, ela resolveu continuar com a brincadeira — mordê-la, esperar por uma reação, achar muito engraçado o seu "não" meio brincalhão e não se deixar enganar pelas suas falsas tentativas de fechar a cara.

Portanto, não ceda à tentação de rir, e faça-a saber que mordê-la não é uma coisa admissível — quando isso acontecer, diga um "não!" categórico (mas não grosseiro), e tire-a do peito. Se ela tentar continuar presa ao mamilo, use os seus dedos para soltá-la. Depois de alguns episódios semelhantes, ela vai entender e desistir.

Para evitar problemas mais sérios no futuro, é importante por fim ao hábito de morder agora. Não é cedo demais para ela aprender que, se os dentes foram feitos para morder, existem coisas mais apropriadas para ela fazer os seus exercícios (uma borracha em forma de anel para exercitar os dentes, um pedaço de pão, uma banana), coisas que não incluem os peitos da mãe, os dedos do irmão ou o ombro do pai.

MIMAR O BEBÊ

"Pego o meu bebê no instante em que ele se põe a chorar e acabo ficando quase o dia inteiro com ele no colo. Será que o estou mimando?"

Ainda que a falta de castigos não vá mimar o seu bebê (na verdade, os especialistas recomendam que não se aplique praticamente castigo algum), o fato de ficar quase o dia inteiro com o seu bebê no colo pode deixá-lo mal acostumado. Por volta do sétimo mês de vida, os bebês já são especialistas em manipular suas mães; as que fazem o papel de "táxi de bebês" — que levam os seus pequenos ao colo no instante em que eles fazem um patético aceno de braço — podem ter a certeza de que estarão "em serviço" durante todo o tempo que a criança ficar acordada.

Existem sociedades nas quais os bebês são carregados o tempo todo, em geral amarrados à mãe, mas a nossa não é uma delas. Aqui, espera-se que ainda bem novinho um bebê já adquira uma certa independência — através do aprendizado de como entreter-se sozinho, no mínimo por breves períodos de tempo. Isso não só dá às mães a oportunidade de cuidar dos seus afazeres ou de outras responsabilidades quaisquer, como também aumenta a auto-estima do bebê, reforçando a idéia de que ele é boa companhia. Assim, ele também aprende que as outras pessoas têm direitos e necessidades, outro conceito importante que deve ser transmitido desde cedo.

Partindo-se do pressuposto que você não quer mimar o seu bebê, chegou o momento de você mesma pôr em prática uma certa manipulação. Tente as sugestões que apresentamos a seguir, mantendo-se impassível ao longo de todo o processo. Se o seu bebê perceber que, de antemão, você está contando com uma experiência capaz de gerar ansiedade, irá empenhar-se ao máximo em fazer com que a sua expectativa se concretize. Eis as sugestões:

- Em primeiro lugar, verifique se o bebê não pede colo por não estar recebendo efetivamente a devida atenção. Você senta ao lado dele para brincar — ler um livro, fazer alguma atividade ou ensiná-lo a erguer-se no seu colo —, ou a maior parte de sua interação com a criança consiste em colocá-la no cercado com um brinquedo, prendê-la no assento do carro e rumar para o supermercado, colocá-la no balanço enquanto prepara o jantar, pegá-la no colo assim que ela se põe a chorar, e andar com ela para lá e para cá enquanto cuida dos seus afazeres? Se for assim, o bebê provavelmente concluiu que, apesar de não ser muito estimulante, é melhor passar o dia inteiro no seu colo do que não receber atenção alguma.
- Depois, verifique se o seu bebê tem necessidades físicas. A fralda dele está suja? Já é hora de almoçar? Ele está com sede? Cansado? Se assim for, atenda-o em suas necessidades, depois passe para a etapa seguinte;
- Transfira-o para um lugar diferente: para o cercadinho, se ele estava no berço; para o assoalho, se estava no andador. Pode ser que isso satisfaça seu desejo de aventuras.
- Certifique-se de que ele tenha à mão brinquedos ou objetos que possam entretê-lo — potinhos e panelas, um aconchegante animal de brinquedo, ou um painel de atividades —, já que você sabe de quais coisas ele gosta mais. Tendo em vista que a atenção de um bebê dura pouco, sempre deixe dois ou três brinquedos ao alcance dele; o excesso de brinquedos, porém, pode deixá-lo saturado e frustrado. Quando ele começar a mostrar-se inquieto, arrume coisas novas para ele brincar.
- Se ele continuar reclamando, tente distraí-lo sentando-se ao lado dele no assoalho por alguns minutos, mas não o pegue no colo. Mostre-lhe como bater numa panela com a colher de madeira, mostre-lhe a boca, o nariz e os olhos do bichinho de brinquedo, dê corda na caixinha de música e incentive-o a fazer o mesmo.
- Se ele estiver momentaneamente distraído, mesmo que ainda emitindo reclamações pouco convincentes, diga-lhe que tem trabalho a fazer e afaste-se sem hesitar. Fi-

que dentro do seu campo de visão, falando ou cantando para ele, caso isso pareça ajudar; no entanto, se a sua presença parece aumentar a insatisfação do bebê, saia do seu campo de visão — mas permaneça a uma distância em que pode ouvi-lo, e, mesmo assim, só se afaste se ele estiver bem seguro num cercadinho ou num berço. Antes disso, mostre a cabeça em algum vão de porta, brincando de esconde-esconde, para que ele saiba que, mesmo desaparecendo, você vai voltar.

- Deixe-o a sós com os seus brinquedos por um tempo um pouco maior de cada vez, deixando, se necessário, que ele também reclame por um tempo um pouco maior. Mas volte sempre para o lado dele assim que ele começar a gritar, para reafirmar-lhe a confiança; depois, reinicie o processo. Não o leve para o seu colo durante o máximo de tempo possível, mas não transforme isto numa guerra de vontades — seria uma guerra da qual ele quase sempre sairia vencedor. Se você pegá-lo quando ele se puser a gritar, ele vai concluir que essa é a melhor maneira de chamar-lhe a atenção.
- Não fique ansiosa ou com sentimentos de culpa por não pegá-lo no colo ou não brincar com ele todos os minutos do dia. Se fizer isso, estará transmitindo ao seu bebê a mensagem de que brincar sozinho é um castigo, que é impossível divertir-se dessa maneira, que há algo de errado com a solidão. Se você passa uma boa parte do tempo brincando com ele, ficar algum tempo separados só poderá trazer benefícios para vocês dois.

O BEBÊ CONTINUA ACORDANDO NO MEIO DA NOITE

"No nosso quarteirão, minha filha parece ser a única que não dorme a noite inteira. Será que algum dia vai conseguir?"

Todos os bebês acordam durante a noite, e, nessa idade, a maioria já consegue retomar o sono por iniciativa própria. Infelizmente, não se trata de algo que você possa ensinar a sua filha a fazer, do mesmo jeito como a ensina a brincar de esconde-esconde e a "fazer tchau" com a mão; retomar o sono sozinha é algo que ela tem de aprender por si mesma, e esse aprendizado só será bem-sucedido se você lhe der a oportunidade de tentar. Isto significa não dar-lhe o peito, não dar-lhe mamadeira, não niná-la nem recorrer a qualquer outro método para ajudá-la a voltar a dormir quando ela acordar gritando no meio da noite, mas deixar que ela se empenhe em retomar o sono por conta própria, sem a sua interferência. Pode ser que ela demore algumas noites, ou mesmo uma semana, para aprender tal coisa — mas quase nunca muito mais que isso.

Se você nunca pôs em prática as sugestões para ajudar o bebê a dormir a noite inteira (veja página 301), ou se já tentou e elas não funcionaram, ou, ainda, se você desmoronou antes do bebê, agora chegou o momento de tentar, ou de tentar novamente. Existem boas probabilidades de que, se estiver disposta a fazer essa tentativa, dentro de muito pouco tempo a sua família inteira estará dormindo um sono tão tranqüilo e ininterrupto quanto o do resto dos moradores do seu quarteirão.

O BEBÊ MIMADO PELOS AVÓS

"Meus pais moram perto e vêem minha filha várias vezes por semana. Quando estão por aqui, enchem-na de doces e cedem a todos os seus caprichos. Gosto muito deles, mas não me agrada a maneira como a estão mimando."

Os avós vivem no melhor dos mundos: podem dar-se ao prazer de mimar um bebê sem os percalços de ter de conviver com as conseqüências. Podem olhar, deleitados, enquanto o neto se delicia com as inúmeras balas que trouxeram, mas não é a eles que cabe defrontar-se com um bebê alvoroçado — e sem fome — na hora de alimentá-lo. Podem mantê-lo acordado quando ele deveria estar tirando uma soneca, pois assim terão mais tempo para brincar, mas não terão de lidar com a irritação e o mau humor que a criança certamente vai demonstrar na hora do sono noturno.

Será que os avós têm um direito inalienável de mimar os netos? Até certo ponto, sim. Já representaram o seu papel de vilões durante a sua infância, desmamando-a da sua adorada mamadeira, induzindo-a a comer o espinafre odiado, travando uma guerra cotidiana com você sobre o toque de recolher. Agora, quando chegou a sua vez de bancar a durona, eles chamam a si o confortável papel de "estragar" o bebê. É preciso, porém, que todos estejam de comum acordo quanto a algumas diretrizes sensatas:

▪ Maior amplitude de ação deve ser concedida aos avós que vivem longe de você. Os avós de presença eventual — aqueles que só vêem o bebê duas ou três vezes por ano, em feriados ou ocasiões especiais — talvez não consigam mimá-lo, mas deve-se dar-lhes todas as oportunidades possíveis de tentar. Se o bebê perde uma soneca ou fica acordado depois da hora de ir para o berço quando os avós estão fazendo uma visita de um dia, para comemorar o "meio aniversário" dele, ou se o bebê passa o dia inteiro sendo carregado feito um rei quando vocês vão passar um feriado na casa deles, não se preocupe. Deixe que todos se divirtam com esses deslizes infreqüentes, e console-se com a serena convicção de que, passado tudo isso, a sua filha logo voltará à sua rotina de sempre.

▪ Os avós que vivem perto de Roma devem agir como os romanos — a maior parte do tempo. No caso dos avós que moram na mesma cidade, e, principalmente, que moram na mesma casa, é possível mimar um bebê, transformando num inferno não só a vida dos pais da criança, mas também a dela. A emissão de sinais ambíguos — a mãe não vai pegar o bebê assim que ele começa a chorar, mas a avó vai — acabará resultando numa criança confusa e infeliz. Por outro lado, o bebê aprenderá rapidamente que as regras básicas podem variar conforme o terreno em que estiver pisando: na casa da avó, ele pode lambuzar a mesa à vontade durante as refeições, mas em sua própria casa isso é proibido. Por isso, também no caso de avós mais próximos, é preciso manter uma certa flexibilidade, preferencialmente nas áreas de menores conseqüências.

▪ Certas regras dos pais devem ser invioláveis. Já que são eles que convivem 24 horas por dia com a criança, é a eles que cabe ditar normas sobre as questões mais importantes — e aos avós, morem longe ou perto, compete sujeitarem-se também a essas normas, mesmo que não estejam de acordo com elas. Numa família, o pomo de discórdia pode ser a hora de ir dormir; em outra, o açúcar e os alimentos sem teor nutritivo na alimentação; em outra ainda, os programas que uma criança pode ou não assistir na televisão (um problema que ainda não diz respeito a um bebê de sete meses, mas que logo vai entrar em pauta). É claro que, se os pais decidem não abrir mão de nenhuma das normas que estipularam, deve-se permitir que, às vezes, os avós possam negociar alguns aspectos delas.

Certos direitos dos avós devem ser invioláveis. Por exemplo, o direito de dar presentes que os pais talvez não dessem — ou por serem muito caros e frívolos, ou, na opinião dos pais, de mau gosto. Também têm o direito de dá-los mais freqüentemente do que o pai e a mãe. (Ainda que devam ser proibidos os presentes que não oferecem segurança, e negociados os que transgridem os valores dos pais). Em geral, para satisfazer os caprichos (isto mesmo, estragar com mimos) os netos com um pouco mais de tudo — amor, tempo, coisas materiais. Mas não se deve permitir que todo esse mimo transgrida o tempo todo as normas estabelecidas pelos pais.

E se os avós passarem dos limites do que deles se espera? Se ignorarem (ou violarem abertamente) todas as normas que os pais levaram tanto tempo para estabelecer, e se empenham tanto em seguir? Se isso acontecer, chegou o momento de ter com eles uma conversa honesta. Mantenha o diálogo num nível sereno e amistoso — mas, se qualquer das suas diferenças concentrar-se em questões essenciais (o seu pai se recusa a admitir a importância do uso do assento de carro quando sai com o bebê, ou a sua madrasta fuma enquanto está com ele no colo) —, enfatize a seriedade do problema. Explique (mesmo que já o tenha feito antes) o quanto você quer que eles convivam com o bebê, mas também como o rompimento das normas confunde a criança, perturba os seus horários e torna instável o equilíbrio familiar. Diga-lhes que está disposta a ser flexível em determinadas questões, mas que, em outras, eles é que precisarão ceder. Se isso não funcionar, abra este livro exatamente nesta seção sobre os bebês mimados pelos avós e deixe-o onde eles não tenham como deixar de vê-lo.

MEU BEBÊ É TALENTOSO?

"Não quero ser uma mãe coruja, mas também não quero negligenciar os talentos da minha filha, caso ela seja muito inteligente. Como se pode saber se um bebê é inteligente ou excepcionalmente inteligente?"

De alguma forma, todas as crianças são talentosas: musical, social, atlética, artística ou mecanicamente. E, seja qual for o talento que uma criança traga consigo, é importante que os pais incentivem o seu desenvolvimento e elogiem a criança por tê-lo, em vez de lamentar que ela não tenha algum outro talento ao qual atribuem maior importância. Esse estímulo deve começar assim que o talento tornar-se evidente — o que pode acontecer até mesmo no primeiro ano de vida. Incentivar, porém, é coisa muito diversa de exigir e forçar, duas atitudes muito prejudiciais à criança.

Contudo, quando a maioria das pessoas fala sobre a criança "bem dotada", está se referindo a uma criança que se sobressai intelectualmente. Mesmo entre aquelas que receberam a dádiva de uma excepcional aptidão intelectual, existem diferenças. Algumas crianças são boas com os números, outras lidam bem com as relações espaciais, e outras, ainda, saem-se muito bem com as palavras. Algumas são criativas, outras são excelentes em termos de organização. Muitos desses talentos, mas não todos, podem ser mais tarde avaliados por testes de inteligência, mas todos eles são difíceis de identificar na primeira infância. Os testes de desenvolvimento motor, quase sempre feitos para avaliar o Q.I. no primeiro ano, não têm muita ligação com o Q.I. que a criança vai apresentar mais tarde. Os testes que avaliam a capacidade do bebê processar informações e manipular o meio ambiente são correlativos, mas não são muito acessíveis. Ainda assim, no primeiro ano existem indícios de inteligência que você pode tentar descobrir no seu próprio bebê:

Desenvolvimento uniforme. Um bebê que faz tudo "cedo" — sorri, senta-se, anda, fala, apanha objetos usando a mão como tenaz etc. — talvez continue a desenvolver-se em ritmo acelerado e acabe por mostrar-se realmente talentoso. Ainda que a habilidade lingüística, sobretudo o uso de palavras menos comuns antes do fim do primeiro ano, seja o traço que os pais mais observam em seus filhos muito inteligentes, e possa ser, de fato, indicativo de uma maior inteligência, existem crianças talentosas que demoram um bom tempo para desenvolver-se verbalmente.

Boa memória e capacidade de observação. Em geral, as crianças muito inteligentes surpreendem os pais com as coisas de que se lembram, quase sempre muito antes da fase em que a maioria dos bebês dá sinais de possuir uma boa memória. E, quando as coisas diferem daquilo de que se lembram (a mãe cortou o cabelo, o pai está com um novo paletó, o avô está com um esparadrapo no olho depois de uma cirurgia), percebem imediatamente.

Criatividade e originalidade. Ainda que, em sua maioria, os bebês com menos de um ano não sejam competentes para resolver problemas, a criança muito inteligente pode surpreender os pais ao mostrar-se capaz de descobrir um jeito de pegar um brinquedo atrás de uma cadeira, alcançar uma prateleira alta da estante de livros (talvez empilhando livros a partir de uma prateleira mais baixa), ou usar uma linguagem de sinais para uma palavra que esteja além de seu desempenho lingüístico (talvez mostrando o próprio nariz para indicar que o animal que vê num livro é um elefante, ou as orelhas, caso se trate de um coelho). O bebê a caminho de tornar-se uma criança excepcionalmente inteligente também pode ser criativo nas brincadeiras, usando os brinquedos de uma maneira insólita, transformando em brinquedos objetos que têm outra finalidade, demonstrando prazer em brincar de "faz de conta".

Senso de humor. Mesmo em seu primeiro ano de vida, uma criança inteligente vai perceber as incongruências da vida, e rirá delas: a avó com os óculos acima da testa, ou o avô que tropeça no cachorro e derruba o seu copo de suco, por exemplo.

Curiosidade e concentração. Ainda que a curiosidade seja uma característica de todos os bebês, os muito inteligentes não são apenas curiosos, mas têm a persistência e a concentração para explorar aquilo que os deixou curiosos.

Capacidade de estabelecer relações. Mais intensa e precocemente do que as outras crianças, o bebê muito inteligente perceberá as relações entre as coisas e será capaz de aplicar um conhecimento já adquirido sobre situações novas. Um bebê de nove ou dez meses de idade pode ver, numa livraria, um livro que o pai andou lendo em casa, e dirá: "papa". Ou, acostumado a apertar o botão do elevador no prédio onde mora, vê um elevador numa loja e começa a procurar a procurar o botão.

Imaginação fértil. Antes de completar um ano, a criança muito inteligente pode ser capaz de fingir (que toma uma xícara de chá ou embala um bebê), e logo depois ficará fortemente envolvida na criação de histórias, brincadeiras, amigos imaginários etc.

Sono difícil. As crianças muito inteligentes podem envolver-se tanto com a observação e o aprendizado que sintam dificuldade para desligar-se do mundo e dormir — uma característica que pode exasperar os pais.

Perceptibilidade e sensibilidade. Muito cedo, a criança brilhante pode perceber quando a mãe está triste ou zangada e que o pai machucou-se (pois está com um *band-aid* no dedo), ou tentar alegrar um irmão que esteja chorando.

Mesmo que o bebê apresente algumas dessas características (ou todas elas), ainda é cedo demais para afixar-lhe o rótulo de "superdotado". Por ora, ele não precisa de rótulos, mas de amor. É claro que você pode incentivar-lhe o desenvolvimento, e para tanto basta que lhe ofereça um ambiente estimulante. Leia para o bebê, converse e brinque com ele. Mas não concentre a sua atenção nos talentos que gostaria que desenvolvesse — lingüísticos ou musicais, talvez. Pelo contrário, preocupe-se com o seu desenvolvimento geral — físico, social e intelectual. Enquanto ele cresce, deixe claro que você gosta dele não pelos seus dons especiais, mas porque ele é seu filho, e que o seu amor em nada diminuiria caso ele deixasse de ser "esperto". Incentive-o a ser bom e carinhoso e a gostar dos outros, inclusive daqueles com talentos menores ou diferentes.

REFEIÇÕES LEVES

"Parece que o meu bebê quer alimentar-se o tempo todo. Qual a quantidade de refeições leves que é boa para ele?"

Com as declarações de suas mães sobre as refeições ligeiras ("Antes do jantar não, minha querida — vai estragar o seu apetite!") ainda soando nos seus ouvidos, as mães de hoje em dia quase sempre relutam em atender os filhos quando eles pedem alguma guloseima entre as refeições, mesmo quando elas próprias não se abstêm de extrapolar as suas exigências nutricionais cotidianas. Feitos com moderação, porém, esses "lanches rápidos" têm um importante papel a cumprir nas vidas de bebês e crianças.

Refeições ligeiras são uma experiência de aprendizagem. Numa refeição, o alimento é servido ao bebê num prato, com uma colher; para uma refeição ligeira, ele tem a oportunidade de pegar um pedaço de pão ou uma bolacha com os dedos, e de levar essas coisas à boca sem a ajuda de ninguém — o que não é pouco, levando-se em conta que a sua boca é muito pequena, e que a sua coordenação é ainda primitiva.

Refeições ligeiras preenchem um vazio. Os bebês têm estômagos pequenos que se enchem e se esvaziam rapidamente. Ao contrário dos adultos, é muito raro que um bebê consiga sentir-se saciado entre uma refeição e outra. E, quando os sólidos se transformam na parte mais significativa da dieta de um bebê, os lanches rápidos serão necessários para completar as necessidades nutricionais. Você vai achar quase impossível dar ao bebê a sua "Dúzia Diária" em apenas três refeições por dia.

Refeições ligeiras dão ao bebê uma pausa. Como a maioria de nós, os bebês precisam de uma pausa do tédio representado pelo trabalho ou lazer (seu lazer é o seu trabalho), e essa pausa pode ser obtida através de um lanche rápido.

Refeições ligeiras oferecem gratificação oral. Os bebês ainda são muito voltados para a experiência oral — tudo que lhes cai às mãos vai parar na boca. Os lanches rápidos dão-lhes uma excelente oportunidade de levar coisas à boca sem serem repreendidos.

Refeições ligeiras suavizam o caminho do desmame. Se você não ofereceu ao bebê um lanche rápido em forma de alimentos sólidos, são grandes as probabilidades de que ele insista num lanche em forma de peito ou mamadeira. As refeições ligeiras vão reduzir a necessidade de amamentar freqüentemente, e, por fim, ajudarão a transformar o desmame numa realidade.

Por mais virtudes que tenham, porém, as refeições ligeiras podem apresentar algumas desvantagens. Para desfrutar das vantagens dos lanches rápidos sem cair em suas armadilhas, lembre-se dessas dicas:

Horários para as refeições rápidas. A vovó tinha razão — os lanches feitos muito perto das refeições principais podem prejudicar o apetite do bebê. Para evitar esse problema, tente servir os lanches a meio caminho entre cada refeição. Comer sem parar habitua o bebê a ter alguma coisa na boca o tempo todo, um hábito que, a ser perpetuado na segunda infância e na vida adulta, pode ser desastroso para a cintura. Além do mais, estar com a boca continuamente cheia de comida também pode provocar a cárie dentária — mesmo um carboidrato saudável como o pão integral transforma-se em açúcar ao ser exposto à saliva. Bastam um lanche de manhã, um à tarde e, se houver um longo intervalo entre o jantar e a hora de dormir, outro no início da noite. É claro que você deve abrir uma exceção sempre que uma refeição for atrasar-se mais do que o habitual.

Lanches rápidos por motivos justos. Existem boas razões (como as que apresentamos acima) para você servir esses lanches rápidos, mas também há outras nem tão boas assim. Evite servir uma refeição ligeira se o bebê estiver entediado (distraia-o com algum brinquedo), triste (console-o com um abraço e uma musiquinha), ou se ele fez alguma coisa que justifique uma recompensa (tente um elogio verbal, e arremate com muitos aplausos).

Ordem durante os lanches. As refeições ligeiras devem ser tratadas com a mesma seriedade das refeições principais. Por motivos de segurança (um bebê que come deitado de costas, engatinhando pela casa ou andando pode engasgar facilmente), de etiqueta (as boas maneiras à mesa são aprendidas à mesa) e consideração para com a dona da casa (você, ou quem quer que faça a limpeza, vai achar muito bom não encontrar líqüidos e alimentos derramados por todos os cantos), as refeições ligeiras devem ser feitas com o bebê sentado, de preferência na sua cadeira alta. É claro que, durante uma saída ou um passeio, quando o bebê estiver no carrinho ou no assento do carro, você deve alimentá-lo ali mesmo. Mas não passe a idéia de que o lanche é uma compensação por ele estar preso no carro ou no carrinho; não é por esse motivo que você vai enchê-lo de bolachas.

LAMBISCAR

"Ouvi dizer que lambiscar é a maneira mais saudável de comer, principalmente para um bebê. Devo alimentar o meu desse jeito?"

Muito antes de entrar em voga entre os adultos, lambiscar já era a forma preferida dos bebês levarem sua vida gastronômica. Diante da opção, muitos bebês optariam por fazer refeições ligeiras o dia inteiro, lambiscando bolachas e sucos enquanto brincam, e jamais se sentando para uma refeição mais substancial. Contudo, apesar de alguns especialistas afirmarem ser esta uma opção mais saudável do que a convencional — aquela das três refeições principais complementadas por lanches rápidos —, há quem não esteja de acordo. Leve em consideração o seguinte:

Lambiscar interfere na nutrição ideal. Um bezerro que pasta nos campos recebe desse modo o essencial de sua nutrição. Ainda que seja possível que o bebê que passa o dia inteiro comendo com os dedos as suas guloseimas favoritas consiga obter a sua "Dúzia Diária", na verdade, porém, é improvável que isso aconteça. As exigências nutricionais são satisfeitas com muito mais eficiência com refeições completas, juntamente com dois ou três lanches rápidos.

Lambiscar interfere nas brincadeiras. Ter o tempo todo um pedaço de pão ou uma bolacha na mão (ou passar o dia com uma mamadeira na boca) restringe a quantidade e a qualidade das brincadeiras e da exploração que um bebê pode fazer. E, quando adquire mobilidade, engatinhar ou andar com comida na boca torna-se um perigo, pois ela pode engasgar.

Lambiscar interfere na sociabilidade. Um bebê que está sempre com alimento na boca não pode pôr em prática as suas habilidades lingüísticas ou sociais, além de perder a experiência social de uma refeição principal

Lambiscar interfere no desenvolvimento das boas maneiras à mesa. As crianças não aprenderão a ter boas maneiras à mesa enquanto ficarem lambiscando um doce no sofá, derrubando leite no berço ou comendo queijo no carpete.

O BEBÊ AINDA NÃO SE SENTA

"Meu bebê ainda não começou a sentar-se, e estou preocupada com a possibilidade de ele estar atrasado para a sua idade".

Tendo em vista que, no seu desenvolvimento, os bebês normais fazem conquistas diferentes em idades diversas, existe um amplo espectro do que se considera "normal" para a realização dessas conquistas. Ainda que o bebê médio aprenda a sentar-se sem ajuda por volta de seis meses e meio, outros só irão fazê-lo aos nove meses. E, como o seu bebê ainda tem de percorrer um longo caminho até atingir os limites daquele espectro, você realmente não precisa preocupar-se com a possibilidade de ele ficar para trás.

A criança é programada por fatores genéticos a sentar-se numa determinada idade, bem como a consumar outras de suas habilidades ligadas ao desenvolvimento. Apesar de ser pouco o que os pais podem fazer para apressar essas conquistas, existem algumas coisas que podem reduzir o atraso. O bebê que costuma ficar apoiado quando ainda bem novinho, seja numa cadeirinha, num carrinho ou na cadeira alta, vai adquirir muita experiência de ficar sentado antes mesmo de conseguir fazê-lo por conta própria, e talvez comece a sentar-se antes da maioria das crianças. Por outro lado, o bebê que passa a maior parte do tempo deitado de costas ou preso num carregador, e que raramente se senta apoiado em alguma coisa, pode demorar muito a cumprir essa etapa do seu desenvolvimento. De fato, nas sociedades primitivas, os bebês que são transportados o tempo todo em transportadores colocados junto ao peito da mãe costumam ficar de pé muito antes de sentar-se, de tão acostumados que estão a ficar em posição vertical. Outro fator capaz de interferir na capacidade de sentar-se desde cedo (e também em outras grandes habilidades motoras) é o excesso de peso. O bebê gorducho tende mais do que o bebê esbelto a rolar quando tenta mudar de posição.

Enquanto você der ao bebê muitas oportunidades de alcançar o seu objetivo, serão grandes as probabilidades de que o alcance nos próximos dois meses. Se não conseguir, e/ou se você perceber que ele está apresentando um desenvolvimento lento em outras áreas, consulte o médico.

MANCHAS NOS DENTES

"Os dois dentes da minha filha parecem manchados de uma cor acinzentada. Será que já estão apodrecendo?"

É bem provável que o que está manchando de um cinza horrível as pérolas brancas da sua filha não seja cárie, mas ferro. Algumas crianças que tomam vitamina líquida e um suplemento de sais minerais que contêm ferro acabam ficando com manchas nos dentes. Isto não traz prejuízo algum a eles, e vai desaparecer assim que os líquidos forem suspensos. Nesse ínterim, uma das maneiras de minimizar as manchas consiste em escovar os dentes do bebê ou limpá-los com gaze (veja página 292) assim que ela tiver tomado o suplemento.

Se o seu bebê não vem tomando um suplemento líqüido, e, principalmente, se tem tomado muita mamadeira com leite artificial ou suco na hora de dormir, a descoloração pode ser um sinal de deterioração ou trauma, ou, ainda, de algum defeito congênito no esmalte dos dentes. Discuta o fato com o médico ou com um odontopediatra o mais breve possível.

O BEBÊ COMPORTA-SE MAL COM VOCÊ

"A babá diz que o meu bebê é maravilhoso com ela, mas ele começa a ficar intratável no instante em que ponho os pés em casa, depois do trabalho. Estou com a impressão de que sou uma mãe horrível".

Como a maioria dos bebês dessa idade, o seu já está aprendendo a manipular. E, como a maioria das mães, você está caindo direitinho na armadilha. Mesmo tão novo (mas num nível muito profundo), o seu bebê é suficientemente esperto para perceber que fazer-se de vítima indefesa e abandonada é o melhor meio de assegurar uma dose extra de amor e atenção quando você chega em casa. Ele joga com as suas inseguranças, infunde-lhe culpa e consegue o que quer —algo que você provavelmente lhe daria de qualquer jeito, mas ele não quer correr o risco.

O fato de a maioria dos bebês, das crianças que já andam e das crianças em geral tenderem a um comportamento pior com os pais do que com outras pessoas que cuidam deles é um sinal de que se sentem mais à vontade e seguros com os pais. Sabem que podem deixar as emoções aflorar sem que estejam correndo o risco de perda do amor. Nem sempre, porém, esse mau comportamento é casual; em geral, tem um objetivo, pois, além de obter e conservar a atenção dos pais, é uma maneira de pôr à prova os limites: "Até onde posso ir antes que a mamãe (ou o papai) vire uma fera ou ceda?" O bebê que chora no meio da noite, querendo mamar, está fazendo exatamente esse jogo. E o mesmo faz aquele que lambuza o cabelo com purê de cenoura, ou não pára de derrubar brinquedos dentro do cercadinho. Também age da mesma forma o bebê que está sempre levando o andador para o limiar da escadaria — a única parte da casa que está proibido de explorar.

Uma dose de manipulação não só é normal, como talvez saudável, pois dá à criança uma oportunidade de exercitar algum controle sobre o seu ambiente. Mas, em excesso, pode prejudicar o seu desenvolvimento emocional. Portanto, aceite esse comportamento do bebê enquanto lhe parecer razoável — quando ele realmente precisar da sua atenção e estiver demonstrando que não a tem recebido como deveria. Mas não esqueça de estabelecer os limites que você considera importantes para a saúde e a segurança dele, e para o seu próprio equilíbrio mental, sem abrir mão desses limites.

O QUE É IMPORTANTE SABER: Criar um Superbebê

Vemos as suas fotos nas capas das principais revistas, e suas apresentações em programas de televisão. Com uma estranha mistura de curiosidade, desaprovação e inveja, ouvimos os orgulhosos pais descreverem suas inacreditáveis proezas: lêem palavras aos seis meses de idade, livros com um ano, o *New York Times* com dois. Ficamos nos perguntando como alguém pôde desenvolver tão intensamente o seu bebê, e nos perguntamos: será que deveríamos estar fazendo o mesmo com o nosso bebê?

Sem dúvida, o conceito de superbebê causou sensação nos meios de comunicação, chegou a repercutir fortemente entre o público, e, em algumas comunidades, alcançou proporções consideráveis. Proliferaram os livros e programas dedicados à criação dessas minúsculas maravilhas — e existe até mesmo um instituto dedicado a essa causa. Contudo, entre os mais renomados especialistas no campo do desenvolvimento infantil, a proposta de que bebê e crianças devam ir muito além de seu ritmo normal de desenvolvimento ainda está longe de causar sensação. Cientificamente, não há indícios de que tais programas sejam benéficos, ou mesmo de que funcionem. Ainda que seja possível ensinar a um bebê uma grande variedade de habilidades muito antes do tempo em que seriam normalmente adquiridas, inclusive o reconhecimento de palavras, ainda não se comprovou a existência de um método consistente para fazê-lo. Tampouco existem indícios de que um intenso aprendizado precoce realmente leve a vantagens a longo prazo sobre os padrões mais tradicionais de aprendizagem. Estudos de adultos muito bem-sucedidos em campos tão diferentes como a música, o atletismo e a medicina revelaram que, além de a aquisição de habilidades em suas áreas de atuação não ter começado no início da infância, quando começou era um processo que tendia muito mais para a brincadeira do que para o desempenho de atividades sérias e realizadas sob pressão.

Os bebês têm um número enorme de coisas a aprender em seu primeiro ano de vida — na verdade, mais do que se espera que aprendam em seu primeiro ano escolar. Durante esses doze meses muito ativos, sua agenda vai incluir a formação de laços afetivos com outras pessoas (mamãe, papai, irmãos, babás etc.), o aprendizado da confiança ("Quando estou com um problema, posso contar com mamãe e papai para me ajudarem") e a aquisição do conceito de permanência dos objetos ("Quando a mamãe se esconde atrás da cadeira, ela ainda está ali, mesmo que eu não consiga vê-la"). Eles também vão precisar aprender a usar o corpo (para sentar-se, ficar de pé, andar), as mãos (para pegar e largar, bem como manipular) e as mentes (para resolver problemas do tipo "como-pegar-aquele-caminhão-naquele-lugar-que-não-alcanço". Terão de aprender, também, o significado de centenas de palavras, bem como a reproduzi-las mediante uma complexa combinação da laringe, dos lábios e da língua, e alguma coisa sobre quem eles são ("Que tipo de pessoa sou, de que gosto, de que não gosto, o que me deixa feliz ou triste?"). Com toda essa carga de coisas a serem dominadas, é provável que o acréscimo de novos dados de aprendizagem faça com que se negligenciem uma ou mais áreas fundamentais do desenvolvimento do bebê.

Ainda que poucos pais forçassem uma criança a ficar de pé antes que ela se mostrasse pronta e predisposta, muitos não hesitariam em forçar uma conquista mental como a leitura. Por que? Talvez porque seja mais fácil imaginar uma perna machucada do que uma mente sobrecarregada. Ou talvez porque, em algumas famílias, dê-se mais valor às conquistas do intelecto, relegando-se a segundo plano as proezas físicas.

Os pais tentados a produzir um superbebê, apesar da grande quantidade de opiniões contrárias com que a comunidade do desenvolvimento infantil se posiciona frente a tais programas de aprendizagem precoce, devem fazer-se as seguintes perguntas:

- Qual é o meu objetivo? Levar o meu filho a sentir-se superior às outras crianças? (Um sentimento desses vai ser-lhe útil ao longo de sua vida?) Fazer com que ele tenha acesso precoce à educação — 2º grau aos dez anos, faculdade aos doze? (E depois? Que dizer do impacto emocional e do estigma psicológico de uma criança freqüentar um curso superior?) Não existem provas de que as vidas de crianças-prodígio sejam mais ricas e compensadoras do que as das crianças que não são forçadas a sobressair-se (na verdade, há exemplos nos quais as vidas desses "gênios" infantis acabaram sendo desastrosas). Mesmo precocemente, pais e outras pessoas tendem a julgar esses superbebês pelo sucesso obtido em aprender o que lhes é ensinado, e não pelo que são enquanto indivíduos.
- Estarei me deixando levar pelo medo de que o meu filho não se saia bem no mundo acadêmico de hoje, tão competitivo, se não for preparado com antecedência? Embora seja verdade que as crianças que aprendem a ler antes de irem para a escola quase sempre continuam a ler na seqüência dos anos escolares, uma criança que tenha sido bem preparada para ler (através da exposição ao alfabeto, a canções e histórias, e a uma boa diversidade de outras experiências enriquecedoras), mas que só começa a decifrar palavras ao iniciar-se a sua educação formal, vai mostrar-se rapidamente à altura do que dela se espera, e aprenderá igualmente bem.
- Será que não me sinto à vontade com bebês e crianças? Algumas pessoas, incapazes de colocar-se no mesmo nível dos seus bebês (porque não têm jeito para falar com eles, por exemplo), querem que eles se co-

loquem no seu nível o mais rápido possível. Os bebês, porém, precisam viver a sua primeira infância, e, com algum empenho, você pode muito bem descer até o nível deles, em vez de tentar arrastá-los para o seu.

- Se eu forçar o meu bebê a sobressair-se numa área do seu desenvolvimento — na da linguagem, por exemplo, através da leitura —, qual será o impacto sobre as outras áreas? Você terá tempo para ajudar o seu filho em seu desenvolvimento social (através de brincadeiras de grupo, ou no *playground*) e físico (dando-lhe oportunidades de subir algum aclive, arremessar uma bola, descer uma escadaria), e de estimular a sua crescente curiosidade (a respeito de tudo, poeira no assoalho às nuvens no céu)? Nem todo adulto é "polivalente", e nem precisa ser — mas as crianças precisam compreender as suas forças e fraquezas e descobrir e explorar cada possível caminho de sua realização pessoal antes de escolher as dimensões do eu que mais queiram desenvolver. É uma escolha que deve ser feita pela criança, e não pelos pais, e certamente não no primeiro ano de vida.

Até mesmo os pais que não pretendem criar um superbebê podem produzir uma criança maravilhosa que desenvolva o seu potencial máximo num ritmo pessoalmente apropriado, bastando, para tanto, oferecer-lhe muito estímulo e toda a assistência de que necessita para o bom desempenho de todos os papéis relativos à primeira infância: colocá-la em contato com uma grande variedade de contextos (lojas, zoológicos, museus, postos de gasolina, parques etc.); conversar sobre as pessoas vistas ("Aquela senhora é muito velha", "Aquele homem precisa andar numa cadeira de rodas porque tem um dodói na perna", "Aquelas crianças estão indo para a escola"), e descrever como funcionam as coisas ("Veja, quando abro a torneira a água começa a sair"), para que elas servem ("Isto é uma cadeira — a gente usa cadeiras para sentar") e como diferem entre si ("O cavalo tem um rabo comprido e solto, mas o porco tem um rabinho enrolado"). Para o seu bebê, é mais importante saber que um cachorro late, come, pode morder, tem quatro pernas e pêlos, do que ser capaz de soletrar a palavra "cachorro".

Se o seu bebê demonstra um interesse real por palavras, letras ou números, alimente efetivamente tal interesse. Mas não comece a cancelar idas ao *playground* para que você e o bebê passem o tempo todo às voltas com letras e números. Aprender — desde jogar uma bola ou identificar uma letra — deve ser sempre divertido. E, para vocês dois, haverá pouca diversão se passarem a viver num ambiente cheio de pressões, diante de uma lista interminável de objetivos a serem cumpridos. Deixe que o bebê a oriente, adapte-se ao ritmo dele, e, se o seu pequeno intelectual parecer infeliz com alguma atividade, é hora de partir para outra.

As crianças aprendem bem o que é importante para elas, e não para os seus pais. A mensagem de que "aquilo que a mamãe (ou o papai) querem que eu faça é mais importante do que aquilo que eu quero para mim representa um dos mais duros golpes que pode sofrer o amor-próprio de uma criança. O mesmo se pode dizer do fracasso em concretizar as expectativas do pai e da mãe, sejam elas realistas ou não. A longo prazo, é muito mais importante que a criança aprenda a respeitar-se do que a ler ou tocar piano quando ainda mal aprendeu a andar.

CAPÍTULO 11

O Oitavo Mês

O QUE O SEU BEBÊ PODE ESTAR FAZENDO

Ao final deste mês, o seu bebê
... já deve ser capaz de (ver Nota):

- apoiar algum peso sobre as pernas quando seguro de pé
- sentar-se sem apoio
- comer sozinho uma bolacha
- passar um cubo ou outro objeto de uma mão à outra (geralmente com 8 meses e meio)
- pegar uma uva passa e segurá-la com a mão fechada
- voltar-se para a direção de uma voz (geralmente com 8 meses e meio)
- procurar um objeto caído

Nota: Se o seu bebê parece não ter atingido algum desses marcos, fale com o médico. Em certos casos, esse atraso pode indicar um problema; mas, na maioria das vezes, será simplesmente um fato normal para o seu bebê. Em geral, os bebês prematuros atingem esses marcos depois de outros bebês da mesma idade, muitas vezes atingindo-os por volta da época em que o fariam se houvessem nascido no prazo usual, ou um pouco depois.

... provavelmente será capaz de:

- ficar de pé segurando-se em algo ou em alguém (8 meses e meio)
- reclamar se você tentar tirar-lhe um brinquedo
- esforçar-se por pegar um brinquedo que está fora de alcance

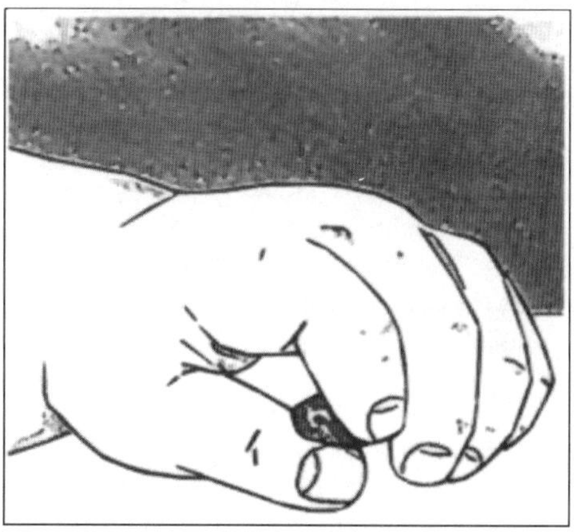

No oitavo mês, alguns bebês são capazes de pegar pequenos objetos com o polegar e o indicador.

- brincar de "esconde-esconde"
- sentar-se a partir da posição deitada de bruços

... talvez seja capaz de:

- levantar-se sozinho a partir da posição sentada
- pegar um objeto pequeno com o polegar e o indicador
- falar mã-mã e pá-pá indiscriminadamente

... pode até ser capaz de:

- bater palminha ou dar adeusinho
- andar segurando-se aos móveis
- ficar de pé sozinho por um instante
- entender a palavra "não" (mas nem sempre obedecê-la)

O QUE VOCÊ PODE ESPERAR DO EXAME DESTE MÊS

A maioria dos pediatras não programa consultas de rotina para este mês. Se houver preocupações que não possam esperar até o mês que vem, ligue para o médico.

PARA ALIMENTAR O SEU BEBÊ ESTE MÊS: Por Fim, Alimentos que o Bebê Pode Pegar

Para a maioria das mães, a novidade de dar comida aos seus bebês logo se torna tão pouco empolgante quanto o sabor do mingau de arroz que elas vêm lutando para fazer entrar naquelas boquinhas. Os lábios resolutamente fechados, a cabeça virada no momento decisivo (blof!), a mãozinha rechonchuda que agarra e revira a colher no instante em que esta ia chegando ao seu destino, e o simples tédio de repetir este atrapalhado ritual todo santo dia, três vezes por dia, deixam essas mães ansiosas por abandonar o papel que há alguns meses mal podiam esperar para assumir. Felizmente, a oportunidade de abandoná-lo logo se apresenta. Aos sete meses de idade, ou mesmo antes, a maioria dos bebês estão ansiosos por pegar seu próprio alimento, e são capazes de fazê-lo.

A transição é mais súbita que gradual. Quando os bebês descobrem que são capazes de levar a comida à boca sozinhos, o número de alimentos que conseguem enviar eficientemente à boca aumenta com rapidez. De início, a maioria dos bebês segura o bolo de arroz ou pedaço de pão com a mão inteira e leva-o à boca assim, não tendo ainda aprendido a coordenar cada um dos dedos para as tarefas de pegar e transportar. Quando surge o problema de como engolir aquele último pedaço firmemente seguro na palma da mão, os bebês podem demonstrar a sua frustração derramando-se em lágrimas. A solução que alguns encontram consiste em levar a mão aberta até a boca; outros largam o alimento e voltam a pegá-lo, deixando um pedaço maior exposto.

Na maioria dos bebês, a capacidade de segurar um objeto entre o polegar e o indicador só se desenvolve entre os nove e doze meses de idade — embora alguns a aperfeiçoem antes disso, e outros depois. Uma vez dominada essa habilidade, o bebê se torna capaz de pegar objetos muito pequenos, como ervilhas ou moedas, e levá-los à boca, incrementando bastante as possibilidades do cardápio — e o risco de sufocação.

Geralmente, a capacidade de pegar alimentos com os dedos é o primeiro passo em direção à independência na hora das refeições. No começo, os alimentos que o bebê pega são um mero suplemento de sua dieta; à medida que aumenta a destreza do bebê em alimentar-se sozinho, sua mão passa a levar-lhe à boca boa parte do que ele consome. Alguns aprendem a manejar a colher suficientemente bem com um ano e meio, ou mesmo antes, e adòtam essa forma mais civilizada de alimentação; outros continuam a usar os dedos como instrumentos das refeições (mesmo aquelas constituídas por partículas tão pequenas quanto flocos de cereais ou ricota) por um longo tempo. Uns poucos, geralmente aqueles que nunca puderam comer sozinhos pelo horror que a perda de tempo e a bagunça despertavam nos pais, continuam insistindo em ser alimentados muito tempo depois de terem aprendido a alimentar-se por si mesmos.

Os primeiros alimentos a ter a honra de serem pegos pelas mãos do bebê são aqueles que ele pode umedecer na boca até conseguir engolir, ou aqueles que se dissolvem sem a necessidade de mastigação, e que já foram bem recebidos quando dados em forma de purê. A maioria desses alimentos deve ser cortado em cubos ou pedacinhos manipuláveis — do tamanho de uma ervilha para os mais consistentes, do tamanho de uma bola-de-gude para os mais macios. Eis algumas boas idéias: bagel (pão judeu) de trigo integral, pão ou torrada integrais, bolos de arroz ou outras bolachas que ficam pastosas na boca; cereais à base de aveia (os melhores são os que não contém sal ou açúcar, encontrados nas lojas de produtos naturais), bolinhos de trigo e de milho; cubinhos de certos tipos de queijo (suíço, Cheddar, Edam, Havarti e outros); pedaços de banana madura e pêra, pêssego, damasco, melão e manga bem maduros; pedaços de cenoura, batata comum ou doce, inhame, brócolis ou couve-flor (só as florzinhas) ou ervilhas (cortadas na metade ou amassadas) bem cozidos; pedaços de peixe grelhado, assado ou cozido (mas tire *cuidadosamente* as espinhas); almôndegas macias (cozinhe-as no molho ou na sopa para não ficarem duras por fora); massas bem-cozidas de várias formas e tamanhos (quebre-as antes ou corte-as depois de cozinhar, como necessário), desde que não contenham ingredientes que o bebê ainda não possa comer; gemas mexidas ou cozidas, e ovos inteiros quando o bebê puder comer as claras; cubinhos de rabanada ou panquecas de trigo integral (de novo, feitas primeiro apenas com gemas, e depois com ovos inteiros). Na mesma época em que o bebê começar a comer esses alimentos com as mãos, você poderá incrementar a textura dos outros alimentos que ele vem comendo. Use os alimentos comerciais para bebês, ou alimentos comuns picadinhos ou amassados, mas que contenham pequenos pedaços sólidos e macios que o bebê possa umedecer e amassar na boca.

Para servir os alimentos, de comer com os dedos coloque quatro ou cinco pedacinhos em um prato inquebrável ou sobre a própria bandeja do bebê, e substitua-os à medida que ele for comendo. Quando esses principiantes vêem muita comida, especialmente reunida num só lugar, costumam colocar tudo na boca de uma só vez ou mandam tudo para o chão com um único movimento do braço. Como acontece com os outros alimentos, os que possam ser pegos com a mão só devem ser dados a um bebê sentado, e não a um que esteja engatinhando, andando apoiado nos móveis ou cambaleando para cá e para lá.

Devido ao perigo de sufocação, não dê ao seu bebê alimentos que não dissolvam na boca, não possam ser amassados com as gengivas ou possam ser facilmente sugados para o interior da traquéia — uvas passas não-cozidas, pipocas, nozes, ervilhas inteiras, frutas e legumes duros e crus (maçãs, peras verdes, cenouras, pimentões), pedaços de carne de vaca ou frango e cachorros-quentes (os quais, de qualquer modo, com seu alto teor de sódio e aditivos, não são próprios para bebês).

Quando nascem os molares (os incisivos — os primeiros dentes, servem para morder, e não tornam a criança mais apta a mastigar), por volta do primeiro aniversário no caso dos bebês cujos dentes nascem cedo, pode-se acrescentar alimentos que exigem mastigação verdadeira, como maçãs cruas e outras frutas e legumes duros e crus, pequenos pedaços de carne de vaca ou frango (cortados perpendicularmente à fibra), passas não-cozidas (frescas e macias, amassadas no início) e uvas com ou sem sementes (sem casca e cortadas na metade). Espere alguns meses antes de incluir os que mais causam engasgos, como as cenouras, pipocas, nozes e cachorros-quentes. Só os introduza quando o bebê estiver mastigando bem.

Qualquer que seja a sua textura, há certos alimentos que não devem ser dados ao bebê, agora ou em qualquer época: guloseimas cujo poder de nutrição é nulo, alimentos preparados com açúcar ou sal e pães ou derivados de cereais feitos com farinha refinada. Um dia, eles certamente serão dados à criança fora de casa; mas, até lá, seu filho já saberão que eles não são próprios para o consumo cotidiano.

O QUE PODE ESTAR PREOCUPANDO VOCÊ

AS PRIMEIRAS PALAVRAS DO BEBÊ

"Minha filhinha começou a falar 'mãmã' com freqüência. Nós estávamos muito animados, mas minha vizinha nos disse que ela está apenas produzindo sons cujo significado desconhece. É verdade?"

Só a sua filha poderia dizer, e ela ainda não é capaz disso. É difícil determinar o momento exato em que o bebê deixa de produzir sons que se parecem com palavras, mas não têm significado, e começa a falar com intenção. Sua filha pode estar apenas praticando os sons que levam a consoante "m", ou pode estar chamando a mamãe, mas não importa saber qual das duas opções é a verdadeira. O importante é que ela está produzindo sons e procurando imitar os sons que ouve. Evidentemente, muitos bebês falam "pá-pá" primeiro — o que não é um sinal de favoritismo, mas uma indicação de qual a consoante que o bebê teve mais facilidade em pronunciar de início.

Em muitas línguas, as palavras informais que designam o pai e a mãe têm um som semelhante. Papai, papa, pappa, abba, *daddy*, mamãe, mama, *mummy*, imma, *mommy*. É provável que tenham se desenvolvido a partir das primeiras sílabas pronunciadas pelos bebês e adotadas pelos pais ansiosos por reconhecer a primeira palavra de seus filhos. Quando, há muito tempo, um bebê espanhol pronunciou o seu primeiro "maa-maa", reclamando como fazem todos os bebês, sua mãe provavelmente teve a certeza de que ele estava chamando "madre". E quando um bebezinho hebreu emitiu pela primeira vez os sons "ah-ba", seu pai provavelmente estufou o peito e disse: "Ela está tentando dizer *av*".

O momento em que a primeira palavra é dita varia bastante — e está, é claro, à mercê de interpretações paternas subjetivas. Segundo os especialistas, pode-se esperar que o bebê mediano comece a dizer o que quer dizer, e queira dizer o que diz, em qualquer momento entre os dez e quatorze meses. Uma pequena porcentagem de crianças começa a fazê-lo alguns meses antes, e alguns bebês perfeitamente normais não pronunciam nenhuma palavra reconhecível até a metade de seu segundo ano de vida. É freqüente, porém, que um bebê já esteja usando sílabas, sozinhas ou combinadas, para representar objetos ("dê" para mamadeira, "ta-ta" para tchau, "au-au" para cachorro), mas seus pais, desligados, não o notam até que o enunciado se torne mais claro. A criança que se ocupa muito do desenvolvimento de suas habilidades motoras — o bebê que, por exemplo, começa a engatinhar e a andar cedo, está aprendendo a subir escadas e a dirigir um carro de bombeiros — pode ser um pouco mais lento do que os bebês menos ativos para começar a falar. Não há nada de errado nisso, desde que o comportamento dele deixe claro que ela entende grande parte das palavras conhecidas que lhe são ditas.

Muito antes de o bebê pronunciar a primeira palavra, ele já estará desenvolvendo suas capacidades lingüísticas. Em primeiro lugar, estará aprendendo a entender o que é dito. Esta linguagem receptiva começa a se desenvolver no nascimento, com as primeiras palavras que o bebê ouve. Aos poucos, ele começa a distinguir palavras separadas da massa de linguagem verbal que o rodeia, e num belo dia, perto da metade do seu primeiro ano de vida, você diz o nome dele e ele olha para você: reconheceu uma palavra. Logo depois disso, ele deve começar a entender os nomes de outras pessoas e objetos que vê todos os dias, como mamãe, papai, mamadeira, suco, pão. Em alguns meses, ou antes disso, pode começar a obedecer a comandos simples, como "Me dá um pedacinho", ou "Dá tchau", ou "Beija a mamãe". Essa capacidade de compreensão se desenvolve com muito mais rapidez que a fala, e é uma importante precursora desta. São muitas as maneiras pelas quais você pode incentivar o desenvolvimento cotidiano da linguagem receptiva e falada (veja página 307).

O BEBÊ AINDA NÃO ENGATINHA

"A filha de uma amiga está engatinhando desde os seis meses de idade. Meu filho tem quase oito meses, e ainda não demonstrou nenhuma vontade de engatinhar. Nas poucas vezes em que ele se mexe, é arrastando-se sobre a barriga. Está com o desenvolvimento retardado?"

Quando o assunto é engatinhar, as proezas de um bebê não devem ser comparadas às de outros bebês. A capacidade de engatinhar não é algo que os bebês desenvolvem com determinada idade e pela qual possamos fazer uma idéia de seu desenvolvimento geral. A capacidade de arrastar-se sobre a barriga, ou rastejar, geralmente prepara a de movimentar-se sobre as mãos e os joelhos, ou engatinhar. Alguns bebês engatinham com apenas seis meses, mas é mais comum que o façam entre sete meses e meio e nove meses. Alguns bebês nunca engatinham — simplesmente apoiam-se para ficar de pé, começam a andar apoiando-se nos móveis, e de repente estão andando. A capacidade de engatinhar não é levada em conta na maioria das escalas de avaliação do desenvolvimento, porque, ao contrário das capacidades de sentar-se ou apoiar-se para ficar de pé, não é uma etapa previsível do desenvolvimento de todas as crianças.

Mesmo entre os bebês que engatinham, os estilos variam. Muitos começam engatinhando para trás ou para os lados, e só aprendem a ir para a frente depois de algumas semanas. Outros impulsionam-se com um só joelho ou sobre o bumbum, e outros ainda andam sobre mãos e pés, um estágio por que muitos bebês passam logo antes de aprender a andar. O método pelo qual o bebê vai daqui para lá é bem menos importante que o fato de ele estar fazendo esforços para locomover-se independentemente.

Antes de o bebê engatinhar, ele tem que ser hábil em sentar-se. Depois disso, o momento em que começa a engatinhar, ou o fato de ele fazê-lo ou não, são questões que variam em cada caso e não devem preocupar, a menos que o bebê esteja defasado em pelo menos duas áreas do desenvolvimento (social, macro ou micromotor, da linguagem etc.). Freqüentemente, os bebês que engatinham bem andam tarde, ao passo que os que nunca engatinham podem começar a andar cedo.

Alguns bebês não aprendem a engatinhar por falta de oportunidade. O bebê que passa a maior parte do dia confinado a um berço, carrinho, bebê-conforto, cercado e/ou andador não terá muito tempo para praticar a habilidade de colocar-se sobre mãos e joelhos, e menos tempo ainda para movimentar-se a partir dessa posição. Faça com que o bebê passe bastante tempo no chão, e supervisione-o (não se preocupe com a sujeira, desde que o chão tenha sido varrido ou aspirado, para remover as partículas pequenas, e limpo de objetos perigosos). Para encorajá-lo a ir para a frente, tente colocar um brinquedo favorito ou um objeto interessante alguns passos adiante dele. Mas proteja os seus joelhinhos, pois a sensação de ter os joelhos raspando num chão frio e duro ou num carpete áspero pode até desestimular o bebê a tentar engatinhar. Não o ponha mais no andador, se ele estiver usando um, e só o coloque no exílio do cercadinho quando você não puder supervisioná-lo.

De um modo ou de outro, nos meses seguintes o seu bebê estará decolando — e metendo-se em encrencas —, e você pensará: "Por que eu tinha tanta pressa?"

ANDANDO DE PATINETE

"Nossa filha engatinha impulsionando-se com um só joelho, com a outra perna estendida atrás. Ela consegue se movimentar, mas sua figura é bem estranha."

Para um bebê ansioso por chegar de um lugar a outro, a aparência e a graciosidade têm pouquíssima importância — assim como devem ter para você. Se o seu bebê está tentando andar por aí independen-

Alguns bebês começam por arrastar-se sobre a barriga. Embora muitos passem a engatinhar sobre mãos e joelhos, alguns continuam rastejando até aprenderem a ficar de pé.

A locomoção sobre mãos e joelhos é a técnica clássica para engatinhar. Alguns bebês ficam tão satisfeitos em movimentar-se desse jeito que passam meses sem preocupar-se com tentar andar.

temente, a maneira como o faz não importa. Esse estilo de "andar de patinete" — apoiando-se num joelho e arrastando a outra perna — pode parecer um pouco esquisito, assim como o estilo daqueles bebês que apoiam-se no bumbum e assim arrastam-se pelo chão. Mas todos esses bebês — a sua filha inclusive — estão conseguindo atingir seu objetivo.

CASA BAGUNÇADA

"Agora que o meu filho está engatinhando e pegando tudo o que encontra, não consigo arrumar toda a bagunça que ele faz. Será que devo tentar controlá-lo — e controlar a bagunça —, ou não fazer nada?"

A desordem talvez seja a sua maior inimiga, mas é a maior amiga de um bebê intrépido. Uma casa escrupulosamente arrumada apresenta tantos interesses e desafios a um bebê que acabou de aprender a se movimentar quanto uma piscina apresentaria a Cristóvão Colombo. Dentro dos parâmetros ditados pela razão (você não precisa deixar o bebê rasgar o seu talão de cheques ou reorganizar a sua agenda) e pela segurança, o seu filho precisa dilatar e ampliar a sua curiosidade e exercitar os músculos. Deixá-lo vagar — e bagunçar — livremente é tão importante para o seu crescimento intelectual quanto para o desenvolvimento físico. A aceitação desta realidade é importante para a sua saúde mental; os pais de crianças novas que lutam contra isso, batalhando para deixar a casa tão perfeita quanto estava antes do bebê, estão fadados a decepção — bem como a uma frustração e ansiedade assoberbantes.

A postura de apoiar-se sobre mãos e pés, híbrida entre o engatinhar e o andar, pode ser aquela que o bebê pratica desde o início e continua aplicando, ou pode ser usada apenas um pouco antes de o bebê começar a andar.

Existem porém, algumas coisas que você pode fazer para tornar mais fácil a convivência com essa realidade:

Comece deixando a casa segura. Embora se possa deixar o bebê espalhar cuequinhas pelo quarto ou erguer um edifício de guardanapos no chão da cozinha, não se deve deixá-lo bater garrafas de bebidas uma na outra para ver o que acontece, e nem esvaziar o frasco de água sanitária sobre o tapete. Assim, antes de soltar o bebê, certifique-se de que tudo em sua casa está seguro para ele, ou a salvo dele (veja página 338).

Limite o caos. O seu lado compulsivo ficará mais feliz se você tentar limitar a bagunça a um ou dois cômodos ou áreas da casa. Isso quer dizer que o bebê só poderá ficar totalmente à vontade no quarto dele e talvez na cozinha ou na sala — onde quer que vocês passem a maior parte do tempo juntos. Use portas fechadas ou portõezinhos antibebês para definir as áreas. É claro que, num apartamento pequeno, você talvez não possa impôr tais restrições ao bebê; você terá que aceitar resignadamente a rotina de bagunças diurnas e arrumações noturnas.

Além disso, reduza o potencial de bagunça: mantenha os livros bem juntos uns dos outros nas prateleiras acessíveis ao bebê, e deixe alguns livros indestrutíveis num lugar onde ele possa alcançá-los e pegá-los facilmente, tranque os armários e gavetas mais vulneráveis (em especial os que contêm objetos frágeis, de valor ou perigosos) com fechaduras à prova de crianças; deixe a maioria dos bibelôs em lugares altos, conservando em baixo apenas aqueles com que o bebê pode brincar sem que você se preocupe. Separe um armário ou gaveta para ele, e encha-o de coisas divertidas, como copos e pratos de papel, colheres de madeira, uma xícara ou jarra de metal, caixas vazias etc.

Não se sinta culpada por não deixar o bebê enfeitar o banheiro com o seu batom, arrancar as páginas dos seus livros favoritos, esvaziar caixas e mais caixas de cereal pelo chão da cozinha e, em suma, redecorar toda a sua casa ao gosto dele. A fixação de limites não favorecerá somente a sua sanidade mental, mas também o desenvolvimento do seu bebê — as crianças realmente prosperam quando lhes são estabelecidos limites; além disso, o bebê aprenderá a importante lição de que as outras pessoas, e até mesmo os pais, têm seus direitos.

Contenha-se. Enquanto o bebê devasta a casa, não fique seguindo atrás dele e guardando tudo o que ele tira do lugar. Isso o frustrará dando-lhe a impressão de que tudo o que faz, além de inaceitável, é totalmente em vão. E você também ficará frustrada se ele imediatamente espalhar de novo o que você acabou de recolher. Em vez disso, faça a arrumação geral duas vezes por dia: no fim do período de brincadeiras matutinas, quando ele está dormindo, brincando no cercadinho ou sentado no cadeirão, e no fim da tarde, ou depois que ele foi para o berço.

Dê-lhe uma lição de asseio — repetidas vezes. Não faça limpezas intensivas quando ele estiver por perto. Mas, ao final de cada período de brincadeiras, recolha algumas coisas com ele, dizendo (mesmo que ele não tenha idade suficiente para entender): "Agora, você ajuda a mamãe a recolher os brinquedos e guardar cada um no lugar?" Passe-lhe um dos blocos para que o guarde na caixa de brinquedos, dê-lhe uma lata para colocá-la no armário ou um papel amassado para jogar no lixo, e aplauda cada um dos seus esforços. Embora ele ainda vá passar anos fazendo mais bagunça do que limpeza, essas primeiras lições o ajudarão a entender — um dia — que tudo o que sai do lugar deve voltar ao lugar.

Deixe-o bagunçar em paz. Não embarque em longos monólogos de críticas exasperadas ao seu bebê ("Ai, como você é bagunceiro!"). Não o deixe sentir que a expressão natural e saudável de sua curiosidade ("Se eu virar este copo de leite, o que vai acontecer?" "Se eu tirar estas roupas da gaveta, o que vou achar embaixo?") é uma coisa má ou é um sinal de que ele é mau. Se ele fez algo que você não gostaria que se repetisse, diga-lhe — mas como professora, e não como juiz.

Você não pode vencê-lo, mas também não junte-se a ele. Não resolva que, já que você está lutando numa guerra perdida, o melhor a fazer é deixar a bagunça aumentar e aprender a ignorá-la. Esse estilo de vida não vai levantar o seu moral e nem beneficiar o seu bebê. Embora deixá-lo fazer uma bagunça seja saudável para ele, não é bom que ele esteja sempre rodeado pela desordem. Saber que o mundo está sempre reordenado todas as manhãs, por mais que ele o tenha virado de ponta-cabeça na noite anterior, lhe dá uma sensação de segurança, além de tornar mais divertido e satisfatório o ato de bagunçar — afinal, qual é a graça de bagunçar uma casa que já está bagunçada?

Reserve um santuário. Você nem sempre poderá desfazer prontamente os estragos causados pelo seu minifuracão, mas tente preservar um local de calmaria em meio à tempestade — seu quarto, o escritório ou a sala de estar, por exemplo —, não deixando que o bebê brinque por lá ou garantindo que o lugar esteja sempre arrumado à tarde ou à noite. Assim, ao final do dia, você e o seu marido terão um abrigo aonde se refugiar.

Não corra riscos. Essa atitude de *laissez-faire* em relação à desordem tem uma exceção: quando a desordem coloca em risco a segurança. Se o bebê derrama o seu suco ou vira o prato de água do cachorro, limpe tudo imediatamente — os líqüidos recém-derramados tornam o chão sem carpete num rinque de patinação, onde os tombos são inevitáveis. Além disso, recolha as folhas de papel e revistas assim que o bebê acabar de brincar com elas, e deixe todos os corredores e passagens (especialmente as escadas) sempre livres de brinquedos, especialmente os que têm rodas.

PEGAR COMIDA DO CHÃO

"Minha filhinha sempre deixa cair a bolacha no chão, e depois a pega e come. Isso parece muito anti-higiênico; é perigoso?"

Mesmo se você não deixa o assoalho reluzente, o bebê não corre riscos por fazer um piquenique sobre ele. Existem germes no chão, mas não em quantidades significativas. E, na maior parte, trata-se de germes com que o bebê já teve contato, sobretudo se ele brinca no chão com freqüência. De modo geral, o mesmo se pode dizer do chão das casas de outras pessoas, dos supermercados e magazines; mas, se o fato de o seu filho recuperar uma bolacha caída num chão desconhecido ofende o seu senso estético, não há nada de errado em jogá-la no lixo e dar-lhe outra.

Mas há exceções. Embora as bactérias não se multipliquem muito nas superfícies secas, elas se multiplicam com rapidez nos lugares molhados ou úmidos. Se você puder escolher, não deixe o seu bebê comer algo que caiu no banheiro, em poças d'água ou outras superfícies úmidas ou molhadas. A umidade no próprio alimentos também pode causar problemas. Não se deve consumir uma bolacha ou qualquer outro alimento que tenha sido posto na boca por algum tempo e depois esquecido (mesmo num lugar limpo) por algumas horas, deixando as bactérias se multiplicarem. Por isso, não deixe alimentos salivados num lugar onde o seu bebê possa pegá-los de novo. Evidentemente, você nem sempre terá escolha: os bebês sempre encontram pedaços de comida perdidos há muito tempo e lançam-os na boca antes que você possa reagir. Felizmente, eles poucas vezes ficam doentes por causa disso.

Você também deve conservar a vigilância ao ar livre. Embora muitos bebês já tenham deixado cair a mamadeira na rua e a levado de volta à boca sem conseqüências adversas, a probabilidade de pegar germes ruins é certamente maior num lugar onde cachorros urinam e defecam e pessoas imprevidentes expectoram. Substitua ou lave qualquer alimento, mamadeira, chupeta ou brinquedo que tenha caído na rua, sobretudo se o chão estiver molhado. Onde não há água corrente, use lenços descartáveis para limpar um bico de mamadeira ou um brinquedo. Nos parquinhos, onde os cachorros não podem entrar e onde os adultos geralmente não agem tão irrefletidamente a ponto de cuspir, você não precisa se preocupar tanto, desde que o chão não esteja molhado — uma rápida limpada da poeira superficial é suficiente. Mesmo ali, porém, as poças d'água podem abrigar perigosos germes patogênicos, e os bebês, assim como seus brinquedos e lanches, devem ficar longe delas. Para não ter de escolher entre aplacar um bebê chorão e jogar fora um pedaço de merenda de cuja limpeza você duvida, sempre leve mais lanchinhos.

COMER POEIRA — OU COISA PIOR

"Meu filho põe tudo na boca. Agora que ele brinca bastante no chão, tenho me-

nos controle sobre o que ele ingere. O que é perigoso e o que não é?"

Toda e qualquer coisa que caiba na boca acaba entrando na boca dos bebês: poeira, areia, comida de cachorro, baratas e outros insetos, pontas de cigarro, comida estragada, mesmo o conteúdo de uma fralda suja. Obviamente, é melhor tentar evitar que ele experimente os pratos desse variado cardápio, mas isso nem sempre é possível. Poucos bebês passam pelo estágio do rastejar-engatinhar sem engolir pelo menos uma coisa que seus pais acham repugnante; alguns bebês não passam sequer uma manhã sem fazer o mesmo.

Mas o que parece sujo deve assustá-la muito menos do que as substâncias usadas para limpar. É raro que um pouco de sujeira faça mal a alguém, mas mesmo um gole de certos produtos de limpeza pode causar sérios estragos. Nem tudo pode ser deixado fora do alcance da mão inquisitiva do bebê; por isso, concentre-se nas substâncias potencialmente mais perigosas (veja lista na página 341) e esqueça um pouco o besouro ou o punhado de pêlos de cachorro que costumam insinuar-se na sua boquinha. Se você o surpreender com aquele ar do gato que vai comer um passarinho, aperte-lhe as bochechas com o polegar e o indicador de uma das mãos para abrir-lhe a boca, e resgate o objeto com um dedo da outra mão.

O mais perigoso — além das substâncias obviamente tóxicas — são alimentos em processo de deterioração. As bactérias e outros microorganismos patogênicos multiplicam-se rapidamente à temperatura ambiente; assim, deixe fora do alcance do bebê todos os alimentos estragados ou a ponto de estragar —os quais podem-se encontrar, na maioria das vezes, nas vasilhas dos animais de estimação, no lixo da cozinha e no chão sujo da cozinha ou da sala de jantar.

Cuide também para que o bebê não ponha na boca objetos pequenos o suficiente para que ele possa engoli-los ou engasgar — botões, tampas de garrafa, clipes de papel, alfinetes de segurança, moedas e outros. Antes de pôr o bebê no chão para brincar, encontre e remova todos os objetos com menos de 4 cm de diâmetro. Além disso, conserve fora de alcance todos os objetos potencialmente tóxicos, como os jornais e os móveis pintados com tinta à base de chumbo. Para mais dicas sobre o que deixar fora do alcance do bebê, veja "Como Deixar a Casa Segura para o Bebê", na página 338.

EREÇÕES

"Às vezes, quando estou trocando as fraldas do meu filho, ele tem uma ereção. Estou manipulando demais o seu pênis?"

Se você o está manipulando só o necessário para limpá-lo ao trocar as fraldas e na hora do banho, você não está manipulando-o demais. As ereções do seu filho são uma reação normal ao toque de um órgão sexual sensível — assim como são normais as ereções clitoridianas de uma menininha, não tão visíveis mas igualmente comuns. O bebê também pode ter uma ereção quando as fraldas esfregam o seu pênis, quando está mamando ou quando você lhe dá banho. Todos os meninos têm ereções às vezes (embora as mães nem sempre percebam), mas alguns as têm com mais freqüência. Não é preciso dar qualquer atenção especial a essas ereções.

A DESCOBERTA DOS ÓRGÃOS GENITAIS

"Há pouco tempo, minha filha começou a brincar com os órgãos genitais toda vez que está sem fraldas. Isso é normal num bebê tão novo?"

Os seres humanos fazem aquilo que é gostoso. É nisso que a Mãe Natureza pensou quando criou os órgãos genitais: se os criou de modo que provocassem reações prazerosas quando tocados, por isso eles são tocados — primeiro, por seus donos, e depois por um indivíduo do sexo oposto, garantindo a perpetuação da espécie.

Os bebês são seres sexuais desde o nascimento, ou melhor, desde antes do nascimento — já se observaram fetos masculinos tendo ereções no útero. Alguns, como sua filhinha, começam a explorar sua sexualidade na metade do primeiro ano de vida; outros esperam até o fim desse ano. Esse interesse é tão inevitável e tão saudável para o desenvolvimento do bebê quanto era, antes, o interesse pelos dedos das mãos e dos pés. A repressão dessa curiosidade (que as gerações passadas viam-se obrigadas a praticar) é tão errônea quanto seria a repressão do interesse do bebê por seus dedos das mãos e dos pés.

Independentemente do que possam dizer-lhe, não há mal nenhum — físico ou psicológico — no fato de bebês ou crianças manipularem os próprios órgãos genitais (essa manipulação só recebe o nome de masturbação numa idade posterior). Fazer com que o bebê ou a criança sintam-se "sujos" ou "maus" por praticarem essa manipulação, porém, é algo que pode ser prejudicial e ter um efeito negativo sobre a sexualidade e a auto-estima no futuro. Fazer da auto-estimulação um tabu também pode torná-la mais convidativa.

Não há fundamento no temor de que os dedos que tocaram os órgãos genitais estejam sujos demais para serem levados à boca; todos os germes encontrados na região genital de um bebê são germes do próprio bebê, e não são ameaça nenhuma. Mas, se você vir sua filhinha tocando os órgãos genitais com mãos muito sujas, talvez convenha lavá-las para prevenir a possibilidade de uma infecção. Os órgãos genitais dos meninos não são tão vulneráveis, mas tanto os meninos quanto as meninas devem ter as mãos lavadas depois de terem mexido em fraldas sujas de fezes.

Quando sua filhinha tiver idade suficiente para entender, você pode dizer-lhe que essa parte do seu corpo é muito íntima e que, embora ela possa tocá-la sem problemas, ela não pode tocá-la em público nem deixar qualquer outra pessoa tocá-la.

A CRIANÇA SUJA

"Minha filha adoraria engatinhar pelo parquinho, se eu deixasse. Mas o chão é tão sujo..."

Tire do armário os alvejantes, e esqueça a sua resistência a deixar sua filha descer ao chão e se sujar. Os bebês forçados a ficar na platéia quando gostariam de estar no palco ficam limpinhos mas insatisfeitos. As crianças são laváveis. Mesmo a poeira que mais salta aos olhos pode ser removida com lenços descartáveis ou toalhinhas úmidas enquanto você ainda está no parquinho ou no quintal, e a sujeira encardida sairá depois, no banho. Nem a poeira que ela põe na boca — os bebês que passam algum tempo fora de casa, por pouco que seja, inevitavelmente consomem alguma porção de terra e areia — irá fazer mal; é provável que você sinta enjôos ao vê-la comer poeira, mas ela não sentirá. Assim, ignore esse atentado à sua sensibilidade e, assegurando-se de que não há vidro quebrado ou excrementos de cachorro no caminho de sua filha, deixe-a engatinhar um pouco pelos arredores, sempre supervisionando-a. Se ela encontrar algo muito sujo, dê uma geral em suas mãozinhas com um lenço úmido descartável e deixe-a continuar explorando.

Nem todos os bebês gostam de se sujar; alguns preferem ficar na platéia. Se o seu bebê é assim, certifique-se de que ele não está hesitando por imaginar que você não quer que ele se suje. Estimule-o a ficar aos poucos mais ativo, sem forçá-lo.

Os sapatos macios ou tênis protegem os pezinhos dele quando está engatinhando no concreto; na grama, em tempo quente, pés descalços são uma boa pedida. Os joelhos do seu bebê agradecerão (o mesmo não se pode dizer de você, quando for lavar a roupa) se ele estiver vestindo calças ou macacões nessas excursões. Se você prefere que o seu bebê apareça sempre limpinho em público, leve um conjunto de roupas-de-brincar em sua sacola e vista-as nele antes de deixá-lo à vontade; depois, antes de ir embora, lave-o e vista-o de novo com as roupas limpas.

BRINCADEIRAS TURBULENTAS

"Meu cunhado gosta de brincar de forma agitada com nosso filhinho, jogando-o para o alto e pegando-o, e outras coisas assim. O bebê parece adorar, mas nós não sabemos se é seguro."

Não é. Na maioria dos casos, o próprio bebê vai comunicar-lhe que o seu corpo não está preparado para determinada coisa — comer alimentos sólidos, por exemplo, ou ficar de pé —, mas não no caso das brincadeiras violentas. Muitos bebês apreciam a sensação de serem rodopiados no ar ou jogados para o alto e pegos de novo (embora alguns tenham horror), mas esse tipo de movimento — seja em brincadeiras, seja num ímpeto de raiva — pode ser muito perigoso para crianças de menos de dois anos.[1]

Várias espécies de ferimentos podem resultar do ato de jogar um bebê para o alto ou sacudi-lo com força (como ocorre quando alguém pratica corrida levando-o atado, à frente ou às costas, num bebê-conforto ou *baby-bag*). Um dos ferimentos conhecido como chicotada é semelhante ao que pode vitimar um adulto cujo carro é abalroado por trás. A cabeça do bebê não tem muito apoio, pois é pesada em comparação ao resto do corpo e os músculos do pescoço ainda não estão plenamente desenvolvidos. Quando o bebê é sacudido violentamente, o movimento de chicote realizado pela cabeça pode fazer com que o cérebro choque-se repetidamente contra o crânio. Um ferimento no cérebro pode causar edema cerebral, hemorragia, aumento da pressão intracraniana e, talvez, lesão neurológica permanente, com a conseqüente deficiência física ou mental. Outro tipo de conseqüência pode afetar o frágil olho do bebê. Se a retina descolar-se ou for arranhada, ou o nervo ótico ferido, podem decorrer problemas visuais permanentes, e até mesmo a cegueira. O risco de dano aumenta se o bebê estiver chorando ou de cabeça para baixo enquanto é sacudido, pois ambas as coisas aumentam a pressão sangüínea na cabeça, tornando mais provável a ruptura de um vaso sangüíneo mais frágil. Tais ferimentos são relativamente raros, mas os danos podem ser tão grandes que realmente não vale a pena correr o risco.

Não perca tempo preocupando-se com as brincadeiras turbulentas pelas quais seu bebê já passou. Se ele não apresentou nenhum sintoma, deve ter escapado incólume até aqui. Se alguma coisa a preocupa, consulte o médico do seu filho.

Há outras brincadeiras que também não são seguras nesta idade. As articulações de um bebê (ou mesmo de uma criança nova) ainda são um pouco soltas; por isso, não o balance segurando-o pelas mãos e nem torça ou puxe repentinamente o seu braço (para fazê-lo andar quando está "empacando"). Isso poderia resultar num doloroso (embora facilmente remediável) deslocamento do ombro ou do cotovelo.

Isso não exclui completamente as brincadeiras agitadas; só determina que elas sejam mais cuidadosas. Muitos bebês adoram "voar" seguros pelo tronco e transportados suavemente pelo ar, gostam de sessões de cócegas (mas pare quando o bebe ficar sem ar) e de "luta livre", e apreciam serem perseguidos depois que já aprenderam a engatinhar. Mas há alguns bebês,

1. Alguns pais, quando furiosos, sacodem o seu bebê para não espancá-lo, julgando que se trata de um jeito mais aceitável de discipliná-lo; outros sacodem o bebê para descarregar sua ira e frustração, pensando que não vão machucá-lo. Nenhuma das duas suposições é verdadeira; todo pai que se sente impelido a "punir" um bebê está precisando de ajuda, para lidar com os próprios impulsos e cuidar devidamente da criança.

tanto meninos quanto meninas, que não gostam de nenhum tipo de tratamento mais agitado, e eles têm direito a um trato mais tranqüilo — mesmo por parte de tios e avôs superefusivos.

USO DO CERCADINHO

"Quando compramos nosso cercadinho, há alguns meses, o bebê parecia querer ficar lá para sempre. Agora, ele grita para sair depois de 5 minutos."

Há alguns meses, o seu bebê não se sentia confinado no cercadinho; ao contrário, parecia estar no seu próprio parque de diversões. Agora, ele começa a perceber que existe todo um mundo — ou, pelo menos, uma sala ali fora, e está muito disposto a descobri-la. As quatro paredes que antes delimitavam o seu pequeno paraíso agora parecem-lhe frustrantes grilhões, deixando-o condenado a olhar para fora.

Siga a dica que o seu bebê lhe dá e comece a usar o cercadinho só em casos de emergência, quando ele precisa ficar preso para sua própria segurança ou, às vezes e por breve tempo, para conveniência da mamãe — enquanto você esfrega o chão da cozinha, põe alguma coisa no forno, atende o telefone, vai ao banheiro ou se arruma para receber uma visita-surpresa. Não o condene ao cercadinho por mais de 15 minutos de uma só vez, que é o tempo máximo pelo qual um bebê ativo de oito meses vai tolerar tal coisa. Varie os "amiguinhos" que o acompanham no exílio, fazendo um rodízio de brinquedos para que ele não se enfade antes do tempo. Se ele prefere poder ver e ouvir você enquanto brinca, deixe o cercadinho perto de você; se ele parece ficar contente por mais tempo quando você não está à vista, deixe-o no cômodo ao lado (mas vá vê-lo muitas vezes). Se ele protesta antes da hora de sair, tente dar-lhe algumas novidades para brincar — algumas travessas e panelas, talvez, ou uma ou duas garrafas plásticas de refrigerantes vazias (sem a tampa) —, qualquer coisa com que ele não costume brincar quando "preso". Se isso não funcionar, liberte-o assim que possível.

Cuidado com uma possível fuga. O bebê, extremamente ágil e cheio de expedientes, pode conseguir escapar subindo em brinquedos grandes — assim, não deixe nenhum desses no cercadinho.

"Minha filha ficaria no cercadinho o dia inteiro se eu a deixasse, mas não sei se devo fazer isso."

Alguns bebês tranqüilos parecem totalmente felizes se deixados no cercadinho por horas a fio, mesmo quando têm quase um ano. Talvez eles simplesmente não saibam o que estão perdendo; talvez não sejam combativos o bastante para exigir sua liberdade. Numa tal situação, a mãe fica livre para fazer muitas coisas, mas o bebê fica impedido de fazer o suficiente, do ponto de vista físico e intelectual. Assim, estimule sua filhinha a ver o mundo a partir de outra perspectiva. Talvez ela hesite um pouco em deixar o cercadinho, sinta-se um pouco intranqüila ao perder a segurança de suas quatro paredes. A transição ficará mais fácil se você sentar-se com ela no chão, brincar com ela, dar-lhe um cobertor ou um brinquedo favorito ou aplaudir suas tentativas de engatinhar.

LER PARA O BEBÊ

"Gostaria que meu filho desenvolvesse um gosto pela leitura. É muito cedo para começar a ler para ele?"

Nesta época, em que a televisão afasta as crianças dos livros muito cedo e com muita facilidade, talvez nunca seja cedo demais para começar a ler para uma criança. Alguns crêem que é bom ler para o bebê quando ainda no útero, e muitos iniciam seus pimpolhos na literatura pouco tempo depois do nascimento. Mas é só em algum momento da segunda metade do primeiro ano de vida que o bebê começa a participar ativamente do processo de leitura — de início, mastigando os cantos do livro. Logo ele passa a prestar atenção às palavras que você lê (a esta altura, mais ao ritmo e ao som das palavras que ao seu significado) e às ilustrações (admirando as cores e formas, mas nem sempre relacionando as figuras a objetos conhecidos).

Para garantir que o seu bebê contraia bem cedo o vírus da leitura, faça uso das seguintes estratégias:

Leia para si mesma. As leituras que você faz para o bebê não terão tanto efeito se você mesma passa mais tempo em frente à TV do que com o nariz grudado num livro (ou jornal, ou revista). Embora os pais de crianças novas tenham que lutar para encontrar tempo para uma leitura tranqüila, o esforço vale a pena; como ocorre com qualquer outro comportamento, bom ou mau, as crianças tendem antes a imitar as suas ações do que a seguir suas palavras. Leia algumas páginas, apoiando o livro em algum lugar, enquanto você dá de mamar ou mamadeira, leia no quarto do bebê enquanto ele brinca, deixe um livro no seu criado-mudo para ler antes de dormir e mostrar ao seu pimpolho ("este é o livro da mamãe").

Comece uma coleção de livros infantis. Há milhares de livros infantis à venda nas livrarias, mas nem todos são bons para o iniciante. Dê preferência aos que apresentam as seguintes características:

- Estrutura forte, à prova de destruição. Os livros mais fortes são os que têm páginas de papel-cartão laminado com bordas arredondadas, que podem ser mastigadas sem se desintegrarem e viradas sem se rasgarem. Os livros de tecido laminado também são bons, mas os livros de tecido macio, embora indestrutíveis, são inúteis — não param abertos, os bebês não conseguem virar-lhes as páginas, e não se parecem com livros de verdade. Uma encadernação com espiral é um ponto positivo, porque, além de permitir que o livro pare aberto, o bebê pode brincar com a fascinante espiral. Os livros de vinil são bons para a hora do banho, uma das poucas ocasiões em que as crianças ficam sentadas por tempo suficiente para uma sessão de leitura. Para conservá-los livres de mofo, seque-os completamente depois do banho, e guarde-os num lugar seco.

- Ilustrações nítidas e claras de temas familiares, sobretudo animais, veículos, brinquedos e crianças. As figuras não devem estar amontoadas, para não sobrecarregar o olhar do bebê.

- Texto não muito complicado. A melhor coisa para prender a atenção do bebê enquanto você lê para ele são as rimas, já que o que mais o atrai é a sonoridade, e não o significado; muitos meses se passarão antes que ele seja capaz de seguir uma só linha da história. Também são bons os livros que têm uma só palavra por página, porque ajudam-no a incrementar seu vocabulário receptivo e, depois, seu vocabulário falado.

- Atividades inclusas. Os livros que estimulam brincadeiras de esconde-esconde, os que encorajam o aprendizado sobre texturas e aqueles cheios de surpresas escondidas debaixo de pequenas dobras incentivam a participação da "platéia".

- Material de leitura descartável. Os bebês também gostam de ver e manipular revistas cheias de ilustrações coloridas; por isso, em vez de jogar fora as revistas velhas, faça uma coleção para seu bebê usar nos dias chuvosos. É evidente que, depois que ele fizer tudo o que quiser com elas, você terá que descartá-las[2].

Aprenda a ler como uma mãe. Se você chegou ao segundo ano primário, você sa-

2. Cuidado, porém, para que o bebê não ponha páginas de jornais ou revistas na boca. Ambas podem conter altas porcentagens de chumbo, cuja ingestão constante pode elevar excessivamente a taxa de chumbo no organismo do seu bebê. (A combustão também pode liberar chumbo no ar; assim, não use jornais ou revistas para acender o fogo.)

be tomar nas mãos um volume da Carochinha e ler em voz alta. Mas isso não basta para ler para um bebê. O tom e a modulação são importantes; leia devagar, com uma voz ritmada e melodiosa e acentuando exageradamente as palavras certas. Pare ao fim de cada página para reforçar as coisas mais marcantes ("Olha o menininho rolando da montanha", ou "Está vendo como o cachorrinho está rindo?") ou mostrar-lhe animais e pessoas ("Essa é uma vaca — a vaca faz 'muuu'", ou "Olha um nenê num bercinho — o nenê está fazendo 'nana nenê'").

Faça da leitura um hábito. Inclua a leitura na agenda do bebê — alguns minutos pelo menos duas vezes por dia, quando ele estiver quieto mas atento, além de alimentado. Antes da soneca matutina, depois do almoço, depois do banho e antes de dormir são horas indicadas para a leitura. Mas só siga o cronograma se o bebê estiver receptivo — não tente impor-lhe um livro quando ele está mais disposto a aprender a engatinhar ou fazer música com duas tampas de panela.

Deixe a biblioteca aberta. Guarde os livros mais preciosos e destrutíveis em prateleiras altas e reserve-os para sessões de leitura supervisionada, mas conserve uma biblioteca pequena (para não assoberbar o bebê) e circulante (para que ele não se enfastie) de livros à prova de bebês num lugar onde ele possa alcançá-los e desfrutá-los. Às vezes, o bebê que resiste em sentar-se para uma sessão de leitura ao lado da mamãe ou do papai vai gostar de "ler" sozinho, virando as páginas e olhando as figuras no seu próprio ritmo.

MÃO DIREITA OU MÃO ESQUERDA

"Notei que meu bebê alcança e pega os brinquedos com ambas as mãos. Devo tentar encorajá-lo a usar a mão direita?"

O mundo em que vivemos dá às minorias um tratamento desigual; os canhotos, uma minoria de cerca de 10%, não são exceção a essa regra. A maioria das portas, ferros de passar, descascadores de batatas, tesouras e arranjos dos talheres na mesa são feitos para os destros. E aos canhotos resta apenas o incômodo de bater o cotovelo no seu vizinho de mesa ou dar um aperto de mãos com o que para eles é a mão "errada". Muitos pais, relutando em condenar seus filhos a essa condição de membros de uma minoria, tentam impor o uso da mão direita a crianças propensas a usarem a esquerda.

Antigamente, os especialistas acreditavam que essa pressão dos pais para mudar uma característica tida como de origem genética acabava levando à gagueira e a uma série de deficiências de aprendizado. Hoje, embora ainda não recomendem que se tente mudar a propensão natural da criança, eles suspeitam que diversas características — tanto positivas como negativas — são geneticamente associadas ao canhotismo. Muitas delas parecem estar ligadas às diferenças entre destros e canhotos no que diz respeito ao desenvolvimento dos hemisférios direito e esquerdo do cérebro. Nos canhotos, o hemisfério direito é dominante, o que os faz sobressair em certos domínios, como o das relações espaciais — o que talvez explique o fato de haver uma grande proporção de canhotos entre os esportistas, artistas e arquitetos. Devido a haver mais meninos do que meninas entre os canhotos, especula-se também que os níveis de testosterona, um hormônio masculino, possam afetar o desenvolvimento do cérebro e a propensão a usar esta ou aquela mão. São necessários ainda muitos estudos para que possamos compreender plenamente o que faz com que uma pessoa use mais a mão direita ou a esquerda, e de que modo essa propensão influi nos diversos aspectos da vida.

De início, a maioria dos bebês usa igualmente as duas mãos; alguns demonstram uma preferência pela direita ou pela esquerda dentro de alguns meses, e outros só por volta do primeiro aniversário. Alguns parecem preferir uma das mãos inicialmente, e depois trocam. O importante é deixar o bebê usar a mão que lhe é mais cômoda e não a que você gostaria que ele usasse. Dado que 70% das pessoas são nitidamente destros (outros 20% são ambidestros), você pode supor que o seu bebê também será, até que ele dê provas em contrário. Dê-lhe as coisas na mão direita. Se ele pegá-las com a esquerda, ou tomá-las com a direita e passá-las à esquerda, talvez já esteja a caminho de ser o cestinha da seleção de basquete ou projetar o edifício mais alto do mundo.

UMA CASA À PROVA DE BEBÊS

"Eu sempre afirmei que um bebê não mudaria o nosso estilo de vida. Mas, com nossa filhinha engatinhando por todo lado, muitas coisas preciosas que adquirimos ao longo dos anos estão correndo sério risco. Devo guardá-las ou tentar ensinar minha filha a ficar longe delas?"

Muitas lojas de porcelana ficariam tão contentes em hospedar um touro quanto um bebê de sete ou oito meses. Com efeito, é bem possível que os seus frágeis objetos de valor tenham tanta chance de sobrevivência ficando na sala com o bebê quanto teriam numa arena ao lado de *El Toro*.

Assim, se você não quer ver a vasilha de cristal Baccarat que você comprou em Paris ou o vaso Wedgwood que a sua melhor amiga lhe deu de presente de casamento estilhaçados aos pés do seu bebê, deixe-os bem fora de alcance até que ele já tenha idade e responsabilidade suficientes para tratá-los com respeito — o que talvez leve alguns anos. Faça o mesmo com quaisquer objetos — artísticos ou não — que sejam pesados o suficiente para machucá-lo se ele os derrubar.

Mesmo assim, tanto para o bem de sua filha como para o seu, sua família não deve passar os próximos anos numa casa totalmente despojada de ornamentação. Se você quer que ela aprenda a conviver com coisas boas e frágeis, deve dar-lhe acesso a elas mesmo nesta idade. Deixe ao alcance de sua filha algumas das peças mais robustas e menos preciosas da sua coleção. Quando ela tentar pegá-las, diga-lhe gravemente: "Não, não pegue isso. É da mamãe e do papai". Dê-lhe um brinquedo e explique que é *dela*. Se ela continuar tentando pegar o objeto proibido, guarde-o (muitos *nãos* acabam por perder o seu significado) e ponha-o de volta outro dia. Embora você ainda não possa contar com a colaboração dela (os bebês novos têm memória curta), um dia ela vai entender — e você poderá expor novamente o Baccarat e o Wedgwood.

O QUE É IMPORTANTE SABER: Como Deixar a Casa Segura para o Bebê

Coloque um frágil recém-nascido ao lado de um robusto bebê de sete meses: em comparação, o recém-nascido parece muito mais desamparado e vulnerável aos perigos. Mas, na realidade, o bebê mais velho é mais vulnerável. Com efeito, a aquisição de novas habilidades, desacompanhada do devido bom senso, torna os bebês de seis meses a um ano extremanente ameaçadores à própria saúde.

Depois que o bebê começa a se movimentar sem ajuda (ou se movimenta num andador), a casa torna-se um país-das-maravilhas tão estimulante quanto perigoso, repleto de armadilhas escondidas que podem causar ferimentos ou mesmo a morte. Bebê recém-nascido ou que já sabe andar, a única proteção que ele pode ter durante o "arriscado primeiro ano de vida" (nas palavras da Companhia de Seguros de Vida Metropolitan) é o seu bom senso, prudência e eterna vigilância.

Um acidente geralmente é causado por uma combinação de fatores: um objeto ou substância perigosa (no caso de um bebê, talvez uma escadaria ou medicamento), uma vítima possível (seu bebê) e, talvez, condições ambientais (um portão aberto, um armário destrancado) que permitam que o perigo e a vítima se encontrem. No caso dos acidentes infantis, tudo pode ainda depender de um lapso da vigilância — às vezes, de não mais que um segundo — por parte dos pais ou de quem cuida do bebê.

Para minimizar a possibilidade de um acidente, todos esses fatores devem ser modificados de algum modo. Os objetos e substâncias perigosas devem ser deixados fora de alcance, o bebê deve tornar-se cada vez menos vulnerável através de uma gradual educação para a segurança, o ambiente propício aos perigos deve ser modificado (com portões nas escadas, trancas nos armários) e, o que talvez seja o mais importante, as pessoas que cuidam do bebê devem ficar eternamente alertas, especialmente em épocas de tensão, quando ocorrem a maioria dos acidentes. Como muitos acidentes ocorrem nas casas de outras pessoas — sobretudo na dos avós —, essas medidas de segurança devem ser aplicadas também nas casas que o bebê visita com freqüência, e este capítulo deve ser lido pelas pessoas que costumam cuidar do seu filho.

Eis como modificar os fatores que contribuem para acidentes.

Mude os seus costumes

Como a modificação do comportamento do bebê depende de um processo educacional lento e prolongado, que pode começar agora mas só estará completo depois de muitos anos, o que mais contribuirá para a segurança do seu filho nesta fase é o seu próprio comportamento.

- Vigilância permanente. Por mais que você tente tornar a casa segura para as crianças, lembre-se que não conseguirá deixá-la totalmente imune aos acidentes. Sua atenção, ou a de outra pessoa que cuida do bebê, deve ser contínua, sobretudo se o seu bebê for cheio de expedientes.

- Não deixe que a sua atenção se desvie quando estiver no meio de uma atividade em que faz uso de produtos de limpeza, medicamentos, eletrodomésticos, ferramentas elétricas ou quaisquer outros objetos ou substâncias perigosas, enquanto o seu bebê está solto. Um segundo é suficiente para um bebê meter-se em sérios problemas.

- Esteja particularmente alerta em épocas de tensão ou momentos tensos do dia. É quando você está perturbada que tende a esquecer de guardar a faca, prender o bebê com as correias do cadeirão ou fechar o portão da escada.

- Não deixe o bebê sozinho em sua casa ou apartamento em momento algum, e nem o deixe sozinho num quarto a menos que esteja num cercadinho, berço ou outro lugar fechado — e mesmo assim só por alguns minutos, a não ser que ele esteja dormindo. Não deixe o bebê sozinho, nem mesmo quando "a salvo" dentro de um berço ou cercadinho, esteja ele acordado ou dormindo, com uma criança em idade pré-escolar (elas nem sempre sabem a força que têm, e nem prevêem todas as conseqüências de suas ações) ou com um animal de estimação (mesmo dócil).

- Torne o bebê menos vulnerável vestindo-o com roupas apropriadas. Só use roupas de cama antifogo (e lave-as bem); certifique-se de que os pés do macacão não sejam muito compridos, as bainhas das calças não sejam demasiado longas e as meias ou sapatinhos não sejam demasiado escorregadias para um bebê que está começando a ficar de pé ou andar. Evite os cachecóis ou cintos muito compridos nos quais ele possa tropeçar, e abomine quaisquer cordões que o possam enforcar (os que têm mais de 30 cm de comprimento).

▪ Familiarize-se, se ainda não o fez, com procedimentos de emergência e de primeiros-socorros (veja página 502). Nem sempre é possível prevenir os acidentes; mas, quando um deles ocorre, saber o que fazer pode salvar vidas e a integridade do corpo.

▪ Dê bastante liberdade ao seu bebê. Depois de ter tornado o ambiente o mais seguro possível, evite ficar "em cima" dele. Você quer que ele procure a própria segurança, mas não quer desestimular as experimentações normais da infância. As crianças, como todos nós, aprendem a partir dos erros; se não permitimos que cometam erros, podemos deter-lhes o desenvolvimento. E a criança que tem medo de correr, trepar ou brincar com coisas novas não só não se beneficia da educação que decorre da brincadeira livre, mas perde grande parte das alegrias da infância.

Mude o ambiente do bebê

Até agora, o bebê via o mundo — e a sua casa — basicamente de seus braços, e da altura dos olhos de um adulto. Agora que está começando a vê-lo de gatinhas, você também terá de começar a ver as coisas a partir dessa perspectiva. Uma das maneiras de fazer isso consiste em realmente descer ao nível do chão; de lá, você descobrirá um número enorme de perigos que você nem suspeitava existirem. Outra maneira consiste em examinar tudo o que está a menos de um metro do chão — o alcance habitual de um bebê.

Mudanças na casa inteira. Fazendo uma vistoria em sua casa, são estas as coisas a que você deve prestar atenção e alterar, se necessário:

▪ Janelas. Se estão acima do andar térreo, instale grades seguindo as instruções do fabricante; ou arrume-as de modo a não poderem abrir mais do que 15 cm.

▪ Puxadores de persianas ou cortinas. Amarre-os para que o bebê não possa embaraçar-se neles; não coloque perto deles um berço ou cercadinho, e nem móveis nos quais o bebê possa subir.

▪ Fios elétricos. Deixe-os fora de alcance, atrás dos móveis, para que o bebê não possa mordê-los, correndo o risco de tomar choque, ou puxá-los, fazendo desabar abajures ou outros objetos pesados.

▪ Tomadas elétricas. Cubra-as com protetores ou coloque móveis pesados à sua frente para que o bebê não introduza objetos (um grampo, por exemplo) ou o dedo lá dentro e leve um choque.

▪ Móveis inseguros. Por enquanto, remova todas as cadeiras e mesas inseguras ou instáveis e outros móveis que possam cair se o bebê os puxar; fixe firmemente à parede as estantes ou outras estruturas que o bebê possa derrubar.

▪ Gavetas da cômoda. Conserve-as fechadas para que o bebê não as use como escada e derrube a cômoda; se esta for muito instável, considere a possibilidade de fixá-la à parede.

▪ Superfícies pintadas ao alcance do bebê. Certifique-se de que as tintas não contêm chumbo; se contiverem, ou você não tiver certeza, pinte novamente ou cubra com papel de parede. Se o teste acusar a presença de chumbo na tinta, o melhor a fazer é removê-la inteiramente.

▪ Cinzeiros. Deixe-os fora de alcance para que o bebê não encoste numa brasa ou saboreie cinzas e pontas de cigarro; melhor

CONTROLE DE ENVENENAMENTO

A intoxicação representa um grave problema em todo o mundo, independentemente da faixa etária. Nos Estados Unidos, por exemplo, todo ano cerca de 130.000 crianças ingerem substâncias nocivas acidentalmente. Isso é triste, mas não surpreende. As crianças, e sobretudo as mais novas, empreendem grande parte da sua descoberta do mundo por via oral. Praticamente tudo o que pegam vai diretamente à boca. Ainda não sabem separar as substâncias em "boas" e "perigosas"— tudo é "interessante". E suas papilas gustativas, ao contrário das nossas, não são suficientemente educadas para avisá-las de que uma substância é perigosa porque tem um gosto horrível.

Para proteger os seus inocentes de possíveis perigos, siga as regras seguintes, sem falta:

- Deixe todas as substâncias potencialmente venenosas trancadas, fora do alcance e da vista do seu bebê — mesmo os que só engatinham sabem subir em cadeiras baixas, banquinhos ou almofadas.
- Siga todas as regras de segurança relativas à administração ou uso de medicamentos (veja página 474).
- Evite comprar produtos de limpeza e outras substâncias de cores brilhantes ou embalagens atraentes; elas podem atrair o seu bebê. Se necessário, cubra as ilustrações com fita adesiva preta (mas não cubra as instruções e avisos). Evite também as substâncias tóxicas com deliciosas fragrâncias de alimentos (menta, limão, damasco).
- Se possível, compre produtos em embalagens à prova de crianças.
- Habitue-se a guardar os produtos nocivos em seu devido lugar imediatamente após o uso; não deixe em cima da mesa um lustra-móveis ou uma caixa de naftalina "só por um minuto", enquanto você atende o telefone.
- Guarde separadamente os produtos alimentares e os demais, e nunca coloque produtos não comestíveis em embalagens vazias de comestíveis (alvejante numa garrafa de suco de maçã, por exemplo, ou óleo de máquina num pote de geléia). Os bebês desde cedo aprendem a identificar de onde vêm seus alimentos, e não entenderão por que não podem beber o que está na garrafa de suco nem degustar o conteúdo do pote de geléia.
- Evite o uso de materiais não-comestíveis que pareçam alimentos (como frutas de cera).
- Quando estiver se desfazendo de substâncias potencialmente tóxicas, jogue-as no ralo e enxagúe os frascos antes de jogá-los fora, a menos que as instruções do rótulo digam outra coisa; depois, jogue-os imediatamente numa lata de lixo muito bem fechada. Nunca os deixe num cesto de papéis ou no lixo da cozinha.
- Quando possível, prefira produtos menos perigosos àqueles que trazem uma longa lista de advertências. Eis alguns produtos domésticos tidos como menos tóxicos: alvejantes sem cloro, vinagre, borato de sódio, bicarbonato de sódio, óleo de limão, cera de abelha, óleo de oliva (para os móveis), papel pega-moscas sem produtos químicos, cola de Elmer, óleo mineral (para lubrificação, e não para uso interno), desentupidores a ar comprimido (em vez de líqüidos ou grânulos corrosivos).
- Para que você identifique um veneno sempre que o vir, coloque rótulos de "veneno" em todos os produtos potencialmente tóxicos. Se não conseguir encontrar tais rótulos no comércio, simplesmente cole um "X" de fita adesiva preta em cada produto (mas não cubra as instruções ou advertências). Um dia, também o seu filho aprenderá a reconhecer esses produtos como perigosos.
- Considere potencialmente perigosos todos os seguintes produtos:

Bebidas alcoólicas
Mercúrio amonificado (sem uso medicinal)
Aspirina
Ácido Bórico (sem uso medicinal)
Óleo canforado (sem uso medicinal)
Alvejante com cloro
Cosméticos

Detergentes	Medicamentos de todo gênero
Desentupidores de ralos	Naftalina
Lustra-móveis	Terebintina (sem utilidade)
Venenos contra insetos ou ratos	Óleo de gualtéria (sem uso medicinal)
Pílulas de ferro (mesmo as do bebê)	Pílula para dormir
Querosene	Tranqüilizantes
Lixívia (é melhor nem ter em casa)	Herbicidas

ainda, para a saúde e a segurança do bebê, é banir inteiramente o fumo da sua casa.

■ Plantas ornamentais. Deixe-as fora do alcance do bebê, num lugar onde ele não possa derrubá-las ou saborear uma folhinha; tome especial cuidado com as plantas venenosas (veja página 350).

■ Puxadores soltos em gavetas ou portas de armários. Retire ou fixe todos os que forem pequenos o suficiente para serem engolidos (menores que o punho fechado do bebê) ou causarem sufocação.

■ Irradiadores de calor. Cerque-os com barreiras ou revestimentos especiais durante o inverno.

■ Escadas. Ponha um portão na extremidade superior e outro no quarto degrau a partir de baixo.

■ Corrimãos e balaustradas. Certifique-se de que o espaço aberto entre as barras não tenha mais que 12 cm, e de que as barras estejam todas fixas.

■ Lareiras, aquecedores, fogões, fornos de aquecimento central. Instale grades ou outras barreiras que impeçam os dedinhos do bebê de entrar em contato com superfícies quentes (mesmo a grelha de um forno de aquecimento central pode ficar quente o suficiente para causar queimaduras de segundo grau) ou com o fogo. Desligue os aquecedores da tomada quando não estão sendo usados, e sempre que possível guarde-os onde as crianças não possam alcançá-los. (Sobre os riscos ambientais dos aquecedores de ambientes, veja página 276.)

■ Toalhas de mesa. Se elas pendem dos lados da mesa e não ficam fixas, tire-as até que o seu bebê aprenda que não deve puxá-las; ou, senão, não deixe o bebê no chão quando você tem uma toalha sobre a mesa.

■ Mesas com tampos de vidros. Cubra-as com um forro pesado ou esconda-as por algum tempo.

■ Arestas e pontas de mesas, caixas etc. Se o bebê corre risco de bater a cabeça nesses lugares, cubra-os com tiras acolchoadas e protetoras feitos em casa ou comprados fora.

■ Tapetes soltos. Certifique-se de que não são escorregadios; não os coloque sobre as escadas e nem os deixe enrugados.

■ Tacos e carpetes. Conserte os que estão soltos para evitar tropeções.

■ Apara-livros e outras quinquilharias pesadas. Coloque-os fora do alcance do bebê, onde ele não possa derrubá-los; os bebês têm mais força do que você pode imaginar.

■ Baús de brinquedos. Suas tampas devem ser leves e dotadas de travas de segurança (pode-se também suprimir as tampas); a caixa deve ter furos de ventilação (para o caso do bebê se prender lá dentro). Em geral, as prateleiras abertas são melhores para guardar brinquedos.

■ Berço. Quando o seu bebê começar a interessar-se pela arte de ficar de pé apoiado em alguma coisa (não espere até ele realizar a proeza), coloque o colchão na posição mais baixa e remova os brinquedos grandes, travesseiros, almofadas e outras coisas que o bebê poderia usar como uma escada para a liberdade — e um grande tombo. Quando o seu bebê tiver 90 cm de altura, é hora de colocá-lo numa cama.

■ Coisas espalhadas pelo chão. Tente manter as vias de passagem livres para prevenir tropeções. Enxugue os líqüidos derramados e recolha pedaços de papel imediatamente.

■ Garagem, porão e ateliers e/ou oficinas. Tranque bem trancado e mantenha as crianças longe, pois esses lugares geralmente contêm uma seleção de objetos perigosos e/ou substâncias venenosas.

■ Outras áreas com objetos perigosos ou frágeis, como uma sala que abriga uma coleção de objetos de porcelana. Instale um portão ou outra barreira para deixar o bebê de fora.

Esteja atenta também ao enorme número de coisas perigosas encontradas em toda casa normal, e certifique-se de que estejam todas bem guardadas, em gavetas, armários e caixas à prova de crianças ou em prateleiras extraordinariamente altas (você ficaria surpresa ao ver a habilidade que certos bebês têm para escalar). Quando você está usando essas coisas, cuide para que o bebê não possa pegá-las quando você vira as costas, e nunca se esqueça de guardá-las sempre que terminar o uso ou descobrir uma que ficou à solta. Tome especial cuidado com:

■ Instrumentos pontiagudos e cortantes, como tesouras, facas, abridores de envelopes, barbeadores (não os deixe ao lado da banheira) e lâminas.

■ Miudezas que se possam engolir, como bolas-de-gude, moedas, alfinetes de segurança ou qualquer outra coisa com menos de 4 cm de diâmetro.

■ Material de costura e tricô, sobretudo agulhas e alfinetes, dedais, tesouras e botões.

■ Canetas, lápis e outros instrumentos de escrita (substitua-os por *crayons* grandes e não-tóxicos).[3]

■ Sacolas leves de plástico, como as de supermercado e as de roupas novas (os bebês podem sufocar ao colocar uma sacola no rosto).

■ Caixas de fósforos, isqueiros, pontas acesas de cigarro etc.

■ Ferramentas de trabalho ou lazer — tintas e solventes, se há um pintor em casa; alfinetes e agulhas, se há uma costureira; material de carpintaria se há um carpinteiro; e assim por diante.

■ Brinquedos (se estes pertencem aos irmãos mais velhos, os bebês geralmente não devem brincar com eles até terem três anos; isso se refere a jogos de construção com peças pequenas, triciclos e patinetes, carrinhos e caminhõezinhos e qualquer coisa que tenha pontas agudas, peças pequenas, partes removíveis ou frágeis e fios e tomadas elétricas).

■ Minibaterias —- do tipo usado em relógios, calculadoras, aparelhos para surdez, máquinas fotográficas etc. (são facilmente engolíveis, e podem liberar substâncias tóxicas no esôfago ou no estômago do bebê).

■ Imitações de alimentos feitos de cera, papel-machê, borracha ou qualquer outra substância que um bebê ou criança não deve levar à boca (uma maçã de cera, uma

3. Algumas crianças gostam de usar lápis e canetas como a mamãe e o papai; se o seu bebê for um desses, só o deixe usá-los quando ele estiver solidamente sentado e você puder supervisioná-lo de perto.

EQUIPAMENTOS DE SEGURANÇA

Cadeados (para manter as gavetas e armários da cozinha a salvo de dedinhos curiosos)

Trincos para os armários (*idem*)

Protetores de botões de fogão

Protetores de maçanetas (para dificultar a vida dos pequeninos que gostam de abrir portas)

Protetores de pontas (para amaciar as pontas das mesas)

Protetores de arestas (*idem* para as arestas agudas)

Protetores de tomadas elétricas (além daqueles que entram nas tomadas, existem tampas articuladas que podem ser usadas mesmo quando há equipamentos ligados)

Protetor de segurança para torneira de banheira

Pisos antiderrapantes para a banheira ou box

Revestimento antiderrapante para degraus (quando o bebê anda)

Travas de segurança para as portas de entrada na casa

Ventosas ou travas para manter a tampa do vaso sanitário fechada

vela que tem o cheiro e a aparência de uma copa de sorvete, uma borracha com o cheiro e a aparência de um morango maduro).

- Produtos de limpeza.

- Vidro, porcelana e outros materiais frágeis.

- Lâmpadas, sobretudo as pequenas, como as de abajures, que o bebê poderia meter na boca e quebrar.

- Jóias, especialmente contas de colar, que podem ser espalhadas; e coisas pequenas, como os anéis (todas são chamativas para o bebê, e podem ser engolidas facilmente).

- Naftalina (é veneno).

- Graxa de sapatos (além de fazer uma grande sujeira, o bebê pode ficar doente).

- Perfumes e todos os cosméticos (são potencialmente tóxicos); vitaminas e remédios.

- Apitos (o bebê pode engasgar com o apito ou com a bolinha que este contém, caso venha a escapar).

- Bexigas (vazias ou estouradas, podem causar sufocação no bebê).

- Partículas de alimento pequenas e duras, como nozes ou passas, pipocas ou balas duras esquecidas em potes de balas (o bebê pode engasgar).

- Armas de fogo (se é necessário que você as tenha em casa).

- Lixívia e ácidos (o melhor é não tê-los em casa).

- Bebidas alcoólicas (a dose que a ajuda a relaxar poderia levar o seu bebê à morte).

- Barbantes, fios, brinquedos atados a um fio para pendurar no berço, fitas-cassete ou qualquer coisa que possa enrolar-se ao redor do pescoço do bebê e estrangulá-lo (os bebês não devem dormir com bonecas ou bichinhos de pelúcia que segurem fitas-cassete).

- Qualquer outra coisa em sua casa que poderia ser perigosa se posta na boca ou engolida pelo bebê. Veja lista de venenos na página 341.

Prevenção contra o fogo. Saber que uma ou várias crianças morreram num incêndio é de cortar o coração. Pior ainda é saber que o incêndio poderia não ter ocorrido, ou poderia ter sido descoberto antes de assumir proporções fatais. Verifique todos os cantos de sua casa para livrar-se de possíveis agentes que possam provocar incêndios e ter certeza de que "não vai acontecer aqui":

- Se é permitido fumar em sua casa (e todos ganhariam se não o fosse), elimine cuidadosamente todas as pontas de cigarros e charutos, cinzas, cinzas de cachimbo e fósforos usados, e nunca os deixe num lugar onde o bebê possa pegá-los. Os fumantes de sua casa devem habituar-se a jogar as bitucas fora imediatamente, e os cinzeiros devem ser esvaziados prontamente após as visitas de fumantes.

- Não permita que ninguém (nem mesmo hóspedes) fume na cama.

- Não deixe fósforos e isqueiros ao alcance de crianças e bebês.

- Não acumule lixo (especialmente lixo combustível, como restos de tinta ou panos embebidos em tinta).

- Evite usar líqüidos combustíveis (tanto o querosene quanto produtos comerciais) para tirar manchas de roupas.

- Não use (e nem deixe serem usadas por qualquer pessoa que esteja cozinhando ou trabalhando ao lado de uma lareira, fogão ou aquecedor de ambientes) vestes com mangas longas, cachecóis esvoaçantes ou fraldas de camisa, as quais podem acidentalmente pegar fogo.

- Certifique-se de que as roupas que o seu bebê usa para dormir atendem aos padrões estabelecidos de resistência às chamas.

- Inspecione anualmente o seu sistema de aquecimento, cuide para não sobrecarregar circuitos elétricos, sempre desencaixe corretamente as tomadas (não puxe pelo fio), e verifique regularmente os aparelhos e fios elétricos em busca de sinais de desgaste e/ou conexões soltas. Para o quadro de força, só use fusíveis de 15 ampères; nunca use qualquer outra coisa em lugar do fusível.

- Se você usa aquecedores, certifique-se de que eles desligam-se automaticamente quando caem ou quando algo encosta neles.

- Instale extintores nas áreas mais propensas a incêndios, como a cozinha ou a casa da fornalha, e também ao lado da lareira ou forno de lenha. Em casos de emergência, pode-se usar bicarbonato de sódio para apagar fogos na cozinha. Só tente apagar um incêndio se ele for pequeno e limitar-se a um só lugar (como o forno, uma frigideira, o cesto de lixo. Se for grande, ou houver mais de um foco, escape da casa.

- Seguindo as recomendações do corpo de bombeiros, instale detectores de fogo e de fumaça, se ainda não o fez. Verifique-os periodicamente para certificar-se de que estão funcionando bem e de que as pilhas ainda não acabaram.

- Instale uma cadeira e escadas de cordas em certas janelas dos andares superiores, para facilitar um escape; ensine os adultos e as crianças mais velhas a usá-las. Treine descer pela escada segurando um boneco que simule um bebê.

- Periodicamente, realize treinamentos de como agir em caso de incêndio, para que todas as pessoas que moram e trabalham em sua casa saibam como escapar de maneira rápida e segura numa emergência e saibam onde encontrar os outros membros da família. Atribua aos pais ou a outros adultos a tarefa de conduzir determinadas crianças. Certifique-se de que todos (inclusive as babás) saibam que a prioridade, em caso de incêndio, é evacuar imediatamente o edifício — sem preocupar-se com vestir uma roupa, resgatar objetos de valor ou apagar o fogo.[4] A maior parte das mortes se deve à sufocação e queimaduras provocadas pela fumaça e pelos gases quentes, e não pelo fogo direto. Assim que possível, deve-se chamar os bombeiros a partir de um telefone público ou da casa de um vizinho.

Mudanças na cozinha. Faça uma vistoria especial na cozinha, que é, para o seu bebê engatinhador, um dos lugares mais fascinantes da casa — e um dos mais perigosos. Você pode torná-la mais segura fazendo o seguinte:

- Coloque trincos de segurança à prova de crianças nas gavetas e nos armários que contenham qualquer coisa imprópria para os pequenos: objetos frágeis de vidros, instrumentos pontiagudos e cortantes, produtos tóxicos para limpeza, medicamentos ou alimentos perigosos (como amendoins, manteiga de amendoim — com a qual o bebê poderia engasgar — e pimentas vermelhas). Se o seu bebê descobrir como destrancar os trincos de segurança (alguns, muito espertos, conseguem), você terá que transferir todos os objetos perigosos para lugares fora de alcance, ou contentar-se em manter o seu bebê fora da cozinha por meio de um portão ou outra barreira. À medida que o seu bebê ganha idade, o conceito de "fora de alcance" vai mudando, de modo que é possível que o seu arranjo de armários também tenha que mudar.

- Separe pelo menos um armário (é mais difícil o bebê prender os dedos num armário do que numa gaveta) que o seu mini-explorador possa desfrutar livremente. Alguns recipientes e panelas mais robustos, colheres de pau, peneiras, panos de prato, tigelas de plástico e outros objetos podem proporcionar várias horas de diversão e satisfazer a curiosidade do seu bebê, a ponto de mantê-lo longe dos lugares proibidos.

- Conserve os cabos das panelas que estão sobre o fogão virados para trás e fora do alcance do bebê. Se os botões de controle ficam na frente do fogão, crie uma espécie de barreira que os deixe inacessíveis ou instale protetores de botões de fogão. Há trincos especiais que impedem o acesso aos fornos convencionais e de microondas.

- Não sente o bebê sobre um balcão nas proximidades de eletrodomésticos, do fogão ou de outras coisas potencialmente perigosas — do contrário, poderá encontrá-lo com os dedos na torradeira, as mãos numa panela quente ou uma faca indo em direção à boca assim que você virar as costas.

- Não carregue o bebê e um bule de café quente — ou qualquer líqüido quente — ao mesmo tempo. O bebê pode fazer um movimento e derramar tudo, queimando você e ele. Do mesmo modo, nunca deixe uma bebida quente ou um prato de sopa na ponta da mesa, ao alcance do bebê.

- Jogue o lixo num recipiente de tampa firme, que não possa ser aberto pelo bebê, ou debaixo da pia, atrás de uma porta bem trancada. As crianças adoram remexer no lixo, e os perigos — de comida estragada a pedaços de vidro — são inúmeros.

- Limpe imediatamente todos os líqüidos derramados, que deixam o chão escorregadio.

- Siga as regras de segurança referentes à seleção, uso e armazenamento de detergentes, sapólios, polidores e todos os outros produtos para a cozinha (veja página 341).

Mudanças no banheiro. O banheiro é quase tão sedutor para o bebê quanto a cozinha, e igualmente perigoso. Uma maneira de interditá-lo consiste em instalar um trinco bem alto na porta e mantê-lo fechado quando não está em uso. Para torná-lo seguro para o bebê, tome as seguintes precauções:

4. A única exceção é um fogo limitado a um lugar pequeno, o qual pode ser apagado com um extintor.

■ Conserve todos os medicamentos (inclusive os vendidos sem receita médica, como os antiácidos), gargarejos, pastas-de-dente, pílulas vitamínicas, xampus, fixadores de cabelo, cremes para a pele e cosméticos bem guardados fora do alcance do bebê. (Na verdade, é melhor guardar os remédios e vitaminas no quarto, onde ficam menos expostos à umidade.)

■ Não deixe uma lâmpada bronzeadora ou um aquecedor num lugar onde o bebê possa ligá-los; se não tiver onde guardá-los, remova a lâmpada do aparelho e desligue-o da tomada quando não estiver em uso.

■ Não use e nem deixe alguém usar um secador de cabelos perto do bebê quando ele estiver no banho ou brincando com água.

■ Nunca deixe pequenos aparelhos elétricos ligados na tomada quando não os estiver usando. O bebê poderia enfiar um secador de cabelos na privada e tomar um choque elétrico fatal, ligar um barbeador e cortar-se ou queimar-se com um ferro de frisar cabelo. Desligar os aparelhos não será suficiente se o seu filho for hábil com os dedos (esses pequenos sabichões muitas vezes aprendem a ligar um aparelho na tomada, com conseqüências potencialmente desastrosas) ou o seu secador de cabelos for anterior a outubro de 1987 (ele pode dar choques mesmo desligado da tomada). O melhor é não deixar esses aparelhos ao alcance.

■ Regule a temperatura do seu aquecedor de água para 48-52°C para evitar queimaduras acidentais, e sempre desligue a torneira de água quente antes da torneira de água fria. Como prática de rotina, prove a temperatura da água do banho com o seu cotovelo antes de imergir o bebê. Se a sua banheira não tem acabamento antiderrapante, cole nela alguns adesivos que tenham essa função.

■ Quando não estiver em uso, deixe a tampa do vaso sanitário fechada com ventosas de sucção ou outro artigo feito especialmente para esse fim. A maioria dos bebês vêem na privada uma minipiscina particular, e adoram brincar dentro dela sempre que podem. Isso não é apenas anti-higiênico; uma criança vigorosa poderia cair lá dentro de cabeça, com resultados catastróficos.

■ Invista num revestimento protetor para a torneira da banheira, a fim de prevenir machucados e queimaduras se o bebê cair contra ela.

■ Não deixe o seu bebê sozinho na banheira, mesmo quando ele já estiver sentando-se bem, e mesmo sobre um assento especial. Esta regra deve ser observada até o seu filho ter cinco anos de idade.

■ Nunca deixe água na banheira quando a estiver usando; uma criança, brincando, poderia cair lá dentro, e *2 cm* de água são suficientes para causar um afogamento.

Prevenções ao ar livre. Embora a casa seja o ambiente mais perigoso para o bebê, acidentes sérios podem também ocorrer no seu próprio quintal — ou no de outra pessoa —, bem como nas ruas e no parquinho. Muitos desses acidentes podem ser prevenidos com relativa facilidade:

■ Nunca deixe um bebê ou criança brincar sozinho fora de casa. Mesmo um bebê seguro por correias enquanto dorme num carrinho precisa ser observado constantemente — ele poderia acordar de repente e embaraçar-se nas correias enquanto luta para se livrar. Um bebê dormindo sem cintos de segurança precisa estar incessantemente sob um olhar alerta.

■ Mantenha as piscinas, tanques de banho e quaisquer outros reservatórios (mesmo que não contenham mais que 2 cm de água) inacessíveis aos bebês e crianças novas — quer estejam engatinhando, andando independentemente ou rolando num rolador. Se você tem uma piscina em casa, cerque-a e mantenha os portões ou portas que a ela dão acesso fechados em tempo integral; esvazie e vire de cabeça para baixo as piscinas portáteis e drene todos os lugares onde a água pode se acumular, antes de deixar o bebê brincar por perto.

▪ Examine os parquinhos públicos antes de soltar o seu bebê. É relativamente fácil manter o seu quintal livre de excrementos de cachorro (que podem abrigar vermes), vidros quebrados e outros refugos perigosos, mas o trabalho dos funcionários de limpeza pública é um pouco mais difícil.

▪ Não é suficiente suplicar: "Por favor, não coma as margaridas!" Você precisa ter certeza de que o seu bebê sabe que não pode comer nenhuma planta, dentro ou fora de casa. Evite ter plantas venenosas, ou, pelo menos, cerque-as (veja o quadro na página 350).

▪ Certifique-se de que os brinquedos de uso externo são seguros. Devem ter construção robusta, montagem correta e lastro firme, e estar a pelo menos dois metros de quaisquer cercas ou paredes. Revista todas as porcas e parafusos para evitar ferimentos causados por arestas pontiagudas e ásperas, e verifique periodicamente se não há parafusos soltos.

Nos balanços, fuja dos ganchos em forma de S (dos quais as correntes podem se desprender), e evite, em qualquer brinquedo, argolas que tenham de 12 a 25 cm de diâmetro, onde as crianças poderiam entalar a cabeça. Os balanços devem ser feitos de material macio (couro ou lona, em vez de madeira ou metal) para prevenir sérios ferimentos na cabeça. Ao ar livre, os melhores pisos para brincadeiras são a areia, a serragem, cortiça, composto de borracha, grama ou outros materiais que absorvam impactos.

Alerte o bebê

Acidentes ocorrem mais freqüentemente com quem está despreparado — e, como é evidente, os bebês caem nessa categoria. Mas não é cedo demais para começar a preparar o seu bebê para prevenir-se de possíveis acidentes, assim como você prepara a sua casa. Ensine o seu bebê a respeito dos perigos. Por exemplo: finja encostar na ponta de uma agulha, dizendo "Ai!" e afastando o dedo rapidamente, como se sentisse dor. Estabeleça e use um vocabulário de palavras de alerta ("Ai", "Dodói", "Quente", "Pontudo"), além de expressões ("Não encoste", "Isso é perigoso", "Cuidado", "Isso é ai-ai", "Isso vai fazer dodói no nenê"), de modo que o seu bebê passe a associá-las automaticamente a objetos, substâncias e situações perigosas. De início, vai parecer que o seu pequeno teatro passa despercebido ao bebê — o que é verdade. Mas, aos poucos, o cérebro dele vai começar a armazenar as informações, e um dia ficará claro que suas lições terão surtido efeito. Desde já, comece a alertar o bebê contra as seguintes coisas:

Instrumentos agudos ou cortantes. Sempre que você usar uma faca, tesoura, navalha ou abridor de envelopes diante do seu bebê, não deixe de dizer que o objeto é pontudo, que não é brinquedo, que só a mamãe, o papai e outros adultos podem tocá-lo. À medida que o seu filho ganhar idade e incrementar a sua coordenação motora fina, ensine-o a usar uma tesoura infantil e uma faca de manteiga. Por fim, avance para um uso supervisionado das versões "adultas" desses instrumentos.

Coisas quentes. Mesmo um bebê de sete ou oito meses começará a perceber algo se você repetidamente alertá-lo de que a xícara de café (ou o fogão, uma vela ou fósforo acesos, o aquecedor, uma lareira) é quente e não deve ser tocada. Logo logo, a palavra "quente" vai automaticamente significar "não toque" para o seu bebê. Demonstre a ele o que você quer dizer, deixando-o encostar em algo quente, mas não a ponto de queimar — o exterior quentinho de sua xícara de café, por exemplo. Quando a criança já tem idade para riscar um fósforo ou carregar uma xícara de café, deve aprender a maneira correta de fazê-lo.

Escadas. Freqüentemente, os pais de bebês que estão começando a movimentar-se — sozinhos ou no andador — são aconselhados a instalar portões de segurança nas escadas de sua casa. Por um lado, trata-se de uma precaução importante, que poucas famílias tomam. Por outro lado, o bebê que nada sabe a respeito de escadas, a não ser que lhe são proibidas, é o que corre mais risco de sofrer um acidente quando se depara pela primeira vez com uma escadaria aberta. Assim, instale um portão no topo de toda escada com mais de três degraus — a arte de descer escadas é muito mais difícil para os bebês, e logo mais perigosa, que a de subir; e, no lado de baixo, instale um portão três degraus acima do chão, para que o bebê possa treinar, em segurança, as artes de subir e descer. Quando ele dominar a tarefa, abra o portão de vez em quando para deixá-lo subir a escada inteira, enquanto você o acompanha um ou dois degraus abaixo, pronta a dar-lhe um apoio caso uma de suas mãozinhas ou pezinhos escorregue. Quando ele já souber subir, ensine-o a descer com segurança — uma tarefa muito mais difícil, que as crianças podem demorar vários meses a dominar. As crianças que sabem subir e descer escadas correm muito menos perigo ao encontrar uma escadaria aberta, o que volta e meia acontece, do que crianças que não têm experiência de escalar. Mas deixe os portões no lugar, trancando-os quando você não estiver por perto para supervisionar, até o seu filho transformar-se num excelente subidor de escadas — por volta de dois anos de idade.

Perigos elétricos. As tomadas, os fios e os aparelhos elétricos exercem grande atração sobre os intelectos e as mãozinhas curiosas dos bebês. Não basta apenas distrair o bebê toda vez que ele está a ponto de explorar uma tomada, ou esconder todos os fios elétricos de sua casa; é preciso recordar-lhe continuamente o potencial de perigo dessas coisas ("Ai!"), e ensinar às crianças mais velhas um uso cuidadoso da eletricidade, alertando-as também para o risco da combinação eletricidade-água.

Banheiras, piscinas e outras seduções aquáticas. As brincadeiras aquáticas são divertidas e educativas; estimule-as. Mas ensine também o bebê a não entrar na banheira, numa piscina, num laguinho ou em qualquer outro ambiente aquático sem estar com a mamãe, o papai ou outro adulto — e isso vale também para os bebês e crianças que tiveram aulas de natação. É impossível tornar uma criança completamente "à prova d'água", de modo que nunca se deve deixá-la sozinha perto da água — mas deve-se começar a ensiná-la algumas regras de segurança aquática.

Substâncias venenosas. Você sempre tem o cuidado de guardar em lugar seguro os produtos de limpeza, remédios etc. Mas seus pais estão-lhe fazendo uma visita e o seu pai deixa as suas pílulas para pressão alta sobre a mesa da sala. Ou senão você está na casa de sua irmã solteira, e ela guarda os alvejantes e detergentes sob a pia da cozinha. Se você não começar a ensinar a seu bebê as regras de segurança relativas às substâncias em geral, estará procurando sarna para se coçar. Repita inúmeras vezes os seguintes princípios:

- Só coma ou beba o que a mamãe, o papai ou outro adulto conhecido lhe der para comer (o bebê tem dificuldade para compreender esse conceito, mas trata-se de algo que todas as crianças devem aprender um dia).

- Os remédios e pílulas de vitaminas não são balinhas, embora às vezes tenham um gosto parecido. Só coma ou beba essas coisas se a mamãe ou o papai ou outro adulto conhecido as der.

- Não ponha na boca nada que você não sabe o que é.

FAROL VERMELHO PARA AS VERDURAS

Muitas plantas comuns, de interior e de jardim, são venenosas quando ingeridas. Uma vez que as folhas e flores das plantas não são exceção à regra infantil do ponha-na-boca-tudo-o-que-você-encontrar, as espécies venenosas devem permanecer inacessíveis aos bebês. Coloque as plantas de interior em lugares altos, de onde as folhas e flores não caiam no chão e onde o bebê não possa alcançar engatinhando, ficando de pé ou escalando. O melhor é fazer das plantas venenosas um presente a amigos que não tenham filhos. Se você ainda assim resolver ficar com alguma planta, rotule-a com seu nome científico, para poder proporcionar essa informação ao pronto-socorro ou ao médico se o bebê acabar ingerindo acidentalmente uma flor ou folha. Coloque todas as plantas, venenosas ou não, em lugares de onde não possam ser derrubadas com um puxão.

As seguintes plantas de interior são venenosas, algumas mesmo quando consumidas em doses muito pequenas:

Comigo-ninguém-pode, hera comum, dedaleira, bulbos de jacinto (também as flores e folhas dessa planta, em grande quantidade), hortênsia, rizomas de íris, lírios-do-vale, filodendro, ginjeira-da-terra.

Algumas plantas de jardim venenosas:

Azaléia, rododendro, tinhorão, bulbos de narciso, dafne, hera-comum, dedaleira, azevinheiro, bulbos de jacinto (também as flores e folhas dessa planta, em grande quantidade), hortênsia, rizomas de íris, sementes e folhas do teixo japonês, espora, louro, lírio-do-vale, sementes de ipoméia, espirradeira, alfena, folhas de ruibarbo, ervilha-de-cheiro (especialmente as "ervilhas", isto é, as sementes), folhas de tomateiro, vagens e sementes de glicínia, teixos.

O azevinho, o visco e, em menor medida, a asa-de-papagaio, muito usadas como decoração no Natal, também estão na lista negra.

- Só a mamãe, o papai e os outros adultos podem usar aspirina, sapólio, cera em *spray* e outras substâncias potencialmente tóxicas. Repita isso toda vez que você toma ou administra um medicamento, esfrega a banheira, encera os móveis, e assim por diante.

Fora de casa também há perigos para os quais o seu bebê deve estar preparado:

Perigos na rua. Comece desde agora a ensinar-lhe como portar na rua. Toda vez que você atravessa uma rua com ele, fale-lhe sobre a necessidade de olhar e ouvir os carros, atravessar no sinal e esperar pela luz verde. Também nas entradas de automóvel você deve explicar que é preciso "parar, olhar e ouvir". Quando o seu filho estiver andando, ensine-o a nunca atravessar a rua sem dar a mão a um adulto — mesmo se não houver trânsito. Também é uma boa idéia andar de mãos dadas na calçada, mas muitas criancinhas adoram ter a liberdade de andar sozinhas. Se você o permitir (e terá que permiti-lo, ao menos durante parte do tempo), não poderá desgrudar os olhos do seu filho nem mesmo por um segundo — é literalmente, pois este é o tempo necessário para que uma criança saia correndo e se lance na frente de um carro. As infrações da regra de não-sair-na-rua-sozinho devem ser firmemente repreendidas.

Certifique-se também de que o seu bebê não seja capaz de sair de sua casa, ou apartamento, sem você ou outro adulto. De vez um quando, uma criança pequena sai andando sozinha de casa e se mete em encrencas.

Segurança no automóvel. O bebê não deve apenas acostumar-se a sentar em seu assento próprio, mas também saber porque isso é essencial. Explique também as outras regras de segurança no automóvel, como a de não atirar brinquedos, não segurar o volante e não brincar com as trancas das portas ou maçanetas/botões de abrir as janelas. Ensine as crianças mais velhas a abrir as portas, para o caso de alguma delas ficar trancada sozinha dentro do carro.

Segurança no parquinho. Até um bebê é capaz de começar a aprender certas regras para a segurança nos parquinhos. Ensine o bebê a não rodar um balanço (quando ele ou outra criança o está usando, ou mesmo se estiver), empurrar um balanço vazio ou passar diante de balanços em movimento. Observe você mesma essas regras, e sempre as mencione ao bebê. Explique também que, no escorregador, é preciso esperar até que a criança que acabou de escorregar tenha saído do brinquedo para que ele possa escorregar, e que não é seguro subir pela parte inclinada.

A melhor maneira de ensinar o seu bebê a viver com segurança é fazendo isso você mesma. Não se pode esperar que uma criança fique satisfeita em andar presa a sua cadeirinha no carro se você mesma não põe o cinto de segurança; em obedecer aos sinais de trânsito se você mesma atravessa correndo em pleno sinal vermelho; ou em tomar cuidado com o fogo, se você mesma não instala uma proteção na lareira e espalha pontas de cigarro acesas pela casa inteira.

CAPÍTULO 12

O Nono Mês

O QUE O SEU BEBÊ PODE ESTAR FAZENDO

Ao final deste mês, o seu bebê
... já deverá ser capaz de (veja a Nota):

- esforçar-se por pegar um brinquedo que está fora de alcance
- procurar um objeto caído

Nota: Se o seu bebê parece ainda não ter atingido algum desses marcos, fale com o médico. Em certos casos, esse atraso pode indicar um problema; mas, na grande maioria das vezes, será simplesmente um fato normal para o seu bebê. Em geral, os bebês prematuros atingem esses marcos depois de outros bebês da mesma idade, muitas vezes por volta de sua idade ajustada (a idade que teriam se houvessem nascido no prazo usual), ou um pouco depois.

... provavelmente será capaz de:

- levantar-se sozinho, apoiando-se, a partir da posição sentada (com 6 meses e meio)
- sentar-se a partir da posição deitada de bruços (com 9 meses e 10 dias)
- reclamar se você tentar tirar-lhe um brinquedo
- ficar de pé segurando-se em algo ou alguém
- pegar um objeto pequeno com o polegar e o indicador (com 9 meses e 1/4).
- falar mã-mã e pá-pá indiscriminadamente
- brincar de "esconde-esconde"

... talvez seja capaz de:

- bater palminha ou dar tchau
- andar segurando-se aos móveis
- entender a palavra "não" (mas nem sempre obedecê-la)

... poderá até ser capaz de:

- "jogar bola" (rolar a bola de volta para você)
- tomar sozinho líqüidos de um copo
- pegar com perfeição um objeto pequeno, com as pontas do polegar e do indicador
- ficar de pé sozinho por um instante
- ficar de pé sozinho com destreza
- falar pá-pá ou mã-mã conscientemente
- falar uma outra palavra além de pá-pá ou mã-mã
- responder a um comando simples, acompanhado de gesto (me dá isso — com a mão estendida)

O QUE VOCÊ PODE ESPERAR DO EXAME DESTE MÊS

Cada médico ou enfermeira tem um modo próprio de conduzir as consultas de rotina. A organização geral do exame físico, bem como a quantidade e o tipo de técnicas de avaliação ou procedimentos utilizados, variam também de acordo com as necessidades individuais da criança. Mas, de maneira geral, você pode esperar o seguinte de uma consulta feita quando o seu bebê tem cerca de nove meses de idade:

- Perguntas acerca de como você, o bebê e o restante de sua família têm passado em casa, e sobre a alimentação, o sono e o progresso global do bebê. Perguntas sobre os cuidados com o bebê, caso você esteja trabalhando fora de casa.
- Pesagem do bebê, medidas de sua estatura e perímetro cefálico, e visualização gráfica do progresso feito desde o nascimento.
- Exame físico, incluindo um novo exame de quaisquer problemas anteriores. A fontanela (moleira) da cabeça do bebê já deve estar menor, podendo até ter fechado.
- Avaliação do desenvolvimento. É possível até que o médico submeta o bebê a uma série de "testes" para avaliar sua capacidade de sentar-se sozinho, ficar de pé apoiando-se com ou sem ajuda, alcançar e agarrar objetos, arrastar no chão e pegar objetos pequeninos, procurar um objeto caído ou escondido, atender ao próprio nome, reconhecer palavras como mamãe, papai, tchau e não, e participar de jogos sociais como bater palminha ou "esconde-esconde" com uma fralda; senão, o médico pode simplesmente basear-se nas próprias observações, combinadas aos relatos que você faz sobre o que o bebê vem fazendo.
- Vacinações, se ainda não tiverem sido dadas, o bebê estiver com boa saúde e não houver contra-indicações. Não deixe de discutir eventuais reações a vacinas anteriores. Pode-se efetuar agora o teste tuberculínico nas regiões mais sujeitas à doença, ou esperar-se até o décimo quinto mês. O teste pode ser feito antes ou juntamente com a vacina MMR (contra sarampo, caxumba e rubéola).
- Talvez, teste de hemoglobina ou hematócrito, para verificar a existência de anemia.
- Orientação acerca de o que esperar no mês seguinte, no que diz respeito à alimentação, sono, desenvolvimento e segurança do bebê, entre outras coisas.
- Prescrição de flúor, ferro, vitamina D ou outros suplementos, se necessários.

Algumas perguntas que você pode fazer, se o médico já não as tiver respondido:

- Quais são as reações positivas e negativas ao teste tuberculínico, caso tenha sido feito? Quando você deve telefonar, se a reação for positiva?
- Quais os novos alimentos que podem começar a ser dados ao bebê? Ele já pode tomar leite num copo? Quando se podem introduzir as frutas cítricas, peixe, carnes e clara de ovos, caso ainda não tenham sido?
- Quando você deve começar a pensar em desmamar o seu bebê da mamadeira, se você o alimenta assim, ou do peito, caso você ainda não o tenha desmamado e passado a alimentá-lo pelo copo ou mamadeira?

Além disso, exponha as questões que a preocuparam durante o último mês. Anote as informações e instruções que o médico lhe dá (do contrário, você vai esquecê-las). Registre todas as informações pertinentes (peso, estatura e perímetro cefálico do bebê, vacinações, alimentos introduzidos, resultados de testes, doenças, medicamentos prescritos etc.) numa ficha permanente de saúde.

PARA ALIMENTAR O SEU BEBÊ ESTE MÊS: Bons Hábitos Desde Já

Todos nós já a encontramos um dia: a mãe de uma criança nova que se lamenta sempre que o seu filho se empanturra de sorvete, bolo e docinhos numa festa, chora para pedir batatas fritas em vez de um almoço decente num restaurante ou insiste em tomar refrigerante em vez de suco no jantar; que se enfurece quando ele recusa o sanduíche de pão integral que lhe é oferecido na casa de um amiguinho, e revira os olhos quando a professora lhe dá a conhecer que ele jamais toma leite na hora do lanche. Ela tem muito o que falar acerca de como gostaria de fazê-lo alimentar-se melhor, mas, lá no fundo, está convencida de que a briga já estaria perdida de antemão. Afinal de contas, não é verdade que todas as crianças têm uma preferência inata pelos alimentos de má qualidade?

Embora essa mamãe bem-intencionada mas mal-orientada talvez se espante de ouvi-lo, a resposta é: Não. O paladar do recém-nascido é uma tábula rasa; os gostos que ele desenvolve dependem dos alimentos que lhe são dados — mesmo nesses primeiríssimos meses. Não é por predestinação genética que a criança chinesa passa a gostar de macarrão frio com molho de gergelim, a criança indiana gosta de *raita* ou a criança inglesa prefere torta de rim, mas porque foi com essas coisas que ela se deparou na mesa do jantar. E o modo como o seu filho vai comer — se ele vai escolher sanduíches de pão branco ou pão integral, satisfazer-se no lanche com um saquinho de lascas de cenoura frita ou uma caixa de bolachinhas de chocolate, clamar por damascos secos ao natural ou com cobertura de caramelo — será influenciado, em primeiro lugar, pelos alimentos que você agora mesmo lhe dá na bandeja de seu cadeirão.

Para que você não venha a lamentar depois os hábitos alimentares do seu filho, alimente-o corretamente desde o início.

Tire o branco de vista. O desdém por pães, panquecas, biscoitos, bolos e bolachas feitos com farinha branca é um preconceito de cor que convém ensinar. A criança que nunca desenvolve uma preferência por massas delicadas e refinadas nunca recusará aquelas feitas com cereal integral. No supermercado, compre apenas produtos integrais; em casa, use farinha integral; e em restaurantes, sempre que possível, peça pão integral.

Não tenha pressa com os doces. Quanto mais você esperar antes de introduzir alimentos doces, melhor. Não pense que o bebê não irá comer iogurte ou ricota a menos que misturados com bananas amassadas, ou fugirá do mingau se não estiver adoçado com molho de maçã ou pêssegos peneirados; os bebês cujas papilas gustativas não foram corrompidas vão aceitar esses alimentos "ao natural" e aprenderão a apreciá-los. Limite as frutas, servindo-as só depois de o bebê ter comido algo que não é doce, e sirva legumes com freqüência, desde cedo. Não há problema em introduzir, aos poucos e em ocasiões especiais, biscoitos adoçados com suco de frutas, bolos e geléias; mas não crie o hábito de distribuir biscoitos em vez de frutas frescas à tarde, coroar toda refeição com um docinho ou passar geléia em todo biscoito que você dá ao bebê. Quando o bebê não tem irmãos mais velhos, esses alimentos podem esperar até o primeiro aniversário, ou ainda mais, para entrarem em cena.

Prefira o bebê sem açúcar. Em geral, é bem mais fácil excluir totalmente o açúcar da dieta do seu bebê — ao menos no primeiro ano de vida, e de preferência pelos dois primeiros — do que procurar limitar a sua ingestão. Se você lhe der alimentos adoçados com açúcar desde o início, será mais difícil limitá-los depois. O melhor é proibir esses prazeres suspeitos até o bebê conseguir entender conceitos como os de "um só" ou "ocasião especial". Essa proibição trará dois importantes benefícios.

Em primeiro lugar, ela modificará o gosto que o seu bebê terá pelo açúcar daqui a algum tempo — certos estudos demonstram que os bebês que tiveram contato com o açúcar desde cedo desenvolveram por ele uma predileção muito maior que a de bebês que não o conheceram. E, em segundo lugar, dará ao bebê a oportunidade de gostar de petiscos mais nutritivos.

Exponha o seu filho aos germes. Isto é, ao germe do trigo. Se você polvilhar germe de trigo sobre o iogurte, a ricota, a maçã cozida ou o macarrão do bebê, estará não só proporcionando-lhe uma dose extraordinária de vitaminas, minerais e proteínas combinadas que poucos outros alimentos apresentam, como também estará educando-o para gostar deste versátil produto. Em poucos meses, é bem possível que o seu filho esteja batendo na mesa para exigir "mais germe de trigo" no mingau matinal, enquanto o filho da sua vizinha está exigindo mais uma colherada de açúcar. No futuro, quando você não puder mais determinar o cardápio do seu filho, esta preferência poderá ajudar a assegurar-lhe uma boa nutrição.

Evite as papas. Até um bebê completamente desdentado precisa afundar as gengivas em alguma coisa. A esta altura, as papinhas passadas na peneira já devem ser coisa do passado; na dieta do bebê, devem ter sido substituídas por alimentos mais ou menos amassados e comidas que o bebê possa pegar com os dedos (veja página 310). Os bebês que continuam comendo papinhas por muito tempo tendem a rejeitar as texturas encaroçadas quando estas finalmente aparecem, e tornam-se preguiçosos para mastigar. Isso pode influir fortemente para que, mais tarde, não venham a comer toda a variedade de alimentos necessária para a nutrição.

Sirva o leite ao natural. Quando o médico liberar o leite de vaca — nesta idade, às vezes, somente em pequena quantidade —, dê-o ao bebê em estado puro. O leite chocolatado contém muito açúcar, e além disso o chocolate diminui um pouco a absorção do cálcio presente no leite (embora estudos recentes indiquem que a redução possa não ser significativa) e pode desencadear uma reação alérgica em algumas crianças. Mais ainda, toda vez que você disfarçar o gosto do leite (mesmo que seja apenas adoçando-o com suco de frutas), estará diminuindo o gosto do seu bebê pelo leite puro. Reserve tais técnicas para a inevitável rebelião do "eu não quero o meu leite", nos anos da pré-escola.

Economize sal. Os bebês não precisam de sal em sua comida, além do que o alimento contém naturalmente. Não ponha sal na comida que você prepara para o bebê, e tenha cuidado particular em não servir lanches salgados, que poderiam mal acostumar seu filho a alimentos com alto teor de sódio.[1]

Use a variedade como tempero. Não é de surpreender que tantas crianças torçam o nariz ao deparar-se com um alimento desconhecido. Na maioria dos casos, os pais dessas crianças serviram o mesmo mingau no café da manhã e os mesmos tipos de alimento para bebês no almoço e no jantar dia após dia, sem nunca mudar o ritmo ou dar ao bebê uma oportunidade de provar algo diferente. Ao alimentar o seu bebê, seja audaciosa — mas sem, como é evidente, ultrapassar os limites recomendados pelo médico ou impostos pela idade

1. Algumas crianças mais velhas gostam de pôr sal na palma da mão e lambê-lo. Se o seu filho faz isso, fale com o médico. Na maioria dos casos, é apenas um hábito; mas há uma pequena possibilidade de que o gosto excessivo pelo sal esteja relacionado com um distúrbio de metabolismo.

do seu filho. Tente diferentes tipos de cereal integral, quentes e frios; diversas variedades de pães integrais (de aveia e centeio, além de trigo) em diferentes formas (rolinhos, pão sírio, filões, biscoitos; massas de trigo integral ou alto teor de proteínas, de diferentes aspectos; diversos laticínios (iogurte, ricota, coalhada, queijos duros como o suíço e o Cheddar, requeijão parcialmente desnatado); outros legumes e frutas além das cenouras, ervilhas e bananas (cubinhos de batata-doce, couve cozida no leite, pedaços de manga ou melão maduros, morangos frescos cortadinhos etc.)

Toda esta variedade não é garantia de que o seu filho não vá passar por uma fase em que só come creme de amendoim e geléia — todas as crianças passam por isso, num momento ou noutro. Mas a familiaridade com uma diversidade maior de alimentos tornará mais amplas as bases de sua dieta, assegurando, a longo prazo, uma nutrição melhor.

Alardeie a sua doutrina. Em sua casa, não se limite a praticar a boa nutrição; pregue-a também. Até uma criança muito nova é capaz de aprender que o açúcar "faz mal", que o pão branco não é bom e o pão integral é o melhor. Evidentemente, isso não significa que o seu filho jamais vá pedir açúcar ou pão branco e exigirá sempre o trigo integral. As crianças põem seus pais à prova, e o seu filho certamente vai fazer o mesmo, pedindo para saborear esses frutos proibidos. Não ceda. Se você se mostrar hesitante uma vez, o seu bebê insistirá ainda mais na próxima, prevendo que você novamente se dobrará.

Abra exceções. Se os maus alimentos forem totalmente proibidos, seu bebê vai começar a desejá-los ardentemente. Em vez de proibi-los, para sempre, admita-os de vez em quando, quando seu bebê já tiver idade suficiente para entender a idéia de petiscos para ocasiões especiais. E, se você tiver educado corretamente as suas papilas gustativas, é possível que esses petiscos não sejam tão gostosos quanto se esperava.

Faça você o mesmo. Todos esses esforços estarão fadados ao fracasso se você mesma não fizer o que você prega. Se você comer bolo no café da manhã, almoçar um sanduíche de salame no pão branco e passar o resto do dia mordiscando docinhos ou batatas fritas, não poderá esperar que seu filho faça algo diferente, agora ou no futuro. Assim, se você ainda não adotou a "Melhor Dieta" (veja página 615), este é o momento de adotá-la, com toda a sua família, dos mais velhos aos mais novos.

Não se sinta culpada. A culpa é a razão pela qual a maior parte das mães acaba dando aos bebês alimentos que sabem não serem bons. Relutantes em privar os filhos daquilo que elas pensam ser as sobremesas (e o leite chocolatado, e os cachorros quentes) que as crianças merecem, elas se dão por vencidas e desistem de controlar. Se você acha que está a ponto de fazer isso, considere os seguintes aspectos. Em primeiro lugar, novinho como é, o bebê não sabe o que está perdendo. Por mais que se esteja servindo bolo de sorvete numa festinha, o bebê ficará igualmente feliz se você tirar da bolsa um bolinho adoçado com suco de frutas e lhe der para mascar. Em segundo lugar, embora seja provável que você comece a ouvir reclamações quando seu filho chegar à idade da razão (quer dizer que a ricota não é a mesma coisa que sorvete?), e ainda que a criança faça de tudo para fazê-la sentir-se culpada quando você puser um limite aos doces comidos numa festa de aniversário ou no Dia das Bruxas, ela ainda vai agradecer a você por isso. Se é preciso que você se sinta culpada, é melhor senti-lo agora do que depois, quando o dentista disser que o seu filho está com todos os dentes careados, quando o seu filho adolescente tiver um problema de obesidade ou quando, na idade adulta, tiver problemas de pressão devido aos maus hábitos alimentares.

O QUE PODE ESTAR PREOCUPANDO VOCÊ

ALIMENTAR O BEBÊ À MESA

"Temos dado comida ao nosso filho separadamente, e o colocamos no cercadinho enquanto comemos. Quando ele deve começar a comer conosco?"

Alimentar a si mesmos e ao bebê ao mesmo tempo é um truque de malabarismo que poucos pais conseguem realizar com elegância, ou sem ter que engolir alguns comprimidos antiácidos depois da refeição. Assim, até o seu bebê conseguir alimentar-se sozinho com destreza, continue a dar-lhe as refeições separadamente. Mas isso não quer dizer que ele não possa sentar-se com os adultos (na medida em que a sua agenda permitir) para provocar boas-maneiras à mesa e um pouco de sociabilidade. Sempre que isso for possível e desejável, puxe o cadeirão dele para junto da mesa na hora da refeição, ponha um canto da mesa especialmente para ele (com pratos inquebráveis e uma colher, apenas), dê-lhe comidas que ele possa pegar com os dedos e inclua-o nas conversas à mesa. Por outro lado, reserve alguns jantares tardios só para os adultos, para que o romantismo não desapareça de sua vida (ou volte a ela).

ANDANDO MUITO CEDO

"Nossa filhinha quer andar o tempo inteiro, segurando-se nas mãos de qualquer adulto disposto a isso. Vários parentes nos preveniram de que não devemos deixá-la, dizendo que o fato de ela andar antes do tempo vai causar dano às suas pernas."

É mais provável que cause dano às suas costas do que às pernas dela. Se as pernas de sua filha não estivessem preparadas para esse tipo de atividade que precede o andar, ela não a estaria exigindo aos braços. Andar cedo (com ajuda ou sem ela), assim como ficar em pé cedo, não deixa as pernas tortas (esta é, na verdade, uma característica normal das crianças com menos de dois anos) e nem causa qualquer outro problema físico. De fato, ambas as atividades são benéficas, pois exercitam e fortificam alguns dos músculos usados no ato de andar sozinha. E, se a criança estiver descalça, seus pés também serão fortificados. Assim, enquanto as suas costas, resistirem, deixe-a andar o quanto quiser.

É claro que, nessa idade, um bebê que não quer andar não deve ser obrigado a tanto. Como em outros aspectos do desenvolvimento, limite-se a seguir o ritmo ditado pelo seu pequenino maestro.

APOIAR-SE PARA FICAR DE PÉ

"Nosso bebê acabou de aprender a ficar de pé apoiando-se. Ele parece gostar muito disso por alguns minutos, mas depois começa a berrar. Será que essa posição lhe machuca as pernas?"

Se as pernas do seu filho não estivessem prontas a sustentá-lo, ele não estaria ficando de pé. Seus gritos são de frustração, e não de dor. Como a maioria dos bebês que acabaram de aprender a ficar de pé, ele fica paralisado nessa estranha posição até que ele caia, sucumba ou seja posto no chão. E é aí que você entra. Assim que você notar um sinal de frustração, delicadamente ajude-o a sentar-se. E tenha calma — até que ele aprenda a fazê-lo sozinho, o que deve demorar alguns dias ou, no máximo, algumas semanas. Nesse meio tempo, prepare-se para vir muitas vezes em socorro de seu bebê.

"Minha filha está tentando ficar de pé apoiando-se em todos os objetos da casa.

Será que, por segurança, não é melhor deixá-la no cercadinho?"

Quanto mais coisas os nossos filhos sabem fazer, mais nervosas nós ficamos — e com razão. À medida que vão aprendendo a ficar de pé, andar apoiando-se nos móveis e, por fim, andar sozinhos, eles entram numa fase em que sua vitalidade física excede em muito o seu senso de responsabilidade — e correm sério risco de envolver-se em acidentes. Mas o exílio no cercadinho (exceto por breves períodos, quando não há ninguém disponível para supervisioná-lo de perto) não é a solução. Por mais que isso destrua os nervos da mãe, o bebê precisa ter muitas oportunidades de explorar o mundo exterior ao cercadinho. E você precisa tornar esse mundo tão seguro quanto possível.

Em especial, neste momento, certifique-se de que todos os objetos nos quais ela pode tentar apoiar-se (se necessário, desça ao chão para saber quais são esses objetos) são seguros. Mesas, cadeiras, estantes e abajures instáveis por enquanto devem ser guardados ou deixados fora de alcance. Os cantos e arestas de outras mesas devem ser revestidos de material macio, para o caso de o bebê cair em cima delas (o que provavelmente vai acontecer muitas vezes). Certifique-se de que todos os bibelôs frágeis ou perigosos, os quais ele não conseguia alcançar antes, sejam guardados agora. Se você tem um lava-louças, não a deixe aberta quando o bebê está solto. Para prevenir escorregões e tropeções, tire todos os fios elétricos do caminho, não deixe papéis espalhados pelo chão e limpe imediatamente todos os líqüidos derramados sobre o chão liso. E, para ter certeza de que os seus pezinhos o ajudarão, deixe-o descalço ou calce-o com meias ou sapatilhas antiderrapantes, e nunca com sapatos de sola lisa.

Quando uma criança começa a ficar de pé apoiando-se, não está longe o momento em que ela vai começar a andar apoiando-se nas coisas — da cadeira à mesa, daí à parede, ao sofá e às pernas do papai, por exemplo. Isso quer dizer que, se você a deixa num determinado lugar da sala, deve estar preparada para vê-la ir até um lugar totalmente diferente, ou mesmo a outro cômodo. Por isso, todos os espaços de todos os cômodos da sua casa (exceto os que ficam por trás de portas permanentemente fechadas) devem ser tornados seguros para o bebê. Se você não fez isso quando ele começou a engatinhar, ou se ele nunca engatinhou, veja à página 338 algumas dicas de como tornar a casa segura para o bebê.

MEDO DE ESTRANHOS

"Nossa filhinha sempre foi amistosa e extrovertida. Mas quando meus sogros, que moram fora da cidade, e com quem ela sempre gostou de brincar, vieram nos visitar ontem, ela começava a chorar sempre que eles se aproximavam dela. O que ela tem?"

É um tipo muito imaturo de maturidade. Embora demonstre uma segura preferência por sua mãe e seu pai desde o primeiro ou segundo mês, o bebê de mais ou menos seis meses geralmente reage amistosamente a quase todo adulto. Quer sejam adultos conhecidos, quer sejam estranhos, ele facilmente os engloba na categoria das pessoas capazes de satisfazer as suas necessidades. Muitas vezes, quando o bebê chega aos oito ou nove meses (embora a "ansiedade diante de estranhos", que é o nome técnico deste fenômeno, possa manifestar-se aos seis meses ou mesmo antes), ele começa a perceber qual o lado de sua torrada que tem manteiga; percebe que a mãe e o pai, e talvez mais uma ou outra pessoa conhecida, são os principais responsáveis pelo seu cuidado; e que ele deve apegar-se a eles e fugir de quaisquer outras pessoas (os estranhos) que possam querer separá-lo deles. Durante essa fase, é possível que até avós e babás antes amadas sejam de súbito rejeitadas, enquanto o bebê agarra-se desesperadamente aos pais (e sobretudo ao que lhe dá mais cuidados).

O medo de estranhos pode desaparecer rapidamente, assim como pode atingir o auge só após o primeiro aniversário; em cerca de 20% dos bebês, ele nunca se desenvolve (provavelmente porque esses bebês adaptam-se rapidamente a todo tipo de situações novas), ou passa tão rápido que não se nota. Se o seu bebê apresenta ansiedade diante de estranhos, não o pressione a ser sociável — ele será um dia, e é melhor que o faça no seu ritmo. Até lá, avise os familiares e amigos que ele está passando por uma fase envergonhada (que eles não devem tomar como coisa pessoal), e que as abordagens súbitas o assustarão. Sugira que, em vez de tentar abraçá-lo ou pegá-lo imediatamente, eles procurem dobrar a sua resistência aos poucos — sorrindo para ele, conversando, oferecendo-lhe um brinquedo — enquanto ele fica bem seguro no seu colo. É possível que, em dado momento, ele se solte; e mesmo se isso não ocorrer, ao menos se terão economizado muitas lágrimas e ressentimentos.

Se o seu bebê não quer se aproximar de uma babá que o conhece há muito tempo, o mais provável é que, assim que você saia de casa — por mais histérico que ele tenha estado em sua presença —, ele se acalme. Se o alvo do protesto é uma babá nova, você talvez precise passar mais algum tempo orientando-a antes que o bebê se disponha a ficar com ela. Se o bebê ficar realmente triste ao ser deixado com uma babá, nova ou antiga, é hora de reavaliar com quem você deve deixar o bebê enquanto faz outras coisas. Talvez a babá não esteja dando a ele o carinho e a atenção necessários, mesmo que pareça solícita quando você está por perto. Ou, talvez, pode ser que se trate simplesmente de um caso extremo de ansiedade diante de estranhos. Alguns bebês, sobretudo os amamentados ao peito, podem chorar por várias horas quando a mamãe sai, mesmo se quem fica com ele é o pai ou a avó. Nesse caso, é possível que você tenha que limitar o tempo que passa longe do seu filho, ao menos até o fim dessa fase de "saudades da mamãe".

OBJETOS DE PROTEÇÃO

"Nos últimos meses, nosso filhinho tem ficado cada vez mais apegado ao seu cobertor. Ele chega a arrastá-lo pela casa quando está engatinhando. Isso significa que ele está inseguro?"

Ele está um pouquinho inseguro, e com razão. Nos últimos meses, ele descobriu que é uma pessoa independente, e não uma extensão de seus pais. A descoberta é inegavelmente estimulante (tantos desafios!), mas é também um tanto assustadora (tantos perigos!). Muitos bebês, ao perceberem que nem sempre poderão contar com a mamãe e o papai a partir de então, apegam-se a um objeto de proteção "transicional" (um cobertor macio, um bichinho de pelúcia, uma mamadeira, uma chupeta), usando-o como uma espécie de dublê. Como os pais, o objeto oferece consolo — um auxílio especialmente precioso quando o bebê está frustrado, doente ou cansado —, mas, à diferença dos pais, ele pode ser controlado pelo bebê. Para o bebê que não consegue separar-se facilmente dos pais, levar o objeto de proteção à cama pode ajudá-lo a dormir sozinho.

Às vezes, um bebê que não se apegou a um objeto de proteção quando mais novo apega-se de repente ao defrontar-se com uma situação nova e perturbadora (uma nova babá, uma creche, mudança de casa etc.). Geralmente, o objeto de proteção transicional é abandonado entre dois e cinco anos de idade (por volta da mesma idade em que as crianças deixam de chupar o dedo); às vezes, porém, isso só ocorre quando o objeto é perdido, se desintegra ou de algum outro modo não pode mais ser usado. Algumas crianças ficam tristes por um ou dois dias, mas depois levam a vida adiante; outras mal notam o desaparecimento do velho amigo.

Embora os pais (ou outras pessoas que cuidam da criança) nunca devam ridicularizar ou repreender o bebê por causa de um objeto de proteção, e nem pressioná-lo a abandonar o objeto, é muitas vezes possível impôr desde cedo alguns limites que tornarão o hábito menos desagradável e ajudarão a preparar o bebê para a inevitável separação:

- Se o hábito está se formando e ainda não se consolidou, tente evitar problemas futuros, limitando o uso do objeto ao lar ou à hora de dormir. Mas não esqueça de levá-lo em visitas de mais de um dia ou nas férias.
- Antes que o objeto crie uma crosta de sujeira cujo cheiro o bebê possa sentir, lave-o. Do contrário, ele ficará tão apegado ao cheiro quanto ao objeto, e reclamará bastante quando este vier da lavagem com odor de rosas. Se você for incapaz de tirar o objeto do bebê quando ele está acordado, lave-o durante o período de sono.
- Se o objeto for um brinquedo, você pode comprar outro igual. Isso permitirá que você o substitua prontamente em caso de perda, lave-os alternadamente e faça um rodízio para que nenhum dos dois fique muito encardido. Se o objeto for um cobertor, considere a idéia de cortá-lo em diversos pedaços, de modo que as partes perdidas ou gastas possam ser repostas quando necessário.
- Quanto menos se falar sobre o objeto, melhor; entretanto, você pode recordar ao seu filho, de vez em quando, que ele não vai mais precisar do cobertor (ou outro objeto) quando for maiorzinho.
- Uma mamadeira vazia ou cheia de água são aceitáveis, mas não deixe o bebê usar uma mamadeira cheia de suco ou leite como objeto de proteção. A contínua sucção desses líqüidos por longos períodos — sobretudo à noite — pode causar cáries dentárias e não deixar o bebê nutrir-se adequadamente de alimentos sólidos.
- Certifique-se de que você está dando ao bebê toda a proteção (e o amor, e a atenção) de que ele precisa, inclusive com muitos beijos e abraços, se ele gostar dessas coisas, e períodos freqüentes de conversas e brincadeiras nos quais você dirige a ele toda a sua atenção.

Embora o apego a um objeto de proteção seja um passo normal do desenvolvimento de muitos bebês, uma criança que fica tão grudada ao objeto que não tem tempo suficiente para interagir com as pessoas, brincar com outros objetos ou praticar outra habilidade física pode ter necessidades emocionais que não estejam sendo satisfeitas. Se esse parece ser o caso do seu bebê, fale com o seu médico.

PÉS CHATOS

"Quando meu filhinho fica de pé, a parte interior dos seus pés parece completamente chata. Será que ele tem pés chatos?"

Em bebês, os pés chatos são a regra, e não a exceção. E mais provavelmente, você não encontrará uma exceção a essa regra. Eis porque: em primeiro lugar, visto que os bebês novos não têm o costume de andar, os músculos dos seus pés não se exercitaram o suficiente para desenvolver a plena curvatura. Em segundo lugar, a curvatura é preenchida por uma almofada de gordura, o que a torna difícil de ver, especialmente em bebês fofinhos. E, quando os bebês começam a andar, eles mantêm os pés afastados para melhorar o equilíbrio, apoiando mas peso sobre a parte interna dos pés e dando-lhes uma aparência mais chata.

Na maioria das crianças, a aparência de pés-chatos diminui lentamente no decorrer dos anos; e, ao fim do processo de crescimento, a curvatura está bem formada. Num pequeno número de crianças os pés continuam chatos (não se trata, de qualquer modo, de um problema sério), mas por enquanto é impossível prever se isso ocorrerá.

AUSÊNCIA DE DENTES

"Nossa filhinha tem quase nove meses e ainda não tem um só dente. O que poderia estar atrasando o início da dentição?"

Deleite-se enquanto puder com esses sorrizinhos desdentados, e saiba que há muitos bebês de nove meses que são só gengivas — alguns deles terminam o primeiro ano de vida sem um só dente com que morder o bolo de aniversário —, mas todos os bebês terão dentes um dia. Embora a média dos bebês ganhe o primeiro dente aos sete meses, isso pode acontecer dos dois meses (às vezes antes) aos doze meses (às vezes depois). A dentição tardia costuma ser hereditária, e não diz nada acerca da inteligência ou desenvolvimento do bebê. (Também os dentes permanentes nascerão mais tarde.) Aliás, a ausência de dentes não impede o bebê de passar a consumir alimentos mais consistentes: tanto os bebês que têm dentes quanto os que não os têm usam as gengivas para mastigar até a metade do segundo ano de vida, quando nascem os molares.

AINDA CARECA

"Nossa filha nasceu careca, e ainda não tem mais que uma leve penugem. Quando lhe nascerão os cabelos?"

A mãe que está cansada de ouvir "Oh, que menininho bonito" toda vez que sai com a filha, e que está ansiosa para poder dar-lhe o sexo a conhecer com tiaras e laços de fita, pode ficar frustrada se a ausência de cabelos continuar além dos seis meses de idade. Mas, assim como a ausência de dentes, também a ausência de cabelos não é incomum nesta idade — e não é permanente. O problema é mais usual entre os bebês loiros com o cabelo delicado, e não é um prenúncio de que o indivíduo será careca no futuro. O cabelo de sua filha nascerá logo (embora possa não manifestar-se em quantidade até a metade do segundo ano de vida). Por enquanto, agradeça por não ter ainda que lutar contra uma cabeleira emaranhada em lavagens e penteados.

PERDA DO INTERESSE EM MAMAR

"Sempre que me sento para dar de mamar ao meu filho, ele parece querer fazer outra coisa — brincar com meus botões, puxar meu cabelo, olhar a televisão, tudo menos mamar."

Nos primeiros meses de vida, quando todo o mundo do bebê amamentado ao peito parece girar em torno dos seios de sua mãe, é difícil acreditar que virá um dia em que o bebê perderá o interesse pela amamentação. Mas, ainda que alguns bebês permaneçam apaixonados pelo seio até serem desmamados, muitos demonstram um declínio do interesse e da concentração por volta do nono mês. Alguns recusam o peito inteiramente; outros mamam com vigor por um ou dois minutos, e depois param; outros distraem-se facilmente durante a mamada, seja pelas coisas que ocorrem à sua volta, seja pelo desejo de praticar habilidades físicas recém-descobertas. Às vezes, esse boicote é transitório. É possível que o bebê esteja passando por uma fase de reorganização de suas necessidades nutricionais; talvez não esteja gostando de uma alteração do gosto do seu leite, causada pelas mudanças hormonais decorrentes da sua menstruação ou pela *pasta al pesto* cheia de alho que você comeu na noite anterior. Talvez ele tenha perdido o apetite devido a uma virose ou surto de dentição.

Mas se o bebê nega-se regularmente a mamar, ele pode estar lhe dizendo que está pronto a ser desmamado, seja por ter uma necessidade menor de sugar, seja por estar comendo mais alimentos sólidos e tomando leite na mamadeira, seja porque não gosta de ficar quieto no colo para longas mamadas. Todavia, antes de decidir que chegou o momento do desmame, certifique-se de que o problema não é um ambiente tão agitado que o bebê não consegue concentrar-se na tarefa que tem a fazer. Para ter certeza de que isso não está ocorrendo, tente dar-lhe de mamar num quarto tranqüilo com poucas luzes, sem televisão ou rádio, sem crianças mais velhas brincando e sem adultos conversando. Se, ainda assim, o bebê parecer indiferente ao peito, é bem possível que ele esteja a ponto de deixar de mamar. Evidentemente, *você* pode não estar pronta — mas, como tantas outras mães já perceberam, você pode levar o bebê ao peito, mas não pode fazê-lo beber.

De qualquer modo, você deve tentar desmamá-lo gradualmente — tanto pelo bem da saúde dele como pelo seu próprio conforto. O desmame gradual dará ao bebê um tempo para aumentar seu consumo de um outro alimento nutritivo, como leite de vaca ou em pó, antes de abandonar inteiramente o leite materno. E dará às suas mamas a oportunidade de reduzir lentamente a produção, evitando um ingurgitamento doloroso. (Veja, na página 395, algumas dicas sobre o desmame; se o bebê recusar-se terminantemente a mamar no peito, veja página 397 para saber como tornar mais fácil o desmame súbito.)

Pergunte ao médico se você deve dar leite de vaca integral (e não desnatado, ou semidesnatado) ao bebê agora, ou se deve continuar com o leite artificial até ele ter um ano de idade. Se ele vem tomando mamadeira, é provável que seja capaz de conseguir assim todo o leite de que precisa — a menos que, como às vezes acontece, ele se desinteresse também pela mamadeira. Nesse caso, ou se ele nunca aceitou a mamadeira — ou se você prefere não ter o trabalho de desmamá-lo da mamadeira depois —, a alternativa é o leite no copo. Os bebês que já haviam tido algum treino com o copo costumam usá-lo com maestria nesta idade; os que não conheciam o copo podem aprender rapidamente. Para suplementar a ingestão de cálcio, pode-se dar iogurte natural integral ou queijos duros às crianças que não tomam suficiente leite de vaca ou em pó.

MANHAS NA HORA DE COMER

"Quando comecei a lhe dar alimentos sólidos, minha filha parecia gostar de tudo o que eu lhe oferecia. Mas, ultimamente, ela não tem comido nada além de pão."

A crer no que dizem os pais, algumas crianças (até a adolescência, quando as compras feitas para uma semana duram três dias) vivem apenas de ar, amor e algumas casquinhas de pão. Mas, apesar das preocupações paternas, até os comedores mais melindrosos conseguem beber, beliscar e engolir o suficiente durante o dia para sobreviver e crescer. As crianças são programadas para comer o que necessitam para viver e crescer — a menos que algo cause a alteração desse programa no começo de sua história alimentar.

Nesse estágio de seu desenvolvimento, a maioria dos bebês ainda está tirando a maior parte de seus nutrientes do leite materno, leite artificial ou leite integral, e o leite é suplementado por quaisquer fragmentos de comida que eles ingiram durante o dia. As gotas vitamínicas enriquecidas com ferro são uma garantia extra. Mas, aos nove meses, as necessidades nutricionais começam a aumentar à medida que a necessidade de leite começa a diminuir. Para ter certeza de que os alimentos consumidos por seu bebê continuem a suprir as suas necessidades, incorpore os seguintes princípios à sua estratégia de alimentação:

Deixe-os comer pão... Ou cereais, ou bananas, ou a comida que preferirem. Muitos bebês e crianças novas parecem entrar em dietas de um único alimento por semana (ou por mês), recusando-se, durante esse tempo, a comer tudo o que não for aquela coisa. O melhor é respeitar suas preferências e aversões dietéticas, mesmo quando levadas ao extremo: cereais no café da manhã, no almoço e no jantar, por exemplo. Um dia, se tiver a oportunidade de fazê-lo sozinha, a criança vai ampliar o seu repertório de gostos.

... mas só se for integral. É evidente: se o bebê só está comendo um ou dois alimentos (e, a propósito, mesmo que ele esteja comendo vários), certifique-se de que eles proporcionem uma nutrição de boa

qualidade. Assim, se ele só gosta de pães, bolachas ou cereais, só lhe dê dos feitos com farinha integral. Se ela adora frutas ou sucos, não os adoce e tente estimulá-lo a comer as variedades mais nutritivas, tais como damascos, pêssegos amarelos, melões, mangas e laranjas.

Acrescente outras coisas sempre que possível. Você não deve forçar o seu bebê a comer algo, mas não há nada de errado em fazê-lo comer sem perceber. Cubra o pão com requeijão parcialmente desnatado,[2] banana amassada, abóbora passada na peneira e adoçada com suco concentrado de maçã e canela, ou ricota, ou derreta sobre ele um pouco de queijo suíço. Senão, faça com ele uma rabanada, e sirva-a inteira ou em pedacinhos. Tente comprar ou fazer pães que incorporem outros elementos da "Melhor Dieta", como abóbora, cenoura, queijo ou frutas. Se o seu bebê está louco pelos cereais, polvilhe germe de trigo sobre o mingau e inclua uma porção de frutas sob a forma de uma banana picada em cubinhos, molho de maçã, pêssegos cozidos e picados ou outras frutas; senão, acrescente algum ferro sob a forma de frutas secas picadas e cozidas. Se as bananas são a sua única paixão, tente mergulhar fatias da fruta no leite e passá-las no germe de trigo, servi-las bem visíveis com uma pequena quantidade de cereais ou ricota, ou passá-las amassadas no pão.

Deixe de lado as papas. A rebelião de seu bebê pode ser apenas a sua maneira de lhe dizer que não agüenta mais os purês e papinhas, e está pronto para comida mais adulta. Assim que você passar a dar-lhe alimentos mais consistentes, ou alimentos que ele possa pegar com os dedos e sejam macios, mas com gosto e textura suficientes para satisfazer o seu paladar em desenvolvimento, ele poderá transformar-se naquele *gourmet* que você tanto deseja.

Varie o cardápio. Talvez seu bebê esteja cansado de refeições sempre iguais; a mudança talvez seja a faísca de que precisa para acender o fogo do apetite. Se ela não se interessar por cereais de manhã, dê-lhe iogurte com torradas. Se a ricota com ervilhas e cenouras amassadas parece enfastiá-la no almoço, ofereça macarrão passado na manteiga com brócolis e couve-flor cozidos e picadinhos e queijo Cheddar ralado. Se a carne moída com purê de batatas não a atrai para o jantar, tente peixe grelhado e inhames assados. (Para sugestões adicionais, veja a "Melhor Dieta", na página 414.) Tenha em mente também, ao planejar os cardápios de seu filho, que ele talvez queira comer o que todo mundo está comendo, em vez de ficar de fora. (Se você está introduzindo alimentos que o bebê nunca experimentou, veja página 251.)

Vire a mesa. Talvez seja um novo arroubo de teimosa independência que vem mantendo a boca do bebê fechada à hora das refeições. Passe-lhe a responsabilidade pela refeição, e é possível que ele logo abra a boca ansiosamente em busca de uma enorme variedade de experiências alimentares que nunca aceitaria se você as desse na colher. (Para escolher alimentos apropriados ao bebê que os pega com os dedos, veja página 324.)

Não afogue o seu apetite. Muitos bebês (e crianças novas) comem pouco porque tomam muito suco, leite em pó ou leite materno. Por dia, o seu bebê não deve tomar mais que duas porções de fruta na forma de suco (o preferível é uma porção de suco e outra da fruta inteira), e não mais que três porções de leite em pó (ou, mais tarde, integral), segundo as sugestões da "Melhor Dieta". Se ele quiser beber mais, dê-lhe água ou suco aguado, distribuindo as porções ao longo do dia. Se você está amamentando ao peito, não sabe exatamente quanto leite ele está tomando, mas

2. O requeijão parcialmente desnatado tem mais proteínas que o requeijão normal, e por isso é mais nutritivo para o bebê. Mas, para saber o que está comprando, sempre leia os rótulos.

pode ter certeza que dar-lhe de mamar mais do que três ou quatro vezes por dia vai diminuir-lhe o apetite; reduza as mamadas.

Suprima os lanches. O que faz a mamãe quando o bebê recusa o café da manhã? Enche-o de lanchinhos ao longo de toda a manhã, o que provavelmente o deixará sem apetite algum para o almoço. E o que acontece quando ele não almoça? Fica faminto novamente à tarde, mais lanches entram em cena, e a barriga já está cheia quando chega a hora do jantar. Para evitar esse círculo vicioso, que esgota tanto o apetite do bebê quanto a sua disposição, limite as merendas a um lanche a meia-manhã e mais um à tarde, por menos que o seu filho coma na hora das refeições. Entretanto, para que o bebê consiga chegar tranqüilo à próxima refeição, você pode aumentar a quantidade de alimentos que lhe dá no lanche, caso ele tenha comido pouco ou nada na última refeição.

Sorria. A maneira mais fácil de lançar as bases de um problema alimentar permanente é franzir as sobrancelhas com desgosto toda vez que o bebê desvia a boca da colher, manifestar infelicidade quando ele sai do cadeirão com o estômago tão vazio como quando entrou, ou passar meia hora tentando fazê-lo engolir duas colheradas de alimento por meio de agrados, súplicas e estratagemas ("Piuííí! Lá vai o trenzinho para a estação!"). Ele precisa sentir que come porque está com fome, e não porque você quer. Assim, a qualquer custo — mesmo às custas de algumas refeições perdidas —, não faça da alimentação (ou de sua falta) um problema. Se ficar claro que ele não quer comer mais, ou não quer comer nada, tire-lhe o prato da frente e encerre a refeição sem mais delongas.

É claro que os resfriados e outras doenças agudas, sobretudo quando acompanhadas de febre, podem acarretar uma perda de apetite de curto prazo. Muito de vez em quando, um bebê apresenta falta de apetite crônica devido à anemia (veja página 296) ou má nutrição (ambas incomuns entre os bebês norte-americanos de classe média). Se a falta de apetite do bebê vem acompanhada por falta de energia, ausência de interesse pelo ambiente, atraso no desenvolvimento, insuficiente ganho de peso ou uma nítida mudança de personalidade (súbita irritabilidade ou nervosismo, por exemplo), fale com o seu médico.

COMER SOZINHO

"Toda vez que a colher chega perto do meu bebê, ele a agarra. Se a tijela está suficientemente próxima, mergulha lá dentro os seus dedos e faz uma bagunça tentando comer sozinho. Ele acaba não comendo nada, e eu estou ficando frustrada."

Claramente, chegou a hora de passar a colher para a próxima geração. Seu bebê está exprimindo o desejo de ser independente, ao menos à mesa. Estimule-o, não o desanime. Mas, para minimizar a bagunça e impedi-lo de passar fome até ele tirar seu diploma de boas maneiras, transfira-lhe a responsabilidade aos poucos — se isso for possível.

Comece por dar-lhe uma colher só dele enquanto você continua a alimentá-lo. É provável que, de início, tudo o que ele consiga fazer seja agitar a colher para cá e para lá; e, quando consegue enchê-la e pô-la na boca, a colher geralmente está virada para baixo. Mesmo assim, empunhar a colher pode mantê-lo satisfeito o suficiente para que você tome conta da maior parte da refeição, ao menos por enquanto. O passo seguinte consiste em dar-lhe alimentos que possa pegar com os dedos enquanto você o alimenta com a colher. A combinação de alimentos pegáveis com uma colher própria (e/ou um copo com tampa para ir bebendo) geralmente mantém o bebê suficientemente feliz e ocupado para que a mamãe ou o papai lhe dêem o restante da refeição, mas isso nem sempre acontece. Alguns bebês insistem em fazer tudo sozinhos; se esse é o único modo pelo qual o seu filho aceita se alimentar, deixe-o. De início, as refeições serão mais compridas e bagunçadas; mas a experiência habilitará mais cedo a criança a comer sozinha. (Umas folhas de jornal espalhadas pelo chão sob o cadeirão do bebê poderão facilitar a limpeza.)

Faça o que fizer, não transforme a refeição num campo de batalha; do contrário, você corre o risco de escalar seu filho para problemas permanentes de alimentação. Na hora que a refeição virar uma brincadeira constante, a ponto de o bebê parar de comer (um pouco de brincadeira é normal), experimente pegar a colher e tomar para si o comando da alimentação. Se o bebê recusar, chegou a hora de limpar a cenoura do seu queixinho e a ricota dos seus dedinhos e dar por encerrada a refeição.

MUDANÇAS NOS PADRÕES DE SONO

"De repente, minha filha não quis mais dormir no meio da manhã. Uma soneca por dia é suficiente para ela?"

Embora uma soneca por dia possa não ser suficiente para os pais exaustos, é tudo o que muitos bebês precisam à medida que vai se aproximando o primeiro aniversário. Alguns bebês, nesta época, chegam a abandonar ambas as sonecas. Geralmente, a que se vai primeiro é a soneca da manhã, mas às vezes é a *siesta* de depois do almoço. Alguns filhos de pais sortudos continuam tirando duas sonecas por dia durante boa parte do segundo ano de vida, e isso também é perfeitamente normal, desde que não prejudique o sono da noite. Se prejudicar, o bebê deve passar a tirar apenas uma soneca (veja página 259).

O número de horas que um bebê passa dormindo é menos importante que o seu bem estar com o sono que está tendo. Se a sua filha se recusa a uma ou ambas as sonecas mas parece irritada e muito cansada na hora do almoço, pode ser que ela precise do sono que está perdendo, mas não queira perder dormindo um tempo precioso que poderia empregar em suas atividades e explorações. O bebê que não tira as sonecas de que precisa fica menos alegre e cooperativo durante o dia, e geralmente tem mais dificuldade para ir para a cama e dormir bem à noite. Por estar cansado e sobrecarregado, é penoso para ele acalmar-se e permanecer calmo.

Se seu bebê parece não estar tirando as sonecas de que precisa, faça um esforço especial para encorajá-lo a dormir. Tente deitá-lo — alimentado, trocado e relaxado por brincadeiras tranqüilas e um pouco de música — num quarto escuro sem distrações. Se não funcionar, talvez você tenha que levá-lo a passear no carrinho ou a dar uma volta de carro (muitos bebês da cidade tiram todas as suas sonecas no carrinho ou só dormem no carro). Se necessário, tente deixar o bebê "cansar-se de chorar" antes de desistir de colocá-lo para dormir, mas não o deixe chorar tanto quanto você deixaria à noite. Se ele chorar por mais de 20 minutos, não sobra tempo para a soneca.

"Nós pensávamos que tínhamos feito tudo direitinho. Nosso filho sempre ia dormir sem uma reclamação. Agora, parece que ele quer ficar acordado e brincando a noite inteira."

É como mudar de uma cidadezinha do interior para uma grande metrópole. Há alguns meses, seu filhinho não tinha muitas razões para ficar acordado à noite. Agora, com tantas descobertas a fazer, brinquedos com que brincar, pessoas com que se relacionar e habilidades físicas a praticar (quem pode querer ficar deitado quando está começando a aprender a ficar de pé?), o bebê não quer reservar um tempo para o sono.

Infelizmente, neste caso, o bebê não sabe o que é bom para ele. Assim como não dormir o suficiente durante o dia, ir dormir muito tarde à noite é algo que pode deixá-lo supercansado, o que, por sua vez, pode impedi-lo de relaxar e dormir bem. Crianças que não dormem o suficiente têm maior probabilidade de ter dificuldade para dormir e de acordar durante a noite. Podem também ficar irritadiças durante o dia e são mais sujeitas a acidentes.

Se o seu bebê não tem ido dormir à hora apropriada à noite, certifique-se de que ele durma o suficiente durante o dia (veja página 259). Depois, estabeleça uma rotina para a hora de dormir — ou, se você já a estabeleceu mas a tem praticado sem muita confiança, reforce-a. Se a babá ou os avós às vezes põem a criança para dormir, faça com que eles se familiarizem com os rituais.

Se você não sabe o que incluir numa rotina para a hora de dormir, experimente algumas ou todas dentre as seguintes sugestões:

Um banho. Depois de passar o dia limpando o chão, com os joelhos, massageando a cabeça com banana amassada e rolando na caixa de areia, o bebê precisa de um banho. Mas o banho dado no começo da noite não se limita a limpar o bebê — ele o acalma. As águas quentes e relaxantes têm o misterioso poder de induzir o sono; se você puser o bebê no banho mais cedo, de dia, estará desperdiçando esse poder.

Uma atmosfera propícia ao sono. Apague as luzes, desligue a TV, expulse as crianças mais velhas do quarto e reduza ao mínimo todas as outras distrações.

Uma estória, uma canção, um afago. Depois de trocar o bebê e vestir-lhe o pijama, sente-se com ele numa confortável poltrona ou sofá, ou na cama do bebê quando ele já tiver uma. Se ele conseguir ficar parado, leia para ele uma estória simples numa voz monótona, e não viva e animada. Ou, se ele preferir, deixe que ele mesmo veja alguns livros de figuras. Cante-lhe musiquinhas tranqüilas e cantigas de ninar, afague-o um pouquinho, mas deixe as brincadeiras mais agitadas (*rounds* de cócegas ou luta-livre) para outra hora. Se você ligar o motor do bebê, ficará difícil desligá-lo.

Uma luz para os medrosos. Alguns bebês têm medo do escuro. Se o seu for um desses, dê-lhe um abajur para fazer-lhe companhia.

Adeus. Ponha na cama o brinquedo ou bichinho de que o bebê mais gosta. Estimule o bebê a dar-lhe boa noite, bem como aos demais bichinhos, aos irmãos, à mamãe e ao papai. Dêem beijos de boa noite, aconchegue o bebê no berço e saia do quarto.

Se ele chorar quando você sair, volte por um instante para ver se ele está bem, beije-o de novo e torne a sair. Se ele continuar chorando, você provavelmente terá que deixá-lo cansar-se de chorar. Esta técnica testada e comprovada pela experiência, descrita na página 302, geralmente funciona, mas poderá ser mais difícil para você agora que o seu bebê está não só mais velho como também mais esperto. Nesta idade, ele provavelmente saberá fazê-la voltar ao quarto, ou ao menos deixá-la com um profundo sentimento de culpa por não voltar. É possível que ele várias vezes fique de pé e berre até que você o ajude a deitar-se de novo. Senão, ele pode começar a chamar "mã-mã" ou "pá-pá", fazendo com que fique difícil não responder. E, em vez de acalmar-se se você for ao quarto, o que costuma ocorrer com bebês mais novos, ele provavelmente ficará ainda mais bravo depois que você o deixar novamente. Com esse espertinho, o melhor que você tem a fazer é não se aproximar em momento algum, até que ele volte a adquirir o hábito de adormecer sozinho.

"Nós não conseguimos estabelecer uma rotina para a hora de dormir com o meu filho, pois ele sempre dorme ao mamar, antes de começarmos."

Se o seu bebê costuma dormir durante a última mamada noturna, proceda a toda a rotina para a hora de dormir — incluindo os desejos de boa-noite — antes de sentar-se para dar de mamar. Se você gostaria de eliminar esse hábito de mamar para dormir, tente dar-lhe de mamar antes do banho, num ambiente não propício ao sono — com bastante barulho, luzes e agitação, e a promessa de um banho e uma estorinha. Se ele dormir apesar de todos os seus esforços, tente acordá-lo para o banho. Se isso não funcionar, volte a dar de mamar depois dos rituais para a hora de dormir, e tente de novo depois de umas duas semanas.

"Acho que meu bebê não tem conseguido dormir bem porque está com os dentes nascendo. Sei que não há nada que eu possa fazer, mas me sinto culpada de deixá-lo chorar à noite."

É melhor sentir-se culpada agora do que ficar sem dormir de agora em diante. Como os pais sabem muito bem, não há muito que se possa fazer para consolar um bebê que está com as gengivas doendo por causa dos dentes. E, no meio da noite, não adianta tentar. Se você ficar ao lado dele nesses surtos de dentição, ele se acostumará tanto à sua presença noturna que continuará a exigi-la por muito tempo depois de nascer o novo dente (ou dentes). A dor da dentição costuma acordar o bebê às vezes, por poucas noites a cada vez; saber que um dos pais vai socorrê-lo pode fazê-lo acordar indefinidamente. Assim, resista à tentação de ir assisti-lo, e deixe-o acalmar-se sozinho — embora você talvez queira espiar para ter certeza de que ele não se levantou e paralizou-se nessa posição, sem conseguir deitar de novo, não se descobriu ou meteu-se em outras encrencas. Se isso a torna mais tranqüila, e/ou ao bebê, vá até ele, afague-o por um ou dois minutos, diga-lhe que volte a dormir e saia do quarto.

Se ele parece inconsolável, pergunte ao médico sobre a possibilidade de dar-lhe uma dose de acetaminofen infantil antes de pô-lo para dormir. Mas verifique se as vigílias noturnas não são causadas por uma doença — uma infecção dos ouvidos, por exemplo, cuja dor freqüentemente é maior à noite — que o medicamento analgésico poderia mascarar.

DESENVOLVIMENTO LENTO

"Estamos preocupados, pois nosso filhinho só começou a sentar-se sozinho há pouco tempo — muito depois dos filhos de nossos amigos."

O ritmo de desenvolvimento de cada bebê é predeterminado em primeiro lugar pelos seus genes, que regulam a velocidade de desenvolvimento do seu sistema nervoso. Ele está programado para sentar, ficar de pé, andar, sorrir e falar pela primeira vez em determinadas idades. Poucos desenvolvem-se num ritmo uniforme em todos os campos; a maioria é mais rápida em algumas áreas e mais lenta em outras. Um bebê, por exemplo, pode ser rápido para sorrir e falar (habilidades sociais e de linguagem), mas só ficar de pé com quase um ano (uma capacidade motora simples). Outro pode andar (uma capacidade motora simples) com oito meses, mas só pegar um objeto entre o polegar e o indicador (uma capacidade motora fina) com mais de um ano. A velocidade de desenvolvimento das capacidades motoras não tem nenhuma relação com a inteligência.

Mesmo o fato de o bebê fazer a maioria das coisas depois das outras crianças não costuma ser um motivo para preocupação, desde que o seu desenvolvimento se dê dentro dos largos limites considerados normais e progrida seqüencialmente. Mas, quando uma criança sempre atinge os marcos de desenvolvimento muito depois das outras, convém consultar o médico. Na maioria dos casos, essa consulta alivia o medo dos pais. Algumas crianças amadurecem devagar, mesmo sendo perfeitamente normais. Às vezes, são necessárias consultas posteriores para determinar a existência de um problema, o que, evidentemente, pode às vezes ocorrer.

Muito de vez em quando, o médico do bebê está despreocupado, mas os pais continuam com dúvidas apesar de todas as provas em contrário. Para ficarem em paz, a melhor medida é consultar um especialista em desenvolvimento. O médico do bebê, que só o vê em breves consultas, às vezes não percebe certos sinais de mau desenvolvimento que os pais vêem ou pressentem, e que um especialista, num exame mais minucioso, pode constatar. A consulta serve a um duplo propósito. Primeiro, se os temores paternos mostrarem-se infundados, os pais podem deixar de preocupar-se, ao menos com o desenvolvimento. E depois, se um problema for descoberto, uma intervenção rápida poderá dar à criança maior possibilidade de atingir todo o seu potencial.

FEZES ESTRANHAS

"Quando troquei as fraldas do meu bebê hoje, fiquei bastante perplexa. Suas vezes pareciam estar cheias de grãos de areia. Mas ela nunca brinca na caixa de areia!"

Quando você começa a se cansar de trocar fraldas, você abre uma delas e tem uma surpresa. Às vezes é fácil descobrir o que entrou no bebê para produzir a mudança em suas fezes. Uma assustadora cor vermelha? Geralmente, inocentes beterrabas ou seu suco. Pontinhos ou fios negros? Bananas. Pequenos objetos escuros? Talvez uvas passas. Pelotinhas de cor verde clara? Podem ser ervilhas. Pelotinhas amarelas? Milho. Sementes? Provavelmente tomates, pepinos, ou um melão cujas sementes não foram totalmente removidas.

Os bebês não mastigam muito bem, e o seu tubo digestivo ainda não atingiu a maturidade. Por isso, aquilo que entra muitas vezes sai sem grandes alterações de cor e textura.[3] As fezes com aspecto de areia, como as que você achou na fralda do seu bebê, são relativamente comuns, não porque os bebês comam areia (embora eles comam), mas porque alguns alimentos — sobretudo as peras e certos cereais à base de aveia — costumam ter esse aspecto arenoso depois que passam pelo tubo digestivo.

As mudanças estranhas nas fezes não se devem apenas aos alimentos naturais que o bebê ingere, mas também àqueles sintetizados nos laboratórios da indústria alimentícia (a maioria dos quais não são apropriados para os bebês, mas que, não obstante, vez por outra vão parar em estômagos infantis). Sabe-se que alguns produtos dão às fezes cores tão apavorantes quanto um verde fluorescente (de uma bebida com sabor de uva) ou um rosa choque (de um cereal sabor morango).

Assim, antes de entrar em pânico ao ver o que veio parar nas fraldas do bebê, pense naquilo que tem ido parar no seu estômago. Se você ainda assim não descobrir, leve uma amostra das fezes ao médico.

BEBÊS E BICICLETAS

"Meu marido e eu somos ciclistas fanáticos. É seguro levar nosso bebê conosco?"

Andar de bicicleta pode parecer a maneira perfeita de combinar qualidade de tempo em família e exercício, mas especialistas em segurança infantil acreditam atualmente que pedalar com um bebê envolve muitos riscos. Então se vocês realmente se preocupam com segurança, é melhor irem sozinhos.

Se, apesar dessa advertência, vocês decidirem pedalar com seu bebê, observem fielmente as seguintes regras vitais:

---

3. Amassar ou cortar ao meio as uvas passas, amoras e outras frutas do tipo, ervilhas e grãos de milho é uma prática que os torna mais fáceis de digerir e mais seguros para o bebê.

■ Nunca pensem em levar um bebê de menos de 1 ano; vocês deverão ser ótimos ciclistas e suas bicicletas estarem em perfeitas condições.

■ Nunca pedalem a menos que todos (vocês e o bebê) estejam usando capacetes de segurança apropriados.

Restrinjam seus passeios ciclísticos a áreas seguras, como parques, ciclovias, ruas ou estradas tranqüilas. Evitem avenidas movimentadas, estradas úmidas, com neve ou congeladas, e caminhos cobertos com folhas ou vegetação úmida. Empurrem sua bicicleta nas descidas íngremes, pois do contrário altas velocidades podem ser atingidas (mesmo quando não se deseja) e frear torna-se surpreendentemente difícil.

Melhor ainda: contratem uma babá, revezem os passeios ou esperem até que seu filho tenha idade suficiente para pedalar junto com vocês.

■ Levem seu bebê em um assento apropriado que proteja seus pés e mãos de ficarem presos nos raios das rodas, e que minimizem riscos de impactos e também de ferimentos em caso de quedas. Certifiquem-se de que tal assento esteja corretamente instalado e que os cintos de segurança do bebê estejam atados, antes de iniciar o passeio.

■ Ou usem um "*trailer* de bicicleta" para puxar o seu bebê. A vantagem é que, se alguém cair com sua bicicleta o *trailer* e o bebê permanecerão de pé. A desvantagem: por ele ser mais baixo que o pára-brisas da maioria dos veículos, poderá deixar seu filho mais vulnerável quando estiver no tráfego. Então, é mais seguro usar tal *trailer* apenas em ciclovias.

O QUE É IMPORTANTE SABER: Jogos para os Bebês

No que diz respeito aos cuidados com o bebê, muita coisa mudou desde o tempo das nossas avós. Hoje, as tendências favorecem a amamentação ao peito, em vez da mamadeira. As fraldas sujas não são mais lavadas e fervidas, mas jogadas no lixo. Quem determina o cronograma não são os livros, mas o bebê. Mas, no meio de todas as mudanças, algumas coisas permaneceram. O mordedor de prata, precioso demais para que o bebê o morda. O berço feito à mão que já embalou três gerações. E os joguinhos que os bebês adoram.

Tão antigos e respeitáveis quanto os objetos de família que vão passando de geração em geração, os jogos de esconde-esconde e "cadê o toicinho", que fizeram a filhinha de sua avó gritar de contentamento, certamente farão o mesmo com o seu bebê. Esses jogos, porém, vão além da distração: exercitam a capacidade de socialização, ensinam conceitos como o de permanência dos objetos (esconde-esconde), coordenação entre palavras e ações ("cadê o toicinho"), a capacidade de contar (um dois, feijão com arroz) e habilidades lingüísticas ("olho, nariz, boca").

É provável que, mesmo que você não recite um versinho infantil há décadas, muitos dos que a sua mãe recitou para você lhe voltem à memória agora que você está seguindo os passos dela. Se não voltarem, peça à sua mãe que relembre alguns dos que mais gostava (uma mãe nunca esquece). Recorra também a outros parentes, sobretudo os do interior, em busca de antigas canções, versos infantis e jogos que poderiam de outro modo se perder, e investigue quais os favoritos da família do seu marido.

Refresque a memória ou aprenda alguns jogos novos com a lista seguinte.

Esconde-esconde. Cubra o seu rosto (com as mãos, um canto do cobertor, uma peça de roupa, uma fraldinha, o cardápio do restaurante, ou escondendo-se atrás da cortina ou dos pés do berço) e diga "Cadê a mamãe?" (ou o papai). Depois descubra o rosto e diga "Achou!" Esteja pronta a fazer isso muitas vezes, até cansar; a maioria dos bebês gosta extraordinariamente deste jogo. Você pode também cobrir o rosto do bebê, de preferência com um pano leve, e perguntar "Cadê o nenê?" (ou qualquer que seja o seu nome). Tirando o pano, diga "Achou!"

Bater palminha. Enquanto você canta — o versinho tradicional é "Bate palminha, bate, palminha de São Tomé, bate palminha, bate, prá quando papai vier" —, segure as mãos do bebê e mostre-lhe como bater palmas. De início, é provável que suas mãos não se abram completamente; mas um dia o bebê conseguirá mantê-las bem abertas, embora isso talvez só aconteça por volta do primeiro aniversário; não o force. Pode também demorar um pouco até que o bebê bata palmas sozinho, mas esse dia também chegará. Enquanto isso, é bem possível que ele goste de segurar as suas mãos e batê-las uma na outra. Para mudar um pouco o jogo, bata os pés do bebê.

Cadê o toicinho que estava aqui. Abra a mão do bebê e mantenha o dedo indicador apoiado sobre a palma, perguntando "Cadê o toicinho que 'tava aqui?" Continuando com o indicador na palma da sua mão, prossiga: "O gato comeu. E cadê o gato? Fugiu pro mato. E cadê o mato? O fogo queimou. E cadê o fogo? A água apagou. E cadê a água? O boi bebeu. E cadê o boi? Tá amassando o milho. E cadê o milho? A galinha ciscou. E cadê a galinha? Tá botando ovo. E cadê o ovo? O nenê (ou qualquer que seja o seu nome) bebeu. E cadê o nenê?" Então, vá correndo com os dedos pelo braço do bebê acima até chegar às axilas, ao pescoço ou à barriga, dizendo "'Tá aqui, 'tá aqui, 'tá aqui, 'tá aqui" e fazendo cócegas.

Assim. Pergunte "Que tamanho é o nenê?" (ou pergunte o tamanho de um de seus irmãos ou do cachorro). Depois, ajude o bebê a abrir os braços tanto quanto possível, exclamando. "Assim!"

Ciranda-cirandinha. Tente fazer esta brincadeira quando o bebê já souber andar. Segure nas suas mãozinhas (sempre que possível, convide um irmão, um colega ou outro adulto a juntar-se à roda) e girem em círculo, cantando: "Ciranda, cirandinha, vamos todos cirandar, vamos dar meia voltinha, volta e meia vamos dar. O anel que tu me destes era vidro e se quebrou, o amor que tu me tinhas era pouco e se acabou. Por isso dona..., entre dentro desta roda, diga um verso bem bonito, diga adeus e vá-se embora". Pode-se também cantar: "Caranguejo não é peixe, caranguejo peixe é, caranguejo só é peixe na enchente da maré. Palma, palma, palma, pé, pé, pé, roda, roda, roda, caranguejo peixe é!" Ao cantar este último verso, todos batem palmas, depois batem o pé, depois rodam e, no fim, caem todos juntos no chão.

Olhos, nariz, boca. Pegue nas suas as mãos do bebê, toque com elas os seus olhos, depois conduza as duas a seu nariz e a sua boca (e então beije as mãozinhas do bebê), sempre designando a parte do rosto que é tocada: "olhos, nariz, boca e beijinho". Nada ensina mais rápido o nome dessas partes do corpo.

Um dois, feijão com arroz. Ao subir uma escada ou contar os dedos, cante: "Um, dois, feijão com arroz. Três, quatro, feijão no prato. Cinco, seis, feijão inglês. Sete, oito, feijão e biscoito. Nove, dez, feijão e pastéis."

CAPÍTULO 13

O Décimo Mês

O QUE O SEU BEBÊ PODE ESTAR FAZENDO

Ao final deste mês, o seu bebê
... já deverá ser capaz de (veja a Nota):

- ficar de pé segurando-se em algo ou alguém
- levantar-se sozinho, apoiando-se, a partir da posição sentada
- reclamar se você tentar tirar-lhe um brinquedo
- falar mã-mã ou pá-pá indiscriminadamente
- brincar de "esconde-esconde"

Nota: Se o seu bebê parece ainda não ter atingido algum desses marcos, fale com o médico. Em certos casos, esse atraso pode indicar um problema; mas, na grande maioria das vezes, será simplesmente um fato normal para o seu bebê. Em geral, os bebês prematuros atingem esses marcos depois de outros bebês da mesma idade, muitas vezes atingindo-os por volta de sua idade ajustada (a idade que teriam se houvessem nascido no prazo usual), ou um pouco depois

... provavelmente será capaz de:

- sentar-se a partir da posição deitado de bruços
- bater palminha ou dar tchau
- pegar um objeto pequeno com o polegar e o indicador
- andar segurando-se aos móveis
- entender a palavra "não" (mas nem sempre obedecê-la)

... talvez seja capaz de:

- ficar de pé sozinho por um instante
- falar pá-pá ou mã-mã conscientemente

... poderá até ser capaz de:

- expressar vontades por outros meios que não o choro
- "jogar bola" (rolar a bola de volta para você)
- tomar sozinho líqüidos de um copo
- pegar com perfeição um objeto pequeno, com as pontas do polegar e do indicador
- ficar de pé sozinho com destreza

- falar numa linguagem ininteligível (como se fosse uma língua estrangeira que ele mesmo inventou)
- falar uma outra palavra além de mã-mã ou pá-pá
- responder a um comando simples acompanhado de gesto (me dá isso — com a mão estendida)
- andar bem

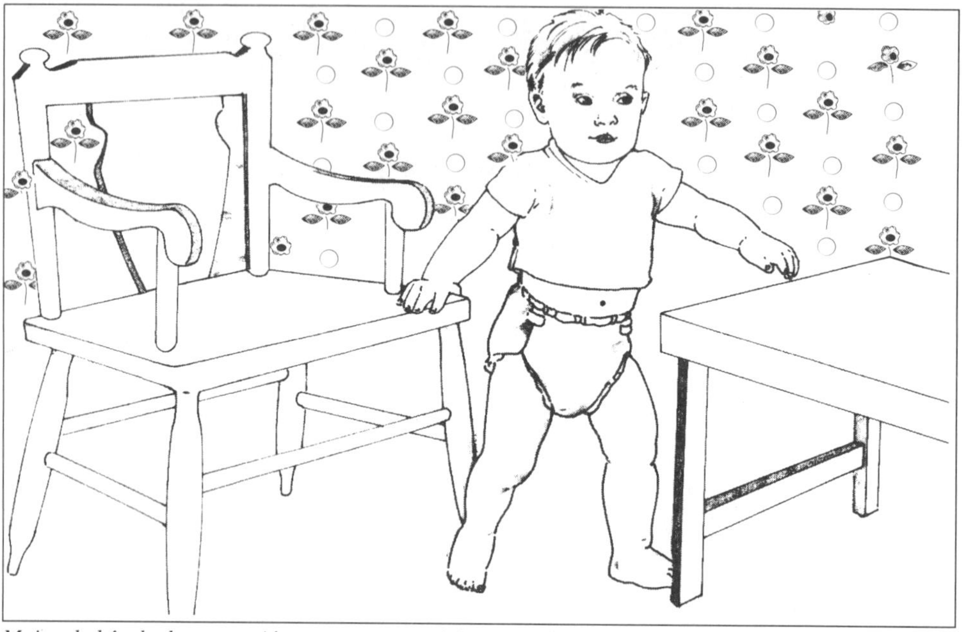

Muitos bebês de dez meses já conseguem caminhar sozinhos segurando-se aos móveis, o que é a última etapa antes de andarem sozinhos. Segurando-se firmemente com uma mão a sua base de partida, eles esticam primeiro uma mão, e depois um pé, em direção a outra peça de mobiliário. Para lhe dar segurança, só deixe o bebê apoiar-se em cadeiras e mesas bem firmes.

O QUE VOCÊ PODE ESPERAR DO EXAME DESTE MÊS

A maioria dos pediatras não programa consultas de rotina para este mês. Se houver preocupações que não possam esperar até o mês que vem, ligue para o médico.

PARA ALIMENTAR O SEU BEBÊ ESTE MÊS: Pensando em Desmamá-lo

Na maior parte dos lugares em que se pratica o aleitamento materno, desenvolveram-se regras culturais explícitas quanto ao momento do desmame, precoce ou tardio. Mas nos Estados Unidos, onde a prática da amamentação ainda vive a sua infância, depois de ter recentemente renascido, não existem normas desse tipo. Algumas mulheres amamentam por seis semanas, outras por seis meses, ainda outras por três anos ou mais. A época do desmame pode ser fixada muito antes de o bebê nascer, com base numa previsão do momento em que a mulher retomará o trabalho fora de casa, ou simplesmente numa noção do que é certo. Pode também ser decidida na hora — quando a mãe ou o bebê subitamente perdem o interesse pela amamentação, por exemplo.

Ao decidir por quanto tempo você vai amamentar, é provável que você queira levar em conta diversos fatores pessoais, além dos poucos fatos cientificamente comprovados.

Os fatos. Já dissemos que mesmo umas poucas semanas de amamentação são benéficas para o bebê, pois é nessa época que os bebês recebem importantes anticorpos que ajudam a combater doenças. Mas os bebês se desenvolvem melhor — com menos doenças e alergias — quando são amamentados pelos primeiros seis meses de vida. E, na verdade, embora se possa começar a dar alimentos sólidos a um bebê de quatro meses, os bebês amamentados ao peito geralmente são capazes de viver muito bem só de leite materno até o sexto mês de vida. Para além dessa época, o leite materno pode continuar sendo a principal fonte de nutrientes do bebê amamentado no peito (assim como o leite em pó para um bebê que mama na mamadeira), mas se torna necessário complementá-lo com alimentos sólidos.

Os cientistas nos dizem, porém, que ao final do primeiro ano de vida o leite materno deixa de ser apropriado — seu conteúdo de proteínas é insuficiente para o bebê mais velho, e a quantidade de diversos nutrientes importantíssimos, como zinco, cobre e potássio, começa a declinar. Em seu segundo ano de vida, os bebês precisam dos nutrientes presentes no leite de vaca, e a mãe que ainda amamenta deve reconhecer que, embora ela e o bebê possam estar apreciando a experiência da amamentação, o leite materno não pode mais ser considerado uma das principais fontes de nutrição da criança. E os bebês de mais de um ano também não parecem precisar do exercício de sucção proporcionado pela amamentação.

Apesar das muitas especulações, não existem provas conclusivas de que a amamentação para além do primeiro aniversário — ou mesmo do segundo e do terceiro — prejudique o desenvolvimento emocional da criança. Mas parece ser verdade que a amamentação prolongada, assim como o uso prolongado da mamadeira, possa produzir cáries dentárias; durante a sucção (do peito ou da mamadeira), o leite se acumula em certas regiões da boca, o que não ocorre quando se toma leite no copo, o qual estimula a ingestão do líqüido. A continuidade da amamentação ao peito ou na mamadeira muito além do primeiro aniversário também apresenta outra possível desvantagem: um maior risco de infecções nos ouvidos devido ao hábito que muitas crianças têm de mamar deitadas, especialmente antes de dormir.

Seus sentimentos. Você ainda gosta de amamentar, ou já está começando a cansar de abrir e fechar a blusa e o sutiã o dia inteiro (e talvez também à noite)? Está começando a suspirar por uma dose de liberdade e flexibilidade que lhe parece incompatível com a amamentação? Não se sente à vontade com a idéia de dar de mamar a uma criança mais velha? Se os seus sentimentos acerca da amamentação não são mais os mesmos, a antena do bebê certamente captará essa mudança. É até possível que ele tome isso como uma rejeição à sua pessoa, e não à experiência da amamentação. Nesse caso, provavelmente convém desmamar o bebê.

Os sentimentos do bebê. Alguns bebês se desmamam sozinhos. Através de suas ações e reações (inquietude e indiferença quando estão ao peito, mamadas imprevisíveis e breves), demonstram que estão prontos para outras formas de nutrição. Saiba, porém, que é possível interpretar erroneamente os sinais que o bebê transmite. Aos cinco meses, um desinteresse pela amamentação pode não ser mais que uma indicação do interesse cada vez maior do bebê pelo ambiente; aos sete meses, pode indicar uma ânsia de atividade física que sobrepuja toda ânsia pelo alimento; aos nove meses, ou mais, freqüentemente significa um aumento da independência e da maturidade. Em qualquer idade, pode ser uma reação a uma doença ou à irrupção dos dentes. Em nenhuma idade deve ser entendido como uma rejeição a você, a mãe, mas somente ao leite que você dá.

A idade mais provável para o desmame promovido pelo próprio bebê vai dos nove aos doze meses. Se o apego do bebê ao peito não dá sinais de haver diminuído até os dezoitos meses de idade (o que não é nada raro), é improvável que em algum momento ele ainda venha a tomar a iniciativa de desmamar-se.

Sua situação. Freqüentemente, até as mães que de início se dão bem com a amamentação começam a considerá-la muito trabalhosa à medida que as inconveniências vão se multiplicando, e à medida que a própria amamentação começa a chocar-se cada vez mais com o trabalho, o estudo, os esportes, o sexo ou outras atividades (necessárias ou supérfluas) de suas vidas. Quando isso ocorre, os sentimentos negativos transmitem-se facilmente para o bebê, tornando a amamentação mais problemática do que agradável para ambos. Nesses casos, o desmame é uma providência conveniente, mas evite tomá-la simultaneamente a outras mudanças importantes em suas vidas. Sempre que possível, dê a você mesma e ao bebê a oportunidade de se adaptarem a uma mudança de cada vez. Uma doença ou a necessidade de viajar também podem exigir o desmame, às vezes até um desmame súbito.

A situação do bebê. O melhor momento para desmamar o bebê é aquele em que tudo está calmo no ambiente doméstico. Uma doença, a dentição, mudanças de casa, viagens, a volta ao trabalho fora, uma mudança de babás, ou qualquer outro tipo de mudança ou tensão que esteja afetando o bebê — todas essas coisas pedem para que o desmame espere mais um pouco, a fim de não aumentar ainda mais a tensão.

Sua saúde. Se você está sempre exausta e o único motivo para isso parece ser as exigências físicas e emocionais da amamentação, você pode conversar com o seu médico sobre a conveniência de desmamar o bebê, para que você recupere as forças. Mas, antes disso, certifique-se de que o que a está esgotando não é outra coisa facilmente remediável, tal como uma nutrição inadequada e/ou pouco descanso.

A saúde do bebê. Às vezes, o suprimento de leite materno diminui excessivamente à medida que o bebê vai ficando mais velho. Se o seu bebê estiver ganhando pouco peso, estiver letárgico e irritadiço ou demonstrar outros sinais de insuficiência de desenvolvimento (veja página 109), é possível que o seu leite não esteja atendendo a todas as suas necessidades nutricionais. Considere as possibilidades de complementar a amamentação com alimentos sólidos, com leite artificial ou de suprimi-la completamente.

Muitas vezes, o bebê desmamado passa repentinamente a interessar-se por outras formas de alimentação que não o agradavam quando ele podia mamar ao peito, e começa de novo a se desenvolver.

As outras fontes de nutrição do bebê. Se o seu bebê sempre aceitou a mamadeira, será relativamente fácil desmamá-lo a qualquer momento e passar a alimentá-lo só com a mamadeira. Do mesmo modo, se o bebê já sabe beber líqüidos de um copo com uma certa destreza, será possível desmamá-lo e passar a alimentá-lo com o copo — embora isso geralmente não ocorra antes dos nove ou dez meses. Mas se o bebê se nega a tomar leite de qualquer outra forma que não o peito, será necessário adiar o desmame até que ele domine a mamadeira ou o copo.

A idade do bebê. Mesmo quando não tomam a iniciativa, muitos bebês podem ser desmamados entre os nove e os doze meses — quando têm menos interesse pela sucção e menor necessidade dela, não gostam de ficar no colo ou parados para mamar (alguns preferem fazê-lo de pé) e, de maneira geral, estão mais independentes. Também parece que são menos apegados ao peito nesta idade do que mais tarde, e menos aferrados às próprias vontades, o que torna mais fácil desmamá-los agora do que quando começam a andar.

A decisão de desmamar é apenas um passo no longo caminho de tirar o bebê do peito e ligá-lo a outras fontes de nutrição, caminho que começa com o primeiro gole na mamadeira ou a primeira colherada de alimentos sólidos. Para algumas mulheres, tomar a decisão é mais fácil que o desmame em si; para outras, é a decisão que causa mais perturbações. Venha quando e como vier, o desmame é para muitas mulheres uma época de sentimentos conflitantes. Ficam aliviadas por não serem mais tão amarradas pelas necessidades do bebê, e orgulhosas do novo passo dado pela criança em seu caminho de crescimento. Mas, ao mesmo tempo, ficam tristes pelo afrouxamento dos laços e pelo fato de os bebês não dependerem mais delas como antes — o que nunca mais ocorrerá.

Cedo ou tarde, o desmame é um passo inevitável do desenvolvimento da criança. São poucos os bebês (mesmo entre os que mais gostam do peito) que ficam por muito tempo com saudades de mamar, e as mães sobrevivem — embora possam sentir um aperto no coração sempre que vêem outras mulheres dando de mamar, até mesmo anos mais tarde.

O QUE PODE ESTAR PREOCUPANDO VOCÊ

BAGUNÇA NA REFEIÇÃO

"Meu filho não come nada que não tenha antes despedaçado, amassado e esfregado no cabelo. Não deveríamos tentar ensiná-lo um pouco de boas maneiras à mesa?"

Comer ao lado de um bebê de dez meses é suficiente para que qualquer um perca o apetite. A comida serve tanto de alimento quanto de brinquedo, e é comum que a maior parte dela vá parar *em cima* do bebê (e em suas roupas, no cadeirão e na boca do cachorro que aguarda ansioso nas proximidades), e não *dentro* dele.

Isso ocorre porque as refeições não servem mais apenas à nutrição, mas também às explorações e descobertas. Assim como faz na caixa de areia e na banheira, ele está aprendendo sobre causa e efeito, sobre texturas, sobre diferenças de temperatura. Quando ele aperta iogurte entre os dedos, esfrega batatas-doces na mesa, arremessa uma porção de mingau de aveia para longe do seu cadeirão, passa banana em sua camiseta, sopra bolhinhas no seu copo de suco, esfarela bolachas com as mãos — isso, para você, é uma bagunça, mas para ele é uma experiência de aprendizado.

Tenha como certo que essa batalha diária, combinada à sua necessidade de rolos e mais rolos de toalhas de papel, vai continuar ainda por muitos meses, até que o bebê aprenda tudo o que pode a respeito das propriedades físicas dos alimentos e esteja pronto a passar a outro tópico. Isso não significa que você precise sorrir (se conseguir) e suportar tudo sem tomar certas medidas para resguardar sua sensibilidade e sua casa e ir preparando o bebê para um futuro de respeitáveis (ou mais ou menos respeitáveis) boas-maneiras à mesa:

Proteja-se. Uma mãe prevenida vale por rolos e rolos de toalhas de papel. Tome todas as medidas de proteção que puder: espalhe jornais pelo chão ao redor do cadeirão e da mesa, para depois recolhê-los e jogá-los fora; vista o bebê com um babador que lhe cubra o peito, a barriga e os ombros, mas que seja confortável o suficiente para que ele não recuse a usá-lo; arregace as mangas do bebê para acima dos cotovelos, a fim de mantê-las secas e relativamente limpas. (Se a temperatura permitir, talvez seja melhor deixar o bebê só de fraldas para dar-lhe certos alimentos com alto potencial de sujeira.)

Previna os ataques indesejáveis. Não se devem inibir os experimentos do bebê, mas também não se deve tornar-lhe a bagunça mais fácil. Assim, dê-lhe a comida numa tigela, e não num prato raso do qual a comida possa ser removida com facilidade. Ou, senão, coloque-a diretamente sobre a bandeja do cadeirão (com o cuidado de que esteja limpíssima). Uma tigela que se fixa à mesa ou bandeja pela sucção garante uma proteção suplementar, mas só funciona sobre superfícies não-porosas, como o plástico. Para evitar muitos líqüidos derramados, dê-lhe as bebidas num copo ou xícara dotados de tampa com bico, se ele se dispuser a beber daí. Se não, ponha uns 50 ml de líqüido num copo normal e o passe para o bebê toda vez que ele estiver preparado a beber, mas mantenha-o fora de alcance entre os goles. Não lhe dê mais de uma tigela de comida por vez, e não ponha mais de dois ou três alimentos diferentes na tigela — o excesso de possibilidades tende a assoberbar os bebês, que então reagem brincando e agitando-se em vez de comer. Todos os talheres e recipientes devem ser inquebráveis, pelo bem da economia como da segurança.

Assuma uma posição de neutralidade. Você já deve ter percebido que os bebês gostam de fazer cena desde que nascem. Se você der risadas de suas travessuras no cadeirão, estará estimulando mais e mais travessuras. Do mesmo modo, eles não reagem muito bem às críticas. Assim, as repreensões e gritos de "pare com isso já!" não põem fim ao comportamento — pelo contrário, o intensificam. O melhor é não fazer comentários sobre a falta de modos do bebê. Mas se ele conseguir pôr na boca alguns bocados caprichados, com a colher ou com as mãos, elogie-o generosamente. Sempre que possível, deixe-o saber que o asseio é importante.

Para retaliar, use os talheres. Embora ele talvez se limite a agitá-la pelo ar (enquanto usa a outra mão para pôr comida na boca), dê uma colher na mão do bebê no início da refeição e em diversos momentos ao longo da mesma. Um dia, ele perceberá que ela também serve para comer.

Não decrete estado de sítio. Mães desesperadas tendem a tomar medidas desesperadas — neste caso, a tirar do bebê todo e qualquer controle sobre a refeição, e, assim, sobre a sua possibilidade de bagunçar. Embora esse golpe de estado possa resultar em refeições mais limpas, poderá produzir também um bebê que demora a aprender a alimentar-se sozinho, e que, por esse motivo, também tarda a desenvolver boas maneiras à mesa e bons hábitos alimentares.

Seja uma comandante exemplar. A longo prazo, não são os sermões e advertências que darão ao bebê o domínio das boas maneiras, mas o que ele observa durante as refeições. Se os outros membros da família comem com as mãos, engolem bocado atrás de bocado sem parar para respirar, mastigam de boca aberta, estendem os braços sobre a mesa em vez de pedir que alguém passe a comida — se todos falam com a boca cheia, ou, o que é pior, não falam absolutamente nada durante a refeição —, o bebê passará a cultivar esses hábitos em vez daqueles que você gostaria de transmitir.

Saiba quando decretar um cessar-fogo. Se a quantidade de tempo que o bebê passa brincando com o alimento começa a superar em muito o tempo que ele passa comendo, chegou a hora de dar a refeição por encerrada. Tire a mesa e desça o bebê da cadeira assim que isso ocorrer. É improvável que o bebê reclame (foi o tédio da refeição que motivou o seu comportamento); se ele o fizer, distraia-o com um brinquedo ou uma atividade.

BATER A CABEÇA, BALANÇAR, ROLAR

"Meu filho pegou o costume de bater a cabeça na parede ou na grade do berço. Embora eu não goste nem um pouco de vê-lo fazer isso, ele não parece sentir dor nenhuma — na verdade, parece bastante contente."

Parece que o seu filho descobriu que gosta de ritmo, e é essa a maneira que encontrou para expressá-lo — até que aprenda a dançar ou a tocar uma minibateria. Bater a cabeça (assim como girar o pescoço, balançar e pular, movimentos que também são comuns nesta idade) é um movimento rítmico, e os bebês são fascinados pelos movimentos rítmicos, sobretudo quando eles mesmos os produzem. Embora a maior parte dos bebês dançarinos pratiquem a sua arte quando ouvem música durante o dia, essa atividade parece ser mais que uma mera diversão. Suspeita-se que algumas dessas crianças possam estar tentando recriar a sensação de serem balançadas no colo pela mamãe ou pelo papai, ou que os bebês cujos dentes estão nascendo estejam tentando lidar com a dor — neste caso, a atividade só permaneceria enquanto durasse a dentição, a menos que se torne um hábito. Para os bebês que batem a cabeça, balançam-se e rolam quando são postos na cama para a soneca diurna ou o sono noturno, e quando acordam à noite, essas atividades parecem servir para ajudá-los a dormir, ou talvez liberar as tensões acumuladas durante o dia. Às vezes, esse comportamento é desencadeado ou intensificado pela tensão presente na vida da criança (desmame, aprender a andar, mudar de babá etc.). Embora tanto os meninos como as meninas costumem balançar-se e rolar, bater a cabeça é um comportamento muito mais comum em meninos.

Os bebês começam a se balançar com uns seis meses, e a bater a cabeça por volta dos nove. Esses hábitos podem durar semanas ou meses, ou até mais de um ano. A maior parte das crianças, porém, abandona-os antes dos três anos sem qualquer intervenção dos pais. Repreender, ridicularizar ou de algum modo chamar a atenção para o comportamento são coisas que não ajudam em nada — ao contrário, podem piorar o problema.

É difícil acreditar, mas balançar-se, rolar e mesmo bater a cabeça não costuma fazer mal para a saúde do seu filho. E, numa criança que se desenvolve normalmente, não são associados a quaisquer distúrbios neurológicos ou psicológicos. Se o seu bebê, sob outros aspectos, parece estar feliz, não bate a cabeça quando está com raiva e não fica se machucando constantemente (uma ou outra marca escura não são motivo para preocupação), não há nada com que se afligir. Mas se essas atividades absorvem boa parte do tempo do bebê, se ele parece demonstrar outros comportamentos estranhos, se estiver se desenvolvendo lentamente ou parecer triste a maior parte do tempo, fale com o seu médico sobre o problema.

Não é possível forçar o bebê a abandonar um desses hábitos antes que ele esteja pronto para tanto, mas as seguintes medidas podem tornar mais fácil, para você e para o bebê, a convivência com o hábito e o abandono do mesmo:

- Dê ao bebê mais atenção, amor, abraços e embalos durante o dia e na hora de dormir.
- Proporcione ao bebê outras atividades rítmicas — mais aceitáveis para você — que ele possa praticar durante o dia. Eis algumas possibilidades: balançar-se com ele numa cadeira de balanço ou mostrar-lhe como balançar numa cadeira de balanço pequena, só dele; dar-lhe um ou mais miniinstrumentos musicais, ou simplesmente uma colher e um pote, dos quais ele possa extrair sons; empurrar-lhe num balanço; e brincar de bater-palminha ou outros jogos que envolvam os dedos e a mão, especialmente com um acompanhamento musical.
- Dê ao bebê bastante tempo para brincar ativamente durante o dia, e para acalmar-se antes de dormir.
- Estabeleça uma rotina regular e tranqüila para a hora de dormir, que inclua jogos calmos, abraços, e talvez alguns embalos (mas não a ponto de fazer o bebê dormir).
- Se o bebê bate a cabeça no berço, não o ponha lá até que esteja com bastante sono.
- Se o bebê se balança ou bate a cabeça no berço, minimize os riscos para os móveis e a parede (geralmente muito mais sérios que os riscos que o próprio bebê corre) colocando o berço sobre um tapete grosso e tirando-lhe os rodízios para que ele não role pelo chão. Coloque o berço tão longe da parede ou de outros móveis quanto possível e, se necessário, revista de material macio os lados do berço para diminuir o impacto.
- Você pode tentar proteger a cabeça do bebê colocando revestimentos acolchoados no berço e um tapete no lugar do chão onde ele gosta de se bater, se já não houver um carpete — mas o mais provável é que ele não se satisfaça com as pancadas macias e procure uma superfície mais dura.

PISCADELAS

"Nas últimas duas semanas, minha filhinha tem piscado bastante. Ela não parece estar se sentindo mal, e nem parece ter problemas de visão, mas não consigo deixar de pensar que há algo de errado com seus olhos."

O mais provável é que ela esteja saudavelmente curiosa. Ela conhece o mundo visto a partir dos olhos bem abertos, mas o que ocorrerá se ela fechá-los parcialmente, ou abri-los e fechá-los bem rápido? Os resultados dessa experiência podem ter sido tão fascinantes que ela resolveu continuar "piscando" até a novidade envelhecer. (Quando ela tiver mais idade, por volta dos dois anos, é provável que faça experiências semelhantes com os ouvidos, tampando-os com os dedos ou com as mãos para saber o que acontece com o som.)

É claro que, se o bebê parece ter dificuldade para reconhecer pessoas e objetos ou não consegue focalizar as imagens, você deve consultar o médico imediatamente. Se isso não ocorrer, e se a nova atividade ainda persistir à época da próxima consulta, fale sobre ela com o médico.

Olhar com os olhos semicerrados é outro hábito temporário que os bebês cultivam, também pela mudança do cenário. Isso também não deve ser motivo de preocupação, a menos que venha acompanhado de outros sintomas ou perdure por muito tempo, Nesse caso, fale com o médico.

ENROLAR E PUXAR O CABELO

"Quando minha filha está irritada ou com sono, fica puxando uma mecha dos seus cabelos."

O hábito de puxar ou acariciar os cabelos é uma outra maneira encontrada pelos bebês e crianças novas para aliviarem a tensão e recriarem o conforto que sentiam ao mamar na mamadeira ou no peito, quando acariciavam os seios ou a face da mãe ou puxavam seus cabelos. A criança deseja esse conforto sobretudo nos momentos de tensão, especialmente quando está irritada ou muito cansada; por isso, são esses os momentos em que é maior a probabilidade de ela se entregar a tal comportamento.

Se a criança enrola, acaricia e puxa os cabelos só de vez em quando, freqüentemente chupando os dedos, isso é comum e pode continuar pela infância afora sem maiores conseqüências. Mas, deve-se obviamente impedir que ela puxe os cabelos contínua ou vigorosamente, ou que os puxe a ponto de arrancá-los. As seguintes dicas podem ajudar:

- Dê mais carinho e atenção à sua filha, sobretudo em momentos de maior tensão.
- Dê-lhe algo que ela possa puxar — um ursinho bem peludo, por exemplo.
- Corte o seu cabelo bem curto, para que não possa puxá-lo facilmente.
- Envolva-a em outras atividades que mantenham as suas mãos ocupadas. Se nada disso funcionar, aconselhe-se com o médico.

RANGER OS DENTES

"Muitas vezes, ouço meu filho rangendo os dentes durante uma soneca. Isso pode fazer mal?"

Como bater a cabeça, rolar, puxar o cabelo ou chupar os dedos, ranger os dentes é um meio que alguns bebês adotam para aliviar a tensão. Para enfraquecer o hábito, diminua o quanto possível a tensão na vida do seu bebê e faça com que ele tenha muitos outros meios de aliviá-la — tais como a atividade física e brinquedos que ele possa bater. Bastante amor e atenção na hora de dormir, de dia ou à noite, podem ajudar o bebê a acalmar-se, diminuindo-lhe a necessidade que tem de ranger os dentes. Na maioria dos casos, o hábito é abandonado à medida que o bebê vai desenvolvendo sua capacidade de adaptar-se às situações, e antes que os dentes sejam danificados.

Nem sempre a tensão é a causa do ranger os dentes. Às vezes, o bebê descobre esse "truque" por acaso, ao sentir na boca os dentes novos, e, gostando da sensação e do som, acrescenta mais essa habilidade ao seu repertório. Mas a novidade se esvai em pouco tempo, e ele logo perde o interesse por sua orquestra bucal.

Se você constatar que o bebê vem rangendo cada vez mais os dentes e tiver medo que ele possa começar a danificá-los, consulte um médico ou um odontopediatra.

PRENDER A RESPIRAÇÃO

"Há pouco tempo, meu filhinho começou a prender a respiração durante seus acessos de choro. Hoje, ele a prendeu por tanto tempo que chegou a perder a consciência. Isso é perigoso?"

Invariavelmente, são os pais quem mais sofrem quando a criança prende a respiração. O adulto que assiste à cena pode permanecer trêmulo por horas; o bebê, porém, mesmo que tenha ficado azul e perdido a consciência, recupera-se rápida e completamente, à medida que sua respiração volta ao normal pela ação dos mecanismos respiratórios automáticos.

A perda de fôlego geralmente é desencadeada pela raiva, frustração ou dor. O choro, em lugar de diminuir, começa a ficar cada vez mais histérico; o bebê começa a hiperventilar-se, até que por fim pára de respirar. Em casos mais severos, o bebê fica todo azul e perde a consciência. Nesse estado seu corpo pode enrijecer-se ou encurvar-se. Geralmente, a crise dura menos de um minuto — tempo pequeno demais para que ocorra uma lesão cerebral.

Cerca de 20% dos bebês prendem a respiração em algum momento da vida. Alguns têm apenas crises infreqüentes, outros podem ter uma ou duas por dia. A perda de fôlego costuma ocorrer em famílias que já apresentaram casos, e é mais comum entre seis meses e quatro anos de idade, embora possa às vezes ocorrer pela primeira vez antes e só terminar depois disso. Geralmente, pode ser distinguido da epilepsia (com a qual não tem nenhuma relação) pelo fato de ser precedido pelo choro e de os bebês ficarem azuis antes de perderem a consciência. Na epilepsia, não costuma haver fator desencadeante, e não é comum que a criança fique azul antes de uma convulsão.

Não é necessário aplicar tratamento algum a uma criança que desmaiou por prender a respiração. E, embora o hábito não tenha cura — a não ser o passar dos anos —, é possível evitar alguns dos acessos de raiva que culminam nessas crises:

- Faça com que o bebê descanse o suficiente. Os bebês muito cansados ou superestimulados são mais suscetíveis do que os descansados.
- Não transforme todo probleminha numa guerra de grandes proporções. Todos sabem que você é a autoridade máxima e que é maior e mais sábia; não é preciso ficar tentando prová-lo constantemente.
- Tente acalmar o bebê antes que ele entre em histeria, usando música, brinquedos ou outras distrações (mas não alimentos, o que pode criar outro péssimo hábito).
- Se possível, tente reduzir a tensão que envolve o bebê — a sua e a de todos os outros.
- Reaja com calma aos ataques de perda de fôlego; sua ansiedade pode agravá-los.
- Não ceda ao bebê depois de um ataque. Se o bebê perceber que pode conseguir tudo o que quer simplesmente prendendo a respiração, apresentará com freqüência tal comportamento.

Se os ataques de perda de fôlego do bebê forem severos, durarem mais de um minuto, não estiverem relacionados ao choro ou produzirem em você quaisquer outras preocupações, discuta-os com o médico assim que possível.

APRENDENDO A USAR O BANHEIRO

"Minha mãe não se cansa de dizer que eu e minha irmã aprendemos a usar o banheiro com dez meses de idade. Hoje, vejo crianças de três anos com fraldas. Em que época devo começar a ensinar o meu filho?"

A se confiar nas histórias que nossas mães nos contam, os bebês de trinta anos atrás — que aprendiam todos a usar o banheiro antes do primeiro aniversário, ou pouco depois — eram muito mais precoces que os de hoje. Mas não eram os bebês que eram treinados, e sim suas mães. Com um bebê bastante regular (que defeca toda manhã após o café da manhã, por exemplo), ou um bebê que demonstre claramente que está a ponto de evacuar (agachando-se por exemplo), é possível conseguir desde muito cedo um controle dos movimentos intestinais. É muito mais difícil prever o momento da micção, embora haja bebês que chorem logo antes de molhar as fraldas. Mas "conseguir pegar o bebê no ato" não significa muita coisa, já que a cooperação do bebê é puramente reflexa e ele tem pouca ou nenhuma noção de o que está fazendo e por quê. E, muitas vezes, essa aparente vitória logo se transforma numa derrota, quando o bebê que parecia já ter aprendido passa repentinamente a recusar aproximar-se do penico, ou segura as fezes quando é colocado no vaso, ficando constipado.

O aprendizado é muito mais eficaz, mais rápido, menos traumático para o "aluno" e menos cansativo para o "professor" quando o bebê apresenta os seguintes sinais de que está pronto para aprender: ele toma consciência da evacuação (primeiro, de que acabou de evacuar; depois, de que está evacuando; por fim, de que está a ponto de evacuar); é capaz de permanecer seco por duas ou três horas a fio; é capaz de tirar e pôr as roupas para usar o banheiro; e já consegue compreender e seguir instruções.

Mas o fato de o seu bebê não estar pronto a aprender a usar o banheiro não significa que ele não possa começar a familiarizar-se com o uso do penico desde agora:

Deixe-o saber o que está fazendo. Muitas vezes, é evidente que o bebê está evacuando: ele interrompe o que está fazendo, agacha-se, geme, faz força, fica vermelho, ou de repente fica muito sério. Quando você pegar o bebê fazendo isso, diga-lhe o que ele está fazendo e use sempre a mesma palavra ou expressão para designar o ato e o fruto de seus esforços (cocô, ou qualquer outra palavra que sua família usa). Depois, ao limpá-lo, mostre-lhe a fralda suja como meio visual de ensino.

A menos que o bebê esteja sem fraldas, é praticamente impossível saber quando ele está urinando. Mas, toda vez que essa oportunidade se apresentar — quando ele urinar na banheira, durante a troca de fraldas, ou ao passear pelado pelo quintal —, diga-lhe o que está acontecendo. Como antes, use sempre o mesmo termo (xixi, pipi, ou algum outro de que você goste). E, ao trocar-lhe as fraldas molhadas, explique-lhe por que elas ficaram molhadas.

Deixe-o ver o que você faz. As crianças são ótimas imitadoras, principalmente das pessoas que admiram, como os pais ou irmãos mais velhos. Por isso, em vez de manter o bebê fora do banheiro quando você o usa, convide-o para uma demonstração acompanhada por um comentário sobre o que está ocorrendo. Se você tem um filho mais velho que aceite a presença de uma platéia (alguns exigem privacidade), encoraje o bebê a assistir a algumas de suas atuações. Explique ao bebê que a mamãe, o papai, os meninos e meninas mais velhos vão todos ao banheiro, e que ele fará o mesmo quando for maior. Se ele não se assustar com o barulho e conseguir apertar o botão, deixe-o dar a descarga; depois, juntos, observem as fezes indo embora. Se ele tiver muita vontade de sentar no vaso sanitário, compre uma tampa menor que se ajuste à tampa do vaso ou um penico infantil (mais seguro e confortável, menos amedrontador e mais fácil de fazê-lo usar) e deixe-o sentar. Mas *não* o deixe sozinho, e tire-o de lá assim que ele se cansar da posição. Se ele se sentir confortável no penico desde agora — contanto que a idéia seja dele, e não sua —, o banheiro se transformará, no futuro, num lugar menos assustador.

Faça com que ele se sinta à vontade com os produtos da evacuação. Uma auto-imagem positiva é muito importante para o êxito de qualquer tipo de aprendizado. Assim, não dê a entender ao bebê que aquilo que ele faz é repugnante ("Ai, que mau cheiro!"), mesmo se você achar que é. Evite fazer caretas e comentários de desagrado ao trocar-lhe as fraldas. Ao contrário, seja simples e positiva em seus atos e palavras.

O final do primeiro ano de vida, época em que o bebê é bem curioso e ainda bastante maleável, é um bom momento para deixá-lo acostumar-se com o penico; mas não force o seu filho a usar o penico, qualquer que seja a sua idade. Estimule-o, ensine-o, mas espere até que ele esteja pronto — provavelmente ao redor do segundo aniversário, mas talvez não antes do terceiro — para embarcar num programa sério de aprendizado.[1]

OS PRIMEIROS CURSOS

"Vejo tantas propagandas de cursos para bebês que estou começando a achar que vou prejudicar minha filha se não a matricular em pelo menos um deles."

O primeiro curso que você fez foi provavelmente o jardim de infância, a menos

1. Uma das razões pelas quais a nova geração aprende tão tarde a usar o banheiro é a fralda descartável. Estas maravilhas modernas absorvem tão bem a urina e a mantêm longe da pele do bebê com tanta eficácia que as crianças mal notam que estão molhadas. Não admira que não tenham pressa em aprender — ao contrário das gerações anteriores, que sentiam o perpétuo desconforto de fraldas pingando de tão molhadas.

que você tenha sido uma das poucas crianças da sua geração que começaram a freqüentar o maternal com três ou quatro anos de idade. Você certamente não estudou arte, música ou natação antes de saber andar e falar — e nem por isso se considera "prejudicada". Apesar do entusiasmo de muitos pais, que hoje querem envolver seus filhos em atividades organizadas tão cedo quanto possível, sua filha também não será prejudicada se não for desde logo matriculada num curso.

Na verdade, os cursos formais para bebês não são apenas desnecessários; podem às vezes ser prejudiciais. Para se desenvolverem, os bebês só precisam de bastante tempo para explorarem o mundo sozinhos e descobri-lo no seu próprio ritmo, com um mínimo de ajuda dos adultos. A exigência de explorar ou aprender num lugar, num momento e num ritmo predeterminados pode abafar o entusiasmo natural da criança pelas novidades e causar danos à sua auto-estima. Isso não significa que você deva rejeitar automaticamente todas as atividades de grupo de que o bebê poderia participar. É muito bom para a criança brincar *perto* de outras crianças — nessa idade, ela provavelmente ainda não está preparada a brincar *com* elas — e conhecer e conviver com outros adultos. Para você, é ainda melhor poder conversar com outras mães, compartilhando inquietações e experiências e descobrindo novas brincadeiras que você possa fazer com sua filha.

Eis algumas maneiras de colher os benefícios das atividades grupais para o bebê sem precisar matriculá-lo num curso:

- Leve-o para um parquinho local. Mesmo que ainda não ande, ele gostará dos balanços, do escorregador e da areia — e gostará ainda mais de observar as outras crianças.
- Funde ou ingresse num grupo de convivência. Se você não conhece outras mães que tenham filhos da idade da sua filha, afixe avisos no consultório do pediatra, em sua igreja, até no supermercado. Os grupos de convivência, que normalmente se encontram toda semana num parquinho ou nas casas dos membros, costumam ser bastante informais, têm alta rotatividade e são uma introdução ideal às atividades de grupo.
- Matricule-a num curso informal de ginástica para bebês, observando os princípios expostos na página 243.

SAPATOS PARA ANDAR

"Minha filha já deu seus primeiros passinhos. De que tipo de sapatos ela vai precisar agora?"

Para o bebê que está começando a andar, o melhor sapato é o pé descalço. Os médicos descobriram que os pés, assim como as mãos, desenvolvem-se melhor quando estão desnudos, descobertos e livres; andar de pés descalços é uma atividade que colabora para formar a curvatura dos pés e fortalecer os tornozelos. E, assim como as mãos do seu bebê não precisam de luvas no calor, seus pés não precisam de sapatos dentro de casa e em superfícies seguras fora de casa, a não ser no frio. Mesmo as superfícies irregulares, como a areia, são boas para os pés, pois forçam os músculos a se exercitarem.

Mas, por segurança, saúde (ninguém quer ver o filho pisar em cacos de vidro ou excrementos de cachorro) e também pela aparência, sua filhinha vai precisar de sapatos para a maior parte dos passeios, bem como para as ocasiões especiais (o que é um vestido de festas sem sapatinhos de boneca?). Procure sapatos que se assemelhem o mais possível aos pés descalços, apresentando estas características:

Solas flexíveis. Os sapatos que dobram-se facilmente quando o dedão se dobra são os que menos prejudicam o movimento natural do pé. Muitos médicos recomendam os tênis pela sua flexibilidade, mas outros afirmam que os tradicionais sapatinhos são ainda mais flexíveis, tornando menos prováveis as quedas para os bebês. Pergunte ao seu pediatra o que ele recomenda, e teste todas as opções que a loja oferece antes de comprar.

Perfil baixo. Não dê à sua filha as botinhas que sua mãe provavelmente comprou quando você começou a andar. Embora se fixem mais no lugar que os sapatos baixos, a maior parte dos especialistas acha que são muito apertadas e interferem com o movimento dos tornozelos. Não há dúvida de que não devem ser usadas para calçar um bebê que não sabe andar.

Parte de cima porosa e flexível. Para permanecerem sadios, os pés precisam respirar e fazer bastante exercícios. Os sapatos que mais facilitam a transpiração e proporcionam a maior liberdade de movimentos são os de couro, tecido ou lona. O plástico e o couro artificial costumam sufocar os pés e às vezes são excessivamente rígidos; tendem a fazer o pé transpirar demais. Fuja também dos sapatos de "corrida" que têm tiras grossas de borracha ao seu redor, pois podem aumentar a transpiração. Se você comprar botas ou galochas de plástico ou borracha para o bebê, só as use quando necessário, e tire-as assim que ele entrar em casa.

Solas planas e antiderrapantes, sem salto. Mesmo sem ter de lidar com solas escorregadias, a criança que começou a andar já tem bastante dificuldade para manter o equilíbrio. As solas compostas ou de borracha, sobretudo quando ranhuradas, costumam ser menos escorregadias que o couro, a menos que este também seja riscado ou ranhurado. Se o único defeito de um par de sapatos é ser escorregadio, torne a sola mais áspera com uma lixa ou grudando nela alguns pedaços de fita adesiva.

Contrafortes firmes. A parte de trás do sapato (atrás dos calcanhares) deve ser firme, pouco flexível. É melhor que a parte que envolve o tornozelo seja revestida ou acolchoada, e a costura traseira não apresente irregularidades que possam causar irritação no tendão de aquiles do bebê.

Sapatos largos. Sapatos largos são melhores que os apertados, mas é evidente que os melhores são os "certinhos". Os sapatos restringem um pouco a liberdade dos pés descalços, mas os sapatos apertados a restringem totalmente. Os sapatos que serão usados com meias grossas devem ser experimentados com essas meias. Os pés devem ser medidos e os sapatos (os dois) provados quando o bebê está de pé, apoiando todo o peso sobre os pés. Os sapatos não devem ficar muito abertos quando o bebê está de pé (embora possam abrir um pouco quando ele anda), e os calcanhares não devem escorregar para cima e para baixo a cada passo. Para verificar a largura, belisque o sapato no ponto mais largo. Se conseguir beliscar um pouquinho, a largura está boa; se beliscar uma boa porção do sapato, está muito largo; se não conseguir beliscar nada, está muito apertado. Para verificar o comprimento, pressione o polegar entre os dedos do bebê e a extremidade do sapato. Se houver mais ou menos a largura de um dedo (cerca de 1 cm), o comprimento está bom. O seu dedo mínimo deve caber na parte de trás do sapato. Depois que comprar os sapatos para o bebê, verifique o tamanho com certa freqüência, pois os bebês crescem rapidamente, e às vezes o sapato fica pequeno em seis semanas; geralmente, isso ocorre em três meses. Quando o comprimento do sapato à frente do dedão diminuir para menos de um dedo, comece a pensar em outro par de sapatos. Regiões vermelhas nos dedos ou nos pés do bebê depois que ele tira os sapatos também são sinais de sapatos apertados.

Formas comuns. Os estilos diferentes — botas de caubói ou sapatos de bico fino, por exemplo — podem distorcer o pé à medida que ele cresce. Escolha um sapato que seja largo à altura do peito do pé e dos dedos, sem salto.

Os sapatos das crianças não precisam ser duráveis, pois elas crescem rapidamente. Devido ao alto preço dos sapatos infantis e do curto período de uso, é grande a tentação de passar sapatos de uma criança para outra; mas resista. Os sapatos moldam-se à forma dos pés do usuário, e usar sapatos moldados aos pés de outra pessoa é algo que não faz bem aos pés das crianças. Só abra exceções para os sapatos pouco usados, que conservaram sua forma original e não se desgastaram nos calcanhares (como os sapatos de festa).

O sapato só pode ser bom se a meia que estiver dentro dele for boa. As meias, como os sapatos, devem ter o tamanho certo e ser feitas de um material que permita a transpiração dos pés (como o algodão ou o Orlon). As meias muito apertadas podem impedir o crescimento dos pés; as muito compridas podem enrugar-se e causar irritações ou bolhas, embora esse problema possa ser solucionado se você dobrar cuidadosamente as pontas das meias muito compridas antes de calçar o sapato. As meias elásticas costumam ajustar-se bem aos pés, mas fique atenta: chega uma hora em que ficam muito pequenas e começam a apertar, o que geralmente é assinalado pelas marquinhas que ficam nos pés do bebê.

MORDIDAS

"Meu filhinho começou a morder-nos de brincadeira — no ombro, nas bochechas, em qualquer região macia e vulnerável do corpo. De início, achávamos isso engraçadinho, mas agora estamos preocupados com a possibilidade de ele estar desenvolvendo um péssimo hábito — que, além do mais é doloroso!"

É natural que o seu filho queira cravar os seus novos instrumentos de mastigação em todas as superfícies que puder, a sua pele inclusive. Mas também é natural que você não queira ser mordida — e é justo que você possa proibir o bebê de morder, já que essa atividade pode transformar-se num mau hábito e, à medida que mais e mais dentes vão nascendo, torna-se cada vez mais dolorosa para suas vítimas.

De início, o bebê morde a título de brincadeira e experimentação; ele não tem a menor idéia de que aquilo machuca. Afinal de contas, ele já deu dentadas em muitos mordedores, chupou muitos bichinhos de pelúcia e mastigou muitas vezes a grade do berço sem receber um só sinal de protesto. Mas, ao deparar com uma reação humana, muitas vezes ocorre que ele se sente estimulado a continuar para provocar mais reações. Ele acha engraçada a expressão da mamãe quando a morde no ombro; acha hilário o rosto surpreso e o fingido grito de dor do papai; e considera o "Que bonitinho, ele está me mordendo" da vovó como um sinal inequívoco de aprovação. Até mesmo um "Ai!" raivoso ou uma repreensão severa podem reforçar o hábito de morder, pois o bebê acha a reação engraçada ou a vê como um desafio ao seu crescente sentido de independência — ou ambas as coisas. E se você mordê-lo de volta, isso pode piorar a situação; além de ser cruel, pode dar-lhe a entender de maneira não muito sutil que, se você pode morder, ele também pode. Pela mesma razão, as mordidas carinhosas dos pais ou avós podem estimular o hábito.

A melhor maneira de reagir consiste em afastar com calma e simplicidade a pequena fera do lugar onde está mordendo, asseverando-lhe com firmeza que "Não pode morder". Depois, distraia-lhe rapidamente a atenção com uma canção, um brinquedo ou outra coisa. Faça isso cada vez que ele morder, e um dia ele acabará entendendo.

CUIDADO COM OS CABELOS

"Minha filha nasceu com bastante cabelos, que agora ficaram desgrenhados e difíceis de cuidar."

Para muitos pais de bebês ainda carecas aos nove meses, o seu problema seria algo para se invejar. Mas o trato dessa desgrenhada massa de cabelos finíssimos, sobretudo quando pertence a um bebê pouco cooperativo, que gosta de se contorcer, seria suficiente para desencorajar até o mais afamado cabeleireiro. Antes que as coisas melhorem, é provável que elas piorem um pouco mais; para algumas crianças em idade pré-escolar, toda lavagem de cabeça e todo penteado é motivo para um acesso de gritos. Mas não será necessário forçar sua filha a usar cabelos curtos (ainda que, se você tivesse a coragem, esta talvez fosse a melhor alternativa); seguindo as sugestões abaixo, será possível minimizar o trabalho sem comprometer a boa saúde e o penteado dos cabelos da sua filha:

- Desembarace o cabelo antes de lavá-lo, para prevenir embaraços piores depois.
- Se o seu bebê suportar a dose dupla, use um condicionador infantil depois do xampu. Se não, use um xampu-condicionador, ou um condicionador em forma de *spray* que não precisa ser enxaguado.*
- Para pentear cabelos molhados, use um pente de dentes largos ou uma escova com cerdas revestidas de plástico. Os pentes mais finos tendem a quebrar as pontas do cabelo e também puxam mais.
- Desembarace os cabelos a partir das pontas, segurando-os firmemente com a outra mão junto às raízes para não puxar muito o couro cabeludo do bebê e nem causar-lhe dor.
- Se você precisar usar um secador de cabelos, regule-o para soprar ar frio ou morno, a fim de não danificar os cabelos delicados ou o sensível couro cabeludo do bebê.
- Não faça tranças ou rabinhos nos cabelos do bebê, pois esses penteados podem fazer com que o cabelo fique mais fino ou desapareça em certas regiões da cabeça. Se você quiser fazer rabinhos ou maria-chiquinhas, não puxe muito os cabelos e prenda-os com fivelas especiais ou elásticos acolchoados em vez de elásticos comuns ou grampos, os quais podem puxar e danificar os cabelos.
- Corte os cabelos do bebê (ou leve-o a um salão especializado) a cada dois meses para que o cabelo cresça mais forte. Corte a franja assim que chegar às sobrancelhas.
- Se o bebê tiver uma risca no penteado, mude o local da risca de poucos em poucos dias para que o cabelo não fique mais fino naquela região.
- Agende os penteados para um momento em que o bebê não esteja cansado, faminto ou irritado. Torne-os mais agradáveis dando-lhe um brinquedo — uma boneca e um pente, por exemplo — antes de começar. Senão, ponha-o na frente do espelho para que possa ver você penteando-lhe os cabelos; um dia, ele pode vir a apreciar os resultados, tornando mais toleráveis as sessões de penteado.

* Não disponível no Brasil. (N. do R. T.)

MEDOS

"Meu bebê costumava gostar muito de me ver ligar o aspirador; atualmente, ele morre de medo disso e de outras coisas que façam muito barulho."

Quando mais novo, o bebê não tinha medo de barulhos altos — embora pusessem causar breves sobressaltos — porque não intuía a possibilidade de eles poderem representar perigo. Agora, à medida que cresce sua compreensão do mundo, é provável que ele esteja começando a perceber os perigos potenciais que rodeiam, sobretudo se já sofreu algum "dodói".

Há vários elementos presentes na vida cotidiana do bebê que podem causar-lhe um medo aterrador, embora pareçam inofensivos a você: certos sons, como o ruído do aspirador e do liqüidificador, o latido de um cão, o zunir de uma sirene, a água descendo pelo vaso sanitário ou pelo ralo da banheira; uma camiseta que lhe cobre os olhos ao ser vestida ou tirada; alguém que o levanta muito alto (especialmente se ele está começando a subir escadas, ficar de pé ou desenvolver de algum modo o sentido das profundidades); alguém que o afunda na água da banheira; o movimento de um brinquedo mecânico ou de corda.

É provável que todos os bebês sintam medo em algum momento, embora alguns o superem tão rapidamente que os pais nunca chegam a perceber. As crianças que vivem num ambiente ativo e movimentado, sobretudo as que têm irmãos mais velhos, costumam sentir esses medos mais cedo.

Mais cedo ou mais tarde, a maioria das crianças deixa para trás os medos de sua época de bebês e transforma-se em pequenos seres estouvados e, às vezes, temerariamente corajosos. Até esse dia, há certas maneiras pelas quais você pode ajudar o bebê a lidar com seus medos.

Não o force. Fazer com que o seu bebê confronte cara-a-cara o aspirador é algo que não vai ajudar, e pode até mesmo intensificar-lhe o medo. Embora essa fobia possa parecer irracional, ela é muito real para o bebê. Ele precisa esperar e só defrontar-se com o monstro do barulho quando estiver pronto, no seu próprio ritmo e do seu próprio modo.

Não o ridicularize. Caçoar dos medos do seu bebê, classificá-los como bobagens e dar risada deles é algo que só servirá para diminuir ainda mais a autoconfiança do bebê e sua capacidade de lidar com tais medos. Leve os medos dele a sério, porque ele os leva.

Aceite e seja compreensiva. Aceitando os medos do bebê como algo real e confortando-o quando ele estiver com os seus demônios pessoais, você diminuirá a carga que ele leva nos ombros e o ajudará a lidar com a situação. Se ele berrar quando você ligar o aspirador (ou der a descarga, ou ligar o liqüidificador), pegue-o rapidamente no colo e lhe dê um abraço consolador. Mas não exagere em sua solidariedade, pois você poderia fazê-lo pensar que realmente existe algo de que deva sentir medo.

Tranqüilize-o e lhe dê apoio, e depois incremente-lhe a confiança e as habilidades. Embora você deva aceitar os medos dele, o seu objetivo é ajudá-lo a superá-los. Ele só poderá fazer isso se tornar-se amigo das coisas de que tem medo, aprender o que elas fazem e como funcionam, e adquirir algum controle sobre elas. Deixe-o tocar e mesmo brincar com o aspirador desligado da tomada — seu fascínio pela máquina provavelmente é tão grande quanto o pavor que ela lhe causa.

Quando ele se acostumar a brincar com o aspirador desligado, tente segurá-lo firmemente num dos braços enquanto você passa o aspirador com a outra mão — se isso não o desagradar. Depois, ensine-o a ligar sozinho a máquina, ajudando-o se isso for complicado. Se ele tem medo da descarga, faça com que ele jogue lá um papel e estimule-o a apertar ele mesmo a válvula, quando estiver preparado. Se ele não gosta da água escorrendo pelo ralo da banheira, deixe-o vê-la escorrer quando estiver fora da banheira, já vestido e, se necessário, no seu colo. Se os cães lhe causam pavor, experimente brincar com um cão enquanto o bebê a observa de longe — talvez no colo do papai. Quando ele finalmente tiver coragem de se aproximar de um cachorro, estimule-o (segurando-o no colo) a fazer carinho num cachorro que você sabe que é dócil e não vai morder.

O QUE É IMPORTANTE SABER: Os Princípios da Disciplina

Na primeira vez em que o seu bebê conseguiu ficar de pé, você o aplaudiu com gosto; quando ele deixou de rastejar e começou a engatinhar, você vibrou cheia de orgulho. Hoje, você está se perguntando qual era o motivo de tanta alegria. A nova mobilidade trouxe consigo uma enorme capacidade de se meter em encrencas. Se o bebê não está habilmente desligando o videocassete no exato momento em que você está gravando o seu programa favorito, é porque está puxando com júbilo a toalha da mesa de jantar (e trazendo junto a fruteira), desenrolando rolos inteiros de papel higiênicos e lançando-os alegremente na privada ou empenhando-se em transferir para o chão tudo o que estava nas gavetas da escrivaninha. Antes, tudo o que você tinha a fazer para manter o bebê e a casa livres de perigos era deixá-lo num lugar seguro; hoje, esse refúgio não existe mais.

Pela primeira vez, é provável que você esteja irritada, e não orgulhosa, com as façanhas do seu filhinho. E é possível que, pela primeira vez, o problema da disciplina esteja se apresentando para você. Isso está ocorrendo na hora certa. Se você esperasse até muito depois dos dez meses para introduzir a disciplina na vida da criança, a tarefa poderia tornar-se muito mais difícil; se a introduzisse antes que a criança desenvolvesse suficientemente a memória, estaria perdendo seu tempo. Por que disciplinar um bebê? Em primeiro lugar, para imbuí-lo de uma idéia do certo e do errado. Embora seu filho vá levar bastante tempo para entender isso, é necessário que você comece a ensiná-lo desde agora, pela palavra e pelo exemplo, a diferenciar o certo do errado. Em segundo lugar, para semear os germes do autocontrole. Eles vão demorar um pouco para lançar raízes: mas, se não o fizerem um dia, seu filho não vai conseguir atuar na vida como deveria. Em terceiro lugar, para transmitir um respeito pelos direitos e sentimentos alheios, de modo que a criança, que agora é um bebê centrado em si mesmo, se transforme num adulto sensível e solícito. E, por fim, para proteger o seu bebê, a sua casa e a sua sanidade mental — agora e nos meses problemáticos que virão.

Quando você iniciar o seu programa de disciplina, tenha em mente os seguintes princípios:

- Na cabeça de muita gente, a palavra "disciplina" está associada a estruturas, regras e punições; na verdade, ela é derivada da palavra latina que significa "ensino".
- Toda criança é única, toda família é única, toda situação é única. Mas existem regras universais de comportamento que valem para todos, a todo momento.
- Até que os bebês compreendam o que é seguro e o que não é, ou pelo menos quais ações são aceitáveis e quais não são, os pais têm total responsabilidade por dar segurança ao ambiente dos bebês e por conservar a salvo os seus próprios pertences e os de outras pessoas.
- A ausência de amor por parte dos pais coloca em risco a auto-estima da criança. É importante que as crianças saibam que ainda são amadas, mesmo quando não aprovamos o seu comportamento.
- A disciplina mais eficaz não é nem excessivamente rígida nem demasiado permissiva. A disciplina rigorosa que depende unicamente da vigilância dos pais, em vez de estimular o desenvolvimento do autocontrole, acaba gerando crianças totalmente submissas aos pais, mas que ficam inteiramente fora de controle quando se vêem fora do alcance da autoridade paterna, ou qualquer outra. Mas os pais demasiado tolerantes também não costumam conseguir criar filhos bem-comportados e capazes de lidar bem com o mundo real. Muitas vezes, as crianças cujos caprichos são sempre satisfeitos tornam-se egoístas, arrogantes e desagradáveis, rápidas para contradizer, lentas em colaborar.

Ambos os extremos da disciplina podem fazer com que a criança se sinta sem amor. Pais rígidos podem parecer cruéis, desalmados; pais permissivos podem dar a impressão de que não se importam. A disciplina mais educativa estaria situada em algum ponto entre os extremos — ela estabelece limites justos e os impõe com firmeza, mas não sem amor.

Isso não significa que não existam variações normais quanto aos estilos de disciplina. Alguns pais são naturalmente mais brandos, e outros mais rígidos. Isso não é mau, desde que não se chegue a um ou outro extremo.

▪ A disciplina eficaz é individualizada. Se você tem mais de um filho, é certo que percebeu diferenças de personalidade desde o nascimento. Essas diferenças têm influência sobre o modo como cada criança pode ser melhor disciplinada. Uma criança, por exemplo, pode deixar de brincar com a tomada elétrica depois de uma calma advertência. Outra não leva a sério o seu aviso a menos que sua voz tenha um tom de dureza — ou medo. Uma terceira criança pode ter de ser retirada de perto da fonte do perigo. Acomode o seu estilo à criança.

▪ As circunstâncias podem alterar a reação da criança à disciplina. Uma criança que geralmente precisa ser repreendida com vigor pode sentir-se esmagada se for fortemente censurada num momento de cansaço, ou quando os dentes estão nascendo. Mude as marchas, se necessário, para se adaptar às necessidades imediatas do seu filho.

▪ Crianças precisam de limites. Freqüentemente, não conseguem controlar a si mesmas e a seus impulsos e sentem medo dessa falta de controle.

Os limites, estabelecidos pelos pais e impostos com amor, são como um freio que, amarrando-as, dá-lhes uma sensação de segurança e estabilidade enquanto crescem e exploram o mundo. A ampliação de tais limites porque o seu bebê "é só um bebê" é um ato de injustiça para com a criança e com aqueles cujos direitos estão sendo violados. A pouca idade — ao menos depois dos dez meses — não justifica uma carta branca para puxar os cabelos de um irmão ou rasgar a revista da mamãe antes de ela ler.

Os limites específicos que você determina dependem de quais são as suas prioridades. Em certas casas, não pisar no sofá de sapatos e não comer na sala-de-estar são questões de primeira importância. Em outras, é essencial que o bebê não se aproxime da escrivaninha do papai ou da mamãe. Na maior parte das famílias, a cortesia cotidiana e noções simples de etiqueta — dizer "por favor" e "obrigado", repartir o que se tem, respeitar os sentimentos alheios — são algo com que se espera poder contar antes de qualquer outra coisa. Escolha cuidadosamente quais as regras que você vai impor, e não as faça muito numerosas.

Aprender a conviver com os limites desde bastante cedo é algo que pode ajudar a abrandar um pouco o tumulto do segundo e do terceiro ano de vida. É também necessário para que a criança sobreviva a uma sociedade cheia de limites — na escola, no trabalho, no lazer.

Evidentemente, é mais fácil falar sobre fixar limites para bebês do que fixá-los na prática. É grande a tentação de ceder a um garoto adorável que nos dirige um sorriso maroto quando dizemos "Não!", ou a um menino doce e sensível que derrama lágrimas à menor menção da palavra. Mas faça-se dura como aço e lembre-se de que isso é para o bem da própria criança. Pode parecer de pouca importância impedir o bebê de comer uma bolacha na sala; mas, se ele não aprender desde agora a seguir ao menos algumas regras, terá dificuldades muito maiores para lidar com a grande quantidade de normas que irá encontrar depois. Por enquanto, conte com os protestos repetidos; mas, aos poucos, você vai perceber que a criança começa a aceitar os limites com naturalidade cada vez maior.

▪ O bebê que se mete em encrencas não é "mau". Os bebês e crianças novas não distinguem o certo do errado; por isso, seus desatinos não podem ser considerados perversos. Aprendem sobre o mundo experimentando-o, observando causas e efeitos e pondo à prova os adultos que nele vivem. O que acontece quando viro um copo de suco? Será que vai acontecer de novo? E de novo? Ou, o que tem dentro das gavetas da cozinha, e o que vai acontecer se eu tirar tudo de lá? Qual vai ser a reação da mamãe?

Se você repetir muitas vezes à criança que ela é má, poderá afetar-lhe o ego e prejudicar a autoconfiança e as realizações futuras. E a criança que ouve muitas vezes "Você é mau!" poderá cumprir essa profecia quando for maior ("Se dizem que sou mau, devo ser mau"). Critique as ações do bebê, mas não o bebê ("Morder é mau", e não "Você é mau").

- A coerência é importante. Se os sapatos no sofá são proibidos hoje mas permitidos amanhã, ou se a lavagem das mãos antes do almoço era compulsória ontem mas hoje é facultativa, o único ensinamento que se depreende é o de que o mundo é confuso e as regras não têm sentido. Se você faltar com a coerência, perderá a credibilidade.
- É fundamental levar a disciplina até o fim. Desgrudar o nariz do livro pelo tempo necessário para dizer "Não" a um bebê que está puxando o fio da televisão, mas não o observar o suficiente para garantir que ele pare, não é uma disciplina efetiva. Se as suas ações não forem tão ou mais decididas que as suas palavras, as admoestações perderão a força. Quando o primeiro "não" for ineficaz, tome imediatamente uma medida, especialmente numa situação tão perigosa. Largue o livro, pegue o bebê e o leve para longe dos tentadores fios elétricos — de preferência para bem longe, um outro cômodo, por exemplo. Depois, desvie-lhe a atenção com o brinquedo querido. Para a maioria dos bebês, o que está fora do seu campo de visão logo sai-lhes também do pensamento — mas alguns podem querer retornar ao local do crime, e nesse caso você vai precisar bloqueá-lo. Quando a distração funciona, ela também permite que o bebê para quem o "não" é um desafio ao ego, não sinta vergonha.
- Os bebês e crianças novas têm memória limitada. Não se deve esperar que aprendam uma lição ensinada uma só vez, e deve-se saber que vão repetir várias vezes uma ação indesejável. Seja paciente e prepare-se para repetir a mesma mensagem — "Não toque no videocassete" ou "Não coma a comida do cachorro" — todos os dias por várias semanas, até que ela penetre na cabecinha do bebê ou o objeto perca seu fascínio.
- Os bebês gostam do "jogo do não". A maioria deles aprecia tanto o desafio proporcionado pelo "Não!" de um dos pais quanto de subir uma escada ou encaixar um círculo na abertura correspondente. Assim, por mais que o seu bebê a seduza, não deixe que o seu "Não!" acabe se transformando num jogo ou numa risada. O bebê não a levará a sério.
- Muitos "Nãos" perdem o efeito e são desmoralizantes. Você não gostaria de viver num mundo governado por um tirano impiedoso cujas três palavras prediletas fossem "Não, não e não!" — e não quer que isso aconteça com o bebê. Limite os "nãos" às situações que ameaçam seriamente o bem-estar do bebê, de outra pessoa ou de sua casa. Lembre-se de que nem todos os problemas valem uma briga. Se você criar em sua casa um ambiente à prova de crianças (veja página 338), cheios de oportunidades para uma exploração segura por parte do bebê, menos "nãos" serão necessários.

  Ao lado de cada "Não!", ofereça sempre um "sim" sob a forma de uma alternativa: "Não, você não pode brincar com o livro do papai, mas pode olhar este aqui", ou "Você não pode esvaziar os potes de cereais, mas pode mexer no armário das panelas". Em vez de dizer "Não, não pegue esses papéis da escrivaninha da mamãe" ao bebê que já esvaziou meia gaveta, tente um "Vamos ver se você consegue pôr todos esses papéis de volta na gaveta da mamãe e fechar a gaveta". Essa abordagem transmite a mensagem sem deixar o bebê envergonhado ou sentindo-se "mau".

  Às vezes, quando o que estiver em jogo for de pouca importância ou quando você perceber que errou, deixe o bebê ganhar — algumas vitórias esparsas são suficientes para compensar as muitas derrotas que ele sofre todos os dias.
- É necessário permitir que as crianças cometam alguns erros e aprendam a partir deles. Se você reduz ao mínimo possível as possibilidades de o seu filho errar (guar-

dando todos os bibelôs, por exemplo), não tem que dizer muitos "não!", mas também perde importantes oportunidades de ensinar. Deixe espaço para pequenos erros (embora você deva prevenir-se contra tudo o que for perigoso e/ou caro), de modo que o bebê possa aprender a partir deles.

▪ A correção e a recompensa têm mais efeito que o castigo. O castigo, cujo valor é sempre contestável, é especialmente inútil para as crianças novas, que não entendem por que estão sendo castigadas. O bebê é novo demais para associar um "exílio" no cercado ao fato de ter acabado de derrubar o sal do saleiro, ou entender que não está ganhando a mamadeira porque mordeu o irmão. Em vez de castigar o mau comportamento, surpreenda o bebê no momento em que ele está sendo bonzinho. O reforço positivo, pela recompensa e o elogio ao bom comportamento, funciona muito melhor. Ele edifica a autoconfiança em vez de a destruir, e fortalece o bom comportamento. Outra abordagem produtiva, que ensina que toda ação tem suas conseqüências, consiste em fazer o criminoso reparar os efeitos do crime — enxugar o leite derramado, recolher os panos de prato espalhados, dar-lhe os livros enquanto você os recoloca na estante.

▪ A raiva gera mais raiva. Se você explodir de raiva depois que o bebê quebrar uma de suas travessas (jogando-a no chão como uma bola), o mais provável é que ele reaja com fúria, e não remorso. Se necessário, reserve alguns minutos para se acalmar antes de falar com o criminoso — abandone rapidamente o local do crime, se isso ajudá-la a esfriar a cabeça. Depois de recobrar o controle, diga ao bebê que ele fez uma coisa errada e explique porque. ("Isso não era uma bola, era a travessa da mamãe. Você a quebrou e agora a mamãe está triste.") É importante fazer isso, mesmo que o bebê pareça não entender a explicação ou já esteja distraído.

Nos momentos de alta ansiedade, tente lembrar-se (isso nem sempre será fácil) de que o seu objetivo a longo prazo é ensinar ao bebê um comportamento correto, e que gritar ou bater são atitudes que ensinam um mau comportamento, não sendo um exemplo muito bom do que se deve fazer quando se está bravo.

Se você às vezes não conseguir refrear a raiva, não se preocupe. Sendo humana, você tem o direito a algumas fraquezas, e é importante que o bebê saiba disso. Desde que suas invectivas sejam relativamente poucas, raras e breves, não vão prejudicar o seu bom desempenho enquanto mãe. Quando ocorrerem, sempre peça desculpas: "Desculpe por ter gritado com você, mas fiquei muito brava". Se você depois disser "Eu te amo", isso não só tranqüilizará o bebê como também o fará saber que às vezes ficamos bravos com as pessoas que amamos, e que não há mal nisso.

▪ A disciplina pode ser divertida. O humor é o fermento da vida — e um instrumento disciplinar extraordinariamente eficaz. Use-o generosamente naquelas situações que de outro modo a levariam ao desespero — naquele momento, por exemplo, em que o bebê se recusa a deixá-la vestir nele um casaco. Em vez de lutar inutilmente contra veementes gritos de protestos, fuja da raiva e da luta com uma súbita atitude disparatada. Tenha a repentina idéia, por exemplo, de vestir o casaco no cachorro (ou no gato, ou na boneca, ou na própria mamãe), e finja que vai fazê-lo. O absurdo da sua proposta provavelmente tirará da cabecinha do bebê quaisquer objeções a usar o casaco; e, enquanto isso, você consegue o que queria.

O humor pode ser usado para temperar uma série de situações de disciplina. Para dar ordens, finja que você é um cachorro, um leão, ou algum personagem de que o seu filho gosta; cumpra os deveres mais amargos ao som de musiquinhas bobas ("É assim que se lava o rosto, lava o rosto, lava o rosto..."); leve o bebê ao terrível trocador carregando-o de cabeça para baixo; em vez de suplicar que o bebê "não chore, não chore", faça caretas com ele na frente do espelho. Se vocês se relacionarem menos seriamente, o sol brilhará mais no seu dia-a-dia, sobretudo à medida que for se apro-

SURRAR OU NÃO SURRAR

Embora surrar as crianças seja um elemento de muitas tradições familiares, a maioria dos especialistas diz que não é, e nunca foi, um modo eficaz de disciplinar. As crianças espancadas podem preferir não cometer outro delito a apanharem de novo, mas só obedecem enquanto esse risco existe. Muitas vezes, elas não respeitam ou não gostam da pessoa que lhes bate, e freqüentemente não aprendem a diferenciar o certo do errado, o que seria uma das finalidades básicas da disciplina: só diferenciam aquilo que as leva a apanhar daquilo que não as leva.

A surra também tem muitos aspectos negativos. Em primeiro lugar, ela incentiva a violência. Os indivíduos que batem em seus filhos e em suas mulheres geralmente foram eles mesmos vítimas de espancamentos; depois que uma criança bate num colega, muitas vezes ocorre que ao lhe perguntarem "Onde você aprendeu isso?" a resposta é: "Com a minha mãe (ou com o meu pai)". Além disso, a surra ensina às crianças que a força é o meio mais eficaz para resolver as disputas, e lhe nega a oportunidade de aprender meios alternativos e menos violentos para lidar com a raiva e a frustração. Representa, também, um abuso de poder por parte de uma facção grande e forte contra outra, menor e mais fraca. E pode produzir na criança sérios ferimentos, muitas vezes sem querer, sobretudo quando é dada num momento de raiva. A surra dada depois que a raiva esfriou, ainda que possa causar menos danos físicos, parece ainda mais questionável que uma explosão motivada pelo calor da fúria. É algo mais cruel e calculado, e ainda menos eficaz para corrigir o comportamento.

ximando o tempestuoso segundo ano de vida. Mas fique sempre séria quando o que está em causa é uma situação perigosa, pois, nessa hora, mesmo um sorriso poderia ser fatal para a eficácia da lição que você quer ensinar.

- Os acidentes devem ser tratados diferentemente das malvadezas intencionais. Lembre-se: todos têm o direito de cometer erros, mas os bebês o têm muito mais, devido à sua imaturidade emocional, física e intelectual. Quando o seu filho derrubar o copo de leite ao tentar alcançar uma fatia de pão, pode-se dizer: "Opa, caiu o leite. Vamos tomar cuidado, filhinho". Mas quando o leite é derrubado intencionalmente, é mais apropriado um "O leite é para beber, e não para derrubar. Se você faz isso, suja a mesa e desperdiça o leite — veja só, agora não tem mais". Tanto num caso como no outro, também é bom dar ao bebê uma toalha de papel para ajudar na limpeza, passar a pôr somente uma pequena quantidade de líqüidos nos copos no futuro, e garantir que o bebê tenha muitas oportunidades de experimentar com a manipulação e o derrame de líqüidos quando estiver na banheira ou em outro ambiente apropriado.
- Os pais têm que ser os adultos da família. Se você espera que o seu filho aja com responsabilidade, é preciso que o faça também. Você prometeu ao bebê que iria no parquinho à tarde, mas depois ficou com vontade de assistir televisão. Uma mãe amadurecida não faltaria à sua promessa. Se você espera que o seu filho se acostume a admitir os próprios erros, dê você mesma o exemplo. Você fez o bebê chorar sobre um leite derramado e depois ficou sabendo que quem derramou foi o papai. Uma mãe amadurecida pediria desculpas e, na próxima vez, evitaria tirar conclusões apressadas. Se você constantemente se vê descendo ao nível do bebê — embarcando num acesso de raiva toda vez que ele embarca também, por exemplo, ou exigindo que tudo seja feito a seu modo quando poderia

muito bem ser feito ao modo do bebê —, talvez seja o momento de reavaliar o seu próprio comportamento.

Se não convém que os pais espanquem o filho, convém menos ainda que outra pessoa o faça. Com um dos pais, a criança geralmente tem a segurança de saber que a surra é dada por alguém que se preocupa com ela; com outra pessoa, essa segurança em geral não existe. As babás, professoras e outras pessoas que cuidam do seu filho devem ser instruídas a nunca espancá-lo ou administrar qualquer espécie de castigo físico.

A maioria dos especialistas (e dos pais) concorda que um bom tapa na mão ou no bumbum pode se justificar, numa situação perigosa, para transmitir uma mensagem a uma criança nova demais para captá-la através de palavras — quando uma criança que está começando a andar sai sozinha na rua ou se aproxima de um fogão quente, por exemplo, e uma admoestação severa não consegue impedi-la de fazer isso. Mas, depois que a criança adquire compreensão, a força física nunca mais se justifica.

- As crianças merecem respeito. Em vez de tratar seu bebê como um objeto, algo de sua propriedade ou mesmo "só um bebê", trate-o com o respeito que você dedicaria a qualquer outra pessoa. Seja educada (diga por favor, obrigada e com licença), explique-se toda vez que você proibir algo (ainda que pareça que o bebê não vai entender), seja compreensiva e solidária em relação aos desejos e sentimentos do bebê (mesmo se você não puder permitir que eles se realizem), evite deixá-lo envergonhado (repreendendo-o diante de estranhos) e ouça o que ele diz. Neste estágio pré-verbal, em que os resmungos e apontar com o dedo são os principais meios de comunicação, ouvir o bebê é um desafio para você, e continuará sendo até que a fala se torne clara e a linguagem se desenvolva plenamente (por volta dos quatro ou cinco anos de idade) — mas é importante fazer o esforço. Lembre-se, isso é frustrante também para o bebê.
- Os direitos devem ser distribuídos com justiça entre os pais e o filho (ou filhos). Os pais sem experiência de um bebê muito novo equivocam-se facilmente neste ponto, indo para um ou outro extremo. Alguns abdicam de todos os direitos em favor da criança — estruturam suas vidas de acordo com os horários do bebê, nunca saem de casa, esquecendo-se do valor de seus amigos adultos. Outros continuam a viver como se não tivessem um filho, sem prestar atenção às necessidades do bebê — vão a festas arrastando atrás de si uma criança supercansada, deixam da dar-lhe banho para assistir a um jogo de futebol, perdem a consulta com o pediatra para não deixar de aproveitar uma liqüidação.

Estes últimos abusam de seu poder (que é imenso, quando comparado com o de um bebê); os primeiros não o usam em absoluto. O melhor é chegar a um equilíbrio.

- Ninguém é perfeito — e nem deve ter a obrigação de ser. Evite fixar padrões inatingíveis para o bebê. Para chegar ao ponto em que são capazes de comportar-se como adultos, as crianças precisam de todos os anos da infância. E precisam saber que você não espera delas a perfeição. Em vez de fazer afirmações demasiado gerais sobre o caráter do seu filho, elogie suas pequenas realizações: "Você foi muito bonzinho hoje" em vez de "Você é o melhor nenê do mundo". Como ninguém é capaz de ser "bonzinho" o tempo todo, a constante repetição dessas afirmações superelogiosas pode fazer com que a criança tema não ser jamais capaz de corresponder às suas aspirações.

E nem espere de você mesma a perfeição. Os pais que nunca perdem a calma, nunca gritam e nunca têm um remoto desejo de torcer o pescoço de uma criança difícil não existem; nem sequer o patriarca daquela antiga série televisiva sabia sempre o que fazer. E talvez seja melhor desabafar e ventilar seus sentimentos de vez em quando do que conservar a raiva e a frustração guardadas lá dentro. A raiva guardada costuma explodir de maneiras pouco apropriadas, muitas vezes fora de qualquer proporção com o delito cometido naquele momento.

Mas se você percebe que está perdendo a paciência com o bebê com muita freqüência, tente determinar porque isso ocorre. Você está descontente por ter que arcar com todo o cuidado com o bebê? Você está brava consigo mesma ou com outra pessoa, e está descontando sua raiva no bebê, que é pequeno e indefeso? Você estabeleceu regras em demasia, ou deixou ao bebê muitas oportunidades de se meter em encrencas? Se algo assim está ocorrendo, tente consertar a situação.

- As crianças precisam saber que têm algum controle sobre suas vidas. Para o bem da própria saúde mental, todos — até mesmo um bebê — precisam sentir que pelo menos algumas vezes têm o poder de decidir. Nem sempre será possível deixar o bebê fazer as coisas a seu modo; mas, quando for, permita-o. Dê-lhe a oportunidade de fazer escolhas — a bolacha ou o pedaço de pão, o balanço ou o escorregador, o babador com figura de elefante ou aquele com figura de palhaço.

CAPÍTULO 14

O Décimo Primeiro Mês

O QUE O SEU BEBÊ PODE ESTAR FAZENDO

Ao final deste mês, o seu bebê
... já deverá ser capaz de (veja a Nota):

- sentar-se a partir da posição deitada de bruços
- pegar um objeto pequeno com o polegar e o indicador (com 10 1/2 meses)
- entender a palavra "não" (mas nem sempre obedecê-la)

Nota: Se o seu bebê parece ainda não ter atingido algum desses marcos, fale com o médico. Em certos casos, esse atraso pode indicar um problema; mas, na grande maioria das vezes, será simplesmente um fato normal para o seu bebê. Em geral, os bebês prematuros atingem esses marcos depois de outros bebês da mesma idade, muitas vezes por volta da sua idade ajustada (a idade que teriam se houvessem nascido no prazo normal), ou um pouco depois.

... provavelmente será capaz de:

- bater palminha ou dar tchau
- andar segurando-se nos móveis

... talvez seja capaz de:

- pegar com perfeição um objeto pequeno, com as pontas do polegar e do indicador
- ficar de pé sozinho por um instante
- falar pá-pá ou mã-mã conscientemente
- falar uma outra palavra além de mã-mã ou pá-pá

... poderá até ser capaz de:

- ficar de pé sozinho com destreza
- expressar vontades por outros meios que não o choro

- "jogar bola" (rolar a bola de volta para você)
- tomar sozinho líqüidos de um copo
- falar numa linguagem ininteligível (como se fosse uma língua estrangeira que ele mesmo inventou)
- falar três ou mais palavras além de mã-mã ou pá-pá
- responder a um comando simples, acompanhado de gesto (me dá isso — com a mão estendida)
- andar bem

O QUE VOCÊ PODE ESPERAR DO EXAME DESTE MÊS

A maioria dos pediatras não programa consultas de rotina para este mês. Se houve preocupações que não possam esperar até o mês que vem, ligue para o médico.

PARA ALIMENTAR O SEU BEBÊ ESTE MÊS: O Desmame

À medida que a tarefa de desmamar o bebê vai se aproximando, tão assustadora quanto qualquer outro desafio que você já tenha confrontado nos cuidados com o bebê, talvez seja tranqüilizador saber que você provavelmente já deu início a esse processo. Na primeira vez que você ofereceu ao bebê uma mamadeira, um gole de um copo ou uma colherada de papinha, você iniciou a caminhada rumo ao desmame.

O desmame é, em essência, um processo de duas fases:

Fase um: Acostumar o bebê a beber leite materno ou em pó de outra maneira que não ao peito. O bebê que mama no peito pode demorar um pouco para aprender a tomar leite da mamadeira ou do copo, e alguns chegam até a demorar um bom tempo para experimentar esses modos alternativos de alimentação. Por isso, o melhor é introduzi-los bastante tempo antes do momento em que você espera completar o desmame.[1]

Se você não introduzir o copo ou a mamadeira desde cedo, o desmame pode tornar-se mais trabalhoso e demorado. Em certos casos, chega a ser necessário forçar o bebê a submeter-se pela fome, negando-lhe uma mamada por dia durante três ou quatro dias e oferecendo-lhe somente a alternativa que você escolheu. Embora alguns bebês teimosos comecem por rejeitar o substituto, todos largam o peito um dia.

Antes dos seis meses, use leite materno, leite em pó ou água para educar o bebê

1. Se você decidir dar mamadeira ao bebê após o desmame, lembre-se de que convém desmamá-lo da mamadeira até o primeiro aniversário ou pouco tempo depois, a fim de evitar as cáries dentárias decorrentes do mau uso ou do uso excessivo da mamadeira (veja página 295).

FIQUE LIVRE DE INCÔMODOS

O desmame gradual provavelmente vai prevenir qualquer incômodo mais sério; mas é possível que, se o bebê for ainda muito novo ao ser desmamado e até então só tiver sido amamentado ao peito, você sofra alguma ingurgitação. Se isso ocorrer, tire apenas a quantidade de leite suficiente para aliviar; tirar mais leite poderia estimular a produção. O desmame gradual também abranda os efeitos emocionais que você sofre, mas não os elimina inteiramente. A época do desmame, como a menstruação, a gravidez, o parto e o pós-parto, caracteriza-se por uma grande agitação hormonal, que freqüentemente causa leve depressão, irritabilidade e mudanças de humor. Esses sentimentos muitas vezes são intensificados por uma sensação de perda e tristeza devida ao abandono dessa relação muito especial que você tinha com o bebê, sobretudo quando você planeja não ter mais filhos. (Em algumas mulheres, a depressão dos pós-desmame pode ser muito grave e exigir atenção profissional imediata; veja na página 629 quais são os sinais de alerta.)

Algumas semanas depois do desmame, é possível que os seus seios pareçam estar totalmente vazios de leite. Não se surpreenda, porém, se você ainda conseguir extrair pequenas quantidades de leite vários meses, ou mesmo um ano ou mais, depois disso; é algo perfeitamente normal. Também é normal que as mamas demorem um pouco a voltar ao tamanho anterior — muitas vezes, elas ficam um pouco maiores ou menores do que eram, e freqüentemente perdem firmeza, o que se deve não apenas à amamentação mas também à gravidez e a fatores hereditários.

Quando o desmame precisa ser feito em pouco tempo — especialmente nos primeiros meses, em que a produção de leite é maior —, a mãe pode vir a sentir bastante mal-estar. Pode ocorrer uma ingurgitação extrema, acompanhada de febre e sintomas de gripe; a probabilidade de ocorrer infecção e outras complicações é muito maior do que com o desmame gradual. As compressas quentes e/ou banhos quentes, conjugados à aspirina, podem ajudar a aliviar um pouco a dor da ingurgitação; diminuir a ingestão de fluidos ajuda a cortar a produção de leite. Também pode ser útil tirar leite apenas em quantidade suficiente para aliviar o entumescimento, mas não para estimular a produção. Se os sintomas não abrandarem depois de 24 horas, fale com o médico.

O desmame súbito pode também ser estressante para o bebê. Se você precisar desmamá-lo sem qualquer preparação prévia, ofereça-lhe muito mais atenção, amor e afagos do que de costume, e tente minimizar os outros elementos de tensão na vida dele. Se você precisar se ausentar de casa, certifique-se de que o papai, a vovó, outro parente ou a babá farão a mesma coisa.

---

para o uso do copo ou da mamadeira; depois disso, a maioria dos pediatras aceita que sejam dadas pequenas quantidades de leite de vaca ou suco de frutas diluídos em água. É provável que o bebê aceite melhor esses alimentos se lhe forem dados pelo papai, e não pela mamãe; eis aí, portanto, uma época ideal para que ele participe da alimentação do bebê.

Fase dois: Eliminar gradualmente as mamadas. Ao contrário do que ocorre com um fumante que deseja abandonar o cigarro ou um chocoólatra que não quer mais comer chocolate, a abstinência total não é o melhor caminho para desmamar o bebê. E tampouco é boa para a mãe que vai deixar de dar o peito. Para o bebê, isso seria demasiado traumático, física e emocionalmente. Para a mãe, o desmame súbito tem probabilidade muito maior de causar vazamento do leite, além de ingurgitação, obstrução dos canais e infecções mamárias. Assim, a menos que uma doença ou outro acontecimento em suas vidas torne necessário o desmame rápido, proceda ao desmame gradualmente, começando pelo menos várias semanas antes da data em que você gostaria de ver o desmame terminado. Adie todo o processo ao atravessar épocas de mudança (grande ou pequena) na vida do bebê — a vinda de uma nova babá, mamãe voltando a trabalhar fora, ou uma mudança de casa.

O modo mais comum de proceder ao desmame é eliminar as mamadas uma a uma, esperando alguns dias, mas de preferência uma semana, para que suas mamas e o bebê se adaptem à mudança antes de eliminar mais uma. A maioria das mães constata que o mais fácil é eliminar primeiro aquela mamada pela qual o bebê menos se interessa, ou na qual toma menos leite, ou aquela que mais embaraça o dia-a-dia da mãe. No caso de uma mãe que trabalha fora, é comum que seja a mamada do meio-dia. Nos bebês de menos de seis meses, que mais dependem do leite para sua nutrição, cada mamada eliminada deve ser substituída por uma mamadeira. Com os bebês maiores, podem ser substituídas por um lanche ou refeição.

Se você até agora tem dado de mamar quando o bebê pede, e ele tem pedido o peito de forma bastante irregular, é possível que você tenha de ficar um pouco mais rígida, assumindo um cronograma mais ou menos regular e reduzindo o número de mamadas, antes de poder proceder seriamente ao desmame.

Independentemente de qual seja a agenda da mãe, as mamadas da manhã e da noite — que são as mais satisfatórias e dão mais prazer à mãe e ao bebê — são geralmente as últimas a serem eliminadas. Há mulheres que, pelo gosto que sentem nessas mamadas, continuam a oferecê-las a seus bebês já desmamados por várias semanas, ou até meses. (Nem todas, porém, têm essa opção; algumas constatam que a sua produção de leite diminui rapidamente quando a amamentação fica restrita a esses dois horários somente.)

Para algumas mulheres, sobretudo aquelas que ficam em casa o dia inteiro, há outro método que funciona bem; reduzir em bloco todas as mamadas, em vez de eliminar uma por vez. Para começar, o bebê recebe cerca de 30 ml de leite no copo ou na mamadeira antes de mamar, e depois é impedido de ficar por muito tempo no peito. Aos poucos, ao longo de várias semanas, a quantidade de leite dada no copo ou mamadeira é aumentada, e o tempo passado ao peito é reduzido. Chega o dia em que o bebê já está tomando a quantidade suficiente de leite de vaca ou em pó, e o desmame é terminado.

Pode ocorrer que uma doença, um doloroso nascimento de dentes ou uma desnorteante mudança de local ou de rotina (férias, por exemplo) levem o bebê a regredir, exigindo o seio com mais freqüência. Seja compreensiva e não se preocupe — esse retrocesso é apenas temporário. Quando a vida do bebê voltar ao normal, você poderá retomar sua missão.

Lembre-se sempre de que a amamentação é apenas uma parte do seu relacionamento com o bebê. O desmame não vai enfraquecer o vínculo ou diminuir o amor que há entre vocês; na verdade, algumas mulheres descobrem que o relacionamento fica mais rico à medida que elas passam menos tempo amamentando e mais tempo interagindo ativamente.

Quando você lhe tira o peito, o bebê pode adotar outros objetos que lhe dêem conforto, como o dedão ou um cobertor; essa reação é normal e saudável. É possível que ele também exija mais a sua atenção; conceda-a generosamente. Essa atenção dá às crianças novas a segurança de que precisam para depois tornarem-se independentes.[2]

Não fique pensando que, após o desmame, o bebê vai suspirar eternamente pelo peito perdido. Isso não vai acontecer. Os

2. Se você planeja desmamar o bebê com mais de um ano de idade, ou quer mais informações sobre a amamentação, veja *The Complete Book of Breastfeeding* (Workman Publishing), do Dr. Marvin Eiger e Sally Wendkos Olds.

bebês parecem já nascer com um mecanismo de sobrevivência pelo qual mesmo aqueles cuja memória é excelente parecem esquecer-se rapidamente da experiência da amamentação, ou, ao menos, deixam de ansiar por ela.

O QUE PODE ESTAR PREOCUPANDO VOCÊ

PERNAS ARQUEADAS

"Minha filhinha começou a andar há pouco tempo, e suas pernas parecem muito, muito tortas."

Arqueadas até os dois anos, curvadas para dentro aos quatro, as pernas de uma criança certamente não são páreo para as de Betty Grable. No entanto, até as pernas de Betty deviam ser cambaias quando ela deu seus primeiros passinhos. Quase todas as crianças têm as pernas arqueadas (os joelhos não encostam um no outro quando a criança fica ereta com os pés juntos) até os dois anos de idade. Depois, quando começam a passar mais tempo andando, sofrem da curvatura inversa (os joelhos encostam-se, mas os tornozelos não). É só na adolescência que os joelhos e tornozelos se alinham e as pernas adquirem seu formato. As botinhas especiais e outros aparelhos ortopédicos não são necessários e não terão qualquer efeito sobre essa progressão normal.

Existem casos em que o médico percebe uma verdadeira anomalia nas pernas da criança. Às vezes, só uma perna é curvada para fora ou para dentro, ou os joelhos do bebê se encontram (embora isso possa não ser mais que uma aparência devida às coxas gordinhas do bebê), ou a curvatura fisiológica torna-se cada vez mais acentuada depois que o bebê começa a andar. Nesses casos, ou se a família tiver uma tradição de adultos de pernas tortas, o bebê pode carecer de uma avaliação mais cuidadosa por parte de seu médico ou de um ortopedista. Dependendo do caso, pode-se ou não recomendar um tratamento (veja página 165). Felizmente, o raquitismo, que já foi a principal causa do arqueamento permanente das pernas, é hoje relativamente raro nos Estados Unidos,* graças ao enriquecimento do leite em pó para bebês, do leite de vaca e de outros laticínios com vitamina D, e dos preparados de vitamina D administrados os bebês que mamam no peito.

FALA IMPRECISA

"Nossa filhinha fala diversas palavras, mas só eu e meu marido a entendemos. Ela parece encontrar dificuldade em pronunciar várias consoantes, fala 'b' em vez de 'f' e 't' em vez de 'c', e assim por diante. Será preciso consultar um fonoaudiólogo?"

Ainda é cedo demais para mandar a sua Elisa para o fonoaudiólogo (Professor Higgins). Afinal de contas, a língua portuguesa tem 17 consoantes, as quais podem ser usadas para representar pelo menos 20 sons diferentes, e geralmente só no terceiro ou quarto ano de vida, ou mesmo muito mais tarde, a criança aprende a pronunciá-los todos corretamente. (Muitas crianças de três a quatro anos ainda encontram dificuldades para pronunciar o "r" simples — como em arara, por exemplo.) No início, as palavras de mais de uma sílaba são especialmente difíceis. Embora algumas crianças de dois anos já saibam falar bem o suficiente para serem entendidas por outros adultos que

* E também no Brasil, não obstante o problema da desnutrição que acomete uma grande parcela das crianças brasileiras. (N. do R. T.)

não os de sua família, com muitas isso só ocorre aos quatro ou cinco anos.

É bastante comum que os estranhos fiquem desconcertados pela fala de uma criança enquanto seus pais a entendem com facilidade, pois acostumaram-se a seus padrões de linguagem. É necessário bastante tempo de convivência com as crianças novas para que se aprenda a sintonizá-las, assim como é necessário conviver bastante com uma língua estrangeira para aprender a sintonizá-la.

Não fique corrigindo sua filha quando ela disser "ábole" em vez de "árvore" ou "tarro" em vez de "carro"; e não lhe negue as coisas devido à má pronúncia, recusando-se a dar-lhe a mamadeira quando ela pedir a "ma-ma" ou negando-lhe um copo d'água quando ela disser "áua". Isso só contribuiria para deixá-la hesitante em experimentar novas palavras ou mesmo dizer as já conhecidas. Mas não repita o que ela diz, não use as suas palavras ao falar com ela ("O pá-pá já vem pra casa") e nem a deixe saber que você acha bonitinho o seu jeito de falar (por mais que seja). Se ela pensar que sua má pronúncia é graciosa, continuará usando-a por muito mais tempo do que o faria sem esse estímulo.

No entanto, você deve sempre aplaudir-lhe os esforços e ensinar, pelo exemplo, qual a pronúncia correta. Quando ela apontar para a lâmpada e disser "ús", responda (manifestando, evidentemente, o seu orgulho materno) "Isso mesmo — é a luz!" Quando ela pedir "bana" misturada com o mingau, diga: "Ah, você quer ba-na-na no mingau! Tome um pouco e de ba-na-na". Talvez ela demore meses ou anos para aprender a dizer "banana", mas ficará tranqüila ao saber que você aceita o seu jeito de pronunciar, captando ao mesmo tempo a sutil mensagem de que sua pronúncia ainda não é perfeita. E, no meio do orgulho que você vai sentir quando ela finalmente for capaz de falar mamadeira, água, papai, luz e banana tão bem quanto você, haverá certamente uma pontinha de pesar pela perda daquela adorável fala de bebê.

A NUDEZ DOS PAIS

"Às vezes eu me troco na frente do meu filhinho, mas fico inquieta ao pensar que o fato de me ver nua possa prejudicar de algum modo o seu desenvolvimento."

Você ainda tem algum tempo de liberdade antes de precisar retirar-se para trás de portas fechadas para vestir e desvestir a roupa. Os especialistas são unânimes em dizer que, até os três ou quatro anos, a nudez dos pais não afeta de modo algum a criança. A partir daí, porém, não há mais consenso. Alguns crêem que, depois dessa idade, seja menos benéfico que as crianças vejam o genitor de sexo oposto totalmente despido. Não há dúvida de que um bebê com menos de um ano é novo demais para sentir-se estimulado pela visão da mãe nua (a menos que mame no peito) — e também é novo demais para lembrar-se, anos depois, do que viu. De fato, o mais provável é que não perceba diferença alguma entre a mamãe nua ou com o seu melhor vestido, e ignore o assunto.

Mas se o bebê sentir curiosidade a respeito daquilo que vê e quiser tocar em seus pêlos pubianos ou puxar os bicos dos seus seios, sinta-se à vontade para pôr fim a quaisquer explorações que a incomodem. Seja natural e não reaja com exagero. Afinal, o interesse do bebê pelos seus órgãos genitais é tão legítimo quanto o interesse que ele tem pelos seus demais órgãos, como o nariz ou as orelhas. "É da mamãe": eis uma resposta que ajudará o bebê a começar a compreender o conceito da privacidade do corpo, e o ajudará a conservar mais tarde a privacidade de seu próprio corpo — mas sem gerar nele um sentimento de culpa.

TOMBOS

"Depois que o meu menino começou a andar e a subir nas coisas, sinto-me constantemente como se estivesse à beira de um desastre. Ele tropeça nos próprios pés,

bate a cabeça nos cantos da mesa, cai de cima de cadeiras...”

Muitos pais temem que nem eles nem os seus bebês sobrevivam a esta idade. O bebê corta os lábios, tem os olhos roxos, cai, bate-se, se machuca e se livra por um triz de inúmeros perigos. Os pais têm os nervos à flor da pele e o coração nas mãos.

No entanto, os bebês querem mais. Ainda bem — do contrário, jamais aprenderiam a se virar sozinhos, ou, antes, jamais aprenderiam qualquer coisa. Diz o antigo provérbio que a arte da equitação apenas pode ser dominada depois de sete tombos; para dominar a arte de andar e subir nas coisas, porém, é necessário muito mais que isso — sete tombos, ou mais, pode ser o saldo de uma única manhã. Algumas crianças aprendem rapidamente a tomar cuidado; depois de cair pela primeira vez da mesa central, elas afastam-se por alguns dias e depois agem mais cautelosamente. Outras parecem que nunca vão aprender a tomar cuidado, nunca conhecerão o medo, nunca sentirão dor; 5 minutos depois de terem caído pela décima vez, já estão prontas para o tombo número onze.

Aprender a andar é um processo de tentativa e erro — ou melhor, dar um passo e cair. Você não pode e nem deve tentar tomar parte nesse processo de aprendizagem. O seu papel, além do de espectadora orgulhosa mais apavorada, é o de fazer todo o possível para garantir que, quando o bebê cair, ele caia com segurança. Um tombo no carpete da sala pode machucar o seu pequeno ego, mas um tombo do alto da escada causa ferimentos mais sérios. Um encontrão com a borda arredondada do sofá pode suscitar lágrimas, mas a colisão com o canto de uma mesa de vidro pode tirar sangue. Para reduzir a possibilidade de ocorrência de acidentes sérios, certifique-se de que a sua casa é segura para o bebê (veja página 338). E mesmo depois de retirar todos os perigos mais óbvios do caminho do seu filho, lembre-se de que o principal elemento de segurança em sua casa é você (ou a pessoa que cuida da criança). O bebê precisa de bastante liberdade para explorar o mundo à sua volta, mas deverá estar sob a supervisão atenta e *constante* de um adulto.

Mas os acidentes podem ocorrer até nos lares mais precavidos. Para prevenir essa possibilidade, saiba exatamente o que fazer caso um acidente ocorra; faça um curso de reanimação de bebês e familiarize-se com os primeiros socorros indicados a partir da página 502.

Muitas vezes, a maneira como o bebê reage após um acidente é determinada pelas reações dos pais. Se cada tombo é suficiente para atrair vários adultos em pânico, perguntando esbaforidos “Você está bem? Você está bem?”, é muito provável que o guerreiro ferido vá reagir com tanto exagero quanto aqueles que o cercam — chorando do mesmo modo, quer esteja machucado, quer não —, e logo se torne demasiadamente cuidadoso ou perca a fome de aventura, chegando mesmo a hesitar em realizar tarefas normais do desenvolvimento corporal. Se, por outro lado, o adulto reage com um “Opa, você caiu! Está tudo bem. Vamos andar”, a criança provavelmente vai se transformar num soldado valoroso, tomando pequenos tombos sem perder a cadência e pondo-se de pé imediatamente, pronto para continuar a marcha.

AINDA NÃO FICA DE PÉ

“Mesmo tendo tentado já por algum tempo, minha filha ainda não consegue levantar-se sozinha apoiando-se em alguma coisa. Receio que ela não esteja se desenvolvendo normalmente.”

Para os bebês, a vida é uma série infindável de desafios corporais (além dos emocionais e intelectuais). As habilidades que são para os adultos uma coisa natural — rolar, sentar, ficar em pé — são para eles obstáculos enormes a serem transpostos com grande esforço. E assim que um desafio é vencido, outro logo aparece.

Quanto a levantar-se, há bebês que conseguem fazê-lo com cinco meses e outros que esperam até bem depois do primeiro aniversário, embora a maioria o faça entre esses dois extremos. O peso do bebê pode ter influência sobre o momento em que ele consegue se levantar; o bebê mais pesado tem mais massa a carregar, e o esforço necessário pode ser maior. Por outro lado, um bebê forte e dotado de boa coordenação motora pode ser capaz de levantar-se bem cedo, mesmo sendo pesado. O bebê que fica preso num carrinho, porta-bebê ou cercadinho de tela durante a maior parte do dia não tem tempo para praticar essa habilidade. Tampouco pode praticar o bebê rodeado de móveis instáveis, que balançam e caem a cada tentativa que ele faz de se apoiar. Também os sapatos e meias escorregadios podem obstar os esforços de levantar-se, além de causar tombos que diminuem o entusiasmo pela atividade — os pés descalços ou as meias dotadas de solas antiderrapantes dão melhor apoio ao bebê. Para encorajar a sua filhinha a levantar-se, você pode colocar um brinquedo de que ela gosta muito num lugar onde ela tenha de ficar de pé para alcançá-lo. Faça também com que ela fique muitas vezes de pé no seu colo, o que vai fortalecer-lhe os músculos da perna assim como sua confiança.

Em média, as crianças atingem esse marco do desenvolvimento aos nove meses; e a maioria delas, mas nem todas, já têm a habilidade dominada com um ano. É claro que, para excluir definitivamente a possibilidade de haver um problema físico, é bom conversar com o médico se a criança ainda não conseguir levantar-se com um ano de idade. No presente momento, tudo o que você precisa fazer é sentar-se calmamente e esperar que ela se levante — no momento em que ela quiser. As crianças ganham confiança quando permitimos que progridam no seu próprio ritmo, quando descobrem que "posso fazer isto sozinha". Tentar forçar uma criança a ficar de pé ou andar antes que ela esteja pronta para isso é algo que, longe de ajudá-la, poderia tornar a tarefa mais difícil.

O COLESTEROL NA DIETA DO BEBÊ

"Eu e meu marido controlamos cuidadosamente a quantidade de colesterol que ingerimos; mas, quando perguntamos ao pediatra se deveríamos passar a dar leite desnatado ao bebê, ele disse que não. Isso significa que não temos que nos preocupar nem um pouco com o seu nível de colesterol?"

No seu primeiro ano de vida, e provavelmente também no segundo, a criança se encontra numa posição invejável — pelo menos do ponto de vista daqueles pais que têm saudades de comer ovos com *bacon* todo dia. A gordura e o colesterol não só não fazem mal à saúde do bebê, como também acredita-se que sejam essenciais para o bom crescimento e desenvolvimento do cérebro e do restante do sistema nervoso. Além disso, o leite desnatado e semidesnatado não é bom para os bebês, pois seu alto teor de sódio e elevada proporção de proteína em relação à gordura sobrecarrega em demasia os rins. A maioria dos médicos recomenda leite em pó especial ou leite materno durante os primeiros seis meses ou até por todo o primeiro ano, e leite integral após o desmame. Alguns dizem que não há problema em mudar para leite com 2% de gordura aos quinze meses e leite desnatado aos dezoito; outros continuam recomendando leite integral até o segundo aniversário.

A falta de dados científicos conclusivos torna difícil dizer quais os níveis máximos e mínimos de gordura aceitáveis na infância. A atitude mais prudente provavelmente seja a moderação.[3]

3. Para as crianças dotadas de uma tendência hereditária a produzir colesterol em demasia, certas restrições rígidas ao consumo de gordura e colesterol podem ajudar a abaixar a taxa desta última substância, sem comprometer o crescimento e o desenvolvimento. Se sua família apresentar uma tal tendência, ou se houver casos de ataque cardíaco precoce, enfarte ou outras doenças vasculares, fale com o médico do bebê a respeito de fazer, assim que possível, uma medição dos níveis de colesterol no sangue.

Talvez não seja necessário nem sensato limitar rigidamente a quantidade de gordura e colesterol que o bebê ingere, mas é necessário fazer de tudo para que os hábitos alimentares que ele está desenvolvendo formem a base de toda uma vida de boa alimentação. As pesquisas nos mostram que, nos Estados Unidos, as crianças em idade pré-escolar já têm nas artérias um acúmulo da placa arterioesclerótica que leva às doenças do coração na idade adulta, e que, aos quatro anos, o norte-americano médio já tem um nível de colesterol tão alto quanto o de um adulto, e muito mais alto que o de crianças de países onde as doenças do coração não são uma coisa comum. Essa estatística perturbadora, que não faz bom agouro para o futuro das coronárias norte-americanas, deve-se em grande medida à dieta típica do país. Esta, desde o cadeirão, é rica em colesterol e gorduras saturadas e pobre em fibras.* Além de ter relação com as doenças cardiovasculares, ela tem sido associada também a várias espécies de câncer, inclusive alguns dos mais comuns: da mama, do cólon e do reto.

Assim, mesmo que você continue a incluir o leite integral na dieta do bebê por algum tempo e não precise ainda controlar rigidamente a ingestão de ovos ou queijos duros, você deve tomar medidas para reduzir o risco de doença e morte prematura, acostumando-o desde já com hábitos alimentares prudentes.

Elimine a manteiga. Se o bebê se acostumar desde agora a comer pão, panquecas, legumes, peixe e outros alimentos sem acrescentar manteiga, não terá de passar depois pela penosa experiência de ter que deixar de comê-la. E se quiser um dia passar manteiga no pão ou refogar o brócolis na manteiga, uma pequena quantidade o satisfará.

Esqueça as frituras. As frituras não são boas para ninguém — muito menos para os bebês. Sirva ou peça batata cozida em vez de batata frita para o bebê (e para o resto da família), faça frango grelhado em vez de frango frito, frite o peixe numa frigideira de teflon ou asse-o no forno.

Escolha bem os queijos. Com seu alto teor de proteína e cálcio, os queijos mais duros, como o suíço, o Gouda, o mozarela ou o Cheddar, seriam os melhores amigos de uma dieta balanceada — não fosse por seu altíssimo conteúdo de colesterol e gorduras saturadas, alto até para os bebês, que parecem necessitar de uma dieta com nível de colesterol moderadamente alto. Prefira os queijos menos gordurosos (como o mozarela semidesnatado, o Ementhal e outros queijos desnatados), os que não contêm mais que 16 a 22 g de gordura a cada 100 g e use-os com moderação, pois nem mesmo esses podem ser verdadeiramente considerados "não-gordurosos".

O alto teor de sódio da maioria dos queijos não é bom para o bebê, nem agora, nem para a saúde futura do coração, por isso, prefira queijos com teor de sódio relativamente baixo — os que não contêm mais de 112 mg a cada 100 g.

Se as crianças desenvolverem desde cedo um gosto por queijos com baixos teores de gordura e sódio, talvez até venham a preferi-los aos queijos mais gordos e salgados quando forem mais velhas.

Desnate os outros laticínios. Embora você ainda não vá passar a dar leite desnatado ao bebê, pode começar a acostumá-lo com os requeijões semidesnatados, os iogurtes e a ricota (quanto a esta, prefira sem sal ou com pouco sal) por volta do final do primeiro ano de vida (supondo-se que o bebê esteja ingerindo quantidades suficientes de leite integral e/ou queijos duros e alguns ovos), para que ele não venha a ansiar ardentemente pelas variedades mais fortes. Por conterem grandes quantidades de açúcar, além da gordura, os sorvetes comerciais e outros doces gelados (inclusive os de tofu, que são pouco nutritivos e contêm muito açúcar) não devem ser dados aos bebês; para algumas receitas nutritivas de doces gelados caseiros, veja página 708.

* Não há estatísticas brasileiras a esse respeito, mas potencialmente nossas crianças são tão suscetíveis a esses problemas quanto as norte-americanas. (N. do R. T.)

PARA CRIAR UM CORAÇÃO SADIO

Nunca é cedo demais para começar a reduzir o risco de o seu bebê ter um ataque cardíaco numa idade mais avançada. Tente as seguintes medidas:

- Ofereça-lhe uma dieta pobre em colesterol e gorduras saturadas a partir do final do segundo ano de vida, mas introduza hábitos alimentares prudentes antes disso. Se a sua família tem uma história de hipercolesterolemia (nível de colesterol muito alto), peça ao médico que sempre verifique o colesterol de seu filho.
- Ofereça-lhe uma dieta com pouco sal desde a primeira infância.
- Ofereça-lhe uma dieta rica em ácidos gordurosos ômega-3, os quais se encontram em abundância nos peixes gordurosos (salmão, sável e cavala, por exemplo). Não use cápsulas de óleo de peixe ômega-3, pois sua segurança e eficácia não foram verificadas.
- Fique atenta ao peso do seu filho, e tome medidas se ele começar a aumentar mais rápido que a altura (veja página 238). O bebê obeso pode tornar-se uma criança obesa, que quase certamente vai virar um adulto obeso.
- Não fume e nem permita que se fume na sua casa. Os pais que fumam têm maior probabilidade de ter filhos fumantes do que os que não fumam. Desde a primeira infância, ensine ao seu filho o quanto o cigarro é prejudicial e desagradável, e ele provavelmente não vai querer fumar no futuro.
- Desde cedo, eduque seu filho quanto à importância e ao prazer dos exercícios físicos; não seja sedentária e não deixe que o seu filho o seja.
- Se a pressão sangüínea do seu filho for alta ou limítrofe, siga as instruções do médico para controlá-la.
- Mantenha baixo o consumo de açúcar. O açúcar faz aumentar a necessidade de crômio e pode aumentar a probabilidade de desenvolvimento do diabete, que é uma das doenças associadas a um maior risco de ataque cardíaco.

Seja exigente com as proteínas. A quantidade correta de proteínas é importantíssima para toda a sua família, mas é melhor escolher as fontes proteicas que contenham pouca gordura e colesterol: peixes, carne de aves sem pele, feijões e ervilhas secas, tofu (coalho de soja). Se o bebê começar a gostar de peixe e frango agora, é menos provável que no futuro ele venha a detestar tudo o que não for hambúrguer. Sirva carne vermelha no máximo três vezes por semana; escolha pedaços magros e limpe-os de toda a gordura. Não há problema em evitar por completo a carne vermelha, mas então torna-se necessário garantir que a dieta do bebê contenha outras fontes de ferro.

Recheie o cardápio de fibras. Se a gordura aumenta a taxa de colesterol no sangue e o risco de ataque cardíaco, certas espécies de fibra, como a pectina e o farelo de aveia, diminuem as duas coisas. Faça com que o cardápio do bebê contenha bastante frutas ricas em pectina, como as maçãs, e alguma forma de aveia.

Prefira peixe. Como ocorre com as fibras, a presença de peixe na dieta parece ter o efeito de diminuir a taxa de colesterol no sangue, provavelmente devido aos óleos ômega-3 encontrados nesse alimento. Desde cedo, faça com que o bebê conheça várias espécies de peixe fresco; a maioria tem gosto agradável e suave, uma textura de fácil mastigação e contém pouca gordura e sódio. Mas tire cuidadosamente todas as espinhas.

Leia os rótulos. A maior parte das gorduras e do colesterol que entra na dieta de crianças e adultos fica escondida em alimentos industrializados. Surpreendentemente, a maior fonte de gorduras na dieta dos norte-americanos são os bolos e massas, superando as manteigas e margarinas.* Para fugir dessa gordura escondida, leia cuidadosamente os rótulos e não compre produtos que contenham gorduras "más" (segundo a classificação da tabela da página seguinte). Prefira, em vez disso, aqueles feitos sem gordura ou com óleos ou gorduras de melhor qualidade. Quanto mais longe fica o termo "gordura" do início da lista de ingredientes, menor é a proporção de gordura que o produto contém, e menor o risco para a saúde.

Use menos gordura na cozinha. Ao cozinhar, você pode reduzir a quantidade de gordura usada na maioria das receitas sem precisar fazer qualquer outra alteração. Usando panelas de teflon e *sprays*** para refogar legumes, você poderá reduzir enormemente a quantidade de óleo usada para refogar ou fritar. Ao assar massas, diminua a quantidade de gordura e substitua-a por uma quantidade equivalente de líqüidos.

Divida os ovos e domine o colesterol. A gema contém todo o colesterol do ovo, cerca de 280 mg. Ao cozinhar para a família toda, use claras em lugar de todos ou alguns dos ovos pedidos nas receitas (duas claras equivalem a um ovo). Em geral, as crianças e adultos não devem consumir mais que três gemas por semana; os que têm altas taxas de colesterol devem consumir menos. Por enquanto, o bebê pode comer um ovo por dia, mas comece a reduzir-lhe o número de gemas por volta dos dezoito meses. Lembre-se de que os ovos usados como ingredientes de receitas devem ser levados em conta.

Evite os restaurantes de "fast-food". A maioria dos alimentos vendidos em redes de *fast-food* contêm não só um alto teor de gorduras e colesterol, como também muito sal. Além disso, geralmente são muito pobres quanto a vários nutrientes. Assim, só leve a família a lanchonetes de *fast-food* esporadicamente — e, quando o fizer, escolha os alimentos que contêm menos gordura (pizza, peixe cozido, frango grelhado, batatas cozidas sem recheio, saladas sem tempero). Embora os hambúrgueres caseiros não façam mal para o bebê, os de *fast-food* geralmente contêm gordura e sódio em demasia, e o pãozinho de farinha branca é supérfluo do ponto de vista nutricional.

Quando o bebê tiver mais de dois anos, poderá unir-se ao restante da família numa dieta em que 50 a 55% das calorias vêm de carboidratos (pães e cereais integrais, feijões e ervilhas secas, legumes, frutas), 15 a 20% vêm de proteínas (peixes, aves, carnes, laticínios, leguminosas como feijões, ervilhas, grão de bico, tofu) e só 30% vêm das gorduras (não mais de 10% devem ser saturadas, e 10% devem vir sob a forma de óleos poliinsaturados ou óleo de oliva).[4] Segundo os princípios de uma dieta prudente, a ingestão diária de colesterol (encontrado em grandes quantidades em produtos animais como a manteiga, o leite integral, o queijo, a carne, e sobretudo os ovos) não deve ser superior a 100 mg por cada 1.000 calorias, até um máximo de 250 a 300 mg por dia. Tenha em mente que um ovo grande contém aproximadamente 280 mg de colesterol; uma colher de chá de manteiga, 10 mg; um copo de leite integral, 33 mg; 30 g de queijo Cheddar, 30 mg; um hambúrguer de 100 g, 76 mg; e que uma criança de dois anos consome cerca de

* Não disponível no Brasil. (N. do R. T.)

** No Brasil, ao contrário do que ocorre nos Estados Unidos, a maior fonte de gordura são os laticínios e as frituras. (N. do R. T.)

4. É isto que a Associação Norte-Americana do Coração recomenda para as pessoas com boa saúde e com baixo risco de sofrer ataque cardíaco (a maioria dos norte-americanos ingere mais gorduras). *Não* reduza para baixo desse nível a quantidade de gorduras que o seu filho consome. As gorduras, sobretudo aquelas que contêm o ácido linoleico (como o leite materno e os óleos de açafroa, milho e soja), um ácido graxo essencial, são absolutamente necessárias para uma boa dieta. Uma dieta extremamente pobre em gorduras tem uma carência inerente de certos nutrientes essenciais.

1.000 a 1.300 calorias por dia, e um adulto típico, de 1.800 a 2.400 calorias.

VARIAÇÕES DE CRESCIMENTO

"A pediatra acabou de me dizer que a altura do meu filho, que antes estava no 90º percentil, caiu para o 50º percentil. Ela me disse para não me preocupar, mas fico com medo de que algo esteja errado com o seu desenvolvimento."

Quando o médico avalia o progresso do desenvolvimento de uma criança, ele não olha somente para a curva do seu gráfico de crescimento. A altura e o peso estão correspondendo adequadamente um ao outro? O bebê têm alcançado os marcos do desenvolvimento (sentar, ficar em pé etc.) mais ou menos na época esperada? É ativo e esperto? Parece contente? Parece relacionar-se bem com a mamãe? O cabelo e a pele têm aparência saudável? Aparentemente, a médica do seu filho achou que ele está se desenvolvendo normalmente, e você deve confiar nela.

A razão mais comum para uma tal variação de crescimento nessa idade é o fato de um bebê que nasceu grande estar agora se aproximando mais do tamanho a que a genética o predestinou. Se você e o seu marido não são muito altos, não espere que o seu filho permaneça no 90º percentil — ele provavelmente não permanecerá. Mas a altura não é herdada através de um único gene. Assim, uma criança cujo pai tem 1,80 m e cuja mãe tem 1,50 m provavelmente não chegará à idade adulta com uma altura idêntica à de um ou de outro. Tenderá antes a um meio-termo. (Mas cada geração, em média, é um pouquinho mais alta que a anterior.)

GORDURAS: AS BOAS, AS MELHORES E AS MÁS

O óleo que você usa para cozinhar para a família tem uma influência determinante sobre a saúde de todos. Sempre que possível, escolha gorduras das colunas "As Boas" e "As Melhores", evitando "As Más".

AS BOAS	AS MELHORES	AS MÁS
Margarina com uma proporção de gorduras poliinsaturadas para saturadas de pelo menos 2:1	Óleo de abacate	Azeite de dendê
Óleo de amendoim	Óleo de oliva	Óleo de côco
Óleo de algodão (um pouco mais rico em gorduras saturadas)	Óleo de canola	Manteiga de cacau
Gorduras parcialmente hidrogenadas	Óleo de açafroa	Gordura vegetal hidrogenada
	Óleo de girassol	Gordura de frango ou outras aves
	Óleo de milho	Gordura de vaca
	Óleo de soja	Gordura de porco
	Outros óleos ricos em poliinsaturados	Manteiga

* Se a sua família prefere o gosto da manteiga para passar no pão, o uso de pequenas quantidades (não mais que uma colher de chá por pessoa por dia) não aumentará significativamente a taxa de colesterol ingerido.

Às vezes pode ter ocorrido um erro de medida, na última consulta ou na anterior. Costuma-se medir os bebês quando estão deitados, e as suas contorções podem facilmente resultar em medidas imprecisas. Quando uma criança passa a ser medida de pé, pode ocorrer que ela pareça ter perdido uns dois centímetros, porque os seus ossos se compactam um pouco quando ela fica ereta.

Como é evidente, certifique-se de que o bebê esteja sendo bem alimentado, e continua a ser à medida que fica mais velho. E chame a atenção do médico para quaisquer preocupações relativas à sua saúde. Depois disso, registre as estatísticas da consulta e esqueça-as. Você logo perceberá que, de qualquer modo, as crianças crescem rápido demais.

O QUE É IMPORTANTE SABER:
Ajude o Bebê a Falar

Mamãe, seu bebê percorreu um longo caminho. Já foi um recém-nascido cujo único meio de comunicação era o choro, e que não compreendia nada além de suas próprias necessidades essenciais; já foi um bebê de seis meses, começando a articular sons, a compreender palavras e a expressar raiva, frustração e alegria; já foi um bebê de oito meses, capaz de transmitir mensagens por meio de sons e gestos primitivos; e agora é um bebê de onze meses, que já falou (ou logo vai falar) suas primeiras palavras de verdade. E, embora já tenha realizado tudo isso, o que está para vir é ainda maior. Nos meses seguintes, a capacidade de compreensão da criança vai aumentar num ritmo fantástico; com cerca de um ano e meio, sua linguagem expressiva vai expandir-se de forma surpreendente.

Eis o que você pode fazer para ajudar o seu filho a desenvolver a linguagem:

Rotule, rotule, rotule. Tudo no mundo do seu bebê tem um nome — use-o. Rotule verbalmente os objetos do ambiente familiar do bebê (banheira, privada, pia, fogão, berço, cercadinho, lâmpadas, cadeira, sofá etc.); brinque de "olhos-nariz-boca" (pegue a mão do bebê e toque com ela os seus olhos, o nariz e a boca, beijando a mão no fim) e aponte para as outras partes do corpo; aponte os passarinhos, cachorros, árvores, folhas, flores, carros, caminhões e aviões quando estiver passeando. Não esqueça as pessoas — mostre-lhe mamães, papais, bebês, mulheres, homens, meninas, meninos. Ou o próprio bebê — use o seu nome com freqüência para ajudá-lo a desenvolver um senso de identidade.

Ouça, ouça, ouça. Tão importante quanto o que você diz para o bebê é o que você o deixa lhe dizer. Mesmo que você ainda não tenha identificado uma verdadeira palavra, ouça os balbucios e responda: "Ah, sim, isso é muito interessante", ou "É mesmo?" Quando você fizer uma pergunta, espere pela resposta, mesmo que ela venha na forma de um sorriso, um trejeito de corpo ou um murmúrio indecifrável. Faça um esforço deliberado para perceber palavras no meio das aventuras verbais do bebê; muitas "primeiras palavras" são tão confusas que os pais não as percebem. Tente relacionar as palavras irreconhecíveis do bebê com os objetos que elas possam representar; podem não ser nem sempre parecidas com as palavras reais, mas, se o bebê usar sempre a mesma "palavra" para designar o mesmo objeto, isso já é válido. Quando você encontrar dificuldade para entender o que o bebê está pedindo, aponte para alguns objetos possíveis ("Você quer a bola? a mamadeira? o quebra-cabeça"?) e dê-lhe a oportunidade de dizer se você acertou. Os dois lados ficarão frustrados até que os pedidos do bebê se tornem mais inteligíveis; mas se você continuar tentando agir como intérprete, isso vai apressar o desenvolvimento da linguagem e dar ao bebê a satisfação de estar sendo entendido ao menos em parte.

Concentre-se nos conceitos. Tantas coisas que para você são naturais, são ainda matéria de aprendizado para o bebê. Eis aqui alguns conceitos que você pode ajudar o bebê a desenvolver (você provavelmente descobrirá muitos outros mais):

- *Quente e frio:* deixe o bebê tocar a sua xícara de café e depois um cubo de gelo; água fria e água morna; mingau quente e leite frio.
- *Para cima e para baixo:* suavemente, levante o bebê para cima e depois abaixe-o até o chão; coloque um cubinho na cômoda, e depois no chão; faça com que o bebê suba e desça na gangorra.
- *Dentro e fora:* coloque bloquinhos dentro de uma caixa ou balde e depois esvazie-a; faça o mesmo com outros objetos.
- *Cheio e vazio:* encha um potinho com a água do banho, depois esvazie-o; encha um balde com areia, depois esvazie-o.
- *De pé e sentado:* segurando a mão do bebê, fique em pé e depois sente-se junto com ele; brinquem de ciranda-cirandinha.
- *Molhado e seco:* compare um pano de pratos molhado e um seco; os cabelos do bebê, molhados do banho, e seus cabelos secos.
- *Grande e pequeno:* coloque uma bola grande do lado de uma bola pequena; no espelho, mostre ao bebê que "a mamãe é grande e o nenê é pequeno".

Explique o ambiente e a noção de causa e efeito. "O Sol brilha, por isso o dia é claro." "A geladeira deixa a comida fria para ficar com gosto bom e não estragar." "A mamãe usa uma escovinha para escovar os seus dentes, uma escova média para escovar os seus cabelos e uma escova grande para esfregar o chão." "Se você apertar esse botãozinho para cima, a sala fica clara; se você apertar para baixo, fica escura." "Se você rasgar o livro, não vai mais dar para ler." E assim por diante. Uma maior consciência e compreensão do ambiente que o rodeia, bem como uma sensibilidade às necessidades e sentimentos alheios, contribuem muito mais para que o bebê venha a dominar a fala e a leitura do que a repetição mecânica de um bocado de palavras ininteligíveis.

Torne-se atenta às cores. Comece a identificar as cores sempre que for possível. "Olhe, aquela bexiga é vermelha como a sua camisa", ou "Aquele caminhão é verde; o seu carrinho é verde também", ou "Olhe que lindas aquelas flores amarelas".

Fale nas duas línguas. Fale as coisas em linguagem adulta, e depois traduza-as para o dialeto telegráfico do bebê: "Agora eu e você vamos passear. Mamãe e Amanda vão tchau-tchau." "Olhe, você comeu todo o seu lanche. Nenê fez 'cabou'." Se você falar em dobro, o bebê também vai entender em dobro.

Fale como adulta. O uso de uma fala adulta simplificada, em vez da fala de bebê, ajuda-o a falar corretamente mais cedo: "Joãozinho quer a mamadeira?" é melhor que "Nenê qué mamá?" Mas não há problema em usar formas como "cachorrinho" ou "bonequinha" ao falar com crianças novas — essas formas têm naturalmente um apelo especial.

Introduza os pronomes. É provável que um ano ou mais ainda se passe antes que o bebê aprenda a fazer um uso correto dos pronomes: não obstante, já está na hora de ir acostumando-o a eles, usando-os juntamente com os nomes. "*Mamãe* vai dar o café da manhã para *José* — *eu* vou dar alguma coisa para *você* comer." "Este livro é da *mamãe* — é *meu* — e esse é da *Nina* —

é *seu*." Esta última frase também ensina o conceito de propriedade.

Estimule o bebê a responder. Valha-se de qualquer estratégia para fazer o seu bebê responder, com palavras ou gestos. Dê-lhe a possibilidade de escolher: "Você quer pão ou bolacha?", ou "Você quer vestir o pijama do Mickey ou o de aviõezinhos?"; depois, deixe-o indicar vocalmente ou apontar para a sua escolha, à qual você deve dar o nome. Faça perguntas: "Você está cansado?" "Quer um lanchinho?" "Você quer balançar?" É provável que o "sim" ou "não" sejam precedidos por movimentos de cabeça, o que, porém, também é uma resposta válida. Faça com que o bebê a ajude a achar coisas (mesmo se não estiverem perdidas de verdade): "Cadê a bola? Você consegue achar a boneca Ana?" Dê bastante tempo para que o bebê ache o objeto, e recompense-o com vivas e abraços. Mesmo um olhar na direção certa deve ser levado em conta — "Isso mesmo, é a boneca Ana!"

Não force a barra. Se o bebê usar formas não-verbais de comunicação (apontar, resmungar), para indicar uma necessidade, encoraje-o a falar, dizendo "Diga à mamãe o que você quer".

Se ele resmungar ou apontar de novo, apresente-lhe uma escolha; por exemplo, "Você quer a bola ou o caminhãozinho?" Se ainda assim você obtiver uma resposta não-verbal, dê você mesma o nome ao objeto ("Ah, você quer a bola") e passe-o para o bebê. *Nunca* negue-se a dar algo porque o seu filho não consegue pedi-lo pelo nome, ou o pronuncia incorretamente. Mas, da próxima vez, tente de novo fazê-lo dizer o nome — sempre com paciência, sem exigir.

Dê instruções simples. Nessa idade, a maioria dos bebês só são capazes de seguir instruções simples; por isso, dê uma ordem de cada vez. Em lugar de dizer "Por favor, pega a colher e dá para a mamãe", diga "Por favor, pega a colher" e, depois que isso tiver sido feito, acrescente "Agora, por favor, dá a colher para a mamãe". Para ajudar o bebê a obter êxito em seguir suas instruções, você pode mandá-lo fazer coisas que ele está mesmo a ponto de fazer. Por exemplo: se ele está quase pegando uma bolacha, diga "Pegue a bolacha". Estas técnicas colaboram para o desenvolvimento da compreensão que precede a fala.

Corrija com cuidado. A criança nova quase nunca diz uma palavra com perfeição, e nenhuma delas é capaz de falar tudo com a precisão dos adultos. É provável que várias consoantes ainda permaneçam por vários anos para além das capacidades do bebê, o qual pode também passar ainda vários meses sem pronunciar o final das palavras ("ca" em vez de "casa", por exemplo). Quando o bebê ainda pronunciar erradamente uma palavra, não o corrija com o rigor de uma professora primária — o excesso de críticas poderia levar o bebê a deixar de experimentar. Valha-se, em vez disso, de uma abordagem mais cuidadosa, ensinando sem fazer sermão, de modo a proteger o frágil ego do bebê. Quando o bebê olha para o céu e diz "úa, têla", replique: "Isso mesmo. São a Lua e as estrelas". Embora as falhas de pronúncia que o bebê comete sejam muito graciosas, você causará confusão se as ficar repetindo (o bebê sabe qual deveria ser a pronúncia correta).

Amplie o seu repertório de leituras. Os versinhos rimados ainda são as leituras mais atraentes para crianças que começam a andar, ao lado dos livros que contêm figuras de animais, veículos, brinquedos e crianças. Umas poucas crianças são capazes de ouvir estórias muito simples, mas a maioria delas ainda vai levar muitos meses para conseguir ficar parada durante o tempo de uma estória. Nessa idade, mesmo aquelas que conseguem ouvir não são capazes de passar mais que 3 ou 4 minutos com o livro — seu período de concentração é muito curto. As crianças apreciam mais a leitura quando podem participar ativamente. Pare a fim de conversar sobre as figuras ("Olha, este gatinho está usando chapéu!"), peça a seu filho que aponte para objetos conhecidos (só mais tarde ele conseguirá dizer-lhes o nome), e diga o nome daqueles que ele ainda não conhece ou dos quais se esqueceu. Um dia (já bem próximo para algumas crianças) ele será capaz de dizer as últimas palavras dos versinhos e completar as frases de estórias favoritas.

Pense numericamente. O bebê ainda vai demorar para aprender a contar, mas não para aprender o conceito de "um" ou "muitos". Comentários como "Pode pegar uma bolacha", ou "Olhe, tem muitos passarinhos naquela árvore", ou "Você tem dois gatinhos", começam a incutir certos conceitos matemáticos básicos. Ao subir escadas com o bebê, diga ou cante "Um, dois, feijão com arroz", sobretudo se o bebê já é capaz de subir andando enquanto você lhe segura as mãos. Cante versinhos numéricos, como "um, dois, três, — quatro, cinco, seis — sete, oito, nove, estou na perna do freguês", ou "Um, dois, três indiozinhos", usando os dedos para mostrar os números. Integre o ato de contar à vida do bebê: ao fazer exercícios, vá contando-os de um a dez, voltando depois ao um e assim por diante; ao acrescentar farinha à massa do pão, vá contando as xícaras uma a uma à medida que as põe; ao pôr banana no mingau do seu filho, conte as fatias.

Capítulo 15

O Décimo Segundo Mês

O QUE O SEU BEBÊ PODE ESTAR FAZENDO

Ao final deste mês, o seu bebê
... já deverá ser capaz de (veja a Nota):

- andar segurando-se aos móveis (com 12 meses e meio)

Nota: Se o seu bebê parece ainda não ter atingido esse marco, fale com o médico. Em certos casos, esse atraso pode indicar um problema; mas, na grande maioria das vezes, será simplesmente um fato normal para o seu bebê. Em geral, os bebês prematuros atingem esses marcos depois de outros bebês da mesma idade, muitas vezes por volta de sua idade ajustada (a idade que teriam se houvessem nascido no prazo normal), ou um pouco depois.

... provavelmente será capaz de:

- bater palminha ou dar tchau (a maioria das crianças consegue fazer essas coisas aos 13 meses)
- tomar sozinho líqüidos de um copo (muitos não são capazes de fazer isto antes dos 16 meses e meio)
- pegar com perfeição um objeto pequeno, com as pontas do polegar e do indicador (com 12 meses e uma semana; muitos bebês não dominam esta habilidade antes dos 15 meses)
- ficar de pé sozinho por um instante (muitos não fazem isto antes dos 13 meses)
- falar pá-pá ou mã-mã conscientemente (a maioria dos bebês sabe falar pelo menos uma dessas palavras com 14 meses)
- falar uma outra palavra além de mã-mã ou pá-pá (muitos só dizem a primeira palavra depois dos 14 meses, ou mais tarde ainda)

... talvez seja capaz de:

- expressar vontades por outros meios que não o choro (muitos só atingem este estágio depois dos 14 meses)

- "jogar bola" (rolar a bola de volta para você; muitos não dominam esta habilidade antes dos 16 meses)
- ficar de pé sozinho com destreza (muitos só o conseguem com 14 meses)
- falar numa linguagem ininteligível (como se fosse uma língua estrangeira; metade dos bebês só começa a algaraviar depois do primeiro aniversário, e muitos só depois dos 15 meses de idade)
- andar bem (3 em cada 4 bebês só andam bem depois dos 13 meses e meio, e muitos demoram bem mais; os bebês que engatinham bastante podem demorar mais a andar; quando o restante do desenvolvimento é normal, o fato de o bebê demorar a andar raramente é motivo para preocupações)

... poderá até ser capaz de:

- falar três ou mais palavras além de mã-mã ou pá-pá (cerca de metade dos bebês só atinge este estágio depois dos 13 meses, e muitos demoram até os 16 meses)
- responder a um comando simples, sem gesto (me dá isso — sem estender a mão; a maioria as crianças só atinge este estágio depois do primeiro aniversário, e muitas só depois dos 16 meses)

O QUE VOCÊ PODE ESPERAR DO EXAME DESTE MÊS

Cada médico ou enfermeira tem um modo próprio de conduzir as consultas de rotina. A organização geral do exame físico bem como a quantidade e o tipo de técnicas de avaliação ou procedimentos utilizados variam também de acordo com as necessidades individuais da criança. Mas, de maneira geral, você pode esperar o seguinte de uma consulta feita quando o bebê tem cerca de doze meses de idade:

- Perguntas acerca de como você, o bebê e o restante da família têm passado em casa, e sobre a alimentação, o sono e o progresso global do bebê. Perguntas sobre os cuidados com o bebê, caso você trabalhe fora.
- Pesagem do bebê, medidas de sua estatura e perímetro cefálico e visualização gráfica do progresso feito desde o nascimento.
- Exame físico, incluindo um novo exame de quaisquer problemas anteriores. Agora que o bebê já consegue ficar de pé, o médico examinará suas pernas e pés estando ele nessa posição, com ou sem apoio; e as examinará com o bebê andando, se ele souber.
- Teste de hemoglobina ou hematócrito para verificar a existência de anemia, caso ainda não tenha sido feito.
- Avaliação do desenvolvimento. É possível que o médico submeta o bebê a uma série de "testes" para avaliar sua capacidade de sentar-se sozinho, ficar de pé e andar apoiando-se nos móveis (ou até andar sem apoio), alcançar e agarrar objetos, pegar objetos pequenos com perfeição, com as pontas do polegar e do indicador, procurar objetos caídos ou escondidos, atender ao próprio nome, alimentar-se sozinho, usar copos, cooperar na tarefa de trocar de roupa, reconhecer e talvez dizer palavras como mamãe, papai, tchau e não, e participar de jogos sociais como bater palminha ou esconde-esconde; senão o médico pode simplesmente basear-se nas próprias observações, combinadas aos relatos que você faz sobre o que o bebê vem fazendo.
- Vacinações, se ainda não tiverem sido feitas, o bebê estiver com boa saúde e não houver contra-indicações. Cuide de perguntar *de antemão* acerca de possíveis reações às vacinas. Pode-se fazer agora o teste tuberculínico — para verificar a imunidade contra a tuberculose — ou esperar-se até o décimo quinto mês. O teste pode ser feito antes ou juntamente com a vacina MMR (caxumba-sarampo-rubéola).

- Orientação sobre o que esperar no mês seguinte quanto à alimentação, sono, desenvolvimento e segurança do bebê, entre outras coisas.
- Prescrição de flúor, ferro, vitamina D ou outros suplementos, se necessários.

Algumas perguntas que você pode fazer, se o médico já não as tiver respondido:

- Quais são as reações positivas e negativas ao teste tuberculínico, caso tenha sido administrado? Quando você deve telefonar, se a reação for positiva? (A vermelhidão nas primeiras 24 horas é normal, mas a vermelhidão ou o inchaço depois de 48 a 72 horas são considerados sinais positivos.)
- Quais novos alimentos podem começar a ser dados ao bebê? Ele já pode tomar leite num copo? Quando se podem introduzir as frutas cítricas, peixes, carnes e clara de ovos, caso ainda não tenham sido?
- Quando você deve começar a pensar em desmamar o seu bebê da mamadeira, se você o alimenta assim, ou do peito, caso você ainda não o tenha desmamado e passar a alimentá-lo pelo copo ou mamadeira?

Além disso, exponha as questões que a preocuparam durante o último mês. Anote as informações e instruções que o médico lhe dá (do contrário, você vai esquecê-las). Registre todas as informações pertinentes (peso, estatura e perímetro cefálico do bebê, vacinações, resultados de testes, doenças, medicamentos prescritos, etc.) numa ficha permanente de saúde.

PARA ALIMENTAR O SEU BEBÊ ESTE MÊS: A Melhor Dieta para Crianças Novas

Acostumado com poucas coisas além de bananas amassadas ou batatas-doces passadas na peneira, o paladar do seu filho de um ano é praticamente uma tábula rasa que espera ser preenchida por todo um mundo de experiências gastronômicas ainda desconhecidas. Os elementos que a preencherão agora e nos anos seguintes terão o poder de determinar, em grande medida, o que virá a agradar esse paladar no futuro — e isto, evidentemente, terá grande influência sobre a futura saúde e longevidade do seu filho. Mas a boa nutrição também traz benefícios mais imediatos. Assim como a sua excelente dieta pré-natal deu ao bebê as melhores chances de nascer vivo e saudável, uma excelente dieta infantil dará ao seu filho as melhores chances de permanecer saudável, além de proporcionar-lhe a energia necessária para as suas incansáveis explorações.

OS NOVE PRINCÍPIOS BÁSICOS DA MELHOR DIETA

Os princípios básicos da boa nutrição são praticamente os mesmos para a criança nova e para o restante da família, embora haja pequenas diferenças devidas à pouca idade da criança.

Todo bocado é importante. Este princípio era essencial quando você alimentava o bebê através da placenta e dos seios, caso tenha amamentado; é essencial também agora que você o está alimentando através de colheres, copos e tigelas, e o próprio bebê mastiga os bocados. No caso das crianças novas, cujo apetite e volume estomacal são limitados e cujos gostos às vezes o são ainda mais, os bocados perdidos em comidas não-nutritivas na maioria das vezes não são repostos. As guloseimas vazias (como biscoitos, bolos e balas açucaradas) devem ser poucas — embora as guloseimas saudáveis (como bolinhos, bolachas e bolos de cereal integral, adoçados com suco de frutas) possam ser um dos esteios da dieta.

Nem todas as calorias são iguais. As 100 calorias de uma barra de chocolate não equivale, do ponto de vista nutricional, às 100 calorias de uma banana pequena; pense nisso ao planejar os lanches e refeições.

É perigoso pular refeições. As refeições perdidas privam os bebês e crianças novas de nutrientes necessários ao seu crescimento e desenvolvimento. As crianças que não comem a intervalos regulares durante o dia ficam sem energia, além de ficarem irritadiças e irracionais, às vezes por causa da baixa taxa de açúcar no sangue. E, devido ao seu baixo volume estomacal, geralmente precisam de lanches entre as três principais refeições. É evidente que elas, às vezes, rejeitam uma refeição ou um lanche — e você não deve forçá-las a comer. Você pode deixar o bebê perder uma ou outra refeição, desde que você as dê com regularidade.

A eficiência é eficaz. Freqüentemente, os problemas de peso começam na infância. Mas, se uma criança nova está ganhando peso em demasia, não convém iniciar um regime, mas sim selecionar cuidadosamente seus alimentos. Prefira aqueles ricos em nutrientes e pobres em calorias, como frutas e legumes frescos e pão integral sem manteiga. Se uma criança nova está abaixo do seu peso ideal ou ganhando pouco peso, a seleção alimentar eficiente consiste numa escolha de alimentos que proporcionem bastante nutrientes e muitas calorias, mas sem demasiado volume (manteiga de amendoim, bananas, abacate, queijo). Mesmo se não houver problemas de peso, a escolha de alimentos que suprem de uma só vez várias necessidades nutricionais (brócolis para vitaminas C e A, iogurte para proteínas e cálcio) mostra-se sempre eficiente, e é algo singularmente sensato quando se está lidando com apetites não muito grandes.

Os carboidratos são uma questão complexa. Os carboidratos, amidos e açúcares são os alimentos prediletos das crianças, e as muito novas — particularmente as que recusam os alimentos "protéicos", como carne e peixe — muitas vezes parecem viver só disso. Mas existem carboidratos e carboidratos. Alguns deles, conhecidos como carboidratos complexos, proporcionam vitaminas, minerais, proteínas e fibras, além de calorias (pães e cereais integrais, arroz integral, ervilhas e feijões, massas integrais ou com alto teor de proteínas, frutas e legumes); outros, conhecidos como açúcares simples e amidos refinados, não contêm quase nada além das calorias (açúcar, mel, grãos refinados e os produtos alimentícios que têm essas coisas como base). Em casa, sirva os bons carboidratos; quanto aos outros, só os libere de vez em quando (em festas, ao visitar outras pessoas, e em outros momentos em que não há escolha).

De docinho em docinho surge um problemão. O açúcar nada fornece além de uma porção de calorias vazias, e os alimentos açucarados enchem o estômago das crianças, roubando o espaço dos nutrientes necessários. Além disso, o açúcar contribui bastante para a formação de cáries dentárias, provavelmente porque estimula a proliferação das bactérias que fazem esse "serviço sujo". Também pode estar indiretamente envolvido no desenvolvimento do diabetes (por aumentar a necessidade orgânica de cromo). Ainda não se sabe se o açúcar pode ser uma das causas da hiperatividade. Um estudo, financiado pelo governo federal (dos EUA), constatou que as crianças que comem muito açúcar são mais ativas que as que não comem; outros estudos não perceberam ligação entre o açúcar e a hiperatividade.

Quase todas as crianças parecem preferir o sabor doce aos outros sabores desde tenra idade, mas as pesquisas mostram que as crianças que comem muitos alimentos açucarados desde muito cedo têm maior probabilidade de ficar "viciadas" mais tarde. Exclua o açúcar (inclusive o açúcar mascavo ou demerara, a rapadura, a frutose, os xaropes de milho e o mel) de sua cozinha e ofereça guloseimas açucaradas apenas raramente, a título de agrado, ou nunca. Muitas mães acham mais fácil abandonar o açúcar totalmente, pelo menos até que seus filhos cheguem aos dois anos de idade ou comecem a ter mais contato com outras crianças. Mas a ausência de açúcar não implica a ausência de doces. As crianças que vivem numa casa onde não se come açúcar têm todo o direito de deleitar-se com bolos, bolinhos e bolachas. E você pode oferecê-los fazendo-os em casa ou adquirindo-os dentre o número cada vez maior de escolhas que o comércio oferece, adoçados com frutas ou sucos de frutas concentrados.

Sirva alimentos que se lembram de onde vieram. Quanto mais perto se encontra um alimento do seu estado original, maior é a probabilidade de conservar os nutrientes que tinha de início. Mas o que se acrescenta aos alimentos industrializados — produtos químicos de valor duvidoso, às vezes por acidente — pode ser ainda mais perigoso do que aquilo que os alimentos perdem. As crianças processam e eliminam os produtos químicos mais lentamente (e, assim, conservam-nos por mais tempo no organismo), seus corpos são menores e, teoricamente, elas ainda têm um maior tempo de vida durante o qual os produtos químicos podem exercer a sua ação maléfica; por isso, são mais suscetíveis do que os adultos aos riscos de contaminação química. Assim, sirva alimentos que se mantêm próximos de suas origens: Raramente libere alimentos industrializados, ou mesmo nunca, prefira o não-refinado ao refinado, as carnes e queijos frescos aos seus substitutos industrializados, as frutas e legumes frescos ou recém-congelados aos seus homólogos enlatados, congelados e desidratados. Depois, interfira o mínimo possível com eles — não cozinhe por um tempo demasiado, não os deixe guardados por longos períodos e nem os exponha desnecessariamente ao ar, à umidade ou ao calor.

Faça da boa alimentação uma tradição familiar. Seu filho não vai comer cenouras, abster-se de doces açucarados ou preferir o pão integral ao pão branco se o papai sempre deixa as cenouras no prato, a mamãe sempre come um sonho no café da manhã e biscoitinhos no lanche e o irmão mais velho tem uma alimentação à base de pão branco com manteiga de amendoim. É injusto ser o único da casa a ser obrigado a comer bem; é divertido fazê-lo em família. E se a família inteira mudar sua dieta pelo bem de seu membro mais jovem, isso não beneficiará somente a ele, mas a todos os que se sentarem à mesa do jantar.

Cuidado com as sabotagens à dieta. Não é provável que o seu filhinho venha a prejudicar a própria dieta com fumo, álcool ou cafeína em excesso ou outras drogas nos próximos anos. Mas o excesso de guloseimas também pode solapar a dieta, roubando o espaço de alimentos mais nutritivos. E se a criança aprender na sua própria casa que é lícito fumar ou consumir drogas ilegais, mesmo em pouca quantidade, ou consumir álcool e cafeína em excesso, estes elementos de sabotagem à dieta poderão entrar na vida dela mais cedo do que você imagina.

A DÚZIA DIÁRIA DA MELHOR DIETA — PARA CRIANÇAS NOVAS

A "Dúzia Diária" foi criada como um guia fácil para a "Melhor Dieta" de nutrição pré-natal. Nesta forma modificada, ela é a maneira mais tranqüila de nutrir o seu filho

O DESMAME DO BEBÊ

Se você desmamou ou está a ponto de desmamar o bebê, é importante escolher o leite certo para substituir o leite materno ou o leite em pó especial para bebês. A Sociedade Brasileira de Pediatria e a maioria dos pediatras recomendam o leite integral, porque o leite desnatado tem taxas de sódio e proteína altas demais para os bebês e crianças novas; além disso, estes parecem precisar desse excesso de gordura e colesterol até os quinze meses, no mínimo, para um perfeito desenvolvimento do cérebro e do sistema nervoso. Alguns acreditam que aos quinze meses é conveniente mudar para leite com 2% de gordura, e para leite desnatado aos dezoito meses. Outros dizem que o leite integral deve ser dado até os dois anos. Discuta o assunto com o médico do seu filho.

Insiste-se também em que o leite seja pasteurizado. É verdade que a pasteurização rouba do leite uma parte do seu valor nutritivo, mas os especialistas crêem que o risco de doenças devido ao consume de leite ao natural é alto demais para que se possa recomendar o seu uso.

Agora que você não usa mais mamadeiras claramente graduadas, você deve estar imaginando como ter certeza de que o bebê está tomando leite em quantidade suficiente. Um dos modos consiste em medir, toda manhã, a quantidade de leite necessária para o dia — duas xícaras e 2/3, com mais 1/3 de xícara para suprir os derrames —, reservá-la numa jarra limpa e guardá-la na geladeira. Todo o leite do bebê (no mingau, para beber, para misturar no purê de batatas ou de outros legumes) deve ser tirado dessa jarra. Se a jarra chega ao fim do dia vazia, e o bebê não derramou nem deixou muito leite, é bastante provável que as exigências de leite tenham sido atendidas. Se, por vários dias seguidos, a jarra ainda continua com bastante leite ou grandes quantidades foram perdidas para o chão ou a bandeja do caldeirão, tome as seguintes medidas para acrescentar mais cálcio à dieta do bebê:

- Se o bebê não tem tomado mais que uma xícara e meia de leite por dia, acrescente a isso meia xícara de leite em pó desnatado mais uma colher de sopa de creme leve ou duas colheres de meio-a-meio, e use-a como a cota diária do bebê. Se o bebê tem tomado cerca de duas xícaras, acrescente 1/3 de xícara de leite em pó desnatado mais uma colher de sopa de creme leve ou duas colheres de meio-a-meio.

- Passe a dar leite enriquecido com cálcio, que o bebê precisa em menor quantidade (duas xícaras em vez de duas e 2/3) para suprir as necessidades de cálcio. Mas, a cada porção, acrescente uma colher de sopa de creme leve ou duas colheres de meio-a-meio.

- Para cada 1/3 de copo de leite integral que o bebê *não* toma, acrescente uma das seguintes porções à sua dieta: de 10 a 15 gramas de queijo duro com baixo teor de gordura (como o mozarela); 20 g de queijo duro gorduroso (como o Cheddar); cerca de 1/4 de xícara de iogurte; 90 g de tofu preparado com cálcio; 60 ml de suco de laranja enriquecido com cálcio; ou metade de qualquer outra porção infantil de cálcio.

Se às vezes o bebê deixa de comer uma ou duas porções de cálcio, não se preocupe. Ele provavelmente vai compensar no dia seguinte.

até os três anos. Como as crianças normalmente comem pouco, sinta-se à vontade para misturar e combinar porções parciais a fim de suprir as exigências necessárias — lembrando-se, além disso, que vários alimentos atendem a mais de uma exigência (o melão, que atende às exigências de vitamina C, e uma fruta amarela por exemplo). As quantidades não precisam ser exatas, mas é possível que você queira medir ou pesar até sentir-se segura para determinar a olho nu quantos são 30 g de queijo ou 1/2 xícara de cenouras. Acostumar-se a usar xícaras ou colheres graduadas para transferir

PORÇÕES PROTÉICAS VEGETARIANAS PARA CRIANÇAS NOVAS

O melhor é que o seu filho obtenha parte das proteínas de que precisa sob a forma de produtos animais: peixe, carne de vaca ou de aves, ovos e laticínios. Se as suas práticas alimentares tornarem isso completamente impossível, ou se você às vezes gosta de servir refeições puramente vegetarianas, as seguintes combinações de alimentos proporcionarão, cada uma delas, uma porção suficiente de proteínas.

Para obter uma porção infantil plena (cerca de 6 g), combine uma porção da coluna das Leguminosas com uma porção da coluna dos Cereais.

LEGUMINOSAS*

3 colheres de sopa de lentilhas, ervilhas ou grãos-de-bico partidos ao meio, feijão, soja, fava-de-lima ou feijão roxo.
1/4 de xícara de ervilha-de-vaca, feijão-fradinho, fava ou feijão branco
1/3 de xícara de ervilhas verdes
30 g de tofu

CEREAIS

15 g de soja ou massa de alto teor de proteína
30 g de massa de trigo integral
1 e 1/2 colher de sopa de germe de trigo
1/6 de xícara (antes do cozimento) de aveia
1/4 de xícara de arroz selvagem cozido
1/3 de xícara de arroz integral, trigo sarraceno ou painço**
1 fatia de pão integral
1 pita pequena (30 g) de trigo integral
1/2 broa de milho integral ou de pão sírio
3/4 de colher de sopa de mantiga de amendoim

* Os feijões e ervilhas devem ser partidos ao meio ou levemente amassados para não causarem engasgos.

** Estes cereais são pobres em proteínas; ao servi-los, acostume-se a acrescentar 1 e 1/2 colher de sopa de germe de trigo por porção.

Nota: As nozes contêm bastante proteínas e podem ser combinadas às leguminosas para formar porções protéicas vegetarianas. Mas não as dê às crianças a menos que estejam muito bem moídas; do contrário, podem causar engasgos e sufocamentos.

a comida dos recipientes para os pratos é uma maneira fácil de contar as porções

Calorias — de 900 a 1350, em média. Não é preciso fazer cálculos. Para saber se o seu filho está ingerindo a quantidade correta de calorias, simplesmente acompanhe o seu ganho de peso nas consultas com o médico. Se a curva do seu gráfico de peso conserva mais ou menos a mesma inclinação, é porque a ingestão de calorias é suficiente sem ser excessiva; às vezes, porém, a curva pode subir ou descer de repente, à medida que um bebê magrinho engorda ou um bebê roliço emagrece. A quantidade de alimentos que a criança precisa comer para conservar a sua curva de peso depende do tamanho, do metabolismo e do nível de atividade individuais. Mas lembre-se sempre de que uma quantidade muito baixa de calorias pode prejudicar seriamente o crescimento e o desenvolvimento da criança nova.

Proteínas — quatro porções infantis (cerca de 25 g). Uma porção infantil equivale a qualquer das seguintes: 3/4 de xícara de leite; 1/4 de xícara de leite em pó desnatado; 1/2 xícara de iogurte; 3 colheres de sopa de ricota; 22 g de queijo duro; 1 ovo inteiro ou duas claras; de 22 a 30 g de peixe, frango ou vaca; 60 g de tofu; 1 1/2 colheres de sopa de creme de amendoim; 30 g de massa com alto teor protéico; 1 porção protéica vegetariana para crianças novas (veja página 416).

Alimentos com vitamina C — duas ou mais porções infantis.[1] Se você distribuir essas porções ao longo do dia — dando suco de laranja no café da manhã, uma fatia de melão no almoço e brócolis no jantar —, aumentará a absorção do ferro contido em quaisquer alimentos servidos. Uma porção infantil equivale a qualquer das seguintes: 1/2 laranja pequena ou 1/4 de toranja média; 1/4 de xícara de morangos frescos; 1/8 de melão; 1/4 de xícara de suco de laranja fresco ou congelado e reconstituído; 1/4 de goiaba grande ou 1/4 de xícara de mamão; 1/4 de banana-da-terra grande; 1/4 de xícara de brócolis ou couve-de-bruxelas; 1/2 xícara de verduras cozidas; 1/4 de pimentão verde médio ou 1/6 de pimentão vermelho médio; 1 tomate pequeno, descascado; 3/4 de xícara de molho de tomate ou 1/2 xícara de suco; 3/8 de xícara de suco de legumes.

Alimentos com cálcio — quatro porções infantis. Uma porção infantil equivale a qualquer das seguintes: 2/3 de xícara de leite; 1/3 de xícara de leite enriquecido com 1/8 de xícara de leite em pó desnatado; 1/4 de xícara de leite em pó desnatado; 1/2 xícara de leite enriquecido com cálcio;[2] 1/2 xícara de iogurte; de 22 a 30 g de queijo duro semidesnatado; 40 g de queijo duro gorduroso; 120 ml de suco de laranja enriquecido com cálcio.

Meia porção infantil de cálcio equivale a 90 g de tofu preparado com cálcio, menos de 2/3 de xícara de brócolis cozido, 1/2 xícara de couve ou folhas de nabo cozidas, 40 g de salmão enlatado com a espinha (amassado), 30 g de sardinha com a espinha (amassada).

1. Aumente para quatro porções infantis quando a criança tiver uma gripe ou resfriado.

2. O uso de leite em pó desnatado ou enriquecido com cálcio é uma maneira fácil de acrescentar cálcio à dieta do bebê; mas não os use com freqüência, a menos que você acrescente uma colher de sopa de creme leve, ou duas de creme meio-a-meio, a cada porção — o bebê ainda precisa das gorduras. Do mesmo modo, acrescente creme de leite ao leite enriquecido com cálcio que contiver menos de 4% de gordura.

Verduras, legumes amarelos e frutas amarelas — duas ou mais porções infantis por dia.[3] Uma porção infantil equivale a qualquer das seguintes: 1 damasco médio fresco ou duas metades pequenas secas; uma fatia de melão ou cerca de 1/2 xícara da fruta cortada em cubinhos; 1/8 de manga grande; 1 nectarina média, descascada; 1/2 pêssego amarelo (e não branco) grande, descascado; 1/2 banana-da-terra média; 6 brotos de aspargo; menos de 1/2 xícara de brócolis cozido; 3/4 de xícara de ervilhas; 2 a 3 colheres de sopa de verduras picadas e cozidas; 1/4 de cenoura pequena; 1/2 colher de sopa de abóbora-moranga cozida e amassada; 2 colheres de sopa de abobrinha cozida e amassada; 1 colher de sopa de batata-doce vermelha; 1 tomate pequeno, sem pele; menos de 1/2 xícara de tomates cozidos ou purê do mesmo fruto; 3/4 de xícara de suco de tomate ou 90 ml de suco de legumes; 1/4 de pimentão vermelho grande.

Outras frutas e legumes — uma a duas, ou mais, porções infantis. Uma porção infantil equivale a qualquer das seguintes: 1/2 maçã, descascada; 1/2 pêra, descascada; 1/2 pêssego branco, descascado; 1 ameixa média, descascada; 1 banana pequena; 1/4 de xícara de molho de maçã; 1/3 de xícara de cerejas, amoras ou similares, ou uvas; 1 figo grande; 2 tâmaras; 3 metades de pêssego seco; 1 metade de pêra seca; 1/2 fatia de abacaxi; duas colheres de sopa de uvas passas ou maçãs secas; 2 ou 3 brotos de aspargo; 1/4 de abacate médio; 3/8 de xícara de feijão verde; 1/2 xícara de beterraba, berinjela ou nabo cortado em cubinhos; 1/4 de xícara de cogumelos, abóbora ou abobrinha fatiados; 5 quiabos; 1/3 de xícara de ervilhas; 1/2 espiga pequena de milho. Corte os grãos de milho na metade, seccionando cada fileira no sentido do comprimento, e descasque as frutas de casca mais grossa antes de servi-las à criança.

3. Uma quantidade excessiva de caroteno, a forma com que a vitamina A aparece nas frutas e legumes, pode deixar amarela a pele do bebê (e também a do adulto, em doses muito maiores). Não exagere nesta categoria — três ou quatro cenouras por dia, por exemplo, já são demais.

COMBINAÇÕES PROTÉICAS DE LATICÍNIOS PARA CRIANÇAS NOVAS

Para obter uma porção protéica completa com laticínios, combine uma das seguintes porções com uma porção das colunas de Leguminosas ou Cereais do quadro de Porções Protéicas Vegetarianas para Crianças Novas (veja página 416).

2 colheres de sopa de ricota
1/3 de xícara de leite
2 colheres de sopa de leite em pó desnatado
1/6 de xícara de leite condensado
1/3 de xícara de iogurte
1/2 ovo ou uma clara
10 g de queijo duro pouco gorduroso (como o suíço ou o mozarela)
15 g de queijo gorduroso (como o azul ou o Camembert)
1 colher de sopa de queijo parmesão

Cereais integrais ou outros carboidratos complexos concentrados — seis ou mais porções infantis. Uma porção infantil equivale a qualquer das seguintes: 1 colher de sopa de germe de trigo; 1/2 fatia de pão integral; 1/2 pita pequena (30 g); 1/4 de um pão sírio ou bolo inglês integral; 1 porção infantil (ou 1/2 porção adulta) de bolo da Melhor Dieta ou outra massa assada; 3 a 4 palitinhos de pão integral ou 2 a 3 biscoitos tipo "cracker" integral; 1/4 de xícara de arroz integral; 1/2 porção de cereal matinal integral, não-adoçado ou adoçado com frutas; 15 g de massa integral ou de alto teor de proteína; 1/4 de xícara de lentilhas, grãos-de-bico ou feijão roxo (cozidos e partidos ao meio). *Alimentos ricos em ferro — um pouco por dia.* Eis algumas boas fontes de ferro: carne de vaca; melado; massas assadas feitas com farinha de soja ou alfarroba; cereais integrais; germe de trigo; feijões e ervilhas secas, inclusive a soja; frutas secas; fígado e outros órgãos internos dos animais (não os sirva com freqüência, pois contêm muito colesterol e armazenam muitos produtos químicos nocivos atualmente dados ao gado); sardinhas; espinafre (não sirva com freqüência, pois contém altas taxas de nitrato e ácido oxálico. O ferro destes alimentos é mais bem absorvido quando um alimento que contém vitamina C é servido na mesma refeição. Se o bebê não comer uma quantidade suficiente de alimentos ricos em ferro ou estiver com anemia, o médico poderá receitar-lhe um suplemento ferroso.

Alimentos ricos em gorduras — seis a sete porções infantis por dia. Uma porção infantil eqüivale a qualquer das seguintes: 1/2 colher de sopa de óleo poliinsaturado, azeite de oliva, manteiga, margarina ou maionese; 1 1/2 colher de sopa de requeijão; 1 colher de sopa de manteiga de amendoim; 1/4 de abacate pequeno; 1 ovo; 2/3 de xícara de leite integral; 3/4 de xícara de iogurte de leite integral; 3 colheres de sopa de creme de leite "meio-a-meio"; 1 colher de sopa de creme de leite; 2 colheres de sopa de creme azedo; 20 g de queijo duro; 6 fatias de pão integral ou 1/2 xícara de germe de trigo; 45 g de carne magra de vaca, carneiro ou porco. Nesta dieta, cerca de 30% das calorias consumidas num dia vêm das gorduras. Para a criança que bebe leite integral (ou come o equivalente sob a forma de outros laticínios) e come vários ovos por semana, as demais gorduras animais são desnecessárias; as outras exigências de alimentos ricos em gordura devem ser satisfeitas através daquelas gorduras vegetais ricas em óleos poliinsaturados (óleo de açafroa ou girassol, por exemplo) ou monoinsaturados (óleo de oliva), em vez de gorduras saturadas (óleo de coco ou gordura vegetal hidrogenada). Eis a possível maneira pela qual uma criança típica ingeriria as gorduras de que precisa: 2 xícaras de leite; 20 g de queijo; 1 ovo; 3 fatias de pão integral; e 45 g de carne moída. Não é necessário acrescentar mais gordura.

Alimentos salgados — não acrescente muito sal. Para viver, todos os seres humanos precisam do sódio presente no cloreto de sódio (mais conhecido como sal de cozinha); no entanto, a maioria das pessoas, inclusive os bebês e crianças novas, consomem muito mais que o necessário. O sódio acha-se naturalmente presente ou é industrialmente acrescentado à maior parte dos alimentos que as crianças ingerem (leite, queijo, ovos, cenouras, pães e outras massas); assim, as exigências dietéticas de sal são facilmente atentidas, e facilmente ultrapassadas. Para evitar um consumo excessivo de sal, coloque pouco ou nenhum sal nos alimentos que você prepara para as crianças, e ponha limites ao consumo de alimentos pré-salgados, como bolachas água-e-sal, batatinhas fritas, *pretzels,** vegetais em conservas, azeitonas verdes etc. (todas as nozes são perigosas para as crianças novas, a menos que sejam finamente moídas). Todo o sal que você usa deve ser iodado, para prevenir contra a deficiência desse elemento.

Líqüido — quatro a seis xícaras por dia. Parte das necessidades de líqüidos do seu filho será satisfeita pelos alimentos sólidos, sobretudo as frutas e legumes, que contêm de 80 a 95% de água. Mas, além disso, mais 4 a 6 xícaras de líqüidos devem ser tomadas sob a forma de sucos de frutas (de preferência, diluídos em água comum ou com gás), sucos de legumes, sopas, água com gás ou água comum. O leite (cuja terça parte é composta de sólidos) só proporciona 2/3 de porção de líqüido por xícara. Mais líqüidos são necessários em época de calor ou quando o bebê sofre de febre, resfriado, outros males das vias respiratórias, diarréia ou vômitos.

Suplementos. Alguns médicos não crêem que os suplementos sejam necessários para bebês sadios de mais de um ano. Outros, porém, recomendam que um suplemento alimentar de vitaminas, minerais e ferro continue a ser dado depois do primeiro aniversário como medida de prevenção. Trata-se de algo bastante sensato, se tivermos em conta os hábitos alimentares estranhos e irregulares das crianças novas. Mas o fato de você dar um comprimido de vitaminas ao seu filho todo dia não a exime da obrigação de proporcionar-lhe uma boa dieta. Além disso, a formulação escolhida deve ser própria para crianças e *não* deve conter mais que 100% da cota diária recomendada para a idade do seu filho. (Algumas vitaminas são tóxicas em níveis pouco mais altos que a CDR.) Continue a dar-lhe uma vitamina líqüida até nascerem os molares; depois, passe a dar tabletes mastigáveis que não contêm açúcar.*

O QUE PODE ESTAR PREOCUPANDO VOCÊ

A PRIMEIRA FESTA DE ANIVERSÁRIO

"A família toda está se preparando para o primeiro aniversário da minha filha. Eu gostaria que a festa fosse especial, mas não quero que seja muito cansativa para o bebê."

Muitos pais, animados ao preparar a festa do primeiro aniversário do bebê, parecem esquecer-se de que ele ainda é um bebê. E toda a pompa que se esforçam por

* Pequenos biscoitos, trançados e salpicados com sal. (N. do R. T.)

* Não disponíveis no Brasil. (N. do R. T.)

organizar quase nunca combina com o convidado de honra, que provavelmente não vai suportar a tensão e passará boa parte da festa em lágrimas.

A fim de preparar uma festa de aniversário a ser lembrada, e não a ser rapidamente esquecida, siga esta estratégia:

Vá devagar com os convidados. É bem provável que uma sala lotada, ainda que de rostos conhecidos, acabe por assoberbar a pequena aniversariante, levando-a, infelizmente, a ficar chorosa e "grudada" em você. Deixe para convidar a cidade inteira quando a sua filha casar; desta vez, faça uma reunião íntima, convidando alguns membros da família e amigos mais chegados. Se ela costuma brincar ao lado de crianças da mesma idade, você pode convidar duas ou três delas; se ela não tem esse costume, a festa de seu primeiro aniversário certamente não será um bom momento para lançá-la na vida social.

Faça o mesmo com a decoração. Uma sala decorada com tudo o que a loja de festas tem a oferecer: se este é o seu sonho, fique sabendo que pode ser o pesadelo do bebê. Assim como um excesso de gente, o excesso de balões, fitas, bandeirolas, máscaras e chapéus pode ser demais para a criança. Seja moderada ao decorar, adotando talvez um tema de que a sua filha goste (a Turma da Mônica, ou o Mickey, ou ursinhos de pelúcia). E se você quiser dar um toque final com bexigas, lembre-se de que as crianças pequenas podem sufocar com a borracha dos balões estourados.

Deixe-a comer bolo... Mas tenha certeza de que não se trata de um bolo que ela não deva comer (com chocolate, nozes, açúcar ou mel). Em vez disso, sirva um bolo de cenoura da Melhor Dieta coberto com chantilly ao natural ou glacê de queijo-creme adoçado com suco de frutas — e, se você quiser dar vazão à veia artística, faça-o na forma de um personagem favorito, ou decore-o assim. Se for do seu agrado, sirva-o com sorvete feito em casa ou comprado fora.[4] Se possível, corte o bolo na hora normal do lanche do bebê, e dê porções pequenas às crianças para evitar desperdícios. Se o bolo que você escolher for nutritivo o suficiente para fazer às vezes de uma refeição, você não deve se preocupar se a sua filha a surpreender, comer várias fatias e depois ficar cheia demais (ou cansada demais) para comer o jantar. Por fim, ao selecionar os petiscos, pense não só na nutrição, mas também na segurança. Uma festa de aniversário não é hora para correr o risco de ver bebês engasgando-se com pipoca, amendoins, uvas ou salgadinhos duros e pequenos. Também por segurança, peça que todas as crianças sentem-se para comer.

Não convide palhaços. Nem mágicos, nem qualquer outro espetáculo pago ou voluntário que possa assustar a sua filha ou uma de suas amiguinhas. Todos sabem que os bebês de um ano são sensíveis e imprevisíveis; o que os agrada agora pode deixá-los aterrorizados daqui a um minuto. E não tente organizar os bebês para brincar de jogos festivos formais — ainda não estão prontos para isso. Mas, se houver vários miniconvidados, exponha alguns brinquedos com que possam brincar a seu próprio modo; escolha um número suficiente de brinquedos iguais, para evitar competição. Logo antes de se abrirem os presentes, os convidados-mirins podem receber brindes simples e seguros, como bolas de borracha de cores vivas, livrinhos resistentes ou brinquedos para se usar no banho.

Não exija desempenho. Certamente, seria muito bonito se o bebê sorrisse para a máquina fotográfica, desse alguns passinhos na frente de todos os convidados, abrisse com enorme interesse cada um dos

4. Boas notícias: já é possível comprar sorvete adoçado com suco de frutas na maioria das lojas de produtos naturais. Más notícias: alguns desses sorvetes são feitos com creme de leite e gemas de ovos. Assim, considere-os como regalos para ocasiões especiais, e não para consumo cotidiano; ou procure as variedades *light*.

presentes e sinalizasse a sua gratidão com um balbucio — mas não conte com isso. É possível que ele aprenda a assoprar as velinhas se você lhe der tempo suficiente para treinar no mês que antecede a festinha, mas não espere uma cooperação completa e nem o pressione nesse sentido. Ao invés, deixe-o ser ele mesmo — mesmo que, com isso, ele se esforce por escapar do seu colo na hora da fotografia, recuse-se até a ficar de pé no momento em que deveria andar para a família ver, ou prefira brincar com uma caixa vazia em vez do caro presente que veio dentro dela.

Organize bem o tempo. Na festa de um bebê, o cronograma é quase tudo. Tente orquestrar as atividades do grande dia de modo que ele esteja descansado, bem alimentado (não deixe de lhe dar almoço pensando que ele comerá na festa) e seguindo os seus horários normais. Não planeje uma festa matinal se ele costuma dormir de manhã, e nem opte por uma comemoração vespertina se ele normalmente cai no sono depois do almoço. Convidar um bebê cansado a participar das festividades é um convite à desgraça. E não prolongue demais a festa — uma hora e meia, no máximo —, para que o bebê não esteja exausto no fim, ou, pior, no meio da festa.

Registre-a para a posteridade. A festa passará rapidamente, assim como a infância de seu filho. Gravar o acontecimento em vídeo, tirar fotos ou fazer um filme é um esforço que vale a pena.

AINDA NÃO ANDA

"Hoje é o primeiro aniversário do meu filho, e ele ainda nem tentou andar. Já não era hora de ele estar andando?"

Pode parecer muito oportuno que o bebê dê os seus primeiros passinhos na festa do primeiro aniversário (o que seria, além disso, uma grande diversão para os adultos), mas há poucos bebês dispostos ou capazes de fazer essa gentileza. Embora alguns comecem a andar semanas ou meses antes disso, outros só muito mais tarde cambaleiam em direção ao grande momento (às vezes, quando papai e mamãe não estão por perto). O fato de o primeiro aniversário passar sem um só passo pode ser frustrante para os parentes, especialmente aqueles que arrastaram atrás de si o equipamento de vídeo a fim de capturar a própria evolução da história; não obstante, isso não é sinal de nenhum problema de desenvolvimento.

Com efeito, a maioria das crianças só começa a andar depois do primeiro aniversário. Vários estudos situam os primeiros passos, em média, entre os treze e quinze meses. Além disso, a idade com que a criança começa a caminhar, quer seja nove meses, quer quinze meses ou até depois disso, não diz nada sobre a sua inteligência.

Muitas vezes, o momento em que o bebê anda tem relação com a sua constituição genética — andar cedo (ou tarde) é uma característica da família. Também pode ter relação com o seu peso e constituição corporal — um bebê mais nervoso e musculoso tem maior probabilidade de andar cedo do que um bebê tranqüilo e fofinho; a criança que tem pernas curtas e fortes tende a andar antes da criança com pernas compridas e finas, sobre as quais é difícil se equilibrar. Pode estar ligado, além disso, ao momento em que ele aprendeu a engatinhar, e a quão bem engatinha. Às vezes, a criança que não engatinha ou engatinha mal começa a andar mais cedo que o bebê que se movimenta perfeitamente sobre quatro apoios.

A má nutrição ou um ambiente com poucos estímulos também podem retardar o desenvolvimento dessa habilidade. O mesmo pode decorrer de uma experiência negativa — um tombo feio, por exemplo, na primeira vez que o cambaleante bebê largou a mão da mãe. Nesse caso, é possível que a criança só venha a tentar de novo quando estiver bastante segura; então, é provável que já decole com a desenvoltura de um profissional, e não com o jeito duro e inábil dos iniciantes. A criança cujos pais ansiosos a forçaram a submeter-se a sessões diárias de "treino" para andar pode revoltar-se (sobretudo se for do tipo teimoso) e andar mais tarde do que o faria se tivesse podido fazê-lo a seu modo e no seu ritmo. O bebê que teve suas energias minadas por uma infecção no ouvido, uma gripe ou outra doença pode adiar o grande momento até se sentir melhor. A criança que tem bailado pela casa inteira pode de repente voltar a cair a cada dois passos por estar indisposta, e com igual rapidez voltar a andar depois que estiver novamente se sentindo bem.

O bebê que vive encurralado num cercadinho com paredes de tela (que podem impedir que se apóie para ficar de pé), amarrado a um carrinho, ou que de algum modo quase não tem oportunidades de desenvolver a confiança e os músculos da perna pelas atividades de ficar em pé e andar apoiando-se, pode andar mais tarde — e na verdade, ter um desenvolvimento lento também em outros campos. Do mesmo modo, o bebê mais velho que passa boa parte do tempo num andador tem grande chance de vir a andar mais tarde que as outras crianças. Dê ao bebê tempo e espaço para apoiar-se, ficar de pé, andar agarrando-se aos móveis e dar seus passinhos num ambiente que não tenha tapetes soltos ou um chão escorregadio, e onde haja móveis estáveis colocados próximos o suficiente para que o bebê passe de um para outro agarrando-se ou soltando-se por brevíssimo tempo. É melhor que esteja descalço, pois os bebês usam os dedos do pé para "agarrar" o chão quando dão seus primeiros passinhos; as meias escorregam, os sapatos são muito duros e pesados.

Muitos bebês normais, ou mesmo especialmente espertos, só começam a andar na segunda metade do segundo ano de vida, sobretudo se o mesmo ocorreu com um ou ambos ou pais; mesmo assim, o bebê que ainda não anda com um ano e meio deve ser examinado pelo médico para se ter certeza de que não há fatores físicos ou emocionais impedindo que ele ande. Mas, mesmo nessa idade — e com mais razão aos doze meses —, o fato de a criança não andar não deve causar preocupação.

APEGO À MAMADEIRA

"Eu esperava fazer com que meu filho deixasse a mamadeira com um ano; mas ele está tão apegado a ela que não consigo tirá-la dele nem por um minuto, quanto mais para sempre."

À semelhança de um ursinho ou cobertor de que o bebê gosta muito, a mamadeira é uma fonte de conforto e satisfação emocional para o bebê. Mas, ao contrário do ursinho ou cobertor, pode fazer mal se for usada inadequadamente ou por muito tempo além do primeiro aniversário do bebê.

A ameaça mais grave da mamadeira paira sobre os dentes da criança, tanto os que já nasceram quanto os que estão por nascer, inclusive os permanentes. O mau uso da mamadeira pode causar a perda dos dentes e um mau desenvolvimento da boca, além de prejudicar a boa alimentação. Também os ouvidos correm perigo; os bebês que continuam com a mamadeira depois do primeiro ano de vida têm maior probabilidade de desenvolver infecções auditivas. Além disso a mamadeira põe em risco a nutrição do bebê. Beber leite ou suco da mamadeira o dia inteiro é algo que pode satisfazer-lhe a fome e tirar-lhe o apetite por outros alimentos, impedindo que tenha uma dieta balanceada. E se essas ameaças não forem suficientes para recomendar o uso imediato do copo, pense nos possíveis efeitos que a onipresente mamadeira pode ter sobre o desenvolvimento: a criança que constantemente segura uma mamadeira só tem uma mão livre para brincar, aprender e explorar o mundo; e aquela que não tira a mamadeira (ou a chupeta) da boca não tem como falar.

Por isso, muitos pediatras recomendam que o bebê deixe de tomar mamadeira quando faz um ano, ou pouco tempo depois. E embora um desmame nunca seja fácil, sobretudo quando um grande apego já se formou, será mais fácil agora do que mais tarde, quando a negatividade e a teimosia já se instalaram com força total. As dicas para o desmame, apresentadas na página 395, devem tornar o processo ainda mais tranqüilo.

Se você acha que o bebê não está preparado a abdicar completamente da mamadeira com esta idade, tente pelo menos limitar os lugares, os momentos e o modo como ele a usa. Dê a mamadeira só duas ou três vezes por dia, dando-lhe também lanches e algo para beber no copo entre as refeições. Encher a mamadeira de água pode diminuir o interesse do bebê por ela e proteger-lhe os dentes. Não deixe que ele vá com a mamadeira para o berço, ande ou engatinhe com ela, ou vá mamando despreocupadamente enquanto brinca. Ao contrário, faça com que ele mame sentado no colo de um adulto. Quando ele quiser descer antes de acabar, ponha a mamadeira na geladeira. Um dia, as mamadas no colo vão deixá-lo inquieto o suficiente para que ele prefira abdicar da mamadeira. E mesmo que esse dia ainda esteja distante, essas restrições ao uso da mamadeira limitarão, enquanto isso, o mal que ela poderia causar.

PÔR NA CAMA O BEBÊ DESMAMADO

"Eu nunca pus minha filha na cama ainda acordada — sempre a deixei dormir mamando no peito. Como vou fazê-la dormir à noite depois que começar a dar-lhe leite no copo?"

Sempre foi fácil deixar a sua filha mamar até perder-se no mundo dos sonhos, e você sempre conseguiu terminar calmamente o dia e preparar-se para uma noite tranqüila. Mas a partir de agora, se você realmente quer privar o bebê dessa mamada sonífera, o esforço terá de ser maior tanto dentro como fora do berço.

Como qualquer outro sonífero — de pílulas para dormir a programas tardios na TV —, a mamada noturna pode ser abandonada. E quando o for, sua filha terá dominado uma das capacidades mais importantes da vida: a de conseguir dormir sozinha. Para fazer desse sonho uma realidade, siga o seguinte plano:

Conserve os velhos rituais. Uma rotina para a hora de dormir, cujas partes são toda noite repetidas na mesma seqüência, é capaz de levar qualquer pessoa — adulto ou criança — ao sono como que por encanto. Se você ainda não instituiu um ritual desses com o seu bebê, faça-o pelo menos duas semanas antes do momento previsto para o desmame noturno. Certifique-se também de que as condições ambientais sejam propícias ao sono: um quarto escuro (a menos que o bebê prefira um abajur), nem quente nem frio, e silencioso; o restante da casa mantendo o seu burburinho costumeiro, que deixa o bebê saber que vocês estão por perto se ele precisar de algo. (Veja a página 133 para mais dicas de como fazer um bebê dormir.)

Crie uma nova atração. Alguns dias ou uma semana antes do Dia D (Desmame), acrescente ao ritual soporífero um lanche noturno: algo que o bebê possa comer já de pijamas, enquanto você lê para ela. Faça um lanche leve, mas substancioso (um bolinho adoçado com suco e meio copo de leite, ou uma fatia de queijo), e deixe-a comer sentada no seu colo, se ela quiser. A mini-refeição acabará substituindo a mamada que o bebê vai perder, e o leite vai ter o efeito de induzir o sono. É claro que, se você vinha escovando os dentes do bebê um pouco mais cedo, terá que deslocar essa parte da rotina para depois do lanche. Se ele tiver sede depois de escovar os dentes, ofereça-lhe água.

Elimine o antigo vício, mas não o substitua por um novo. À noite, o indivíduo viciado num soporífero só quer uma coisa: uma maneira fácil de pegar no sono. Se você der ao bebê uma outra "muleta" (balançá-la ao colo, bater-lhe nas costas, cantar para ela ou ligar o rádio) para ajudá-la a dormir, só estará criando outro hábito a ser eliminado. A auto-suficiência noturna total só se desenvolve quando a criança é deixada por sua própria conta. Assim, se quiser você pode utilizar aconchegos, música e outras coisas na sua rotina soporífera, mas não a ponto de levar sua filha ao sono. Ponha-a no berço seca, feliz, quentinha, aconchegada e sonolenta — mas acordada.

Conte com um pouco de choro. Ou, possivelmente, bastante. O mais provável é que o bebê resista com bravura — e muito barulho — a esse novo modo de ir para a cama. Poucos bebês aceitam essa troca sem brigar. Felizmente, porém, o choro deve diminuir depois de algumas noites, e logo desaparecer inteiramente. (Veja a página 302 para os métodos radical e gradual de deixar o bebê "cansar de chorar".)

ACORDAR NO MEIO DA NOITE

"Nosso filho costumava dormir a noite inteira, mas de repente passou a acordar uma ou duas vezes. Ele fica muito chateado quando o deixo sozinho no quarto, e por isso tenho relutado em deixá-lo chorar."

O medo da separação, conhecido bicho-papão diurno que tem o seu auge entre os doze e quatorze meses de idade, também pode surgir à noite. Na verdade, como a separação noturna deixa o bebê completamente sozinho, ela pode tornar-se ainda mais emocionalmente traumática que a separação diurna. Para muitos bebês, as conseqüências são noites intranqüilas, cheias de ansiedade, e problemas de sono.

Muitas vezes, a ansiedade da separação noturna atinge mais os filhos de mães que trabalham fora (a criança que não vê muito a mãe durante o dia pode ter medo de perdê-la à noite também), sobretudo quando entra em cena uma nova babá. Quer você passe o dia com o seu filho, quer não, tente aliviar-lhe as apreensões dando-lhe uma segurança extra antes de colocá-la na cama, sob a forma de mais abraços e uma atenção mais concentrada (deixe os preparativos do jantar ou a lavagem da louça para depois). Uma dose concentrada de amor materno e/ou paterno antes da separação noturna pode tornar a despedida mais fácil.

Se o bebê tem dificuldade para pegar no sono ou acorda com medo no meio da noite, e a técnica de "deixar chorar" não está funcionando ou parece muito impiedosa, tente sentar ao lado do seu berço por mais ou menos dez minutos, acalmando-o com um "Chhh" suave e uma mão carinhosa nas costas. Mas não fique com ele até que ele durma: ele ficará dependente da sua presença para adormecer. Em vez disso, deixe-o sonolento e, de preferência, calmo — e tente não voltar se ele chorar novamente.

Se o bebê começar a acordar devido ao nascimento dos molares, veja a página 479. Se nada der certo, fale com o médico sobre uma dieta sem leite; às vezes, uma baixa tolerância ao leite causa insônia.

TIMIDEZ

"Eu e meu marido somos muito extrovertidos, e ficamos tristes ao ver o quanto nossa filha é tímida."

Por mais sociáveis que você e seu marido sejam, a timidez da sua filha — se é que ela é tímida — vem de vocês; não do exemplo que vocês lhe dão, mas do padrão genético que ofereceram. A timidez, assim como um jeito para a matemática ou uma aptidão para escrever, é uma característica herdada. Mesmo se os pais não apresentam essa característica, ela estava presente no momento da concepção da criança. Embora seja possível moderar a timidez, ela quase nunca é completamente erradicada. E nem deve ser esse um objetivo dos pais, se a timidez for parte da personalidade da criança.

Muitas crianças tímidas conservam por toda a vida um âmago de reserva, mas a maioria transforma-se em adultos razoavelmente sociáveis. Não é o estímulo e a pressão dos pais que os faz sair da casca, mas uma boa dose de atenção e apoio amoroso. Se a criança é levada a considerar a timidez como um inconveniente, fica com a autoconfiança ainda mais abalada, o que, por sua vez, a torna ainda mais retraída. Mas se ela é ajudada a sentir-se melhor consigo mesma, poderá sentir-se melhor também com os outros, e um dia ficar menos tímida.

Também é possível que a aparente timidez da sua filha não seja mais que a pouca sociabilidade comum às crianças novas. Muitas vezes, as crianças de um ano, e até as de dois, não estão prontas a fazer amizades. À medida que se aproximar do terceiro aniversário, provavelmente surpreenderá você pelo rápido progresso na arte de socializar-se.

RETRAIMENTO SOCIAL

"Juntamo-nos a um grupo de brincadeiras há algumas semanas, e notei que minha filha não brinca com as outras crianças. Como posso torná-la mais sociável?"

Você não pode, e nem deve tentar. A criança com menos de dois anos não é um ser social, e não há nada que possa mudar isso. Essa falta de sociabilidade não era problema para as gerações passadas, visto que a maioria das crianças só começava a brincar em grupo aos três ou quatro anos de idade, mais freqüentemente aos cinco. Mas ela causa muitas preocupações nos pais de hoje, que muitas vezes envolvem seus filhos em grupos de brincadeiras ou matriculam-nos em creches antes do primeiro aniversário, e em escolinhas maternais antes do segundo ou terceiro.

O contato precoce com outros bebês não causa danos ao bebê (a não ser alguns resfriados a mais), mas a pressão dos pais no sentido de um desempenho social pode causar estragos emocionais. Isso ocorre porque as crianças de menos de três anos simplesmente não estão maduras o suficiente. Poucas vezes são capazes de algo mais que a brincadeira paralela — brincam lado a lado, mas não juntas. Não são egoístas; simplesmente não percebem que as outras crianças poderiam ser merecedoras do seu tempo e atenção.

Lembre-se de que sua filha não precisa de companheiros de brincadeira e nem sabe lidar com eles, e que o seu comportamento é próprio da idade. Forçá-la a brincar com as outras crianças de seu grupo só vai fazê-la retrair-se em tais situações. Para tudo acabar bem, você vai ter que aceitar as deficiências sociais da sua filha, que são normais, e estar preparada a deixá-la determinar o próprio ritmo de relacionamento com as "amiguinhas", não só agora, mas também nos anos vindouros.

COMPARTILHAR

"Meu filhinho faz parte de um grupo de brincadeiras. Ele e as outras crianças parecem passar a maior parte do tempo brigando pelos mesmos brinquedos. Quando as coisas vão melhorar?"

Ainda vai demorar. É só após os dois anos de idade, mais comumente com três, que as crianças começam a entender o que é partilhar. Neste momento, tudo o que importa para elas são as próprias necessidades e desejos — os coleguinhas são tratados como objetos, e não pessoas. Não é de surpreender que cada criança no grupo pense ter o direito absoluto de brincar com cada um dos brinquedos a qualquer momento. Serão necessárias muitas explicações e agrados (nunca use a força), nos próximos dois anos, para levar seu filho a ser capaz de compartilhar. Evidentemente, é importante que ele consiga. Mas também é importante que você seja compreensiva quando seu filho de dois ou três anos recusar-se a deixar um convidado encostar as mãos em seus caminhões e ursinhos, negar-se a repartir os biscoitos com outra criança e reclamar aos berros quando seu primo der uma volta em seu carrinho. Afinal, quantas vezes você já deixou uma amiga — ou, o que é pior, uma desconhecida — dirigir o seu carro, tomar metade do seu sorvete ou ocupar sua poltrona predileta?

BATER

"Meu filho faz parte de um grupo de brincadeiras em que há algumas crianças pouco mais velhas que ele. Algumas delas costumam bater nas outras quando não conseguem o que querem, e meu filho começou a fazer o mesmo. Como devo lidar com isso?"

O muro de uma criança nova poucas vezes tem força suficiente para causar estragos; muitos anos ainda vão passar antes que o seu filho volte do parquinho com um olho roxo. Mas o fato do soco de um bebê não machucar não significa que ele possa continuar a fazer isso. Embora a criança de menos de dois anos seja incapaz de compreender que as outras pessoas têm sentimentos (em todo o universo, ele é o único menino que os tem), ela é capaz de compreender que não se pode bater nos outros.

Quando o seu filho bater (ou morder, ou manifestar outro comportamento agressivo indesejável), reaja imediatamente, com firmeza e com calma. A raiva tenderá a deixar seu filho na defensiva e estimular um comportamento mais raivoso. Espancá-lo ou surrá-lo só servirão para ensinar-lhe que a violência é o modo apropriado de expressar raiva. E uma reação exagerada ao incidente provavelmente estimulará uma repetição do mesmo ato, na busca de mais atenção. Leve o seu filho para longe do local do crime, explicando-lhe (ainda que suas palavras estejam além de sua compreensão) que o ato de bater é mau e pode machucar as pessoas. Terminado o sermão, distraia-o para mudar de assunto. Aja deste modo tantas vezes quantas forem necessárias, que ele acabará entendendo.

Enquanto isso, certifique-se sempre de que as brincadeiras com outras crianças sejam cuidadosamente supervisionadas, pois existe a possibilidade de que a criança resolva bater com algo mais duro que o próprio punho; e é muito maior o risco de machucar quando se usa um pé, um brinquedo, uma pedra ou um pedaço de madeira.

"ESQUECER" UMA CAPACIDADE

"No mês passado, minha filha dava 'chau' o tempo todo, mas agora ela parece ter esquecido como fazer isso. Pensei que o desenvolvimento andasse sempre para a frente, e não para trás."

Sua filha está avançando, em termos de desenvolvimento — em direção a outras capacidades. É muito comum que o bebê dedique-se continuamente, por algum tempo, ao aperfeiçoamento de alguma capacidade — para satisfação sua e de todo o mundo —, e depois de tê-la dominado, deixe-a de lado para abraçar outro desafio. Embora sua filha esteja cansada do "manjado" truque de dar tchau-tchau, ela provavelmente está animadíssima com os novos truques que está aprendendo — talvez o de latir toda vez que enxerga um animal quadrúpede, ou brincar de bater palminha e esconde-esconde. Também estes, depois de perderem a novidade, serão "esquecidos" por algum tempo. Em vez de inquietar-se a respeito daquilo que sua filha parece ter esquecido, sintonize-se e estimule-a a dominar quaisquer novas capacidades que ela esteja ocupada em desenvolver.

Você só deve preocupar-se se o bebê repentinamente parecer incapaz de fazer muitas coisas que costumava fazer, ou não estiver aprendendo nada de novo. Nesses casos, fale com o médico.

PERDA DE APETITE

"Repentinamente, meu filho parece ter perdido todo o interesse pelas refeições — ele quase não come e fica impaciente para sair do cadeirão. Será que ele está doente?"

O mais provável é que a Mamãe Natureza o tenha colocado num regime de subsistência. Se ele continuasse comendo e ganhando peso como fizera no primeiro ano de vida, logo se pareceria mais com um balão de ar do que com uma criança. A maioria dos bebês têm o peso triplicado no primeiro ano de vida; no segundo ano, só ganham cerca de um quarto do seu peso. Assim, a perda de apetite é a maneira que o corpo de seu filho encontrou para assegurar esse declínio normal no ganho de peso.

Nesta idade, também há outros fatores que podem afetar os hábitos alimentares do bebê. Um deles é um maior interesse pelo mundo que o cerca. Ao longo da maior parte do seu primeiro ano, as refeições — quer tomadas no colo da mamãe, quer no cadeirão — foram pontos altos da sua existência. Agora, são uma inoportuna interrupção em "um dia na vida de uma criança nova", que gostaria muito mais de estar andando por aí (tantas coisas para fazer, tantos lugares para ver, tantas encrencas para arranjar — tão pouco tempo num dia!).

Também a crescente independência pode influenciar a reação da criança ao alimento que lhe é dado. O bebê que está começando a andar pode de repente resolver que ele, e não você, ficará no comando da mesa do jantar. Sua praxe podem ser as grandes mudanças de paladar — nada sem manteiga de amendoim por uma semana, e rejeição de tudo o que se pareça com essa manteiga na semana seguinte. É melhor aceitar essa autoritária imposição de cardápio (desde que as escolhas dele sejam nutritivas) do que lutar contra ela. Um dia, as excentricidades alimentares diminuirão.

Talvez o bebê não esteja comendo porque não goste de ficar preso no cadeirão; nesse caso, tente sentá-lo junto com a família num assento especial que se encaixa sobre uma cadeira. Talvez ele não consiga ficar quieto por tanto tempo quanto o restante da família; nesse caso, só o ponha sentado quando a comida estiver servida, e solte-o assim que ele começar a ficar inquieto.

Alguns bebês perdem temporariamente o apetite nos períodos de dentição, sobretudo durante o nascimento dos primeiros molares. Se a perda de apetite for acompanhada de irritabilidade, dedos na boca e outros sintomas de dentição, tenha a certeza de que o apetite voltará quando o desconforto passar. Mas se for acompanhada por sinais de doença, como febre, apatia ou fadiga, fale com o médico. Igualmente, procure ajuda profissional se o bebê parar de ganhar peso, se parecer muito magro, fraco, apático e irritável, ou se o cabelo estiver excessivamente seco e quebradiço, e a pele seca e pouco elástica.

Embora não haja nada que você possa ou deva fazer quando o bebê perde apetite devido à normal diminuição da velocidade de crescimento, há maneiras de certificar-se de que ele come o necessário para crescer (veja abaixo).

NUTRIÇÃO SUFICIENTE PARA O BEBÊ

"Receio que meu filho não esteja ingerindo proteínas e vitaminas em quantidade suficiente. Ele não come nem carne nem legumes."

Os pais talvez pensem que a criança de um ano, que come pouco e de vez em quando, jamais conseguirá obter a sua "Dúzia Diária" de nutrientes dos poucos bocados de alimento que ela engole no decorrer do dia; mas, por serem surpreendentemente pequenas as suas necessidades alimentares, ela facilmente as obtém. Esses nutrientes necessários não estão contidos somente nos alimentos mais óbvios (proteínas na carne e no peixe, vitamina A no espinafre); também podem vir escondidos em inesperadas delícias.

- Proteínas. O bebê pode obter uma quantidade adequada de proteínas sem provar carne, frango ou peixe. Ricota, outros queijos, leite, vitaminas de leite, iogurte, ovos, cereais e pães integrais, germe de trigo, feijões e ervilhas secas, massas (especialmente as de alto teor protéico) — tudo isso fornece proteínas. Para a criança de um ano, as exigências da "Dúzia Diária" podem ser atendidas com duas xícaras e 2/3 de leite e duas fatias de pão, *ou* duas xícaras de leite e 30 g de queijo suíço, *ou* uma xícara de leite, uma xícara de iogurte, uma tijela de mingau de aveia e uma fatia de pão integral, *ou* uma xícara de leite, 1/4 de xícara de ricota, uma tijela de cereal de aveia e duas fatias de pão.

Se o bebê não gostar dos alimentos protéicos ao natural, tente incrementá-los com alguns truques. Faça panquecas com leite em pó desnatado, ovos e germe de trigo; rabanada com pão integral, ovos e leite; panquecas de peixe com peixe e ovos; macarrão de alto teor protéico com queijo gratinado. Veja as receitas a partir da página 708, e as porções protéicas vegetarianas para crianças na página 416.

- Vitaminas dos vegetais. Todas essas vitaminas podem ser servidas por trás de tentadores disfarces: bolinhos de abóbora, bolo de cenoura, molho de tomate e brócolis no macarrão, panquecas vegetarianas, legumes misturados com molho de queijo ou servidos com macarrão. Muitos dos alimentos mais gostosos, como o cantalupo, a manga, os pêssegos amarelos e a batata-doce, proporcionam as mesmas vitaminas encontradas em verduras e legumes menos cotados. Veja também a lista de verduras, legumes amarelos e frutas amarelas, e experimente as receitas da página 708.

Além disso, lembre-se sempre do seguinte, ao alimentar a criança melindrosa:

Guie-se pelo apetite do bebê. Deixe-o comer à vontade quando estiver com fome, e ficar beliscando quando não estiver. Nunca o force. Mas ponha um limite nos lanches para deixá-lo com mais apetite para as refeições.

Não lhe estrague o apetite. Mesmo em pequenas quantidades, as gulodices vazias, ou quase vazias em termos de nutrição (doces açucarados, salgadinhos fritos, farinhas refinadas) podem encher a barriga do bebê, roubando o espaço de alimentos mais nutritivos. Assim, limite rigorosamente o consumo de alimentos que não proporcionam nada além de uma barriga cheia.

Não desista. O fato de o bebê não comer carne (ou frango, ou peixe) e espinafre (ou brócolis ou cenoura) hoje não quer dizer que ele não vá comê-los amanhã. Regularmente, e sob várias formas, apresente esses alimentos ao bebê na mesa do jantar — sem jamais forçá-lo a comê-los. Um dia, ele poderá surpreendê-la e pegá-los sozinho.

E mesmo que ele passe o dia sem comer nada além de suco de laranja, cereais com banana, bolinhos de abóbora e leite, ou cantalupo, panquecas, pão com queijo e suco de maçã — contanto que beba um pouco d'água e tome o seu suplemento vitamínico-mineral —, você poderá dormir tranqüila, sabendo que ele atendeu às exigências de sua "Dúzia Diária".

AUMENTO DE APETITE

"Pensei que o apetite das crianças de um ano diminuísse. O da minha filha aumentou substancialmente. Ela não é gorda, mas não consigo deixar de pensar que

virá a ser se continuar comendo no ritmo em que está."

Provavelmente, ela está comendo mais por estar bebendo menos. Os bebês recém-desmamados, ou a ponto de o serem, tendem a ingerir um menor número de calorias advindas do leite e outros líqüidos, e para compensar aumentam sua ingestão de alimentos sólidos. Embora possa parecer que sua filha tem ingerido mais calorias, ela provavelmente tem ingerido o mesmo que antes ou ainda menos, mas sob formas diferentes. Senão, é possível que ela esteja comendo mais por estar atravessando uma fase de crescimento ou por ter se tornado mais ativa — talvez por estar andando muito —, e o seu corpo estar exigindo mais calorias.

Quando se deixa os bebês sadios comerem segundo o seu apetite, grande ou pequeno, eles continuam crescendo num ritmo normal. E enquanto os gráficos de peso e altura da sua filha não se distanciarem bruscamente, não há porque temer que ela esteja comendo demais. Preocupe-se mais com a qualidade do que com a quantidade do que ela come; e certifique-se de que o seu vigoroso apetite não esteja sendo desperdiçado em alimentos nulos do ponto de vista nutritivo, e que sua dieta não esteja repleta de comidas gordurosas em excesso (que poderiam levar à obesidade). Tente descobrir, além disso, o que a leva a comer. Se, por exemplo, ela parece estar comendo por tédio e não por fome, você pode ajudá-la dando-lhe atividades variadas para serem feitas fora da cozinha, entre as refeições (veja página 317 para obter mais dicas de como limitar os lanches). Se você suspeita que ela tem comido por estar carente de satisfação emocional, dê-lhe mais atenção, ternura e cuidado afetuoso.

RECUSA A COMER SOZINHO

"Sei que meu filho é perfeitamente capaz de comer sozinho — ele fez isso várias vezes. Mas agora ele se recusa terminantemente a segurar a mamadeira, pegar um copo ou empunhar uma colher."

Para o seu bebê, a luta interior entre a vontade de permanecer bebê e a vontade de crescer acabou de começar. Pela primeira vez, ele é capaz de suprir sozinho uma de suas necessidades; mas ele não sabe se quer fazê-lo, pois isso pode ser equivalente a abandonar o papel seguro e fácil de ser bebê. Instintivamente, ele percebe que, se se tornar menos bebê, você também se tornará menos mamãe.

Não force o bebê a crescer rápido demais. Quando ele quiser comer sozinho, deixe-o. Mas, quando ele quiser ser alimentado, faça isso também. Um dia o menino triunfará sobre o bebê se você deixar correr naturalmente a batalha entre esses dois apelos interiores —, muito embora esse conflito volte a ocorrer em cada um dos estágios do desenvolvimento e até na idade adulta. Enquanto isso, dê-lhe todas as oportunidades de ser auto-suficiente — deixe a mamadeira, o copo e a colher à sua disposição, sem insistir para que ele os use. Dê-lhe com freqüência alimentos que ele possa comer com os dedos, tanto nos lanches como nas refeições. Poucas crianças de um ano são hábeis com a colher; em sua maioria começam a comer sozinhas usando os convenientes instrumentos de cinco pontas que têm ligados aos pulsos.

Quando ele realmente conseguir comer sozinho, esteja por perto para apoiar-lhe a decisão, estimulando-o, elogiando-o e, sobretudo, dando-lhe bastante atenção tranqüilizadora. Ele precisa saber que o fato de não ser alimentado pela mamãe não significa que ele tenha perdido a mamãe.

IMPREVISIBILIDADE

"Minha filhinha parece não saber o que quer. Em certo momento, ela está correndo atrás de mim pela casa toda, agarrando-se às minhas pernas enquanto eu tento adiantar o serviço. No momento se-

guinte, quando eu me sento para abraçá-la, ela foge."

Sua filha não é esquizofrênica — é uma criança normal de um ano de idade. Como o bebê que se recusa a comer sozinho, ela está dividida entre uma forte vontade de independência e o medo de pagar por essa independência um preço alto demais. Quando você se ocupa de alguma outra coisa, e especialmente quando anda para lá e para cá mais rápido do que ela, ela tem medo de perder o domínio sobre você e sobre o amor, o amparo, o conforto e a segurança que você representa, e reage "grudando". Quando você se faz mais disponível, por outro lado, ela é capaz de testar sua própria independência na segurança da sua presença.

À medida que ela se acostumar mais com a própria independência e tiver mais certeza de que você vai continuar sendo sua mamãe por mais que ela cresça, se tornará menos apegada. Mas essa cisão de sua personalidade ainda vai se manifestar repetidamente por anos e anos, provavelmente até quando ela mesma for mãe. (Você às vezes não tem vontade de ser de novo a filhinha da mamãe, ao mesmo tempo em que se ressente de qualquer interferência de sua mãe em sua vida?)

Enquanto isso, você pode ajudá-la a ficar independente fazendo-a sentir-se mais segura. Se você está na cozinha descascando cenouras e ela está na sala atrás do portãozinho, converse com ela, pare de vez em quando para ir vê-la, ou convide-a a ajudá-la, puxando o cadeirão para o seu lado junto à pia, por exemplo, e dando-lhe algumas cenouras e uma escova de lavar legumes. Aplauda e dê apoio aos passos que o bebê dá rumo à independência, mas seja paciente e compreensiva quando ela tropeçar e correr de volta ao aconchego dos seus braços.

Além disso, seja realista quanto ao tempo que você é humanamente capaz de dedicar a atender às exigências do bebê. Haverá momentos em que você terá que deixá-la chorando aos seus pés enquanto põe a mesa do jantar, e momentos em que só poderá dedicar-lhe instantes esparsos de atenção enquanto faz o balanço do talão de cheques. É importante que ela saiba que você sempre a amará e atenderá às suas necessidades — mas é igualmente importante que ela saiba que as outras pessoas, você inclusive, também têm suas próprias necessidades.

MAIOR MEDO DE SEPARAÇÃO

"Nós já havíamos deixado nosso filho com uma babá outras vezes. Mas agora, quando ele vê que estamos nos preparando para sair, faz um tremendo estardalhaço e nos deixa sentindo-nos muito culpados."

E é exatamente assim que ele quer que vocês se sintam. Ele gostaria que vocês mudassem de idéia e ficassem em casa; como não consegue isso, seu primeiro objetivo passa a ser fazê-los sentirem-se culpados por estarem saindo. E embora você deva ter uma postura compreensiva diante de suas desesperadas tentativas de manipular a mamãe e o papai, você deve tentar não ceder a elas. O aumento do medo da separação é normal neste estágio do desenvolvimento, e poucas vezes é devido a alguma coisa que os pais tenham feito ou deixado de fazer — é este o medo de muitos pais que se deparam com o problema. O fenômeno se deve, em parte, ao fato de o seu filho ter, agora, uma memória muito melhor. Ele se lembra do que significa o ato de você vestir o casaco, pegar a bolsa e dizer "tchau-tchau" sem levá-lo consigo; e é capaz de prever que você vai desaparecer por um tempo indefinido depois que sair pela porta afora. Além disso, se você não o deixou muitas vezes sob os cuidados de uma babá, é até possível que ele tenha dúvidas se você vai voltar.

É muito possível que a culpa que o bebê conseguiu induzir em seus pais perdure pela noite inteira; mas o melodrama que a induziu costuma terminar assim que os pais se despedem e fecham a porta, e o bebê percebe que vai perder tempo se continuar chorando.

A fim de minimizar a sua culpa e a tristeza do bebê, e a fim de fazê-lo adaptar-se o melhor possível ao fato de ficar com uma babá, faça o seguinte toda vez que você for sair:

- Só consinta em deixar o bebê com uma babá que, além de confiável, também seja compreensiva, paciente, atenciosa e amorosa, por mais choroso que o bebê se torne.
- Peça à babá que chegue pelo menos 15 minutos antes da hora em que você tenciona sair (ou mais cedo, se ela estiver ficando com o bebê pela primeira vez), para que os dois possam envolver-se em alguma atividade (desenhar, olhar pela janela, construir com bloquinhos, colocar a boneca para dormir) enquanto você ainda está por perto. Não se preocupe se o bebê recusar-se a fazer qualquer contato com a babá enquanto você estiver em casa; trata-se apenas de uma criança astuta querendo dizer aos pais que não aceitará substitutos. Assim que você sair, é quase certo que ele vai ceder aos agrados da babá.
- Avise o bebê com antecedência que você vai sair. Se, desta vez, você tentar sair de casa de fininho para evitar um escândalo, ele pode começar a ter medo de que você o abandone a qualquer momento, e pode reagir a isso tornando-se "grudado" em você. Ao contrário, avise-o com 15 minutos de antecedência que você vai sair. Se você avisar antes disso, ele pode esquecer; se avisar depois, ele não terá tempo para se adaptar.
- Façam da despedida um ritual alegre; brindem o bebê com um abraço e um beijo. Mas não prolonguem demais o adeus e nem o tornem muito sentimental. Continuem sorrindo mesmo se o bebê chorar — e tentem se comportar como se estivessem enfrentando a situação sem a menor preocupação. Se a casa tiver uma janela, ele pode vê-los saindo; peça à babá que o leve até lá para que vocês possam acenar para ele.
- Se o bebê estiver chorando quando você sair, console-o. Em vez de mandar-lhe agir como menino grande e deixar de chorar, diga-lhe que você sabe que ele sente saudades, e que as sentirá também.
- Assegure-lhe que você voltará. Para se despedir, use sempre uma frase de efeito que ele possa associar ao fato de você ir embora e depois voltar. Um dia ele será capaz de despedir-se com o mesmo bom humor.

Se o bebê chorar durante toda a sua ausência, pense se você não está contratando a babá errada ou deixando de dar ao bebê a tranqüilidade e a atenção necessárias nos momentos em que você fica com ele; e considere a possibilidade de precisar dar-lhe uma ajuda suplementar para que se adapte às suas saídas. Para isto, comece por deixar o bebê várias vezes com alguém que ele conheça bem, por períodos de 15 minutos. Quando ele tiver bastante segurança de que você sempre volta, já deverá estar acostumado com estas saídas breves e preparado para enfrentar outras mais longas. Vá aumentando de 15 em 15 minutos o tempo que você fica fora, até conseguir ficar ausente por várias horas.

LINGUAGEM NÃO-VERBAL

"Minha filhinha fala pouquíssimas palavras, mas parece ter desenvolvido um código de sinais com as mãos. Será que ela ouve mal?"

Provavelmente, ela não ouve mal; é apenas uma menina muito engenhosa. Se a sua filha parece entender o que você diz e tenta imitar os sons (mesmo sem conseguir), sua audição é quase certamente normal. O uso do código de sinais ou de outras maneiras mais primitivas de expressar pensamentos e vontades (como o resmungo) não passa de uma solução talentosa a um problema temporário: a quase ausência de um vocabulário compreensível. Simplesmente, algumas crianças desta idade têm maior dificuldade que as outras para formar palavras; para muitas delas, a dificuldade persiste até os três ou quatro anos, e às vezes até os cinco, seis, sete ou mais. Há crianças que ainda falam "olelha" em vez de "orelha" num momento em que todos os seus colegas de classe já estão falando com bastante clareza.

Para compensar essa incapacidade de comunicar-se verbalmente, muitas dessas crianças desenvolvem esquemas próprios de linguagem. Algumas, como sua filha, são especialistas em falar com as mãos. Apontam para aquilo que querem e empurram longe o que não querem. Um aceno quer dizer tchau, um dedo apontando para cima quer dizer "para cima", outro apontando para o chão quer dizer "para baixo". Elas talvez latam para mostrar um cachorro, apontem para o nariz para "dizer" elefante e mostrem as orelhas para significar um coelho. Algumas murmuram melodias para se comunicar: "Nana nenê" quando estão com sono, "Chuva, chuva, vai-te embora" quando está chovendo e o tema de um programa infantil quando querem ver TV.

Para isso são necessárias muita criatividade e um forte desejo de se comunicar — boas qualidades que você deve cultivar. Portanto, faça o possível para decifrar o código que sua filha criou e demonstre-lhe que você está entendendo. Mas não se esqueça de que o seu principal objetivo é a fala propriamente dita. Quando ela murmurar uma cantiga de ninar, diga: "Você quer ir dormir?" Quando ela apontar para o leite, fale: "Você quer um copo de leite? Tá bom." E se ela apontar para as orelhas ao ver um coelho num livro de estórias, responda: "Isso mesmo, um coelho. O coelho tem orelhas compridas."

Mas se ela parece não ouvir quando você a chama por trás ou de outra sala, ou parece não entender ordens simples, peça ao médico que verifique a sua audição.

DIFERENÇAS SEXUAIS

"Estamos fazendo de tudo para não dar a nossos filhos uma formação sexista. Mas constatamos que, por mais que tentemos, não conseguimos fazer com que nosso filho de onze meses seja carinhoso com as bonecas — ele prefere atirá-las na parede."

Vocês estão fazendo a mesma descoberta que já fizeram outros pais bem-intencionados e dispostos a não moldar seus filhos em estereótipos sexuais. A igualdade dos sexos é um ideal que veio para ficar, mas a uniformidade sexual jamais existirá — pelo menos enquanto a Mãe Natureza tiver algo a dizer sobre a questão. Afinal, os meninos e meninas são basicamente moldados no útero, e não no quarto de brinquedos e no quintal.

Os cientistas hoje acreditam que as diferenças sexuais têm seu início no útero, quando começam a ser produzidos hormônios como a testosterona e o estrógeno. Os fetos masculinos recebem quantidades maiores do primeiro, e os fetos femininos, do segundo. Aparentemente, isso acaba determinando um desenvolvimento cerebral diferente, diferentes aptidões e modos de encarar a vida.

Embora os cientistas ainda precisem trabalhar muito para determinar com precisão todas as diferenças, nós já conhecemos algumas que se manifestam desde o momento do nascimento. Ainda antes de receberem alta do hospital, é possível que as meninas fixem por mais tempo o olhar no rosto humano, sobretudo nos rostos falantes. As meninas reagem mais ao toque, à dor e ao barulho; os meninos reagem mais aos estímulos visuais. As meninas são mais sensíveis, porém mais fáceis de acalmar e consolar; os meninos tendem a chorar mais e a ser mais irritáveis. Evidentemente, estas diferenças dizem respeito aos meninos e meninas tomados em geral, e não aos indivíduos particulares; pode haver meninas que apresentem características mais "masculinas" do que alguns meninos, e meninos que apresentem características mais "femininas" que outras meninas.

Aparentemente, é também numa idade bastante precoce que os meninos começam a ter mais massa muscular, corações e pulmões maiores e menor sensibilidade à dor, enquanto as meninas possuem uma camada de gordura maior, uma diferente configuração pélvica e uma outra maneira de processar o oxigênio nos músculos, o que lhes confere, mais tarde, menos vigor corporal que o dos meninos. Mas não há dúvida de que os bebês meninas *não* são o sexo frágil — desde o começo, elas tendem a ser mais saudáveis e resistentes que os meninos.

À medida que avança o desenvolvimento físico, torna-se claro que a maioria dos meninos são fisicamente mais ativos que a maioria das meninas. Estas geralmente demonstram mais interesse pelas pessoas, e os meninos, pelas coisas — talvez seja por isso que as meninas gostam de bonecas e de vestir roupas e fantasias, ao passo que os meninos preferem caminhões e carros de bombeiro. As meninas desenvolvem a linguagem com maior rapidez e facilidade, talvez porque, como resultado dos hormônios que receberam no útero, seus dois hemisférios cerebrais tenham o mesmo tamanho e operem em harmonia. Os meninos, por seu lado, se dão melhor com as tarefas que exigem habilidades espaciais e mecânicas, talvez porque seu hemisfério cerebral direito seja mais desenvolvido que o esquerdo. Mas é interessante notar que os meninos são tão bondosos quanto as meninas, mesmo quando ainda bebês, e que as meninas não são mais medrosas que os meninos, embora possam demonstrar seus medos mais prontamente — sendo esta, provavelmente, uma característica adquirida.

Quando as crianças começam a brincar juntas (nesta idade, elas só brincam umas ao lado das outras), fica claro que, em geral, os meninos são muito mais agressivos física e verbalmente, enquanto as meninas são mais dóceis. Os meninos começam a gostar de brincar em grupos, enquanto as meninas preferem brincar com uma coleguinha. Na escola, as meninas continuam a se dar bem com as atividades de linguagem (soletração, compreensão de leitura, vocabulário, redação criativa), e os meninos com as habilidades espaciais (percepção de profundidade, labirintos e quebra-cabeças, leitura de mapas) e com a matemática na adolescência (não se sabe, porém, se isso é obra da natureza ou da educação). As meninas tendem a amadurecer mais cedo — embora isso possa ocorrer ao mesmo tempo nos dois sexos.

As diferenças psicológicas e emocionais se tornam mais evidentes à medida que as crianças crescem. Os meninos são mais vulneráveis do ponto de vista psicológico — são eles que têm maior dificuldade para lidar com um divórcio dos pais. Também o desenvolvimento moral parece ser diferente: aparentemente, os meninos emitem seus juízos morais com base na justiça e na lei, enquanto as meninas o fazem com base no afeto.

O fato de a maioria das meninas adorar as bonecas enquanto os meninos arrastam seus caminhõezinhos para cá e para lá significa que o seu destino já esteja predeterminado? Em parte, sim — depois que crescerem, as meninas se tornarão mulheres e os meninos se tornarão homens. Mas suas atitudes serão influenciadas em grande medida pelas atitudes e exemplos dos pais. É possível criar filhos que não sejam "sexistas" em seus pontos de vista, que respeitem tanto os homens quanto as mulheres, que apreciem pertencerem ao sexo no qual nasceram e que não venham a escolher seus futuros papéis na vida com base em estereótipos de qualquer tipo, mas sim a partir de seus próprios dons e desejos. Os seguintes princípios podem ajudá-la a atingir esse objetivo:

- Lembre-se de que o fato de haver diferenças inatas entre homens e mulheres não significa, de modo algum, que um dos sexos seja melhor ou pior, mais forte ou mais fraco. As diferenças enriquecem, a uniformidade empobrece. Transmita aos seus filhos esta atitude.

■ Trate os seus filhos como indivíduos. Os homens, em geral, são mais musculosos e agressivos que as mulheres; mas há mulheres mais musculosas e agressivas que alguns homens. Se você tem uma filha com mais traços "masculinos" ou um filho com mais traços "femininos", não os repreenda ou menospreze. Aceite, ame e ampare seus filhos tais como são.[5]

■ Atenue os excessos. O fato de aceitar o seu filho como ele é não significa que você não possa usar o bom-senso para provocar certas mudanças. Se a criança é demasiado agressiva, ensine-a a moderar a agressividade. Se, por outro lado, ela é por demais passiva, estimule-a a afirmar-se.

■ Não escolha brinquedos para tentar impor ou destruir um determinado estereótipo, mas por acreditar sinceramente que seu filho gostará deles e eles lhe farão bem. Se a criança usar o brinquedo de maneira diferente da esperada (meninos e meninas usam o mesmo brinquedo de diferentes maneiras, e mesmo dentro do mesmo sexo o uso varia), aceite o fato.

■ Não caia inconscientemente em armadilhas sexistas. Evite dizer ao seu filho que não chore porque é um menino grande, e depois agradar carinhosamente a sua filha quando ela se derrama em lágrimas. Quanto aos elogios, não se limite a dizer à sua filha: "Como você está bonita"; e ao seu filho: "Como você está forte", ou "Você é mesmo um meninão". É claro que você deve dizer essas coisas no momento apropriado. Mas também elogie o menino por ter sido gentil com a irmã, e a menina por ter jogado bem uma bola. Você não estará fazendo isso por querer inverter as funções sexuais dos seus filhos — você não quer isso —, mas porque a personalidade de cada criança comporta muitas facetas, as quais precisam ser todas estimuladas.

■ Tente não emitir juízos de valor a respeito de diferentes tarefas ou papéis assumidos na vida. Se você transmitir aos seus filhos a impressão de que o cuidado de crianças, por exemplo, é uma tarefa degradante, nem os meninos e nem as meninas o valorizarão quando forem adultos. Se você transmitir-lhes a idéia de que trabalhar num escritório é, de algum modo, mais meritório que trabalhar como dona-de-casa ou num serviço manual, eles também não darão valor a estas últimas opções.

■ Não distribua as tarefas familiares para reforçar ou destruir um determinado estereótipo preconcebido, mas de acordo com as capacidades, gostos e disponibilidade de tempo. Ou seja, o melhor cozinheiro deve cozinhar a maioria das vezes (seu companheiro pode lavar a louça e limpar a cozinha), e o melhor contador deve fazer o balanço do talão de cheques. Se um dos pais tem um emprego que não lhe toma muito tempo, ou não trabalha fora de casa, deve ser ele a passar mais tempo com as crianças; o outro, sempre que possível, deve dar prioridade às crianças em sua organização do tempo. As tarefas que ninguém quer fazer podem ser revezadas, divididas de comum acordo ou passadas adiante no calor do momento ("Benzinho, pode pôr o lixo na rua?"); este último sistema, porém, pode falhar clamorosamente se não for controlado com cuidado (como ocorre, por exemplo, quando ninguém leva o lixo para a rua).

■ Dê um bom exemplo. Determine, junto com o seu marido, quais as qualidades que

5. Os meninos que, cedo na infância, apresentam modos femininos, gostam de brincar com bonecas e evitam os esportes violentos têm maior probabilidade de se tornarem homossexuais mais tarde na vida quando seus pais (sobretudo o pai) tentam forçá-los a "ser homem", seja pelas provocações, seja por uma pressão sutil, pela negação do afeto ou pelos castigos corporais. Estes meninos se afastam dos pais e, segundo certas especulações, passam toda a idade adulta a ansiar pelo amor e pelo companheirismo de outros homens. Se a criança parece realmente infeliz no próprio sexo e não gosta de brincar com crianças do mesmo sexo, pode ser uma boa idéia falar com um especialista.

vocês mais apreciam nos homens e nas mulheres, e tentem cultivá-las em vocês mesmos e nos seus filhos. Sirvam como modelos dos papéis sexuais que vocês querem ver adotados pelas crianças. Para ensinar um menino a ser carinhoso, dar-lhe bonecas para brincar pode ser muito menos eficaz do que dar-lhe um papai que seja ele mesmo carinhoso. Para que uma menina desenvolva suas aptidões físicas, um taco e uma bola de beisebol são um presente menos eficaz que uma mãe que pratica corrida todos os dias. As crianças novas desenvolvem sua identidade sexual, de um lado, brincando com crianças de sexo igual ao seu, e, de outro, mediante a identificação com o genitor de mesmo sexo. Se vocês estão inseguros sobre os próprios papéis sexuais, o mesmo pode ocorrer às crianças.

PASSAR A DORMIR NA CAMA

"Daqui a seis meses, teremos um novo bebê. Quando e como deve nosso filho deixar o berço e passar a dormir numa cama?"

Não é pela chegada de um irmãozinho que a criança deve passar a dormir numa cama, mas porque já tem a idade e o tamanho adequados. A regra geralmente aceita é esta: se a criança já tem 90 cm de altura ou é capaz de sair sozinha do berço, está pronta a passar para a cama. Certas crianças particularmente ágeis conseguem sair do berço antes de chegarem à estatura de 90 cm; outras, menos ousadas, podem nunca chegar a tentar.

Se você acha que o seu filho mais velho ainda não está pronto a passar para a cama, e que talvez não esteja mesmo depois de o bebê nascer, compre-lhe um berço novo que possa ser convertido numa cama de criança. Desse modo, você poderá transferi-lo para o berço novo desde agora, para que ele não se sinta desalojado pelo bebê. Quando ele cumprir os requisitos necessários para passar à cama ou parecer crescido o suficiente, simplesmente converta o seu berço em cama. Para precaver-se contra a possibilidade de ele sair da cama à noite, deixe a porta ou o portão do seu quarto fechados e mantenha o quarto tão seguro à noite quanto é de dia, sem janelas abertas, ventiladores ao alcance da criança ou outros elementos de risco. Se você tem medo de não conseguir ouvi-lo desde o seu quarto, instale um intercomunicador que lhe avise quando houver movimento no quarto da criança. Uma grade é precaução conveniente para crianças de sono agitado, que tendem a cair da cama.

Se o seu primogênito for capaz de entender isto, diga-lhe que você vai comprar para ele uma cama nova e especial. Estrategicamente, acrescente: "O bebê não vai poder dormir nela, porque é uma cama para meninos grandes." Se possível, deixe-o participar da escolha do móvel; se você tenciona transferi-lo para uma cama que você já tem, deixe-o escolher novos lençóis e cobertores. Faça da transferência para a nova cama um evento importante: para fazer-lhe companhia, dê-lhe um novo brinquedo ou ursinho embrulhado em papéis coloridos, e acrescente, talvez, um toque de decoração "adulta" ao quarto, com muita pompa e circunstância. O ideal é que, depois disso, você deixe o berço desmontado por algumas semanas, só o aprontando quando o bebê nascer, ou, no máximo, duas semanas antes da data prevista. Assim, a criança mais velha não se sentirá tão diretamente desalojada. Para que ela tenha ainda mais tempo de adaptar-se à mudança, o bebê poderá dormir num carrinho, cesta ou moisés por algumas semanas. Quando chegar a hora de o bebê passar para o berço, explique à criança mais velha que o berço será montado para seu irmão ou irmã mais novo ("Lembra de quando você era nenê e dormia no bercinho?"). Não lhe peça permissão para usá-lo; se ele disser "não", você se verá em dificuldades. Mas peça-lhe para ajudá-la a instalar alguns brinquedos para o bebê no berço, e, talvez, a selecionar algumas fotos ou outras decorações para o quarto ou o cantinho do bebê.

TELEVISÃO

"Tenho me sentido muito culpada, pois comecei a deixar minha filha assistir ao Glub-Glub enquanto preparo o jantar. Ela parece adorar, mas tenho medo que ela fique viciada em TV."

Sua preocupação tem fundamento. De acordo com o Nielsen Index, as crianças norte-americanas de dois a doze anos de idade assistem, em média, a 25 horas de TV por semana. Se sua filha for uma dessas crianças, ela terá passado 15.000 horas à frente do aparelho quando terminar o primeiro grau — cerca de 4.000 horas a mais do que terá passado na escola. E as pesquisas nos dizem que, se os programas que ela vê não forem cuidadosamente selecionados, ela terá testemunhado 18.000 assassinatos, um número incontável de outros crimes, de assaltos e estupros a bombardeios e espancamentos, e mais cenas de sexo do que você pode imaginar (13,5 momentos sugestivos por hora). Também terá se transformado no alvo inocente de 350.000 comerciais que terão procurado vender-lhe (e, através dela, a você) produtos de valor mais que discutível.

Para as crianças, há outras desvantagens decorrentes de assistir à televisão em excesso. Esse hábito está ligado à obesidade e ao mau desempenho escolar. Por reduzir a interação entre os membros da família, pode prejudicar a vida familiar. E o que talvez seja o pior de tudo: cria uma imagem de mundo imprecisa e distorcida e confunde o sistema de valores da criança, estabelecendo normas de pensamento e ação que não são aceitas no mundo real.

Para os pais, o problema é agravado pelo fato de a televisão quase não apresentar programas bons para as crianças (a dose diária são os desenhos animados, em geral violentos, e reprises de séries). A programação das redes educativas é muitas vezes uma exceção notável, com seus louváveis objetivos de ensinar qualidades positivas como o autocontrole, o ato de compartilhar, a cooperação, a tolerância racial e a gentileza para com os outros. Mas nem esses programas são recomendáveis para bebês de menos de dez meses, para os quais, acredita-se, a tela de TV não passa de um amontoado de cores e sons confusos e hipnóticos; os bebês não têm a menor idéia do que se está passando.

Quando sua filha parecer pronta a assistir televisão (ela pula de alegria quando vê os peixinhos do Glub-Glub, ou bate palmas cheia de animação quando ouve a música do Castelo Rá-Tim-Bum, por exemplo), deixe-a assistir a somente um programa não-comercial de boa qualidade. Mesmo quando for mais velha, o tempo que ela passa diante da TV deve ser controlado. Mas será difícil impôr tais restrições se você ou outra pessoa da família assistem à TV o dia todo. Geralmente, a criança nova só é capaz de concentrar a atenção por um período bastante limitado; assim, é possível que ela assista um pouco e depois perca o interesse, ou assista um pouco agora e um pouco depois. Mas se a TV fica ligada o tempo inteiro, ela vai pensar que isso é o normal e sentirá falta quando o aparelho estiver desligado. Tente deixar a TV desligada durante as refeições, especialmente na hora do jantar da família; senão, muito de tempo que poderia ser dedicado à interação familiar ficará perdido em face do encanto monótono e hipnotizante da tela.

Tanto quanto possível, resista à tentação de usar a TV como uma conveniente babá eletrônica (na verdade, você nem sempre poderá resistir). Antes, assista à TV junto com sua filha e participe da sessão, mostrando objetos, animais e pessoas conhecidas e explicando o que está ocorrendo. Quando sua filha for mais velha, amplie esse tempo de explicação e discussão. Se o tempo que a criança passa em frente à TV é o tempo que você tem livre para fazer suas coisas, tente fazê-las num lugar de onde possa ver o aparelho, de modo a poder fazer comentários ocasionais.

Em vez de fazer da TV a única diversão audiovisual a que sua filha tem acesso, valha-se também de discos e fitas cassete para estimular-lhe a imaginação e proporcionar-lhe bastante atividade musical. E complete tudo isso com fitas de vídeo de qualidade (os clássicos de Disney são muito apreciados durante e após o segundo ano de vida), as quais lhe dão um controle maior sobre o que a criança vê, e, além disso, como a televisão pública, não têm comerciais.

HIPERATIVIDADE

"Minha filha está em constante movimento o dia todo — engatinhando, andando, subindo nas coisas, se mexendo sem parar. Tenho medo de que ela venha a ser hiperativa."

Ao observar o ritmo frenético que a criança nova geralmente se impõe, é fácil entender porque tantas mães de crianças de um ano preocupam-se com a possibilidade de seus filhos serem hiperativos. Mas a grande maioria delas não têm com que se preocupar. Aquilo que uma pessoa inexperiente vê como um nível de atividade anormalmente alto tem grande probabilidade de ser apenas normal. Depois de vários meses de frustração, a mobilidade pela qual sua filha tanto ansiava está finalmente a seu alcance. Não é de admirar que ela esteja correndo por aí (ou andando, engatinhando e subindo) sempre que possa. O dia é curto demais para comportar todas as explorações que ela gostaria de fazer.

A verdadeira hiperatividade — cujo nome oficial é "Distúrbio de Deficiência de Atenção com Hiperatividade", e que é dez vezes mais comum em meninos do que em meninas — caracteriza-se por uma atividade excessiva que é inexplicável e improdutiva, por uma capacidade muito reduzida de concentração e pela impulsividade. Como sabem todos os pais, essas são marcas características de todas as crianças novas; só representam um problema quando são exageradas a ponto de prejudicar a vida normal da criança.

Se o comportamento hiperativo que a preocupa não cessar e a capacidade de concentração da sua filha não crescer junto com ela, fale com o médico; para ajudá-la, há várias maneiras de controlar a verdadeira hiperatividade. Como esta síndrome às vezes associa-se ao retardamento mental, à lesão cerebral, à perda de audição ou a distúrbios emocionais, é preciso comprovar a ausência destes antes de começar o tratamento.

Enquanto isso, certifique-se de que sua filha descanse o suficiente — a criança cansada tende a ficar mais agitada do que tranqüila. Envolva-a em atividades calmas (leitura de livros, solução de quebra-cabeças e separação de formas), mas não se esqueça de sua pouca capacidade de concentração, que é normal, e lembre-se que, nesta idade, essas brincadeiras geralmente requerem a participação de um adulto. Quando ela parece estar perdendo o controle, experimente um banho quente como modo de acalmá-la. Além disso, tenha certeza de que ela esteja bem nutrida e não ingira muito açúcar em sua dieta — as provas não são conclusivas, mas há uma pequena porcentagem de crianças que podem reagir com um comportamento hiperativo ao açúcar e, talvez, a alguns outros alimentos, corantes alimentícios e aditivos.

NEGAÇÃO

"Desde que meu filho aprendeu a sacudir a cabeça e dizer 'Não', tem respondido negativamente a tudo — mesmo a coisas que eu sei que ele quer."

Parabéns — seu filho está deixando de ser bebê. E esta transição arrasta consigo as primeiras manifestações de um padrão de comportamento que a assombrará muito, e com intensidade cada vez maior, no decorrer do ano seguinte: a negação.

Por mais difícil que seja para os pais, a fase de negação é um elemento normal e saudável do desenvolvimento da criança. Pela primeira vez, ele é capaz de ser ele mesmo, e não o seu dócil bebê; é capaz de exercer algum poder, pôr à prova os próprios limites e desafiar a autoridade dos pais. E, o que é mais importante, é capaz de expressar clara e distintamente as próprias opiniões. Descobriu, por fim, que a opinião que tem maior impacto é: "Não!"

Felizmente, neste estágio da negação, é improvável que o "não" que seu filho quer dizer seja tão veemente quanto o que ele realmente diz. Na verdade, ele muitas vezes nem queria dizê-lo — como no momento em que ele diz "não" à banana pela qual clamava há pouco, ou sacode a cabeça quando você o convida a subir no balanço em que você sabe que ele quer ir. Como ficar de pé e andar, aprender a dizer "não" e sacudir a cabeça são habilidades que ele precisa praticar, mesmo que isso não seja oportuno. O fato de os bebês dizerem "não" com a cabeça muito antes de dizerem "sim" não tem a ver com a negação; simplesmente, o primeiro movimento é menos complexo e mais fácil, e requer menos coordenação motora.

Às vezes, você pode escapar à negação com uma manipulação verbal inteligente; se você não quer ouvir um "não", não faça perguntas que possam ser respondidas dessa forma. Em vez de "Você quer uma maçã?", experimente "Você quer uma maçã ou uma banana?" Em vez de "Você quer ir no escorregador?", pergunte "Você quer ir no escorregador ou no balanço?" Mais cuidado: algumas crianças respondem "não" até a perguntas de múltipla escolha.

Às vezes, a criança de um ano embarca até mesmo numa versão mais primitiva do acesso de raiva que marca negativamente o segundo e o terceiro anos. Esses acessos precoces costumam ser cômicos; mas dar risada quando um deles ocorrer (ou quando a criança emite um vigoroso "não" e sacode a cabeça) só vai prolongar o comportamento e encorajar sua repetição. Se você ignorar o acesso da criança de um ano, o mais provável é que ela desista e vá procurar um brinquedo para se divertir. (Isso, porém, não vai funcionar daqui a algum tempo; uma criança um pouco mais velha pode conservar na mesma intensidade um acesso de raiva, até que ela — ou seus pais — caiam de cansaço).

O "não" provavelmente ainda vai predominar em sua casa por um ano, pelo menos — e provavelmente vai ficar mais forte antes de desaparecer. A melhor maneira de atravessar incólume esse período turbulento é prestar pouca atenção ao comportamento negativo; quanto mais você se aborrecer com os "nãos" do bebê, mais "nãos" você vai ouvir. Combinar uma consciência da negação com um sadio senso de humor é algo que pode não ajudar a diminuir a quantidade de "nãos"; mas pode aumentar a sua capacidade de suportá-los.

O QUE É IMPORTANTE SABER: Como Estimular a Criança Nova

Primeiras palavras e primeiros passos. No momento em que a criança ganha mais esses dois troféus, o jogo da aprendizagem se torna mais animado do que jamais fora. O mundo cresce a passos largos; para proporcionar ao seu filho a oportunidade de explorá-lo e conhecê-lo, e a fim de promover a continuidade de seu desenvolvimento físico, social, intelectual e emocional, ofereça-lhe tudo isto:

Um espaço seguro onde andar — dentro e fora de casa. A criança que começa a andar geralmente não gosta de ficar presa a um carrinho ou porta-bebês; assim, só os use quando for absolutamente necessário. Estimule o bebê a andar sempre que possível, mas fique de olho em eventuais perigos, especialmente nas proximidades de ruas, estradas e entradas de automóvel. Para o bebê que ainda não está andando, coloque alguns objetos atraentes fora do seu alcance, incentivando-o a ficar de pé e/ou andar agarrando-se aos móveis.

Um espaço seguro onde possa subir, com supervisão. Os bebês adoram subir escadas (quando você não está supervisionando, um portão é absolutamente necessário), trepar num escorregador (fique logo atrás dele, para prevenir), subir numa cadeira baixa ou descer da cama. Deixe-os fazer isso — mas fique por perto e venha em seu socorro quando necessário.

Estímulo a ser fisicamente ativo. É possível que o bebê quieto precise de alguns agrados para se tornar mais ativo. Você talvez tenha que descer ao chão e engatinhar para desafiar a criança a vir engatinhando ou correndo atrás de você ("Tente me pegar!"), ou impostar um ameaçador "Eu vou pegar você..." para encorajar o bebê a fugir. Deixe brinquedos ou outros objetos favoritos fora do seu alcance e estimule algum tipo de locomoção para pegá-los. É possível que o bebê medroso precise de algum tipo de apoio moral — e físico. Tente persuadir esse bebê a tentar, mas nunca o force a fazer nada e nem o ridicularize por não experimentar. Suba e desça no escorregador com a criança tímida até que ela se sinta bem o suficiente para fazer o mesmo sozinha. Passeie com o bebê de andar hesitante, dando-lhe uma mão (ou as duas) de apoio. Vá junto com a criança num balanço de "gente grande" até o bebê ficar disposto a arriscar ir no balanço de "nenê" sozinho.

LEMBRETE DE SEGURANÇA

O seu bebê fica a cada dia mais esperto — mas ainda está longe o dia em que a consciência vai estar no mesmo nível da inteligência e das capacidades motoras. Assim, enquanto o bebê vai entrando no segundo ano de vida, dê continuidade à sua constante vigilância e a todas as medidas de segurança que você já tomou, e muitas mais — levando em conta que a criança já é ou logo será capaz de subir nas coisas com grande habilidade. Isso significa que, em sua casa, nada que não esteja por trás de fechaduras, trancas e trincos de segurança está a salvo de suas mãozinhas — e também que o bebê é capaz de se meter em encrencas piores do que antes, e com muito mais rapidez. Assim, faça uma segunda inspeção de segurança, ficando atenta não só àquelas coisas que a criança é capaz de alcançar estando de pé no chão, mas também aquelas que ele poderia de algum modo alcançar subindo em outras coisas; e retire do alcance todos os objetos perigosos, bem como aqueles que você quer proteger *do* bebê. Saiba que certas crianças muito novas já demonstraram uma extraordinária engenhosidade para conseguir seus objetivos — empilhando livros ou arrastando uma cadeira para chegar a uma estante, por exemplo. Certifique-se também de que tudo aquilo em que o bebê possa subir — cadeiras, mesas, estantes — seja robusto o suficiente para agüentar o seu peso. Continue estabelecendo limites ("Não, você não pode subir aí"), mas ainda não conte com a possibilidade de o seu filho lembrar, amanhã, da proibição que lhe foi imposta hoje.

Um ambiente variado. O bebê que não conhece nada além do interior da própria casa, do carro e do supermercado será um bebê muito entediado (sem falar em quão entediada estará a pessoa que cuida dele). O mundo lá fora é cheio de estímulos, e o bebê deve vê-lo todos os dias. Mesmo um passeio sob chuva ou neve (desde que não haja enchentes ou tempestades de vento) pode ser instrutivo. Na região onde você mora, passeie com o bebê pelos parquinhos, parques, museus (geralmente, as crianças novas são fascinadas por pinturas e esculturas; em dias de pouco movimento, os museus espaçosos são ambientes excelentes para se engatinhar ou andar), lojas de brinquedos (onde a supervisão é essencial), restaurantes (escolha aqueles onde as crianças sejam bem-vindas), lojas de animais e shopping centers ou outras áreas comerciais movimentadas, com muitas vitrines e pessoas interessantes de se ver.

Brinquedos de puxar e empurrar. Os brinquedos que precisam ser puxados ou empurrados proporcionam treino às crianças que acabaram de começar a andar, e dão confiança (e apoio físico) às que estão a ponto de começar. Os minitriciclos em que os bebês se sentam e dão impulso com os pés podem ajudar algumas crianças a andar, embora outras achem mais fácil andar sozinhas. O uso de um andador nesta fase, porém, será mais prejudicial que proveitoso.

Materiais criativos. Desenhar com *crayons* é algo que dá enorme satisfação a muitas crianças de um ano. Se o papel for fixado com fita adesiva a uma mesa, ao chão ou a um cavalete, não ficará escorregando; se os *crayons* forem confiscados assim que o bebê os puser na boca ou desenhar onde não deve, ele irá aprendendo a usá-los corretamente. Só permita o uso de lápis e canetas sob cerrada supervisão; as pontas agudas podem causar um desastre se o bebê cair sobre elas. Alguns se divertem em pintar com os dedos, enquanto outros não apreciam muito os dedos pegajosos que são os ossos desse ofício. Embora as mãos lavadas demonstrem que essa condição é apenas temporária, algumas crianças continuam repelindo esse instrumento artístico. Os brinquedos musicais também podem ser divertidos — mas procure brinquedos que apresentem uma qualidade sonora no mínimo razoável. Se você fizer uma demonstração preliminar, o bebê também pode aprender a improvisar em música — com uma colher de pau ou de metal batendo no fundo de uma panela, por exemplo.

Brinquedos de tirar e pôr. Os bebês adoram pôr e tirar as coisas de algum lugar, embora a segunda capacidade preceda a primeira. É possível comprar brinquedos de tirar e pôr ou simplesmente usar objetos caseiros: caixas vazias, colheres de pau, canecas de medidas, copos e pratos de papel e guardanapos. Encha uma cesta com vários objetos pequenos, mas não tão pequenos que o bebê os ponha na boca. Esteja pronta a pôr você mesma as coisas na cesta por um bom tempo, até o bebê aprender. A areia (veja página 276; em casa, muitos pais preferem usar arroz cru) e a água (cujo uso, dentro de casa, pode ficar limitado à banheira e ao cadeirão) permitem que a brincadeira de pôr e tirar se realize derramando — e a maioria das crianças novas gosta muito de ambos os materiais, cujo uso, porém, deve ser acompanhado de perto.

Formas. Em geral, muito antes de serem capazes de falar círculo, quadrado e triângulo, os bebês já terão aprendido a reconhecer essas formas e encaixá-las na abertura apropriada num brinquedo feito para esse fim. Tais brinquedos também desenvolvem a habilidade manual e, às vezes, ensinam as cores. Saiba, porém, que o bebê poderá precisar de muitas demonstrações e assistência antes de dominar o uso desses brinquedos.

Brinquedos que desenvolvem a habilidade manual. Os brinquedos que exigem que a criança gire, torça, empurre, aperte e puxe objetos estimulam-nas a usar as mãos de várias formas. É possível que muitas demonstrações sejam necessárias antes de o bebê ser capaz de realizar algumas manobras mais complicadas; depois disso, porém, tais brinquedos proporcionam horas e horas de brincadeiras com a atenção concentrada.

Brinquedos para usar no banho. Estes ensinam muitos conceitos, e permitem que a criança brinque com água sem molhar todo o chão e os móveis. A banheira também é um bom lugar para soprar bolhas — mas é provável que você mesma ainda tenha que soprar por algum tempo.

Brincadeiras de seguir o mestre. O papai começa a bater palmas, e depois a mamãe. O bebê se sente encorajado a fazer o mesmo. Depois o papai agita os braços e a mamãe o imita. Após algum tempo, o bebê será capaz de seguir o mestre sem pestanejar, e um dia será ele mesmo o mestre.

Livros, revistas, qualquer coisa que tenha figuras. Não é possível levar um cavalo, um elefante e um leão para dentro de casa — mas é possível chamá-los todos, e outros mais, a visitá-la num livro ou revista. Olhe e leia livros com o bebê várias vezes durante o dia. Talvez cada sessão seja bem curta, não mais que alguns minutos, devido à baixa capacidade de concentração da criança; mas, em seu conjunto, elas lançarão uma base firme para que no futuro a criança venha a gostar de ler.

Material para brincadeiras de faz-de-conta. Pratinhos de brinquedo, equipamento de cozinha, comidinha de brincadeira, casinhas, caminhões e carros, chapéus, sapatos de gente grande, almofadas — quase tudo pode ser transformado, como por mágica, no imaginoso mundo de faz-de-conta de uma criança nova. Esse tipo de brincadeira desenvolve as habilidades sociais, bem como a coordenação motora fina (pôr e tirar roupas, fazer ovos mexidos, cozinhar sopa), a criatividade e a imaginação.

Paciência. As capacidades ostentadas pelos bebês que começam a andar são muito mais avançadas do que eram há seis meses; no entanto, sua capacidade de concentração ainda não aumentou muito. É possível que eles passem longos períodos brincando com alguns brinquedos; mas, quando você tentar contar-lhes uma estória ou envolvê-los com outros brinquedos, eles podem não ser capazes de parar quietos por mais de 5 minutos. Seja compreensiva com essas limitações e não desespere — à medida que os bebês crescem, o mesmo ocorre com sua capacidade de concentração.

Aplausos. Anime o bebê à medida que novas capacidades forem sendo dominadas. Essas realizações, embora satisfatórias por si mesmas, podem ganhar um novo significado quando complementadas pelo reconhecimento.

PARTE II

QUESTÕES DE INTERESSE ESPECIAL

CAPÍTULO 16

Um Bebê para o Ano Inteiro

A menos que você esteja criando seu bebê numa redoma com temperatura e umidade controladas, as variações do tempo têm alguma influência sobre suas vidas. À medida que se sucedem as estações, e, com elas, o sol, o vento, o calor, o frio, a neve e a chuva vêm e vão, novas perguntas se formam na mente dos pais — sobretudo os de primeiras viagem. Perguntas sobre a alimentação, o vestuário e as brincadeiras, sobre queimaduras de sol e rachaduras pelo frio, sobre telas de proteção para janelas e lareiras, sobre aulas de natação e decoração de Natal.

PARA ALIMENTAR O SEU BEBÊ O ANO INTEIRO

As necessidades nutricionais do seu bebê permanecem basicamente as mesmas ao longo de todo o ano, mas as variações sazonais de temperatura exigem algumas adaptações:

No frio. Se o bebê passa bastante tempo fora de casa em época de frio, vai precisar de mais calorias a serem usadas como combustíveis para gerar mais calor para o corpo. Além disso, nos meses mais frios, os bebês ficam pouco tempo expostos à luz solar direta; assim, você precisa assegurar-se de que sua dieta lhe proporciona uma quantidade suficiente de vitamina D, seja através de leite em pó, leite ou laticínios enriquecidos, seja, para os bebês que quase só mamam no peito, através de um suplemento multivitamínico[1]. Nas manhãs

1. É possível que o médico do bebê recomende o uso de um suplemento de vitamina D pelo ano inteiro, uma vez que a exposição excessiva aos raios solares não é aconselhável, especialmente para bebês novos.

frias de inverno, um mingau morno (nunca quente) pode ser mais agradável que um desjejum frio. A maior parte das crianças, porém, mesmo no inverno prefere beber leite frio, o que é mais conveniente, uma vez que o aquecimento destrói alguns dos nutrientes. Para manter forte o sistema imunológico e garantir que eventuais doenças não ataquem com muita intensidade, dê ao bebê bastante vitamina A, sob a forma de legumes amarelos, frutas amarelas e verduras, e vitamina C, através de alimentos ricos nessa vitamina (veja página 254).

No calor. No verão, ou num clima sempre quente, seu bebê vai suar mais e talvez queira comer menos. Para compensar os líqüidos perdidos pela transpiração, incremente o consumo de líqüidos. Ao bebê muito novo, que já recebe outros leites além do materno, ofereça freqüentes mamadeiras de água entre as mamadas; se não, dê de mamar mais vezes. Para as crianças mais velhas, dê mamadeiras ou copos de suco de frutas diluído e frutas suculentas como o melão, o pêssego e o tomate (depois que estas já tiverem sido introduzidas na alimentação da criança). Não ofereça bebidas adoçadas com açúcar, como refrigerantes, sucos e ponches, pois aumentam a sede (além de serem, de qualquer modo, inadequadas para os bebês), e nem bebidas que contêm sal (como certos preparados especiais para esportistas), uma vez que, contrariamente à crença popular, não é necessário ingerir grandes quantidades de sódio no calor (isso pode até fazer mal).

Para driblar a falta de apetite pelo calor, não alimente o bebê logo depois de entrar em casa num dia quente. Primeiro, reserve um tempo para refrescar; depois, se possível, alimente o bebê num ambiente com ar condicionado ou refrescado por um ventilador. Depois da introdução dos alimentos sólidos, ofereça-lhe refeições menores e lanches maiores, caso ele não pareça querer comer muito de uma só vez; e limite-se aos alimentos que ele mais gosta. Dê-lhe alimentos nutritivos (como cenouras, melão, manga, brócolis, queijo) e evite as comidas que só contêm calorias e mais nada. Se o bebê parece não estar comendo cereais em quantidade suficiente, polvilhe germe de trigo sobre os mingaus, doces e massas ou misture-o com o suco ou o leite batido. Se o leite materno ou leite em pó especial vêm sendo rejeitado em favor dos sucos, assegure o suficiente consumo de cálcio acrescentando leite em pó desnatado ou leite condensado integral (sem açúcar)* aos cereais e doces, servindo cubinhos de queijo no lanche, fazendo sobremesas geladas (veja página 708) e servindo sorvete comercial adoçado com suco de frutas, o que é refrescante, delicioso e proporciona muitos nutrientes.

O QUE PODE ESTAR PREOCUPANDO VOCÊ NO VERÃO OU NO CALOR

COMO DEIXAR O BEBÊ BEM FRESQUINHO

É verão — fica mais fácil se vestir. Mas será mesmo? Eis uma cena bastante comum: uma mãe de vestido leve e sandálias, com os cabelos presos num refrescante rabinho, empurrando um carrinho em que se debate um bebê vestido para o mais rigoroso inverno. Tais mães, embora bem-

* Não disponível no Brasil. (N. do R. T.)

intencionadas, não percebem que, no calor, nem os bebês muito novos precisam de vestes mais quentes que as dos adultos. O excesso de roupa não é apenas desnecessário; pode também produzir conseqüências indesejáveis, como brotoejas e, em casos extremos, termoplegia.

A menos que o seu termostato pessoal seja pouco confiável (você está sempre com calor quando os outros estão com frio, ou sempre com frio quando os outros estão com calor), vista o bebê como você gostaria de se vestir. Se você se sente bem de shorts e bustiê, o bebê se sentirá bem no equivalente infantil desses trajes. Se você está sufocando numa malha de lã, o bebê também estará. Quando a temperatura sobe, as roupas mais confortáveis são as leves, soltas e claras; um chapéu, boné ou boina leve e poroso dá proteção à cabeça do bebê sem esquentá-la demais. Os tecidos devem ser absorventes, para absorver a transpiração, mas a roupa deve ser trocada assim que ficar molhada — por isso, acostume-se a carregar consigo uma muda de roupa para o bebê. Não use um porta-bebês feito de tecido pesado que cubra o bebê dos pés à cabeça. A falta de ventilação, combinada ao calor do seu corpo e à alta temperatura ambiente, poderia produzir um excesso de calor dentro dele. Quando o bebê vai tomar sol direto, é necessário levar em conta a proteção contra os raios nocivos ao se escolher a roupa.

Dentro de casa, em época de calor, o bebê apreciará tanto quanto você os efeitos refrescantes de um ventilador ou aparelho de ar condicionado. Só cuide para que o vento não vá diretamente sobre o bebê, a temperatura não caia muito abaixo de 23°C, e tanto os aparelhos como seus fios estejam fora do alcance do bebê. Em noites quentes as fraldas são o bastante para se dormir; com o ar condicionado ligado, porém, talvez sejam necessários um pijama leve e, às vezes, uma coberta.

Mãos e pés frios não significam que o bebê esteja gelado; mas o suor (verifique-lhe o pescoço, a cabeça e as axilas) é sinal de excesso de calor.

TERMOPLEGIA

As mães muitas vezes se preocupam por achar que os filhos estão passando frio, mas freqüentemente não percebem que o excesso de calor pode ser igualmente perigoso. Os bebês são particularmente sensíveis ao calor durante o primeiro ano de vida, pois seus sistemas de regulação de temperatura ainda não se acham perfeitamente desenvolvidos, e eles não conseguem refrescar-se de modo eficiente. Como resultado, o excesso de calor pode produzir uma termoplegia muito séria, e até fatal. Tipicamente, a termoplegia se manifesta de súbito. Entre os sinais a que se deve estar atento contam-se uma pele muito quente e seca (ou, às vezes, úmida), febre muito alta, diarréia, agitação ou letargia, confusão, convulsões e perda de consciência. Se o bebê apresentar tais sintomas, recorra imediatamente a um sistema de atendimento médico de emergência e siga os procedimentos de primeiros socorros descritos na página 505.

Como ocorre com a maioria das emergências médicas, também nesta o melhor remédio é a prevenção. Eis alguns modos de prevenir a termoplegia:

- No calor, nunca deixe um bebê ou uma criança num carro estacionado. Mesmo com as janelas abertas, a temperatura no interior do carro pode subir rápida e perigosamente. A uma temperatura externa de 35°C, por exemplo, a temperatura dentro do carro pode disparar para mais de 40°C em 15 minutos com as janelas semi-abertas, e para quase 65°C com as janelas fechadas.
- Não envolva um bebê febril em cobertores ou bolsas de água quente. A criança febril precisa ser refrescada, e não aquecida. O "suadouro" não é recomendado nem no frio e nem no calor.
- No calor, vista o bebê com roupas leves e evite a luz solar direta. Cuidado com o superaquecimento dentro de um porta-bebês.
- Sempre cuide para que o seu filho beba mais líqüidos em época de calor.

- Num tempo muito quente e úmido, não deixe que a criança ativa faça exercícios ao ar livre por mais de 30 minutos de cada vez, e, de preferência, à sombra.

EXCESSO DE SOL

Houve um tempo em que nossa imagem de saúde eram crianças com a pele muito queimada de sol, brincando ao ar livre numa tarde de verão; "doentes" eram as crianças pálidas por passar muito tempo dentro de casa. Pensávamos que os raios do sol eram tão saudáveis quanto torta de maçã e tão revigorantes quanto uma boa canja. Infelizmente, estávamos errados. Hoje sabemos que não há nada com maior probabilidade de causar câncer de pele (inclusive o melanoma, potencialmente mortal), manchas marrons e um enrugamento e envelhecimento precoce da pele mais tarde na vida. Ainda que o bronzeado pareça "saudável", ele é, na verdade, o sinal de um ferimento que a pele recebeu, e é o modo pelo qual esse sensível órgão procura proteger-se de danos ulteriores.

Constatou-se também forte ligação entre a exposição excessiva aos raios solares e a incidência de catarata (que é muito mais comum em climas ensolarados); recentemente, descobriu-se ainda, que ela reduz a quantidade de betacaroteno presente no corpo (uma substância corporal que, acredita-se, protege contra o câncer). Se isso não é suficiente para lhe transmitir uma visão sombria do sol brilhante, considere o seguinte: a exposição excessiva também pode desencadear ou agravar certas doenças, como o herpes simples e outras viroses cutâneas, o vitiligo (manchas cutâneas brancas ou sem pigmentação), e fenilcetonúria, e o eczema fotossensível. E pode produzir graves efeitos colaterais nos indivíduos que tomam certos antibióticos (como a tetraciclina) ou outros medicamentos. Para uma panacéia tão milagrosa, é uma lista negra bem comprida.

Já houve época em que pelo menos alguns minutos por dia de sol direto eram essenciais para o crescimento e o desenvolvimento sadios na infância — pois o sol era a única fonte disponível de vitamina D, necessária para fortalecer a constituição óssea. Hoje, os leites em pó para bebês, todos os tipos de leite e muitos outros laticínios são enriquecidos com essa vitamina, que também tem seu lugar nos suplementos vitamínicos infantis; não é necessário sacrificar o futuro da pele dos seus filhos para garantir-lhes uma dose suficiente de vitamina D.

Para garantir que seu bebê não venha a sofrer as conseqüências de uma exposição excessiva ao sol, lembre-se sempre dos seguintes fatos e dicas referentes à proteção contra o sol.

Fatos sobre a proteção contra o sol

- A intensidade da radiação solar é maior, e seus raios são mais perigosos, entre as 10 e 15 horas (ou 11 e 16 horas no horário de verão).

- É de 80% o percentual da radiação solar que atravessa a camada de nuvens; assim, a proteção é tão necessária em dias quentes nublados quanto nos dias claros.

- A água e a areia refletem os raios do sol, aumentando o risco de danos à pele e a necessidade de proteção.

- A pele molhada permite a passagem de mais raios ultravioleta do que a pele seca — assim, na água, é necessária uma proteção extra.

- A sombra de árvores e guarda-sóis não dá proteção suficiente contra os raios solares, sobretudo na praia.

- O calor extremo, o vento, a altitude elevada e a proximidade em relação ao equador também acentuam o perigo dos raios solares; por isso, nessas condições, redobre seus cuidados.

- Num dia claro, a neve sobre o chão pode refletir a luz solar em quantidade suficiente para causar queimaduras de sol.

- Devido à delicadeza de sua pele, os bebês são particularmente sensíveis às queimaduras de sol. Um único caso de queimadura solar grave durante a infância é suficiente para dobrar o risco de incidência do mais mortífero câncer de pele, o maligno melanoma. E mesmo um bronzeado inocente, sem queimaduras, tomado nos primeiros anos, já foi associado a carcinomas das células basais e escamosas, que são as modalidades mais comuns de câncer da pele, e ao envelhecimento precoce da pele. Acredita-se que o sol seja responsável por pelo menos 90% dos cânceres de pele, e a maioria dos quais poderiam ter sido prevenidos.

- Os indivíduos mais sensíveis são os de pele, olhos e cabelos claros, mas ninguém é imune aos efeitos nocivos dos raios solares.

- Não há bronzeado que seja seguro, por mais gradual que seja. E um bronzeado "de base" não protege a pele contra danos adicionais.

- O nariz, os lábios e as orelhas são as partes do corpo mais suscetíveis aos ferimentos provocados pelo sol.

Dicas de proteção contra o sol

- Evite expor os bebês de menos de seis meses ao sol forte, sobretudo nos momentos em que o sol está mais alto no verão e em climas sempre quentes. Proteja os bebês novos com uma sombrinha ou guarda-sol em seus carrinhos, mas só use um protetor solar com a autorização do médico.

- Pelo menos 15 minutos (mas, de preferência, meia hora) antes de expor um bebê mais velho ou uma criança nova ao sol, aplique um protetor solar sobre todas as áreas do corpo não cobertas pelas roupas — embora a criança de pele morena seja capaz de tolerar breves exposições sem proteção. Não deixe que o protetor solar entre em contato com a boca, os olhos ou as pálpebras do bebê. Para dar proteção suplementar a certas áreas especialmente sensíveis, como os lábios, o nariz e as orelhas, fale com o médico sobre a possibilidade de usar um batom ou pomada protetora para os lábios, ou óxido de zinco.

- As primeiras exposições ao sol não devem durar mais que alguns minutos; o tempo pode ser aumentado aos poucos, alguns minutos a mais por dia, até chegar aos 20 minutos.

- Depois que o bebê fizer seis meses, sempre leve um protetor solar em sua sacola de fraldas, para o caso de precisar dele de improviso.

Sob o sol, todos os bebês e crianças devem usar chapéus leves com abas que protejam os olhos e o rosto, e camisetas que protejam o tronco, mesmo dentro d'água. Os tecidos devem ser leves e de trama fechada. Duas camadas finas de tecido podem dar maior proteção que uma única camada, pois os raios solares atravessam certos tecidos — mas cuidado para não exagerar nas roupas.

- No calor, tente programar a maior parte das atividades ao ar livre para o começo da manhã ou o fim da tarde. Sempre que possível, não deixe as crianças tomarem o sol do meio-dia.

- Passe um protetor solar à prova d'água nos pimpolhos que se refrescam sob chuveiros ou em piscinas. Depois de terminada a brincadeira aquática, seque-os com a toalha e aplique novamente o protetor.

- Evite os sistemas artificiais de bronzeamento, como as lâmpadas infravermelhas, pois também podem provocar envelhecimento precoce e câncer da pele, além de não serem apropriadas para bebês.

- Se o seu filho está tomando algum medicamento, não o exponha ao sol antes de assegurar-se que o medicamento não causa fotossensibilidade (maior sensibilidade à luz do sol).

COMO ESCOLHER UM PROTETOR SOLAR

Alto FPS. Os protetores solares trazem impresso qual é o seu fator de proteção solar, ou FPS, que vai de 2 a 30 (em alguns casos, a 50). Quanto maior o número, maior a proteção. Para bebês e crianças, recomenda-se um FPS de pelo menos 15, embora um de 30 seja o melhor para as crianças de pele muito clara ou sensível. Não passe bronzeadores nas crianças e bebês; tais produtos não oferecem qualquer proteção.

Eficácia. Procure um produto que contenha ingredientes que bloqueiem tanto os raios ultravioleta curtos (UVB) provenientes do sol, que queimam e podem causar câncer, quanto os raios ultravioleta mais longos (UVA), que podem causar problemas de pele a longo prazo e potencializam os efeitos carcinogênicos dos raios UVB.

Segurança. Alguns ingredientes dos protetores solares são irritantes ou causam reações alérgicas em certas pessoas, sobretudo bebês de pele sensível. Os elementos irritantes mais comuns são o PABA (ácido para-aminobenzóico) e outras formas do PABA (padimato-O ou octil dimetil PABA, por exemplo), fragrâncias e corantes. Assim, antes de lambuzar o bebê com um determinado produto, faça o teste do esparadrapo por 24 horas. Passe uma pequena quantidade de protetor solar no lado de dentro do braço do bebê e cubra com esparadrapo. Remova-o 24 horas depois e exponha a área ao sol por 15 minutos, enquanto o restante do corpo do bebê fica protegido por roupas e um chapéu. Se a área de teste ficar vermelha ou inchada, experimente outro produto. Se, depois de começar a usar um produto, o bebê apresentar erupções vermelhas e pruriginosas na pele, ou qualquer outro tipo de afecção cutânea, ou tiver os olhos irritados, experimente um produto diferente — de preferência um que seja feito especialmente para bebês ou pessoas alérgicas.

Proteção aquática. Se o bebê vai entrar na água, selecione um protetor à prova d'água, selecione um protetor à prova d'água (isto é, que ainda conserva a sua eficácia depois de quatro banhos de 20 minutos) ou resistente à água (que retém a eficácia depois de dois banhos).

E não se esqueça: mesmo com um protetor solar, a exposição ao sol deve ser limitada.

- Dê o exemplo, protegendo sua pele da agressão dos raios solares.

Sintomas de queimadura de sol

Muitos pais acham que, enquanto a pele do bebê não fica vermelha, ele está seguro sob o sol. Infelizmente, não é verdade. É impossível ver a queimadura de sol no momento em que ocorre; quando a vemos, já é tarde demais. É só de 2 a 4 horas depois do banho de sol que a pele fica vermelha, quente e inflamada, e a vermelhidão atinge o ponto máximo de 10 a 14 horas após a exposição. A queimadura solar grave provoca bolhas, dor localizada e, nos casos mais severos, dor de cabeça, náusea, tremores e prostração. Geralmente, a vermelhidão começa a passar e os sintomas começam a diminuir de intensidade depois de 48 a 72 horas; nesse momento, mesmo em casos brandos, a pele pode começar a descascar. Às vezes, porém, o incômodo dura de uma semana a dez dias. Sobre como tratar as queimaduras de sol, veja página 517.

PICADAS DE INSETOS

A maioria dos insetos são inofensivos, mas suas mordidas e picadas quase sempre causam dores ou incômodas coceiras, e podem às vezes transmitir doenças graves ou desencadear uma reação alérgica severa. Por isso, é conveniente proteger o bebê dos insetos e de suas picadas sempre que possível. (Sobre o tratamento de picadas de insetos, veja página 516.)

Proteção contra as picadas e mordidas

Abelhas e similares. Não leve o bebê a lugares onde as abelhas se reúnem, como campos de trevo ou flores silvestres, pomares ou chafarizes. Proteja o bebê até no seu próprio quintal, especialmente em dias quentes e claros ou depois de uma chuva forte. Se você descobrir uma colméia de abelhas ou cacho de marimbondos em sua casa ou perto dela, peça a um especialista que a tire de lá. Para evitar atrair as abelhas quando a família vai passear ao ar livre, prefira o branco e as cores claras aos tons escuros e vivos ou estampas floridas. Não use água-de-colônia, talcos e loções perfumadas ou gel cheiroso para cabelos. Dentro do carro, tenha sempre à mão um pedaço de pano para capturar insetos.

Pernilongos. Estes se reproduzem na água; assim, drene as peças e esvazie todos os recipientes que conservem a água da chuva na sua casa e perto dela. À noite, quando os pernilongos estão ativos, deixe o bebê dentro de casa; ponha telas nas janelas e mantenha-as em bom estado.

Carrapatos (micuins). Antes de fazer excursões em regiões onde esses carrapatos proliferam, aplique às roupas — *nunca* à pele — um repelente de insetos suave (por exemplo, a citronela).

Examine com freqüência os membros da família, os animais de estimação e os equipamentos em busca desses carrapatos minúsculos. (É fácil enxergá-los em roupas claras, e eles grudam menos nas teceduras cerradas.) Para prevenir a doença de Lyme, remova imediatamente os carrapatos (veja páginas 510-511).

Todos os insetos que mordem ou picam. Nos lugares em que pode haver tais insetos, mantenha os braços, as pernas, os pés e a cabeça cobertos. Onde há muitos micuins, cubra a barra das calças com as meias.

SEGURANÇA NO VERÃO

A chegada do verão traz consigo um novo grupo de possibilidades de acidentes. As precauções a seguir podem ajudar a minimizar a probabilidade de esses acidentes acontecerem:

- O calor freqüentemente é sinônimo de janelas abertas; por isso, instale grades em todas as janelas da sua casa. Não confie nas telas, que podem ser empurradas por um bebê forte. Se a sua casa ou a casa em que você está não tem grades nas janelas, não as abra mais que 15 cm (e certifique-se de que possam ser afastadas), ou só as abra na parte de cima. Não deixe móveis, ou qualquer outra coisa em que o bebê possa subir, sob as janelas.
- Também as portas são deixadas abertas no calor, convidando os pimpolhos a engatinharem ou andarem para fora e meterem-se em encrenca. Deixe as portas trancadas, incluindo as de tela e as portas de correr.
- Fora de casa, nunca tire os olhos do bebê capaz de engatinhar ou andar, e redobre a vigilância perto de balanços e outros brinquedos. Se você tem brinquedos desse tipo no quintal, deixe-os a pelo menos dois metros das cercas ou paredes e revista o chão sob eles de um material macio (borracha, areia, serragem ou cortiça). Quando o bebê vai no balanço, insista sempre para que ele se segure com ambas as mãos, sente-se bem no meio e não tente sair com o balanço em movimento. Desestimule o seu filho a escorregar com a cabeça para baixo no escorregador, e ensine-o a verificar se não há outras crianças em cima ou embaixo desse brinquedo. No calor, não use escorregadores de metal sem antes senti-los com a mão — sob o sol, ficam quentes a ponto de causar queimaduras.

▪ Não coloque o bebê em meio a uma grama alta ou em qualquer lugar onde a criança possa tocar ou mordiscar flores, arbustos e árvores venenosas. Nos bosques, proteja o seu bebê vestindo-o com uma roupa que cubra o corpo todo. Se o bebê por acidente encostar numa hera ou sumagre venenoso, retire-lhe todas as roupas, protegendo as suas mãos com luvas ou lenços de papel. Imediatamente, lave toda a pele do bebê com bastante água e sabão (de preferência sabão amarelo) — se você esperar cinco minutos, poderá ser tarde demais para evitar reação. Deve-se lavar também qualquer outra coisa que tenha encostado nessas plantas (vestimentas, o carrinho, até o cachorro). Os sapatos devem ser esfregados com removedor. Caso ocorra uma reação, aplique loção de calamina ou outra loção desse tipo para aliviar a coceira (veja página 479).

▪ Como o calor também é um convite para a realização de churrascos, tome certas medidas para proteger o bebê de queimaduras acidentais. Deixe as grelhas fora do alcance de suas mãozinhas; cuide para que não haja cadeiras ou outras coisas em que o bebê possa subir para chegar a esses atrativos aquecidos. As grelhas de mesa e hibachis só devem ser colocadas sobre superfícies estáveis. Lembre-se que os carvões podem continuar quentes por bastante tempo. Para reduzir o risco de queimaduras acidentais, encharque os carvões de água quando o churrasco acabar e jogue-os num lugar onde seu filho não possa achá-los.

BEBÊS AQUÁTICOS

Os pais, ansiosos por "impermeabilizar" seus bebês ou dar-lhes uma cabeça de vantagem em relação a seus pequenos companheiros, são muitas vezes levados a matricular seus filhinhos em cursos de natação. Mas, de acordo com a Academia Norte-Americana de Pediatria e muitos outros especialistas, os cursos de natação não são uma boa para os bebês. É fácil ensinar os bebês que engatinham a flutuar — as crianças novas flutuam naturalmente, pois têm em seu corpo uma porcentagem maior de gordura do que os adultos —, mas não é possível ensinar-lhes a fazer uso dessa capacidade num momento de perigo. E os cursos de natação para bebês não são mais eficazes, a longo prazo, para a formação de bons nadadores, do que os cursos feitos em fases posteriores da infância. Na verdade, ainda não se sabe se as lições de natação podem fazer algum bem a crianças de menos de três anos. Há indícios, além disso, de que um contato precoce com as piscinas públicas poderia aumentar o risco de ocorrência de infecções como a diarréia (devido aos germes engolidos junto com a água da piscina), ouvido de nadador (devido à água que entra no ouvido), micoses e outros problemas de pele.

Isso não significa que você não deva tentar ajudar o bebê a sentir-se bem dentro d'água — o primeiro passo, muito importante, na educação para segurança aquática. Mas, antes de dar um mergulho com o bebê, familiarize-se bem com as questões indicadas a seguir. Lembre-se delas, também, caso decida matricular o bebê num curso de natação.

▪ O bebê não deve ser posto numa piscina ou outro grande reservatório de água até adquirir um controle satisfatório sobre os movimentos da cabeça — isto é, até conseguir levantar rotineiramente a cabeça num ângulo de 90°. Antes de ele dominar esta capacidade, o que em geral ocorre aos quatro ou cinco meses, a cabeça poderia submergir acidentalmente.

▪ O bebê portador de qualquer problema crônico de saúde, inclusive freqüentes infecções do ouvido, deve receber uma autorização do médico antes que você o ponha para brincar na água. O bebê resfriado ou com alguma outra doença deve suspender suas atividades aquáticas temporariamente (a não ser os banhos de banheira), até ficar plenamente recuperado. É provável que o bebê que gosta de água e está acostumado com ela corra mais riscos quando perto da água do que a criança que tem medo desta. Por isso, nunca deixe uma criança (mesmo que tenha tido aulas de "natação") sozinha perto da água (de uma piscina, banheira cheia de água quente, lago, mar, poça) nem um momento sequer. Um afogamento pode ocorrer num tempo menor que o necessário para atender o telefone — em menos de 2 cm de água. Se você precisar sair da beira d'água, mesmo que por alguns instantes, leve o bebê junto com você.

- Toda atividade aquática desenvolvida pelo bebê deve ter a supervisão de um adulto responsável — um adulto por bebê. O adulto não deve ter medo da água, pois o medo pode ser transmitido para a criança.
- Os professores de natação infantil devem ter formação no ensino de natação para bebês e em de reanimação cardiopulmonar (RCP) infantil.
- O bebê que tem medo da água ou resiste a entrar nela não deve ser forçado a participar nas brincadeiras aquáticas.
- A água em que os bebês brincam deve ser confortavelmente morna. Em geral, os bebês gostam de água entre 28,5 e 30,5°C. Os bebês de menos de seis meses nunca devem entrar numa água mais fria que isso. O ar deve ter uma temperatura pelo menos de 2°C mais alta que a da água, e as brincadeiras aquáticas devem durar no máximo 30 minutos por sessão, para evitar o resfriamento do corpo. Além disso, para reduzir os riscos de infecção, a água das piscinas deve ser adequadamente clorada e as extensões naturais de água não devem ser poluídas.
- Os bebês que usam fraldas devem vestir calções impermeáveis com elásticos que se prendam confortavelmente à perna; mas não convém ficar muito preocupada com a possibilidade de a urina vazar. As bexigas dos bebês são muito pequenas, e por isso eles urinam muito pouco; o cloro tomará conta de quaisquer germes.
- O rosto do bebê não deve ser submerso. Embora instintivamente prendam a respiração dentro d'água, eles continuam a engolir. A ingestão de grandes quantidades de água durante as brincadeiras aquáticas pode diluir o sangue do bebê, causando intoxicação pela água. Essa "lavagem" do sangue pode reduzir perigosamente as taxas de sódio no organismo. O conseqüente edema cerebral pode produzir inquietação, fraqueza, náusea, espasmos musculares, estupor, convulsões e até coma. Devido ao seu menor volume de sangue e ao fato de engolirem tudo o que lhes entra na boca, os bebês são muito mais suscetíveis que os adultos à intoxicação pela água (não é necessária uma quantidade muito grande para diluir-lhes o sangue). Essa condição é bastante difícil de diagnosticar. Como o bebê não apresenta quaisquer sinais de incômodo enquanto ainda está na água e os sintomas só se manifestam de 3 a 8 horas depois da ingestão, por isso muitas vezes não são associados à natação.

  A submersão também aumenta os riscos de infecção, particularmente dos ouvidos e seios da face, e de hipotermia (temperatura corporal perigosamente baixa).
- Câmaras de pneus, bóias de borracha de amarrar nos braços, colchões de ar e outros equipamentos de flutuação dão ao bebê e a seus pais uma falsa sensação de segurança. Um segundo é o suficiente para uma criança pequena escorregar de uma bóia ou cair de um colchão de ar. Os bebês e crianças novas, quando perto da água, devem usar coletes salva-vidas aprovados pela guarda costeira — mas nem mesmo esses equipamentos devem substituir a constante supervisão por parte de um adulto.
- Um brinquedo flutuando na piscina pode exercer uma atração fatal; quando a piscina não está em uso, retire dela todos os objetos.
- Não se deve usar uma piscina rasa ou funda cujo ralo não tem tampa, até que esse problema seja resolvido. A força da sucção pode causar ferimentos sérios num bebê ou criança nova.
- Os adultos que cuidam de bebês e crianças perto da água devem estar familiari-

zados com as técnicas de reanimação (veja página 519), de preferência tendo feito um curso prático. Nas proximidades de qualquer área de natação, deve haver equipamentos de resgate (como coletes salva-vidas) e um pôster que descreva as técnicas de RCP. Deve haver um telefone disponível para chamadas de emergência.

DESMAMAR NO VERÃO

Embora as velhas comadres (ou as jovens mamães que falaram com elas) possam afirmar resolutamente o contrário, não há razão nenhuma para que as mães apressem os bebês a largar o peito ou a mamadeira antes que comece o verão ou adiem o desmame para o outono. A melhor época para o desmame é a que é melhor para você e para o bebê — não precisa ser planejada de acordo com a estação do ano ou determinada pela previsão do tempo.

Desmentida essa fábula, ainda assim é verdade que os bebês precisam de mais líqüidos nos meses quentes (e ao longo de todo o ano nos climas quentes) do que quando a temperatura cai. Por isso, simplesmente garanta que o seu bebê tome líqüidos em quantidade suficiente — no peito, na mamadeira, no copo ou através de alimentos ricos em água.

COMIDA ESTRAGADA

Os alimentos correm um risco muito maior de estragar quando o sol brilha e a temperatura sobe: por isso, no calor, tome cuidados especiais com a comida do bebê. Siga as dicas da página 264 para diminuir o risco de intoxicação alimentar. Nos passeios, use uma geladeira de isopor para

COMO TORNAR SUA FAMÍLIA "À PROVA D'AGUA"

Para melhor "impermeabilizar" a sua família, faça o seguinte:

1. Ensine os seus filhos a nunca entrarem na água sem um adulto por perto e a não se envolverem em brincadeiras agitadas perto da água. Nem as crianças que nadam bem devem entrar na água sem um colega por perto.
2. Faça com que as crianças sejam *sempre* supervisionadas por um adulto responsável quando estão próximas à água, mesmo perto de uma piscina muito rasa que não contenha nem 2 cm de água.
3. Nunca deixe de esvaziar as piscinas desmontáveis quando não estão em uso, e vire-as de ponta-cabeça para não se encherem de água da chuva.
4. Cuide para que qualquer piscina (sua ou de seus vizinhos) a que seus filhos possam ter acesso seja rodeada por uma cerca alta que eles não consigam pular, e firmemente trancadas com uma tranca de fechamento automático que eles não possam alcançar.
5. Exija que as crianças que brincam nas proximidades de piscinas, rios e lagos, ou sobre barcos, usem coletes salva-vidas (e não bóias de brinquedo), até o momento em que saibam nadar sozinhas e tenham idade suficiente para cuidarem de si mesmas dentro d'água.
6. Instale um alarme em sua piscina, mas lembre-se de que ele não proporciona segurança absoluta.
7. Nunca use uma piscina cuja cobertura tenha sido apenas parcialmente retirada — as crianças podem ficar presas debaixo dela.
8. Lembre-se de que as coberturas de piscina podem encher-se de água e ficar tão perigosas quanto a própria piscina.
9. Quando seus filhos tiverem três ou quatro anos, ensine-os a boiar e nadar no estilo "cachorrinho".

conservar frias as mamadeiras, os recipientes já abertos de suco ou comida de bebê e os demais alimentos (deixe vários sacos de gelo no congelador, prontos para a hora de sair); senão, leve as bebidas numa garrafa térmica ou num recipiente com cubos de gelo (só os sucos, já que o leite não pode ser diluído). Uma geladeira de isopor portátil com seis andares e acolchoada por fora proporciona maior proteção em passeios longos, e é fácil de carregar. Não consuma qualquer comida ou bebida que não esteja mais fria — a temperatura mais altas, as bactérias podem, já ter tido tempo de se multiplicar.

BOCHECHAS INCHADAS

De vez em quando, tanto a mãe quanto o médico são desconcertados, no verão, pelo inexplicável inchaço das bochechas do bebê, às vezes acompanhado de vermelhidão. Geralmente o problema é diagnosticado como "paniculite de picolé", uma curiosa afecção de verão que consiste na inflamação do panículo adiposo (gordura) das bochechas causada pelo hábito de chupar picolés. O tratamento é muito simples: passar a comer outros doces, menos gelados. O inchaço passa rapidamente e a vermelhidão desaparece depois de algumas semanas.

O QUE PODE ESTAR PREOCUPANDO VOCÊ NO INVERNO OU NO FRIO

COMO DEIXAR O BEBÊ BEM QUENTINHO

Nenê, tá frio lá fora. E, assim como ocorre quando está quentinho lá fora, seu próprio conforto pode servir-lhe de guia para vestir os bebês mais velhos e as crianças. Mas os bebês com menos de seis meses — cuja relação entre a superfície corporal e o peso é maior, e que ainda não são capazes de tremer para gerar calor — precisam de um pouco mais de proteção do que você.

Mesmo quando o frio não é muito intenso, o bebê novo deve usar um chapéu para ajudar a conservar o calor (25% do calor do corpo é perdido através da cabeça). Quando a temperatura se aproxima de 0ºC, o chapéu deve cobrir as orelhas do bebê; suas mãos devem ser protegidas por luvas, os pés por meias quentes e botinhas, o pescoço por um cachecol. Quando o vento está cortante ou as temperaturas muito baixas, pode-se enrolar um cachecol em torno do rosto ou cobri-lo com um capuz tipo "elmo", com cuidado para não bloquear o nariz. Um protetor contra chuva pode conservar o vento e a neve do lado de fora do carrinho, e o calor do lado de dentro. Mas nem um bebê muito bem agasalhado deve ficar ao ar livre por longos períodos no frio.

Em época de frio, várias camadas leves de vestimentas são mais eficazes e menos incômodas que duas ou três peças pesadas. O bebê fica mais quentinho quando pelo menos uma dessas camadas é feita de lã.

Os tecidos forrados de penugem ou lanugem são bons para a feitura de trajes quentes para usar na neve.

As seguintes dicas também ajudarão você a deixar seu bebê bem agasalhado e quentinho em época de frio:

- Nunca se esqueça de fazer com que o bebê faça uma refeição ou tome um lanche pouco antes de sair — muitas calorias são para conservar o calor do corpo no frio. A refeição quente é agradável, mas seus efeitos de aquecimento não duram muito tempo.

TEMPO MUTÁVEL

Se há uma espécie de tempo que deixa perplexos mesmo os integrantes das listas dos mais bem-vestidos, é aquele tempo meio indefinido que é tão comum na primavera e no outono. A mãe inexperiente de um bebê novo pode ficar ainda mais perplexa. Como escolher as roupas a serem tiradas do armário do bebê quando o dia amanhece brando como um cordeiro mas tende a se transformar num leão raivoso até o pôr-do-sol (ou vice-versa)?

De maneira geral, as muitas camadas são a chave do sucesso para se vestir em época de tempo mutável. O mais prático são camadas leves, que podem ser facilmente acrescentadas ou removidas à medida que o tempo fica subitamente mais frio ou mais quente. É sempre sensato levar uma malha ou poncho a mais, para o caso de o mercúrio do termômetro descer de repente. Para um bebê novo, o chapéu é uma boa idéia em quase todos os tempos — um chapéu bem leve com abas em tempo de calor, um chapéu mais quente quando o vento sopra com força. O bebê mais velho pode passear sem chapéu quando as temperaturas giram em torno dos 16 aos 26°C e o sol e o vento não estão demasiado fortes. E lembre-se que, depois que o termostato do bebê ficar bem regulado (por volta dos seis meses), você deve deixar o seu próprio conforto determinar o modo como você o veste. Um rápido exame dos braços, das coxas e da nuca do bebê (mas não das mãos e dos pés, que quase sempre são frios nos bebês novos) é suficiente para lhe dizer se ele está confortável. Se essas partes de seu corpo estiverem frias e/ou ele estiver irritadiço, é possível que esteja com frio.

- Se alguma roupa do bebê ficar molhada, troque-a imediatamente.
- Ao andar em tempo invernoso, a criança nova deve usar botas forradas e à prova d'água; as botas devem ser espaçosas o suficiente para deixarem entrar um pouco de ar que circule ao redor das meias, proporcionando maior ventilação.
- Dentro do carro, tire o chapéu e uma ou mais camadas de roupa do bebê, se possível, para evitar o superaquecimento; se isso não for possível, cuide para que o carro permaneça fresco. Tire-lhe também algumas roupas dentro de um ônibus ou trem aquecidos.
- Quando há vento, passe uma loção ou creme suavemente umectante sobre as regiões expostas para prevenir possíveis rachaduras de pele.
- Fora de casa no frio, não se preocupe se o nariz do bebê começar a correr. Os cílios que normalmente conduzem as secreções nasais para dentro do nariz, a fim de não deixá-las pingar, acham-se temporariamente paralisados pelo frio; dentro de casa, o nariz deve parar de correr. Um pouco de creme ou vaselina passados sob o nariz (e não dentro dele) servem para prevenir a ocorrência de rachaduras.

ULCERAÇÃO PELO FRIO

Não é necessário inquietar-se se o nariz do bebê correr; mas é bom tomar cuidado se o seu nariz (ou suas orelhas, bochechas ou dedos das mãos e dos pés) tornar-se muito frio e adquirir coloração branca ou amarela-acinzentada. É um sinal de ulceração pelo frio, que pode causar ferimentos muito sérios. As partes atingidas por esse mal devem ser reaquecidas imediatamente. Veja na página 517 como fazer isso.

Após uma exposição prolongada ao frio, a temperatura do corpo do bebê pode descer bem abaixo dos níveis normais, (entre 36,2 e 37,2°C). Trata-se de uma situação de emergência — o bebê que parece anormalmente frio ao toque deve ser levado de imediato até o pronto-socorro mais próximo.

Para prevenir essas possíveis emergências devidas ao frio, vista o bebê adequadamente, proteja as regiões expostas e restrinja o tempo que o bebê passa fora de casa nos dias de frio extremo.

QUEIMADURA DE NEVE

Não é só o bebê que foge para as praias dos trópicos nas férias de fim de ano que corre o risco de sofrer queimaduras de sol no inverno — esse risco aflige também o bebê que passa o Natal ou o Ano Novo em meio à neve. Como a neve é capaz de refletir até 85% dos raios ultravioleta do sol, mesmo um sol fraco de inverno pode queimar a pele sensível do bebê depois de refletir-se na paisagem coberta de neve. Por isso, não deixe de proteger a pele do bebê com roupas, um chapéu de abas e protetor solar sempre que você for passar bastante tempo sob o sol e sobre a neve.

COMO DEIXAR O BEBÊ QUENTINHO DENTRO DE CASA

Nos meses frios, o quarto do bebê deve ser mantido a uma temperatura de 20 a 22,5°C durante o dia e de 16 a 18,5°C à noite. Se as temperaturas dentro de casa forem mais altas que isso, o ar aquecido seco pode ressecar as mucosas nasais, tornando-as mais vulneráveis aos germes do resfriado, e também a pele, produzindo coceiras. Você pode preaquecer os lençóis e cobertores do bebê com uma bolsa de água quente ou almofada elétrica, mas não deixe que a roupa de cama esteja muito quente à hora de dormir. Senão, use lençóis de flanela, que costumam ficar confortáveis ao tato mesmo em noites frias. Cubra o bebê com várias camadas de cobertas leves para dar-lhe calor e conforto. Se ele tem o costume de se descobrir, use um saco de dormir ou um macacão-cobertor. Lembre-se de que o quarto do bebê é mais frio à noite do que de dia (ou, pelo menos, deveria ser), e que mais cobertas são necessárias durante o sono, quando o metabolismo se torna mais lento. Mas não cometa o engano comum de vestir o bebê em demasia para dormir. Se ele acordar no meio da noite encharcado de suor, retire uma ou duas camadas de cobertas.

PELE SECA

Poucas pessoas, de qualquer idade, ficam livres de ter a pele seca e coçando no inverno. Embora a maior parte das pessoas pense que o simples fato de proteger os bebês dos cruéis ataques do frio e do vento fora de casa é suficiente para conservar-lhes a pele macia e elástica, isso não é verdade. A principal causa do ressecamento da pele no inverno está dentro de casa, e não fora. Assim que começa a estação em que é necessário usar o sistema de aquecimento, o ar na maioria das casas se torna quente e seco — a principal causa do ressecamento da pele no inverno. Para contrabalançar esse efeito, tome as seguintes medidas:

Aumente a umidade dentro de casa. Arranje um aparelho umidificador para seu sistema de aquecimento, ou pelo menos um vaporizador a frio para o quarto do bebê (veja página 720). Se isso não for possível, coloque panelas de água quente sobre os radiadores de calor (bem fora do alcance do bebê); à medida que a água evapora, o ar do quarto fica úmido.

Aumente a umidade dentro do bebê. Os bebês (como todas as pessoas) recebem umidade para sua pele não só de fora do organismo, mas também de dentro. Não esqueça de dar ao bebê líqüidos em quantidade suficiente.

Aumente a umidade na pele do bebê. Passe uma loção infantil de boa qualidade sobre a pele úmida do bebê logo após o banho para conservar parte da umidade. Peça ao médico que lhe recomende o produto adequado, ou escolha, na farmácia, um produto hipoalergênico.

Reduza o consumo de sabão. O sabonete resseca. Quase não precisa ser usado em bebês pequenos — só uma vez por dia, na região coberta pelas fraldas. Os que engatinham podem precisar de uma espuma nos joelhos, pés e mãos. Mas, de maneira geral, use bem pouco sabão; em particular, evite o uso de qualquer tipo de sabão para fazer a água do banho do bebê, visto que a água com sabão é mais ressecante que a água fresca. E use um sabonete suave — peça uma recomendação ao médico.

Modere o calor. Quanto mais quente a casa, mais seco o ar (supondo-se que não haja nada que devolva umidade ao ar à medida que a casa é aquecida). Para os bebês com mais de duas ou três semanas, a temperatura da casa não precisa ser superior a 20ºC. Se o bebê parece sentir frio com essa temperatura, é melhor colocar-lhe mais roupa do que aumentar a potência do aquecedor.

FOGO NA LAREIRA

Antes de aparecer a televisão, eram as lareiras que reuniam a família nas noites frias de inverno. Mesmo nos dias de hoje, um fogo bem aceso é páreo para qualquer atração do horário nobre, aquecendo tanto o corpo como o espírito. Mas, quando a família comporta também bebês e crianças novas, o segredo consiste em deixá-las bem seguras ao redor do fogo. Mesmo depois de apagado o fogo (as brasas podem permanecer quentes por horas), deixe a lareira sempre protegida por uma grade suficientemente pesada para não ser deslocada por mãos pequenas, ainda que fortes e perseverantes. Para maior proteção, ensine o bebê desde cedo que o fogo é "Quente!" e que tocá-lo pode causar dor. Certifique-se, além disso, de que a chaminé esteja limpa, para que a sala não se encha de fumaça.

O PERIGO DOS DIAS SANTOS

Nada é tão maravilhoso, aos olhos de uma criança pequena, quanto uma casa toda enfeitada para as festas de fim de ano. Mas se você não tomar as devidas precauções, pode não haver nada mais perigoso. Há uma legião de perigos escondidos em meio às idílicas cenas dos comerciais de Natal. Tudo o que é relacionado a seguir representa uma ameaça em potencial para o bebê. Algumas coisas devem ser usadas com cuidado; outras não devem ser usadas de modo algum — pelo menos até que seu filho se torne mais velho, mais sábio e menos vulnerável.

Visco e ginjeira-da-terra. Ambos podem causar a morte se ingeridos. Não leve essas plantas para dentro de casa e nem deixe que o seu bebê brinque perto delas nas casas de outras pessoas.

Azevinho. Trata-se de uma planta pouco tóxica (grandes quantidades precisam ser ingeridas para que o bebê sofra conseqüências sérias), mas é prudente deixá-la fora do alcance do bebê. O cacto de Natal, porém, não apresenta perigo.

Asa-de-papagaio. Esta bela planta que adorna as festas pode causar uma irritação local na boca, ou um envenenamento mais sério se ingerida em grandes quantidades. Deixe fora de alcance.*

* No Brasil, seu uso é pouco habitual. (N. do R. T.)

Coníferas e ramos de coníferas (pinheiros naturais). Estas plantas podem agravar a asma e outras doenças semelhantes, além de aumentarem o risco de incêndios, se forem manejadas sem cuidado. Se alguém em sua casa sofre desse tipo de alergia, você talvez fizesse bem em pensar numa árvore de Natal artificial.

Folhas de pinheiro. Estas folhas diminutas podem causar uma tosse crupal recorrente ao se alojarem na traquéia (normalmente, podem ser removidas virando-se a criança de cabeça para baixo e dando-se-lhe tapas no meio das costas). Retire regularmente as folhas que caírem, e, na medida do possível, deixe os pinheiros e os ramos e coroas de pinheiro fora do alcance dos bebês e crianças novas.

Cabelo de anjo. Trata-se de fibras de vidro repuxado, que podem irritar a pele e os olhos e causar hemorragia interna se ingeridas; se você decidir usá-las, deixe-as num lugar alto e fora do alcance do bebê.

Flocos de neve artificial ou em "spray". Podem agravar os problemas respiratórios; não os use se alguém na família tem um problema desse tipo.

Luzinhas nas árvores. Pendure-as fora do alcance das crianças, que podem morder esses instigantes ornamentos e sofrer cortes no interior do corpo. Tome particular cuidado com as pequenas luzes piscantes, que contêm um produto químico tóxico quando ingerido.

Velas de Chanukah, ou outras. Acenda-as e deixe-as totalmente fora do alcance do bebê — e, evidentemente, longe de cortinas e outros materiais inflamáveis. Se você as expuser em frente a uma janela, lembre-se de deixar as cortinas presas e afastadas.

Decorações pequenas. Ornamentos pequeninos para a árvore, luzes, qualquer coisa menor que o punho fechado do bebê (ou que contenha partes igualmente pequenas que possam ser quebradas ou separadas), podem causar sufocação. Não as use, ou use-as apenas naqueles lugares aonde você tem certeza de que o bebê não é capaz de chegar.

Ouropel, poliestireno e ornamentos de vidro ou plástico. Todos estes materiais decorativos são encantadores e perigosos, pois podem causar sufocação. Um pedaço engolido pode ficar entalado na garganta.

Adubo para a árvore. Se você usar tal produto, verifique se não contém nitratos, que podem causar doenças no sangue se ingeridos. O bebê pode meter a mão no vaso da árvore para arranjar um "lanche".

Presentes. Estes apresentam vários perigos. Perfumes, colônias e cosméticos podem causar envenenamento; as baterias de relógios e os brinquedos com peças pequenas podem produzir sufocação. Além disso, jogue fora os embrulhos e fitas, com os quais o bebê pode facilmente engasgar.

Comes e bebes. Os perigos não estão somente sobre as paredes ou em volta da árvore; estão também sobre a mesa. Todo ano, centenas de criancinhas são levadas às pressas aos hospitais depois de saborearem um martini, uma cerveja ou um copo de ponche displicentemente deixados ao seu alcance. Milhares de outras crianças fazem mal aos próprios dentes, apetites e hábitos alimentares, consumindo docinhos açucarados que não param de lhes chegar às mãos. Assim, faça com que nenhuma bebida alcoólica seja deixada, mesmo por pouco tempo, sobre mesas baixas onde até bebês engatinhadores moderadamente ativo possam pegá-los. E delicie o seu bebê (e os demais convidados) com massas adoçadas com suco de frutas concentrado; uma grande variedade desse doces e bolachinhas pode ser encontrada no comércio, e muitos mais podem ser feitos em casa.

Ao enfeitar a casa para as festas, deixe as decorações em lugares aonde o bebê não possa chegar; senão, decore a casa enquanto o bebê estiver dormindo. Para o caso de ocorrer um acidente infeliz apesar de todas as suas precauções, prepare-se para as festas familiarizando-se com as técnicas de primeiros socorros e de RCP, se é que você já as não conhece; e deixe bem acessível o número do telefone do centro de controle de envenenamentos mais próximo de sua casa.

PARA PRESENTEAR COM SEGURANÇA

O primeiro item nas listas de quaisquer pais que saem para comprar presentes para as festas deve ser a segurança. Por mais tentadoras que estejam as lojas de brinquedos nesta época do ano, resista-lhes até estar completamente familiarizada com as instruções para comprar brinquedos seguros e bons para o bebê, apresentadas a partir da página 243. Lembre-se de que nem sempre é possível confiar em que os fabricantes estarão produzindo o que é melhor para o bebê — sobretudo nas festas, você, o consumidor, deve estar alerta.

O QUE É IMPORTANTE SABER: A Hora de Viajar

Antes de nascer o primeiro filho, qualquer hora era hora de viajar. Excursões de verão à casa de praia de uma amiga, férias de inverno passadas com os pais na Califórnia, fins de semana numa estação de esqui encaixados entre movimentadas semanas de trabalho, passeios tranqüilos por Paris na primavera, escapadas semanais ao Caribe num momento em que as ruas, lá em casa, estavam escorregadias de gelo, ou às montanhas quando o ar da cidade estava irrespirável com o calor e a umidade.

Mas e agora? Pensando em todo o esforço envolvido no simples ato de ir com o bebê até o outro lado da cidade para fazer compras — as horas e horas de planejamento, a execução precisa, e os 10 kg de bebê, equipamento e compras pesando nos seus ombros —, a logística de uma viagem de duas semanas, ou mesmo de uma estadia de dois dias junto aos avós, pode parecer atordoante demais para ser tentada.

Mesmo assim, você não precisa esperar até que seus filhos estejam crescidos o suficiente para carregar a bagagem, ou até que partam para um acampamento de verão, para satisfazer sua sede de viagens ou os rogos de vovó por uma visita. Embora as férias passadas com o bebê poucas vezes ofereçam descanso e sempre representam um desafio, elas também podem ser praticáveis e agradáveis.

PLANEJAR DE ANTEMÃO

Os dias em que você viajava no fim de semana movida por um desejo repentino, quando um espírito inquieto e algumas roupas e objetos de higiene atirados numa mochila eram suficientes para levá-la aonde quisesse ir, terminaram de súbito com a chegada do bebê. Agora, você pode ter a certeza de que vai passar mais tempo planejando a viagem do que propriamente viajando. Eis algumas dicas sensatas para preparar a viagem:

Não programe uma viagem corrida. Esqueça os itinerários que a conduzirão por seis cidades cintilantes em cinco dias corridíssimos. Ao contrário, estabeleça um ritmo tranqüilo, com bastante tempo livre — para passar mais um dia na estrada se necessário, mais uma tarde na praia ou uma manhã na piscina se você quiser.

Atualize os passaportes. Você não pode levar o bebê para o exterior com o seu passaporte. Hoje em dia, todos os viajantes precisam ter o seu próprio, independentemente da idade.

Tome cuidados médicos. Se você vai para o exterior, fale com o médico para ter certeza de que as vacinas do bebê estão em dia. Se o seu destino são certos países tropicais, é possível que toda a família precise tomar vacinas específicas (contra febre tifóide, por exemplo) ou fazer tratamentos profiláticos (para prevenir a malária ou a hepatite A).

Antes de fazer uma viagem longa, marque uma consulta com o médico do bebê, se a última foi feita já há algum tempo. Além de dar a você a certeza de que o bebê está em boas condições de saúde, a consulta lhe oferecerá a oportunidade de discutir com o médico a viagem que você pretende realizar, e de fazer quaisquer perguntas que poderiam perturbá-la longe de casa — em momentos em que seria impossível, ou no mínimo inconveniente, telefonar para o consultório. Se o bebê teve uma consulta há menos de um mês, uma consulta por telefone provavelmente será suficiente.

Se o bebê toma algum remédio, não se esqueça de levar o suficiente para a viagem, e mais uma receita para o caso de seu suprimento ser perdido, derramado ou de algum outro modo inutilizado. Se um determinado remédio precisa ser conservado em geladeira, será difícil mantê-lo sempre no gelo; pergunte ao médico se é possível substituí-lo por outro que não precise permanecer frio. O nariz entupido pode deixar o bebê irritado, prejudicar o sono e causar dor de ouvido nos vôos de avião; por isso, peça também ao médico que indique um descongestionante para o caso de o bebê pegar um resfriado. Se você vai para um lugar onde seus "estômagos de viajantes" podem sofrer problemas, peça também uma receita para diarréia. Para qualquer medicamento que você esteja levando, saiba sempre qual é a dosagem correta para um bebê da idade do seu, bem como as condições sob as quais deve ser administrado e os possíveis efeitos colaterais. E, o que é muito útil, especialmente para viagens longas: o nome de um pediatra no seu local de destino.

Planeje o horário da viagem. A hora do dia ou da noite em que você começa a viajar depende, entre outras coisas, do horário do bebê e do modo como ele reage a mudanças nesse horário, do seu meio de transporte, de qual é o seu destino e do tempo necessário para lá chegar. Supondo-se que o bebê tire uma soneca durante o vôo, a animação e o caos da chegada tornarão possível que você o mantenha acordado por uma ou duas horas além do seu horário de dormir habitual. Com isso, ele poderá dormir até respeitáveis 6 da manhã segundo o horário da Costa do Pacífico, em vez de levantar animadíssimo às 3 ou 4 da madrugada. (Evidentemente, você também terá que rezar para que os trens e aviões partam no horário programado.)

Leve em conta as vantagens de viajar em horários de menor movimento, quando há maior probabilidade de haver bancos vazios nos quais o bebê possa subir, e menos passageiros para se sentirem incomodados.

Se o bebê costuma dormir no carro e você está planejando uma longa viagem de carro, prepare-se, na medida do possível, para fazer a maior parte da viagem naquelas horas em que ele normalmente estaria dormindo — durante as sonecas ou à noite. Do contrário, você pode chegar ao destino com um bebê que dormiu o dia todo e está pronto a passar a noite inteira brincando. Se o bebê dorme bem em trens ou aviões, mas fica irritadiço ao permanecer acordado nesses lugares apertados, faça coincidir a hora da viagem com a da soneca. Mas se o bebê sempre fica excitado demais para dormir nesse tipo de ambiente, planeje a viagem para depois da soneca, a fim de evitar o cansaço durante o trajeto.

Talvez pareça que chegar ao seu destino o mais rápido possível seja o mais sensato, mas isso nem sempre é verdade. Para um bebê ativo, por exemplo, um vôo com baldeação, com algum tempo para desenferrujar as pernas entre as etapas, pode ser melhor que um vôo comprido sem escalas.

Encomende com antecedência. Num avião, não pense em dar a comida habitualmente servida nem mesmo a um bebê mais velho; as entradas contêm taxas astronômicas de sódio, o pão é invariavelmente branco, as sobremesas são sempre adoçadas com açúcar e nulas do ponto de vista nutritivo. Em vez disso, planeje partilhar com o bebê mais velho uma encomenda especial, feita talvez de ricota e frutas com pão integral. Geralmente, essas encomendas especiais podem ser obtidas com um telefonema 24 horas antes, e muitas vezes é possível pedi-las no ato de confirmar as passagens. Mas, mesmo depois de fazer a encomenda, não deixe de levar um estoque substancioso de lanchinhos. Quando os vôos se atrasam ou as encomendas especiais são esquecidas (nenhuma das duas coisas é incomum hoje em dia), as longas esperas entre as refeições podem deixar irritados tanto o bebê como todos os que estão por perto.

Algumas companhias aéreas, sobretudo nos vôos intercontinentais, oferecem alimentos para bebê, mamadeiras, fraldas e cestas para ele dormir. Pergunte sobre essas coisas ao fazer sua reserva.

Escolha os bancos adequados. Se você vai viajar por via aérea, tente reservar os assentos da frente, que lhe proporcionarão mais espaço para se mexer e permitirão ao bebê brincar ou dormir à sua frente. Se não for possível reservá-los, peça assentos junto ao corredor — é possível que você passe bastante tempo percorrendo-o para lá e para cá. Não aceite, em hipótese alguma, assentos localizados no meio de uma grande seção central, não só pelo seu próprio bem, como também pelo das pessoas que estarão sentadas ao seu lado.

Ao fazer as reservas, pergunte também se é possível arranjar um assento que tenha ao lado outro assento vazio — ao menos até o momento em que todas as passagens forem vendidas.

Reserve hospedagem. Talvez você pense que, ao viajar de carro na baixa temporada, não precisará reservar vaga nos hotéis. Mas nos Estados Unidos é comum que muitos estabelecimentos — especialmente os mais baratos — dependurem cartazes de "não há vagas" todas as noites. Assim, decida de antemão onde você pretende parar para dormir, contando em levar um tempo muito maior para chegar lá do que você normalmente julgaria necessário; e reserve um quarto de hotel equipado com berço.

Prefira os hotéis solícitos. Sempre que possível, procure um hotel que atenda às necessidades das famílias; muitos não o fazem. Uma das pistas que podem lhe dar uma idéia do que a espera é o fato de o estabelecimento contar, ou não, com berços e babás. Provavelmente, sua estada num hotel sem essas conveniências não será das mais agradáveis. Além disso, é provável que você não se sinta bem-vinda.

Equipe-se. Sobretudo quando você está viajando sem a companhia de outro adulto ou com mais de uma criança, fica mais fácil se movimentar se você tem o equipamento adequado:

- Um porta-bebês, para bebês pequenos. Ele deixa as suas mãos livres para pegar a bagagem — coisa importante na hora do embarque e do desembarque.

- Um carrinho dobrável leve e muito compacto, para bebês mais velhos. Você pode pendurar as malas no cabo do carrinho, mas cuidado para não deixá-lo cair para trás.
- Uma "algema" que ligue o seu pulso ao pulso de uma criança nova e ativa. Talvez pareça uma selvageria, mas pode ser a única maneira de manter o seu filho junto de você.
- Uma cadeira portátil para bebês — uma cadeira feita de pano quase não acrescenta peso à bagagem.
- Um assento para automóveis. Nos aviões, quando há um lugar vago ao seu lado, ele pode servir como assento de segurança; pode também ser guardado no bagageiro.[2] Se você tem a intenção de alugar um carro no seu local de destino, pode alugar um assento junto com o carro — mas não esqueça de reservar o assento no momento em que reservar o carro.

Também é possível alugar ou pedir o empréstimo de outros equipamentos, como berço, cercadinhos e cadeirões, no seu local de destino. Tente reservar tudo com antecedência.

Não balance o barco antes de zarpar. Para evitar problemas desnecessários durante a viagem, evite mudanças desnecessárias logo antes dela. Não tente, por exemplo, desmamar o bebê pouco antes de partir — o ambiente desconhecido e as mudanças de rotina já serão penosos o suficiente para que você acrescente ainda outras tensões. Além disso, a amamentação é a maneira mais fácil para você, e mais consoladora para o bebê, de que você dispõe para alimentá-lo em viagem. Evite, também, introduzir os alimentos sólidos pouco antes da partida — o uso da colher, no começo, já é um desafio difícil (para ambos) mesmo quando é tentado em casa. Mas se o bebê já é capaz de comer alimentos que ele possa pegar com os dedos, considere a possibilidade de introduzi-los com algumas semanas de antecedência. Petiscos portáteis são ótimos para manter os bebês ocupados e felizes em viagem.

Se o bebê ainda não dorme a noite inteira, não é este o momento de tentar remediar a situação. É provável que, durante a viagem (e por algum tempo depois da volta), o bebê regrida e passe novamente a acordar à noite; deixá-lo "cansar de chorar" num quarto de hotel ou na casa da vovó é algo que não trará benefícios nem para as suas férias e nem para os que a recebem.

Não seja arrogante nem tímida. Se, ao fazer as suas reservas, você deparar com uma cooperação apenas parcial, fique calma. Não se torne por demais exigente ou antipática, mas não se dobre facilmente quando isso não for necessário. Os diversos tipos de resposta que você recebe nesses seus telefonemas continuarão se manifestando durante toda a viagem: algumas aeromoças e gerentes de hotel estarão dispostos a tudo para agradá-la; outros só a olharão para expressar desaprovação.

Confirme. Um dia antes de partir, confirme todas as reservas que ainda não tiverem sido confirmadas; e ligue para certificar-se dos horários de partida antes de sair de casa. Ninguém gosta de chegar no aeroporto e descobrir que o vôo foi cancelado ou está com atraso de 4 horas; ou na estação ferroviária, e ficar sabendo que o trem está atrasado.

FAZER AS MALAS

Tudo o que você tem em casa, inclusive a pia da cozinha (para lavar mamadeiras caídas ou tirar manchas de roupas), poderia vir a calhar em algum momento da

2. Mas cheque se a cadeirinha é aprovada pela FAA (Agência Federal de Aviação) — é provável que a informação conste do rótulo do produto.

viagem; obviamente, porém, não é aconselhável levar tudo. Mas também não seria aconselhável partir sem um mínimo de bagagem. Em vez disso, faça de tudo para chegar a um justo equilíbrio (embora pesado), levando apenas o absolutamente necessário e escolhendo da maneira mais eficiente possível: sabonete líqüido para o bebê, acetaminofen, pasta de dentes e outros produtos, em tamanho de amostra; fraldas descartáveis do tipo extrafino e extra-absorvente; peças de roupa que possam ser misturadas, com cores e estampados vivos que escondam bem as manchas e possam passar mais tempo sem uma lavagem, feitas de tecidos leves que sequem rapidamente caso a lavagem seja necessária.

Você poderá levar menos coisas se estiver indo para um lugar onde possa comprar o que falta, especialmente quando as compras serão parte do divertimento — comprar dois pequenos conjuntinhos de bermudas e camiseta em Bermuda, por exemplo, ou um frasco de xampu *bébé* em Paris. Mas se você vai atravessar a pé a Serra do Mar ou acampar no Pantanal, tudo aquilo de que você tem a menor possibilidade de precisar deve estar guardado na mochila. Para uma viagem normal, é provável que você queira levar as seguintes malas, arrumadas como segue:

Uma mala para troca de fraldas. Ela deve ser leve, revestida de plástico, dotada de compartimentos exteriores para guardar lenços, lenços umedecidos, mamadeiras e outros artigos que precisem ser pegos rapidamente. Também deve ter uma alça de pendurar no ombro para que você não perca uma das mãos carregando-a. Entre os objetos que você deve levar lá dentro, estão os seguintes:

- Um casaco leve (os melhores são os de náilon impermeáveis, que servem também como capas de chuva) ou uma malha, para o caso de fazer frio no carro, trem, avião ou ônibus.
- Um número suficiente de fraldas descartáveis extrafinas e extra-absorventes para a primeira etapa da viagem, e mais algumas para o caso de um atraso ou ataque de diarréia. Prefira ir comprando fraldas ao longo da viagem a levá-las consigo de casa, a menos que você esteja viajando de carro e tenha espaço no porta-malas, ou de não ter a possibilidade de comprá-las no lugar para onde vai.
- Lenços umedecidos para as suas mãos e as do bebê, além do uso mais comum. Podem servir também para higienizar o braço do assento do avião que o bebê está interessado em mastigar, ou a janela do trem que ele parece querer limpar com a língua; e para eliminar rapidamente os líqüidos derramados sobre roupas ou estofados, antes que se tornem manchas.
- Pomada para assaduras. Comidas exóticas, a infreqüente troca de fraldas e o clima quente podem todos causar assaduras.
- Um grande babador impermeável ou um pacote de babadores descartáveis, para proteger as roupas. Para estar preparada caso você esqueça o babador num restaurante ou use todos os descartáveis, leve consigo um alfinete de segurança que você possa usar para prender um guardanapo sobre as roupas do bebê.
- Alguns sacos plásticos onde colocar mamadeiras que pingam, babadores e roupas sujas e fraldas usadas, quando não há lata de lixo por perto.
- Protetor solar, se você vai para um local ensolarado ou cheio de neve e o bebê tem mais de seis meses de idade.
- Um pequeno cobertor ou acolchoado sobre o qual o bebê possa dormir ou brincar durante o trajeto, nos restaurantes e nas casas que você vai visitar. Senão, leve consigo um xale que você possa usar sobre os ombros e dar para o bebê quando necessário.
- Um pequeno trocador impermeável que proteja as camas de hotel e outras superfícies quando o bebê precisar ser trocado.
- Um metro quadrado de plástico reforçado transparente, para proteger os móveis e

tapetes do hotel durante as refeições e servir como discreta proteção sob o cadeirão do bebê em restaurantes.

- Um objeto querido, caso o bebê tenha um.
- Um par de meias ou sapatinhos para o bebê descalço, para o caso de entrar num ambiente excessivamente refrigerado.
- Protetores plásticos para tomadas, se o bebê já anda ou engatinha, para tornar seguro o quarto do hotel ou a casa onde você se hospeda. Se o bebê gosta de brincar com água, é possível que você também queira levar uma tranca para tampa de privada.
- Uma provisão generosa de lanches e bebidas. Não conte com a possibilidade de encontrar alimentos apropriados para o bebê na estrada, no avião ou no trem. Como prevenção, leve comida e bebida suficientes para duas refeições além das que você espera ter de oferecer. Conforme o repertório gastronômico do bebê, leve alimento enlatado para crianças (desidratado, se o peso for um fator importante); biscoitos de farinha integral; pequenos potes de cereal seco num tamanho adequado para o bebê mordiscar; um pequeno recipiente de germe de trigo para incrementar os pães, mingaus, massas e o arroz refinado; para o bebê que mama na mamadeira, leite pré-preparado em mamadeiras descartáveis (de preferência feitas de plástico leve e inquebrável); suco, numa pequena mamadeira ou garrafa térmica com um copo dotado de tampa ou pequenos copos de papel para os bebês que sabem usá-los. Para ter variedade e evitar o desperdício, use os potinhos de 100 g de comidas para bebês.
- Uma dúzia de colherinhas de plástico numa sacola plástica, para alimentar o bebê durante a viagem. Se não for possível lavá-las, você pode jogá-las no lixo.
- Toalhas de papel, desenroladas, que são mais práticas, robustas e absorventes que os guardanapos.
- Algo de velho e algo de novo para entreter o bebê — o velho, para consolo e confiança; o novo, para animação e desafio. Um pequeno painel de brinquedos e um livro ilustrado são boas pedidas para o bebê mais velho; um espelho, um chocalho e um pequeno bichinho de pelúcia são ideais para o mais novo. Deixe em casa os brinquedos dotados de uma porção de peças que possam se perder, ou os volumosos demais para serem guardados na mala e usados num espaço exíguo. Para o bebê que está ganhando dentes, não se esqueça de levar algo que ele possa roer.
- Uma carteira. Você só tem duas mãos; por isso, carregar uma bolsa separada será praticamente impossível, além de um pouco perigoso (provavelmente, você estará com um aspecto distraído e desorganizado demais para não servir de isca para um trombadinha). Em vez disso, coloque na mala das fraldas uma carteira fácil de identificar pelo tato, onde você ponha objetos pessoais, passagens de trem, ônibus ou avião, documentos, dinheiro, cartões de crédito e cópias das receitas de medicamentos, além do telefone do médico do bebê e dos médicos que ele lhe recomendou no lugar para onde você vai. Ou, como alternativa, deixe uma pequena carteira no bolso (se todas as suas roupas de viagem tiverem bolsos grandes e fundos, você vai achar a vida muito mais fácil).

Uma mala para as roupas do bebê. Ideal, para o armário ambulante do bebê, seria uma malinha de levar no ombro ou nas costas, leve e sem lados rígidos. Ela pode ficar à mão no carro, no avião ou no trem, e assim você será capaz de pegar uma roupa limpa para o bebê sem revirar a própria mala em público. Mas, se preferir guardar as roupas do bebê em sua mala, à qual talvez não tenha acesso durante a viagem (seja porque ela vai ser guardada no bagageiro do avião, do trem ou do ônibus, seja porque estará enterrada no fundo do porta-malas do carro), não esqueça de levar um ou dois conjuntinhos para o bebê na mala de fraldas.

Uma mala de medicamentos e objetos de higiene. Esta mala deve estar sempre fora do alcance do bebê curioso (nos bagageiros superiores de trens e aviões, por exemplo), e, de preferência, ter uma trava ou ser difícil de abrir. Idealmente, deve ser impermeável e fácil de limpar, mais uma vez, uma alça comprida é recomendável. Conserve esta mala ao seu lado na viagem para ter à mão os medicamentos, se necessário, e para proteger os líqüidos dos danos do congelamento que ocorre nos compartimentos de carga dos aviões. A mala pode conter:

- Quaisquer medicamentos e vitaminas prescritos, para durar toda a viagem; acetaminofen infantil; um antiemético para combater o vômito; um antiespamódico para cólicas de diarréia; um descongestionante nasal, se recomendado pelo médico.
- Todas as informações referentes ao seguro de saúde.
- Para as excursões ao ar livre, repelente de insetos, sabão amarelo para contato com hera venenosa, loção de calamina, pomada contra picadas de insetos e um arsenal contra picadas de abelhas (se o bebê for alérgico).
- Um estojo de primeiros-socorros, *band-aid* e ataduras adesivas; pomada antibacteriana (como nebacetin); ataduras elásticas para torceduras; termômetro; pinça; cortador de unhas do bebê.
- Sabonete líqüido infantil, que serve para limpar tanto a pele como o cabelo. Geralmente, os sabonetes encontrados nos hotéis não são suaves o suficiente para os bebês.
- A escova de dentes do bebê, ou peças de gaze para limpar os dentes, se o bebê já os tiver.
- Canivete de uso múltiplo, com tesoura e abridor de latas.
- Uma pequena luminária para usar à noite se o bebê estiver acostumado.

A DIVERSÃO DE CHEGAR LÁ

Quer você vá por ferrovia, rodovia ou de avião, há várias maneiras de tornar a viagem mais fácil.

No avião. Para as famílias, os aviões oferecem a vantagem de serem geralmente o meio comercial mais rápido pelo qual se pode ir de um lugar a outro. Você pode tornar a viagem de avião gostosa (ao menos relativamente) e confortável, se você:

- Chegar cedo o suficiente para cuidar de detalhes prévios como a bagagem e os lugares; mas não tão cedo a ponto de ter de suportar uma espera interminável no aeroporto.
- Requisitar os assentos da frente, se você não os reservou. Se isso não for possível, tente trocar depois do embarque.
- O embarque prévio é uma vantagem oferecida aos que viajam com crianças, permitindo que eles se instalem e guardem a bagagem nos bagageiros antes da correria. Mas se você acha que o bebê vai ficar inquieto num lugar apertado (lembre-se de que você não poderá andar pelos corredores durante o embarque), talvez seja bom esperar e embarcar por último. Se você vai viajar com outro adulto, pergunte se um de vocês pode embarcar antes com as malas, enquanto o outro fica por mais tempo com o bebê no espaço amplo da sala de espera.
- Sincronizar as refeições ou mamadas com a decolagem e a aterrissagem. As crianças (especialmente os bebês), muito mais que os adultos, são sensíveis à pressão e, às vezes, a dor causada nos ouvidos pelas mudanças de pressão na cabine enquanto o avião sobe e desce. A amamentação ou a mamadeira dada nesses momentos (ou comidinhas para o bebê mastigar, ou uma chupeta) estimulam o bebê a engolir, o que ajuda a prevenir o doloroso aumento de pressão e o concomitante choro e irritação.
- Se o bebê estiver reclamando muito e em altos brados, aceite a ajuda que outros passageiros gentilmente lhe ofereçam, e não ligue para aqueles que, ignorantes e impiedosos, lhe lançam olhares reprovadores.
- Dar bastante líqüidos para o bebê tomar durante o vôo; as viagens de avião desidratam. Se você dá de mamar no peito, não se esqueça de tomar líqüidos a mais, você também — mas lembre-se: as bebidas que contêm cafeína ou álcool não contam.

■ Se o bebê exigir comida quente, peça às aeromoças que esquentem as mamadeiras e papinhas para você — sem os bicos e tampas. Mas, para evitar queimaduras, lembre-se de agitar ou mexer perfeitamente o leite e a comida e de verificar cuidadosamente a temperatura antes de servir, pois os fornos de microondas podem aquecer de forma desigual.

■ Se você está viajando sozinha, sinta-se livre para pedir à aeromoça que segure o bebê enquanto você usa o banheiro.

■ Descer do avião por último, para evitar o aperto e ter tempo de recolher todos os seus pertences. (Diga a quem quer que vá encontrá-la que você será a última a sair do avião.)

No trem. As viagens de trem, por serem mais lentas que as de avião, proporcionam às crianças um pouco mais de mobilidade. A viagem ferroviária de sua família será mais tranqüila se você lembrar de:

■ Pedir a um funcionário que a instale num vagão de não-fumantes.

■ Embarcar tão cedo quanto possível, para conseguir os melhores bancos. Se não houver um passageiro em cadeira de rodas (que tem prioridade) estacionado à frente do primeiro banco do vagão, esse assento é bom para a família, devido ao espaço livre à sua frente no qual o bebê pode dormir ou brincar. Também é aconselhável o banco de quatro lugares existente nas duas extremidades da maioria dos vagões, que permite às famílias espalharem-se confortavelmente. Se o trem estiver lotado e a viagem for comprida, talvez seja bom pegar um lugar para o bebê e pagar por ele quando o chefe do trem passar (normalmente se aceitam cheques ou cartões de crédito). Se você só tem um lugar, tire cara-ou-coroa para saber se pega o da janela (para o bebê ver a paisagem) ou o do corredor (para poder levantar-se várias vezes para andar quando o bebê estiver inquieto).

■ Não se esquecer de levar um porta-bebês quando você viaja sozinha e o bebê ainda cabe num desses; sem ele, você vai achar quase impossível ir ao banheiro. (Não deixe o bebê com pessoa alguma, por mais bem-intencionada que pareça, por um momento sequer, sobretudo quando o trem se aproxima das paradas.)

■ Se alguém se oferecer para ajudá-la com a bagagem no embarque ou no desembarque, aceite; mas não deixe que um desconhecido pegue o bebê.

■ Se a viagem for longa, leve consigo uma coleção sortida de brinquedos, para poder dar um novo ao bebê quando ele se cansar do velho. Senão, olhe a paisagem. Olhar pela janela e mostrar os carros, cavalos, vacas, cachorros, pessoas, casas, o céu e as nuvens é algo que já salvou muitas mães que já tinham tirado todas as cartas da manga.

■ Não se esqueça de ter muitos lanches à mão. Nos trens, as filas para comer costumam ser compridas, e não é incomum que, quando você finalmente chega ao balcão, fique sabendo que acabou o sanduíche de atum que você tanto esperava.

No carro. O carro é mais lento que outros meios de transporte, mais cansativo para o motorista e o mais apertado para o bebê. Mas ele lhe dá a enorme vantagem de viajar no seu próprio ritmo, parar onde e quando quiser e ter um meio de transporte disponível no lugar para onde você vai. Tome as seguintes medidas para tornar a viagem automobilística da sua família mais segura, agradável e confortável:

■ Certifique-se de que haja cintos de segurança para todos os adultos e crianças mais velhas, cadeirinhas de automóvel para as mais novas, e que o carro não comece a andar antes de estarem todos afivelados e todas as portas trancadas. No calor, cubra os assentos de vinil com panos macios, toalhas ou lã sintética. Uma toalha enrolada ou um encosto para cabeça comprado no comércio impedem a cabeça do bebê novinho de escorregar para baixo no assento; um cobertor dobrado sob as suas coxas

ALTITUDES ELEVADAS

Se você vai para uma região situada muito acima do nível do mar, há certas precauções a tomar. Como os raios do sol são mais intensos nas altitudes elevadas, você precisará ser particularmente cuidadosa com o uso de protetor solar e com a limitação da exposição ao sol. E, como a necessidade de líqüidos aumenta, o bebê precisará de vários decilitros a mais de sucos e água enquanto estiver lá. No bebê anêmico, a menor quantidade de oxigênio do ar pode provocar um aumento dos ritmos cardíaco e respiratório e causar fadiga. Isso não é motivo para se preocupar, a menos que o bebê tenha alguma infecção ou outra doença, como um problema no coração — nesse caso, você deve consultar o médico antes de fazer a viagem. Mas programe freqüentes paradas para descanso.

aumenta o conforto e a capacidade de se agüentar sentado.

- Pare com freqüência (o ideal é a cada duas horas, mais ou menos), pois os bebês ficam inquietos por ficarem sentados por muito tempo em cadeirinhas de automóvel. Quando você parar, passeie um pouco com o bebê para ele tomar ar, ou deixá-lo movimentar-se se já anda ou engatinha. Use também as paradas para dar de mamar.
- Troque de funções. Para que todos tenham oportunidade de mudar de ritmo e de companhia, alterne as funções de dirigir e de sentar no banco de trás distraindo o bebê.
- Afixe os brinquedos à cadeirinha do bebê com fitas plásticas (ou linhas de não mais de 15 cm) para que você não tenha de, a todo momento, desafivelar o cinto de segurança para buscar brinquedos no chão.
- Ao dirigir em tempo frio, especialmente se há uma tempestade prevista, equipe-se com roupas e cobertores sobressalentes para o caso de ficar parada na estrada. Em temperaturas abaixo de zero, o carro pode rapidamente transformar-se numa mortífera geladeira.
- Nunca deixe o bebê no carro estacionado em tempo quente ou muito quente. Mesmo com as janelas abertas, ele pode tornar-se um forno mortal.

NOS HOTÉIS E MOTÉIS — OU OUTRAS CASAS FORA DE CASA

A primeira noite passada fora de casa com o bebê pode deixar você um pouco nervosa. Mas, tomando as seguintes precauções, você será capaz de sobreviver:

- Chegando ao seu destino, faça uma inspeção de segurança no quarto em que você vai ficar — sobretudo se o bebê anda ou engatinha. Verifique o berço, vendo se as grades não têm entre si um espaço maior que 6 cm. Se tiverem, ponha o bebê para dormir na sua cama. Certifique-se de que não haja janelas abertas, fios elétricos, copos de vidro e outras coisas desse tipo ao alcance do bebê. Cubra as tomadas expostas.
- Ao colocar o bebê na cama para trocar as fraldas ou brincar, use um trocador impermeável — para proteger a cama, e para proteger o bebê de um lençol possivelmente sujo.
- Ao alimentar o bebê no quarto, espalhe jornais ou um pedaço de plástico sobre o chão para proteger o carpete — tanto por cortesia quanto para não receber uma conta de estragos.
- Não confine o bebê ativo. Deixe-o engatinhar sob a sua supervisão, a menos que o carpete esteja visivelmente sujo; também

não há problema em andar para explorar o quarto, sempre sob o olhar atento de um adulto.

- Contrate uma babá através do hotel. Para ter a certeza de haver encontrado a pessoa certa, combine de encontrá-la em frente à mesa do recepcionista ou zelador.

PARA SOBREVIVER NOS RESTAURANTES

Em épocas passadas, poucas vezes se viam bebês nos restaurantes. Hoje em dia, muitos bebês passam tanto tempo nesses lugares como no parquinho. Mas se o seu bebê ainda não teve esse prazer, as seguintes dicas servirão para tornar mais tranqüila a ida ao restaurante na sua viagem ou em qualquer outro momento:

- Planeje comer cedo e rápido. Ao comer fora com o bebê, você terá de seguir o horário dele, e não o seu — mesmo que, para isso, você tenha que ser a primeira a tomar o café da manhã. Além disso, escolha pratos de preparo rápido, para que o bebê passe menos tempo esperando do que comendo. E quando o bebê terminar de comer, provavelmente você terá de ir embora. Comer tranqüilamente a sobremesa e tomar um café são coisas do passado para a maioria dos pais de crianças novas.
- Ligue com antecedência para saber se o restaurante é equipado com cadeirões ou assentos especiais para bebê (uma almofada só serve depois que o bebê tem um ano de idade), a menos que você esteja pensando em levar o seu cadeirão portátil. O modo como o seu telefonema é recebido, assim como o fato de o restaurante contar ou não com essas conveniências, são sinais de quão bem-vindo será o bebê naquele estabelecimento.
- Peça uma mesa nos fundos ou num canto tranqüilo do restaurante, onde seu grupo tenha a menor probabilidade de chatear outros fregueses ou ficar no caminho dos *maîtres* e garçons. Isso também lhe dará maior privacidade se você for obrigada a passar parte do almoço dando de mamar. (Seja discreta.)
- Leve consigo um babador e, para o caso de o restaurante ser acarpetado, aquele quadrado de plástico transparente a ser posto no chão sob o cadeirão do bebê.
- Leve alguns brinquedos e livros para divertir o bebê entre cada prato ou depois de ele ter acabado de comer. Mas só os mostre quando forem necessários, e um por vez, de modo que não percam o encanto antes que chegue o primeiro prato. Nos primeiros momentos, o bebê provavelmente ficará satisfeito em brincar com uma colher, trocar olhares com a garçonete e apontar para os lustres.
- Leve consigo alguns lanches (em particular, comidinhas que o bebê possa pegar com os dedos para se manter ocupado) para estar preparada caso a comida demore muito para chegar ou não haja nada que o bebê possa ou disponha-se a comer. Do mesmo modo, mantenha os lanches escondidos até se tornarem necessários. Se o bebê ainda não come os mesmos alimentos que os adultos, leve um ou dois frascos de papinha e sirva-os enquanto os adultos esperam a sua refeição.
- Nunca deixe uma criança andar ou engatinhar pelo restaurante. Isso pode resultar em graves danos e ferimentos, caso um garçom tropece enquanto carrega uma bandeja cheia de comidas e bebidas frias ou quentes.
- Escolha a comida sem demora, e peça que o alimento do bebê seja servido o mais rápido possível. Se você está com o seu cônjuge ou outro adulto, um dos dois pode pedir a comida enquanto o outro distrai o bebê fora do restaurante ou na entrada do mesmo, até que a comida chegue à mesa.
- Se algo não está no cardápio, fale com o garçom. A maioria dos restaurantes tem, na cozinha, uma despensa cheia de produtos básicos com os quais você pode montar uma refeição para o bebê. Eis algumas boas escolhas: ricota, pão integral, queijo, hambúrguer (bem passado, devido ao risco de presença de bactérias na carne mal pas-

sada), frango assado ou grelhado, peixe (retire cuidadosamente as espinhas), batatas grelhadas ou em purê, ervilhas (amasse-as), cenoura e feijão-de-corda bem cozidos, massas, melão.

▪ Naquelas regiões em que a qualidade da água é duvidosa o saneamento é problemático, evite a água de torneira (dê água mineral com gás e suco engarrafado para o bebê), os legumes crus, o gelo, os laticínios não-pasteurizados e/ou refrigerados, e os restaurantes onde as moscas abundam e os vidros têm aspecto gorduroso.

▪ Seja sensível aos direitos dos outros clientes. Se o bebê está chorando alto ou perturbando de algum modo as pessoas em volta, chegou a hora de dar uma voltinha.

▪ Talvez você descubra que, às vezes, você e seu companheiro de viagem (se você tem a sorte de ter um) terão de comer em turnos, enquanto o outro passeia com o bebê.

PARA SE DIVERTIR

▪ Seja realista quanto ao itinerário. Com o bebê, você simplesmente não poderá fazer as coisas no ritmo em que faria numa viagem só de adultos. Programe coisas demais, e você acabará se divertindo de menos.

▪ Seja flexível ao seguir o itinerário. Se você planejou dirigir direto de Curitiba até Rio de Janeiro, mas o bebê já não agüenta mais a cadeirinha na altura de São Paulo, considere a possibilidade de acrescentar um repouso noturno. Se você programou dois dias de passeio por Atenas, mas a chateação do bebê está arruinando sua caminhada pelas ruínas, deixe o Partenon para o dia seguinte, ou, talvez, a viagem seguinte.

▪ Limite-se a visitar aqueles lugares onde o bebê não precisará ficar parado ou silencioso por longos períodos de tempo. Ruínas ao ar livre, parques, jardins zoológicos e até alguns museus podem ser interessantes para bebês e crianças novas — mesmo se eles passarem a maior parte do tempo olhando as outras pessoas. Sempre que possível, contrate uma babá quando você quiser ir à ópera, a um concerto ou ao teatro.

▪ Lembre-se de quem são as necessidades prioritárias — para que todos possam se divertir. Se o bebê não dormir ou comer no seu horário habitual, ou for repetidamente posto na cama numa hora anormalmente tardia, todos sofrerão as conseqüências. Em Roma como os romanos, sem dúvida — mas só se o bebê for capaz de adaptar-se com facilidade.

CAPÍTULO 17

Quando o Bebê Está Doente

Não há nada tão patético, vulnerável e com aparência tão desamparada quanto um bebê doente — com a exceção dos pais do bebê.

A doença do bebê, mesmo quando é branda, costuma atingir o papai e a mamãe com mais força do que atinge o bebê, especialmente quando se trata da primeira doença do primeiro filho. Há a ansiedade ao aparecerem os primeiros sintomas, o susto quando eles parecem piorar ou surgem ainda outros, a indecisão acerca da conveniência de chamar o médico e quando fazê-lo (as crianças quase sempre ficam doentes no meio da noite ou nos fins-de-semana, fora do horário comercial), o nervosismo da espera pelo telefonema de retorno do médico (interminável, mesmo que não ultrapasse 15 minutos), a penosa experiência de administrar o medicamento, e a aflição, aflição, aflição.

Acredite se quiser: a situação sempre melhora. Com o tempo, os pais aprendem a lidar sem pânico e com mais segurança com o bebê febril ou a criança que vomita. Para chegar mais rapidamente a esse ponto, é útil aprender a avaliar os sintomas, a tomar e interpretar a temperatura do bebê, a saber o que dar de comer à criança doente, quais são as doenças mais comuns na infância e como reconhecer e lidar com uma verdadeira emergência.

ANTES DE CHAMAR O MÉDICO

A maioria dos pediatras quer que você ligue para ele — a qualquer hora do dia ou da noite — se você achar que o bebê realmente está doente. Mas antes de discar esse número já mais que conhecido, não esqueça de munir-se de uma lista escrita contendo todas as informações de que o médico pode precisar para avaliar corretamente a situação. Para participar eficazmente dos cuidados com a saúde do seu filho, você deve ser capaz e estar pronta a fornecer qualquer das informações seguintes, se vier ao caso. A maioria das doenças simples só se manifestam através de dois ou três sintomas, mas a lista abaixo serve para ajudá-la a não esquecer nada. Esteja pronta a dizer ao médico quando os sintomas apareceram pela primeira vez; o que os desencadeou, se houve uma causa direta; o que os agrava ou alivia (pôr o bebê sentado alivia a tosse, por exemplo, ou a alimentação agrava o vômito); e quais foram os remédios caseiros ou vendidos sem receita com que você tentou tratá-los. Também será útil dizer ao médico se o bebê teve contato com um primo portador de catapora, um irmão com diarréia ou qualquer pessoa portadora de uma doença infecciosa; ou se sofreu recentemente algum ferimento, numa queda, por exemplo. Além disso, lembre o médico da idade do bebê e de seus problemas crônicos, se houver.

Tenha à mão o nome e o telefone de uma farmácia aberta, para o caso de o médico precisar telefonar para passar uma receita; e lápis e papel para anotar quaisquer instruções recebidas.

Temperatura. Em primeiro lugar, verifique a temperatura do bebê encostando-lhe os lábios na testa. Se parecer quente, obtenha uma medida mais precisa com o termômetro (veja página 494). Lembre-se que, além da doença, outros fatores podem afetar as medidas: a temperatura ambiente (o bebê tende a estar mais quente depois de brincar num apartamento superaquecido do que depois de entrar em casa num dia frio); nível de atividade (o exercício físico, a brincadeira animada e o choro forte podem todos aumentar a temperatura); e a hora do dia (a temperatura tende a estar mais alta no fim do dia). Se a testa do bebê estiver fresca, suponha a inexistência de uma febre significativa.

Ritmo cardíaco. Em alguns casos, o conhecimento do ritmo cardíaco do seu filho

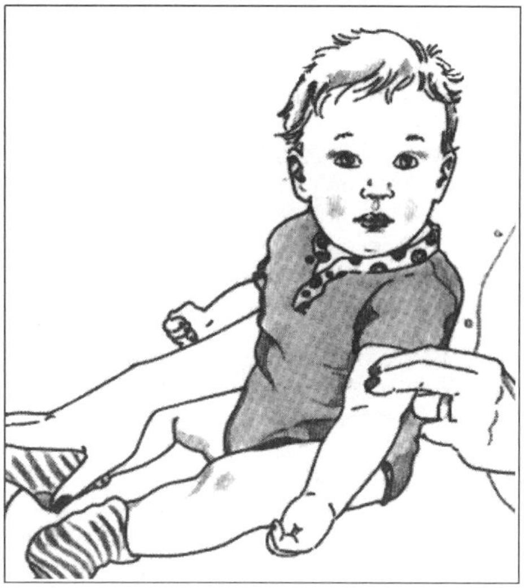

Treine tomar o pulso braquial quando o bebê estiver saudável e calmo.

pode ser útil para o médico. Se o bebê parecer muito letárgico ou tiver febre, tome o seu pulso braquial, como na figura. O ritmo normal para os bebês vai de 100 a 130 batimentos por minuto durante o sono, de 140 a 160 em estado de vigília, e de 160 a 200 durante o choro. O ritmo cardíaco vai ficando progressivamente mais lento à medida que a criança cresce, e aos dois anos está normalmente entre os 100 e 140 batimentos por minuto.

Respiração. Se o bebê tiver dificuldade para respirar, estiver tossindo ou respirando rápida ou irregularmente, conte as respirações registrando quantas vezes por minuto o seu peito sobe e desce. A respiração é mais rápida durante a atividade (inclusive choro) que durante o sono, e pode ser tornada mais rápida ou mais lenta pela doença. Os recém-nascidos normalmente respiram de 40 a 60 vezes por minuto; as crianças de um ano, de 25 a 35 vezes. Se o peito do bebê parece não estar subindo e descendo a cada respiração, ou se a respiração parece trabalhosa e barulhenta (sem relação, porém, com um nariz entupido), passe essa informação ao médico.

Sintomas respiratórios. O nariz do bebê está correndo? Está entupido? O muco é aquoso ou mais grosso? É transparente, branco, amarelo ou verde? Há tosse? Ela é seca, brusca, pesada, comprida? A tosse causa a saída de muco? (Às vezes o muco é vomitado com uma tosse violenta.)

Comportamento. O comportamento do bebê está diferente do normal? Você o descreveria como cansado e letárgico, mal-humorado e irritadiço, inconsolável ou indiferente? Você é capaz de fazê-lo sorrir?

Sono. O bebê tem dormido mais que o normal, ou parece estar anormalmente sonolento? Está tendo dificuldade para dormir?

Choro. O bebê tem chorado mais que o normal? O choro tem um som ou uma intensidade diferente — é mais agudo, por exemplo?

Apetite. O bebê tem comido normalmente? Tem recusado a mamadeira ou o peito e/ou os alimentos sólidos? Ou come tudo o que vê?

Pele. A pele do bebê parece diferente de algum modo? Está vermelha e corada? Branca e pálida? Azulada ou cinza? Está úmida e quente (suada) ou úmida e fria (pegajosa)? Ou anormalmente seca? Os lábios, as narinas ou as bochechas estão excessivamente secos ou rachados? Existem manchas ou lesões em qualquer local da pele do bebê — nas axilas, atrás das orelhas, nos membros, no tronco, em outros lugares? Como você descreveria sua cor, forma, tamanho, textura? O bebê parece querer coçá-las?

Boca. A gengiva está inchada em locais onde poderia haver dentes nascendo? Há pintas ou manchas vermelhas ou brancas visíveis nas gengivas, no interior das bochechas, no palato ou na língua?

Garganta. O arco que circunda a garganta está avermelhado? Há pintas ou manchas brancas ou vermelhas?

Fontanela. Se a região macia no topo da cabeça do bebê ainda está aberta, será que ela está funda ou inchada?

Olhos. Os olhos do bebê parecem diferentes do normal? Estão vidrados, apáticos, fundos, opacos, aquosos ou avermelhados? São envolvidos por olheiras

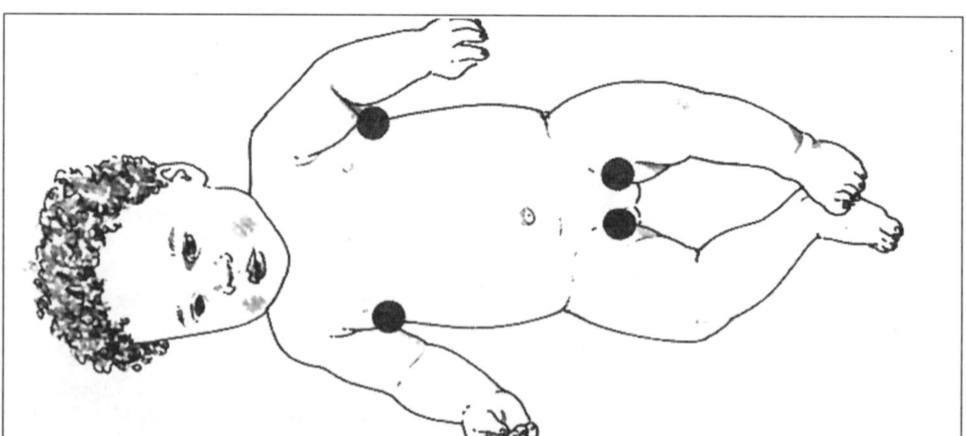

As glândulas linfáticas (assinaladas por círculos) fazem parte do sistema imunológico. Um inchaço em qualquer parte do corpo pode ser sinal de infecção e deve ser comunicado ao médico.

INTUIÇÃO MATERNA

Às vezes você não é capaz de descobrir um sintoma específico, mas o bebê simplesmente não parece "bem" aos seus olhos. Ligue para o médico. O mais provável é que você seja tranqüilizada, mas também é possível que você tenha descoberto um sutil mal-estar que precisa de tratamento.

escuras, ou parecem parcialmente fechadas? Se estão escorrendo, como você descreveria a cor, a consistência e a quantidade do líqüido?

Orelhas. O bebê tem puxado ou levado a mão a uma das orelhas, ou a ambas? Alguma delas apresenta emissão de pus?

Glândulas linfáticas. As glândulas linfáticas do pescoço parecem inchadas?

Sistema digestivo. O bebê tem vomitado? Com que freqüência? Tem vomitado bastante quantidade, ou quase nada volta? Como você descreveria o vômito (semelhante a leite talhado, com fios de muco, rosado, com sangue)? O vômito é enérgico, potente? Parece projetar-se a longa distância? Há algo que pareça desencadear o vômito — comer, por exemplo? Alguma coisa mudou nos movimentos intestinais do bebê? Ele tem apresentado diarréia, com fezes moles e líqüidas, ou fezes com sangue? As evacuações tem sido mais freqüentes, repentinas e vigorosas? Ou o bebê parece constipado? Houve aumento ou diminuição da quantidade de saliva? Ou uma aparente dificuldade de engolir?

Sistema urinário. As fraldas do bebê estão menos molhadas que de costume? Ou parecem mais molhadas? Há alguma mudança perceptível de cheiro ou cor da urina (amarelo escuro, por exemplo, ou cor-de-rosa)?

Abdome. A barriga do bebê parece diferente — mais chata, mais redonda, mais saliente? Quando você a aperta suavemente, ou dobra os joelhos do bebê em direção ao abdome, ele parece sentir dor? Qual parece ser o local da dor — à direita ou à esquerda, em cima ou em baixo?

Sintomas motores. O bebê teve, ou tem tido, arrepios, tremores, paralisia ou convulsões? O pescoço parece rígido e difícil de mexer — ele é capaz de encostar o queixo no peito? Parece ter dificuldade de mover alguma outra parte do corpo?

QUANTO DEVE DESCANSAR O BEBÊ DOENTE?

Apesar de todos os conselhos bem-intencionados que você talvez receba das avós, tias-avós e vizinhas, o bebê doente não precisa ser confinado ao berço ou "ficar quieto". Confie na capacidade que o bebê tem de sentir as necessidades do próprio corpo e obedecer aos seus comandos. O bebê muito doente abandona suas costumeiras atividades diárias em favor do necessário descanso, ao passo que o bebê apenas indisposto ou em fase de recuperação fica ativo e brincalhão. Tanto num caso como no outro, você não precisa impor restrições. Simplesmente siga o que o bebê lhe indica. (Se há alguém precisando descansar quando o bebê está doente, esse alguém é a mãe.)

PARA ALIMENTAR O BEBÊ DOENTE

A doença freqüentemente é acompanhada de perda de apetite. Às vezes, como no caso dos distúrbios digestivos, isso é uma coisa boa, pois proporciona ao estômago e ao intestino um merecido descanso enquanto eles se recuperam. Às vezes, como no caso da febre, isso já não é tão bom, visto que poderão faltar as calorias adicionais necessárias para alimentar a febre que contrapõe-se à infecção.

Para a maioria das pequenas enfermidades que não afetam o sistema digestivo, nenhuma dieta especial se faz necessária, a não ser em certas doenças específicas. Mas há diversas regras gerais que valem para alimentar o bebê doente:

Dê realce aos líqüidos. Quando o bebê tem febre, uma infecção respiratória (como um resfriado, gripe ou bronquite) ou um distúrbio gastrointestinal com diarréia, os líqüidos claros e alimentos com alta porcentagem de água (sucos, frutas suculentas, sopas, gelatinas da "Melhor Dieta" e doces de suco congelado) ajudam a prevenir a desidratação e devem ter prioridade sobre os alimentos sólidos. Ofereça-os freqüentemente ao longo do dia, mesmo que o bebê não tome mais que um gole por vez. Os bebês que mamam no peito ou na mamadeira devem poder mamar sempre que quiserem, a menos que o médico recomende o contrário.

Dê ênfase à qualidade. Embora você talvez se sinta tentada a deixar o bebê comer o que quiser — mesmo se não for muito nutritiva e contiver altíssimas quantidades de açúcar ou sal —, não faça isso. Os alimentos que não oferecem nada além de calorias tendem a sabotar o apetite das crianças por qualquer coisa que valha a pena. A criança, como acontece com o adulto, precisa de muitas vitaminas e minerais para ajudar o sistema imunológico a combater a doença; por isso, você deve ter certeza de que tudo o que o bebê come é significativo em termos de nutrição. (Quando os distúrbios do aparelho digestivo limitarem as possibilidades de ingestão, veja a página 488.) E não deixe de dar o suplemento vitamínico do bebê, a menos que o médico prescreva o contrário.

Aposte nos favoritos. Você não quer que o bebê doente subsista com uma dieta de guloseimas; mas não há problema — se o apetite do bebê está em baixa e não há restrições dietéticas — em dar carta branca ao consumo de seus alimentos favoritos mais saudáveis. Se isso significa que o bebê vai viver quatro dias à base de leite materno ou em pó e bananas (ou mingau três vezes por dia, ou bolinhos de abóbora, suco de laranja e leite exclusivamente), tudo bem. Com o bebê mais velho, tente estimular-lhe o interesse pela alimentação com comidas "divertidas" cujo aspecto é tão bom quanto o sabor, como "Caras de Panqueca" ou "*Sundae* de Ricota" (as receitas podem ser encontradas na "Pronta Referência").

Não force. Mesmo se o bebê não comeu sequer um bocado em 24 horas, não force. Essa atitude poderia desencadear um problema de alimentação do qual o bebê não se recuperaria tão espontaneamente quanto da doença. E se alguns dias de semi-inanição deixarem o bebê com um aspecto emaciado, não se preocupe; os bebês tendem a recuperar as refeições perdidas depois que se curam da doença, comendo vorazmente até ganharem de novo o peso perdido. Conte ao médico sobre a perda de apetite.

QUANDO É PRECISO TOMAR REMÉDIOS

É muito provável que, em algum momento do primeiro ano de vida, haja algum remédio recomendado ou prescrito para o bebê. Desde a primeiríssima vez, habitue-se a fazer as perguntas certas sobre o remédio e a usá-lo corretamente.

O que você deve saber sobre o remédio

O médico ou o farmacêutico serão capazes de responder às perguntas seguintes. Não deixe de anotar as respostas num caderninho (ou, melhor ainda, numa "ficha de saúde" permanente), a fim de ter um registro a ser usado como referência agora e no futuro. Não confie na sua memória.

- Qual o nome genérico do medicamento? Qual é, se houver, o seu nome comercial?
- Qual é a sua suposta função?
- Qual a dose apropriada para o bebê? (Saiba de cor o peso aproximado do bebê, para que, se necessário, o médico possa calcular a dose.)
- Com que freqüência deve o remédio ser administrado? O bebê deve ser acordado no meio da noite para tomá-lo?
- Deve ser tomado antes, durante ou depois das refeições?
- Deve ser engolido junto com determinados líqüidos somente, e não com outros?
- Quais os efeitos colaterais normais a serem esperados?
- Quais as possíveis reações adversas? Quais devem ser relatadas ao médico? (Lembre o médico de reações que já ocorreram.)
- Se o seu filho tem um problema crônico de saúde, o remédio pode ter sobre ele um efeito adverso? (Não deixe de dizer ao médico qual é o problema, pois ele pode não ter em mãos a ficha do seu filho.)
- Caso o bebê esteja tomando um outro medicamento, poderia haver entre ambos uma interação maléfica?
- Para quando se pode esperar uma melhora?
- Quando você deve falar com o médico se não houver melhora?
- Quando pode ser interrompido o uso do remédio?

Como administrar corretamente o remédio

Os remédios são feitos para curar; quando usados de modo impróprio, porém, costumam fazer mais mal do que bem. Sempre observe estas regras ao administrar um medicamento:

- Não dê ao bebê com menos de três meses de idade nenhum remédio que não tenha sido prescrito por um médico — nem mesmo um remédio vendido sem receita. Como os bebês tendem a conservar os remédios no corpo por mais tempo que as crianças mais velhas ou os adultos, podem chegar rapidamente a níveis excessivos da droga.
- Verifique sempre se o remédio está em condições de uso. Não use o remédio depois de passada a data de validade, ou se houver alguma mudança de textura, cor ou cheiro. Jogue na privada os remédios vencidos.
- Meça meticulosamente as doses de acordo com as indicações dadas pelo médico ou, no caso de produtos vendidos sem receita, pelo rótulo ou bula. Use uma colher, conta-gotas ou copo calibrados (geralmente, todos esses produtos acham-se à venda nas farmácias) para obter medidas precisas (o tamanho das colheres de cozinha é variável). Para evitar derramamentos ao usar uma colher calibrada, passe a dose medida para uma colher maior antes de administrá-la.
- Mantenha um registro da hora em que foi administrada cada dose (afixe uma folha de papel na porta da geladeira ou sobre o trocador, ou senão use a ficha de saúde do bebê) para que você sempre saiba quando deu a última dose. Isso minimizará o risco de esquecer uma dose ou dar duas em vez de uma. Não se preocupe se você administrar a dose um pouquinho depois do horário certo; volte ao cronograma na dose seguinte.
- Leia o rótulo ou a bula para conhecer as condições de conservação, e siga-as. Alguns remédios precisam ser conservados na geladeira ou em lugares frescos, e alguns precisam ser agitados antes do uso.
- Se as instruções da bula não corresponderem às do médico e/ou do farmacêutico, ligue para o farmacêutico ou médico

para resolver o problema *antes* de administrar o remédio.

- Sempre leia o rótulo antes de dar o medicamento, mesmo quando você tem certeza de estar com o frasco certo. Ao administrar um remédio no escuro, leia antes o rótulo num local iluminado.
- Não dê ao bebê remédios prescritos para outra pessoa (mesmo para um irmão) sem a aprovação do médico. E não use um remédio anteriormente prescrito para o bebê sem que o médico permita.
- Não administre medicamentos a um bebê deitado; ele poderia engasgar.
- Sempre dê os antibióticos pelo tempo prescrito, mesmo que o bebê já pareça completamente recuperado, a menos que o médico diga o contrário.
- Se o bebê está apresentando uma reação adversa a um medicamento, suspenda temporariamente o uso e fale com o médico antes de voltar a dá-lo.
- Não continue a dar um remédio por mais tempo do que o especificado pelo médico; não volte a dá-lo depois de descontinuar o uso sem antes falar com o médico.
- Para ter uma referência para o futuro (veja página 490), registre qual foi o remédio dado ao bebê, a doença para a qual foi prescrito, o tempo pelo qual foi tomado e quaisquer efeitos colaterais ou adversos.

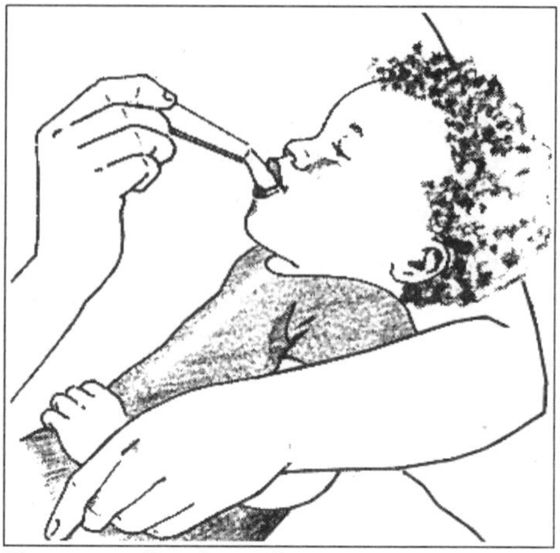

Use uma colher de medicamentos ou um conta-gotas para introduzir os remédios na boca do bebê.

Como ajudar o remédio a descer

Aprender a administrar corretamente o remédio é somente o primeiro passo que os pais têm a dar, e geralmente é o mais fácil. Do ponto de vista de muitas crianças, a cura é quase sempre pior do que a doença; muitas vezes, fazer o remédio descer é algo aparentemente impossível. E mesmo quando ele desce, freqüentemente sobe de volta — e vai parar em cima do bebê, dos pais, dos móveis e do chão.

Se você tiver sorte, seu bebê será daqueles que adoram o ritual de tomar remédios e o gosto de líqüidos desconhecidos — sejam eles vitaminas, antibióticos ou analgésicos —, e abrem a boca como passarinhos quando vêem um conta-gotas. Se a sorte não estiver do seu lado, você terá um bebê fortemente refratário, seja desde a primeira vez, seja depois de ficar mais esperto com o aumento da idade. Provavelmente, não há nada que tornará agradável o ato de dar um remédio a esse bebê, mas as dicas seguintes ajudarão a fazer descer uma quantidade maior de remédio com menos aborrecimentos:

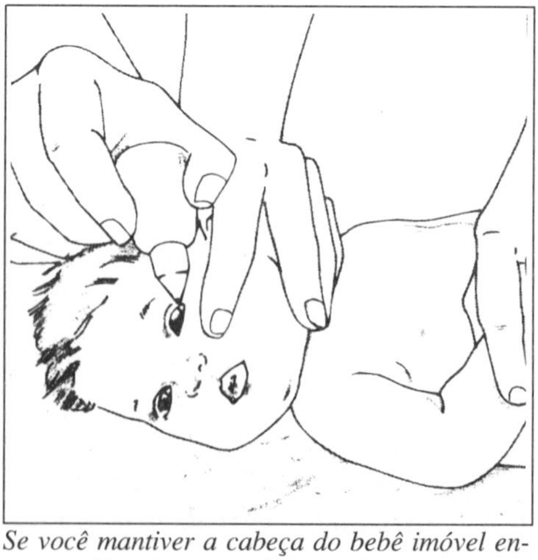

Se você mantiver a cabeça do bebê imóvel enquanto lhe pinga o colírio, pelo menos parte das gotas chegarão ao alvo.

- Se isto não afetar a potência do medicamento, gele-o (pergunte antes ao farmacêutico); é possível que o gosto seja menos forte quando ele estiver gelado.
- Use uma colher mais larga do que funda, para que o bebê possa limpá-la mais facilmente. (Se ela não sair limpa da primeira vez, vire-a de ponta-cabeça e passe-a sobre a língua do bebê para tirar o restinho.) Se o bebê não é muito amigo da colher e o conta-gotas é muito pequeno para a dose prescrita, peça ao farmacêutico uma colher de medicamentos ou uma seringa de plástico, a qual permite que você esguiche o remédio na parte de trás da boca do bebê; mas não esguiche uma quantidade maior do que a que o bebê é capaz de engolir. Se o bebê rejeitar o remédio dado com um conta-gotas, colher ou seringa, mas gostar de um bico de mamadeira, tente colocar a dose dentro de um bico seguro com a mão, de modo que o bebê possa sugá-la. Ponha depois um pouco de água no mesmo bico, de modo que o bebê tome o resto de remédio.
- Dirija a colher à parte de trás da boca, e o conta-gotas ou seringa ao espaço entre os molares (ou a extremidade traseira das gengivas) e o interior das bochechas, pois as papilas gustativas concentram-se na ponta e no meio da língua. Mas evite fazer com que o conta-gotas ou a colher toquem a parte traseira da língua, o que poderia desencadear um reflexo de engasgo.
- A menos que você seja instruída a dar o remédio durante ou após as refeições, planeje dá-lo logo antes delas. Em primeiro lugar, porque é maior a probabilidade de o bebê aceitá-lo se estiver faminto; e também porque, se o bebê vomitá-lo em seguida, menos comida será desperdiçada.
- Obtenha ajuda sempre que possível. Nem uma mamãe-polvo acharia fácil segurar um bebê que se debate contrariado, e ao mesmo tempo tentar introduzir naquela boquinha fechada uma colher cheia até a borda; para a mamãe de dois braços, a tarefa pode ser quase impossível. Se o papai (ou outro auxiliar) não está por perto para segurar o bebê, tente usar uma cadeira de automóvel ou um cadeirão como um segundo par de mãos; mas não deixe de afivelar o bebê *antes* de começar. Se você tiver que fazer tudo sozinha sem o auxílio do cadeirão, experimente o seguinte procedimento para domar o jovem rebelde: em primeiro lugar, meça a dose do remédio e deixe-a pronta para uso, sobre uma mesa ao seu alcance, dentro de um conta-gotas, seringa, copinho ou colher (a qual não deve estar cheia até a borda). Sente-se ereta numa cadeira e posicione o bebê no seu colo, virado para a frente. Passe o braço esquerdo em torno do corpo do bebê, imobilizando-lhe os braços. Segure-lhe a mandíbula com a mão esquerda, tendo o polegar numa bochecha e o indicador na outra. Incline a cabeça do bebê levemente para trás e aperte suavemente as bochechas para abrir-lhe a boca. Com a mão direita (inverta as mãos se você for canhota), administre o medicamento. Mantenha as bochechas do bebê levemente apertadas até ele engolir o remédio. Todo o procedimento não deve durar mais que alguns segundos; se passar disso, o bebê começará a debater-se para ir ao chão.
- Com o remédio na mão, aproxime-se do bebê com confiança — mesmo se a experiência a ensinou a esperar o pior. Se o bebê souber que você está contando com uma briga, certamente você terá uma. É possível, evidentemente, que a briga aconteça de qualquer modo, mas a abordagem confiante pode lhe dar mais chances de conseguir seu objetivo.
- Como último recurso, misture o remédio com uma pequena quantidade (1 ou 2 colheres de chá) de fruta passada na peneira ou suco de frutas — mas só se o médico não tiver proibido a mistura. Não dilua o remédio numa quantidade maior de comida ou bebida, já que, nesse caso, é possível que o bebê não tome tudo. A menos que o bebê não seja muito amigo de experimentar alimentos novos, misture o remédio com uma fruta ou suco desconhecidos; o remédio poderia dar um gosto estranho a uma fruta conhecida, levando o bebê a rejeitá-la no futuro.

A CURA PELA CANJA

O fato é que as velhas comadres (ou as avós) não estavam inventando histórias quando afirmavam que suas canjas eram um remédio tão eficaz quanto qualquer coisa que seus filhos, os médicos, pudessem receitar. As pesquisas científicas confirmam o que a turma do avental sempre contou: uma tigela de canja quente, além de nos dar a sensação de que somos amados, pode ajudar a combater os sintomas de resfriados, da tosse e da gripe. Mas, ao medicar o bebê com essa penicilina de caldeirão, não use caldos comerciais em cubos ou em latas, que contêm níveis astronômicos de sal e podem causar sérios desequilíbrios químicos, além de sobrecarregar os rins. Em vez disso, vista o avental e faça você mesma essa poção, usando pedaços de frango ou uma carcaça de frango ou de peru, e bastante salsa, mandioquinha, cenoura, aipo, alho-porró, cebolas e alguns dentes de alho. Ferva a mistura até a pele se despregar dos ossos, retirando com a escumadeira a espuma e a gordura que forem subindo. Passe pela peneira e sirva ao bebê, com uma colher, copo ou mamadeira, a uma temperatura confortavelmente morna. (Não use as cenouras para dá-las amassadas ao bebê, a menos que pretenda dá-las junto com o caldo no qual foram cozidas; a maior parte das vitaminas se dissolve no caldo.)

OS PROBLEMAS DE SAÚDE MAIS COMUNS EM BEBÊS

Em seu primeiro ano de vida, os bebês costumam ser saudáveis, e a maioria das doenças às quais são suscetíveis ocorre uma só vez (quanto aos detalhes acerca destas doenças, veja o quadro a partir da página 722). Mas existem certas doenças que são tão comuns, ou que ocorrem com tamanha freqüência em alguns bebês, que os pais precisam saber tanto quanto possível a seu respeito. Entre elas incluem-se as alergias, o resfriado comum, a constipação, as infecções do ouvido e os distúrbios gastrointestinais com diarréias e vômitos.

ALERGIAS

Sintomas: Dependem de qual é o órgão ou sistema afetado pela hipersensibilidade. A seguir, os órgãos ou sistemas mais comumente envolvidos e os sintomas daí decorrentes:

- Aparelho respiratório superior: coriza (rinite alérgica), sinusite (não ocorre nos bebês), dor de ouvido (otite média), amigdalite (que pode ser resultado tanto de uma alergia como do hábito de respirar ar seco pela boca), defluxo retrofaríngeo (um fluxo de muco da parte posterior do nariz para a garganta, que pode provocar tosse crônica) laringite estridulosa.
- Aparelho respiratório inferior: bronquite alérgica, asma.
- Aparelho digestivo: diarréia com fezes aquosas, às vezes sangüinolentas; vômitos; gases.
- Pele: dermatite atópica, inclusive erupções pruriginosas como o eczema (veja página 260), a urticária (uma erupção em placas mais ou menos salientes, vermelhas e pruriginosas) e o edema angioneurótico (inchaço súbito, sobretudo ao redor dos olhos e da boca, que não é tão pruriginoso como a urticária). Quando a região da la-

COMO TRATAR OS SINTOMAS DO BEBÊ

SINTOMA	TRATAMENTO APROPRIADO
Coceira	Loção de calamina (mas *não* Caladril ou outro preparado anti-histamínico) Banho confortavelmente quente (teste a temperatura com o cotovelo ou o pulso; não serve para bebês com menos de seis meses) Banho morno calmante* Pomada ou leite de aveia no local Prevenção contra o ato de coçar e as infecções (deixe as unhas da criança bem curtas e lave-as com sabonete bactericida; cubra as mãos com luvas durante o sono) Analgésico, como o acetaminofen (mas *não* a aspirina, quando se suspeita de catapora)** Anti-histamínico oral, somente se prescrito (mas *não* anti-histamínicos ou anestésicos tópicos)
Congestão nasal	Ar umidificado* Gotas de água salgada ou soro fisiológico* Aspiração do muco* Elevação da cabeça* Maior consumo de líqüidos* Descongestionante, somente se prescrito Gotas nasais, somente se prescritas
*Diarréia****	Maior consumo de líqüidos, reidratação oral (veja página 488) Possíveis mudanças na dieta (veja página 488) Posição ereta*
Dor da dentição	Consolo (afagos) Aplicação de frio no local (veja página 258) Pressão sobre as gengivas (veja página 258) Analgésico, como acetaminofen ou aspirina**, somente se recomendado pelo médico
Dor de garganta	Comidas e bebidas suaves, não-ácidas Analgésico, como acetaminofen ou aspirina** Tratamento para febre, se necessário (veja o item *Febre*) Gargarejo de água salgada, para crianças mais velhas
Dor de ouvido	Analgésico, como o acetaminofen ou a aspirina** Calor seco aplicado ao ouvido (bolsa de água quente) Descongestionante, somente se prescrito Antibióticos, somente se prescritos para infecção Gotas para o ouvido, somente se prescritas

SINTOMA	TRATAMENTO APROPRIADO
Dor ou incômodo decorrente de ferimento pequeno	Consolo (afagos) Distração (veja página 510) Analgésico, como acetaminofen ou aspirina** Aplicação local de calor ou frio, conforme o caso
Febre	Maior consumo de líqüidos (veja página 498) Suficiente ingestão de calorias Medicamento antipirético, como o acetaminofen ou a aspirina**, somente segundo prescrição médica Banho morno na banheira ou com a esponja, quando um medicamento não é indicado ou não tem efeito (veja página 499) Roupas leves e baixa temperatura ambiente (veja página 500)
Tosse	Ar umidificado* Maior consumo de líqüidos* Redução do consumo de laticínios, para bebês de mais de seis meses em quem o leite parece aumentar a produção de muco Remédio para tosse, somente se prescrito Drenagem postural, se recomendada e ensinada pelo médico
Tosse diftérica	Vapor em abundância* Um passeio ao ar livre
Vômitos	Maior consumo de líqüidos, em pequenos goles (veja página 488)

* Ver a "Pronta Referência" para indicações práticas de como realizar este tratamento.
** Antes de dar aspirina a um bebê ou a uma criança, tome as precauções indicadas na página 499.
*** Cuidado com os antidiarréicos: seu uso foi recentemente considerado inadequado pela Sociedade Brasileira de Pediatria; deverão ser retirados do mercado em breve. (N. do R. T.)

ringe é acometida, a respiração pode ser afetada.

- Olhos: coceira, vermelhidão, lacrimejamento e outros sinais de conjuntivite.

Estação do ano: Qualquer uma, para quase todas as alergias; primavera, verão ou outono para as desencadeadas pelo pólen.

Causa: A liberação da histamina e de outras substâncias pelas células do sistema imunológico, em resposta à exposição a um alérgeno, ocorrente em pessoas sensíveis a esse alérgeno ou a outro semelhante (a sensibilização ocorreu numa exposição anterior à esse mesmo alérgeno). A tendência a ter alergias é de caráter familiar. Muitas vezes, a forma de manifestação da alergia é diferente nos diversos membros da família — um deles tem rinite alérgica, outro tem asma, um terceiro fica coberto de urticária quando come morangos.

Modo de transmissão: Inalação (de pólen ou pelo de animais, por exemplo), ingestão (de leite ou clara de ovos) ou injeção (de uma dose de penicilina, ou uma picada de inseto) do alergênio.

Duração: Variável. A duração de uma única crise alérgica pode variar de alguns minutos a algumas horas ou dias. Algumas alergias, como a alergia a leite de vaca, desaparecem com o crescimento; outras desaparecem, dando lugar a outros tipos de alergia à medida que as crianças ficam mais velhas. Muitas pessoas alérgicas têm manifestações de um ou mais tipos ao longo de toda a vida.

Tratamento: O tratamento mais eficaz para as alergias — e também, muitas vezes, o mais difícil — consiste em eliminar o alérgeno da vida do paciente. Eis alguns modos de eliminar alérgenos do ambiente em que vive o seu filho, quer ele seja comprovadamente alérgico (o que é difícil de determinar, pois os testes cutâneos não são muito precisos para crianças com menos de um ano e meio), quer isso seja apenas uma suspeita:

RUÍDOS NA RESPIRAÇÃO QUE NÃO DEVEM DEIXÁ-LA PREOCUPADA

Em algum momento entre as quatro e oito semanas de vida, muitos bebês passam a apresentar um ruído que pode ser melhor descrito como um "ronco respiratório". Trata-se de ruídos produzidos quando o ar que o bebê inala passa através do muco solto no nariz e na garganta, e que se pensa ser conseqüência de um maior funcionamento das glândulas produtoras de muco que se localizam no revestimento normal do aparelho respiratório. Muitas vezes, esses ruídos são acompanhados de uma vibração no peito do bebê, que pode ser sentida com a mão. O ronco não prejudica a respiração, e os bebês não têm dificuldade em respirar com a boca fechada — algo que não ocorre nos resfriados. A afecção é mais fácil de detectar em bebês que têm o céu da boca alto e arqueado, ou vias respiratórias nasais mais estreitas que o normal. Esse ruído respiratório não é motivo para preocupação, e geralmente desaparece depois de algumas semanas, com o crescimento do bebê.

Alguns bebês apresentam um "ronco" perceptível quando comem e inspiram. O ronco se origina na laringe (caixa fonadora) ou abaixo dela. É freqüentemente associado à traqueomalacia, afecção que deriva de uma traquéia anormalmente mole e flexível, bastante comum em bebês. Geralmente não há tosse, embora possa haver um ruído áspero ou vibrante de fundo aquoso. É bem comum que esses ruídos se perpetuem pelo segundo ano de vida adentro, mas não prejudicam o crescimento e o desenvolvimento e não requerem tratamento médico. A afecção se resolve quando os anéis cartilaginosos das vias respiratórias ficam mais rígidos.

Se você perceber um no seu bebê recém-nascido ou muito novo, fale sobre isso com o médico. O mais provável é que seja algo inteiramente normal. Se, por outro lado, um bebê mais velho passar a apresentar de súbito ruídos respiratórios estranhos, ligue para o médico sem demora. Um ruído áspero produzido pela expiração — normalmente identificado como chiado — também deverá ser informado ao médico.

▪ Alérgeno alimentares. Veja *Mudanças dietéticas*.

▪ Pólen. Se você suspeita de uma alergia ao pólen (o sinal é a persistência dos sintomas enquanto houver pólen no ar, e o seu desaparecimento quando não mais houver), deixe o seu filho dentro de casa a maior parte do tempo quando houver muito pólen no ar, ou em dias de muito vento na época da polinização (primavera, fim do verão ou outono, dependendo do tipo de pólen), dê-lhe um banho e lave-lhe a cabeça diariamente (para remover o pólen) e, no calor, prefira usar um ar-condicionado a abrir as janelas e deixar o pólen entrar. O seu animal de estimação também pode acumular pólen fora de casa; por isso, dê-lhe também banhos freqüentes. Essa alergia é rara em bebês.

▪ Pêlos e penas de animais domésticos. Às vezes, os próprios animais causam alergia. Se isso estiver ou puder estar ocorrendo, tente manter o animal e a criança em cômodos diferentes, ou deixe o animal no porão, na garagem ou no quintal. (Em casos extremos, encontrar outro lar para o bichinho pode ser a única solução.) Como a crina de cavalo também pode desencadear uma alergia, não compre um colchão de crina para o berço do bebê.

▪ Poeira doméstica. Estas partículas enchem o ar de sua casa e são aspiradas por todos os membros da família. Não causam problemas à maioria das pessoas, mas podem ser um tormento para um indivíduo hipersensível. Mesmo que você apenas suspeite dessa alergia, limite o contato do bebê com o agente causador, mantendo os cômodos onde ele vive tão desempoeirados quanto possível. Tire o pó diariamente com um pano úmido, quando o bebê não estiver no quarto; passe aspirador nos tapetes e móveis estofados e limpe freqüentemente os assoalhos com um esfregão; evite usar colchas de chenile, carpetes, cortinas e outros acumuladores de pó no quarto onde o bebê dorme e brinca; lave com freqüência os brinquedos de pelúcia; guarde as roupas em sacos plásticos; revista os colchões e travesseiros com capas hermeticamente fechadas (os colchões de bebês geralmente vêm equipados com tais capas); ponha filtros sobre os ventiladouros de ar quente; instale um filtro de ar. As cortinas, tapetes e outros objetos do tipo que você tenha em casa devem ser lavados duas vezes por mês ou guardados no armário. Mantenha baixo o nível de umidade.

▪ Mofo. Controle a umidade em sua casa por meio de um desumidificador (e dando-lhe a necessária manutenção), providenciando ventilação adequada e deixando sair o vapor da cozinha, da lavanderia e dos banheiros. Os locais propícios à proliferação do mofo (latas de lixo, geladeiras, cortinas de chuveiro, azulejos do banheiro, cantos úmidos) devem ser meticulosamente limpos com um agente antimofo. Deve-se limitar o número de plantas ornamentais e não armazenar lenha dentro de casa. Do lado de fora, certifique-se de que a drenagem das águas é eficaz; não deixe amontoarem-se folhas e outros detritos vegetais; e garanta uma boa insolação sobre a casa e o quintal, a fim de que o mofo não se multiplique nas áreas úmidas. Na chuva, deixe o cercado de areia do bebê coberto.

▪ Veneno de abelhas. Os indivíduos alérgicos ao veneno de abelhas não devem freqüentar as áreas livres conhecidas por abrigar grandes populações de abelhas e vespas. É absolutamente necessário que tais pessoas portem consigo um estojo de primeiros socorros às picadas de abelha.

▪ Alérgenos vários. Você pode eliminar diversos outros alérgenos em potencial do ambiente em que vive o seu filho: cobertores de lã (revista-os, ou use cobertores sintéticos ou de algodão); travesseiros de pena (quando o bebê já tiver idade para usar travesseiro, use um feito de espuma ou fibra de poliéster hipoalergênica); fumaça de cigarros (proíba que se fume em sua casa, e perto do bebê em outros lugares); perfumes (os lenços umedecidos, *sprays* e outros produtos não devem conter fragrâncias); sabonetes (só use os produtos hipoalergênicos); sabões e detergentes para lavagem de roupas (você talvez tenha de trocar de marca, ou usar um sabão em pó muito fraco).

A alergia é uma reação de hipersensibilidade do sistema imunológico a uma substância estranha; por isso, a dessensibilização (geralmente feita aumentando-se gradativamente as doses injetadas do alérgeno em questão) é às vezes um meio eficaz de eliminar as alergias — sobretudo as causadas pelo pólen, poeira e pelos de animais. Com exceção dos casos muito severos, porém, a dessensibilização só começa a ser feita quando a criança já tem mais de quatro anos. Tanto em bebês como em crianças pequenas, pode-se usar anti-histamínicos e esteróides para combater a reação alérgica e diminuir o edema das mucosas.

Mudanças dietéticas:
- Eliminação de possíveis alérgenos alimentares, nunca deixando de substituí-los por alimentos equivalentes do ponto de vista nutricional (veja a Dúzia Diária dos bebês, na página 253). Sob supervisão médica, elimine um suposto alérgeno alimentar (entre os possíveis alérgenos, incluem-se o leite de vaca, o trigo, a clara de ovo e as frutas cítricas) da dieta do bebê; se os sintomas desaparecerem dentro de algumas semanas, você provavelmente terá descoberto o responsável. Outra confirmação é a reincidência dos sintomas quando o alimento é reintroduzido na dieta. Substitua a farinha de trigo pelas farinhas de aveia, arroz e cevada; o leite de vaca em pó pelos preparados de soja e hidrolisados;[1] os ovos inteiros por gemas somente; e o suco de laranja por manga, melão, acerola, kiwi e pimentão vermelho, a fim de assegurar um consumo suficiente de vitamina C.
- Nas alergias respiratórias, garanta um consumo suficiente de líqüidos. A maioria dos bebês que mamam no peito ou na mamadeira toma líqüidos em quantidade suficiente, o que não ocorre com muitos bebês desmamados.

Prevenção:
- Amamentação ao peito, particularmente nos casos em que há uma história de alergias na família, por pelo menos seis meses, mas de preferência por um ano.
- Introdução tardia e cuidadosa dos alimentos sólidos, geralmente só depois dos seis meses, (veja página 247). Introdução ainda mais tardia dos alimentos que podem produzir conseqüências realmente sérias (leite de vaca, clara de ovo, trigo, chocolate, frutas cítricas). Cuidadosa observação das reações quando da introdução dos alimentos.

Complicações:
- Asma
- Choque anafilático, que pode ser fatal quando não é tratado (mas é raro).

Quando contactar o médico: Assim que você suspeitar de uma alergia. Ligue novamente quando o seu filho apresentar novos sintomas. Ligue imediatamente se houver quaisquer sinais de asma (chiado na respiração), dificuldades respiratórias ou sintomas de choque (confusão, respiração ofegante, pulsação rápida, pele pálida, fria e úmida, sonolência ou perda de consciência).

Possibilidade de recorrência: Algumas alergias desaparecem para sempre na idade adulta; outras voltam sob formas diferentes.

Doenças com sintomas semelhantes:
- Bronquite (mas é provável que a criança que apresenta repetidos surtos desta doença tenha asma brônquica).
- Resfriado comum (semelhante à rinite alérgica).

---

1. Cerca de 40% dos bebês alérgicos a leite de vaca são também alérgicos à soja; por isso, o preparado hidrolisado costuma ser uma aposta mais segura. Não use os chamados leites de soja, que não proporcionam aos bebês uma nutrição adequada. Se você passar a dar leite de cabra, será necessária uma suplementação vitamínica, visto que o leite de cabra é pobre em certos nutrientes.

- Outras doenças gastrointestinais (sintomas semelhantes aos apresentados nas alergias do aparelho digestivo).

O RESFRIADO COMUM, OU INFECÇÃO DAS VIAS AÉREAS SUPERIORES

Os resfriados são muito comuns entre os bebês e crianças novas, que ainda não tiveram oportunidade de desenvolver imunidade contra os muitos vírus diferentes que os causam.

Sintomas:
- Coriza (com secreção aquosa de início, e depois mais grossa e amarelada).
- Espirros.
- Congestão nasal.

Às vezes:
- Tosse seca, que pode piorar quando o bebê está deitado.
- Febre.
- Coceira na garganta.
- Fadiga.
- Perda de apetite.

Estação do ano: O ano inteiro.

Causa: Conhecem-se mais de 100 vírus que causam resfriados.

Modo de transmissão: Em geral, é transmitido de pessoa a pessoa.

Período de incubação: De um a quatro dias.

Duração: Geralmente de três a dez dias, mas os resfriados podem prolongar-se por mais tempo em crianças pequenas.

Tratamento: Não há um tratamento para os vírus, mas os sintomas podem ser tratados, quando necessário:

- Sucção do muco com um bulbo de sucção (veja a figura). Caso o muco esteja endurecido, amoleça-o, antes de sugá-lo, usando gotas de soro fisiológico nasais vendidas sem receita médica. Isto pode ser necessário para ajudar o bebê a comer e a dormir.
- Umidificação do ar (veja página 720), para reduzir a congestão e tornar a respiração mais fácil para o bebê.

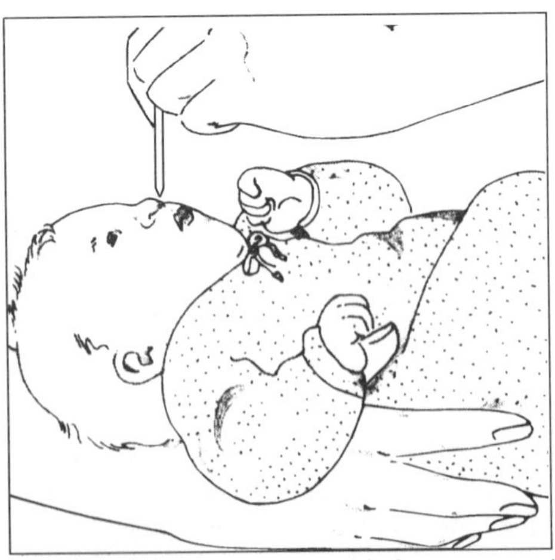

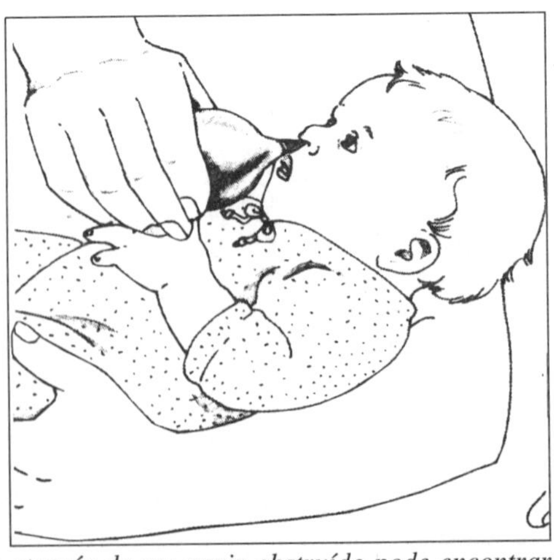

O bebê que está tendo dificuldades para respirar através de um nariz obstruído pode encontrar alívio com gotas de água salgada (esquerda), que amolecem o muco, e a aspiração (direita), que o retira.

▪ Pôr o bebê para dormir de bruços, com a cabeça mais alta (eleve a cabeceira do berço ou do colchão, colocando almofadas ou outros suportes *sob* o colchão), para facilitar a respiração.
▪ Descongestionantes, se necessários para que o bebê possa comer e dormir com maior facilidade, mas *apenas* com a aprovação do médico.
▪ Gotas nasais encontradas no comércio, caso sejam recomendadas pelo médico, para aliviar a congestão. Mas siga cuidadosamente as instruções; o uso prolongado, por mais que uns poucos dias, pode causar uma reação contrária, fazendo o bebê sentir-se ainda pior.
▪ Vaselina ou pomada semelhante aplicada levemente na orla das narinas e sob o nariz, para evitar a vermelhidão e a assadura da pele. Mas tome o cuidado de não deixá-la entrar nas narinas, onde poderia ser inalada ou bloquear a respiração.
▪ Remédio para tosse, mas só para aliviar uma tosse seca que comprometa o sono, e somente com a aprovação do médico. Em outras condições, não se costuma prescrever um remédio contra a tosse. *Os antibióticos não ajudam* e não devem ser utilizados, a menos que haja uma infecção bacteriana secundária.
▪ Isolamento, mantendo-se o bebê dentro de casa e afastado das outras pessoas pelos três primeiros dias — o que não vai apressar a recuperação, mas minimizará a possibilidade de transmissão do resfriado.

Mudanças dietéticas: O bebê pode continuar com sua dieta normal (embora muitos apresentem perda de apetite), com as seguintes mudanças:

▪ Reduza o consumo de leite e laticínios, pois é possível que esses produtos tornem as secreções mais grossas; os bebês que alimentam-se exclusivamente de leite materno ou leite de vaca especial podem continuar mamando, a menos que o médico recomende o contrário.
▪ Aumente o consumo de líqüidos para ajudar a contrabalançar as perdas através da febre ou da coriza. Se o bebê tiver idade suficiente, beber no copo pode ser mais confortável que tentar mamar no peito ou na mamadeira com o nariz entupido.
▪ Um consumo suficiente de alimentos com vitamina C. Não se sabe ao certo se a vitamina C previne os resfriados, mas alguns estudos demonstram que ela pode abrandar a severidade dos sintomas. Por isso, vale a pena incluir mais sucos de laranja ou de outras frutas com alto teor de vitamina C entre os líqüidos da dieta do bebê.

Prevenção: Cuidadosa lavagem das mãos para toda a família, especialmente quando alguém está resfriado, e em particular antes de manipular o bebê ou seus objetos. Deve-se cobrir com as mãos as próprias tossidas e espirros; usar lenços descartáveis em vez de lenços de pano; não compartilhar os mesmos pratos, talheres e toalhas. Se possível, os brinquedos ou utensílios alimentares do bebê não devem ser manipulados por uma pessoa resfriada.

Complicações: Os resfriados às vezes evoluem para infecções do ouvido ou bronquite, e, mais raramente, para pneumonia ou sinusite.

Quando contactar o médico: No primeiro resfriado do bebê; quando o bebê tem menos de três meses, ou menos de quatro meses e uma febre de 38,5ºC; quando a temperatura sobe bruscamente ou a febre permanece por mais de dois dias; quando a tosse seca perdura por mais de duas semanas, prejudica o sono do bebê, causa engasgos e vômitos, torna-se mais grossa, produz catarro ou apresenta um som chiante, ou o bebê passa a ter dificuldades respiratórias; quando o bebê começa a apresentar uma secreção nasal grossa, amarelo-esverdeada, que dura mais de um dia, ou quando a secreção vem acompanhada de filetes de sangue; quando o bebê chora muito mais que de costume (puxando ou não as orelhas) ou perde completamente o apetite; ou quando o bebê parece

A TOSSE SÚBITA

Se o bebê ou a criança nova começarem de súbito a tossir descontroladamente, e não parecerem estar resfriados ou ter outra doença, considere a possibilidade de a tosse ser causada por um objeto entalado na garganta. Veja página 454.

realmente indisposto. Se a tosse durar mais de três semanas num bebê mais novo, ou seis num bebê mais velho, pode ser necessária uma consulta com um especialista.

Possibilidade de recorrência: Ter um resfriado causado por determinado vírus não torna o bebê imune ao resfriado causado por outro vírus. Assim, os bebês podem ter um resfriado atrás do outro, pois ainda não tiveram tempo de desenvolver imunidade em relação a vários vírus.

Doenças com sintomas semelhantes:

- A rubéola, a catapora e o sarampo começam produzindo sintomas semelhantes aos do resfriado; se mais sintomas aparecerem, verifique se não são causados por essas doenças (veja a tabela que começa na página 722).
- Alergias respiratórias.
- Gripe.

CONSTIPAÇÃO

Este distúrbio é raro em bebês amamentados ao peito (mesmo quando eles defecam com pouca freqüência e suas fezes parecem difíceis de expelir), pois suas fezes nunca são duras. Mas a constipação pode ocorrer em bebês alimentados com leite de vaca especial.

Sintomas:

- Defecações pouco freqüentes, com fezes duras (em geral, pequenas bolinhas) e difíceis de expelir; a menor freqüência sem outros sintomas, porém, não é sinal de constipação, podendo ser normal para o seu bebê
- Fezes contendo filetes de sangue, se houver fissuras anais (rachaduras no ânus causadas pela passagem de fezes duras)
- Desconforto gástrico e dor abdominal
- Irritabilidade

Estação do ano: Qualquer uma, mas pode ser mais freqüente no inverno, quando o consumo de frutas é menor.

Causa: Um aparelho digestivo preguiçoso, doença, insuficiente quantidade de fibras na dieta, insuficiente atividade, ou uma fissura anal que torna a defecação dolorosa; às vezes, uma afecção grave.

Duração: Pode ser crônica ou ocorrer às vezes.

Tratamento: Embora a constipação não seja rara em bebês alimentados por mamadeira, os sintomas devem ser sempre relatados ao médico, que sempre que necessário, procurará eventuais anormalidades que possam estar provocando a prisão de ventre. A constipação pouco freqüente e a constipação crônica leve costumam ser tratadas com mudanças na dieta (veja abaixo); um pouco mais de exercício físico pode ajudar (nos bebês: tente movimentar as pernas do bebê num movimento de bicicleta quando você perceber que ele está com dificuldade para defecar). Não administre laxantes, supositórios ou qualquer medicamento sem antes falar com o médico.

Mudanças dietéticas: Só as faça depois de consultar o médico do bebê:

- Dê 30 a 60 ml de suco de ameixa ou maçã, no copo, na colher ou na mamadeira.
- Para o bebê que já come alimentos sólidos, acrescente uma colher de chá de farelo ao mingau matinal; incremente o consumo de frutas (outras que não a banana) e legumes.
- Para os bebês mais velhos, dê-lhes menos leite se o consumo diário for superior a três xícaras.

Prevenção: Quando você incluir os alimentos sólidos na dieta do bebê, ofereça-lhe somente cereais integrais, além de muitas frutas e legumes. Em vez de continuar dando papinhas ao longo de todo o primeiro ano, avance para as texturas mais durinhas assim que o bebê estiver preparado. Além disso, certifique-se de que o bebê consome líqüidos em quantidade suficiente e tem bastante oportunidade de praticar atividades físicas.

Complicações:
- Fissuras.
- Dificuldade para aprender a usar o banheiro.
- Fezes retidas (fezes endurecidas que não saem naturalmente, e cuja remoção manual pode causar dor).

Quando contactar o médico: Quando o bebê parece ficar constipado com freqüência ou regularmente; quando o problema surge de repente, sem haver sido notado antes; ou quando há sangue nas fezes.

Possibilidade de recorrência: O problema pode tornar-se um "hábito" se não for combatido ao ocorrer pela primeira vez.

Doenças com sintomas semelhantes:
- Obstruções ou anomalias intestinais.

DIARRÉIA

Também este distúrbio é incomum em bebês amamentados ao peito, pois o leite materno parece conter certas substâncias que destroem vários dos microorganismos que causam a diarréia.

Sintomas:
- Fezes líqüidas, muito moles.

Às vezes:
- Maior freqüência de evacuação.
- Maior volume fecal.
- Muco.
- Vômitos.

Estação do ano: Qualquer uma, mas pode ser mais comum no verão, quando o consumo de frutas é maior e as comidas estragam com mais facilidade. A infecção por rotavírus é mais comum no inverno.

Causa: Várias:
- Doença.
- Dentição.
- Sensibilidade a um determinado alimento.
- Muita fruta, sucos (especialmente de maçã e uva) e outros alimentos de efeito laxativo.
- Infecção gastrointestinal (por vírus e bactérias) ou parasitoses.
- Medicação antibiótica (este tipo de diarréia pode ser prevenido alimentando-se com iogurte contendo microorganismos vivos o bebê que está tomando antibióticos).

Modo de transmissão: As diarréias infecciosas podem ser transmitidas através da via fezes-mãos-boca. Também são transmitidas pelos alimentos contaminados.

Período de incubação: Depende do agente causador.

Duração: Em geral, de algumas horas a vários dias; mas pode tornar-se crônica se a causa não for descoberta e combatida.

Tratamento: Depende da causa, mas as abordagens mais comuns têm por base a dieta. Às vezes, um medicamento pode ser prescrito. Não dê um remédio antidiarréico ao bebê sem a aprovação do médico — alguns podem fazer mal às crianças novas. Para proteger o bumbum do bebê contra a irritação, troque as fraldas o mais rápido possível depois de ficarem sujas e passe bastante pomada a cada troca. Caso o bebê fique com assaduras, veja a página 204.

É possível que o bebê muito doente precise ser hospitalizado para que seu estado de hidratação seja corrigido.

Mudanças dietéticas:

- Na maioria dos casos, o melhor a fazer é continuar a dar o peito ou a mamadeira. É possível que o bebê com diarréia desenvolva temporariamente uma intolerância à lactose; por isso, pode-se recomendar a administração de um leite à base de soja, sem lactose, caso a diarréia não melhore com o consumo do leite de vaca.
- Alto consumo de líqüidos (pelo menos 60 ml por hora) para repor os líqüidos perdidos através da diarréia. Para suplementar o leite materno ou em pó, costuma-se recomendar um soro reidratante (como o Pedialyte, Hidrafise, Rehidrat), que se pode comprar em qualquer farmácia sem receita médica. Com a colher, o copo ou a mamadeira, ofereça alguns goles cada dois ou três minutos, chegando a 230 ml entre cada duas defecações aquosas. Não ofereça refrigerantes (como os do tipo cola), sucos não-diluídos, bebidas para esportistas, água glicosada ou misturas caseiras de água com sal e açúcar.
- Permanência dos alimentos sólidos, nos casos em que o bebê os come regularmente. Já existem restrições à teoria de que convém dar um "descanso aos intestinos" no caso de diarréia, diminuindo a quantidade de alimento. Quanto mais cedo o bebê comer, menos severa será a diarréia. Dependendo de qual seja a dieta costumeira do bebê, os alimentos com bastante amido, como banana amassada, arroz branco ou farinha de arroz, batatas, massas ou pão branco torrado podem ser bons. Também são convenientes pequenas quantidades de alimentos protéicos (frango, ricota).
- Em caso de vômitos, costuma-se não dar alimentos sólidos até que os vômitos cessem. Mas ofereça goles de líqüidos claros (sucos diluídos ou soro reidratante, quando prescrito), ou, para o bebê mais velho, picolés de suco de fruta diluído. A oferta de pequenas quantidades (uma ou duas colheres de sopa por vez, e menos para o bebê muito novo) aumenta bastante a probabilidade de que o líqüido seja retido. Uma vez cessados os vômitos, pode-se dar alimentos sólidos como dito acima.
- Quando as fezes começarem a voltar ao normal, geralmente depois de dois ou três dias, o médico recomendará que você comece a trazer o bebê de volta à sua dieta habitual, embora limitando o leite e os laticínios (exceto o leite materno ou em pó para bebês) por um ou dois dias ainda.
- Nos casos de diarréias que duram duas semanas ou mais, num bebê alimentado por leite de vaca especial, o médico pode recomendar uma mudança na fórmula.

Prevenção: A diarréia nem sempre pode ser prevenida, mas pode-se reduzir o risco de contraí-la:

- Cuidados com a higiene na preparação dos alimentos (veja página 264).
- As pessoas que cuidam do bebê devem lavar cuidadosamente as mãos depois de trocar-lhe as fraldas ou de usar o banheiro.
- Diluição dos sucos de frutas tomados pelo bebê; limitação do consumo total. (Conhecem-se casos de bebês e crianças novas que tiveram diarréia crônica por tomarem um litro, ou pouco menos, de suco de maçã ou de uva por dia.)

Complicações:

- Assaduras.
- Desidratação, que, quando grave, pode produzir coma e até a morte.

Quando contactar o médico: Uma ou duas evacuações moles não são motivo para preocupação. Mas os seguintes fatos indicam uma diarréia que pode precisar de atenção profissional:

- Você suspeita que o bebê tenha consumido alimentos ou leite estragados.
- O bebê tem evacuado fezes moles e aquosas por 24 horas.
- O bebê está vomitando (mais que a regurgitação normal) repetidamente, ou vem vomitando há 24 horas.
- Há sangue nas fezes do bebê.
- O bebê está com febre ou parece doente.

Ligue *imediatamente* se o bebê apresentar sinais de desidratação: menor produção de urina (as fraldas não estão tão molhadas quanto de costume, e/ou a urina está amarela); olhos fundos e ausência de lágrimas; moleira funda; pele seca; pouca saliva.

Possibilidade de recorrência: Provável, se a causa não foi eliminada; alguns bebês têm maior tendência a sofrer diarréia.

Doenças com sintomas semelhantes:

- Alergias alimentares.
- Intoxicação alimentar.
- Deficiências enzimáticas.

INFLAMAÇÃO DO OUVIDO MÉDIO (OTITE MÉDIA)

Os bebês são muito suscetíveis às infecções do ouvido, pois suas trompas de eustáquio são curtas e estreitas. A maioria deles supera, com o crescimento, essa suscetibilidade.

Sintomas: Na inflamação aguda

Geralmente:

- Dor de ouvido, freqüentemente mais forte à noite (os bebês às vezes puxam, esfregam ou seguram as orelhas, mas freqüentemente não mostram outro sinal de dor que não o choro, e de vez em quando, nem isso; o choro enquanto o bebê mama no peito ou na mamadeira pode indicar uma dor de ouvido que se irradia para a mandíbula)
- Febre, que pode ser baixa ou muito alta.
- Fadiga e irritabilidade.

Às vezes:

- Náusea e/ou vômitos.
- Perda de apetite.

Raramente:

- Nenhum sintoma aparente.

O tímpano, ao ser examinado, tem de início uma coloração rosada e, depois, um aspecto avermelhado e inchado (embora o tímpano também possa ficar vermelho quando o bebê esteve chorando ou devido ao tipo de luz usada para o exame); sem tratamento, a pressão pode arrebentar o tímpano, com saída do pus para o canal auditivo e alívio da dor; o tímpano acaba sarando, mas o tratamento ajuda a evitar outros danos.

Na inflamação serosa (líqüido no ouvido médio)

Geralmente:

- Perda de audição (a qual é temporária, mas pode tornar-se permanente se a afecção permanecer por vários meses sem tratamento).

Às vezes:

- Sons de estalo ao engolir ou sugar.
- Nenhum sintoma além do líqüido no ouvido.

Estação do ano: Todas, mas muito mais comum no inverno.

Causa: Geralmente, bactérias ou vírus, embora a alergia também possa causar inflamação no ouvido médio. Provavelmente, os bebês e crianças novas são mais suscetíveis devido à forma de suas trompas de eustáquio; por terem maior probabilidade de contrair infecções respiratórias, que geralmente precedem as infecções do ouvido; por terem uma resposta imunológica ima-

A FICHA DE SAÚDE DO BEBÊ

Se o livrinho em que você anotou todos os dados referentes ao nascimento do bebê não tem espaço suficiente, compre um caderninho para usar como ficha permanente de saúde. Registre todos os números do bebê recém-nascido, bem como informações referentes a cada doença, aos medicamentos administrados, às vacinas, aos médicos, e assim por diante. Veja a seguir um exemplo das coisas que convém anotar.

NO NASCIMENTO		
Peso:	Altura:	Perímetro cefálico:
Estado geral ao nascer:		
APGAR no 1º e 5º minutos:		
Resultados de exames:		
Problemas ou anomalias:		
DOENÇAS INFANTIS		
Data:	Recuperou-se em:	
Sintomas:		
Médico contactado:		
Diagnóstico:		
Instruções:		
Medicamentos administrados:		Por quanto tempo:
Efeitos colaterais:		
VACINAS		
Data:	Reações:	
Tríplice (DPT):		
Reforços:		
Pólio:		
(MMR):		
Outras:		

tura; ou por serem freqüentemente alimentados em posição inadequada (deitados de costas). As trompas de Eustáquio, que drenam os líqüidos e o muco dos ouvidos para a parte de trás do nariz e a garganta, são mais curtas nos bebês que nos adultos, de modo que os germes, passando através delas, chegam facilmente ao ouvido médio.

E como as trompas não são verticais (como nos adultos), mas horizontais, a drenagem é deficiente, em especial nos bebês que passam boa parte do seu tempo deitados de costas. O pouco comprimento também torna as trompas mais sujeitas ao bloqueio (devido ao edema provocado por uma alergia ou infecção, tal como um resfriado, uma malformação ou pelo grande tamanho das adenóides). Quando o líqüido não é drenado normalmente, ele se acumula no ouvido médio, causando uma inflamação serosa. O líqüido também pode acumular-se quando a trompa é comprimida devido às mudanças de pressão, como ocorre em viagens de avião. Esse líqüido acumulado é um excelente meio para a proliferação de bactérias (geralmente estreptococos ou *haemophilus influenzae*).

Modo de transmissão: Não é direta, mas as crianças que freqüentam creches podem ser mais vulneráveis. É possível que haja uma predisposição familiar às infecções de ouvido.

Período de incubação: Freqüentemente segue-se a um resfriado ou gripe.

Duração: Varia, mas o tratamento das inflamações agudas costuma ser feito por dez dias. A inflamação serosa pode tornar-se crônica.

Tratamento: As infecções de ouvido requerem tratamento médico; não tente tratá-las sozinha. Em geral, o tratamento inclui:

- Antibióticos nas otites médias agudas, para eliminar a infecção bacteriana. Às vezes, um antiinflamatório (córtico-esteróide) é administrado junto com o antibiótico.
- Gotas para ouvido, somente se prescritas.
- Acetaminofen infantil ou aspirina, para dor e/ou febre.
- Aplicação de calor na orelha, com uma almofada elétrica ligada no mínimo, uma bolsa de água morna ou compressas mornas (veja páginas 718-720) — as quais podem todas ser usadas enquanto você tenta contactar o médico.
- Um descongestionante, sob a forma de gotas ou *spray* nasal, para ajudar a abrir a trompa de eustáquio quando bloqueada — mas somente se prescrito. Estudos recentes demonstram que esses medicamentos não aceleram a recuperação.
- Miringotomia (uma pequena cirurgia para drenar do ouvido o líqüido infectado, através de uma minúscula abertura no tímpano), caso o tímpano pareça estar a ponto de estourar; a incisão cicatriza em cerca de dez dias, mas pode precisar de cuidados especiais durante esse período.
- Inserção de um pequeno tubo para retirar o líqüido restante, quando a infecção crônica não reage a uma terapia por meio de antibióticos. Trata-se de uma operação feita com anestesia geral, e é um último recurso reservado aos casos que não melhoram com outros tipos de tratamento. Geralmente, o tubo é usado quando o líqüido permanece no ouvido por seis meses — ou por quatro meses em ambos os ouvidos — sem sinal de melhora. O tubo cai depois de nove a doze meses, às vezes antes, e geralmente tem sucesso na prevenção de outras infecções.
- Exames periódicos do ouvido até que ele (ou eles) estejam de volta ao normal, para assegurar-se de que a afecção não se tornou crônica.
- Eliminação ou tratamento de alergias relacionadas à recorrência de infecções auditivas.

Mudanças dietéticas: Mais líqüidos em caso de febre.

Prevenção: Não se conhece uma maneira segura de prevenir a otite média. Pesquisas recentes nos mostram, porém, que as condições seguintes podem diminuir o risco de que o bebê tenha essa infecção:

- Boa saúde geral, resultado de uma nutrição adequada, bastante descanso e visitas regulares ao médico.

- Amamentação no peito por pelo menos três meses.
- Posição ereta durante a alimentação, especialmente se o bebê é portador de uma infecção respiratória.
- Posição elevada ao dormir, quando o bebê está resfriado (coloque travesseiros *sob* a cabeceira do colchão, e não sob a cabeça do bebê.
- Uso de descongestionantes em crianças resfriadas ou alérgicas, particularmente antes dos vôos de avião; e pôr o bebê para mamar no peito ou na mamadeira durante as decolagens e, sobretudo, as aterrissagens, quando ocorrem a maior parte dos problemas de ouvido.
- Administração preventiva de antibióticos em baixas doses às crianças que têm freqüentes infecções de ouvido, seja no auge da estação em que essa afecção é mais comum, seja quando a criança fica resfriada (o antibiótico não cura o resfriado, mas pode prevenir uma infecção secundária, como a otite média).
- Um ambiente livre de fumaça de cigarros.
- Uma pessoa que tome conta da criança em casa, em lugar de mandá-la para a creche, onde é maior a probabilidade de as crianças contraírem infecções de ouvido.

Complicações:
Entre outras:
- Inflamação crônica do ouvido médio, com perda de audição
- Mastoidite
- Meningite, pneumonia, septicemia
- Abscesso cerebral
- Paralisia facial

Quando contactar o médico: De início, assim que você suspeitar que o bebê possa estar com dor de ouvido. Depois, se os sintomas não parecerem abrandar-se em dois dias, ou se o bebê parecer pior. Mesmo que você não suspeite de uma infecção no ouvido, fale com o médico se o bebê subitamente parecer não estar ouvindo tão bem quanto de costume.

Possibilidade de recorrência: Alguns bebês nunca têm uma infecção no ouvido; outros têm uma ou duas na primeira infância, e nenhuma depois; outros ainda as sofrem várias vezes, até os anos de pré-escola.

Doenças com sintomas semelhantes: Um corpo estranho no ouvido, o ouvido de nadador, ou a irradiação de uma dor causada por uma infecção respiratória podem todos passar por uma "dor de ouvido".

O QUE É IMPORTANTE SABER: Tudo Sobre a Febre

É possível que você guarde lembranças de sua mãe inclinada sobre você, com o termômetro na mão, um tom de ansiedade na voz, a dizer: "Você está com febre — é melhor chamar o médico"; mas a febre nem sempre foi considerada motivo de alarme. Os antigos acolhiam as febres com alegria, pois pensavam que elas tinham o poder de queimar os maus "humores". Na Idade Média, chegava-se às vezes a induzir a febre para combater a sífilis e outras infecções. A verdade é que a febre era considerada tão benéfica que, até 100 anos atrás, quando surgiu a aspirina com suas propriedades antipiréticas, não era sequer tratada. Na época em que você estava crescendo, porém, o menor aumento de temperatura era motivo para preocupação, e uma febre alta causava pânico.

Por mais estranho que pareça, Hipócrates tinha uma idéia mais clara sobre a febre do que a moderna comunidade médica de há uma geração. As pesquisas recentes confirmam que, como pensava Hipócrates, a maior parte das febres fazem mais bem do que mal — elas realmente, num certo sentido, "queimam", se não os maus humores, aos menos os germes malvados que invadem e ameaçam o corpo. A febre já não é considerada um sintoma a ser temido e combatido, mas vista como uma parte importante da resposta imunológica do corpo às infecções.

Eis como os cientistas acreditam que a febre cumpre sua função: reagindo a organismos invasores como os vírus, bactérias e fungos, os glóbulos brancos do sangue produzem um hormônio atualmente conhecido como interleucina, o qual segue para o cérebro a fim de instruir o hipotálamo a aumentar a temperatura do corpo. Aparentemente, com uma maior temperatura corporal, o restante do sistema imunológico se torna mais capaz de combater a infecção. Também é possível que a febre reduza o nível de ferro no corpo, ao mesmo tempo em que aumenta a necessidade que os organismos invasores têm desse mineral — levando-os, por assim dizer, a morrer de fome. Além disso, quando o autor do ataque foi um vírus, a febre ajuda a aumentar a produção de interferon e outras substâncias corporais antiviróticas.

Quando a temperatura corporal de um indivíduo sobe de repente um ou dois graus acima do normal (37°C),[2] é comum que ele, paradoxalmente, se sinta gelado. Isso serve para estimular, de diversos modos, um novo acréscimo na temperatura. Os tremores involuntários que em geral ocorrem fazem com que o corpo tenha sua temperatura aumentada ainda mais um pouco, e levam a pessoa febril a tomar outras medidas que têm o mesmo efeito: beber líqüidos quentes, cobrir-se com mais um cobertor, vestir uma malha. Ao mesmo tempo, os vasos sangüíneos da periferia do corpo contraem-se para reduzir a perda de calor, e os tecidos — tais como a gordura armazenada — são consumidos para produzir calor (é por isso que é importante consumir mais calorias durante a febre).

Às vezes, a febre muito alta causa convulsões nos bebês e crianças novas, que ocorrem geralmente logo que esta se instala. Embora aterrorizem os pais, os médicos hoje acham que as convulsões febris não acarretam perigos. (Veja a página 498 para lidar bem com as convulsões.) Certos estudos mostraram que as crianças que tiveram convulsões febris não sofreram prejuízos em suas capacidades neurológicas e mentais, embora corram um risco ligeiramente maior de ter ataques epilépticos no futuro (suspeita-se, porém, que as convulsões sejam uma conseqüência dessa predisposição à doença, e não a causa da predisposição). Os bebês que tiveram uma convulsão febril têm uma probabilidade de 30 a 40% maior de tê-la outra vez, e o tratamento médico não muda esse quadro. O tratamento da febre durante a doença também não parece reduzir a incidência de convulsões nas crianças predispostas, provavelmente porque as convulsões quase sempre ocorrem quando a febre sobe no início da doença, antes que o tratamento possa ser ministrado.

Estima-se que de 80 a 90% das febres dos bebês tenham relação com infecções viróticas autolimitadas (que melhoram sem tratamento). Hoje, a maior parte dos médicos não recomenda que se tente abaixar esse tipo de febre em bebês de mais de seis meses, a não ser que ela atinja os 39°C; e muitos esperam que a temperatura suba bem mais antes de recomendarem aos pais que façam uso do conta-gotas. Mas é possível que, a temperaturas bem mais baixas, eles recomendem o uso de acetaminofen infantil para aliviar possíveis dores, reduzir o desconforto do bebê, melhorar o sono e, às vezes, acalmar uma mãe nervosa. As doenças causadas por bactérias, por outro lado, precisam ser tratadas. Os antibióticos abaixam a temperatura indiretamente, combatendo a infecção. Dependen-

2. Todas as medidas de temperatura referidas neste capítulo são orais, o padrão para as medidas de temperatura, exceto nos casos em que o contrário é especificado.

do da doença, do tipo de antibiótico, do grau de incômodo da criança e da altura da febre, os antibióticos e antipiréticos podem, ou não, ser prescritos conjuntamente.

Ao contrário da maior parte das febres ligadas a infecções, a febre associada ao choque causado por uma invasão bacteriana generalizada no corpo — a septicemia — precisa de tratamento médico imediato para baixar a temperatura corporal.

Normalmente, a temperatura do corpo atinge seu nível mais baixo (até 35,8°C, na boca) entre as 2 e as 4 horas da manhã; ainda é relativamente baixa (até 36,1°C) na hora de acordar; depois, sobe lentamente ao longo do dia até atingir, entre as 18 e as 22 horas, o ponto máximo: cerca de 37,2°C. Tende a ser ligeiramente mais alta no calor do que no frio, na atividade do que no repouso. É menos estável e sujeita a maiores variações nos bebês e crianças novas do que nos adultos.

As febres se comportam de maneira diferente nas diferentes doenças. Em algumas, a febre pode ficar sempre alta até que o bebê esteja bem; em outras, é bem mais baixa de manhã do que à noite, sobe repentinamente a períodos regulares, ou sobe e desce sem regularidade aparente. Às vezes, esse padrão ajuda o médico a fazer seu diagnóstico.

Quando a febre faz parte da reação do corpo à doença, são raras as temperaturas superiores a 41°C e nunca foi registrada uma temperatura maior que 42,2°C. Mas quando a febre resulta de uma disfunção do mecanisno de regulação da temperatura corporal, como na termoplegia, a temperatura pode chegar a 45,5°C. Essa temperatura pode ocorrer quando o corpo produz calor em demasia ou não consegue resfriar-se de modo eficaz, devido a uma anomalia interna ou, o que é mais comum, ao superaquecimento provocado por uma fonte externa de calor, como uma sauna ou banheira quente, ou à permanência dentro de um carro estacionado ao sol (a temperatura do ar dentro do carro pode subir rapidamente a 45°C, mesmo com 5 cm de abertura das janelas e uma temperatura exterior de não mais de 30°C). O superaquecimento também pode resultar de um excesso de atividade física em tempo muito quente ou úmido, ou de se estar vestido em demasia em tempo quente. Os indivíduos mais suscetíveis às enfermidades provocadas pelo calor são os bebês e os idosos, cujos mecanismos de regulação térmica são menos eficazes. A febre devida a um distúrbio da regulação térmica é em si mesma uma doença; e, longe de ser benéfica, é muito perigosa e requer tratamento imediato. O mesmo se pode dizer das temperaturas extremamentes altas (acima de 41°C) relacionadas a doenças. Acredita-se que a febre alta a esse ponto deixa de ser benéfica, podendo ocorrer uma inversão de seus efeitos positivos sobre a resposta imunológica do organismo.

COMO TOMAR A TEMPERATURA DO BEBÊ

O toque dos lábios (ou das costas da mão) contra a testa do bebê é capaz de detectar corretamente a presença da febre em 90% das vezes, e a tomada da temperatura com termômetro é ocasião para brigas com muitos bebês e crianças novas; por isso, alguns médicos instruem os pais a não se preocuparem em tomar a temperatura depois que o bebê faz seis meses. A maioria dos doutores, porém, acha que o beijo da mãe não é indicação suficientemente segura da condição do bebê. A tomada da temperatura durante uma doença pode responder a perguntas tais como "O tratamento foi capaz de baixar a temperatura?", ou "Será que a febre subiu, indicando uma piora?" A medida da temperatura pode ser útil, mas ela não precisa ser tomada sem falta a cada hora, como é freqüente fazer uma mãe inexperiente e ansiosa. Na maioria dos casos, uma medida de manhã e uma à noite são suficientes. Só tome outra medida entre essas duas se o bebê repentinamente parecer pior. Se ele parecer melhor, e seus lábios testemunharem um abrandamento da febre, a confirmação proporcionada pelo termômetro torna-se desnecessária. E o bebê provavelmente gostará de não ter de passar pela difícil situação de ter sua temperatura medida.

As três partes do corpo que refletem com maior precisão a temperatura no interior do mesmo são a boca, o reto e a axila. Como é perigoso colocar um termômetro na boca dos bebês (a maioria dos médicos só recomenda a medida oral quando a criança já tem quatro ou cinco anos), você vai passar ainda um bom tempo tomando a temperatura por via retal ou axilar.

Antes de começar. Tente manter o bebê calmo por meia hora antes de tomar-lhe a temperatura, já que o choro ou os gritos podem transformar uma temperatura ligeiramente elevada numa temperatura muito alta. (Embora seja recomendado não dar comidas ou bebidas quentes à criança logo antes de tomar a temperatura por via oral — já que isso também poderia alterar as medidas —, essa precaução não é necessária ao se tomar a temperatura por via retal ou axilar.)

Preparação do termômetro. Lave o termômetro com água fria e sabão (a água quente ou morna pode fazer com que o mercúrio se expanda e estoure ou trinque o vidro), enxagúe-o e limpe-o com um algodão embebido em álcool. Verifique a temperatura marcada pelo mercúrio; se for superior a 35,5°C, force o mercúrio cuidadosamente para baixo, segurando o termômetro firmemente entre o polegar e o indicador pela parte oposta ao bulbo e sacudindo-o com repetidas flexões bruscas do pulso para baixo. Se possível, sacuda-o sobre a cama ou o sofá e longe de superfícies duras, como a pia do banheiro, para precaver-se contra a possibilidade de ele escorregar acidentalmente de sua mão. Fique num lugar espaçoso, para que o termômetro não se quebre ao bater em algo. Lubrifique com vaselina o bulbo do termômetro retal antes de inseri-lo. Enxagúe profusamente o termômetro oral em água fria, para eliminar o gosto de álcool.

Tomada da temperatura. Retal: Prepare o termômetro e dispa o bumbum do bebê, conversando com ele para tranqüilizá-lo enquanto isso. Depois, deite o bebê de bruços sobre o seu colo (o que lhe dá maior controle e faz com que as pernas dele caiam a um ângulo de 90°, e facilitando a inserção) ou sobre uma cama ou trocador (nestes, uma pequena almofada ou toalha dobrada sob o quadril do bebê levantam-lhe um pouco o bumbum para facilitar a inserção). Para distrair o bebê, tente cantar algumas de suas músicas favoritas ou colocar um dos seus livros ou brinquedos prediletos em seu campo de visão. Abra o bumbum com uma das mãos, expondo o ânus. Com a outra mão, insira cerca de 2 cm do bulbo do termômetro dentro do reto, com cuidado para não forçar. Por 2 minutos, segure o termômetro nesse lugar com os dedos indicador e médio, usando os outros dedos para apertar o bumbum, evitando que o termômetro escorregue para fora e o bebê se contorça. Mas, se o bebê começar a resistir com demasiado vigor, remova o termômetro imediatamente. Mesmo se o termômetro tiver permanecido no lugar por não mais que meio minuto, a temperatura registrada já estará muito próxima (com uma diferença de até 0,6°C) da temperatura verdadeira, dando-lhe um número arredondado a referir ao médico. Limpe o termômetro com um lenço de papel antes de ler a temperatura. (Se você ainda é novata, é possível que prefira deixar o termômetro de lado — a temperatura não muda — enquanto recoloca as fraldas no bebê e o coloca em lugar seguro, antes de ler a temperatura.)

Raras vezes, um termômetro quebra dentro do reto. Se isso ocorrer e você não conseguir encontrar todos os pedaços, fale com o médico. Mas não se preocupe; é pouco provável que isso produza algo mais sério que um arranhão, e, ao contrário do que pensa a maioria das pessoas, o mercúrio em si não é venenoso. (Mas, ao recolher os pedaços de um termômetro quebrado, tome cuidado para não deixar o mercúrio entrar em contato com qualquer objeto feito de metal precioso, como um anel, pois uma reação química poderia estragar o objeto.)

Axilar: Use este método um pouco menos preciso de tomada de temperatura quando o bebê estiver com diarréia ou não parar quieto para que você lhe tome a temperatura retal, ou quando você só tiver um termômetro oral (nunca insira no reto um termômetro oral). Tire a camisa do bebê para que não haja tecidos entre o termômetro e a pele, e verifique se a axila está seca. Coloque o bulbo do termômetro (oral ou retal) bem no meio da axila, deixando-o bem coberto pelo braço do bebê e apertando-lhe o cotovelo contra o corpo. Mantenha essa posição por pelo menos 4 ou 5 minutos, se possível — 8 minutos podem ser necessários para que se tenha uma medida precisa. Cante uma canção, ponha um disco na vitrola, ligue a tevê — qualquer atividade que consiga manter o bebê quieto durante esse tempo.

Oral: Você pode começar a tomar a temperatura por via oral quando a criança for capaz de segurar com firmeza o termômetro sob a língua com a boca fechada, e de entender a recomendação de não mordê-lo — geralmente aos quatro ou cinco anos, às vezes antes. Para obter-se uma boa medida por via oral, o termômetro deve ser colocado o mais possível dentro da boca, sob a língua, e deve ficar lá por 2 a 4 minutos (se o bebê respirar pela boca, a medida levará mais tempo).

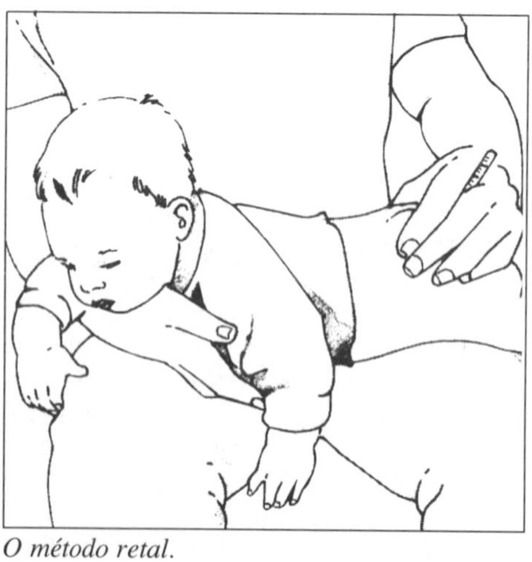

O método retal.

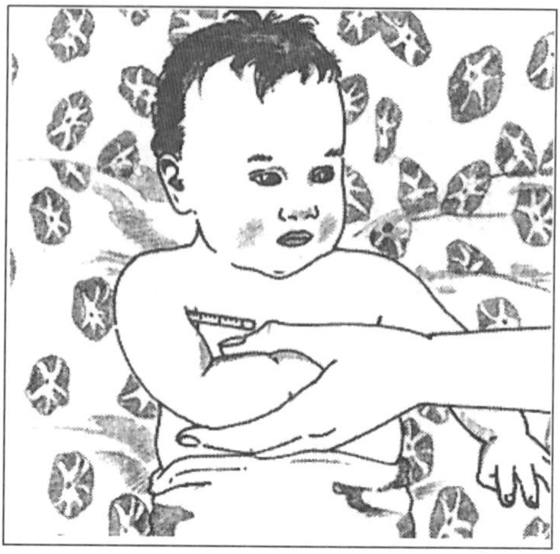

O método axilar.

Leitura do termômetro. A temperatura retal é a mais precisa, visto que capta a temperatura do interior do corpo, mas a temperatura oral é considerada padrão. As temperaturas tomadas por via retal, que são as mais comuns para os bebês, costumam ser de 0,3 a 0,6°C mais altas que as temperaturas tomadas por via oral; as medidas axilares são cerca de 0,6°C mais baixas. Num termômetro oral, a temperatura normal é de 37°C; 37,5°C é a norma para a via retal; e 36,5°C é normal para uma medida axilar. Uma febre de 39°C medida por via retal equivale a uma de 38,5°C medida por via oral, e de 38°C medida por via axilar.

Para ler a temperatura de um termômetro de mercúrio, segure-o sob uma luz forte e gire-o até enxergar a coluna de mercúrio, de cor prateada. Alinhe o mercúrio entre a escala graduada e os números, que marcam os graus e os décimos de grau. O ponto no qual termina a coluna de mercúrio indica a temperatura. Anote-a, junto com a hora em que foi tomada. Ao referir a temperatura ao médico, não deixe de dizer se a tomou por via retal, oral ou axilar.

Armazenamento do termômetro. Depois de usá-lo, lave-o mais uma vez com água fria e sabão, enxagúe-o e limpe-o com álcool. Depois guarde-o, dentro da caixa, longe de fontes de calor tais como uma janela que recebe sol, um aquecedor, um consolo de larcira, um secador de roupas ou o fogão da cozinha (o calor poderia causar a expansão do mercúrio e a quebra do vidro).

COMO AVALIAR A FEBRE

O comportamento é melhor do que a temperatura corporal para indicar quão doente está uma criança. O bebê pode estar seriamente doente, com meningite ou pneumonia, por exemplo, e não ter febre alguma; e pode ter febre alta com um leve resfriado.

O bebê febril que se enquadra nas seguintes condições precisa de atendimento médico imediato (ligue para o médico, mesmo de madrugada, ou procure um pronto-socorro se não conseguir contactá-lo):

- O bebê tem menos de dois meses.
- A febre é mais alta que 40,5°C por medida retal.
- O bebê teve uma convulsão pela primeira vez (o corpo enrijece, os olhos reviram, os membros se agitam).
- O bebê está chorando inconsolavelmente (e é evidente que não é cólica), chora como se sentisse dor quando é tocado ou movimentado, ou está resmungando, apático ou mole.
- O bebê apresenta manchas roxas em qualquer parte da pele.
- O bebê tem dificuldade para respirar, mesmo depois de você limpar-lhe as vias nasais.
- O pescoço do bebê parece rígido; ele resiste a que você lhe empurre a cabeça em direção ao peito.
- A febre sobrevém depois de um período de exposição a uma fonte externa de calor, como o sol num dia quente ou o interior de um carro fechado em tempo de calor. Há possibilidade de termoplegia (veja página 446), e necessidade de cuidados médicos imediatos.
- Um súbito aumento de temperatura ocorre num bebê com febre moderada que foi vestido com muita roupa ou enrolado em cobertores. Esse caso deve ser tratado como uma termoplegia.
- O médico a instruiu a ligar imediatamente caso o bebê tenha febre.
- Você acha que algo está muito errado, mas não sabe o que é.

O bebê febril que se enquadra nas seguintes condições precisa de atendimento médico assim que possível:

- O bebê tem de dois a seis meses (os bebês mais novos precisam de atendimento imediato).
- O bebê é portador de uma doença crônica, afetando, por exemplo, o coração, os rins ou o sistema neurológico; ou é portador de anemia falciforme ou outra anemia crônica.
- O bebê já teve, no passado, convulsões devidas a febre.
- O bebê apresenta sinais de desidratação: micção pouco freqüente, urina amarelo-escura, pouca saliva e poucas lágrimas, lábios e pele secos, fontanela e olhos fundos.
- O comportamento do bebê parece anormal: está excessivamente irritadiço; letárgico ou demasiado sonolento; incapaz de dormir; sensível à luz, chorando mais que o normal; recusando-se a comer; puxando as orelhas.
- A febre que tem permanecido baixa por um ou dois dias sobe repentinamente; o bebê que vem sofrendo de resfriado há vários dias de repente começa a ter febre (isso pode ser sinal de uma infecção secundária, como otite média, ou faringite estreptocócica).
- A febre é superior a 39°C, medida por via retal (ou superior à temperatura à qual

o médico recomendou que você ligasse). Embora essa temperatura não seja, em si mesma, um indicador de que o bebê esteja gravemente doente (os bebês podem ter febres de 40 ou 41°C com doenças de pouca importância), fale com o médico só para ter certeza,

- A febre não baixa com o uso de medicamentos.
- Uma febre baixa (menor que 39°C por via retal), acompanhada de sintomas brandos de gripe ou resfriado, permanece por mais de três dias.
- Uma febre dura mais de 24 horas, sem que haja outros sintomas perceptíveis de doença.

COMO TRATAR A FEBRE

Se o bebê tiver febre, tome as seguintes medidas, a menos que o médico tenha recomendado outro curso de ação.

Mantenha o bebê fresquinho. Ao contrário do que reza a crença popular, não é conveniente esquentar o bebê febril debaixo de cobertores e malhas ou dentro de um quarto superaquecido. Essas medidas, elevando a temperatura corporal a níveis perigosos, podem causar até termoplegia. Vista o bebê com roupas leves, para que o calor corporal possa escapar (em tempo quente, só a fralda é suficiente), e conserve o quarto a uma temperatura de 20 a 22°C (quando necessário, e se você possuir um equipamento desses, use o ar condicionado ou o ventilador para manter o ar fresco; mas não deixe o bebê na corrente de vento).

Aumente o consumo de líqüidos. Como a febre aumenta a perda de água através da pele, é importante fazer com que o bebê febril tome uma quantidade suficiente de líqüidos. Aos bebês mais velhos, ofereça com freqüência boas fontes de líqüidos. Entre elas, os sucos diluídos e as frutas suculentas (como laranjas e melões); água; sopas com caldo (e não creme); gelatinas (veja página 716); e picolés feitos de suco de frutas. Aos bebês novos, dê bastantes vezes o peito ou a mamadeira. Estimule o consumo freqüente de líqüidos, mas sem forçar. Se o bebê recusar-se a tomar líqüidos por várias horas a fio, informe o médico.

Administre um medicamento antipirético, se necessário. Se o bebê tiver menos de seis meses, espere até contactar o médi-

COMO LIDAR COM AS CONVULSÕES FEBRIS

As convulsões devidas à febre costumam durar apenas de um a dois minutos. Se o bebê tiver uma tal convulsão, fique calma (lembre-se de que não é algo perigoso) e tome as seguintes medidas: deixe o bebê livre sobre o seu colo, uma cama ou outra superfície macia, deitado de lado, e se possível com a cabeça mais baixa que o corpo. Não tente alimentar o bebê ou colocar alguma coisa em sua boca, e tire qualquer coisa (uma chupeta, por exemplo) que esteja lá dentro. Os bebês muitas vezes perdem a consciência durante a convulsão, mas em geral recobram os sentidos rapidamente, e por si mesmos. Uma convulsão que dure mais de cinco minutos requer cuidados imediatos de emergência — disque 192, ou o número do pronto-socorro da região.

Depois que a convulsão termina, o bebê freqüentemente quer dormir. Se isso ocorrer com o seu, deixe-o dormir virado de lado, apoiado em cobertores ou numa almofada. Depois ligue para o médico. Se não conseguir ajuda imediata, pode dar no bebê um banho de esponja e, se ele tiver mais de seis meses, dar-lhe acetaminofen para tentar baixar a temperatura enquanto espera. Mas não coloque o bebê na banheira para abaixar a febre, pois ele pode inalar água se tiver outra convulsão.

ASPIRINA OU NÃO?

Tanto a aspirina quanto acetaminofen (Tylenol, Dôrico, Tylephen) são antipiréticos (antitérmicos) e igualmente bons para baixar a febre, mas a aspirina é mais eficaz na redução de inflamações (o calor, o inchaço, a vermelhidão e a dor das infecções localizadas) e, talvez, no alívio da dor. As estatísticas nos dizem que, quando administradas juntas, a aspirina e a acetaminofen são mais eficazes na redução da febre por mais tempo (geralmente por volta de seis horas). Não se sabe se há vantagens em administrá-las alternadamente.

A aspirina, embora seja um medicamento forte e útil, é associada a uma larga gama de efeitos colaterais comuns. Ela pode prejudicar as reações imunológicas, causar inflamações e hemorragia no aparelho gastrointestinal, reduzir a ação das plaquetas (aumentando o risco de hemorragias) e induzir ataques de asma em indivíduos suscetíveis. A administração de aspirina a crianças com moléstias viróticas como a catapora e a gripe foi associada ao desenvolvimento da síndrome de Reye; por isso, ela nunca é recomendada para uma criança ou bebê que tem, ou está sob suspeita de ter, uma doença viral.

O acetaminofen, em comparação, embora saiba-se que já causou lesões de fígado em casos raros, e ainda que possa às vezes desencadear uma reação alérgica, é surpreendentemente livre de efeitos colaterais.

Por isso, é muito mais provável que os médicos recomendem o acetaminofen, em lugar da aspirina, para abaixar a febre infantil. O acetaminofen é apresentado em forma líqüida para os bebês, e em supositórios para aqueles que não conseguem ou não querem reter o líqüido no estômago.

O Ibuprofen, que também reduz a febre e alivia a dor, atualmente só é vendido com receita médica.

Como todos esses medicamentos podem ser perigosos em altas doses, nunca administre uma dose maior que a recomendada pelo médico; e quando você não os estiver usando, mantenha-os (como todos os medicamentos) bem trancados, fora do alcance dos bebês e das crianças.

co para administrar um medicamento. Se a febre for superior de 39,5°C por via retal e/ou o bebê parecer muito incomodado, e você não conseguir contactar imediatamente o médico, tente abaixar a febre com um banho morno de esponja (veja página anterior). No caso de bebês mais velhos, a decisão de dar medicamento, ou não, deve basear-se nas recomendações anteriores do médico. Pergunte ao médico com antecedência sobre o que você deve fazer caso o bebê acorde com febre no meio da noite. A que temperatura ele gostaria que você administrasse um antitérmico, desse um banho de esponja ou ligasse para ele? Se você não possui essa informação e tem um bebê de mais de seis meses que no meio da madrugada apresenta uma febre de mais de 39°C, sem demonstrar outros indícios de que necessita de atendimento médico imediato (veja "Como Avaliar a Febre", p. 497), dê-lhe a dosagem apropriada de acetaminofen infantil (veja página 719). Se a temperatura não abaixar, se subir, ou se o bebê parecer muito abatido, ligue para o médico. Até conseguir encontrá-lo, tente dar um banho morno de esponja ou de banheira.

Banhos de esponja. Os banhos de esponja já foram um tratamento rotineiro para a febre, mas atualmente só são recomendados em certas circunstâncias, como quando os medicamentos antitérmicos não tem efeito (a temperatura não desce depois de uma hora de sua administração); quando se tenta abaixar sem medicação a temperatura de um bebê de menos de seis meses;

CONHEÇA O SEU BEBÊ

Como todas as outras pessoas, os bebês diferem entre si quanto à sensibilidade à dor. Alguns a toleram em grande medida (o engatinhador curioso que cai do sofá, levanta-se sem dar um pio e torna a subir no móvel), outros mal a suportam (o novo bípede que derrama lágrimas a cada tombo, mesmo que seja sobre um carpete grosso). Convém ter em conta essas diferenças ao avaliar o grau de doença do bebê. Por exemplo, se o seu bebê febril, que normalmente é estóico, fica puxando uma ou ambas as orelhas mas não parece estar muito incomodado, considere a possibilidade de uma infecção no ouvido e ligue para o médico. Mas se você tem um bebê muito sensível à dor, é prudente não correr para o telefone toda vez que ele geme com mal-estar.

A febre como um sinal. A febre num bebê novo, sobretudo quando não há outros sintomas de doença, pode ser sinal de uma infecção no aparelho urinário. O diagnóstico pode ser confirmado por um exame de urina. Caso a infecção seja constatada, podem-se realizar ainda outros testes para determinar se a causa não é uma anomalia do aparelho urinário. Caso seja, ela geralmente pode ser remediada com uma cirurgia simples.

ou quando se tenta diminuir o incômodo de um bebê muito febril).

Nos banhos de esponja, só se deve usar água morna (à temperatura corporal, nem quente nem fria ao toque). O uso de água fria ou gelada, ou de álcool (outrora bastante usado para reduzir a febre), pode aumentar a temperatura em vez de abaixar, porque induz tremores, que estimulam o corpo confuso a girar para cima o termostato. Além disso, os vapores do álcool podem fazer mal quando inalados. O uso de água quente também aumenta a temperatura do corpo e, à semelhança do excesso de roupas, pode causar termoplegia. O banho de esponja pode ser dado na banheira ou fora dela; tanto num caso como no outro, porém, o cômodo deve estar confortavelmente aquecido e livre de correntes de ar.

▪ Banhos de esponja fora da banheira. Antes de começar, coloque três panos dentro de uma bacia ou tina de água morna, para umedecê-los. Estenda sobre a cama ou no seu colo uma lona ou um acolchoado impermeável, ou uma toalha de mesa plástica; sobre isso, coloque uma toalha grossa e posicione o bebê sobre a toalha com a barriga para cima. Dispa o bebê e cubra-o com uma toalha ou colcha leve. Pegue um dos panos, torça-o para não pingar, dobre-o e coloque-o sobre a testa do bebê (se o pano começar a secar em qualquer momento do banho, umedeça-o de novo). Tome outro pano e comece a esfregar de leve a pele do bebê, deixando apenas uma região de seu corpo exposta por vez, e mantendo o resto sob a coberta. Concentre-se mais no pescoço, no rosto, na barriga, na barriga da perna e no lado interior das dobras dos braços, sem esquecer das axilas e da virilha. O sangue que sobe à superfície do corpo com o ato de esfregar é esfriado à medida que a água morna evapora. Quando o pano começar a secar, troque-o pelo terceiro pano, continue a esfregar o bebê, trocando os panos quando necessário, por 20 minutos ou meia hora (é esse o tempo necessário para diminuir a temperatura do corpo). Se a água da bacia chegar a uma temperatura inferior à corporal, acrescente mais água morna de modo que volte à temperatura inicial.

▪ Banho de esponja dentro da banheira. O banho tem um efeito calmante e consolador sobre muitos bebês, especialmente quando estão doentes. Se o seu bebê é desse tipo, dê-lhe o banho de esponja dentro da banheira. Como no outro caso, a água deve estar na temperatura do corpo, e você deve esfregar o bebê por pelo menos 20 minutos ou meia hora para abaixar-lhe a temperatura. Não coloque na banheira um bebê que teve convulsão febril.

O que não se deve fazer. Tão importante quanto saber o que fazer, é saber o que não fazer quando o bebê está com febre:

- Não imponha descanso. O bebê realmente doente sempre quer descansar, dentro ou fora do berço. Se o seu bebê prefere ficar fora, não há perigo em que se engaje numa atividade moderada; mas desestimule a atividade excessiva, que poderia elevar ainda mais a temperatura corporal.
- Não aplique um enema, exceto seguindo instruções do médico.
- Não vista o bebê com muitas roupas e nem o encha de cobertores.
- Não cubra o bebê com uma toalha ou um lençol molhados, que poderiam impedir o calor de escapar através da pele.
- Não "mate a febre pela fome". A febre faz aumentar as necessidades calóricas, e a verdade é que os bebês febris precisam de mais calorias, não menos.
- Não dê aspirina ou acetaminofen quando há suspeitas de termoplegia.

CAPÍTULO 18

O que Fazer e o que Não Fazer em Caso de Emergência

Acidentes acontecem. Nem mesmo os pais e professores mais cuidadosos conseguem evitá-los por completo. Mas podem prevenir-se contra danos mais sérios, se souberem o que fazer no caso de acidente. Este capítulo pode ajudá-la a fazer isso, e será ainda mais útil se for complementado por um curso prático de primeiros socorros. Mas não espere até que o bebê caia da escada ou mastigue uma folha de azaléia para procurar saber o que fazer numa emergência. Desde agora — antes que sobrevenha uma calamidade —, familiarize-se com o modo de tratamento dos ferimentos comuns, assim como você já se familiarizou com o modo de dar banho no bebê e trocar-lhe as fraldas; e, sempre que necessário, recorde os procedimentos menos corriqueiros (referentes às picadas de serpente, por exemplo, antes de ir acampar). Peça que todas as outras pessoas que cuidam do bebê façam o mesmo.

Abaixo você encontrará informações sobre os ferimentos mais comuns, o que você deve saber sobre eles, como tratá-los e como não tratá-los e quando procurar auxílio médico. Os tipos de ferimento aparecem em ordem alfabética, e os ferimentos específicos são numerados para permitir uma fácil remissão.

Estas páginas têm na extremidade superior uma barra cinza, o que torna este capítulo fácil de localizar em caso de emergência.

Abdome, ferimentos no

1. Hemorragia interna. Uma pancada no abdome do bebê pode causar ferimentos internos. Eis os possíveis sinais de tal ferimento: hematomas ou outras manchas sobre o abdome; sangue vomitado ou tossido, de cor vermelha viva ou escura e consistência semelhante a borra de café (pode ser também um sinal de que o bebê engoliu uma substância cáustica); sangue (de cor vermelha viva ou escura) nas fezes ou na urina; choque (pele fria, úmida, pálida; pulso débil e rápido; arrepios; confusão; e, às vezes, náusea, vômitos e/ou respiração superficial). Procure um atendimento médico de emergência. Se o bebê parece estar em choque (nº 11), trate-o imediatamente. Não dê comida ou bebida.

2. Cortes ou lacerações no abdome. Trate como você faria com outros cortes (nº 40, nº 41). Os intestinos podem sair para fora através de uma laceração grande. Não tente recolocá-los dentro do abdome. Em vez disso, cubra-os com um pano ou fralda limpo e umedecido e procure imediatamente o pronto-socorro (PS).

Afogamento

3. Mesmo uma criança que rapidamente volta a si, depois de ter sido tirada da água inconsciente, deve ser examinada por um médico. No caso de a criança permanecer inconsciente, peça a alguém que ligue para o PS, se isso for possível, enquanto você administra a RCP (veja página 519). Mesmo se não houver ninguém que possa procurar auxílio, comece a administrar a RCP imediatamente e ligue depois. Não pare a RCP até que a criança volte a si ou que o auxílio médico chegue, por mais que isso demore. Se o bebê vomitar, vire-o de lado para evitar a sufocação. Se você suspeita que a cabeça tenha recebido uma pancada ou que o pescoço esteja ferido, imobilize essas partes do corpo.

Arranhões

ver nº 39

Boca, ferimentos na

4. Lábio partido. Poucos bebês atravessam o primeiro ano sem cortar o lábio ao menos uma vez. Felizmente, esses ferimentos cicatrizam-se com bastante rapidez. Para aliviar a dor e controlar a hemorragia, aplique uma bolsa de gelo. Ou, no caso de um bebê mais velho, deixe-o chupar um picolé ou cubo de gelo sob a supervisão de um adulto (mude para outro cubinho quando o primeiro tornar-se pequeno o suficiente para causar engasgos). Se o corte ficar muito aberto ou a hemorragia não estancar dentro de 10 ou 15 minutos, ligue para o médico. Às vezes, o lábio fica ferido porque o bebê andou mastigando um fio elétrico. Se você suspeita disso, ligue para o médico.

5. Cortes no interior dos lábios ou da boca. Também esses ferimentos são comuns em crianças novas. Uma bolsa de gelo para as crianças novas, um picolé ou cubo de gelo para as maiores (mude para outro cubo quando o primeiro tornar-se pequeno o suficiente para causar engasgos), aliviam a dor e controlam a hemorragia no interior dos lábios ou bochechas. Se uma hemorragia da língua não estancar espontaneamente, junte os lados do corte apertando-os com um pedaço de gaze ou tecido limpo. Se o ferimento tiver atingido a parte de trás da garganta ou o palato mole (a par-

A aplicação de pressão ao lábio cortado, com um pedaço de gaze seguro entre os dedos polegar e indicador, estanca a hemorragia.

te posterior do céu da boca); se houver um ferimento por perfuração infligida por um objeto agudo (como um lápis ou pedaço de pau); ou se a hemorragia não estancar em 10 ou 15 minutos, ligue para o médico.

6. Dente arrancado. Se for arrancado um dente permanente, ele deve ser levemente enxaguado em água corrente, seguro pela coroa (e não pela raiz). Depois, pode ser reinserido na gengiva, se possível, ou conservado dentro da boca ou num recipiente contendo água de torneira ou leite, enquanto a criança é levada ao dentista, que pode ser capaz de reimplantar o dente caso não se tenham passado mais que 30 a 45 minutos desde o acidente. É pouco provável, porém, que o dentista tente reimplantar um dente de leite (tais implantações freqüentemente se inflamam, e poucas vezes duram); assim, não é necessário tomar precauções para conservar o dente. Contudo, o dentista vai querer vê-lo para saber se está inteiro. Os fragmentos deixados na gengiva poderiam ser expelidos e depois inalados pelo bebê, ou alojarem-se na garganta, sufocando-o. Por isso, leve o dente consigo para o dentista ou, se você não conseguir chegar a um dentista, ao pronto-socorro.

7. Dente quebrado. Usando água quente e gaze ou um pano limpo, limpe cuidadosamente toda a sujeira e detritos de dentro da boca. Certifique-se de que não haja partes do dente ainda dentro da boca do bebê — elas podem causar sufocação. Aplique compressas geladas (veja página 719) ao rosto, na região do dente ferido, para diminuir o inchaço. Ligue imediatamente para o dentista para obter outras instruções.

Cabeça, ferimentos na

8. Cortes e hematomas no couro cabeludo. Devido à grande quantidade de vasos sangüíneos existentes no couro cabeludo, é comum que os cortes na cabeça sangrem em profusão, mesmo quando pequenos; e os cefalo-hematomas tendem a atingir rapidamente o tamanho de pequenos ovos. Trate tais ferimentos como você faria com qualquer corte (nº 40, nº 41) ou hematoma (nº 38). Fale sempre com o médico, exceto quando o ferimento cefálico for mesmo muito pequeno.

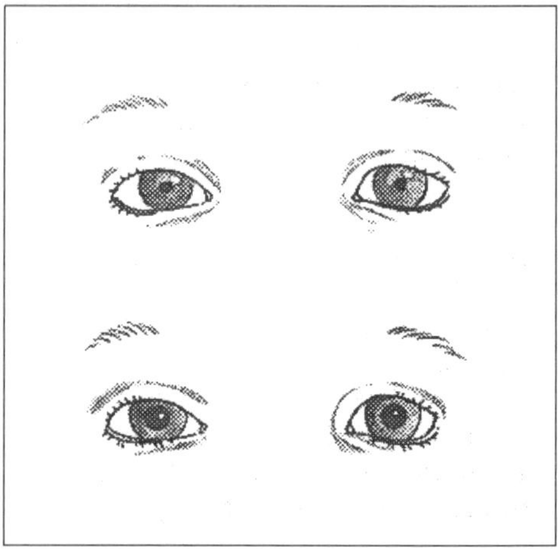

As pupilas devem ficar menores diante da luz (acima), e maiores quando a luz for retirada (abaixo).

9. Traumatismo cefálico possivelmente sério. Em seu primeiro ano de vida, a maioria dos bebês sofrem diversas pequenas pancadas na cabeça. Em geral, essas não exigem mais que uns beijinhos da mamãe; mas, depois de uma pancada forte na cabeça, é conveniente manter o bebê sob cuidadosa observação por seis horas. Se, depois de um ferimento na cabeça, o bebê manifestar qualquer destes sintomas, ligue para o médico ou chame uma ambulância imediatamente:

- Perda de consciência (um breve período de sonolência — não mais que duas ou três horas — é comum e não deve ser motivo de preocupação).
- Convulsões.
- Dificuldade para ser acordado (para ter certeza de que o bebê está reagindo, tente acordá-lo a cada uma ou duas horas durante as sonecas diurnas, ou duas ou três vezes durante a noite, durante as seis horas se-

guintes ao ferimento; se você não conseguir acordar o bebê que dorme, verifique se ele está respirando; veja página 519).

- Mais de um ou dois episódios de vômito.
- Uma depressão ou reentrância no crânio.
- Incapacidade de mover um braço ou uma perna.
- Emissão de sangue ou líqüido aquoso através das orelhas ou do nariz.
- Manchas negras e azuladas (hematomas) ao redor dos olhos ou atrás das orelhas.
- Dor aparente que dure mais de uma hora, prejudicando a atividade e/ou o sono normais.
- Tontura que perdure por mais de uma hora após o ferimento (o bebê parece estar sem equilíbrio).
- Tamanho desigual das pupilas, ou pupilas que não reagem à luz de uma lanterna encolhendo-se (veja a figura), ou expandindo-se quando a lanterna é retirada.
- Palidez incomum que perdura por mais que alguns minutos.

Enquanto espera o socorro, deixe o bebê deitado quietinho, com a cabeça virada para um dos lados. Se necessário, trate o choque (nº 11). Se o bebê parar de respirar, comece a administrar RCP (página 519). Não lhe ofereça nem comida nem bebida antes de falar com o médico.

Calor, ferimentos devido ao

10. Tipicamente, a termoplegia aparece subitamente. Eis os sinais a que se deve estar atento: pele quente e seca (ou, às vezes úmida); febre muito alta; diarréia; agitação ou letargia; confusão; convulsões; perda de consciência. Se você suspeita de termoplegia, embrulhe o bebê numa toalha grande que foi mergulhada em água gelada (ponha cubos de gelo na pia enquanto ela se enche de água da torneira, e depois mergulhe a toalha) e chame imediatamente uma ambulância, ou leve o bebê ao pronto-socorro mais próximo. Se a toalha esquentar, faça a mesma coisa com outra recém-gelada.

Choque

11. O choque pode se desenvolver como resultado de vários ferimentos ou doenças. Entre os sintomas contam-se a pele fria, úmida, pálida; pulso débil e rápido; arrepios; convulsões; e, freqüentemente, náusea ou vômitos, sede excessiva, e/ou respiração superficial. Para tratá-lo, deite o bebê de costas. Afrouxe as roupas apertadas, eleve as pernas sobre uma almofada ou roupa dobrada para forçar o sangue para o cérebro e cubra levemente o bebê a fim de evitar os calafrios e a perda de calor corporal. Se a respiração parecer árdua, levante ligeiramente a cabeça e os ombros do bebê. Procure atendimento médico de emergência.

Choque elétrico

12. Se possível, desfaça o contato com a fonte elétrica, desligando-a; senão, separe a criança da corrente usando um objeto seco e não metálico, como uma vassoura, escada de madeira, corda, almofada, cadeira ou mesmo um livro grande. Chame o serviço médico de emergência e, se o bebê não estiver respirando, comece a executar a RCP (veja página 519).

Convulsões

13. Alguns sintomas de uma convulsão ou ataque epiléptico: desmaio, olhos revirados para cima, espuma na boca, rigidez do corpo seguida de movimentos espasmódicos descontrolados, e, nos casos mais sérios, dificuldades respiratórias. As convulsões breves não são raras quando há febre alta (veja página 492). Lide assim com a convulsão: tire todos os objetos de perto do bebê, mas só o segure se isso for necessário para prevenir um ferimento. Deixe as roupas folgadas em torno do pescoço e na cintura, e deite o bebê de lado, com a cabeça mais baixa que os quadris. Não lhe ponha nada na boca — nem comida nem bebida, nem o peito nem a mamadeira. Ligue para o médico. Depois que a convulsão passar, dê no bebê um banho de esponja se ele estiver com febre, mas não o coloque dentro de uma banheira e nem jogue água em seu rosto. Se ele não estiver respirando, execute imediatamente a RCP (veja página 519).

Cortes

ver nº 40, nº 41

Dedos da mão e do pé, ferimentos nos

14. Hematomas. Os bebês, cuja curiosidade não tem limites, estão sempre sujeitos a prender os dedos nas portas e gavetas. Para esse tipo de machucado, mergulhe o dedo em água gelada. Recomenda-se até uma hora de água gelada, com intervalos a cada 15 minutos (esperando até que o dedo fique novamente quente) para evitar a ulceração pelo frio. Infelizmente, poucos são os bebês que conseguem ficar parados por tanto tempo, embora você talvez seja capaz de aplicar o tratamento por alguns minutos, usando a força ou a distração. Depois de uma topada, o dedão do pé também tem a ganhar com um mergulho em água fria, mas isso muitas vezes não é praticável com um bebê pouco cooperativo. Os hematomas dos dedos da mão e do pé incham menos quando os dedos são mantidos em posição elevada.

Se o dedo ferido inchar muito e muito depressa, estiver deformado ou não puder ser recolocado no lugar, considere a possibilidade de uma fratura (nº 33). Ligue para o médico imediatamente se o dedo tiver sido pego em rolos de compressão ou nos raios de uma roda a girar.

15. Hemorragia sob a unha. Quando um dedo da mão ou do pé leva uma pancada feia, pode-se formar um coágulo de sangue sob a unha, pressionando-a e causando muita dor. Se o sangue escapar por baixo da unha, aperte-a para aumentar o fluxo, o que diminuirá a pressão. Mergulhe o ferimento em água gelada, se o bebê tolerar. Caso a dor continue, pode ser necessário abrir um buraco na unha para aliviar a pressão. O seu médico pode fazer isso, ou ensiná-la a fazê-lo.

16. Unha lacerada. Para uma laceração pequena, fixe a unha lacerada com um pedaço de fita adesiva ou um *band-aid* até que ela cresça a um ponto em que possa ser aparada. No caso de uma laceração quase completa, corte a unha ao longo da linha da laceração e cubra-a com um adesivo até que a unha cresça o suficiente para voltar a proteger a ponta do dedo.

17. Unha arrancada. Se a unha ainda estiver parcialmente presa, remova-a completamente. Mergulhe o dedo da mão ou do pé em água gelada por 20 minutos, se possível, e depois passe pomada antibiótica e cubra com um *band-aid* antiadesivo. Nos três dias seguintes, mergulhe o dedo uma vez por dia em água morna salgada (1/2 colher de chá de sal para 1/2 litro de água) por cerca de 15 minutos. Depois de cada mergulho, passe pomada antibiótica e cubra com um novo *band-aid*. No quarto dia, se a ferida estiver em processo de cicatrização, dispense o uso da pomada; mas continue dando banhos diários pelo resto da semana. Deixe a base da unha coberta até a unha crescer completamente. Se a qualquer momento ocorrerem vermelhidão, calor e inchaço no local, indicando infecção, ligue para o médico.

Dedos do pé, ferimentos nos

ver nº 14, nº 15, nº 16, nº 17

Dentes, ferimentos nos

ver nº 6, nº 7

Deslocamentos

18. Os deslocamentos do ombro e do cotovelo são comuns entre as crianças novas — e em sua maioria ocorrem porque as crianças são puxadas de repente, pelo braço, por adultos apressados. Os sinais típicos são uma deformação do braço ou a incapacidade de a criança movê-lo, geralmente acompanhados de um choro persistente devido à dor. Uma rápida ida ao consultório médico ou ao pronto socorro, onde

PREPARE-SE

- Discuta com o médico do bebê qual o plano de ação a ser seguido caso ocorra um ferimento — ligar para o consultório, correr ao PS, adotar algum outro procedimento. As recomendações podem variar conforme a seriedade do ferimento, o dia da semana e a hora do dia.
- Guarde o seu equipamento de primeiros socorros (veja página 42) num estojo ou caixa à prova de crianças e facilmente manipulável, de modo que possa ser todo transportado ao local de um acidente. E quando for trocar de telefone, opte, se possível, por um aparelho portátil, de modo a poder levá-lo ao local de qualquer acidente que ocorra dentro ou nas proximidades de sua casa.
- Ao lado de cada telefone em sua casa, cole os números dos telefones dos médicos de sua família, do Serviço de Controle de Intoxicações, do pronto socorro mais próximo (ou daquele que você planeja usar), de sua farmácia, do atendimento médico de emergência (192), bem como o número de uma amiga vizinha a quem possa recorrer em caso de emergência. Deixe um papel com a mesma lista dentro da sacola de fraldas.
- Aprenda qual o caminho mais rápido para chegar ao PS ou algum outro posto médico de emergência.
- Faça um curso de RCP para bebês, e mantenha seus conhecimentos sempre em dia e prontos para o uso, tomando cursos periódicos de reforço e praticando em casa com uma boneca. Familiarize-se também com os procedimentos de primeiros socorros aos ferimentos mais comuns.
- Guarde algum dinheiro vivo num lugar seguro, para o caso de precisar tomar um táxi para chegar ao pronto socorro ou ao consultório do médico numa emergência.
- Aprenda a lidar calmamente com os acidentes de menor importância, o que a ajudará a manter o autocontrole se um acidente grave vier a ocorrer. O estilo de seus movimentos e o tom de sua voz (ou de qualquer outra pessoa que esteja cuidando do bebê) influenciam o modo como o bebê reage a um ferimento. O pânico ou a excessiva preocupação de sua parte podem abalar o bebê; e o bebê abalado tende a ser menos cooperativo, sendo mais difícil tratá-lo em caso de emergência.
- Lembre-se que, muitas vezes, o melhor tratamento para um ferimento pequeno é a AA (atenção amorosa); mas adapte seus esforços de consolação ao grau de seriedade do machucado. Uma pancadinha no joelho talvez não precise mais que um sorriso, um beijo e uma palavrinha tranqüilizadora ("Está tudo bem"). Um dedo preso na porta, porém, provavelmente exigirá muitos beijos e ainda alguma distração. Na maioria dos casos, você precisará acalmar o bebê antes de dar-lhe os primeiros socorros. É só nas situações em que a vida do bebê está em risco (as quais, felizmente, são raras, e nas quais os bebês em geral não estão dispostos a serem rebeldes) que o tempo é precioso demais para gastá-lo acalmando o bebê.

um profissional experiente recolocará o osso no lugar, proporciona um alívio quase imediato. Se a dor parece séria, faça uma tala e aplique uma bolsa de gelo ao local antes de sair.

Envenenamento

19. Intoxicação por ingestão. Qualquer substância que não seja alimento é um veneno em potencial. Se o bebê perder a consciência e você tiver certeza ou forte suspeita de que ele ingeriu uma substância perigosa, comece imediatamente o tratamento de emergência. Coloque o bebê deitado de costas sobre uma mesa e verifique a existência de respiração (veja página 519). Se não houver sinal da mesma, comece imediatamente a RCP. Ligue para o pronto-socorro daí a 2 minutos, e depois continue a RCP até o bebê voltar a si ou o auxílio chegar.

Os sintomas mais comuns de envenenamento são: letargia, agitação ou outro comportamento fora do comum; pulso muito rápido, irregular, e/ou respiração rápida; diarréia e vômito (o bebê deve ser virado de lado para evitar a sufocação com o vômito); olhos excessivamente congestionados, suor ou salivação excessiva; pele e boca quentes e secas; pupilas dilatadas (muito grandes) ou constritas (do tamanho da cabeça de um alfinete); movimentos espasmódicos dos olhos no sentido horizontal; tremores ou convulsões.

Se o bebê apresentar diversos desses sintomas (e se não puderem ser explicados de outro modo), ou se você tiver provas de que ele indubitavelmente ou quase certamente ingeriu uma substância tóxica, não tente tratá-lo sozinha. Não dê nada ao bebê por via oral (inclusive comida ou bebida; a mistura de carvão ativado conhecida como antídoto universal; ou qualquer substância emética, como xarope de ipeca, água salgada ou clara de ovo). Em vez disso, ligue *imediatamente* para o médico, o Serviço de Controle de Intoxicações mais próximo ou o pronto-socorro do hospital e peça instruções. Ligue mesmo que não haja sintomas — podem demorar horas para se manifestar. Leve consigo ao telefone o recipiente em que estava a substância, tendo o rótulo intacto, e qualquer resto que possa haver. Diga o nome da substância (ou da planta, se o bebê tiver mascado uma folha) e o quanto você sabe ou acredita que o bebê tenha consumido, se for possível determiná-lo. Esteja, além disso, preparada a relatar a idade, o tamanho, o peso e os sintomas do bebê.

No caso de diversos venenos, você será aconselhada a induzir vômito no bebê com extrato de ipeca, a fim de esvaziar-lhe o estômago da maior quantidade possível de veneno.[1] Administre a dose recomendada pelo Serviço de Controle de Intoxicações ou pelo médico. (Se você não tiver extrato de ipeca em casa, fale com os especialistas acerca da possibilidade de usar detergente líqüido para lavagem manual de louças — *não* para máquina de lavar louça — a fim de induzir o vômito.) Se a criança não vomitar dentro de 20 minutos, repita a dose — mas só uma vez. Se você conseguir induzir o vômito, recolha o mesmo dentro de uma panela ou tijela funda. Se você for instruída a ir ao pronto-socorro ou consultório médico, leve consigo o vômito para ser analisado. (Talvez seja mais fácil carregá-lo numa jarra com tampa ou num saco plástico hermeticamente fechável, mas leve consigo uma tijela ou balde grandes para estar prevenida caso o bebê vomite de novo.) Não se esqueça, além disso, de levar a substância suspeita (vidrinho de remédio, frasco de produto de limpeza, ramo de filodendro).

Não se costuma induzir o vômito nos bebês com menos de seis meses, devido ao maior risco de sufocação que correm os bebês novos. Nos bebês de seis meses a um ano, o vômito só deve ser induzido sob supervisão médica. Não se deve induzir o vômito, qualquer que seja a idade da criança, quando ela tiver ingerido uma substância corrosiva (como alvejante, amônia ou desentupidor de encanamentos) ou qualquer produto à base de querosene, benzeno ou gasolina (lustra-móveis, removedor, terebintina); e nem quando a vítima estiver inconsciente, sonolenta ou sofrendo convulsões ou tremores. Em alguns casos, o tratamento recomendado é o carvão líqüido, que absorve o veneno.

20. Vapores ou gases tóxicos. O vapor da gasolina, a fumaça dos carros, o vapor de certas substâncias químicas venenosas e a fumaça densa dos incêndios e fogueiras podem ser tóxicos. O bebê que entrou em contato com qualquer dessas emanações perigosas deve ser imediatamente conduzido ao ar livre (abra as janelas, ou leve a criança para fora). Se ele não estiver respirando, comece a RCP (veja página 519) *imediatamente* e continue até a respiração ficar firme ou o pessoal especializado che-

1. Se você usar todo o seu xarope de ipeca, não deixe de substituí-lo.

gar. Se possível, peça a alguém que ligue para o Serviço de Controle de Intoxicações ou o pronto-socorro enquanto você continua a RCP. Se não houver mais ninguém por perto, reserve um momento para pedir socorro depois de 2 minutos de reanimação — e depois retome imediatamente a RCP. A menos que haja uma ambulância a caminho, leve sem demora o bebê a um estabelecimento médico; mas não o faça se para isso você tiver que interromper a RCP, ou se você também tiver entrado em contato com os vapores tóxicos e estiver com a consciência afetada. Peça que outra pessoa dirija. Mesmo se você conseguir reestabelecer a respiração, o atendimento médico de emergência será necessário.

Ferimentos por perfuração

ver nº 43

Hematomas

ver nº 38

Hemorragia

ver nº 40, nº 41, nº 42

Hemorragia interna

ver nº 1

Hipotermia

ver nº 51

Lábio partido ou cortado

ver nº 4, nº 5

Lascas ou estrepes

ver nº 44

Língua, ferimento na

ver nº 5

Membro ou dedo amputados

21. Acidentes assim tão sérios são raros, mas o fato de se saber o que fazer quando um deles ocorre pode ser o fator determinante da salvação de um membro ou dedo. Tome as seguintes medidas imediatamente, se forem necessárias:

- Tente controlar a hemorragia. Com várias ataduras esterilizadas, uma fralda limpa ou um pano limpo, aplique bastante pressão sobre o ferimento. Se a hemorragia continuar, aumente a pressão. Não se preocupe com a possibilidade de causar danos pelo excesso de pressão. Não faça um torniquete sem a recomendação do médico.
- Trate o choque, se houver. Se a pele do bebê estiver pálida, fria e úmida, o pulso estiver débil e rápido e a respiração for superficial, administre o tratamento para o choque, folgando as roupas do bebê, cobrindo-o levemente para evitar a perda de calor corporal e elevando-lhe as pernas sobre uma almofada (ou roupa dobrada) a fim de mandar sangue para o cérebro. Se a respiração parecer difícil, eleve ligeiramente a cabeça e os ombros do bebê.
- Reestabeleça a respiração, se necessário. Comece a RCP imediatamente se o bebê não estiver respirando (veja página 519).
- Preserve o membro ou o dedo amputado. Assim que possível, envolva-o num pano ou esponja limpo e úmido, e coloque-o num saco plástico. Encha o saco de gelo e feche-o, amarrando. Não coloque o membro ou dedo diretamente em contato com o gelo, não use gelo seco e não o mergulhe em água ou substâncias anti-sépticas.
- Obtenha auxílio. Ligue ou peça que alguém ligue para o pronto-socorro, ou corra você mesma para lá, ligando de antemão para que se preparem para a sua chegada. Não se esqueça de levar consigo o membro gelado; talvez os cirurgiões consigam recolocá-lo. Durante o trajeto, mantenha a pressão sobre a ferida e dê continuidade aos outros procedimentos de manutenção da vida, se necessário.

Mordidas de cachorro

ver nº 22

Mordidas e picadas

22. *Mordidas de animais.* Procure não mover a parte mordida. Ligue para o médico imediatamente. Por quinze minutos, lave o ferimento delicadamente com água e sabão. Não aplique um anti-séptico ou qualquer outro produto. Controle a hemorragia (nº 40, nº 41, nº 42) e cubra com uma atadura esterilizada. Tente capturar o animal para exame, mas evite ser mordida você também. Os cães, gatos, morcegos, gambás e furões podem estar sofrendo de raiva, especialmente quando atacam sem provocação. Mordidas de gatos costumam infeccionar (com vermelhidão, sensibilidade, inchaço) e às vezes requerem o uso de antibióticos.

23. *Picadas de insetos.* Trate da seguinte maneira as ferroadas e picadas de insetos:

- Para tirar o ferrão de abelha da pele, raspe-o com o fio cego de uma faca ou com uma unha. Não tente pegar o ferrão com as unhas ou uma pinça — isso poderia forçar mais veneno para dentro da pele.
- Para retirar carrapatos, use uma pinça rombuda ou as pontas dos dedos protegidas por um tecido, lenço de papel ou luva de borracha. Pegue o carrapato tão perto da pele da criança quanto possível e puxe-o para cima, com um movimento firme e uniforme. Não torça, não puxe bruscamente, não aperte, esmague ou fure o carrapato. *Não* se valha de curas populares como a vaselina, a gasolina ou um fósforo aceso — que podem piorar as coi-

CUIDANDO DO PACIENTE INFANTIL

Como pacientes, os bebês não costumam ser muito cooperativos. Por maior que seja o incômodo causado pelos sintomas da doença ou por mais dolorosos que sejam os seus ferimentos, o mais provável é que eles considerem o tratamento muito pior. Não adianta dizer-lhes que a loção de calamina faz a catapora coçar menos, ou que a bolsa de gelo impede que o dedo batido fique inchado. Mesmo as crianças mais velhas, que são capazes de compreender tais raciocínios, tendem a rejeitá-los. Mas, na hora de tratar a doença ou o ferimento de um bebê ou criança nova, a distração pode ajudar bastante. Um divertimento (começado antes do tratamento e, de preferência, antes das lágrimas), sob a forma de uma caixa de música, uma fita de vídeo ou um disco de que o bebê goste; um cãozinho de brinquedo que late e balança o rabo; um trenzinho que cruza barulhentamente a mesa do café; um pai ou irmão que se disponham a dançar, pular ou cantar canções bobinhas — todas essas coisas podem ser o toque mágico que faz a diferença entre uma sessão bem-sucedida de tratamento e uma sessão desastrosa. Senão, tente fazer alguns barquinhos navegarem na água gelada; tomar a temperatura de um ursinho; dar uma dose de remédio a uma boneca; colocar uma bolsa de gelo sobre o "dodói" do cachorro.

É a gravidade da doença ou do ferimento que deve determinar quão enérgica você deve ser ao administrar o tratamento. Se o nariz do bebê estiver levemente entupido, talvez não valha a pena tentar aspirá-lo. Mas se o nariz entupido está prejudicando o sono ou a alimentação do bebê, a luta talvez seja necessária. Um machucadinho pequeno pode não ser suficiente para que você e o bebê percam seu bom humor em torno da bolsa de gelo; mas uma queimadura grave certamente exigirá os banhos de água gelada, por mais que o bebê grite durante todo o tratamento. Na maioria dos casos, tente tratar ao menos por um tempinho — mesmo uns poucos minutos de gelo são suficientes para reduzir a hemorragia subcutânea, e mesmo uma temperatura tomada por não mais que 30 segundos dá uma idéia bastante aproximada do estado do bebê. Quando a perturbação do bebê for maior que os efeitos positivos do tratamento, desista.

sas. Guarde o carrapato para ser examinado pelo médico. Se você suspeita que o bebê esteja com a doença de Lyme (página 728), procure o médico.

- Lave com água e sabão o local da picada (sem gravidade) de uma abelha, vespa, formiga, aranha ou carrapato. Depois, caso pareça haver inchaço ou dor, aplique gelo ou compressas geladas (página 719). Por fim, aplique algum medicamento especial para picadas de insetos.
- Aplique loção de calamina às picadas que coçam, como as de pernilongos.
- Se uma picada de aranha parece ser seguida de dor intensa, aplique gelo ou compressas geladas e ligue para o pronto socorro. Tente encontrar a aranha e levá-la consigo para o hospital, ou pelo menos tente descrevê-la; pode ser venenosa. Se você sabe que o aracnídeo era venenoso — uma viúva negra, caranguejeira, tarântula ou escorpião, por exemplo —, procure imediatamente um tratamento médico de emergência, antes mesmo de se manifestarem os sintomas.
- Após uma picada de abelha, vespa ou marimbondo, fique atenta a sinais de hipersensibilidade, como fortes dores ou inchaços ou qualquer grau de perda de fôlego. Em geral, as pessoas que apresentam tais sintomas quando da primeira picada desenvolvem uma hipersensibilidade, ou alergia, ao veneno, caso em que uma segunda picada pode ser fatal se não for seguida de um tratamento emergencial imediato. Se o bebê reagir a uma picada com qualquer coisa diferente de um pouquinho de dor e algum inchaço, informe o médico, que provavelmente recomendará um exame para comprovação da alergia. Se a alergia for diagnosticada, você provavelmente terá de levar consigo um estojo de emergência para picadas de abelha quando passear ao ar livre na época de proliferação das abelhas.
- Evidentemente, é possível que a sensibilização ao veneno de abelha ocorra sem que se tenha notado uma reação anterior, especialmente num bebê. Por isso, se a vítima de uma picada tiver erupções cutâneas por todo o corpo, dificuldades para respirar, rouquidão, tosse, respiração asmática, forte dor de cabeça, náusea, vômitos, inchaço da língua ou do rosto, fraqueza, tonturas, fadiga ou desmaio, procure imediatamente um atendimento médico de emergência.

24. Picadas de cobra. Raras vezes um bebê é picado por uma cobra venenosa (são quatro as espécies mais comuns no Brasil — cascavéis, jararacas, corais e surucucus —, e todas têm presas, que em geral deixam marcas identificáveis depois da mordida), mas tais picadas são perigosíssimas. Devido ao pouco tamanho do bebê, mesmo uma pequena quantidade de veneno pode ser fatal. Depois de uma picada de cobra venenosa, é importante manter o bebê e o membro picado tão imóveis quanto possível. Se a picada for num dos membros, imobilize-o com uma tala, se necessário, e mantenha-o abaixo do nível do coração. Use compressas geladas, se as tiver, para aliviar a dor, mas *não* aplique gelo e nem administre qualquer medicamento sem indicação médica. A sucção do veneno com a boca (cuspindo-o depois) pode ser eficaz se feita imediatamente, mas *não faça* qualquer tipo de incisão, a menos que você esteja a mais de 4 ou 5 horas de qualquer lugar onde possa obter auxílio e sintomas graves começarem a se manifestar. Se o bebê não estiver respirando, administre a RCP (página 519). Se necessário, trate o choque (nº 11). *Procure auxílio médico imediatamente*; e esteja pronta a identificar a espécie de cobra, se possível. Se você sabe que não conseguirá auxílio médico em menos de uma hora, amarre frouxamente uma faixa qualquer (um cinto, gravata ou fita de cabelo sob os quais, depois de amarrados, você consiga passar um dedo) 5 cm acima da picada para tornar mais lenta a circulação. (Não faça esse tipo de torniquete ao redor de um dedo da mão ou do pé, do pescoço, da cabeça ou do tronco.) Verifique freqüentemente o pulso (veja página 407) abaixo do torniquete para ter certeza de que a circulação não está interrompida, e solte a amarra caso o membro comece a inchar. Marque a hora em que foi amarrada.

As picadas de cobras não-venenosas devem ser tratadas como ferimentos por perfuração (nº 43); notifique o médico do bebê.

25. Ferrões de animais marinhos. Essas picadas não costumam ser sérias, mas uma ou outra criança ou bebê pode ter uma reação severa. Como precaução, deve-se procurar atendimento médico imediatamente. O tipo de primeiro socorro varia de acordo com as diferentes espécies de animais marinhos; mas, de maneira geral, quaisquer fragmentos protuberantes do ferrão devem ser gentilmente removidos raspando-os com uma fralda ou outro tecido (para proteger os seus dedos). Caso seja necessário, deve-se iniciar imediatamente o tratamento para hemorragia abundante (nº 42), choque (nº 11) ou ausência de respiração (veja página 519). (Não se preocupe com uma hemorragia leve; ela pode ajudar o organismo a se livrar das toxinas.) A picada de uma arraia-lixa, peixe-leão, bagre venenoso, ou ouriço-do-mar deve ser imersa em água quente, se disponível, por meia hora, ou até a chegada de auxílio médico. As toxinas da picada de uma água-viva ou caravela podem ser neutralizadas pela aplicação de álcool ou amônia diluída. (Por via das dúvidas, ponha um vidrinho de álcool e alguns chumaços de algodão em sua bolsa de praia.)

Nariz, ferimentos no

26. Hemorragias nasais. Deixe o bebê em posição ereta ou ligeiramente inclinado para a frente; com gentileza, aperte-lhe ambas as narinas entre os seus dedos polegar e indicador por 5 a 10 minutos (ele começará a respirar pela boca automaticamente). Tente acalmá-lo, pois o choro pode fazer aumentar o fluxo sangüíneo. Se a hemorragia persistir, tente estofar a narina com um chumaço de algodão hidrófilo e aperte por mais 10 minutos, e/ou aplique

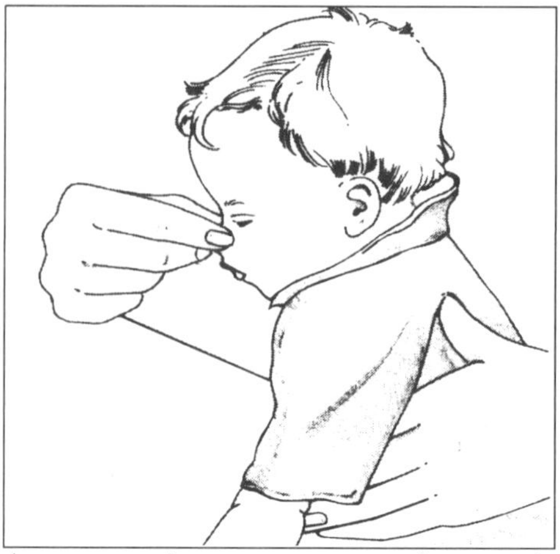

Aperte as narinas para estancar a hemorragia nasal.

compressas geladas. Se não funcionar e a hemorragia continuar, ligue para o médico — e, enquanto isso, deixe o bebê em posição ereta. Deve-se falar com o médico se o bebê tiver hemorragias nasais freqüentes, mesmo que sejam estancadas com facilidade.

27. Objeto estranho no nariz. A dificuldade para respirar através do nariz e/ou uma emissão de líqüido mal cheiroso, às vezes com sangue, podem ser sinais de que algo se instalou dentro do nariz. Mantenha o bebê calmo e estimule-o a respirar pela boca. Retire o objeto com os dedos se você for capaz de enxergá-lo, mas não o procure cegamente e nem use pinça ou qualquer outro instrumento que possa ferir o nariz se o bebê se mexer de repente, ou empurrar o objeto ainda mais para dentro do conduto nasal. Se você não conseguir retirar o objeto, assoe o seu próprio nariz e tente fazer o bebê imitá-la. Se nem isso funcionar, leve o bebê ao médico ou ao pronto-socorro.

28. Pancadas no nariz. Se houver hemorragia, deixe o bebê ereto e inclinado para a frente a fim de reduzir a quantidade de sangue engolida e o risco de engasgar com ele (nº 26). Use uma bolsa de gelo ou compressas geladas para diminuir o inchaço. Fale com o médico para ter certeza de que não houve fratura.

Olhos, ferimentos nos

Importante: Não aplique pressão ao olho ferido, não toque o olho com os dedos e nem pingue medicamentos sem a autorização do médico. Não deixe que o bebê esfregue o olho; para tanto, se for preciso, cubra-o com um pequeno copo ou xícara (ou um copinho para lavar os olhos) ou segure ambas as mãos do bebê.

29. Objeto estranho no olho. Se você conseguir ver o objeto (um cílio ou grão de areia, por exemplo), lave as mãos e use um cotonete umedecido para tentar retirá-lo suavemente do olho do bebê. Também é possível tentar tirar o objeto lavando o olho com uma corrente de água morna (à temperatura do corpo) enquanto outra pessoa segura o bebê, se necessário. Se não der resultado, tente puxar a pálpebra superior por sobre a inferior e segurá-la assim por alguns segundos.

Se depois de todas essas tentativas você ainda conseguir ver o cisco no olho, ou se a criança parecer incomodada, vá para o consultório médico ou o pronto socorro, pois é possível que o objeto tenha se instalado no olho ou o tenha arranhado. Para aliviar um pouco o incômodo no caminho, cubra o olho com uma gaze esterilizada afixada no lugar sem apertar, ou com alguns panos limpos ou um lenço limpo.

30. Substância corrosiva no olho. De imediato, lave o olho com bastante água morna (derramada de uma jarra, copo ou garrafa) por 15 minutos, mantendo o olho aberto com os dedos. Se apenas um olho tiver sido atingido, deixe a cabeça do bebê virada de lado de modo que o olho não atingido fique mais alto e livre da água que escoa com a substância química. Não use qualquer colírio ou pomada, e não permita que o bebê esfregue o olho ou os olhos. Para saber o que fazer então, ligue para o médico ou o Serviço de Controle de Intoxicações.

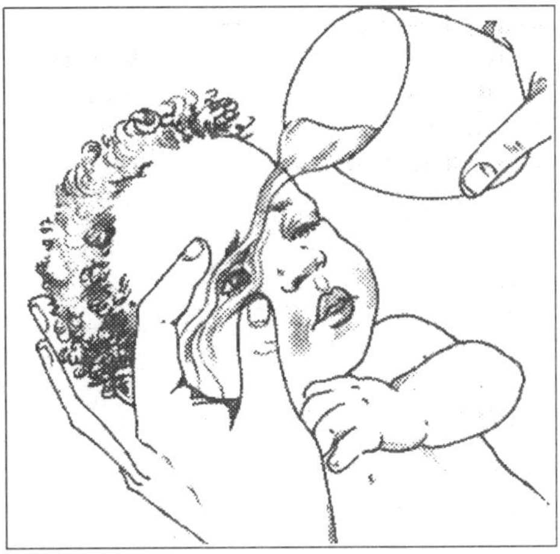

O bebê não gosta da lavagem ocular, mas trata-se de algo essencial para afastar uma substância corrosiva.

31. Ferimento ocular causado por objeto pontiagudo ou cortante. Deixe o bebê em posição semi-reclinada enquanto você procura auxílio. Se o objeto ainda estiver no olho, não procure retirá-lo. Se não estiver, cubra levemente o olho com uma gaze esterilizada, um pano limpo ou um lenço; não aplique pressão. Tanto num caso como no outro, procure auxílio médico imediatamente. Embora esses ferimentos costumem parecer piores do que realmente são, é prudente consultar um oftalmologista sempre que o olho sofrer um furo ou arranhão, ainda que pequeno.

32. Ferimento ocular causado por um objeto não-cortante. Deixe o bebê deitado com o rosto para cima. Cubra o olho ferido com uma bolsa de gelo ou compressas geladas (página 719). Se o olho ficar preto, o bebê tiver aparentes problemas de visão ou ficar esfregando o olho, ou se o olho tiver sido atingido por um objeto atirado em alta velocidade, consulte o médico.

Ossos quebrados ou fraturas

33. Braços, pernas, clavículas ou dedos possivelmente quebrados. Eis alguns sinais de fratura: um estalo no momento do acidente; deformação (embora esta também possa indicar um deslocamento, nº 18); incapacidade de movimentar ou apoiar peso na parte afetada; dor intensa (um choro que não pára pode ser uma pista); insensibilidade e/ou formigamento (nenhum dos quais o bebê seria capaz de expressar); inchaço e escurecimento da pele. Caso você suspeite de fratura num membro, não movimente a criança antes de falar com o médico — a menos que isso seja necessário para sua segurança. Se você precisar mover o bebê imediatamente, tente antes imobilizar a parte atingida (membro, cabeça, pescoço) na posição em que se encontra usando como tala uma régua, uma revista, um livro ou outro objeto rígido envolvido num tecido macio para proteger a pele. Senão, use como tala um travesseiro pequeno e firme. No local da fratura, abaixo e acima dele, amarre a tala firmemente com faixas, tiras de pano, cachecóis ou gravatas, mas não a ponto de prejudicar a circulação. Se não há nada que se possa usar como tala, tente entalar o membro ferido com o seu próprio braço. Examine o local a intervalos regulares para certificar-se de que a tala não está impedindo a circulação. Aplique uma bolsa de gelo para reduzir o inchaço até obter auxílio médico. Embora as fraturas costumem curar-se rapidamente nas crianças pequenas, o tratamento médico é necessário para assegurar uma cura perfeita. Mesmo que você tenha apenas uma leve suspeita de fratura, leve seu filho ao médico ou ao PS.

34. Fraturas expostas. Se o osso passou através da pele, não o toque. Cubra o ferimento, se possível, com ataduras esterilizadas ou uma fralda de pano limpa; se necessário, controle a hemorragia aplicando pressão (nº 42); e procure um pronto socorro.

35. Possível ferimento no pescoço ou nas costas. Se você suspeita de um ferimento no pescoço ou na coluna, não movimente o bebê *de modo algum.* Ligue para o pronto socorro. Cubra a criança e mantenha-a confortável enquanto espera o auxílio médico; se possível, coloque alguns objetos pesados (livros, por exemplo) em torno da cabeça para ajudar a imobilizá-la. Não dê comida ou bebida à criança. Caso haja hemorragia abundante (nº 42), choque (nº 11) ou ausência de respiração (veja página 519), trate-os imediatamente.

Ouvido, lesões do

36. Objeto estranho no ouvido. Tente fazer com que o objeto saia, virando a cabeça do bebê de modo que a orelha fique voltada para baixo e balançando-a suavemente. Se isso não funcionar, experimente as seguintes técnicas.

- Para um inseto, use uma lanterna para tentar atraí-lo para fora.
- Para um objeto metálico, tente atraí-lo com um ímã.
- Para um objeto de plástico ou de madeira, pingue uma cota de cola de secagem rápida (não use uma cola que se fixe à pele) sobre um clipe de papel desentortado, e encoste o clipe no objeto, caso este esteja visível. Não procure o objeto dentro do ouvido com o clipe. Espere que a cola seque e puxe o clipe para fora — trazendo, espera-se, o objeto. Não empregue essa técnica se não houver ninguém por perto para segurar o bebê.

Se os procedimentos acima não funcionarem, não tente extrair o objeto com os dedos ou algum instrumento. Em vez disso, leve o bebê ao consultório médico ou ao PS.

37. Ferimento no ouvido. Se um objeto pontiagudo foi introduzido no ouvido ou se o bebê apresenta sinais de ferimento no ouvido (hemorragia do canal auditivo, súbita dificuldade de audição, lobo auricular inchado), ligue para o médico.

Pele, ferimentos na

Importante: Sempre que a pele se abrir há possibilidade de exposição ao tétano.

Caso o seu filho venha a sofrer um ferimento em que a pele se corte, verifique se a vacinação contra tétano está em dia. Esteja também atenta aos sinais de uma possível infecção (edema, calor, sensibilidade, vermelhidão da área circundante, emissão de pus da ferida) e ligue para o médico caso os constate.

38. Hematomas. Se possível, faça com que a criança brinque quietinha para fazer descansar a parte afetada. Aplique compressas geladas, uma bolsa de gelo ou gelo envolvido num pano por meia hora. (Não aplique gelo diretamente sobre a pele.) Se a pele estiver rompida, trate o hematoma como você faria com um corte (nº 40, nº 41). Se o hematoma resultar de um ferimento infligido por rolos de compressão, ou da introdução de uma mão ou pé entre os raios de uma roda em movimento, ligue para o médico imediatamente. Os hematomas que parecem surgir do nada, ou surgem junto com uma febre, também devem ser examinados pelo médico.

39. Arranhões. Nestes ferimentos (mais comuns nos joelhos e cotovelos), a camada (ou camadas) superior da pele é raspada ou esfolada, deixando a região em carne viva e suscetível à dor. Geralmente, ocorre um leve sangramento proveniente das partes em que a abrasão foi mais funda. Usando um pedaço de gaze ou algodão esterilizados ou um pano limpo, lave suavemente a ferida com água e sabão para remover a sujeira e outros materiais estranhos. Se o bebê opuser-se decididamente a tal medida, tente mergulhar a parte raspada na banheira. Aplique pressão se a hemorragia não estancar sozinha. Cubra com uma atadura estéril e não-aderente. A maior parte dos arranhões cura-se rapidamente.

40. Cortes pequenos. Lave a região com água limpa e sabão, depois segure o corte sob água corrente para remover a sujeira e todo material estranho. Aplique um *band-aid* esterilizado e não-aderente. Pode-se usar uma atadura em forma de borboleta (veja a figura) para manter o pequeno corte fechado até cicatrizar. Fale com o médico a respeito de quaisquer cortes no rosto do bebê.

41. Cortes grandes. Com uma gaze esterilizada, uma fralda limpa, um guardanapo, um pano limpo ou, se necessário, com o seu próprio dedo, aplique pressão para estancar a hemorragia, elevando ao mesmo tempo se possível, a parte atingida para

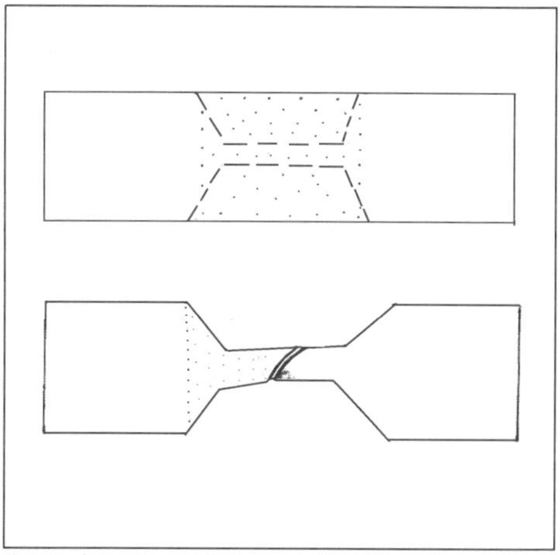

A atadura-borboleta mantém fechado o corte excessivamente aberto, para que possa cicatrizar. Pegue um band-aid *normal e corte-o como na figura. Depois, dê uma volta completa a fim de formar uma borboleta forte.*

acima do nível do coração (isso tornará menor o sangramento). Se a hemorragia continuar depois de 15 minutos de pressão, acrescente mais gazes ou panos e aumente a pressão. (Não se preocupe com a possibilidade de causar danos pelo excesso de pressão.) Se necessário, continue pressionando até a chegada de auxílio ou a chegada no pronto-socorro ou consultório médico. Se houver outros ferimentos, tente amarrar ou atar os panos de pressão no lugar onde se encontram, a fim de ter as mãos livres para cuidar do resto. Quando a hemorragia estancar, aplique sobre o ferimento uma atadura esterilizada e não-aderente, frouxa o suficiente para não prejudicar a circulação. Não use iodo, solução de

Burrows ou outro anti-séptico sem a autorização do médico. Quando o ferimento não se fechar, parecer profundo ou não parar de sangrar depois de meia hora, leve o bebê ao consultório médico (ligue antes) ou ao pronto-socorro.

42. Hemorragia intensa. Se a criança tiver um membro amputado e/ou seu sangue estiver jorrando aos borbotões, procure atendimento médico de emergência, ligando para o Pronto-Socorro (192) ou correndo ao pronto-socorro hospitalar mais próximo. Enquanto isso, aplique pressão sobre o ferimento, usando panos de gaze, uma fralda nova, um guardanapo, um pano ou toalha limpos. Caso a hemorragia não pare, aumente a pressão e a quantidade de panos. Não faça um torniquete sem a recomendação do médico, pois os danos podem às vezes ser maiores que os benefícios. Continue aplicando pressão até a chegada de auxílio.

43. Ferimentos por perfuração. Mergulhe o ferimento por 15 minutos em água com sabão, confortavelmente quente. Consulte o médico do bebê ou vá ao pronto-socorro. Não retire qualquer objeto que se ache cravado na ferida (como uma faca ou pedaço de pau), pois a hemorragia poderia aumentar. Envolva-o em tecidos, se necessário, para impedi-lo de se mover. Mantenha o bebê tão quieto quanto possível, evitando os movimentos bruscos que poderiam tornar o ferimento ainda pior.

44. Lascas ou estrepes. Lave a região atingida com água limpa e sabão, depois entorpeça-a com uma bolsa de gelo (veja página 719). Se o estrepe estiver completamente incrustado, tente soltá-lo usando uma agulha de costura esterilizada com álcool ou no fogo de um palito de fósforos. Se uma das extremidades do estrepe for claramente visível, tente retirá-lo com uma pinça (também esterilizada na chama ou no álcool). Não tente removê-lo com as unhas, que podem estar sujas. Depois de retirar o estrepe, lave novamente o local. Se for difícil retirá-lo, tente mergulhar a parte afetada em água morna com sabão por 15 minutos, três vezes por dia ao longo de dois ou três dias; com isso, a lasca talvez saia para fora. Se não sair, ou se o local ficar infeccionado (os sinais são vermelhidão, calor, inchaço), consulte o médico. Faça o mesmo se a lasca tiver penetrado profundamente e as vacinas de tétano do seu filho não estiverem em dia.

Picadas de insetos

ver nº 23

Queimaduras

Importante: Se a roupa da criança estiver pegando fogo, use um casaco, tapete, cobertor, colcha ou o seu próprio corpo (você não vai se queimar) para abafar as chamas.

45. Queimaduras por calor, de pequena extensão. Caso a área afetada seja um membro, submerja-o em água fria; aplique compressas frias (de 10 a 15ºC) a queimaduras no tronco ou no rosto. Persista até que o bebê pareça não estar mais sentindo dor, o que geralmente leva cerca de meia hora. Não aplique gelo, que poderia causar mais danos à pele, e nem fure quaisquer bolhas que se formarem. Depois do mergulho na água, enxugue a área atingida pressionando-a levemente com uma toalha e cubra-a com um material não-adesivo (uma atadura de gaze, ou, numa emergência, papel-alumínio). As queimaduras no rosto, mãos, pés ou órgãos genitais devem ser vistas pelo médico imediatamente. Numa criança de menos de um ano, qualquer queimadura, mesmo de pouca gravidade, é motivo suficiente para um telefonema ao médico.

46. Queimaduras por calor, extensas. Deixe o bebê deitado. Tire da região queimada todas as roupas que não se grudaram à queimadura. Aplique compressas frias à área atingida (mas não a mais que 25% da superfície do corpo num só momento). Mantenha o bebê confortavelmente aquecido, com as pernas mais altas que o coração, caso tenham sido queimadas. Não aplique pressão, pomadas, manteiga ou outras gorduras, qualquer pó ou banhos de ácido bórico sobre a queimadura. Se o bebê estiver consciente e não tiver queimaduras severas na boca, dê de mamar ou dê-lhe água ou outro líqüido. Leve a criança de imediato ao consultório médico ou ao PS, ou chame o serviço médico de emergência.

47. Queimaduras químicas. As substâncias cáusticas (como lixívia ou ácidos) podem causar sérias queimaduras. Suavemente, remova da pele a matéria química seca e tire quaisquer roupas contaminadas. Depois, lave imediatamente a pele com grande quantidade de água, usando, se houver, o antídoto recomendado no rótulo do produto, ou usando sabão, se tiver. Para maiores informações, ligue para um médico, o PS ou o Serviço de Controle de Intoxicações. Procure assistência médica imediata se a respiração estiver difícil ou dolorosa, o que pode indicar uma lesão pulmonar decorrente da inalação de vapores cáusticos. (Caso um produto químico tenha sido engolido, veja o nº 19.)

48. Queimaduras elétricas. Se possível, desligue imediatamente a fonte de energia. Senão, afaste a vítima da fonte usando um objeto seco e não metálico, como uma vassoura, escada de madeira, corda, almofada, cadeira ou mesmo um livro grande — mas nunca as próprias mãos nuas. Caso o bebê não esteja respirando, execute a RCP (página 519). Todas as queimaduras elétricas devem ser examinadas por um médico; por isso, fale com o médico do seu filho ou vá imediatamente ao pronto socorro.

49. Queimaduras de sol. Se o bebê (ou qualquer outro membro da família) tiver uma queimadura de sol, trate-a aplicando compressas frias de água da torneira (veja página 719) por 10 a 15 minutos, três a quatro vezes por dia, até a vermelhidão desaparecer; a água que evapora ajuda a esfriar a pele. Entre as aplicações de compressas, passe Nutraderm ou outro creme umectante suave semelhante a esse, ou pomada de calamina, que tem a vantagem adicional de secar as bolhas. Não passe vaselina sobre uma queimadura, pois ela não permite a passagem do ar, necessária para a cicatrização. E não dê anti-histaminas, a menos que prescritas pelo médico. Pomadas ou cremes de esteróides podem ser prescritos para queimaduras graves, e as bolhas grandes talvez precisem ser drenadas e removidas. Embora não faltem afirmações em contrário, a aspirina não previne os danos à pele; mas um analgésico infantil, como o acetaminofen, pode reduzir o incômodo.

Queimaduras de sol

ver nº 49

Queimaduras químicas

ver nº 47

Síncope (desmaio)

50. Verifique a respiração; se não houver, comece a executar a RCP (veja página 519). Se você detectar a presença de respiração, deixe o bebê deitado num plano, cobrindo-o levemente para esquentá-lo, se necessário. Desaperte-lhe o colarinho. Vire-lhe a cabeça para um dos lados e tire de dentro de sua boca quaisquer objetos ou restos de comida. Não lhe dê nada a comer e beber. Ligue para o médico imediatamente.

Ulceração pelo frio

51. Os bebês são extremamente suscetíveis à ulceração pelo frio, sobretudo nos dedos das mãos e dos pés, nas orelhas, nariz e bochechas. Quando essa ulceração ocorre, a parte atingida fica muito fria e adquire coloração branca ou cinza-amarelada. Se você perceber esses sinais no seu bebê, procure imediatamente reaquecer as partes geladas, encostando-as no seu corpo — abra seu casaco e sua camisa e ponha o bebê lá dentro, em contato com a sua pele. Vá, assim que possível, ao médico ou a um pronto-socorro. Se não puder fazer isso de imediato, leve o bebê para dentro de algum abrigo e comece um processo de reaquecimento gradual. Não coloque o bebê atacado por ulceração de frio ao lado de um aquecedor, fogão, fogueira ou lâmpada térmica, o que pode causar queimaduras na pele afetada; não tente descongelá-la rapidamente em água quente, o que também pode piorar a situação. Em vez disso, mergulhe os dedos atingidos em água com temperatura por volta de 39°C — só um pouco mais quente que a temperatura normal do corpo, e apenas morna ao toque. Nas partes que não podem ser mergulhadas numa bacia d'água, como o nariz, as orelhas e as bochechas, use compressas (panos ou toalhas molhadas) a essa mesma temperatura, mas sem aplicar pressão. Continue o procedimento até a pele recuperar sua cor normal, o que leva normalmente de 30 a 60 minutos (acrescente água quente sempre que necessário), e enquanto isso amamente o bebê ou dê-lhe líqüidos mornos (e não quentes) na mamadeira ou no copo. À medida que a pele atingida pela ulceração vai se reaquecendo, ela fica vermelha e ligeiramente inchada, podendo ocorrer formação de bolhas. Se o ferimento do bebê não tiver ainda sido examinado por um médico, é importante procurar atendimento médico agora.

Se, depois de reaquecidas as partes atingidas, você tiver que sair novamente para procurar o médico ou fazer qualquer outra coisa, tome especial cuidado para manter as partes atingidas protegidas durante o percurso, uma vez que um segundo congelamento dos tecidos descongelados pode causar danos ainda maiores.

Depois de uma exposição prolongada ao frio, a temperatura corporal do bebê pode descer abaixo do nível normal. Trata-se de uma situação de emergência, conhecida como hipotermia — não se deve perder um só minuto antes de levar ao pronto-socorro mais próximo o bebê que parece anormalmente frio ao toque. Durante o trajeto, deixe o bebê bem quentinho junto ao seu corpo.

ROTULE O SEU EXTRATO DE IPECA

Convém que você tenha um frasco de xarope de ipeca entre os seus suprimentos de primeiros socorros, mas esse emético (indutor do vômito) nunca deve ser administrado sem recomendação médica. Para ter certeza de que tal coisa não venha a ocorrer, rotule o frasco com uma grande etiqueta adesiva com os dizeres "NÃO USAR SEM A AUTORIZAÇÃO DO MÉDICO OU DO SERVIÇO DE CONTROLE DE INTOXICAÇÕES". Acrescente os telefones do referido Serviço e do médico do bebê, os quais devem estar também afixados ao lado de todos os telefones da sua casa. E não tenha medo de usar o extrato de ipeca cujo prazo de validade tenha expirado. Sabe-se que o mesmo continua 100% seguro e eficaz por quatro anos após o prazo de validade. Para os passeios e viagens, guarde na bolsa de fraldas um frasco sobressalente com um rótulo semelhante.

Estudos recentes indicam que, para determinados tipos de intoxicação, o carvão líqüido é um tratamento preferível. Fale com o Serviço de Controle de Intoxicações mais próximo de sua casa para saber se eles recomendam que você guarde um frasco de carvão líqüido em sua maleta de remédios.

TÉCNICAS DE REANIMAÇÃO PARA BEBÊS

As instruções seguintes só devem servir como um reforço. Pelo bem do seu filho, você deve fazer um curso de RCP para bebês (fale com o médico do bebê, o hospital local ou a Cruz Vermelha para saber onde fazer um curso perto de sua casa), a fim de estar segura de ser capaz de realizar corretamente estes procedimentos de manutenção da vida. Periodicamente, releia estas instruções ou as que você receber no curso e repasse-as etapa por etapa num boneco (*nunca* no bebê ou qualquer outra pessoa, e nem mesmo num animal de estimação) pelo menos uma vez por mês, de modo que você seja capaz de fazer tudo automaticamente caso uma emergência venha a ocorrer. Vez por outra, faça um curso de reforço — para se lembrar do que você aprendeu e aprender as técnicas mais recentes. O procedimento descrito abaixo só deve ser iniciado no bebê que tenha parado de respirar, ou naquele que estiver lutando para respirar e ficando azul (examine ao redor dos lábios e as pontas dos dedos).

Se o bebê estiver lutando para respirar mas não estiver azul, ligue imediatamente para o serviço médico de emergência ou corra ao pronto-socorro mais próximo. Enquanto isso, mantenha o bebê aquecido e tão quieto quanto possível, deixando-o na posição em que parecer mais confortável.

Caso a reanimação pareça ser necessária, verifique o estado geral do bebê através das etapas 1-2-3N.[2]

1. Verifique se há reação

Tente provocar uma reação no bebê que parece inconsciente, chamando-o pelo nome várias vezes em voz alta: "Ana, Ana, está tudo bem?" Se isso não funcionar, tente bater-lhe na sola dos pés. Como último recurso, tente sacudir o bebê suavemente ou bater-lhe nos ombros — não o sacuda com força, e não sacuda de modo algum se houver suspeita de ossos fraturados ou uma lesão na cabeça, no pescoço ou na coluna.

2. Procure ajuda

Se o bebê não reagir, peça a alguma outra pessoa que ligue para o serviço médico de emergência, enquanto você procede à Etapa 3. Se você estiver sozinha com o bebê e tiver confiança em seu domínio da RCP, faça-a sem demora, chamando em voz alta de tempos em tempos para pedir ajuda a vizinhos ou transeuntes. Mas se você não tiver familiaridade com a RCP e/ou sentir-se paralisada pelo pânico, corra imediatamente, com o bebê, ao telefone mais próximo (certificando-se antes que não haja sinais de lesões à cabeça, ao pescoço ou às costas) — ou melhor, traga um telefone portátil para o lado do bebê — e ligue para o serviço médico de emergência. A telefonista poderá orientá-la quanto ao melhor curso de ação.

Importante: A pessoa que liga ao serviço médico de emergência deve permanecer ao telefone por todo o tempo necessário à transmissão das informações requeridas e até que a telefonista conclua o seu questionário. Deve-se incluir o seguinte: nome e idade do bebê; localização atual (endereço, pontos de referência, número do apartamento, melhor caminho se houver mais de um); estado do bebê (está consciente? respirando? sangrando? em choque? há pulsação?); causa desse estado (envenenamento, afogamento, queda etc.), se for conhecida; número do telefone, se houver um no local. Peça à pessoa

---

2. Esse método é baseado nos mais recentes procedimentos de salvamento adotados pela Cruz Vermelha Norte-Americana e pela Associação Norte-Americana do Coração, e foi preparado com o auxílio de Barbara Hogan, do Instituto de Cuidados de Emergência do Hospital Bellevue, Nova York. É possível que o treinamento que você recebeu seja um pouco diferente, e ele deve ser a base de suas ações.

que vai ligar que, depois de fazê-lo, lhe dê um retorno.

3. Posicione o bebê

Movimente o bebê como um todo, sem torcer ou dobrar-lhe o corpo, apoiando cuidadosamente a cabeça, o pescoço e as costas, e coloque-o sobre uma superfície firme e plana (uma mesa é conveniente para que você não tenha que se ajoelhar, mas no chão, isso será necessário). Rapidamente, deixe o bebê deitado de costas, com a cabeça no mesmo nível do coração, e use as etapas A-B-C[3] para avaliar a sua condição.

A: Desobstrua as vias aéreas

Para tentar abrir as vias aéreas, use a seguinte técnica de inclinação da cabeça e elevação do queixo, a menos que haja possibilidade de uma lesão à cabeça, ao pescoço ou às costas. Caso se suspeite de tal lesão, use a técnica de projeção da mandíbula (descrita abaixo).

Importante: É possível que as vias aéreas do bebê inconsciente estejam obstruídas pela língua ou epiglote relaxadas, ou por um objeto estranho. É necessário desobstruí-las para que o bebê possa voltar a respirar.

Inclinação da cabeça/elevação do queixo. Coloque a mão que está mais próxima da cabeça do bebê sobre a sua testa, e um ou dois dedos (que não seja o polegar) da outra mão sob a parte óssea inferior da mandíbula, no queixo. Com delicadeza,

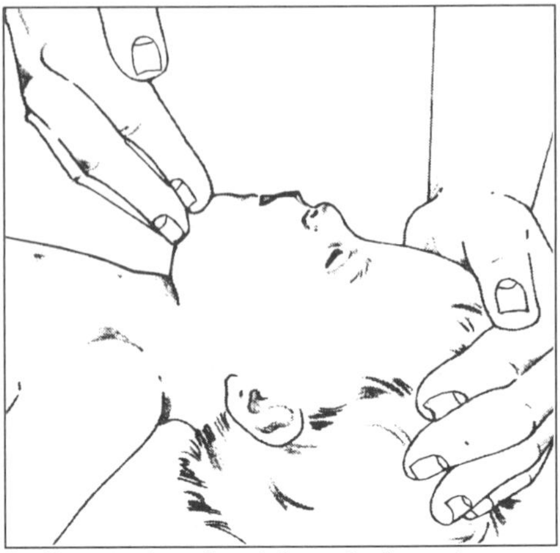

Inclinação da cabeça/elevação do queixo.

incline a cabeça do bebê um pouquinho para trás, aplicando pressão sobre a testa e levantando o queixo. Não pressione os tecidos moles sob o queixo e nem deixe que a boca se feche completamente (coloque o polegar dentro dela, se necessário, para manter os lábios afastados). A cabeça do bebê deve estar voltada para o teto, na chamada posição neutra, na qual o queixo não fica apoiado no peito e nem aponta para cima. É possível que a inclinação de cabeça necessária para desobstruir as vias aéreas de uma criança de mais de um ano seja um pouco maior (a posição de hiperextensão ou neutro-positiva). Se as vias aéreas não se abriram após colocar o bebê em posição, verifique a respiração (B).

Projeção da mandíbula, a usar-se quando se suspeita de lesão no pescoço ou nas costas. Apoiando os cotovelos na superfície sobre a qual o bebê está deitado, coloque dois ou três dedos sob cada um dos lados da parte inferior da mandíbula, no ponto em que a mandíbula superior e a inferior se encontram; com delicadeza, eleve a mandíbula até chegar à posição neutra (veja a inclinação da cabeça, acima).

Importante: Mesmo que o bebê volte a respirar imediatamente, obtenha auxílio

3. Se você suspeita de uma lesão na cabeça, no pescoço ou nas costas, proceda à Etapa B para ver, ouvir e sentir se o bebê está respirando, antes de movimentá-lo. Se ele estiver respirando, não o movimente a menos que o local onde vocês se encontram esteja sob risco iminente de incêndio ou explosão, por exemplo. Se ele não estiver respirando e a respiração boca-a-boca não puder ser realizada na posição em que ele se encontra, role-o até deixá-lo deitado de costas, mas sem torcer-lhe ou dobrar-lhe o corpo, de modo que a cabeça, o pescoço e o resto do corpo movimentem-se todos juntos.

médico. Todo bebê que esteve inconsciente, parou de respirar ou quase se afogou deve ser examinado por um médico.

B: Verifique se há respiração

1. Depois de efetuar a inclinação da cabeça ou a projeção da mandíbula, use o olhar, a audição e o tato por 3 a 5 segundos para saber se o bebê está respirando: Você ouve ou sente a passagem do ar ao colocar o ouvido próximo ao nariz e à boca do bebê? Um espelho colocado sob o nariz do bebê fica embaçado? Você percebe o peito e a barriga do bebê subindo e descendo (este fato por si não é prova de que ele esteja respirando; ele pode estar tentando respirar sem conseguir)?

Se a respiração normal tiver sido retomada, conserve as vias aéreas abertas com a inclinação da cabeça ou a projeção da mandíbula. Se, além disso, o bebê recuperar a consciência (e não tiver quaisquer ferimentos que desaconselhem o movimento), vire-o para um dos lados. Se ninguém ainda ligou para o serviço médico de emergência, ligue agora. Se, ao começar a respirar sozinho, o bebê também começar a tossir com força, o corpo pode estar tentando livrar-se de uma obstrução. *Não impeça o bebê de tossir.*

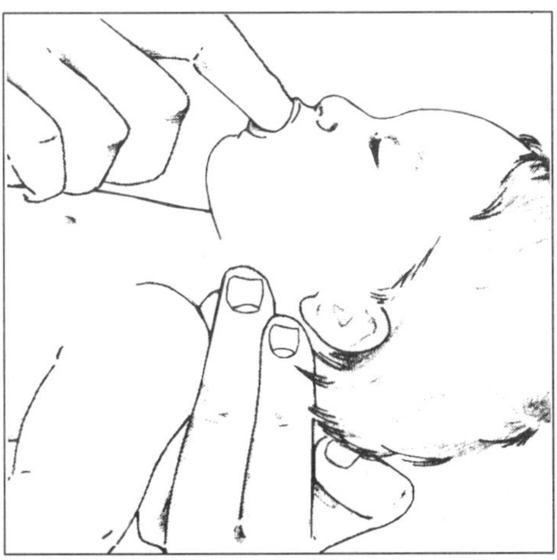

Como tirar o vômito e os objetos estranhos da boca do bebê.

Se não houver respiração, ou o bebê estiver esforçando-se por respirar e tiver os lábios arroxeados e/ou um choro fraco e abafado, você terá que introduzir ar em seus pulmões imediatamente. Continue como descrito abaixo. Se o serviço médico de emergência ainda não tiver sido chamado e você estiver sozinha, continue tentando atrair a atenção de vizinhos e transeuntes.

2. Mantenha as vias aéreas abertas conservando a cabeça do bebê na posição neutra (ou neutro-positiva, se necessário para os bebês de mais de um ano) com uma das mãos sobre a sua testa. Com um dos dedos da outra mão, tire da boca do bebê qualquer vômito, sujeira ou objeto estranho que estejam *visíveis*. Não tente "varrer" se não houver nada visível.

Importante: Se a qualquer momento o bebê vomitar, vire-o imediatamente para um dos lados, limpe o vômito da boca com um dedo, recoloque o bebê deitado de costas e rapidamente retome os procedimentos de resgate.

3. Inspire pela boca e coloque-a sobre a boca e o nariz do bebê, selando bem os cantos (veja a figura). Num bebê de mais de um ano, cubra somente a boca e feche as narinas apertando-as com os dedos da mão que está segurando a cabeça na posição inclinada.

4. Expire duas vezes, *devagar e delicadamente*, para dentro da boca do bebê. Cada expiração deve durar de um segundo a um segundo e meio; faça uma pausa entre as expirações para virar ligeiramente a própria cabeça e respirar. A cada expiração, observe o peito do bebê. Pare de soprar quando o peito subir, e espere até que o peito desça antes de soprar novamente. Além disso, tente ouvir e sentir se o bebê expira o ar.

Importante: Lembre-se de que o bebê pequeno só precisa de uma pequena quan-

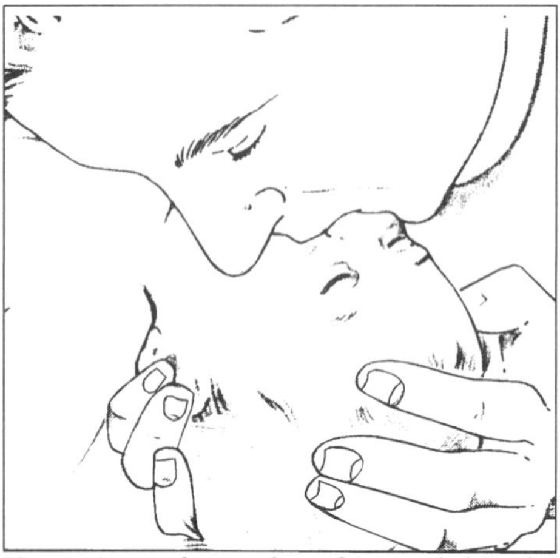

Na respiração boca-a-boca feita em bebês, devem-se cobrir tanto a boca como o nariz.

tidade de ar para encher os pulmões. A expiração demasiado suave da mãe pode não encher completamente os pulmões, mas a expiração demasiado forte ou rápida pode fazer com que o ar entre no estômago, causando distensão. Se em algum momento da respiração boca-a-boca o abdome do bebê ficar inchado, não tente apertá-lo — o que poderia causar vômitos, correndo-se o risco de o vômito ser inalado ou aspirado para dentro dos pulmões. Se o volume do abdome parecer prejudicar a expansão do peito, vire o bebê para um dos lados, se possível com a cabeça mais baixa, e aplique uma pressão suave sobre o abdome por um ou dois segundos.

5. Se o peito não subir e descer a cada respiração, reposicione a cabeça do bebê pela inclinação da cabeça/elevação do queixo (ou projeção da mandíbula) e tente soprar mais duas vezes. Expire com um pouco mais de força, se necessário. Se o peito mesmo assim não subir, é possível que as vias aéreas estejam obstruídas por alimentos ou um corpo estranho — nesse caso, aja rapidamente no sentido de retirá-lo, usando o procedimento descrito em "Quando o Bebê Estiver Sufocando", na página 526.

Para o bebê de mais de um ano, e às vezes para o bebê mais novo mas bastante crescido, pode ser necessário inclinar a mandíbula um pouco mais, chegando à posição neutro-positiva, para que as vias aéreas se abram e o ar possa entrar nos pulmões; incline novamente e tente expirar mais duas vezes. Se isso não funcionar, eleve ainda mais o queixo do bebê e tente de novo; faça a mesma coisa até o queixo ficar apontando diretamente para cima. Se nem assim o peito do bebê subir, vá para "Quando o Bebê Estiver Sufocando".

C: Verifique se há pulsação

1. Assim que você constatar, por duas respirações bem-sucedidas, que as vias aéreas estão desobstruídas, verifique se há pulsação. Com um bebê de menos de um ano, tente encontrar o pulso branquial no braço que estiver mais próximo de você: conservando uma das mãos na cabeça do bebê para manter abertas as vias aéreas, use a outra para afastar o braço do corpo do bebê e deixá-lo com a palma da mão para cima. Com os dedos indicador e médio, tente localizar a pulsação entre os dois músculos da parte interna do braço, entre o ombro e o cotovelo; veja página 471. (No bebê mais velho, tome a pulsação na veia carótida, no pescoço.) É muito perigoso administrar a RCP a um bebê cujo coração está batendo; por isso, procure com cuidado, e reserve de 5 a 10 segundos para localizar a pulsação. (Os pais devem praticar tomar o pulso de seus filhos em condições normais, para que consigam fazê-lo rapidamente numa emergência.)

2. Se você não constatar pulsação, comece imediatamente a RCP (veja página 523). Se constatar pulsação, o coração do bebê está batendo. Comece imediatamente a respiração boca-a-boca (página 523) se a respiração não houver sido retomada de forma espontânea.

Ponha em ação o serviço médico de emergência

Se o serviço médico de emergência não tiver ainda sido chamado e houver alguém disponível para fazer o telefonema, peça que o faça agora. Se o telefonema tiver sido feito antes de avaliado o estado do bebê, peça que a pessoa ligue novamente para dar mais informações sobre esse estado: se o bebê está ou não consciente, se está respirando, se apresenta pulsação. Se o bebê precisar de respiração boca-a-boca ou RCP, não perca tempo telefonando. Proceda sem demora ao salvamento, chamando em voz alta de tempos em tempos para pedir ajuda aos vizinhos ou transeuntes.

REANIMAÇÃO: RESPIRAÇÃO BOCA-A-BOCA

1. Expire na boca do bebê, como descrito acima, num ritmo de mais ou menos uma respiração a cada 3 segundos (20 respirações por minuto) para o bebê com menos de um ano (respire-e-um-e-dois-e-três-e-expire), e de uma respiração a cada 4 segundos (15 respirações por minuto) para o bebê com mais de um ano. Observe para ter certeza de que o peito do bebê está subindo e descendo a cada respiração.

2. Depois de um minuto de respiração boca-a-boca, tome o pulso do bebê para certificar-se de que o coração não parou. Caso isso tenha ocorrido, faça RCP. Se não, reserve 3 a 5 segundos para ver, ouvir e sentir se o bebê está respirando espontaneamente (veja página 521). Se o bebê tiver começado a respirar sozinho, continue a conservar-lhe abertas as vias aéreas e a verificar com freqüência a respiração e o pulso até a chegada de auxílio; deixe o bebê aquecido e tão quieto quanto possível. Se ele não estiver respirando espontaneamente, continue a respiração boca-a-boca, tomando o pulso e verificando a respiração a cada minuto.

Importante: Para que a respiração boca-a-boca seja eficaz, as vias aéreas devem permanecer abertas. Durante a respiração de salvamento, não deixe de conservar a cabeça do bebê na posição neutra.

3. Se você estiver sozinha e o serviço médico de emergência ainda não tiver sido contactado, ligue assim que o bebê começar a respirar sozinho. Se isso não ocorrer dentro de alguns minutos, leve o bebê até junto do telefone segurando-o como uma bola de futebol americano (página 58), fazendo sempre a respiração boca-a-boca. No telefone, diga simplesmente que "Meu nenê não está respirando", e transmita todas as informações pertinentes com rapidez e clareza (veja acima). Não desligue até que a telefonista o faça; se possível, continue a fazer respiração boca-a-boca enquanto a telefonista fala; depois, volte imediatamente à respiração boca-a-boca.

Importante: Não pare a respiração boca-a-boca até o bebê estar respirando sozinho, ou até os médicos chegarem e assumirem a tarefa.

REANIMAÇÃO CARDIOPULMONAR (RCP): BEBÊS COM MENOS DE UM ANO[4]

Importante: Na RCP, as respirações boca-a-boca — que força a entrada de oxigênio nos pulmões, onde passa para a corrente sangüínea — devem alternar-se com

4. Um ano é a idade convencional escolhida pela Associação Norte-Americana do Coração, a Cruz Vermelha Norte-Americana e a Academia Norte-Americana de Pediatria para passar dos procedimentos de salvamento próprios para bebês aos indicados para crianças. O tamanho da criança pode ser um fator importante em alguns casos, mas os especialistas asseguram que um pequeno desvio, para mais ou para menos, não chega a ser importante.

as compressões peitorais, que bombeiam artificialmente o sangue carregado de oxigênio, levando-o aos órgãos vitais e ao restante do corpo.

1. Continue a manter o bebê deitado de costas sobre uma superfície firme e plana. A cabeça do bebê deve estar na mesma altura do coração.

2. Continue a manter a cabeça do bebê na posição neutra, com uma mão sobre a testa. Coloque uma pequena toalha enrolada, uma fralda ou outro apoio sob os ombros do bebê, levantando-os ligeiramente, o que também ajuda a manter abertas as vias respiratórias. Não deixe que a cabeça se incline muito para trás (veja a figura na página 520).

3. Posicione os dedos indicador, médio e anular da mão que está livre sobre o peito do bebê: imagine uma linha horizontal que liga mamilo a mamilo; coloque a ponta do dedo indicador logo abaixo da intersecção dessa linha com o osso esterno (que corre de cima a baixo no meio do peito do bebê, entre as costelas); a área a ser comprimida fica à largura de um dedo abaixo desse ponto de intersecção.

Nos bebês, as compressões podem ser feitas com dois ou três dedos.

4. Usando dois ou três dedos, comprima o esterno para dentro, fazendo-o abaixar de um a dois centímetros (conserve flexionada a articulação do cotovelo). Depois de cada compressão, alivie a pressão sem tirar os dedos do osso esterno, e deixe-o voltar à posição normal. Entre num ritmo suave de compressão e relaxamento, dando um tempo igual a cada uma das fases do movimento e evitando os movimentos bruscos.

5. Depois de cada cinco compressões, faça uma pausa conservando os dedos em posição sobre o osso esterno, e faça com delicadeza uma respiração boca-a-boca de um segundo a um segundo e meio. Observe se o peito se levanta. (Se não se levantar, tire os dedos do osso externo, levante o queixo do bebê e assopre de novo.) Procure trabalhar a um ritmo de 100 compressões por minuto, fazendo uma respiração boca-a-boca a cada cinco compressões. Conte mais rápido do que você faria se estivesse contando os segundos: um, dois, três, quatro, cinco — respire.

6. Depois de cerca de um minuto, reserve 5 segundos para tomar o pulso braquial. Se não houver pulsação, faça devagar uma respiração boca-a-boca e depois continue os ciclos de compressão e ventilação da RCP, verificando a existência de pulsação a cada poucos minutos. Caso você constate uma pulsação, cesse as compressões peitorais. Por 3 a 5 segundos, veja, ouça e sinta se o bebê está respirando espontaneamente. Se estiver, conserve abertas as vias aéreas e deixe o bebê quieto e aquecido, enquanto continua a monitorar-lhe a respiração. Se ele ainda não estiver respirando, continue fazendo somente a respiração boca-a-boca, como descrito acima.

7. Após aproximadamente um minuto de RCP, se você estiver sozinha e não tiver conseguido atrair a atenção de alguém que pudesse ligar para a assistência médica de emergência, vá com presteza a um telefone (levando consigo o bebê, se possível, ou trazendo o telefone para junto dele) e peça

ajuda; depois, na medida do necessário, volte imediatamente aos procedimentos de salvamento.

Importante: Não encerre a RCP até o reestabelecimento da respiração e dos batimentos cardíacos, ou até a chegada de pessoal especializado.

REANIMAÇÃO CARDIOPULMONAR (RCP): BEBÊS COM MAIS DE UM ANO

1. Mantenha a criança deitada de costas sobre uma superfície firme e plana. Não deve haver travesseiros sob a cabeça da criança; a cabeça deve estar na mesma altura do coração. Para que as vias aéreas fiquem desimpedidas, a cabeça da criança deve estar na posição neutro-positiva (página 520).

2. Posicione suas mãos: com os dedos médio e indicador, localize a extremidade inferior da caixa toráxica da criança, no lado mais próximo a você; siga a borda inferior daí até o ponto onde as costelas encontram o esterno (o osso plano que dispõe-se verticalmente no meio do peito da criança, entre as costelas); coloque nesse ponto o dedo médio da mão que corresponde ao lado de baixo (o dos pés) do bebê, e o dedo indicador bem ao lado; coloque a palma da outra mão logo acima do indicador, de modo que os dedos fiquem transversais à vertical do peito, e os dois dedos anteriormente colocados formem, com a palma da mão, uma linha sobre o osso esterno.

Importante: Não aplique pressão à ponta do esterno (o chamado apêndice xifóide), o que poderia causar sérias lesões internas.

3. Com a palma da mão, comprima o peito fazendo-o descer de 1 a 2 centímetros. Só deve haver contato entre a palma da sua mão e a metade inferior, plana, do osso esterno — não pressione as costelas durante as compressões. Sem tirar a mão do peito, deixe que este volte ao seu lugar normal depois de cada compressão. Entre num ritmo de compressão e relaxamento, dando um tempo igual a cada uma das fases do movimento e evitando os movimentos bruscos.

4. A cada cinco compressões, faça uma pausa e, apertando as narinas do bebê para fechá-las, aplique uma respiração lenta, de um segundo a um segundo e meio. As compressões peitorais devem ser sempre acompanhadas de respiração boca-a-boca, para que o cérebro receba um suprimento constante de oxigênio (a criança cujo coração não está batendo não respira e, portanto, não inala oxigênio). Procure trabalhar a um ritmo de 80 a 100 compressões por minuto, fazendo uma respiração a cada cinco compressões. Conte mais rápido do que você faria se estivesse contando os segundos: um, dois, três, quatro, cinco — respire.

5. Depois de cerca de um minuto, reserve 5 segundos para tomar o pulso. Se não houver pulsação, aplique uma respiração lenta com as narinas do bebê apertadas e depois dê continuidade aos ciclos de compressão e ventilação da RCP, verificando periodicamente a existência de pulsação. Caso você a constate, cesse as compressões peitorais. Se o bebê ainda não estiver respirando, porém, continue com a respiração boca-a-boca somente.

6. Se você ainda não tiver conseguido que alguém ouça seus pedidos de ajuda, e o serviço médico de emergência não tiver sido contactado, reserve um momento para falar ao telefone; depois, retome imediatamente os procedimentos de salvamento, caso necessário. Se possível, pegue o bebê como uma bola de futebol americano (página 58) e leve-o ao telefone, continuando a respiração boca-a-boca enquanto isso.

Importante: Não interrompa a RCP até o reestabelecimento da respiração e dos batimentos cardíacos, ou até a chegada de pessoal especializado.

QUANDO O BEBÊ ESTIVER SUFOCANDO

A tosse é o meio que a natureza arranjou para tentar desalojar um objeto que obstrui as vias aéreas. Não se deve interferir com o bebê (ou qualquer outra pessoa) que, tendo engasgado com um alimento ou objeto estranho, ainda é capaz de respirar, chorar e tossir com força. Mas se, depois de 2 ou 3 minutos, o bebê continuar tossindo, ligue para o serviço médico de emergência. Além disso, os seguintes procedimentos de salvamento devem ser seguidos quando a vítima de sufocação estiver esforçando-se por respirar, não conseguir tossir efetivamente, emitir sons ásperos e agudos e/ou estiver ficando azulada (o que geralmente começa ao redor dos lábios). E devem ser seguidos *imediatamente* se o bebê estiver inconsciente e sem respirar, *e* se as tentativas de abrir as vias aéreas e introduzir ar nos pulmões (ver Etapas A e B, páginas 520-521) não obtiverem êxito.

Importante: A obstrução das vias aéreas pode ocorrer também como resultado de infecções como o crupe e a epiglotite. O bebê que parece doente e está sufocando precisa de cuidados médicos imediatos num pronto-socorro. *Não perca tempo* com uma fútil e perigosa tentativa de resolver o problema.

Para bebês com menos de um ano (conscientes ou inconscientes)

1. Peça ajuda. Se houver mais alguém ao seu lado, peça-lhe que ligue para o serviço médico de emergência. Se você estiver sozinha e não tiver familiaridade com os procedimentos de salvamento, ou esquecê-los devido ao pânico, leve o bebê até um telefone ou leve um telefone portátil até a criança, e ligue *imediatamente* para o serviço médico de emergência. Costuma-se recomendar também que, mesmo que você tenha familiaridade com os procedimentos de salvamento, reserve algum tempo para telefonar antes que a situação fique pior.

2. Posicione o bebê. Segure o bebê de bruços sobre o antebraço, com a cabeça mais baixa que o tronco (num ângulo de mais ou menos 60º; veja a figura). Apóie o queixo do bebê no espaço entre os dedos polegar e indicador. Se você estiver sentada, apóie o antebraço sobre a coxa. Se o bebê for muito grande para que você o segure confortavelmente sobre o antebraço, sente-se numa cadeira ou ajoelhe-se no chão e coloque o bebê no seu colo, na mesma posição, com a cabeça mais baixa que o tronco.

3. Dê pancadas nas costas. Dê cinco pancadas fortes e seguidas entre as omoplatas do bebê, com a palma da mão que você tem livre.

4. Administre impulsos peitorais. Se não houver sinal de que a obstrução tenha

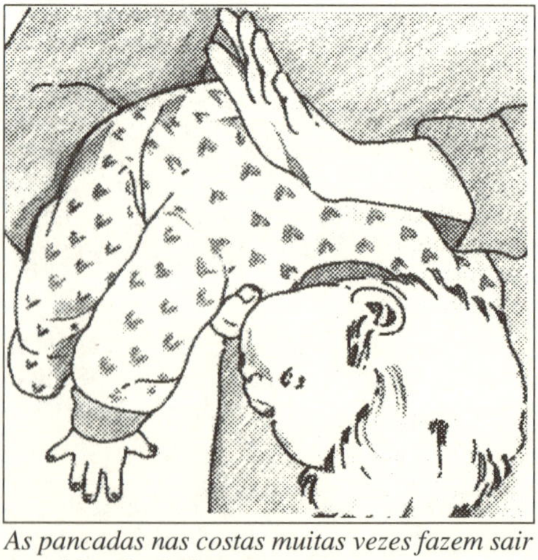

As pancadas nas costas muitas vezes fazem sair um objeto inalado.

sido aliviada (tosse forte, respiração normal, o objeto saindo pela boca), coloque a palma de sua mão livre sobre as costas do bebê, e, apoiando-lhe a cabeça, o pescoço e o peito com a outra mão, vire-o de frente deixando de novo a cabeça mais baixa que o tronco. Apóie a cabeça e o pescoço com a sua mão, e apóie o antebraço sobre a coxa. (O bebê demasiado grande para ser seguro nesta posição pode ficar deitado de costas no seu colo.) Para posicionar a mão, imagine uma linha horizontal de mamilo a mamilo. Coloque a ponta do seu dedo indicador logo abaixo da intersecção dessa linha com o osso esterno (o osso plano que dispõe-se verticalmente no meio do peito do bebê entre as costelas). A região a ser comprimida fica à largura de um dedo abaixo desse ponto de intersecção. Posicione dois dedos (ou três, se você não conseguir comprimir de maneira eficaz com dois — mas tome o cuidado de se limitar sempre à região compreendida entre um dedo abaixo da linha dos mamilos e a extremidade superior do esterno) ao longo do esterno no peito do bebê. Dê cinco impulsos peitorais, comprimindo o osso esterno a uma profundidade de 1 a 2 cm a cada vez, e deixando que o osso retorne à posição normal entre as compressões, sem retirar os dedos do lugar. Trata-se de um procedimento semelhante às compressões peitorais, mas feito num ritmo mais lento — a cada um segundo, ou um segundo e meio (um-e-dois-e-três-e-quatro-e-cinco).

Se o bebê estiver consciente, continue repetindo as pancadas nas costas e administrando impulsos peitorais até as vias respiratórias desobstruírem-se ou o bebê perder a consciência. Se o bebê estiver inconsciente, proceda como descrito abaixo.

5. *Verifique a existência de um corpo estranho.* Se não houver sinal de que a obstrução tenha sido aliviada (tosse forte, respiração normal, o objeto saindo pela boca), tente encontrar uma causa visível para a obstrução. Abra a boca do bebê, colocando o polegar dentro dela e segurando a língua e a mandíbula inferior entre o polegar e o indicador. Abaixe a língua com seu polegar enquanto levanta a mandíbula para cima e para longe da garganta. Se você enxergar um objeto estranho, tente removê-lo fazendo um movimento de varredura com um dedo. Não faça esse movimento dentro da boca se você não enxergar o objeto, e não tente retirar um objeto visível pegando-o entre o polegar e o indicador, pois assim você pode empurrá-lo ainda mais para o fundo.

6. *Verifique o estado das vias respiratórias.* Se o bebê ainda não estiver respirando normalmente, abra as vias aéreas com a manobra de inclinação da cabeça/elevação do queixo e tente administrar duas respirações lentas, cobrindo a boca e o nariz do bebê com a sua boca, como na figura da página 522. Se o peito subir e descer a cada respiração, as vias aéreas estão livres.

À PROCURA DO OBJETO DESAPARECIDO

Se o bebê parece engasgar com alguma coisa e depois melhora com ou sem um tratamento de emergência, fique atenta a quaisquer sinais de que o problema ainda não tenha sido resolvido, a saber: um tom incomum de choro ou de fala; menos sons de respiração; chiado na respiração; tosse inexplicada; tonalidade azul ao redor dos lábios ou unhas, ou da pele em geral. Se qualquer um desses sinais se manifestar, leve o bebê imediatamente ao pronto-socorro. É possível que um corpo estranho tenha se alojado no aparelho respiratório inferior.

Verifique se o bebê está respirando espontaneamente, Etapa B, e continue com os procedimentos necessários.

7. Repita a seqüência. Se as vias aéreas permanecerem bloqueadas, continue repetindo a seqüência acima até que elas se desobstruam e o bebê esteja consciente e respirando normalmente, ou até a chegada do auxílio médico de emergência. Não desista, pois quanto mais tempo o bebê ficar sem oxigênio, mais ficarão relaxados os músculos da garganta, e maior será a probabilidade de desalojar o objeto.

Para crianças com mais de um ano (inconscientes)

1. Posicione a criança. Deite a criança de costas sobre uma superfície firme e estável (o chão ou uma mesa). Fique de pé ou ajoelhada junto aos pés da criança (nunca se sente sobre uma criança pequena) e coloque a palma de uma das mãos sobre o abdome, no ponto médio entre o umbigo e a caixa toráxica, com os dedos apontando para o rosto da criança. Coloque a outra mão sobre a primeira.

2. Faça compressões abdominais. Com a mão que está em cima comprimindo a que está em baixo, administre uma série de 6 a 10 compressões abdominais para dentro e para cima, para desalojar o objeto entalado. As compressões devem ser mais suaves do que seriam para um adulto ou criança mais velha. Tome cuidado para não aplicar pressão sobre a extremidade inferior do esterno ou as costelas.

3. Verifique o estado das vias respiratórias. Se a criança ainda não estiver respirando espontaneamente, incline-lhe a cabeça e administre duas respirações lentas boca-a-boca, ao mesmo tempo em que aperta as narinas para mantê-las fechadas. Se o peito subir e descer a cada respiração, as vias aéreas estão desobstruídas. Verifique se há respiração espontânea, a Etapa B (veja página 521), e continue com os procedimentos necessários.

4. Repita a seqüência. Se as vias aéreas continuarem bloqueadas, continue repetindo a seqüência até que elas se desobstruam e a criança esteja consciente e respirando normalmente, ou até a chegada do atendimento médico de emergência. Não desista, pois, quanto mais tempo a criança ficar sem oxigênio, mais ficarão relaxados os músculos da garganta, e maior será a probabilidade de desalojar a obstrução.

Importante: O atendimento médico será necessário mesmo que o bebê se recupere rapidamente de um episódio de sufocação. Ligue para o médico do bebê ou para o pronto-socorro.

Para crianças com mais de um ano (conscientes)

1. Posicione-se. Fique em pé atrás da criança e passe seus braços em torno da cintura dela.

2. Posicione suas mãos. O lado do polegar de um dos punhos deve estar em contato com o abdome da criança, na linha média, um pouquinho acima do umbigo e bem abaixo da extremidade inferior do esterno.

3. Administre compressões abdominais. Segure o punho fechado com a outra mão e pressione-o contra o abdome da criança com um movimento rápido para cima (a pressão deve ser menor que a usada num adulto). Repita a manobra até ver que o objeto saiu ou a criança começar a respirar normalmente.

CAPÍTULO 19

O Bebê de Baixo Peso

A maior parte dos futuros pais espera que seus bebês nasçam exatamente na data prevista, com um erro de no máximo uma ou duas semanas. E, com efeito, a maioria dos bebês segue o cronograma — dando a si mesmo tempo suficiente para se prepararem para a vida fora do útero, e a seus pais para que se preparem para viver com um bebê.

Mas, cerca de 300.000 vezes a cada ano nos Estados Unidos, esse importantíssimo período de preparação é abreviado de maneira inesperada — e às vezes perigosa — quando o bebê nasce prematuro e/ou muito pequeno. Alguns desses bebês tem peso pouco inferior ao limite de 2.500 g que define o peso considerado baixo, e equiparam-se rápida e facilmente aos seus colegas nascidos a termo. Outros, porém, privados de muitas semanas de desenvolvimento intra-uterino, nascem pequenos a ponto de caber na palma da mão; às vezes, vários meses de tratamento médico intensivo são necessários para que eles cresçam tanto quanto deveriam ter crescido dentro do útero.

Ocorre também que, quando o bebê chega cedo demais, muitos pais acham-se bastante despreparados. Os primeiros dias — às vezes, semanas ou meses — após o parto, para eles, não se passam a escrever bilhetes de agradecimento, aprender a trocar fraldas e adaptar-se ao fato de ter um bebê em casa — mas em meio à leitura de tabelas hospitalares, à aprendizagem da inserção de tubos nasogástricos e à adaptação ao fato de não ter um bebê em casa.

Embora o bebê de baixo peso, prematuro ou não, ainda corra mais riscos que os bebês maiores, o rápido avanço da assistência médica aos bebês pequenos, possibilitou que a grande maioria deles cresça e transforme-se em crianças normais e saudáveis. Mas, antes de levá-los orgulhosamente do hospital para casa, seus pais freqüentemente vivem muitos e muitos dias de agonia e noites de insônia.

PARA ALIMENTAR O SEU BEBÊ: A Nutrição do Bebê Prematuro ou de Baixo Peso

A nutrição do bebê prematuro é uma ciência que ainda não tem "nove meses" de desenvolvimento: há muito a ser aprendido acerca das necessidades nutricionais dos bebês que nascem antes da data prevista. Mas o que é sabido, ou suspeitado, aumenta a cada ano, à medida que os neonatologistas e as enfermeiras das UTIs neonatais vão tentando criar e aperfeiçoar métodos mais eficientes para nutrir bebês que precisam ser alimentados fora do útero numa época em que ainda deviam estar lá dentro.

Uma das áreas em que o conhecimento ainda é nebuloso — e uma das mais importantes dentro do quadro geral — é a quantidade de peso que o bebê prematuro deve ganhar a cada semana. Há diversas variáveis que influenciam o ganho de peso, inclusive o tamanho por ocasião do nascimento, fatores hereditários (os filhos de mulheres asiáticas, por exemplo, podem ser menores e crescer mais lentamente que os de ascendência nórdica), as condições atmosféricas (o crescimento é mais lento em altitudes elevadas do que ao nível do mar) e a saúde geral. Alguns especialistas acham que o potencial do crescimento dos bebês prematuros foi subestimado no passado, provavelmente porque a alimentação insuficiente produzia um ganho insuficiente de peso, que se tornou a norma reconhecida. À medida que aumentaram os conhecimentos sobre a nutrição, e, junto com eles, a média de ganho de peso, houve um progresso das expectativas. O ganho semanal de 70 a 140 g, antes considerado a meta adequada aos prematuros, vem sendo rapidamente substituído por um ganho proposto de 90 a 210 g. Qualquer que seja o ganho esperado, é improvável que comece a ocorrer antes de as condições do bebê prematuro se estabilizarem. Você pode estar certa de que o seu bebê prematuro, como os bebês de termo, vai perder algum peso antes de começar a ganhar.

Sabe-se também, hoje, que as necessidades nutricionais de um bebê prematuro são consideravelmente diferentes das de um bebê nascido a termo. Nem o leite materno de uma mãe cujo bebê nasceu a termo e nem o leite em pó comum — ambos os quais fazem crescer os bebês de termo — são apropriados para os prematuros. Esses bebês pequeninos necessitam de uma dieta mais parecida com a que estariam recebendo se estivessem ainda no útero, dieta que inclui mais proteínas, cálcio, fósforo, zinco, sódio, e talvez outros nutrientes. E precisam obter tais nutrientes numa forma tão concentrada quanto possível, visto que só são capazes de receber, a cada vez, quantidades extremamente diminutas de alimentos — em parte por terem estômagos pequenos, em parte por terem o sistema digestivo imaturo e preguiçoso, o que torna a passagem do alimento um processo muito lento.

No momento em que um recém-nascido muito pequeno chega ao berçário de terapia intensiva, normalmente recebe uma solução intravenosa de água, açúcar e certos eletrólitos, para prevenir a desidratação e a perda de eletrólitos. Depois dessa "refeição" inicial, os bebês muito prematuros (os que nasceram antes das 30 a 33 semanas de gestação) são alimentados por um método que independe da sucção (como uma sonda nasogástrica que entra pelo nariz e chega ao estômago), visto que geralmente ainda não têm esse reflexo. Os prematuros maiores (com pelo menos 1.300 g), que nascem após 30 semanas ou mais de gestação, podem ser capazes de escapar à alimentação por sonda e freqüentemente vão direto para o peito, embora geralmente tenham que esperar um pouco mais caso tenham que ser alimentados com mamadeira.

Uma vez que os prematuros pequenos não têm capacidade de auto-regular-se, a alimentação é cuidadosamente monitorada. Qual a quantidade de líqüidos, proteínas, cálcio etc., que o bebê está ingerindo? Quanto está sendo excretado na urina a nas fezes? Quanto permanece no estômago? De que modo os gases do sangue (o oxigênio, por exemplo) sofrem a influência das refeições? Esses cálculos, antes feitos à mão, hoje são muitas vezes realizados por um computador capaz de um processamento muito rápido e preciso, de modo que a dieta de cada bebê possa ser individualmente programada. O estado geral do

RETRATO DE UM PREMATURO

É possível que os pais de um bebê nascido a termo fiquem surpresos ao ver seu filho pela primeira vez. Os pais de um prematuro muitas vezes ficam chocados. O prematuro típico pesa de 1.600 a 1.900 g ao nascer, e alguns pesam bem menos. Os menores cabem na palma de uma mão adulta, e têm pulsos e mãozinhas tão pequenos que chegam a passar através de uma aliança de casamento. A pele do prematuro é translúcida, deixando à mostra as veias e artérias. A pele parece muito larga para o tamanho do bebê, pois não tem debaixo de si uma camada de gordura; freqüentemente é coberta por uma fina camada de pelos chamada lanugem. A cor da pele muda quando o bebê é pego nas mãos ou alimentado. A ausência da gordura marrom (a camada de gordura que nos deixa quentinhos) faz com que o bebê não seja capaz de se manter quente. As orelhas do bebê prematuro podem ser achatadas, dobradas ou soltas, pois a cartilagem que lhes dará forma ainda não existe.

Em geral, os traços sexuais não se acham plenamente desenvolvidos — os testículos podem não estar na bolsa, o prepúcio dos meninos e as dobras interiores dos lábios das meninas podem estar imaturos, pode não haver aréola ao redor dos mamilos. Como o desenvolvimento muscular e nervoso ainda não está completo, o bebê pode não apresentar uma série de reflexos (preensão, sucção, Moro, procurar o seio). Devido à falta de força e fôlego, o bebê pode chorar pouco, ou mesmo não chorar. Pode, além disso, estar sujeito a períodos de ausência de respiração, conhecida como apnéia da prematuridade.

Mas a prematuridade é uma condição temporária. Quando os bebês prematuros atingem as 40 semanas de gestação, o momento no qual, de acordo com os cálculos, deveriam estar nascendo, assemelham-se muito em tamanho e desenvolvimento, aos recém-nascidos típicos.

bebê pode indicar certas deficiências nutricionais: estrias brancas ou cabelos brancos são sinais de insuficiente consumo de proteínas; a fragilidade da pele e os lábios rachados são sinais de deficiência de zinco; a perda de pigmentação e a anemia crônica são sinais de falta de cobre.

Muitos especialistas dão preferência ao leite materno sobre o leite em pó para os bebês prematuros, assim como para os bebês de termo. Uma das razões é a presença, no leite humano, de muitas substâncias importantes que não se acham no leite de vaca, como os anticorpos, hormônios e enzimas maternos — especialmente a lipase, que aumenta de modo impressionante a capacidade que o bebê tem de absorver a tão necessária gordura. Mas não é qualquer leite materno que serve. Descobriu-se que, graças à infinita sabedoria do corpo, o leite produzido por mães que acabaram de dar à luz bebês prematuros possui uma quantidade maior das coisas de que esses bebês necessitam (proteínas, nitrogênio, sódio, lactose e cloro) que o leite de uma mulher que deu à luz no prazo esperado. Assim, ao passo que o seu leite (ou o leite de outra mãe de criança prematura) será bom para o bebê, o leite de termo não será. E se vier de um banco de leite, onde o leite é rotineiramente esterilizado pelo calor, terá a desvantagem adicional de ter tido destruída a importantíssima lipase. Assim, se você tiver alguma possibilidade, ainda que remota, de amamentar, deve levá-la em consideração, mesmo que anteriormente não estivesse planejando amamentar o bebê ao peito.

Mas existem casos em que nem o leite da mãe do bebê prematuro é bom para ele. Visto que alguns deles, especialmente os muito pequenos, precisam de uma nutri-

TIRAR LEITE PARA O BEBÊ PREMATURO

A decisão de amamentar o bebê prematuro nem sempre é uma decisão fácil, mesmo para as mulheres que planejavam dar de mamar ao fim de uma gestação normal. Uma das principais atrações da amamentação, o contato íntimo entre mãe e bebê, geralmente não é praticável, ao menos de início; e é substituída por uma difícil relação entre mãe, máquina e bebê, que é incômoda e pouco satisfatória. Mas, embora quase todas as mulheres vejam o bombear o leite como uma atividade cansativa e demorada, a maioria delas é capaz de suportá-la, sabendo ser essa a única maneira pela qual podem contribuir para o bem-estar do bebê, de cujo cuidado de outro modo se sentiriam excluídas.

As sugestões seguintes podem tornar mais eficiente e menos tedioso o esforço de alimentar da melhor maneira possível o bebê prematuro:

- Leia, na página 100, as dicas para tirar leite.
- Pergunte ao pessoal do hospital acerca de equipamentos no local para tirar leite; alguns hospitais têm uma sala especialmente equipada com poltronas confortáveis, uma bomba de tirar leite e dispositivos esterilizáveis ou descartáveis para uso das mães. Se o seu hospital não tem essas instalações, pergunte se não há possibilidade de instalação de tal comodidade; ou peça informações sobre onde você poderia emprestar ou alugar uma bomba. O centro de assessoria de aleitamento materno, ou o banco de leite de sua comunidade devem ser capazes de ajudá-la, se o hospital não for.
- Comece a tirar o leite o mais cedo possível depois do parto, mesmo se o bebê não for capaz de tomá-lo. Bombeie a cada duas ou três horas (mais ou menos na mesma freqüência em que o recém-nascido estaria mamando), se o bebê for usar o leite de imediato; ou a cada quatro horas, se o leite for congelado para posterior uso. É possível que você constate que o ato de levantar uma vez no meio da noite para tirar leite aumenta o seu suprimento de leite; ou, ao contrário, pode ser que uma boa noite de sono seja mais útil.
- Provavelmente, chegará o momento em que você será capaz de tirar mais leite do que o pequeno bebê conseguirá mamar. Mas nem por isso passe a tirar menos, achando que está desperdiçando demais. A regularidade nas bombeadas, agora, vai colaborar para o estabelecimento de um suprimento abundante quando o bebê ocupar o lugar da máquina. Enquanto isso, o leite que sobra pode ser datado e congelado — no hospital ou em casa — para ser usado depois.
- Não se deixe desencorajar pelas mudanças de quantidade que ocorrem de um dia para o outro ou de uma hora para outra. Essas variações são normais, mas você não as notaria se estivesse dando de mamar diretamente. Também são normais, quando você tira leite por meios mecânicos, uma quantidade aparentemente insuficiente e/ou uma queda de produção após algumas semanas. O bebê será capaz de estimular a sua produção de leite com muito mais eficiência que a mais eficiente das bombas. Quando ele começar a sugar, é quase certo que sua produção de leite vai aumentar rapidamente.
- Quando o bebê estiver pronto a ser alimentado pela boca (o que geralmente não ocorre antes que ele atinja os 1.300 g. ou 30 semanas), pergunte se você pode tentar amamentar em vez de alimentá-lo por mamadeira, uma vez que estudos recentes demonstram que os bebês de baixo peso adaptam-se ao seio mais facilmente que à mamadeira.

ção ainda mais concentrada — que inclua mais calorias, proteínas, cálcio e fósforo, e possivelmente uma quantidade maior de outros nutrientes, como o zinco, o magnésio, o cobre, e a vitamina B_6 —, o leite materno, dado através de um tubo ou mamadeira, pode ser enriquecido como for preciso. Se o bebê estiver mamando diretamente no peito, os aditivos podem ser dados por via intravenosa ou nasogástrica, ou por um sistema de nutrição suplementar, que permite que a criança mame e receba os suplementos ao mesmo tempo (veja página 112). É preferível não dá-la por mamadeira aos bebês que mamam no peito, pois isto pode resultar na chamada "confusão dos bicos".

Quando a mãe não pode ou não quer dar de mamar, os leites altamente concentrados feitos especialmente para bebês prematuros são um bom substituto (mas não os leites em pó para bebês normais). É necessário, porém, que a ingestão de leite especial seja cuidadosamente controlada. O excesso de leite pode ser de difícil absorção por parte do sistema digestivo imaturo; uma quantidade muito pequena pode não fomentar um crescimento suficiente. Normalmente, não se usam preparados à base de soja para bebês prematuros (pois o cálcio e o fósforo de tais preparados não são absorvidos de modo tão eficaz).

O QUE PODE ESTAR PREOCUPANDO VOCÊ

COMO CONSEGUIR A MELHOR ASSISTÊNCIA

"Como saberei se nosso bebê prematuro — ela tem pouco mais de 1,1 kg — está tendo a melhor assistência possível?"

A fim de evitar a duplicação de serviços e custos e garantir a existência de suficiente assistência médica especializada, o sistema hospitalar nos Estados Unidos organiza-se em três níveis. Os pequenos hospitais comunitários constituem o primeiro nível — dão assistência a todos os tipos de casos que não apresentam complicações, inclusive partos de baixo risco e recém-nascidos normais, mas não tem UTIs neonatais para os recém-nascidos demasiado prematuros, de baixo peso, ou muito doentes. Os hospitais de segundo nível possuem instalações bem mais sofisticadas, são capazes de dar assistência a vários casos de maior complicação, inclusive muitos partos difíceis, e têm UTIs neonatais capazes de tratar da maior parte dos bebês com problemas. Os hospitais de terceiro nível, ou terciários, são os principais centros médicos contando com especialistas altamente qualificados, os equipamentos mais sofisticados e as mais modernas UTIs neonatais (UTIN), projetadas para cuidar dos menores e mais doentes entre os recém-nascidos.[1]

Os bebês sadios, inclusive os prematuros que pesam mais de 2.250 g ao nascer, passam igualmente bem nos hospitais de primeiro, segundo e terceiro níveis; mas os bebês muito pequenos (e que correm mais riscos) se saem melhor nos grandes centros hospitalares. Ter o seu bebê internado num desses centros é a sua melhor garantia de poder contar com uma boa assistência médica. Se o bebê não estiver num hospital terciário, discuta a possibilidade de transferi-lo para um deles com o pediatra, o pessoal da UTIN em que ele se encontra e o pessoal do hospital em que você está planejando interná-lo.

Onde quer que o bebê esteja, a sua participação é importante para assegurar a melhor assistência possível. Lendo livros e fazendo perguntas, informe-se sobre os be-

1. Em alguns hospitais, essa unidade é chamada Berçário de Terapia Intensiva (BTI).

A UNIDADE DE TERAPIA INTENSIVA NEONATAL, OU BERÇÁRIO DE TERAPIA INTENSIVA

A primeira olhada numa UTI neonatal (UTIN) pode ser assustadora, especialmente se um dos pacientes, pequeninos e desamparados, for o seu bebê. (É por isso que convém que todos os futuros pais dêem essa olhada durante o seu passeio no hospital, antes do parto.) Saber para o que você está olhando, porém, pode impedir que o seu medo a domine. Eis o que você provavelmente vai encontrar numa típica UTIN ou berçário de terapia intensiva:

- Bebês nus ou com fraldas; alguns hospitais colocam neles pequenos gorrinhos de malha, para evitar a perda de calor pela cabeça.
- Bebês em "camas aquecidas", colchões ajustáveis colocados sob lâmpadas de calor. É comum que os bebês muito doentes sejam cuidados nessas camas, que permitem um acesso fácil para a realização de procedimentos como a inserção de tubos de alimentação.
- Bebês em incubadoras, bercinhos transparentes e totalmente fechados, a não ser por quatro portinholas, duas de cada lado. Em alguns hospitais, as incubadoras são equipadas com colchões de água, que simulam a flutuação no líqüido amniótico do útero e podem melhorar a respiração, ou até com minúsculas redes.
- Tubos, fios e cabos — ligando os bebês a sistemas de monitoração, frascos de soro ou outros aparelhos que fornecem alimento, limpam secreções respiratórias, medem e controlam a temperatura, a respiração, o ritmo cardíaco, e o consumo de oxigênio, retiram amostras de sangue a intervalos regulares e desempenham muitas outras funções de grande importância.
- Aparelhos de monitoração que registram os sinais vitais e alertam, pelo disparo de um alarme, para quaisquer mudanças ameaçadoras. Esses monitores recebem informações por meio de eletrodos grudados na pele do bebê com uma gelatina ou inseridos com uma agulha logo abaixo da pele.
- Capuzes ou bocais de plástico para administração de oxigênio e auxílio à respiração.
- Aparelhos de sucção ao lado de cada berço, para remoção periódica do excesso de secreções respiratórias.
- Luzes para fototerapia dos bebês com icterícia. Os bebês que passam por esse tratamento ficam nus, exceto pelas vendas que lhes protegem os olhos da luz.

bês de baixo peso em geral e sobre qualquer problema específico que esteja afetando o seu bebê. Sempre que estiver insatisfeita ou descontente com o rumo que o tratamento do bebê estiver tomando, apresente suas preocupações ao pediatra e/ou às enfermeiras ou neonatologistas do hospital. É possível que as explicações deles a tranqüilizem, ou que as coisas possam ser feitas de maneira diferente. Se você continuar insatisfeita, peça para consultar outro neonatologista. Caso você não goste de enfrentar os médicos, peça a uma amiga ou parente que atue como sua advogada intermediária.

FALTA DE LIGAÇÃO

"Esperávamos poder contatar nossa filha logo após o nascimento. Mas ela nasceu com seis semanas de antecedência, pesando 1,5 kg, e foi levada embora antes que pudéssemos tocá-la. Estamos preocupados com os efeitos que esse fato pode ter sobre ela — e sobre o nosso relacionamento com ela."

Neste momento difícil, a última coisa que você quer é ter mais uma preocupação. E a última coisa com que precisa se preocupar é a ligação no momento do nascimento. O amor e o apego entre os pais e o filho desenvolvem-se ao longo de muitos meses, até anos, florescendo no decorrer da vida em vez de manifestar-se miraculosamente e em plena perfeição nos primeiros momentos de vida. Por isso, não lamente o que passou e os primeiros momentos (ou mesmo dias) que você perdeu; comece a viver o melhor possível o momento presente e os meses de maternidade que você tem à frente. Embora o processo de ligação não precise começar no nascimento, você pode iniciá-lo enquanto o bebê ainda está no hospital. Eis como:

Peça uma foto, e mais mil palavras. Se o bebê tiver sido levado do hospital onde nasceu para outro hospital, com uma UTIN mais sofisticada (e talvez essencial para a sua sobrevivência), e você ainda não puder ter alta, peça que lhe tragam fotos do bebê. Tanto seu marido quanto o pessoal do hospital podem tirá-las, e você pode contentar-se com elas até ser capaz de ver o bebê em pessoa. Mesmo se o bebê for menos visível que os tubos e equipamentos, a imagem provavelmente será menos atemorizante a mais tranqüilizadora do que você pensará. Por mais que a foto ajude, porém, você ainda vai querer aquelas mil palavras — ditas pelo seu marido e, mais tarde, pela equipe médica — que lhe descrevam nos mínimos detalhes como é o seu bebê e como vai passando.

Libere o papai. Enquanto você não puder visitar o bebê, seu marido poderá passar mais tempo com ele em vez de ficar com você. Você se sentirá mais solitária, mas ao menos saberá que a criança estará na companhia de alguém que a ama. Assim que você sair do hospital, você e seu marido devem passar o máximo de tempo possível ao lado do bebê. Mas não se esqueça das outras crianças que você tem em casa, pois elas estarão precisando de você mais do que nunca — esqueça-se, em primeiro lugar, dos serviços domésticos, dos negócios e de tudo o mais.

Deleite a sua vista. A simples observação da criança em sua incubadora ou cama aquecida pode contribuir para aproximá-las.

Use as mãos. Pode parecer melhor nem tocar nesse bebê tão pequeno e vulnerável, mas certos estudos demonstram que os bebês prematuros que são acarinhados e suavemente massageados na UTIN crescem mais e são mais vivos, ativos e comportamentalmente maduros do que os bebês que são tocados muito pouco. As enfermeiras da UTIN lhe mostrarão como lavar as mãos e os braços até a altura dos cotovelos e vestir um avental hospitalar antes de passar as mãos pelas portinholas da incubadora para travar contato com o bebê. Comece pelas pernas e braços, que são, de início, menos sensíveis que o tronco. Tente chegar a pelo menos 20 minutos de massagens leves por dia.

Converse. Não há dúvidas de que será, a princípio, uma conversa de mão única — o bebê não vai conversar muito, e nem mesmo chorar, enquanto estiver na UTIN. É possível que pareça nem estar ouvindo. Mas ele reconhecerá a sua voz — e a do papai. A princípio, essas serão as únicas vozes conhecidas em toda a UTIN (ele já as vem ouvindo há meses de dentro do útero), e ouvi-las de novo será reconfortante.

Faça contato ocular. Se os olhos do bebê estiverem vendados devido à fototerapia para icterícia, peça que as luzes sejam desligadas e os seus olhinhos descobertos por ao menos alguns minutos durante a sua visita, para que vocês possam fazer contato ocular, que é parte importante do processo de ligação entre pais e filhos.

Tome o lugar das enfermeiras. Assim que o seu bebê estiver fora de perigo imediato, a enfermeira da UTIN provavelmente terá prazer em ensiná-la a trocar as fraldas da criança, alimentá-la e dar-lhe banho, e até a realizar certos procedimentos médicos simples. Dar ao bebê esse cuidado durante as suas visitas é algo que vai ajudá-la a se sentir mais confortável no papel de mãe, ao mesmo tempo em que lhe fornece uma experiência preciosa em vista dos meses que se seguem.

Não se retraia. Muitos pais, por medo de amar e depois perder, não se apegam a seus bebês prematuros. Trata-se, porém, de um erro. Em primeiro lugar, as chances são muito favoráveis ao seu bebê prematuro; a grande maioria deles sobrevive e se torna saudável e normal. Em segundo lugar, se você se retrair e o impensável vier a acontecer, você nunca deixará de se lamentar pelos momentos que desperdiçou. A perda seria mais difícil, e não mais fácil.

RETARDO DO CRESCIMENTO INTRA-UTERINO

"Minha filha não foi prematura, mas nasceu com pouco menos de 2,25 kg. O médico disse que isso ocorreu porque ela teve retardo do crescimento intra-uterino. Isso significa que ela será mentalmente retardada?"

Embora o nome pareça bastante sinistro, o retardo do crescimento intra-uterino (RCIU) não tem nenhuma relação com qualquer tipo de retardamento físico ou mental depois do nascimento; quer dizer apenas que o crescimento foi retardado dentro do útero. A grande maioria dos bebês que tiveram RCIU acabam por ter QIs e funções neurológicas normais. O RCIU parece ser o mecanismo que a natureza encontrou para garantir a sobrevivência do feto dentro de um útero em que, por alguma razão, ele não está recebendo uma quantidade suficiente de nutrientes através da placenta. A redução do tamanho permite que o bebê passe bem com poucos nutrientes. Os médicos supõem que esse mecanismo protetor seja posto em ação quando a placenta não está funcionando com toda a sua eficiência, limitando a transmissão de nutrientes para o feto, ou quando a nutrição da própria mãe é insuficiente, devido a uma má dieta, ao fumo, a doenças ou a outros fatores desconhecidos.

Também o cérebro do bebê parece ser protegido por esse mecanismo de sobrevivência; em geral, continua a crescer normalmente, tomando para si uma porção maior de nutrientes dentre os que tem à disposição. É por isso que a maior parte dos bebês que tiveram RCIU têm cabeças ainda maiores, em relação ao corpo, do que os recém-nascidos de tamanho normal.

Embora o bebê de baixo peso corra alto risco de sofrer diversas complicações durante os primeiros dias de vida, a maior parte deles passa muito bem com uma assistência neonatal apropriada. Com uma boa nutrição, começando, de preferência, pelo leite do peito, você pode esperar que o bebê comece a crescer; e ao final do primeiro ano de vida, ele provavelmente terá alcançado seus coleguinhas de peso normal em quase todos, senão todos, os aspectos. Se, porém, você decidir ficar grávida de novo, tente antes saber, com o auxílio do médico, qual pode ter sido o fator responsável pelo ambiente pouco propício ao crescimento que se formou em seu útero; assim, seu próximo bebê não terá de se defrontar com o mesmo problema antes de nascer.

HOSPITALIZAÇÃO PROLONGADA

"Na primeira vez que vi nosso filho no berçário de terapia intensiva fiquei arrasada. É horrível pensar que nosso bebê terá de passar suas primeiras semanas — ou até meses — de vida numa sala esterilizada de hospital."

Um passeio pelo berçário de terapia intensiva pode ser uma experiência desagradável, mas você se sentiria muito pior se não pudesse contar com semelhante equipamento para seu bebê.

É possível que, um dia, tenhamos uma maneira melhor de lidar com os prematuros que não precisam de cuidados médicos. Em Bogotá, na Colômbia, por exemplo, criou-se um sistema de cuidados ao recém-nascido que imita o dos cangurus, eliminando os berçários hospitalares esterilizados e permitindo que a mãe vá para casa pouco tempo depois do parto. Mas, em vez de transferir o bebê para um berço ou cesta, ela o carrega numa espécie de tipóia à frente do seio, onde ele pode mamar sempre que quiser, 24 horas por dia, no decorrer das semanas seguintes. Mesmo os bebês prematuros pequenos, desde que não tenham intercorrências médicas, parecem se desenvolver bem nesse ambiente quente, acolhedor e nutritivo. Mas a menos que, ou até que, um sistema semelhante seja considerado seguro e tenha seu uso aprovado nos EUA, os pais de bebês prematuros terão de esperar que seus bebês atinjam 2 ou 2 kg e uma idade gestacional de trinta e sete a quarenta semanas para poder levá-los para casa — ou seja, mais ou menos o tempo que teriam de esperar se os bebês permanecessem no útero até o termo da gestação.

Numa tal situação, a ansiedade não só é normal como é saudável. As mães que ficam ansiosas depois de darem à luz bebês prematuros transformam-se em mães melhores do que as que não apresentam ansiedade. Mas essa ansiedade precisa ser dirigida a atividades produtivas:

Faça compras. Visto que o bebê chegou antes do tempo, é possível que você ainda não tenha tido oportunidade de escolher móveis para o bebê, fazer seu enxoval, contratar um serviço de fraldas etc. Nesse caso, agora é o momento de fazer essas coisas. Se suas superstições não permitem que você encha a casa de objetos infantis antes que o bebê tenha alta do hospital, deixe tudo encomendado para quando ele vier para casa. Além de ter se desincumbido de certas tarefas necessárias, você também terá preenchido algumas horas do interminável período de hospitalização do bebê e terá afirmado, ao menos para si mesma, sua confiança em que ele será capaz de vir para casa.

Estabeleça uma sociedade. Freqüentemente, os pais de um prematuro começam a achar que o bebê pertence menos a eles mesmos que aos médicos e enfermeiras, os quais são tão competentes e fazem tanto por ele. Em vez de tentar competir com o pessoal do hospital, procure trabalhar junto com eles. Faça amizade com as enfermeiras (isso será mais fácil se o bebê tiver, a cada turno, uma enfermeira especialmente incumbida do seu cuidado), o neonatologista, os estagiários. Diga-lhes que você terá o maior prazer em executar pequenos afazeres ou tarefas em prol do bebê — poupando-lhes tempo e fazendo com que você se sinta útil.

Aprenda algo de medicina. Aprenda o jargão e a terminologia usados na UTIN. Peça a alguém da equipe (quando a pessoa tiver um momento livre) que lhe ensine a ler as tabelas referentes ao bebê; peça ao neonatologista que lhe dê detalhes acerca do seu estado — e rogue esclarecimentos quando não entender. Os pais de bebês prematuros freqüentemente viram especialistas em medicina neonatal, usando termos técnicos como "Síndrome de Angústia Respiratória" e "entubação" com a pose e a naturalidade de um neonatologista.

Apegue-se ao bebê como uma sombra. Alguns hospitais permitem que a mãe se mude para lá; mas, mesmo que isso não seja possível, você deve passar o máximo de tempo com o bebê, alternando turnos com o seu marido. Desse modo, você vai conhecer não só os problemas específicos do bebê, como também o próprio bebê. (Se você tiver outras crianças em casa, porém, elas também estarão precisando de você. Não deixe de dar também a elas uma dose substancial de mamãe e papai.)

Faça com que o bebê se sinta em casa. Embora a incubadora não seja, para o bebê, mais que uma morada temporária, tente torná-la tão acolhedora quanto possível. Peça permissão para rodear o bebê de bichos simpáticos de pelúcia, e cole figuras (entre elas, talvez, estimulantes ampliações de fotos em branco e preto da mamãe e do papai) nos lados da incubadora, para dar-lhe prazer visual. Ponha também uma caixinha de música que ele possa ouvir continuamente. Lembre-se, porém, de que tudo o que puser na incubadora terá de ser esterilizado antes, e de que nada deve interferir com os equipamentos de conservação da vida.

Prepare sua produção de leite. Seu leite é o alimento perfeito para seu bebê prematuro (veja página 532). Até que ele consiga mamar, vá extraindo o leite para o bebê tomá-lo por via indireta e para aumentar a produção. A extração também lhe dará uma grata sensação de estar fazendo algo útil.

OS IRMÃOS

"Temos uma filha de três anos, e não sabemos o que lhe dizer sobre sua irmãzinha prematura."

As crianças, mesmo tão novas quanto a sua, são capazes de compreender e lidar com muito mais coisas do que nós, adultos, pensamos. A tentativa de proteger sua filha, mantendo-a desinformada acerca do estado de sua nova irmãzinha, só vai servir para deixá-la ansiosa e insegura — sobretudo quando você e seu marido repentinamente (e, para ela, de maneira inexplicável) — começarem a passar tanto tempo fora de casa. Em vez disso, esclareça-a plenamente. Explique que o neném saiu da barriga da mamãe muito cedo, antes de estar crescida o suficiente, e que precisa ficar num berço especial, no hospital, até poder ir para casa. Com a autorização do hospital, leve sua filha para uma primeira visita; se tudo correr bem e ela quiser, leve-a regularmente. Os fios e tubos não amedrontam somente, mas também fascinam as crianças, sobretudo quando os pais transmitem um estado de espírito apropriado — confiante e alegre, em vez de nervoso e lúgubre. Faça com que ela traga para o bebê um presente a ser colocado na incubadora, para ajudá-la a sentir-se como parte da equipe que está cuidando da irmãzinha. Se ela quiser e a equipe médica permitir, deixe-a lavar as mãos e depois acariciar o bebê através das portinholas. Se ela tiver algum contato com o bebê agora, também ela, como você, vai sentir-se mais próxima dele quando finalmente for para casa. (Sobre as relações entre irmãos, veja o capítulo 26.)

AMAMENTAÇÃO

"Sempre estive determinada a amamentar meu bebê, e, desde que ela nasceu prematura, tenho extraído meu leite para alimentá-la através de uma sonda. Será que, mais à frente, ela terá problemas para começar a sugar?"

Até aqui, tudo bem. Desde que nasceu, sua filha tem recebido o melhor alimento que pode ter um recém-nascido prematuro — o leite de sua mãe — da única forma de que é capaz, isto é, através de uma sonda. Naturalmente, você se pergunta se ela vai ser capaz de continuar tomando esse alimento perfeito quando começar a poder sugar.

Um estudo recente indica que você não tem com que se preocupar. Esse estudo demonstrou que bebês prematuros com peso superior a 1,3 kg foram não apenas capazes de mamar no peito, como tiveram mais êxito com o peito do que com a mamadeira. Para aprender a sugar na mamadeira, esses bebês levaram de uma a quatro semanas a mais do que para aprenderem a mamar no peito. Além disso, seus corpos reagiram melhor à amamentação. Ao mamar no peito, suas taxas de oxigênio tinham uma flutuação muito baixa, ao passo que, durante as mamadas na mamadeira, essas taxas desciam de modo significativo e permaneciam baixas por períodos variáveis depois de cada mamada. E os bebês ficavam bem mais quentinhos ao mamar no peito do que ao mamar na mamadeira — o que é importante, pois os prematuros, cujos termostatos não funcionam, têm dificuldades para se manter quentes. Este estudo, ao lado de outros semelhantes, demonstra que o pequeno bebê pré-termo adquire o reflexo de sucção às 30 semanas, e não às 33 ou 36, como antes se acreditava; e indica que se deve rever a prática atual de esperar até que o bebê prematuro mame bem na mamadeira para só então levá-lo ao peito.[2]

Quando você finalmente levar o bebê ao peito, vai querer que as condições sejam tão propícias quanto possível:

- Antes de começar, leia tudo sobre a amamentação, a partir da página 54.
- Se o neonatologista ou a enfermeira quiserem monitorar a temperatura e/ou as mudanças na taxa de oxigênio do bebê durante a amamentação, tenha paciência. Esses procedimentos não prejudicam a amamentação e protegem o bebê, fazendo soar um alarme caso ele não esteja reagindo bem à mamada.
- Esteja relaxada, e tenha o bebê acordado e alerta, mas não chorando desesperadamente de fome. A enfermeira provavelmente cuidará para que o bebê esteja com roupinhas quentes para a grande ocasião.
- Pergunte à equipe do hospital se existe uma sala especial para que as mães dos prematuros dêem de mamar, ou pelo menos um cantinho recluso com uma poltrona para você e o bebê.
- Coloque-se numa posição confortável, apoiando o bebê em travesseiros e sustentando-lhe a cabeça. Muitas mulheres acham que a posição da "bola de futebol americano" (veja página 57) é confortável e diminui a sobrecarga nos mamilos.
- Se o bebê ainda não tiver o reflexo de procurar o seio (provavelmente não terá), ajude-o a começar, inserindo-lhe na boca o mamilo com a aréola. Comprima-o com os dedos para facilitar a "pega" da boquinha, e continue tentando até ele conseguir.
- Use o dedo para apertar o peito a fim de afastá-lo do nariz do bebê, de modo que ele possa respirar.
- Não deixe de olhar para certificar-se de que o bebê esteja obtendo leite. Os primeiros minutos de amamentação podem consistir numa sucção muito rápida e não-nutritiva, cujo objetivo é estimular o leite a "descer".

Suas mamas estão acostumadas à extração mecânica e vai decorrer algum tempo antes de adaptarem-se aos movimentos diferentes da boca do bebê, mas você logo notará que a sucção terá ficado mais lenta e o bebê estará engolindo. Com isso, você ficará sabendo que o leite desceu.

- Se o bebê não parecer interessar-se pelo peito, tente pingar algumas gotas de leite em sua boca para que ele saiba o que tem à disposição.
- Se não houver oposição da equipe hospitalar, amamente o bebê por tanto tempo quanto ele quiser permanecer no peito. Os especialistas que estudaram a amamentação de prematuros recomendam que se lhes deixe ficar no peito até pararem de sugar ativamente por pelo menos dois minutos. Conhecem-se casos de prematuros pequenos que mamaram por quase uma hora antes de ficarem satisfeitos.
- Não perca a esperança se a primeira sessão, ou as primeiras sessões, parecerem improdutivas. Muitos bebês de termo levam algum tempo para começar, e os prematuros têm direito às mesmas oportunidades.
- Peça que as refeições que você não puder dar sejam administradas por sondas, e não pela mamadeira. Se a mamadeira for dada ao bebê enquanto você estiver tentan-

2. Se a equipe de terapia intensiva neonatal do hospital em que o bebê está não tiver conhecimento desse estudo, remeta-os ao *Journal of Maternal Child Nursing*, abril de 1987. O estudo foi realizado por Paula Meier, D.N.Sc., enfermeira do Hospital Michael Reese, Chicago.

do fazê-lo adaptar-se à amamentação, a confusão entre os bicos pode prejudicar seus esforços. Se o bebê tiver de tomar suplemento vitamínico para o leite materno ou qualquer outro suplemento fortificante, peça que também esses sejam dados via um tubo nasogástrico ou um sistema de nutrição suplementar (veja página 112).

Para saber o quanto sua filha está aproveitando o leite materno, acompanhe suas pesagens diárias. Se continuar ganhando de 1 a 2% de seu peso por dia (de 15 a 30 g para um bebê de 1,5 kg), ou cerca de 100 a 210 g por semana, ele estará indo bem. Quando chegar ao momento em que ela deveria estar nascendo, deverá estar se aproximando do peso de um bebê de termo — de 2,7 a 3,6 kg, mais ou menos.

SAINDO DO ATRASO

"Nosso filhinho, que nasceu com quase dois meses de antecedência, parece muito atrasado comparado com outros bebês de três meses. Será que um dia ele vai recuperar o atraso?"

Provavelmente, ele não está "atrasado" de forma alguma. Na verdade, deve estar no mesmo nível em que deveria estar qualquer bebê concebido no momento em que ele o foi. Tradicionalmente, em nossa cultura, a idade do bebê é calculada a partir do dia em que nasceu. Mas esse sistema é inexato para a avaliação do crescimento e desenvolvimento dos bebês prematuros, pois não leva em conta o fato de que eles, ao nascerem, não atingiram ainda o termo da gestação. Seu bebê, por exemplo, tinha perto de dois meses a menos ao nascer. Aos dois meses de idade ele era equivalente a um recém-nascido, em termos de idade gestacional (calculada de acordo com a data originalmente prevista para o nascimento); e agora, aos três meses, ele se parece mais com um bebê de um mês. Lembre-se sempre disto quando for compará-lo com outros bebês de sua idade ou com as médias em tabelas de desenvolvimento. Por exemplo, uma vez que o bebê médio pode sentar-se sem apoio aos sete meses, seu filho pode não consegui-lo até os nove meses, quando chegará ao seu sétimo mês de acordo com a idade corrigida. Se ele nasceu muito pequeno ou esteve muito doente logo após o nascimento, é provável que demore ainda mais para sentar. Em geral, você pode esperar que o desenvolvimento motor seja mais lento que o dos sentidos (a visão e a audição, por exemplo).

A idade gestacional, geralmente chamada de "idade corrigida", é usada pelos especialistas para a avaliação do desenvolvimento das crianças até os dois anos ou dois anos e meio. Depois disso, aqueles dois meses de diferença tendem a perder importância — afinal, não há muita diferença de desenvolvimento entre uma criança de quatro anos e outra de quatro anos menos dois meses. E, à medida que o bebê ficar mais velho, a brecha comportamental entre a idade corrigida e a idade de nascimento vai diminuir e por fim desaparecer, assim como quaisquer diferenças de desenvolvimento entre ele e seus colegas (embora haja casos em que o prematuro precisa de cuidados especiais para chegar a esse ponto). Até então, você pode usar a idade corrigida para dizer a idade do bebê a desconhecidos, se isso a fizer sentir-se melhor. Não deixe de usá-la para avaliar o progresso do desenvolvimento do bebê.

Em vez de esperar que seu bebê apresente determinados comportamentos em épocas específicas, relaxe e aprecie o seu progresso à medida que ele acontece, dando apoio quando necessário. Se ele estiver sorrindo e emitindo sons, sorria e fale com ele. Se estiver começando a querer pegar as coisas, dê-lhe a oportunidade de praticar também essa capacidade. Quando ele conseguir ficar sentado com um apoio, ponha-o sentado desse modo em diferentes lugares a cada dia. Mas nunca se esqueça da sua idade corrigida, e jamais o apresse. A pressão muito intensa e precoce pode ter repercussões negativas. Em primeiro lugar, o bebê pode começar a sentir-se inapto, se não conseguir fazer aquilo que você espera dele no momento em que o espera. Além disso, você pode usar tanto entusiasmo para estimulá-lo antes de ele estar pronto que, quando estiver pronto, você já estará com seu entusiasmo esgotado.

Use as dicas para estimulação de bebês apresentadas neste livro (páginas 186, 304, 438), sincronizando-as mais com o comportamento do bebê do que com a idade, e tenha o cuidado de parar sempre que ele der a entender que já está farto. Você pode, além disso, encorajar o desenvolvimento motor deixando o bebê deitado de barriga para baixo, olhando para o meio do quarto e não para a parede, enquanto ele agüentar. Como os bebês prematuros e de baixo peso passam a maior parte de suas primeiras semanas, ou mesmo meses de vida, deitados de costas na incubadora, muitas vezes não gostam da posição de bruços; mas é uma posição necessária para a aquisição de força nos braços e no pescoço.

É evidente que, se o bebê estiver com o desenvolvimento muito atrasado mesmo levando-se em conta sua prematuridade, e se parecer estacionado no mesmo ponto, você deve ler a página 367 e falar com o médico.

MANUSEAR O BEBÊ

"Até agora, só toquei minha filha através das portinholas de sua incubadora. Mas não sei como vou ser capaz de manuseá-la quando ela finalmente vier para casa. Ela é minúscula, e tão frágil..."

Quando o nenê finalmente empreender o tão esperado trajeto para casa, é possível que, em vez de minúscula e frágil, ela pareça gordinha e forte aos seus olhos. Como muitos prematuros, ela provavelmente terá duplicado o seu peso de nascimento antes de atingir os 1,8 a 2,25 kg necessários para a alta. E o mais provável é que você, para cuidar dela, não venha a ter nenhum problema além dos que afligem a maior parte das novas mamães que cuidam de seus bebês de termo. Na verdade, se você tiver a oportunidade de cuidar um pouco do bebê no hospital (que é algo em que você deve insistir) durante as semanas anteriores à ida dele para casa, você começará o jogo com alguma vantagem. Isso não quer dizer que será fácil — poucas são as novas mães que têm essa impressão.

Se você está pensando em como você e o bebê vão se virar sem uma enfermeira ou um neonatologista observando tudo por sobre os seus ombros e prontos a assumir o comando caso algo dê errado, tenha a certeza de que os hospitais não dão alta a bebês que ainda precisam de assistência profissional 24 horas por dia. Mesmo assim, há mães — especialmente aquelas que chegam em casa carregando equipamentos como um monitor de respiração ou uma máscara de oxigênio — que acham por bem contratar uma enfermeira pediátrica que já teve experiência com prematuros e seus cuidados, para ajudá-las ao longo das primeiras uma ou duas semanas. Se você estiver ansiosa com a perspectiva de fazer tudo sozinha, considere esta opção.

CULPA

"Eu sei que não fui tão cuidadosa quanto deveria ter sido durante a gravidez, e sinto ser por minha culpa que meu filho nasceu tão cedo."

Provavelmente, não existe nenhuma mãe de prematuro que não olhe para trás e se lamente por algo que poderia ter feito melhor durante a gravidez — algo que possa ter contribuído para o nascimento precoce do bebê. Esses sentimentos de remorso são normais, mas não são produtivos. É quase impossível saber com certeza qual o fator ou os fatores responsáveis pela chegada antecipada do bebê; e, mesmo se você tiver certeza, a atribuição da culpa não vai ajudá-lo em nada. O que o bebê precisa, agora, é de uma mãe forte, amorosa e atenciosa, e não de uma mãe mergulhada na culpa. Leia o capítulo 20, sobre os recém-nascidos com problemas médicos, onde você pode encontrar algumas sugestões sobre como lidar com os sentimentos de culpa, raiva, e frustração. Outra coisa que pode ajudar é conversar com outros pais de prematuros; você vai constatar que eles compartilham de vários sentimentos seus. Alguns hospitais têm grupos de apoio aos pais; outros acham que os pais têm mais a ganhar falando com os médicos do que com outros pais. Faça o que parecer ajudá-la mais.

É claro que, depois de dar o melhor cuidado possível ao seu bebê, a coisa mais produtiva que você pode fazer é assegurar-se de dar o melhor cuidado possível ao seu próximo filho (se você decidir ter mais um) desde antes do nascimento. Embora nem todos os casos de prematuridade possam ser prevenidos, muitos deles podem. Antes de ficar grávida de novo, consulte seu ginecologista para discutir seus antecedentes médicos, e siga um plano pré-gestacional que conduza seu corpo, seus hábitos alimentares e seu estilo de vida à plena forma (ver *What to Expect When You're Expecting* e *What to Eat When You're Expecting*).

PROBLEMAS PERMANENTES

"Embora o médico diga que nosso filho vai bem, não consigo deixar de recear que, depois de tudo isso, ele vá acabar com algum dano permanente."

Um dos maiores milagres da medicina moderna é a taxa de sobrevivência cada vez maior dos bebês prematuros. Outrora, um bebê de 1 kg ao nascer não tinha nenhuma chance de sobreviver. Hoje, graças aos avanços da neonatologia, a muitos bebês que nascem ainda menores podem-se atribuir chances de sobrevivência.

É claro que, a par dessa maior taxa de sobrevivência, aumentou também o número de bebês com deficiências moderadas a sérias. Não obstante, seu bebê ainda tem grande chance de sair do hospital vivo e com saúde. Estima-se que apenas 10% de todos os prematuros, e 20% dos que nascem com menos de 1,5 kg, acabem por terem deficiências severas. Mais que 2 a cada 3 bebês prematuros vêm a ser perfeitamente normais, e a maioria dos demais têm apenas deficiências leves ou moderadas. O QI tem grande probabilidade de ser normal, embora os bebês de pré-termo de fato tenham uma tendência maior a apresentar problemas de aprendizagem.

Mesmo se o seu bebê for perfeitamente normal, você pode esperar que, por alguns anos, ele esteja mais "atrasado" que outros bebês de mesma idade. O mais provável é que seu progresso acompanhe de perto o progresso das crianças que têm a mesma idade corrigida. Além disso, se ele tiver nascido muito pequeno ou tiver tido complicações sérias durante o período neonatal, é muito possível que ele esteja atrasado também em relação aos bebês de mesma idade corrigida, particularmente em termos de desenvolvimento motor.

Os bebês prematuros também podem apresentar algumas anomalias neuromusculares. Podem não perder certos reflexos do recém-nascido, como o de Moro, o reflexo tônico cervical ou o de preensão tão cedo quanto os bebês de termo, mesmo levando em conta a idade corrigida. Podem ter um tônus muscular anormal, levando a que, em alguns casos, a cabeça fique excessivamente caída, e, em outros, as pernas fiquem rígidas e os dedos do pé eriçados. Embora tais sinais possam ser motivos de preocupação em bebês de termo, não costumam sê-lo em bebês pré-termo. (Não obstante, eles devem ser examinados pelo médico iniciando-se a fisioterapia caso seja necessária.)

O desenvolvimento lento do prematuro não só não é motivo para alarme, como é algo a ser esperado. Mas se o bebê parecer não estar fazendo nenhum progresso de semana a semana ou de mês a mês, ou parecer apático (sem estar doente), fale com o médico. Se o médico não confirmar e nem dissipar as suas preocupações, consulte outro profissional. Há casos em que a mãe, que vê o bebê 24 horas por dia, capta algo que escapa ao médico. Se no fim nenhum problema for constatado — e é este o caso mais provável —, a segunda opinião ajudará a eliminar seus temores. E caso um problema seja descoberto, o diagnóstico precoce pode conduzir a um tratamento imediato, bem como a um cuidado e uma educação mais prolongados, os quais podem fazer uma enorme diferença para a qualidade de vida que você pode aspirar para seu bebê.

ASSENTO PARA AUTOMÓVEIS

"Minha filhinha parece perdida no meio do assento de automóvel que nos emprestaram. Ela não ficaria mais segura no meu colo?"

A prática de levar o bebê (prematuro ou de termo) no colo da mamãe (ou de qualquer outra pessoa) dentro do automóvel não é somente insegura, como também ilegal. Com isso, porém, um sério problema se apresenta aos pais dos bebês de baixo peso. Seus corpinhos quase sempre parecem perdidos nos assentos comuns para automóveis, mas isso não é tudo; eles podem também ter dificuldades para respirar na posição inclinada que o assento exige. Um estudo demonstrou que alguns bebês pré-termo apresentam uma diminuição da taxa de oxigênio ao andarem em assentos automobilísticos, e que essa deficiência pode continuar por até meia hora, ou mais, depois da viagem. Alguns também podem sofrer curtos períodos de apnéia (ausência de respiração) nos assentos para automóveis. Para esses bebês, é muito melhor uma nova cama infantil para automóveis, submetida a provas de segurança, na qual o bebê fica de bruços e não inclinado de costas, e que o protege em casos de acidentes sem comprometer a respiração.[3] Fale com o pessoal de sua loja de artigos para bebês para saber se há tal cama disponível. Se, por alguma razão, você não puder obter essa cama ou um assento projetado para prematuros, talvez seja melhor limitar as viagens de carro, com o bebê durante os primeiros um ou dois meses de vida depois da alta, especialmente se ele já tiver tido ataques de apnéia. Senão, fale com o médico sobre a possibilidade de monitorar-lhe a respiração com o bebê num assento automobilístico normal, ao menos por algum tempo, para ver se ele apresenta algum problema.

Para ajudar o bebê a viajar mais confortavelmente no assento, enrole uma toalha ou cobertorzinho e coloque-o de modo a apoiar-lhe a cabeça dos lados; ou compre um rolinho de cabeça pronto para uso e projetado para os assentos automobilísticos infantis. Se houver um espaço grande entre o corpo do bebê e as correias (ou qualquer outra parte do assento), use outra toalha ou cobertor dobrados para preenchê-lo.

Os bebês prematuros de pouca idade podem apresentar os mesmos problemas de respiração em assentos infantis e balanços para bebês; por isso, não os use sem a autorização do médico.

O MESMO PROBLEMA DA PRÓXIMA VEZ

"O fato de o nosso primeiro filho ter nascido prematuro torna mais provável que o segundo também seja?"

O risco que você corre de ter um novo parto prematuro depende, antes de mais nada, de qual foi a causa do primeiro. Se a causa suspeita é algo que está sob o seu controle — se o seu perfil de gravidez incluiu fatores de risco como o fumo, o excesso de bebida, uso de drogas, má nutri-

3. A Evenflo fornece a Swinger Infant Car Bed.

DICAS ESPECIAIS PARA O CUIDADO DE BEBÊS PREMATUROS

- Leia os capítulos deste livro referentes à vida do bebê mês a mês; eles se aplicam tanto aos bebês de termo quanto aos prematuros. Só não se esqueça de corrigir a idade do bebê.
- Nas primeiras semanas em que o bebê estiver em casa, deixe-a mais aquecida que o normal, por volta dos 22,5°C. Em geral, o mecanismo de regulação de temperatura já está funcionando nos prematuros à época em que são mandados para casa; mas, devido ao seu pequeno tamanho e maior área de pele em relação à quantidade de gordura, eles podem ter uma certa dificuldade para ficarem confortáveis sem uma ajudazinha. Além disso, o gasto excessivo de calorias para aquecer o corpo pode prejudicar o ganho de peso. Se o bebê parecer anormalmente inquieto, verifique a temperatura do quarto para ver se está quente o suficiente; e sinta os braços, as pernas e a nuca do bebê para verificar se não estão frios. (Mas não superaqueça o quarto.)
- Se necessário, compre fraldas para bebês prematuros. Você também pode comprar roupinhas feitas para prematuros, mas não compre demais — antes que se dê conta, o bebê estará muito grande para elas.
- Se você está dando mamadeiras, esterilize-as. Tal precaução, embora possa ser desnecessária para os bebês de termo, é boa para os prematuros, mais suscetíveis às infecções. Continue esterilizando-as por alguns meses, ou até o médico do bebê autorizá-la a guardar o esterilizador.
- Alimente o bebê com freqüência, mesmo que, para isso, você tenha que passar a maior parte do tempo dando de mamar ou dando mamadeira. Os prematuros têm estômagos muito pequenos, e podem precisar comer a cada 2 ou 3 horas. Também é possível que não sejam capazes de sugar com tanta eficiência quanto os bebês de termo, e por isso podem demorar mais — até uma hora — para ficarem satisfeitos. Não apresse as mamadas.
- A menos que o bebê esteja tomando um leite especial que contenha todos os nutrientes necessários, dê-lhe o suplemento multivitamínico prescrito pelo médico. Os bebês pré-termo correm maior risco que os de termo de sofrerem deficiências vitamínicas, e por isso precisam dessa garantia suplementar.
- Não comece a dar alimentos sólidos até o médico autorizá-los. Geralmente, os alimentos sólidos começam a ser dados ao bebê prematuro quando seu peso chega aos 6 ou 7 kg, quando ele começa a consumir mais de 900 ml de leite por dia ao longo de pelo menos uma semana, e/ou quando a idade corrigida for de seis meses. Às vezes, quando o bebê não se satisfaz apenas com leite em pó ou do peito, os alimentos sólidos podem começar a ser dados já aos três meses de idade corrigida, ou cinco a seis meses de idade cronológica.
- Dê ao bebê o mesmo tratamento que daria a um bebê de termo. Os pais de bebês prematuros tendem a ver seus filhos como seres particularmente frágeis. Freqüentemente, eles são demasiado cuidadosos (preocupam-se com a possibilidade de o bebê estar com muito calor ou muito frio, de não estar comendo ou dormindo o suficiente); demasiado tolerantes (o bebê sempre faz as coisas a seu modo); e demasiado apegados (as mães freqüentemente têm dificuldades para separar-se de seus bebês prematuros). Não se estabelecem limites, e quem acaba tomando as rédeas da situação é o bebê, e não os pais. Essa atmosfera pode prejudicar o desenvolvimento normal e redundar numa criança dependente, exigente e infeliz.

ção, insuficiente ganho de peso e/ou esgotamento físico (um emprego que exige longas horas de pé ou trabalho braçal pesado, por exemplo) —, você simplesmente (ou não tão simplesmente) terá de mudar o seu estilo de vida para proteger quaisquer bebês futuros. Se o seu médico achar que você integra aquela pequena porcentagem de mulheres nas quais o coito parece desencadear o parto prematuro, é possível que suas relações sexuais tenham de ser suspensas durante parte da gravidez, ou toda ela. Se as provas de diagnóstico indicarem um desequilíbrio hormonal como a razão do seu parto prematuro, uma terapia de substituição de hormônios provavelmente a ajudará a levar a gestação ao termo.

Os outros fatores de risco vinculados à prematuridade são mais difíceis de controlar ou eliminar, mas podem muitas vezes ser abrandados. Entre eles:

Infecção. Se uma infecção aguda produziu o seu primeiro parto prematuro, é improvável que o mesmo aconteça de novo; mas, antes de conceber novamente, não deixe de garantir que você esteja livre de doenças venéreas (inclusive clamídia) e infecções do aparelho urinário e ginecológico, além de ser imune à rubéola. Se você contrair uma infecção durante a gravidez, submeta-se a tratamento médico o mais rápido possível. (Mas não deixe de dizer ao médico que você está esperando nenê.)

Colo incapaz. Se o colo de seu útero dilatou-se prematuramente devido ao peso cada vez maior do feto (por causa, provavelmente, de uma fraqueza muscular), o seu fechamento por pontos no início da próxima gravidez pode evitar uma recorrência.

Anomalias estruturais do útero. Depois de diagnosticadas, estas anomalias muitas vezes podem ser corrigidas por uma cirurgia.

Placenta prévia. Se sua placenta estava implantada muito em baixo no útero, perto do colo ou cobrindo-o parcial ou totalmente, e se isso vier a ocorrer de novo na próxima gravidez (embora não precise ocorrer necessariamente), o repouso absoluto é suficiente para evitar o parto prematuro.

Enfermidade crônica da mãe. Se você tem diabetes, hipertensão, doença do coração ou outra doença crônica, uma boa assistência médica, incluindo às vezes o repouso na cama, pode prevenir o parto prematuro; consulte o seu médico.

Estresse. Se o estresse físico ou emocional contribuiu para a chegada antecipada do bebê, tente reduzi-lo na próxima gravidez. Se necessário, procure auxílio profissional.

Idade. Trata-se de um fator de risco para a prematuridade que você não pode modificar — se tinha mais de 35 anos na primeira gravidez, será mais velha na segunda. Mas você pode aumentar suas chances de levar a gestação ao termo se conseguir os melhores cuidados médicos possíveis, não só da parte do seu médico como da sua própria. A eliminação ou atenuação de todos os fatores de risco acima, dentre os que se possam alterar, pode reduzir o seu risco a ponto de quase equipará-lo ao de uma mulher mais jovem.

Conheça-se ou não a causa de seu anterior parto prematuro, consulte seu médico antes de ficar grávida de novo. Discuta com ele o que você pode fazer para reduzir o risco de ter novo parto prematuro. Siga religiosamente as ordens do médico — mesmo se isso acarretar uma diminuição de sua vida sexual e profissional ou de outras atividades. Discuta também a possibilidade de monitorar suas contrações em casa, através de um aparelho que possa ser conectado por via telefônica ao consultório do médico ou ao hospital. Uma vez que o monitor geralmente é capaz de detectar as contrações antes de você, ele muitas vezes permite a tomada de certas medidas medicinais — seja sob a forma de medicamentos tocolíticos que fazem cessar as contrações, seja sob a forma de repouso ou outras — a tempo de impedir o parto.

O QUE É IMPORTANTE SABER: Problemas de Saúde Comuns em Bebês de Baixo Peso

A prematuridade é bastante arriscada. Aqueles pequenos corpos não se encontram plenamente maduros, muitos sistemas corporais (de regulação de temperatura, respiratório e digestivo, por exemplo) não estão em operação plena e, o que não é de surpreender, o risco de enfermidades neonatais aumenta enormemente. À medida que a tecnologia que permite a manutenção da vida desses bebês se aperfeiçoa, começa-se a dar mais atenção a essas enfermidades, a maioria das quais é rara ou inexistente entre os bebês de termo; e, para muitas delas, o êxito de tratamento tem passado a ser o caso mais comum. Desenvolvem-se novos tratamentos quase todos os dias, e não é aqui o lugar de detalhá-los — mas faça perguntas ao seu neonatologista ou pediatra acerca dos avanços mais recentes. Entre os problemas que mais costumam complicar a vida dos bebês prematuros incluem-se os seguintes:

Doença pulmonar de membranas hialinas. Devido à sua imaturidade, o pulmão do prematuro muitas vezes carece do surfactante pulmonar, uma substância de característica detergente que dá às superfícies pulmonares suas propriedades elásticas. Sem o surfactante, os pequenos alvéolos, ou sacos de ar, murcham como bexigas a cada expiração, forçando o pequeno bebê a fazer um esforço cada vez maior para respirar. Nos bebês que entraram em extremo sofrimento no útero, geralmente durante o parto, é menor a probabilidade de ausência de surfactante, uma vez que o sofrimento parece apressar a maturação dos pulmões

Houve época em que a DPMH era quase sempre fatal. Hoje, porém, cerca de 80% dos bebês que desenvolvem a doença sobrevivem, graças a uma compreensão mais perfeita da síndrome e a novas técnicas de tratamento, como a de pressão positiva contínua sobre as vias respiratórias, que se administra por meio de tubos inseridos na boca ou no nariz, ou via um capuz plástico de oxigênio. A pressão contínua impede que os pulmões murchem até que o corpo comece a produzir uma quantidade suficiente de surfactante, o que em geral ocorre depois de três a cinco dias. Às vezes, quando a imaturidade pulmonar é detectada antes do nascimento e este pode ser adiado sem problemas, a DPMH pode ser inteiramente prevenida por meio da administração, pré-natal, de um hormônio que acelera a maturação pulmonar e a produção de surfactante. Também promissora, como técnica de prevenção ou redução da gravidade da DPMH é a instilação de surfactante artificial ou humano dentro dos pulmões do bebê prematuro, antes que ele respire pela primeira vez. Para crianças que padecem de sofrimento respiratório, a oxigenação através de um aparelho de ventilação mecânica dá uma sustentação temporária ao coração e ao pulmão enfraquecidos e proporciona um tempo para descanso e cura. (Esse tratamento é usado para muitos tipos de insuficiência respiratória, e não somente àquela associada à DPMH.)

Displasia broncopulmonar (DBP). Em alguns bebês, sobretudo os de baixo peso, a administração prolongada de oxigênio e a respiração mecânica parecem combinar-se à imaturidade pulmonar para produzir a DBP, ou doença pulmonar crônica. A afecção costuma ser diagnosticada quando o recém-nascido começa a exigir mais oxigênio após o vigésimo oitavo dia de vida. O raio-X geralmente permite que se vejam as mudanças específicas ocorridas no pulmão, e tais bebês costumam ganhar peso lentamente e estar sujeitos a ataques de apnéia. Alguns continuam a precisar de oxigênio depois que vão para casa, outros têm restrito o consumo de líqüidos ou passam a tomar diuréticos ou broncodilatadores para prevenir possíveis complicações; e todos precisam de um alto consumo de calorias para incrementar o crescimento. Muitas vezes, a afecção desaparece com a maturação pulmonar.

Hipoglicemia. A falta de açúcar no sangue pode fazer com que um adulto se sinta tonto, nervoso ou irritado; no recém-nascido, ela pode ter conseqüências muito mais sérias, causando lesão cerebral e retardamento mental se não for tratada. É um problema que se apresenta sobretudo em bebês nascidos de parto múltiplo, no qual o menor ou os menores pesam menos de 2 kg, e em filhos de mães diabéticas (que geralmente nascem com um peso alto, e não baixo). Como medida de rotina, fazem-se exames para detectar a hipoglicemia nas primeiras 24 ou 48 horas de vida do bebê; quando ela é constatada, o tratamento para a normalização das taxas de açúcar é iniciado de imediato.

Persistência do canal arterial. No sistema circulatório do feto, há um duto que liga a aorta (a artéria através da qual o sangue é bombeado do coração para o resto do corpo) à artéria pulmonar esquerda (a que conduz aos pulmões), chamado duto arterioso. Esse duto retira o sangue dos pulmões inativos, e é mantido aberto, durante a gestação, por níveis muito altos de prostaglandina E (um ácido graxo produzido pelo corpo) no sangue. Normalmente, a taxa de prostaglandina E cai na hora do parto e o canal começa a se fechar algumas horas depois. Mas em cerca de metade dos bebês prematuros muito pequenos (os que pesam menos de 1,5 kg), e em alguns bebês maiores, a taxa de prostaglandina E não cai e o canal permanece aberto. Em muitos casos não ocorrem sintomas, exceto, talvez, uma leve falta de fôlego devida à atividade e/ou cianose (coloração azulada) dos lábios, e o duto fecha-se sozinho no período neonatal. Mas às vezes ocorrem complicações severas. O tratamento com um medicamento antiprostaglandínico (indometacina) costuma ter excelente êxito para o fechamento do duto; quando não tem, uma cirurgia simples remedia o problema.

Fibroplasia retrolental. Esta afecção, antigamente chamada retinopatia da prematuridade, pode produzir cicatrizes e distorções significativas nas retinas, um maior risco de miopia, ambliopia (olhos que não se fixam), nistagmo (movimentos rítmicos involuntários dos olhos) e até cegueira. A retinopatia é extremamente comum em bebês muito pequenos — afeta 4 em cada 5 bebês que pesam menos de 750 g ao nascer, em comparação com 3 a cada 100 que pesam de 1,5 a 1,75 kg. Já se pensou que fosse causada pela excessiva administração de oxigênio, mas hoje se acredita que o problema, em muitos casos, reside num desequilíbrio de oxigênio no sangue do bebê, e que vários outros fatores (incluindo, talvez, as luzes brilhantes no berçário, o diabete materno ou o uso, por parte da mãe, de anti-histaminas nas duas últimas semanas de gravidez) possam também contribuir para a afecção. O recém-nascido com retinopatia deve ser examinado por um oftalmologista pediátrico. Hoje a monitoragem atenta dos gases no sangue do bebê, quando da administração de oxigenioterapia, é uma prática de rotina, e de fato parece ajudar a minimizar os danos. A vitamina E dada por via oral ou intramuscular também parece ajudar,[4] mas a taxa de vitamina no sangue precisa ser verificada com regularidade a fim de que se possa mudar a dosagem à medida que o bebê cresce. Uma terapia agressiva, por meio de criocirurgia (congelamento para destruir o excesso de vasos sangüíneos que se formam no olho e

4. Já não se costuma dar vitamina E aos recém-nascidos por via intravenosa, pois isso pode causar sérias complicações.

impedir um maior descolamento da retina), pode ser eficaz para a prevenção da cegueira. (Em geral, os bebês com retinopatia que não apresentam anemia por deficiência de ferro não recebem suplementos de ferro até as retinas amadurecerem ou a afecção ser resolvida; por isso, não dê um suplemento sem a autorização do médico.)

Hemorragia intraventricular. O cérebro imaturo do feto contém a matriz germinal, uma estrutura gelatinosa cheia de veias, artérias e capilares, que desaparece por volta das 38 semanas. Os bebês que nascem antes que ela desapareça correm alto risco de hemorragia, devido à fragilidade desses vasos e ao grande fluxo sangüíneo através deles. A hemorragia intraventricular é extremamente comum entre os bebês de pré-termo, atingindo de 30 a 40% deles, em geral durante as primeiras 72 horas de vida. Tais hemorragias são classificadas segundo uma escala de quatro graus, sendo o grau I o menos severo e o grau IV o mais severo. A hemorragia de grau IV exige uma observação atenta para corrigir quaisquer outros problemas que se desenvolvam — hidrocefalia, por exemplo. Geralmente, para os graus III e IV, prescrevem-se exames regulares de ultrasom no crânio até que a hemorragia seja curada. Os bebês que sofrem hemorragias mais severas também correm maior risco de terem convulsões imediatamente, e deficiências mais tarde. Estão-se desenvolvendo tratamentos que visam prevenir e/ou tratar a afecção, inclusive um método que consiste na indução temporária de paralisia muscular para reduzir a flutuação do fluxo sangüíneo no cérebro.

Enterocolite necrosante. Os sintomas dessa afecção intestinal, na qual parte do tecido intestinal é danificado e se necrosa, costumam aparecer entre o segundo e o vigésimo dias de vida, quase sempre em bebês de baixo peso. Os sintomas englobam uma distensão no abdome, vômito bilioso, apnéia e sangue nas fezes. Propuseram-se um grande número de teorias destinadas a identificar com precisão a causa da doença, nenhuma delas totalmente satisfatória. Parece mais provável que esteja envolvido um complexo de fatores, incluindo possivelmente o uso de leite artificial (é menor a probabilidade desta intercorrência em bebês amamentados ao peito). O bebê com enterocolite necrosante costuma ser alimentado por via intravenosa, e o tratamento depende dos sintomas. Quando há uma deterioração grave do intestino, a cirurgia é geralmente indicada para retirar a porção necrosada.

Apnéia da prematuridade. A apnéia, períodos de ausência de respiração, pode ocorrer em qualquer recém-nascido; mas é um problema muito mais comum nos prematuros. A apnéia da prematuridade é diagnosticada quando o bebê apresenta períodos de apnéia que duram mais que 15 segundos ou que, embora mais curtos, são associados à bradicardia, uma desaceleração dos batimentos cardíacos. Uma vez observada a apnéia, costuma-se fazer um teste para determinar se o bebê precisa de monitoragem (veja página 208). A monitoragem da apnéia de prematuridade geralmente não é mais necessária depois dos seis meses, mas, até então, o monitor precisa ser ajustado à medida que a freqüência cardíaca do bebê passa pela desaceleração que normalmente acompanha o crescimento (se não se fizer isso, podem ocorrer muitos alarmes falsos de desaceleração da freqüência cardíaca). Esse tipo de apnéia, se não recorrer depois que o bebê chegar à data em que deveria ter nascido, não tem relação alguma com a SMSI (Síndrome da Morte Súbita Infantil.)

Icterícia. Os prematuros têm probabilidade muito maior de desenvolver icterícia do que os bebês de termo. Leia sobre a afecção e seu tratamento na página 77.

CAPÍTULO 20

O Bebê com Defeitos

Depois de nove meses à espera de um bebê perfeito e saudável, é terrível dar à luz uma criança que não tenha essas características. E ninguém que não tenha sofrido esse choque é capaz de compreender a dor que ele acarreta. Não obstante, a grande maioria dos pais acaba se recuperando de seus sentimentos iniciais de desamparo e desesperança. À medida que aprendem a lidar com as dificuldades decorrentes de terem um bebê com defeitos congênitos, começam a enxergar a criança que existe para além dos problemas — uma criança que, acima de tudo, necessita daquilo que necessitam todas as crianças: amor, atenção e disciplina.

Alguns constatam que o problema, o qual de início parecia tão aterrador, é facilmente corrigido ou ao menos minorado por meio de uma cirurgia, medicamentos ou outro método de tratamento. Outros verificam que nada ou muito pouco podem fazer para tornar perfeito o seu bebê. Mesmo essas famílias, porém, freqüentemente constatam que a educação de uma criança deficiente acrescenta uma nova dimensão às suas vidas; que elas adquirem um sentido de realização que dificilmente poderiam ter experimentado de outro modo. Descobrem que, embora com freqüência precisem dedicar um esforço intenso e prolongado a estimular física e intelectualmente a criança, o resultado que obtêm é ainda mais satisfatório, compensando em muito a energia dispendida. E, à medida que o tempo passa, muitas vezes percebem que a criança, além de lhes ter ensinado algo sobre o sofrimento, ensinou-lhes muito sobre o amor.

Grande parte das informações gerais apresentadas neste livro são úteis aos pais de uma criança nascida com defeitos congênitos; não obstante, este capítulo trata de certas adaptações e decisões que são específicas à sua situação. Pode também ser conveniente ler o capítulo 19, que trata de outros problemas, como a hospitalização prolongada.

PARA ALIMENTAR O SEU BEBÊ: A Dieta Faz Alguma Diferença?

Todos os pais querem que seus filhos, deficientes ou não, estejam tão bem quanto possam estar. E o provimento da melhor nutrição possível — desde o nascimento — é uma das maneiras pelas quais se pode ajudar as crianças a desenvolverem todo o seu potencial, seja este qual for. A boa dieta não pode mudar o fato de a criança ter um defeito congênito, e pode nem mesmo melhorar a sua condição; mas pode ter efeitos sobre a saúde geral e é capaz de influir sobre o comportamento, a capacidade de aprendizagem e o desenvolvimento. Não há provas, porém, de que a manipulação dietética (a alimentação com uma dieta especial, por exemplo, ou a administração de megadoses vitamínicas) possa melhorar significativamente a condição de uma criança nascida com um defeito congênito, exceto naqueles casos em que o defeito tem relação com a dieta.

Para a criança que não tem necessidades dietéticas incomuns, a nutrição começa da melhor maneira com o leite materno, quando possível, ou com os leites comerciais para bebês, e depois com "A Dieta Mais Promissora", página 252.

O QUE PODE ESTAR PREOCUPANDO VOCÊ

SENTIR-SE RESPONSÁVEL

"O médico acabou de nos dizer que nosso filho não é perfeitamente normal. Não consigo deixar de sentir que sou, de algum modo, responsável — que poderia ter feito algo para prevenir o problema."

É comum que os pais se sintam responsáveis pelas coisas ruins que acontecem aos filhos; mesmo um tombo causado pela falta de jeito da criança que está aprendendo a andar pode fazer com que se perguntem: "O que fiz de errado?" Quando a criança nasce com um defeito congênito, a culpa pode ser esmagadora e debilitante. Os pais talvez sintam que o problema foi causado por algo que eles fizeram, embora a causa, na maioria das vezes, esteja fora do seu controle. A culpa tende a ser particularmente forte quando um ou ambos os pais sentiram alguma ambivalência a respeito de ter o bebê, como ocorre com a maioria dos futuros pais em algum momento. Eles podem concluir que seus pensamentos ocultos foram responsáveis pela doença do bebê — este deve ser o seu castigo por não terem querido o bebê. E, por menos que isso seja verdadeiro, esses pais freqüentemente precisam de reiteradas afirmações de que não têm culpa.

Às vezes, como no caso da "fetopatia alcoólica", o desenvolvimento de um defeito congênito pode ter sua origem nos atos da mãe, o que torna a culpa ainda mais difícil de administrar. É importante não esquecer, contudo, que o alcoolismo é uma doença, assim como o diabete — a mãe alcoólica não bebeu por ser imoral ou por ter vontade de ferir o bebê, mas porque a doença a está dominando. Embora ela não possa desfazer o que já se fez, ela pode, agora, procurar ajuda profissional para lidar com seu problema e prevenir, para o futuro, quaisquer outras influências negativas sobre esse bebê e os que ainda possa ter.

Tenha ou não tenha fundamento, a culpa não fará bem a você, nem a seu marido, nem ao bebê — e, pelo contrário, pode fazer muito mal a todos vocês. Em vez de dispender sua energia emocional na autoflagelação, invista-a nas medidas positivas que se podem tomar para dar ao bebê e à sua família o melhor futuro que eles podem ter.

SENTIMENTOS DE RAIVA

"Desde que dei à luz minha filha, portadora da síndrome de Down, tenho tido

raiva de todo mundo — dos médicos, do meu marido, dos meus pais, de outras mães de bebês normais, e até do bebê."

E por que você não deveria ter raiva? Os sonhos que você vinha alimentando há nove meses, ou talvez mais tempo, se despedaçaram. Você olha para os amigos, os vizinhos, os parentes, os estranhos que vê no supermercado com seus bebês normais, e pensa cheia de amargura: "Por que eu?" O fato de não encontrar resposta satisfatória a esta pergunta a torna ainda mais frustrada. É possível que você tenha raiva do médico que a assistiu no parto (muito embora ele não tenha culpa), do seu marido (sem qualquer motivo lógico), de seus filhos normais (ainda que você saiba que eles não têm culpa de terem saúde e de a sua filha não ter).

Aceite a sua raiva como um fato normal, mas reconheça também que ela, como a culpa, não é uma emoção muito produtiva. A raiva consome um bocado de energia — energia que deveria estar voltada para o bebê e suas necessidades. Você não pode mudar o passado, mas pode tornar melhor o futuro da sua filha.

FALTA DE AMOR PELO BEBÊ

"Já faz quase um mês que minha filha nasceu com um defeito congênito, e eu ainda não sinto intimidade com ela. Tenho minhas dúvidas se um dia sentirei."

Seus sentimentos não são nem um pouco raros. Mesmo os pais de bebês normais costumam levar meses para se sentirem realmente próximos de seus recém-nascidos. A rejeição inicial transforma-se em ambivalência, depois em aceitação, e finalmente em amor. No caso dos pais de filhos com defeitos congênitos, o processo é, compreensivelmente, mais lento, e as primeiras duas reações em geral são mais exageradas. A aceitação usualmente exige que a mãe abdique do bebê idealizado que concebeu em sua imaginação, e abra o coração para a criança que de fato tem. A interação amorosa com o bebê, com cantigas de ninar, agrados, carícias e beijos, ajudará a fazer crescer o amor e fará com que você descubra as qualidades encantadoras do seu bebê e se concentre nelas (todas as crianças as possuem).

Se você não se sentir mais íntima do bebê à medida que o tempo for passando, peça conselhos a alguém que tenha bastante experiência de trabalho com pais de crianças com defeitos congênitos; senão, junte-se a um grupo de ajuda mútua formado por esses pais na sua comunidade. Seu médico ou hospital deve ser capaz de orientá-la.

"Os médicos nos dizem que nosso filhinho pode não sobreviver, e por isso nós temos medo de ficarmos apegados a ele."

Os pais de bebês cujas vidas estão em perigo muitas vezes apresentam esse medo de amar e depois perder, e conscientemente evitam aproximar-se de seus recém-nascidos. Mas os estudos mostram que, em geral, os pais que se permitem uma maior ligação com seus bebês gravemente doentes (mesmo que seja apenas através das portinholas de uma incubadora) acabam tendo mais facilidade para lidar com a situação, se a criança não sobrevive, do que os pais que tentam permanecer alheios. Talvez isso ocorra porque eles são então capazes de dizer que "Pelo menos nós o amamos enquanto o tivemos" e porque são verdadeiramente capazes de sentir a morte da criança (não se pode estar de luto por algo que nunca se teve), processo este necessário para que os pais possam resolver seus sentimentos relativos à terrível perda. Dar muito amor a seu filho gravemente doente, dando-lhe, em certo sentido, uma razão para viver, também é algo que pode ter uma influência significativa sobre a sua vontade de sobreviver, podendo mesmo ajudá-lo a superar as dificuldades.

O QUE DIZER AOS OUTROS

"O defeito congênito do nosso filho é bastante óbvio. Quando o vêem, as pessoas não sabem o que me dizer, e eu não sei o que dizer a elas."

Quando as pessoas encontram uma criança com um defeito congênito, sua falta de palavras costuma ser tão óbvia quanto o próprio defeito. Elas querem dizer a coisa certa, mas não sabem qual é. Querem ser amigas e delicadas, mas não sabem como. Querem dar-lhe os parabéns pelo nascimento do bebê, mas sentem que talvez fosse melhor dar os pêsames. Se você reconhecer o embaraço que sentem e abrir o caminho para que demonstrem seus sentimentos, estará ajudando a elas e a si mesma. Se você se sentir capaz disto, diga-lhes que compreende que estejam constrangidas, que a maioria das pessoas fica assim no começo, e que se trata de algo perfeitamente natural. Depois disso, tudo o que se precisa dizer a um amigo não muito íntimo é que, embora seu recém-nascido não seja a criança que você esperava, ele é seu, você o ama e pretende tratá-lo de modo tão normal quanto possível — e espera que os outros façam o mesmo.

Evidentemente, trata-se de uma abordagem racional ao problema, e é possível que você não se sinta muito racional de início. É possível que você tenha vontade de ignorar os estranhos e, às vezes, até os amigos e a família, ou de reagir com palavras duras quando são desatenciosos ou indelicados. Não se sinta mal se você estiver chateada demais para deixar os outros à vontade. Com o tempo, e, se necessário, com um aconselhamento individual adequado ou terapia de grupo, você se tornará mais capaz de lidar com a situação.

Os amigos e parentes que manterão com o bebê um contato mais freqüente e mais íntimo precisam saber mais. Além de serem estimulados a ventilar seus sentimentos, eles terão de ser instruídos a respeito dos problemas e necessidades especiais da criança. Dê-lhes material de leitura que trate dos problemas médicos da criança, peça ao médico do bebê que fale com eles, estimule-os a conversar informalmente com outros familiares de crianças com defeitos congênitos ou indique-lhes um grupo de apoio. Faça-os participar do cuidado do bebê — dê-lhes oportunidade de segurá-lo no colo, trocar-lhe as fraldas, dar-lhe banho e brincar com ele. Com o tempo, também eles começarão a vê-lo como o bebê adorável que ele realmente é.

Os parentes mais próximos, sobretudo os avós, às vezes sentem-se culpados ("Será que eu contribuí com um gene defeituoso?"), bravos ("Por que você não nos deu um neto sadio?"), ou pensam que têm todas as respostas ("Dê-lhe esta comida" ou "Leve-o àquele médico"). Se os seus esforços de envolvê-los na vida do bebê e educá-los sobre os seus problemas não ajudarem a acabar com tais atitudes, e se a contribuição negativa que deles provém continuar a pôr em risco o delicado equilíbrio do seu núcleo familiar, mantenha abertos os canais de comunicação, mas não assuma o problema deles como seu.

Apesar de todos os seus esforços, sempre haverá pessoas que — provavelmente devido à própria insegurança — farão comentários cruéis e impensados, menosprezarão o seu filho por ser diferente e sentir-se-ão constrangidos ao lado dele. Haverá momentos em que tanto você quanto a criança se sentirão feridos pela intolerância alheia. Por mais que você queira educar o mundo, isso não é possível. Tudo o que lhe resta é aprender a manter a cabeça erguida e ignorar os indivíduos de mentalidade estreita com quem é impossível se comunicar.

ADMINISTRAR A SITUAÇÃO TODA

"Nós amamos nossa nova filhinha, mesmo com todos os seus problemas e os

cuidados especiais de que ela necessita; mas, tendo outra criança pequena de quem cuidar e com quem me preocupar, sinto-me completamente assoberbada e incapaz de lidar com tudo."

A criação de um filho defeituoso pode ser extenuante do ponto de vista físico e emocional — sobretudo para a mãe, que geralmente acaba arcando com a maior parte da responsabilidade, mesmo que ela também trabalhe fora. As sugestões dos capítulos 23 e 24, que podem ajudar a qualquer mãe, podem ajudá-la também. Mas você precisa de algo mais:

Mais pausas. Se você é uma mãe de tempo integral (o que ocorre com muitas mães de crianças deficientes, que preferem adiar sua volta ao trabalho), vai ter que encontrar maneiras de sair da casa, fugindo da tensão de cuidar de sua filha todo dia,

SEJA UMA AMIGA DE FATO

Poucas pessoas sabem o que fazer ou dizer quando se informam de que uma amiga, parente, vizinha ou conhecida deu à luz uma criança com um defeito congênito, uma criança seriamente doente ou morta pouco depois do parto. Não existe uma resposta pronta; todo indivíduo e toda situação são únicos. Mas, de maneira geral, são estas as abordagens que mais podem ajudar:

- *Preste ouvidos.* Não diga "Sei como você se sente". Você não sabe, e esperemos que nunca venha a saber. Não diga "Você tem que ser forte", nem ofereça qualquer outro conselho. Os pais em crise receberão conselhos de sobra dos profissionais. Eles precisam é que você lhes dê amor, apoio e um ouvido amigo. Ouça tudo o que eles têm na mente e no coração, sem fazer críticas e sem oferecer os seus pontos de vista. Deixe-os manifestar seus sentimentos, quaisquer que sejam (tenha como certo que eles estarão oscilando entre a raiva e o desânimo), e compartilhe de sua dor — será esta a melhor terapia.
- *Informe-se.* Se os pais parecem estar com vontade de falar acerca dos problemas do bebê, ouça-os. Mas se eles já contaram muitas vezes e história terrível, obtenha de um parente ou amigo informações de segunda ou terceira mão, para que não precisem reviver tudo mais uma vez. A fim de ser capaz de entender melhor aquilo por que eles estão passando, leia este capítulo (e, se for pertinente, o anterior); e, caso você sinta necessidade, obtenha mais informações de uma organização voltada para o problema específico do bebê.
- *Valha-se da linguagem do corpo.* Quando faltam as palavras, um aperto de mão, um abraço amoroso ou um olhar compreensivo são amiúde capazes de transmitir a mensagem de que você está ao lado deles.
- *Mantenha contato.* Por não sabermos o que fazer ou dizer, freqüentemente nos refugiamos na covardia e passamos a manter distância da amiga que está passando por uma crise. Aqueles que já foram objeto desse comportamento quase sempre dizem: "Eu preferiria ouvir as palavras erradas a não ouvir palavra nenhuma". Aqueles telefonemas, visitas e convites são agora mais importantes do que nunca, e não devem ser negligenciados. E embora você não deva impôr sua companhia a alguém que prefere remoer sozinho a própria dor, não desista depois do primeiro "Nós ainda não estamos com disposição para isso". Espere um pouco e tente de novo.
- *Ajude.* Há várias tarefas que os amigos e a família podem assumir enquanto o casal está chorando a perda de um bebê ou deparam com um bebê hospitalizado ou necessitado de muita atenção. Cozinhe uma refeição, tome conta das crianças mais velhas, lave a roupa, ofereça-se para passar aspirador, tirar o pó ou tomar conta do bebê por uma ou duas horas, se possível. Qualquer tipo de ajuda que você puder dar será sem dúvida apreciada.

24 horas por dia. Reserve ao menos algumas horas por semana, deixando o bebê com um parente, uma amiga, uma babá de confiança ou uma enfermeira pediátrica. Jante com seu marido, almoce com uma amiga, jogue uma partida de tênis, assista a um filme ou um concerto, ou dê um passeio pelas lojas — aquilo que a deixar mais relaxada. Se possível, é ainda melhor dar uma escapada de uma ou duas horas todos os dias — para correr um pouco, fazer uma massagem facial ou cortar o cabelo (a boa aparência lhe dará maior força psíquica), buscar um ou dois livros na biblioteca. Se você tem outro filho, tente levá-lo consigo nessas pausas; ambos ganharão com isso.

Mais desabafo. Não reprima suas preocupações, temores e queixas — desabafe-os com seu marido, sua mãe ou irmã, sua melhor amiga, seu médico, outras mulheres na mesma situação que a sua, um consultor profissional se necessário. É possível que, de início, você não se sinta preparada para enfrentar um grupo de ajuda mútua formado por pais de crianças com problemas semelhantes, mas talvez ache isso útil mais tarde. Um diário é outra maneira de expressar seus sentimentos e resolver suas ansiedades. Registre os problemas e o seu progresso, o que você já fez e o que ainda há a ser feito. A visão de sua vida escrita sobre papel pode fazê-la parecer mais controlável.

Mais ajuda. Você não pode fazer tudo sozinha. Se não tiver condições de pagar alguém que lhe ajude com a casa e as crianças, precisará contar, mais do que a maioria das mães, com as amigas e a família. Não precisa sentir-se culpada por causa disso, desde que não tenha em pouca conta o tempo e a energia que os outros lhe dedicam. Embora possa sentir que só você ganha com a gentileza deles, a verdade é que eles também têm muito a ganhar — talvez até mais do que você — ajudando-a.

OBTENÇÃO DO DIAGNÓSTICO CORRETO

"De acordo com nosso médico de família, nosso filho é portador de um distúrbio congênito muito sério. Sou incapaz de acreditar nisso — todos em nossa família têm saúde muito boa."

A doença grave é sempre difícil de aceitar, especialmente quando atinge nossos filhos. A primeira reação é quase sempre a negação: aferramo-nos à esperança de que alguém tenha cometido um engano. A melhor maneira de resolver essa dúvida cruciante é mandar fazer um novo diagnóstico — afinal ninguém é infalível. Assim, se você ainda não fez isso, encaminhe seu filho para ser examinado minuciosamente por um neonatologista experiente e habituado com a afecção diagnosticada, e não deixe de pedir que se façam também os exames apropriados, tanto para confirmar o diagnóstico quanto para detectar quaisquer outros problemas existentes. Você pode colaborar para a obtenção de um diagnóstico preciso, dando aos médicos o máximo de informação sobre os antecedentes médicos de sua família (inclusive quaisquer distúrbios genéticos familiares) e sobre o histórico de sua gravidez e de seu comportamento nesse período (inclusive sobre o uso de cigarro, álcool ou drogas, medicamentos, doenças, especialmente se acompanhadas de febre, banhos de banheira quente etc.). Com efeito, suas respostas *sinceras* podem ajudar o médico a certificar-se de um diagnóstico difícil.

Se o segundo médico concordar com o primeiro, você pode ter bastante certeza de que o diagnóstico de ambos está correto — e os fatos não vão mudar caso você fique levando seu filho a novos médicos. Existe sempre uma possibilidade remotíssima de que todos os médicos estejam errados, mas é muito maior a probabilidade de que o problema de fato exista e você, como a maioria dos pais de crianças com defeitos congênitos, esteja se esforçando para negá-lo.

Certifique-se de ter clareza absoluta sobre o diagnóstico. Quando os pais ouvem pela primeira vez que seu filho tem um defeito congênito, a maioria dos detalhes não raro se perde em meio a um choque arrasador. Os pais só sabem que "seu filho não é normal"; todo o resto é uma névoa só. Por isso, quando estiver com a cabeça um pouco mais desanuviada, marque um segundo encontro com o médico (por algum tempo, não espere de si mesma muita capacidade de se concentrar). Além das informações que você pode obter dos médicos e/ou enfermeiras que estão cuidando do bebê, procure mais informações em livros, com pais que vivem uma situação semelhante, e com organizações voltadas para as crianças deficientes e/ou para o problema específico do seu bebê.[1] Mas não confie nos conselhos dados por vizinhos ou amigos bem-intencionados mas ignorantes — o mais provável é que se basearam mais na mitologia que na medicina.

Antes de levar o bebê para casa, pergunte ao médico o que exatamente você pode esperar em termos de comportamento, desenvolvimento e problemas de saúde, e a quais sinais de alerta você deve estar atenta; pergunte também o que você e sua família podem fazer para ajudar o bebê a atingir todo o seu potencial. Tome nota de tudo, para ter ao que recorrer quando for para casa.

1. No Brasil, existem órgãos como a APAE, a AACD e, em algumas cidades, outras organizações dirigidas a problemas específicos, que poderão ser encontradas através da Sociedade de Pediatria do seu estado. Caso haja interesse, as seguintes instituições americanas poderão também ser consultadas: The Clearing House on the Handicapped, Switzer Building, Room 3132, 330 C Street SW, Washington, DC 20202, (202) 732-1241; The Coordinating Councils for Handicapped Children, 20 East Jackson Boulevard, Room 900, Chicago, IL 60604, (312) 939-3513; The Association of Birth Defect Children, 3526 Emorywood Lane, Orlando, FL 32812, (407) 859-2821; The National Information Center for Children and Youth with Handicaps, PO Box 1492, Washington, DC 20013, (703) 522-3322. Para saber os nomes de organizações dirigidas a distúrbios específicos, entre em contato com The National Health Information Center (NHIC), PO Box 1133, Washington, DC 20013-1133, (800) 336-4797.

ACEITAR OU NÃO ACEITAR TRATAMENTO

"Nosso menino nasceu sem uma parte do seu cérebro. Os médicos dizem que ele não tem possibilidade de sobreviver, mas querem operá-lo para mantê-lo vivo por mais algum tempo. Nós não sabemos o que fazer."

A questão de saber se os bebês que não têm esperança de sobrevivência a longo prazo devem ou não receber tratamento e ser mantidos vivos por equipamentos assumiu, para a sociedade, a feição de um problema ético de primeira importância; agora, é para você um doloroso problema pessoal. É provável que sua decisão, se possível, não deva ser tomada sem antes discutir a questão com sua família, um conselheiro religioso, os médicos do bebê e o especialista em ética do hospital, se houver. Em muitos casos, haverá tempo para que se tome a decisão de caso pensado. Mesmo quando isso não ocorre e o tempo é fator essencial, geralmente se tem a oportunidade de falar com os médicos do bebê e, talvez, com um capelão de hospital. Os médicos normalmente podem dizer-lhe qual a qualidade de vida que você pode esperar para o seu filho caso seja mantido vivo, e informar-lhe se o tratamento iria melhorar essa qualidade de vida ou simplesmente adiar a morte. O capelão pode explicar quais são as ressonâncias religiosas da questão, e o especialista em ética pode lhe informar os seus direitos e deveres legais, bem como as ressonâncias éticas. Ao tomar sua decisão, leve em consideração todas as informações e conselhos que recebeu, mas faça aquilo que seu coração considerar correto — uma vez que, independentemente de qual seja essa decisão, é com ela que você vai ser capaz de conviver melhor.

Em certos casos, os pais de crianças para quem não há esperança encontram alguma consolação na possibilidade de doar alguns dos órgãos do bebê para salvar a vida de outro bebê doente. Isso nem sempre é possível — às vezes por motivos ligados à medicina, outras vezes por motivos jurídicos —, mas, se isso a interessar, converse com o médico e com as autoridades hospitalares acerca da possibilidade de doação de órgãos.

OBTENÇÃO DA MELHOR ASSISTÊNCIA E TRATAMENTO

"Apesar das deficiências de nosso bebê, estamos determinados a dar-lhe as melhores oportunidades na vida. Mas não sabemos muito bem como fazê-lo."

Sua determinação de ajudar a criança aumenta grandemente suas chances de viver uma vida produtiva e agradável. Mas há muito mais que você pode fazer; e, quanto antes começar, melhor. A maioria dos bebês com defeitos congênitos sérios começa a vida da melhor maneira possível num grande centro hospitalar; às vezes, porém, pode-se encontrar um pequeno hospital comunitário equipado com uma excelente unidade de terapia intensiva neonatal. A proximidade do hospital em relação à sua casa dá-lhe a vantagem de permitir que você faça visitas regulares, o que às vezes compensa a falta de sofisticação científica. Para minimizar os efeitos adversos de uma hospitalização prolongada, caso venha a ser necessária, leia as páginas 533 e 536.

Onde quer que o seu filho receba tratamento, você deve preferir que ele seja assistido por um médico especializado no seu defeito congênito particular — posto que, freqüentemente, a assistência cotidiana possa ser proporcionada por um pediatra ou médico do local, sob a supervisão do especialista. No caso de vários defeitos congênitos, a melhor abordagem é um trabalho de equipe. Esta pode incluir médicos ligados a diversas especialidades, psicólogos, fisioterapeutas, nutricionistas, assistentes sociais, além de um neonatologista e, normalmente, o médico do bebê. Se você não sabe como localizar o especialista ou os especialistas apropriados, e o pessoal do hospital for incapaz de lhe ajudar, entre em contato com o departamento de genética da Escola médica mais próxima de sua comunidade.

Para o desenvolvimento de seu filho, são importantíssimas uma assistência médica excelente e, talvez, uma intervenção educacional precoce; mas, na maioria dos casos, o ambiente que você cria em casa é ainda mais importante para determinar quão bem ele estava preparado para a vida e sua capacidade de atingir ou não o seu pleno potencial. A primeira necessidade da maioria das crianças com defeitos congênitos é serem tratadas como as outras crianças — serem amadas e educadas, mas também disciplinadas e induzidas a alcançar determinados objetivos (os quais devem, evidentemente, ter em conta as suas limitações individuais). E, como as outras crianças, elas precisam sentir-se bem consigo mesmas — saber que cada passo à frente, por pequeno que seja, é aplaudido e apreciado, e que ninguém deseja que sejam iguais ao bebê do vizinho, mas apenas atinjam suas próprias possibilidades.

Atualmente, você pode ter acesso a uma larga gama de terapias, bem como equipamentos de alta tecnologia — desde brinquedos e equipamentos para *playground* adaptados até *softwares* especiais para educação, bengalas de *laser* (para crianças com problemas de visão), implantes na cóclea (para auxiliar a audição) e instrumentos robóticos —, para ajudá-la a ajudar seu filho deficiente a crescer, desenvolver-se e gozar a vida. Converse sobre isso com um membro da equipe de assistência a seu filho, ou peça informações à organização apropriada.

É animador saber que, em sua maioria, as crianças deficientes crescem sem traumas psicológicos, são bem aceitas por seus colegas e por outras pessoas e correm um risco apenas um pouquinho maior que as crianças não-deficientes de sofrerem problemas de adaptação.

EFEITOS DO BEBÊ SOBRE OS IRMÃOS

"Estamos com a idéia de criar nossa filha portadora da síndrome de Down em nossa casa, mas estamos preocupados com as reações de nossa filha de três anos, normal, às mudanças que o bebê introduzirá em sua vida."

É cada vez maior o número de pais que decidem criar em casa seus filhos deficientes — decisão que freqüentemente se revela boa não só para a criança e seus pais, mas para o restante da família também. Ter um irmão deficiente em casa pode ter um efeito profundamente positivo sobre os outros irmãos, tornando-os, geralmente, mais pacientes e compreensivos que as outras crianças e mais aptos a conviver com tipos diferentes de pessoas.

Sua outra filha precisará ter alguns momentos especiais para ficar a sós com ambos os pais (por mais que isto às vezes pareça impossível, é algo absolutamente essencial). As crianças que se sentem esquecidas numa tal situação freqüentemente metem-se a fazer diabruras, manifestam enfermidades psicossomáticas e até vão mal na escola para obter de volta a atenção paterna. A maior parte delas não precisa de aconselhamento nem de terapia — só um pouquinho mais de compreensão. Elas precisam ouvir que não são egoístas ou más por quererem ver satisfeitas as suas necessidades, ou por às vezes sentirem-se iradas contra o irmão ou envergonhadas dele. Podem também precisar saber que aquilo que aconteceu à irmã não vai acontecer a elas, e talvez precisem de um apoio especial quando trouxerem seus amigos para brincar em casa.

A irmã mais velha pode também precisar de atenção especial quando a irmã deficiente é posta numa instituição. ("Por que minha irmãzinha não está em casa conosco?" "Ela era malvada?" "Se eu for malvada, vocês também vão me mandar embora?") Como no outro caso, serão necessárias muita compreensão e uma explicação tranqüilizadora. Se a criança continuar a parecer ansiosa por causa da situação, a terapia pode ser uma boa pedida.

Muitos irmãos mais velhos de crianças deficientes se beneficiam ao conversar com outras crianças em situação semelhante. Vários hospitais e organizações patrocinam programas especiais para os irmãos; verifique esta possibilidade em sua região. Tais programas dão às crianças a oportunidade de manifestarem suas preocupações dentro de um ambiente seguro e favorável, e de perceberem que não estão sozinhas. Para receber um boletim informativo e mais informações, idéias e as pesquisas mais recentes acerca dos problemas dos irmãos de crianças deficientes, escreva para a sede da APAE de seu estado.

EFEITOS SOBRE O SEU CASAMENTO

"Desde que nosso filho nasceu com um defeito congênito, eu e meu marido temos chorado juntos muitas vezes, mas nossa relação se resume a isso. Receio que nunca mais teremos energia emocional para investir um no outro."

Todos os pais de recém-nascidos percebem que a presença do bebê em casa limita a quantidade de tempo que eles passam como um casal. Os pais de um bebê deficiente sentem de modo ainda mais forte essas restrições ao romantismo e à intimidade, pois o cuidado do bebê não só absorve a força física, mas também as reservas emocionais. Mas o bebê que vocês geraram não precisa separá-los inevitavelmente.Talvez pareça que os efeitos cumulativos de anos e anos de convivência com uma criança deficiente possam enfraquecer até os mais robustos laços matrimoniais, mas isso raramente acontece. Com efeito, estima-se que a maioria dos casamentos, além de resistirem a essa tensão, são fortalecidos por ela. (Embora o risco de divórcio seja ligeiramente maior quando uma criança apresenta uma doença crônica por um longo período de tempo.) Para aumentar a probabilidade de o seu casamento ficar do lado feliz das estatísticas, não deixem de:

Dividir o trabalho. Ninguém consegue cuidar sozinha de uma criança deficiente e ainda ter energia para ser uma companheira cheia de amor pelo esposo. Se o seu marido trabalha fora o dia inteiro enquanto você fica em casa, deixe-o assumir à noite algumas das responsabilidades pelo cuidado do bebê, para que você possa fazer uma pausa. Se ele está pensando em arrumar outro emprego para suprir a deficiência financeira resultante de você não estar trabalhando, talvez seja melhor você arranjar um emprego de meio-período e transferir para ele uma parte maior dos cuidados com o bebê. Uma pessoa que, voluntariamente ou mediante um pagamento, tome conta do bebê por pelo menos algumas horas por semana, e/ou uma pessoa que ajude a cuidar da casa, podem diminuir o fardo que vocês levam e deixar que dediquem algum tempo e energia um ao outro.

Dar um apoio suficiente um ao outro. Vocês dois têm feridas que precisam cicatrizar; vocês dois precisam fazer adaptações em suas vidas. (Muitas pessoas não conseguem perceber que o pai de uma criança deficiente pode estar precisando de tanto apoio emocional quanto a mãe.) Será infinitamente melhor enfrentar o futuro como uma equipe do que como dois indivíduos. Partilhem seus problemas e preocupações e protejam-se dos ataques vindos de fora (de avós excessivamente críticos, por exemplo).

Encontrar tempo um para o outro. Todos os pais de recém-nascidos precisam empenhar-se num esforço consciente de encontrar tempo para ficar sozinhos um com o outro — caso contrário, esse tempo simplesmente não existe. Por mais que isso pareça particularmente difícil para você e seu marido, vocês precisam fazer o mesmo. Vejam algumas dicas na página 670.

Dar tempo um ao outro. É possível que, neste momento, o romantismo seja a última preocupação em suas mentes, e talvez se passem alguns meses antes que o desejo volte. Essa é a regra para a maioria dos casais que acabaram de ter um filho, e é ainda mais provável que ocorra na sua situação. Assim, em vez de ficarem se pressionando para terem um bom desempenho sexual num momento em que não estão emocionalmente preparados, esperem até que estejam. E lembrem-se de que não é preciso fazer amor para expressar amor. Os abraços e as mãos dadas — às vezes acompanhados de uma boa choradeira — podem ser aquilo que, mais do que qualquer outra coisa, vocês estejam precisando neste momento.

O MESMO PROBLEMA DA PRÓXIMA VEZ

"Nós temos vontade de ter um bebê daqui a mais ou menos um ano, mas temos medo de que o defeito congênito de nossa filhinha apareça de novo em nosso próximo filho."

Embora esse medo seja muito comum entre os pais de crianças nascidas com defeitos congênitos, ele é infundado na maioria das vezes; a probabilidade de esses pais terem um bebê normal é freqüentemente tão grande quanto a de quaisquer outros pais. Mas a causa do problema de sua filha precisa ser determinada, para que se possa prever o risco que pesa sobre você em particular. Existe uma vasta gama de causas possíveis:

Genéticas. Caso se determine que o defeito do seu bebê é de origem genética (transmitido pelo material genético provindo de você e/ou do seu marido), um consultor de genética ou, muitas vezes, o próprio médico do bebê poderão provavelmente dizer-lhe com precisão quais são as chances de o problema ocorrer de novo.

Em certos casos, você poderá verificar a existência do defeito no feto logo no começo da gravidez, o que lhe dá a opção de abortar caso o defeito se manifeste.

Ambientais. Se o defeito congênito resultou de algo que só aconteceu uma vez — como uma exposição, durante a gravidez, a raios X, uma infecção, produtos químicos, medicamentos ou outros fatores que prejudicaram o desenvolvimento fetal normal — não é provável que o defeito ocorra de novo, a menos que o mesmo conjunto de circunstâncias volte a ocorrer no mesmo momento crítico da gravidez.

Estilo de vida. Se a origem do defeito estiver associada ao fumo, consumo de álcool, abuso de drogas ou alimentação deficiente, por exemplo, é provável que ele não se repita numa gravidez subseqüente, a menos que os mesmos erros de estilo de vida sejam cometidos.

Fatores maternos. Se o problema do bebê parece estar relacionado com a sua idade, a forma ou o tamanho do seu útero ou outros fatores não-modificáveis, ele pode se repetir, embora às vezes seja possível reduzir o risco. Se você, por exemplo, tem mais de 35 anos e já teve um bebê com síndrome de Down, pode-se fazer um teste pré-natal para diagnosticar o distúrbio numa gravidez futura. Se o seu útero é mal formado, uma cirurgia pode ser capaz de corrigi-lo.

Multifatorial. Quando estão envolvidos vários fatores, a previsão dos resultados futuros torna-se mais complicada, mas, mesmo nesses casos, o médico ou o consultor genético pode ser útil.

Desconhecidas. Às vezes, o defeito congênito do bebê não tem razão aparente. Em geral, esses casos não se repetem. Mas se ninguém conseguir lhe dizer porque o seu bebê não nasceu perfeitamente normal, talvez seja bom discutir a situação com um médico familiarizado com aconselhamento genético, antes de ficar grávida novamente.

Antes de tomar a decisão de ficar grávida, certifique-se de que a esteja tomando pelas razões certas. Dar à luz um bebê sadio só para compensar o bebê doente que você já teve não é um ato justo em relação ao novo bebê. Se você se sentir conflitada, converse com o médico do bebê ou um terapeuta familiar.

Se você decidir-se a engravidar novamente, o obstetra deve ter todas as informações pertinentes ao seu histórico, para que possa avaliá-la, ao longo de toda a gravidez, em busca de um eventual problema. Mas, com uma boa assistência médica e cuidando bem de si mesma (você é a melhor auxiliar do seu médico), é muito grande a probabilidade de você vir a dar à luz um bebê sadio e normal.

UM DEFEITO DIFERENTE DA PRÓXIMA VEZ

"O que me preocupa não é tanto a possibilidade de ter outro filho com o mesmo defeito congênito — os exames podem prever isso. Estou preocupada é com a possibilidade de ter um filho com um defeito diferente."

Ainda que a probabilidade de ocorrência do mesmo defeito no seu próximo bebê seja um pouquinho maior que a média (e isso nem sempre acontece), o mesmo não se pode dizer de outros defeitos sem relação com aquele. Na verdade, você e seu marido tem a mesma probabilidade de qualquer outro casal de produzir uma criança livre de quaisquer defeitos congênitos.

Por mais que esses dados sejam tranqüilizadores, é normal que você ainda tenha alguns receios resistentes, depois de tudo por que passou. Para ajudar a abrandá-los, fale com o seu médico, procure um consultor genético e tome as precauções arroladas acima.

O QUE É IMPORTANTE SABER: As Doenças Congênitas Mais Comuns

Caso se tenha diagnosticado que seu bebê não apresenta nenhum defeito congênito, mas você tiver constatado sintomas associados a algum dos problemas apresentados a seguir, não entre em pânico — aquilo que percebeu pode ser sinal de algo muito menos sério do que o que você está imaginando. Não obstante fale com o médico do bebê. Talvez um telefonema não seja suficiente para extinguir seus temores; podem ser necessários um exame ou teste especial. Caso se constate um problema, o diagnóstico precoce e o tratamento médico imediato freqüentemente são vantajosos. E muitos defeitos podem ser inteiramente curados.

DOENÇAS CONGÊNITAS COMUNS

Aids — perinatal

O que é? Um distúrbio grave do sistema imunológico.

Qual a sua freqüência? É rara, mas vai se tornando mais comum à medida que mais e mais mulheres são infectadas.

Quem é suscetível? Os bebês nascidos de mães infectadas.

Qual a sua causa? Um vírus.

Problemas associados. Pneumonia, vários tipos de câncer.

Tratamento. Experimental.

Prognóstico. Acredita-se que seja invariavelmente fatal nos adultos, mas algumas crianças vêm sobrevivendo há vários anos.

Anemia falciforme

O que é? Uma anemia na qual os glóbulos vermelhos (que geralmente são redondos) são anormais, com forma de foice, e não desempenham bem a sua função de conduzir o oxigênio às células do corpo, e muitas vezes "encalham" e obstruem os vasos sangüíneos. Os sintomas (como fadiga, respiração curta, edema das articulações, especialmente nos dedos das mãos e dos pés, e forte dor nos ossos) não costumam aparecer até os seis meses de idade, mas um exame de sangue é capaz de diagnosticar a moléstia imediatamente após o nascimento.

Qual a sua freqüência? Uma a cada 400 a 600 crianças negras; a incidência é menor nas outras raças.

Quem é suscetível? Sobretudo os negros de ascendência africana, mas também brancos de estirpe mediterrânea e do Oriente Médio. O risco é de 1 em 4 quando ambos os pais são portadores, e de 4 em 4 quando ambos têm a doença.

Qual a sua causa? Transmissão autossômica recessiva: ambos os pais precisam transmitir genes recessivos para que a criança seja afetada. As crises periódicas podem ser desencadeadas por uma infecção, pela tensão, desidratação ou falta de oxigênio.

Problemas associados. Baixo crescimento, atraso da puberdade, magreza, cifose e peito saliente; infecção, particularmente por pneumococos. A morte precoce é comum.

Tratamento. Sintomático, incluindo analgésicos, transfusões de sangue, oxigênio,

COMO OS DEFEITOS SÃO HERDADOS

Tudo o que o bebê tem de bom e de belo resulta dos genes que ele herdou de ambos os pais, bem como do ambiente intra-uterino ao longo dos nove meses de gestação. Mas tudo o que o bebê tem de não-tão-bom — um defeito congênito, por exemplo — também resulta dos genes e/ou do ambiente. Geralmente, os genes que os pais passam para os filhos são genes que eles próprios herdaram de seus pais; às vezes, porém, um gene muda (devido a um dano produzido pelo ambiente ou qualquer outro fator desconhecido) e essa mutação é transmitida.

Há diversos tipos de distúrbios herdados:

- Acredita-se que os distúrbios poligênicos (como as deformações do pé e o lábio leporino) sejam herdados mediante a interação de vários genes diferentes, de modo bastante semelhante àquele pelo qual são determinadas a cor dos olhos e a estatura da pessoa.
- Os distúrbios multifatoriais (como certas formas de diabete) envolvem a interação de diferentes genes e as condições ambientais (antes ou depois do nascimento).
- Os distúrbios de um só gene podem ser transmitidos por herança recessiva ou dominante. Na herança recessiva, dois genes (um de cada um dos pais) precisam ser transmitidos para que os filhos sejam afetados. Na herança dominante, só um gene é necessário, e é transmitido por um dos pais que também tem a doença (em virtude de ter o gene). Os distúrbios unigênicos também podem estar vinculados ao sexo (como no caso da hemofilia). Tais distúrbios, contidos em genes dos cromossomos de determinação sexual (as mulheres têm dois cromossomos X, e os homens, um X e um Y), são na maioria das vezes transmitidos da mãe portadora para o filho afetado. O filho menino, só tendo um cromossomo X, não tem outro gene equivalente sadio para contrabalançar aquele que carrega o distúrbio, e é afetado por este. A filha menina que recebe o gene num cromossomo X de sua mãe também recebe um cromossomo X normal de seu pai, o que a torna uma portadora da doença, sem entretanto sofrer os seus efeitos.

QUANDO UM BEBÊ MORRE

Você esteve à espera deste bebê por quase nove meses. Você sonhou com ele, sentiu-o chutar e soluçar, ouviu-lhe as batidas do coração. Você escolheu um berço, encomendou uma pequena cômoda, preparou seus amigos, sua família e sua vida para essa chegada — e agora vai para casa de mãos vazias.

Provavelmente, não existe dor maior que a ocasionada pela perda de uma criança. E embora nada possa eliminar a ferida que lhe aflige, existem certas medidas que você pode tomar agora para tornar o futuro mais suportável e diminuir a inevitável depressão que se segue a tal tragédia.

- Veja o bebê, pegue-o no colo, dê-lhe um nome. O luto é uma etapa vital para que você se recupere da sua perda. Não é possível, porém, chorar uma criança sem nome que você nunca viu. Mesmo que a criança seja malformada, os especialistas nos dizem que é melhor vê-la, pois aquilo que se imagina costuma ser bem pior que a realidade. Pegar o bebê no colo e dar-lhe um nome é algo que vai tornar a sua morte mais real para você, e, em última análise, vai torná-la mais fácil de superar. O mesmo se pode dizer da organização dos funerais e de um enterro, que lhe darão mais uma oportunidade de despedir-se. O túmulo, além disso, será para você um lugar permanente onde você poderá visitar seu bebê no futuro.

- Discuta os resultados da autópsia e outros detalhes com o médico, para solidificar a realidade daquilo que ocorreu e ajudar no processo de luto. É possível que lhe tenham dito muitas coisas na sala de parto, mas o mais provável é que os medicamentos, seu estado hormonal e a sensação de choque tenham-na impedido de entendê-los a fundo.
- Peça que, se possível, você não receba sedativos nas horas seguintes ao ter ouvido a notícia. Embora os sedativos aliviem-lhe momentaneamente a dor, também tenderão a anuviar sua memória e a realidade do que aconteceu. Essas coisas também tornam mais difícil o processo de chorar o bebê falecido, além de privarem você e seu marido da oportunidade de darem apoio um ao outro.
- Guarde uma fotografia (muitos hospitais as tiram) ou outras lembranças, para que você tenha alguns objetos tangíveis a guardar com carinho para quando for pensar, no futuro, sobre o bebê perdido. Por mais que isso pareça mórbido, os especialistas dizem que ajuda. Tente concentrar-se nos atributos positivos — olhos grandes com cílios graciosos, mãos belas e dedos delicados, cabelos compridos.
- Peça aos amigos e parentes que não removam de sua casa todos os vestígios das preparações que você fez para o bebê. Diga-lhes que você fará isso sozinha. Por mais bem-intencionado que seja esse gesto deles, o fato de você chegar em casa e não encontrar nada que indique que um bebê estava sendo esperado contribuirá para aumentar ainda mais sua sensação de irrealidade.
- Chore — por tanto tempo e tantas vezes quantas você achar necessárias. O choro é parte do processo de luto. Se você não chorar agora, esse processo vai ficar incompleto, e você talvez venha a constatar que precisará terminá-lo mais tarde.
- Saiba que passará por uma fase difícil. Por algum tempo, você poderá sentir-se deprimida; provavelmente terá dificuldade para dormir, brigará com o marido, negligenciará seus outros filhos. Provavelmente sentirá a necessidade de ser você mesma uma criança, de ser amada, pega no colo e cuidada. Tudo isso é normal.
- Reconheça que os pais também sentem a perda, mas que seu luto, em alguns casos, pode ser ou parecer mais breve e/ou menos intenso, em parte porque, à diferença das mães, eles não tiveram o bebê dentro de si por vários meses. E, freqüentemente, eles têm maneiras diferentes de lidar com o próprio sofrimento. Podem, por exemplo, tentar guardá-lo dentro de si, sendo fortes para suas esposas. Mas desse jeito a dor freqüentemente extravasa por outras vias: mau humor, irresponsabilidade, perda do interesse pela vida — ou consumo de álcool, na tentativa de sentir-se melhor. Infelizmente, o pai enlutado pode não ser de muito auxílio para sua esposa, e nem ela para ele; e ambos talvez precisem buscar apoio em outro lugar.
- Não enfrente o mundo sozinha. Se você está adiando sua volta à circulação por temer todas aquelas faces amigas a perguntar "E aí, o que você teve?", leve consigo uma amiga que possa responder todas as perguntas para você em suas primeiras excursões ao supermercado, ao parquinho, ao banco etc. Faça com que as pessoas no seu serviço, na igreja e em outras organizações nas quais você toma parte ativa sejam informadas do que ocorreu antes que você volte, para que você não tenha que dar muitas explicações difíceis.
- Tenha como certo que sua dor vai diminuir com o tempo, mas prepare-se para enfrentar a possibilidade de que ela nunca desapareça totalmente. O processo de luto, com pesadelos e lembranças repentinas e inesperadas, pode muitas vezes demorar até dois anos para se completar; mas a pior fase costuma durar de três a seis meses a partir da perda. Se depois de seis a nove meses o seu sofrimento continuar ocupando o centro do seu universo, se você perder o interesse por tudo o mais e não conseguir fazer o que precisa, procure ajuda profissional. Também procure ajuda se, desde o princípio, não tiver sido capaz de chorar a sua perda.

■ Busque apoio. Você, como muitas outras mães e pais, poderá confortar-se agregando-se a um grupo de ajuda mútua formado por pais que perderam filhos. Mas cuidado para não deixar que o grupo se torne um incentivo à conservação de sua raiva ou sofrimento. Se você ainda tiver problemas para chegar a um acordo com sua perda depois de um ano (ou antes disso, se não estiver conseguindo cumprir suas obrigações), você deve procurar uma terapia individual.

■ Volte-se para a religião, se derivar daí algum consolo. Alguns pais que perderam um filho sentem demasiada raiva de Deus para fazer isso; para muitos, porém, a fé é fonte de grande conforto.

■ Não ache que o fato de ter outro bebê vá resolver qualquer sofrimento ainda não resolvido. Fique grávida de novo, se é isso que vocês dois querem — observando, antes, o período de espera recomendado pelo médico. Mas não tente conceber para se sentir melhor, abrandar a culpa ou a raiva ou conseguir paz de espírito. Isso, além de não funcionar, pode lançar sobre o novo filho um fardo pesado demais. Qualquer decisão sobre a sua fertilidade futura — seja a de ter outro bebê, seja a de sofrer esterilização — deve ser adiada até que o período de maior sofrimento tenha passado.

■ Admita que a culpa pode piorar o sofrimento e tornar mais difícil a adaptação à perda. Se você tinha sentimentos ambivalentes quanto a ter um bebê (como ocorre com muitas mulheres), e agora acha que a morte do bebê é o seu castigo; se sua mãe não era carinhosa e você tem medo de também não ser, e acha que foi por isso que perdeu o bebê; se você sente-se insegura quanto a sua feminilidade e agora crê ter confirmado esse medo (não conseguiu dar à luz um bebê vivo); ou se você sente que decepcionou sua família e amigos — em todos esses casos, procure apoio profissional que lhe ajude a entender que tais sentimentos não são de modo algum responsáveis pela sua perda. Se você sente-se culpada só de pensar em conduzir sua vida de volta à normalidade, vendo isso como uma espécie de traição a seu bebê morto, pode ser útil pedir ao bebê, em espírito, que lhe perdoe ou lhe permita gozar a vida novamente.

líqüidos. Vacina contra pneumococos para prevenir infecções. Novos tratamentos (em fase experimental) podem estimular o corpo a fabricar células sangüíneas normais.

Prognóstico. Reservado; alguns não passam do início da idade adulta, muitos não chegam à meia-idade.

Anencefalia

O que é? Um defeito do tubo neural, no qual a fenda neural não se fecha no começo da gravidez, como deveria, levando à ausência de desenvolvimento cerebral; falta o cérebro, totalmente ou em parte.

Qual a sua freqüência? Muito rara em bebês de termo, já que 99% dos fetos portadores do defeito são abortados espontaneamente.

Quem é suscetível? Não se sabe.

Qual a sua causa? Não se sabe ainda. É provável que a hereditariedade esteja de algum modo envolvida, ao lado de um ambiente pré-natal adverso.

Problemas associados. Todos os sistemas corporais são influenciados negativamente.

Tratamento. Não há, e quase todos os médicos acham que o melhor é não intervir de maneira nenhuma, embora o bebê deva ser mantido tão confortável quanto possível.

Prognóstico. A afecção é incompatível com a vida. Às vezes, podem-se doar órgãos.

Autismo

O que é? Uma incapacidade, que vem desde o nascimento ou se desenvolve no decorrer dos primeiros dois anos e meio de vida, de formar relacionamentos humanos normais, mesmo com os pais. Os bebês não sorriem e nem reagem de qualquer outro modo aos pais ou a outras pessoas, e não gostam de serem manuseados ou pegos no colo. Geralmente, manifestam-se problemas gravíssimos de fala (o que inclui certos padrões estranhos de fala, como a ecolalia, na qual a criança repete as palavras que acabou de ouvir, em vez de responder), posições e movimentos estranhos, comportamento imprevisível e inadequado (compulsividade e ritualismo, acessos de gritos e de bater os braços), e, às vezes, auto destrutividade. A criança pode ter inteligência normal, mas parecer retardada devido à falta de reações. O autismo pode ser às vezes confundido com a esquizofrenia infantil, e de vez em quando a precede.

Qual a sua freqüência? Estima-se que ocorram de 2 a 7 casos a cada 10.000 bebês.[2]

Quem é suscetível? Os meninos têm uma probabilidade de três a quatro vezes maior do que as meninas de serem autistas.

Qual a sua causa? Provavelmente, de acordo com um estudo recente, por transmissão autossômica recessiva: ambos os pais precisam transmitir um gene recessivo para que o bebê seja afetado. As crianças autistas parecem apresentar algumas diferenças nos padrões de ondas cerebrais, que podem ter relação com sua doença. Esta não tem relação com a qualidade dos cuidados que os pais dão à criança.

Problemas associados. Problemas de comportamento e desenvolvimento.

Tratamento. Por enquanto não há cura, mas algumas crianças podem ser ajudadas por meio de terapia de modificação do comportamento, estimulação, educação especial e, às vezes, medicamentos. Sempre que possível, a criança deve viver em sua casa; às vezes, porém, isso produz uma tensão maior do que a que pode ser tolerada pela família, e faz-se necessária a internação. Os programas de creches podem às vezes aliviar a tensão e ao mesmo tempo permitir que a criança permaneça em casa. Freqüentemente, o aconselhamento é indicado para o restante da família.

Prognóstico. Atualmente, cerca de um terço das crianças se recupera a ponto de levar vidas quase normais, mas a maioria permanece autista e precisa de cuidados institucionais especiais. O prognóstico é o melhor possível quando a criança pode ser ensinada a usar a fala expressiva antes de completar cinco anos.

Câncer

É raro na primeira infância. Muitos cânceres infantis têm alto índice de cura hoje em dia.

Cardiopatias congênitas

O que é? Qualquer defeito do coração, de maior ou menor importância, que esteja presente no nascimento. Embora os defeitos possam geralmente ser diagnosticados com o estetoscópio, tornam-se necessários mais exames, como os raios-X, o ultrassom e o eletrocardiograma (ECG), para comprovar a existência de anomalias. Dependendo do tipo de defeito, uma ou mais funções cardíacas podem ser adversamente afetadas. Os sintomas podem se manifestar desde o nascimento ou não aparecerem até a idade adulta. O sintoma mais comum é a cianose, ou azulamento da pele, sobretudo ao redor dos lábios, e nas extremidades dos dedos das mãos e dos pés.

Qual a sua freqüência? Cerca de 1 em cada 175 bebês, nos EUA, nasce com uma doença do coração.

2. Às vezes, uma criança que parece autista melhora mediante a eliminação de certos alimentos aos quais é alérgica. Veja página 478.

Quem é suscetível? Crianças filhas de mães que tiveram rubéola durante a gravidez, crianças portadoras da síndrome de Down e crianças que têm irmãos afetados (embora tenham um risco só um pouquinho maior que a média).

Qual a sua causa? Na maioria dos casos, os cientistas simplesmente não sabem. Certas infecções (como a rubéola) e certos produtos químicos (como a talidomida, as anfetaminas ou o álcool) são capazes de causar anomalias cardíacas no feto, mas tais anomalias podem resultar, às vezes, de um erro genético aleatório.

Problemas associados. Às vezes, baixo ganho de peso e pouco crescimento, fadiga, fraqueza, dificuldades para respirar ou sugar (devido à fraqueza decorrente do mal funcionamento do coração).

Tratamento. A cirurgia (ou imediatamente ou mais tarde, na infância), que varia de acordo com o defeito, e às vezes os medicamentos podem corrigir os defeitos do coração. (Mesmo um defeito que não causa sintomas pode exigir tratamento para evitar que os problemas se manifestem mais tarde.) Às vezes, o defeito do coração pode ser diagnosticado antes do nascimento, podendo-se administrar medicações que o corrijam.

Prognóstico. A maioria dos defeitos congênitos do coração são tratáveis, embora os mais sérios possam provocar graves deficiências ou mesmo a morte. A maior parte das crianças com sopro no coração não precisa ter suas atividades controladas e pode viver uma vida normal.

Coração, doença do — ver cardiopatias congênitas

Deformação

O que é? Uma anomalia em um ou mais órgãos ou partes do corpo.

Qual a sua freqüência? Cerca de 2 em cada 100 bebês apresentam alguma deformação desse tipo.

Quem é suscetível? Um feto muito grande num útero apertado, ou qualquer feto num útero malformado ou pequeno, ou num útero com miomas, uma quantidade insuficiente de líqüido amniótico ou com a placenta situada numa posição incomum; um feto que compartilhe o útero com um ou mais irmãos gêmeos. As deformações são mais comuns em bebês filhos de mães pequenas e mães de primeira gestação, ou quando a apresentação para o parto é anormal, de nádegas, por exemplo.

Qual a sua causa? Certas condições intra-uterinas, como as mencionadas acima, que fazem com que haja uma pressão excessiva sobre uma ou mais partes do corpo do feto em desenvolvimento.

Problemas associados. Variam com a anomalia.

Tratamento. Na maioria dos casos, não é necessário, pois a parte deformada volta aos poucos à posição normal. Mas algumas afecções, como a escoliose, as deformações do pé ou a luxação congênita do quadril exigem um tratamento.

Prognóstico. Bom para a maioria das afecções.

Deformidade dos pés

O que é? Uma deformidade do tornozelo ou do pé, que ocorre em três formas. Na mais severa e mais rara o equino varo, o pé fica flexionado para dentro e para baixo. Quando ambos os pés são deformados, os dedos apontam uns para os outros. A deformação mais comum, calcâneo valgo, é menos severa. O pé flexiona-se em ângulo agudo na altura do calcanhar e aponta para cima e para fora. Na forma mais branda, o metatarso varo, a parte frontal do pé é voltada para dentro. Este tipo, embora presente desde o nascimento, pode não ser diagnosticado até o bebê ter alguns meses de idade. As deformidades dos pés não são dolorosas e não incomodam o bebê até chegar a hora de ficar em pé ou andar.

Qual a sua freqüência? Afeta um em cada 400 bebês.

Quem é suscetível? A probabilidade de os meninos terem deformações dos pés é duas vezes maior que a das meninas.

Qual a sua causa? Não é a posição do feto no útero, como já se acreditou (os casos desse tipo também existem e corrigem-se sozinhos depois do nascimento). Provavelmente uma combinação de fatores hereditários e ambientais, como uma infecção, drogas ou uma doença, na maioria dos casos; outros, porém, têm relação com a espinha bífida, doenças dos nervos ou dos músculos.

Problemas associados. O pé não se flexiona para cima e para baixo como faria normalmente no ato de andar; a criança anda como que sobre pernas de pau. Quando ambos os pés são afetados, a criança pode andar sobre os lados ou mesmo os peitos dos pés, o que acarreta danos aos tecidos e desenvolvimento anormal das pernas. A anormalidade também pode dar ocasião a problemas psicológicos. Ocasionalmente podem aparecer também outros defeitos.

Tratamento. Os casos mais brandos podem ser tratados só com exercícios. Botas de gesso ou cirurgias são empregadas nos casos mais severos para forçar, aos poucos e suavemente, o pé deformado a voltar ao lugar, para que possa flexionar-se normalmente para cima e para baixo. Podem-se usar também, à noite, sapatos ligados a barras de fixação.

Prognóstico. Com um tratamento especializado e iniciado logo, a maior parte das crianças afetadas é capaz, ao crescer, de usar sapatos normais, praticar esportes e levar vidas ativas.

Doença celíaca

O que é? Trata-se de uma afecção em que há uma intolerância (e não alergia) à gliadina, substância encontrada no glúten (um componente do trigo e de outros cereais). Caracteriza-se pela má absorção dos alimentos e perda de apetite, falta de crescimento, barriga inchada, diarréia gordurosa e mal cheirosa, e às vezes anemia, a partir dos seis a doze meses de vida. Pode ser confundida com a fibrose cística.

Qual a sua freqüência? Estima-se que seja de 1 a cada 3.000 para o todo da população norte-americana; as mulheres são duas vezes mais atingidas que os homens, e as mais suscetíveis são as brancas do noroeste europeu (a doença é rara em negros, asiáticos, judeus e outros grupos de ascendência mediterrânea).

Quem é suscetível? Filhos de pais que sejam ambos portadores do gene que determina a afecção.

Qual a sua causa? Não se sabe ao certo, mas o mais provável é que seja uma combinação de predisposição genética e fatores ambientais. Possivelmente ligada a um defeito genético que causa a produção de anticorpos antigliadina; suspeita-se que esses anticorpos se unam à gliadina para atacar e achatar as microvilosidades intestinais, causando a má absorção e outros sintomas.

Problemas associados. Sintomas de má nutrição, como atraso de desenvolvimento, retenção de líqüidos, atraso na dentição e raquitismo.

Tratamento. Uma dieta sem glúten, que geralmente começa a ter efeito depois de três a seis semanas e deve ser seguida pelo resto da vida. Pode-se também prescrever uma suplementação nutricional e, às vezes, esteróides.

Prognóstico. Em geral, uma vida normal com uma dieta sem glúten.

Doença de Tay-Sachs

O que é? As crianças portadoras desta doença ligada ao acúmulo de lipídios —, caracterizada pela deficiência congênita de uma enzima necessária para a remoção de depósitos de gordura no cérebro e nas células nervosas — parecem normais ao nascer. Cerca de seis meses depois, porém, quando os depósitos de gordura começam a entupir as células, o sistema nervoso deixa de funcionar e as crianças começam a regredir — deixam de sorrir, engatinhar e rolar, perdem a capacidade de segurar objetos com as mãos, tornam-se cegas e paralíticas e perdem o contato com o meio exterior. A maioria morre com três ou quatro anos.

Qual a sua freqüência? É rara (menos de cem casos por ano nos EUA).

Quem é suscetível? Sobretudo os descendentes de judeus da Europa Central ou Oriental (ashkenazes). Quase 4% dos judeus norte-americanos são portadores do gene de Tay-Sachs, e um em cada 3.600 bebês ashkenazes é afetado pela doença.

Qual a sua causa? Transmissão autossômica recessiva — é necessário um gene de cada um dos pais para que a criança seja afetada.

Problemas associados. Preocupação acerca dos futuros filhos: a cada gravidez, a probabilidade de ter um filho afetado é de 25%.

Tratamento. Não há, embora os pesquisadores estejam tentando encontrar um modo de substituir a enzima inexistente. Os indivíduos de ascendência ashkenaze devem passar por exames para saber se são portadores do gene, antes da concepção ou no começo da gestação. Quando ambos os pais são portadores do gene, pode-se fazer uma amniocentese para saber se o feto herdou a doença. Uma opção: o aborto terapêutico.

Prognóstico. A doença é invariavelmente fatal.

Espinha bífida

O que é? A espinha dorsal, que ajuda a proteger a medula espinhal, acha-se normalmente aberta durante os primeiros dias do desenvolvimento do feto no útero, mas depois se fecha. Na espinha bífida, esse fechamento não se completa. A abertura resultante pode ser tão pequena que não cause problemas e só venha a ser constatada, mais tarde, num raio X tirado por outras razões, embora talvez se possa notar uma pequena ondulação ou tufos de pêlos na pele que cobre a espinha. Mas pode também ser grande a ponto de permitir o extravasamento de parte do revestimento da medula espinhal (as meninges), cobertas por uma protuberância ou um cisto de coloração vermelho-púrpura (uma meningocele), extravasamento cujo tamanho pode variar de um diâmetro de 2 ou 3 cm às dimensões de uma toranja. Se essa meningocele situar-se nas regiões mais baixas da coluna vertebral, pode causar fraqueza nas pernas. Na forma mais severa de espinha bífida, a própria medula espinhal sai através da abertura (formando uma mielomeningocele). A pele que a recobre freqüentemente é muito pouca ou inexistente, permitindo o escape do líqüido espinhal. Muitas vezes, a região fica coberta de feridas, as pernas se paralisam e o controle da retenção de urina e fezes transforma-se depois num problema, embora algumas crianças consigam esse controle.

Qual a sua freqüência? Afeta um a cada 2.000 bebês nascidos nos EUA, embora haja estimativas de que um a cada quatro bebês pode ter espinha bífida oculta. Felizmente, a forma mais severa da doença é também a menos comum.

Quem é suscetível? Os filhos de mães que já têm um filho afetado correm um risco de um em 40; com duas crianças afetadas na família, o risco sobe para um em cinco. Os primos de crianças afetadas correm um risco duas vezes maior que a média. A doença é três ou quatro vezes mais comum entre os pobres que entre os ricos, é mais freqüente na Irlanda e no País de Gales e é menos comum em Israel e entre os judeus em geral.

Qual a sua causa? Não se sabe até o momento. É provável que a hereditariedade esteja de algum modo envolvida, junto com um meio intra-uterino adverso. Pode haver relação com a nutrição — reduziram-se as recorrências graças à administração de suplementos vitamínicos contendo ácido fólico às mães, antes da concepção e ao longo dos dois primeiros meses de gravidez.

Problemas associados. Infecção quando a espinha acha-se visivelmente aberta. Além disso, hidrocefalia em 70 a 90% dos casos (veja página 571). Problemas de controle da retenção de fezes e urina.

Tratamento. O defeito muito pequeno não requer tratamento. Os cistos podem ser removidos cirurgicamente, e pode-se drenar o líqüido espinhal. Mas, posto que a cirurgia possa retirar os cistos mais severos, cobrindo a abertura com músculos e carne, não se pode curar a paralisia das pernas. O mais provável é que venha a ser necessário o recurso à fisioterapia, e depois a barras, muletas ou uma cadeira de rodas. A aplicação de gesso pode prevenir ou diminuir as deformidades. Antes da cirurgia, é importante não aplicar pressão alguma (mesmo a das roupas) sobre o cisto. A abordagem de equipe, com vários especialistas, costuma ser a melhor forma de tratamento.

Prognóstico. Depende da severidade da doença. A maioria das crianças com casos menos severos pode levar vidas ativas e produtivas; a maioria das mulheres será capaz de ter filhos, mas suas gestações serão de alto risco. O tratamento rápido da hidrocefalia geralmente é capaz de prevenir o retardamento mental.

Estenose do piloro

O que é? Uma afecção de natureza provavelmente congênita, na qual a hipertrofia ou o crescimento excessivo do músculo situado à saída do estômago causa um bloqueio, o que produz vômitos projetantes cada vez mais fortes e severos (que chegam a se projetar por 30 cm ou mais), geralmente a partir das duas ou três semanas de idade, e acompanhados de constipação. A hipertrofia pode em geral ser sentida pelo médico como um caroço; os espasmos dos músculos tentando vencer a obstrução são muitas vezes visíveis.

Qual a sua freqüência? Um menino a cada 200; uma menina a cada 1.000.

Quem é suscetível? Os meninos mais que as meninas; às vezes é uma característica da família.

Qual a sua causa? Não se sabe o que desencadeia o desenvolvimento.

Problemas associados. Desidratação (devida aos vômitos).

Tratamento. A cirurgia, depois da normalização das taxas de líqüido do bebê, é segura e quase sempre completamente eficaz.

Prognóstico. Excelente.

Fenilcetonúria

O que é? Um distúrbio metabólico no qual o indivíduo é incapaz de metabolizar uma proteína chamada fenilalanina. O acúmulo de fenilalanina na corrente sangüínea pode prejudicar o desenvolvimento cerebral e causar sério retardamento mental.

Qual a sua freqüência? Um a cada 14.000 nascimentos nos EUA.

Quem é suscetível? Quando ambos os pais são portadores, eles têm, a cada gravidez, uma probabilidade de 25% de terem um filho com fenilcetonúria. A incidência é baixa entre finlandeses, judeus ashkenazes e negros.

Qual a sua causa? Transmissão autossômica recessiva: ambos os pais precisam transmitir um gene recessivo para que a criança seja afetada.

Como é diagnosticada? Como os danos podem ocorrer nos primeiros meses de vida, enquanto parece que o bebê está bem, exige-se como fato de rotina, nos primeiros dias após o nascimento, um exame de sangue para detectar a doença (conhecido como "teste do pezinho").

Problemas associados. Sem tratamento, a criança torna-se irritadiça, inquieta e destrutiva; pode ter um cheiro de bolor, pele seca ou erupções cutâneas, e algumas têm convulsões. São em geral bem desenvolvidas corporalmente, e com freqüência mais loiras do que outros membros de suas famílias.

Tratamento. Uma dieta com baixo teor de fenilalanina (isto é, com baixa quantidade de alimentos de alto teor protéico, como a carne, o leite materno, o leite de vaca ou os leites em pó com base no leite de vaca iniciada imediatamente e praticada por pelo menos oito anos para prevenir o retardamento mental.[3] Quanto mais cedo o tratamento começar, melhor; não obstante, mesmo as crianças cujo tratamento só começou com algum atraso têm alguma esperança de levar uma vida normal. Durante o tratamento, as taxas de fenilalanina no sangue são rotineiramente verificadas. É possível que, um dia, exista um remédio que normalize o metabolismo da fenilalanina.

Prognóstico. Geralmente, uma vida normal com uma dieta especial.

Fetopatia alcoólica

O que é? Um conjunto de sinais e sintomas que se desenvolvem durante a gestação nos filhos de mães que bebem em demasia durante a gravidez. Os sintomas mais comuns são o baixo peso de nascimento, deficiência mental, deformidades da cabeça e do rosto, dos membros e do sistema nervoso central; a taxa de mortalidade neonatal é alta. Os filhos de mulheres que bebem com moderação podem apresentar defeitos menos evidentes.

Qual a sua freqüência? Cerca de 1 a cada 750 nascidos vivos.

Quem é suscetível? Filhos de mulheres que bebem em excesso. (Estima-se que de 30 a 40% das mulheres que bebem em excesso durante a gravidez tenham filhos portadores da fetopatia alcoólica.)

Qual a sua causa? Ingestão de álcool — geralmente, de cinco a seis doses de cerveja, vinho ou bebidas destiladas por dia — durante a gravidez.

Problemas associados. Problemas de desenvolvimento.

Tratamento. Terapia para as deficiências individuais.

Prognóstico. Depende da gravidade dos problemas.

Fibrose cística

O que é? Uma doença caracterizada por uma disfunção generalizada das glândulas

3. Alguns estudos dão a entender que é prudente aplicar estes princípios dietéticos ao longo de todos os anos reprodutivos, ao menos para as mulheres, e por tanto tempo quanto possível para os homens; trata-se certamente de algo indicado para as mulheres que estão grávidas ou planejam ficar.

exócrinas, isto é, as glândulas que descarregam suas secreções através de uma membrana epitelial (como a pele, as mucosas, os revestimentos internos dos órgãos ocos). Quando as glândulas sudoríparas são afetadas, a transpiração é salgada e em grande quantidade; e a transpiração excessiva pode produzir desidratação e choque circulatório. Quando o sistema respiratório é afetado, os pulmões podem ficar cheios de grossas secreções, causando tosse crônica e aumentando o risco de infecção. Quando a parte atingida é o sistema digestivo, as secreções mucosas podem dificultar a emissão do mecônio após o nascimento, produzindo obstrução intestinal. Também os dutos pancreáticos podem ficar obstruídos, o que resulta numa deficiência das enzimas pancreáticas e na incapacidade de digerir proteínas e gorduras. As fezes contendo o material não-digerido costumam ser freqüentes, volumosa, malcheirosas, claras e gordurosas. Há dificuldade de ganho de peso, o apetite é muito grande, o abdome fica inchado, os braços e pernas magros e a pele, descorada. Pode-se fazer um exame do suor para diagnosticar possíveis casos, mas as primeiras indicações podem ser a falta da eliminação do mecônio depois do nascimento, a pele salgada e um baixo ganho de peso combinado com grande apetite.

Qual a sua freqüência? Relativamente rara.

Quem é suscetível? É mais comum nos indivíduos de ascendência centro-européia (1 caso a cada 2.000 nascimentos) que nos negros norte-americanos, e nos indivíduos de ascendência indígena ou asiática (1 caso a cada 17.000 nascimentos).

Qual a sua causa? Transmissão autossômica recessiva: para que a criança seja afetada, cada um dos pais precisa transmitir um gene recessivo.

Problemas associados. A pneumonia, devido às secreções respiratórias, é comum. Além disso, insuficiência pancreática, insuficiente produção de insulina, tolerância anormal à glicose, cirrose hepática e hipertensão, entre outras coisas.

Tratamento. Quanto antes melhor, para prevenir, quando possível, o desenvolvimento dos sintomas. Não existe cura, mas o tratamento ajuda a criança a levar uma vida mais normal. Para a disfunção das glândulas sudoríparas, aumento do sal na alimentação e suplementos salinos em épocas de calor. Para os problemas digestivos, enzimas pancreáticas administradas por via oral junto com as refeições e lanches, restrição do consumo de gorduras, suplementação de vitaminas solúveis em gorduras (A, D, E e K). Para os diversos tipos de obstrução intestinal (íleo meconeal, prolapso retal etc.) associados à fibrose cística, existem tratamentos cirúrgicos e não-cirúrgicos, que geralmente obtêm êxito. Para os problemas respiratórios, consumo de grande quantidade de líqüidos para diluir as secreções, em geral fisioterapia respiratória diária (incluindo drenagem postural para ajudar a soltar e remover as secreções) e oxigenioterapia quando necessário. O melhor é manter o quarto com ar seco e fresco. As infecções são tratadas com doses maciças de antibióticos. Estudos em fase incipiente indicam que o tratamento à base de antiinflamatórios (como a prednisona) pode ajudar a abrandar os surtos da doença. Caso os cientistas identifiquem o gene (já conseguiram localizar um marcador genético, um gene que parece ser transmitido junto com a fibrose cística), a cura poderá tornar-se possível.

Prognóstico. Já houve época em que a maior parte dos bebês com fibrose cística morria na infância, em geral por insuficiência respiratória. Hoje, com o diagnóstico precoce, o tratamento agressivo (sobretudo nos grandes centros médicos dedicados à fibrose cística) e um forte apoio familiar, mais da metade dos portadores vive até a idade de 21 anos, e muitos estão chegando atualmente aos 30, 40 e 50 anos de idade, levando vidas ocupadas e ativas. Alguns se casaram, e, embora os homens portadores da doença geralmente sejam estéreis, várias mulheres conseguiram dar à luz filhos. Para os que nascem hoje, o prognóstico é ainda melhor.

Fístula traqueoesofageana

O que é? Uma afecção congênita na qual a parte superior do esôfago (o tubo através do qual os alimentos vão da boca para o estômago) termina numa bolsa fechada, e sua parte inferior, em vez de se ligar à superior, liga a traquéia ao estômago. Isso torna impossível a alimentação por via oral, ocasionando vômitos, sufocação e sofrimento respiratório na hora da mamada. Uma vez que a saliva não pode ser engolida, a criança baba excessivamente. A entrada de alimento nos pulmões pode causar pneumonia e até a morte.[4]

Qual a sua freqüência? Um a cada 4.000 nascidos vivos.

Quem é suscetível? Às vezes, os filhos de mulheres que tiveram uma quantidade muito grande de líqüido amniótico na gestação; um terço das vítimas da doença nascem prematuras.

Qual a sua causa? Um defeito de desenvolvimento, possivelmente devido a causas hereditárias ou ambientais.

Problemas associados. Numa pequena porcentagem dos afetados, ocorrem também problemas de coração, da espinha, dos rins e dos membros.

Tratamento. Em geral, uma cirurgia imediata consegue corrigir o problema.

Prognóstico. Quando não existem outras anomalias e a cirurgia corrige o problema, o prognóstico é muito bom.

4. Há diversas outras deformidades da traquéia e do esôfago, muito menos comuns.

Hidrocefalia

O que é? A absorção do líqüido que normalmente banha o cérebro é bloqueada, e o líqüido se acumula. A pressão afasta umas das outras as várias partes ósseas do crânio, frouxamente conectados, causando aumento do volume da cabeça. Esse aumento é, muitas vezes, o primeiro sinal do problema. Freqüentemente ocorre associada à espinha bífida, ou depois da cirurgia destinada a fechar uma espinha aberta. O couro cabeludo pode ser brilhante e fino, os músculos do pescoço podem ser menos desenvolvidos que o normal, os olhos podem ter aspecto estranho, o bebê pode ter choro agudo e sofrer de irritabilidade, falta de apetite e vômitos.

Qual a sua freqüência? Relativamente rara.

Quem é suscetível? Não se sabe, embora os bebês portadores de espinha bífida corram um risco maior.

Qual a sua causa? Quando é congênito, um defeito na membrana que deveria absorver o líqüido cérebro-espinal; depois, um ferimento (às vezes decorrente da cirurgia corretiva da espinha bífida) ou um tumor.

Problemas associados. Retardamento mental, caso o líqüido não seja drenado regularmente; complicações com a operação de drenagem, como infecções ou disfunções do processo.

Tratamento. Sob anestesia, um tubo especial é inserido no cérebro, através de um orifício no crânio, para drenar o excesso de líqüido, conduzindo-o à cavidade abdominal, à cavidade pleural (que envolve os pulmões) ou diretamente a uma veia principal. A cabeça aos poucos reassume o tamanho normal, mas são necessários exames freqüentes para verificar se tudo está indo bem e se o tubo não está bloqueado. Os médicos estão, atualmente, procurando desenvolver um tratamento que não precise da cirurgia.

Prognóstico. Muito mau quando o problema já está bem evoluído ao nascer o bebê. Bom se o tratamento começar cedo o suficiente; com isso, geralmente previne-se o retardamento mental. Complicações podem piorar o prognóstico. Não se obteve êxito com o tratamento anterior ao nascimento.

Incompatibilidade Rh

O que é? Uma condição na qual o filho herda do pai um tipo sangüíneo incompatível com o sangue da mãe. Se esta possui anticorpos contra o sangue do pai (formados numa gravidez anterior, num aborto provocado ou espontâneo, numa transfusão de sangue), tais anticorpos atacam o sangue do bebê.

Qual a sua freqüência? É muito menos comum desde o surgimento de técnicas preventivas; não obstante, cerca de 7.000 bebês ainda são afetados por ano nos EUA.

Quem é suscetível? Um bebê que herde sangue Rh positivo de seu pai e tenha uma mãe com sangue Rh negativo.

Qual a sua causa? Os anticorpos do sangue da mãe atacam as hemácias do bebê, reconhecendo-as como estranhas.

Problemas associados. Doença do sangue, lesão cerebral ou morte antes ou pouco depois do nascimento.

Tratamento. Freqüentemente, uma completa transfusão do sangue do bebê que sofre de incompatibilidade sangüínea. Há bebês que não necessitam de transfusão imediatamente, mas precisam dela entre 4 e 6 semanas de vida, devido a uma anemia grave. O melhor tratamento é a prevenção, através da injeção de uma vacina chamada imunoglobulina anti-Rh nas mães de sangue Rh negativo, até 72 horas após o nascimento (ou aborto) de um bebê ou feto de sangue Rh positivo. Essa vacina quase sempre evita o desenvolvimento de anticorpos, protegendo os futuros bebês. Pode-se também dar uma dose da vacina mais ou menos na metade da gestação. Os médicos vêm tentando desenvolver um tratamento para as mulheres que já desenvolveram o anticorpo.

Prognóstico. Geralmente bom, mediante tratamento.

Lábio leporino e/ou fenda palatina

O que é? Uma fenda, às vezes maior, às vezes menor, ocorre no lábio superior ou no palato (o céu da boca), cujas partes não se uniram. Alguns bebês apresentam só o lábio leporino, mas a maioria apresenta apenas a fenda palatina. Cerca de 40% dos bebês afetados apresentam ambos.

Qual a sua freqüência? Cerca de 5.000 crianças por ano, ou aproximadamente uma em cada 700.

Quem é suscetível? Mais comum entre os asiáticos e índios norte-americanos, mais rara entre os negros norte-americanos. Também é mais comum entre os bebês prematuros e os que apresentam outros defeitos.

Qual a sua causa? A hereditariedade desempenha algum papel em 25% dos casos; depois de ter tido um bebê com lábio leporino ou fenda palatina, aumenta a probabilidade de se ter outro. Mas acredita-se também que as drogas, doenças, desnutrição e outros fatores que provocam efeitos adversos no meio intra-uterino prejudiquem o desenvolvimento normal do lábio e do céu da boca, possivelmente agindo combinados entre si e/ou com a hereditariedade.

Problemas associados. Uma vez que a sucção geralmente fica difícil, a alimentação pode tornar-se um problema sério, a exigir procedimentos especiais (geralmente uma posição ereta, quantidades pequenas, um bico com orifício grande ou uma seringa especial). Também as infecções do ouvido são comuns e precisam ser controladas.

Tratamento. Geralmente, uma combinação de cirurgia (às vezes nos primeiros meses de vida), terapia da fala, correção dentária (incluindo, freqüentemente, aparelhos corretivos quando a criança é maior) e aconselhamento psicológico.

Prognóstico. Com tratamento, costuma ser excelente.

Malformação

O que é? Um órgão ou parte do corpo tem aspecto anormal. Às vezes são afetados diversos órgãos ou partes do corpo; o agrupamento dos sintomas forma uma síndrome que indica a existência de uma doença em particular (tal como a síndrome de Down). Às vezes ocorre uma malformação isolada — como a atrofia de um membro.

Qual a sua freqüência? Provavelmente, menos de 1 a cada 100 bebês nasce com uma malformação perceptível, em geral de pouca importância.

Quem é suscetível? Aqueles que têm membros da família com malformações semelhantes; aqueles cujos pais — especialmente as mães — são expostos a determinadas condições ambientais perigosas antes ou depois da concepção.

Qual a sua causa? Anomalias de diferenciação ou organização durante o desenvolvimento do embrião, devido seja a uma anomalia genética ou cromossômica, seja a um fator ambiental (como o raio-X ou uma infecção).

Problemas associados. Dependem da síndrome.

Tratamento. Varia com o defeito.

Prognóstico. Depende da malformação. (Ver as doenças específicas, como espinha bífida, síndrome de Down etc.)

Paralisia cerebral (PC)

O que é? Um distúrbio neuromuscular causado por uma lesão cerebral. Os danos motores podem ser leves ou causar sérias deficiências físicas. O bebê pode ter dificuldade para sugar ou reter o mamilo na boca; babar constantemente; fazer pouquíssimos movimentos voluntários; ter tremores do braço ou da perna acompanhando os movimentos voluntários; ter pernas que dificilmente se separam; ter atrasos do desenvolvimento motor; e usar só uma das mãos, ou, mais tarde, usar as mãos e não usar os pés, engatinhar de modo inusitado e andar sobre as pontas dos pés. O tônus muscular pode ser excessivo ou baixo demais, mas isso pode só ficar aparente por volta dos três meses. Os sintomas são diferentes em cada um dos três tipos de PC: espasmódica, atetóide e atáxica.

Qual a sua freqüência? Vem diminuindo devido à maior segurança nos partos (a não ser para os menores entre os recém-nascidos) e ao melhor tratamento da icterícia. Cerca de 15.000 casos por ano.

Quem é suscetível? Bebês prematuros e de baixo peso, os meninos com freqüência pouco maior que as meninas, os bebês brancos com freqüência maior que os negros.

Qual a sua causa? Estima-se que 50% dos casos tenham relação com causas pré-natais (inclusive a infecção materna ou outras doenças, radiação, desnutrição); 33% tenham relação com o nascimento (inclusive o parto anormalmente prolongado ou rápido, prolapso do cordão umbilical, depressão dos sinais vitais maternos); 10% com traumas pós-natais (quedas ou outros acidentes, por exemplo), infecções (do cérebro), icterícia patológica e falta de oxigênio (como ocorre na interrupção da respiração); e 7% com causas mistas.

Problemas associados. Às vezes, convulsões; distúrbios da fala, da audição e da visão; defeitos dentários; deficiência mental.

Tratamento. Não há cura, mas o tratamento precoce pode ajudar a criança a realizar todo o seu potencial. Pode incluir: terapia física, aparelhos corretivos, talas ou outros equipamentos ortopédicos; móveis e utensílios especiais; exercício; cirurgia, quando necessário; medicação contra convulsões ou para relaxar os músculos se necessário.

Prognóstico. Varia caso a caso. A criança com paralisia cerebral suave, com um tratamento adequado, pode levar uma vida quase normal. A criança com uma forma severa da doença pode ser completamente deficiente. A doença não piora progressivamente.

Síndrome de Down

O que é? Um conjunto de sinais e sintomas que usualmente incluem retardo mental de moderado a severo, características faciais específicas (mais óbvias em uns que em outros), uma língua muito crescida e pescoço curto; pode também incluir um achatamento da parte posterior da cabeça, orelhas pequenas (às vezes redobradas na parte superior) e um nariz achatado e alargado. A audição e a visão podem ser prejudicadas e também existem vários defeitos em órgãos internos (principalmente coração e tubo digestivo). Crianças portadoras dessa síndrome são de baixa estatura e têm uma hipotonia muscular (responsável por parte do atraso do desenvolvimento motor). Eles também, são geralmente muito doces e amáveis.

Qual a freqüência? A síndrome de Down afeta cerca de 2.800 bebês por ano, ou 1 a cada 1.300.

Quem é suscetível? Filhos de pais que já tiveram um bebê com o mesmo defeito, ou de mãe ou pai que sofreram mutação cromossômica, ou de mãe com mais de 35 anos (o risco aumenta com a idade). Todos os grupos étnicos e classes sociais são afetados.

Qual a sua causa? Em 95% dos casos, um cromossomo a mais, transmitido pela mãe ou pelo pai; assim, o bebê tem 47 cromossomos, em vez de 46. Esta causa da síndrome de Down é chamada de Trissomia 21, devido à presença de três cromossomos de número 21 (normalmente existem dois). Cerca de 4% das vezes, os fatores responsáveis são outros acidentes em que o cromossomo 21 está envolvido. Por exemplo: às vezes, um pedaço de um cromossomo 21 se quebra e vem a ligar-se a outro cromossomo, em um dos pais (processo denominado translocação). O pai ou mãe continua normal, por ter ainda a quantidade correta de material genético. Mas, se esse cromossomo ampliado é transmitido a um filho, este pode ficar com um excesso de material do cromossomo 21, resultando na síndrome de Down. Muito raramente, um acidente no processo de divisão celular do óvulo fertilizado acaba fazendo com que algumas células, mas não todas, tenham um cromossomo a mais. Trata-se de um problema chamado mosaicismo; as crianças atingidas podem ter apenas algumas características da síndrome de Down, pois só algumas de suas células contêm o cromossomo suplementar.

Problemas associados. Problemas dentários, deficiências de visão e audição, doença do coração, defeitos gastrointestinais, disfunção da tireóide, envelhecimento precoce (inclusive com o mal de Alzheimer), maior risco de doenças respiratórias, bem como de leucemia e outros cânceres.

Tratamento. Exames pré-natais são capazes de diagnosticar a síndrome de Down no feto. As cirurgias, após o nascimento, podem corrigir as anomalias do coração e de outros órgãos; em alguns países, realiza-se cirurgia plástica para tornar a aparência mais normal, mas não se sabe até que ponto isso traz benefícios. Os programas especializados de educação precoce aumentam o QI de crianças portadoras da síndrome de Down, que têm um retardamento mental brando a moderado.

Prognóstico. A maioria das crianças portadoras da síndrome de Down possui capacidades maiores do que antes se acreditava, e a intervenção precoce pode fazer com que essas capacidades se manifestem, a ponto de só menos de 10% das crianças permanecerem gravemente retardadas.

Muitos podem acompanhar o aprendizado escolar até um certo ponto, e alguns chegam até o curso secundário. A maioria, finalmente, se adaptará em lares e em oficinas de trabalho específicas para seu caso. Alguns vivem e trabalham independentes; e alguns, chegam a se casar. A duração média da vida, depois de superados os obstáculos que se encontram dos dois aos dez anos de idade, é de 55 anos, mais que o dobro do que era no passado.

Talassemia

O que é? Uma anemia de origem genética caracterizada por um defeito no processo necessário para a produção de hemoglobina (os glóbulos vermelhos do sangue, que conduzem oxigênio). A forma mais comum, a talassemia B, pode variar desde a forma extremamente séria conhecida como anemia de Cooley, até a talassemia mínima, que não tem efeitos mas se evidencia em exames genéticos ou de sangue. Mesmo nos casos mais sérios, os bebês parecem normais ao nascer; aos poucos, porém, vão tornando-se apáticos, irrequietos e pálidos, perdem o apetite e ficam muito suscetíveis a infecções. O crescimento e o desenvolvimento são lentos.

Qual a sua freqüência? É uma das doenças genéticas mais comuns nos EUA. Cerca de 2.500 pessoas são hospitalizadas para tratamento a cada ano.

Quem é suscetível? Sobretudo os indivíduos de ascendência grega ou italiana; também os originários do Oriente Médio, da Ásia Meridional e da África.

Qual a sua causa? Transmissão autossômica recessiva; cada um dos pais precisa transmitir um gene afetado para que a criança herde a forma mais grave da doença.

Problemas associados. Sem tratamento, o coração, a vesícula biliar e o fígado aumentam de tamanho, e o risco de morte devida a insuficiência cardíaca ou infecção se multiplica. Com o tempo, os ossos se tornam quebradiços, prejudicando a aparência.

Tratamento. Freqüentes transfusões de glóbulos vermelhos jovens, e às vezes transplantes de medula óssea para as crianças portadoras da forma mais severa da doença. O acúmulo de ferro, capaz de produzir insuficiência cardíaca, pode ser tratado com medicamentos. Há possibilidade de fazer-se um exame pré-natal para saber se o feto tem a doença.

Prognóstico. Excelente para os portadores das formas mais brandas da doença; os portadores da forma moderada também se tornam adultos normais, embora a puberdade possa ocorrer com um pouco de atraso. Dentre os que apresentam a doença mais severa, é maior, hoje em dia, o número daqueles que chegam à adolescência e à terceira década de vida, embora ainda seja grande a ameaça de insuficiência cardíaca e infecção.

CAPÍTULO 21

O Bebê Adotivo

Chegou a hora. Vocês vão se tornar, ou acabaram de tornar-se, pais adotivos. Há meses — ou, quem sabe, anos — vocês vêm esperando por este momento. Mas, agora que ele chegou, vocês estão cheios de temor. Ao lado da alegria, experimentam uma incerteza e uma sensação de incapacidade. Iguaizinhos aos pais naturais.

Como mãe ou pai adotivo, este capítulo dirige-se a você. O mesmo, porém, pode-se dizer da maior parte do livro. Seu bebê é igual aos outros bebês, e vocês são iguais às outras mães (exceto pelo fato de não experimentarem os sintomas corporais do puerpério) e aos outros pais.

O QUE PODE ESTAR PREOCUPANDO VOCÊ

A PREPARAÇÃO

"Minhas amigas grávidas estão envolvidas com todo tipo de preparativos — aulas de parto, procura de um hospital, escolha de um pediatra. Mas eu não sei como começar a me preparar para a chegada de nosso bebê adotivo."

Em vez de surpreender as mães, entregando-lhes seus bebês sem avisá-las de antemão, a Mãe Natureza prudentemente inventou a "gestação". Esse período de espera anterior ao nascimento (ou à quebra da casca do ovo) tinha a finalidade de dar aos pais a oportunidade de se prepararem para a chegada de sua cria. Uma oportunidade para que a mamãe-pássaro fizesse seu ninho, para que a leoa preparasse sua toca, e, ao menos nos dias de hoje, para que a mamãe e o papai humanos decorem o quarto, tenham aulas, tomem decisões fundamentais acerca da amamentação ao peito, do cuidado do bebê e do pediatra, e, de maneira geral, preparem-se emocional, intelectual e fisicamente para transformarem-se numa família.

Para o casal que vai adotar um bebê, o período de espera geralmente não é o de nove meses, previsível e controlável, que é o dos demais pais. Para alguns, geralmente os que tomam o caminho das agências, o processo todo pode demorar anos; mas o grande dia chega de repente, sem deixar tempo para que a realidade possa ser assimilada, e muito menos para os preparativos. É como se você soubesse num dia que está grávida, e tivesse o bebê no dia seguinte. Para outros, geralmente os que adotam por via particular, é possível fazer um acordo preciso para adotar um determinado bebê muito antes da data prevista para o seu nascimento, o que dá aos futuros pais adotivos a oportunidade de efetuar todos os preparativos pré-bebê de maneira não muito diferente, sob vários aspectos, daquela dos pais biológicos que esperam um bebê. Mas, seja qual for o tempo que você tiver entre o momento em que você souber que vai ter o bebê e o momento efetivo da chegada dele, há várias medidas que pode tomar para tornar mais fácil a transição:

Faça compras com antecedência. Leia o capítulo 2 deste livro; a maioria dos preparativos para a chegada do bebê é sempre igual, quer você esteja adotando ou dando à luz. Se você não sabe ao certo qual será a data, saia com antecedência para escolher um berço, um carrinho, o enxoval etc. Já tenha tudo escolhido (marcas, modelos, tamanhos) e arrolado juntamente com os nomes das lojas e números de telefone, para que você possa pedir a entrega no momento em que receber o sinal do advogado ou da agência de adoção. (Fale antecipadamente com as lojas para ter certeza de que elas terão em estoque os modelos de sua escolha.) Se você está tomando o caminho da adoção particular e já tem uma data aproximada para a chegada do bebê, muitas lojas permitem que você deixe tudo encomendado, e retardam a entrega até que você ligue. Caso a adoção não dê certo, elas devolvem o dinheiro. As compras antecipadas são muito melhores que tentar comprar tudo depois que o bebê chegar, num momento em que você está ocupada tentando conhecer o bebê e adaptar-se a ele. Mas não compre coisas demais. Freqüentemente, os pais adotivos esperam tanto tempo por seus bebês que acabam com uma gaveta cheia de roupinhas de tamanho seis meses que nunca serão usadas.

Descubra como se sentem os pais adotivos. Converse com outros casais que adotaram bebês, sobre suas preocupações, seus problemas e soluções; e leia alguns livros sobre o assunto. Encontre um grupo de apoio a pais adotivos e freqüente algumas sessões — o clérigo da sua igreja, seu pediatra, seu advogado ou a agência de adoção poderão todos indicar-lhe como localizar tais indivíduos e grupos.

Descubra como se sentem os recém-nascidos. Leia alguma coisa sobre o nascimento, para que tenha uma idéia aproximada daquilo pelo que seu filho terá passado quando ele finalmente chegar. Você aprenderá que, depois de um esforço intenso e prolongado para nascer, os recém-nascidos podem ficar cansados — coisa que os pais biológicos entendem, porque também ficam cansados. Os pais adotivos, normalmente entusiasmados e exultantes pela chegada do bebê, e não exaustos, tendem a superestimular o recém-nascido em vez de conceder-lhe o merecido descanso.

Aprenda os segredos do ofício. Tome aulas de cuidados maternos, que a instruam sobre coisas básicas como dar banho, trocar fraldas, dar mamadeira e carregar o bebê no colo. Senão, considere a possibilidade de contratar uma enfermeira que seja tão apta a cuidar do bebê quanto a ensiná-la a cuidar dele; contrate-a por um ou dois dias, ou mais tempo, se preferir, para ajudá-la com as coisas básicas (veja página 15). Mas procure uma enfermeira que ajude sem intimidar.

Dê uma boa olhada nos bebês. Visite amigas ou conhecidas com bebês novos ou dê um pulo num berçário de hospital na hora de visitas, para que o recém-nascido não pareça para você um ser tão estranho.

Leia sobre as características do recém-nascido no capítulo 3.

Escolha seu pediatra. A escolha antecipada do pediatra é tão importante para você quanto é para os casais "grávidos" (veja página 26). O pediatra que você procura tem que ser capaz de examinar seu bebê no primeiro dia em que ele estiver com você. Uma consulta antes de o bebê chegar possibilitará que vocês façam perguntas e manifestem suas preocupações acerca do fato de se tornarem pais adotivos. E como a saúde do recém-nascido tem um relevo especial — à diferença dos pais biológicos, os pais adotivos podem decidir não ficar com uma criança deficiente —, o pediatra deverá estar disponível praticamente a qualquer momento para informar-se com os médicos quando do nascimento do bebê e conversar com você, aconselhando-a sobre o prognóstico caso haja qualquer problema.

Considere a possibilidade de amamentar. Algumas mães adotivas são capazes de amamentar seus bebês, ao menos em parte. Fale com seu ginecologista sobre a possibilidade e leia a página 580.

NÃO SE SENTIR MÃE

"Não tendo vivido a gestação e o parto, segurando nas mãos uma criança nascida de outra mulher, eu não me sinto a mãe de nosso filho adotivo, e receio que nunca me sentirei."

Não é necessário ser mãe adotiva para ter problemas em se adaptar ao papel de mãe. Muitas mães biológicas de primeira gestação experimentam as mesmas dúvidas a respeito de si mesmas quando seguram no colo os próprios recém-nascidos. O processo de se transformar numa mãe não é algo que se inicie com a concepção e culmine nos momentos que se seguem imediatamente ao nascimento; a maternidade é algo que evolui no decorrer de dias, semanas, meses e anos de amor e cuidados. Embora muitas mulheres não se sintam mães naqueles primeiros dias difíceis, quase todas acabam sentindo-se um dia.

Mas, enquanto você luta para chegar a esse ponto, é muito possível que você, como tantos outros pais e mães adotivos, deseje que pudesse de algum modo "apagar" o fato da adoção — e então, abracadabra!, passaria a se sentir mãe. A proximidade biológica porém não é garantia de proximidade emocional, e embora você, como mãe adotiva, possa ter extrema dificuldade para aceitar-se como mãe, seu bebê não terá nenhum problema desse tipo. Você — que o ama, o protege e provê a todas as suas necessidades — é para ele a mãe verdadeira. E você saberá disso muito antes de ouvi-lo dizer "mamãe" pela primeira vez.

Não se esqueça, porém, que nem todos os bebês são igualmente afetuosos. Alguns tendem a não ser muito amigos dos abraços e não gostam quando são muito tocados (veja página 178), mas isso nada tem a ver com o que os seus pais fazem ou deixam de fazer. Se você tiver um bebê desse tipo, não ponha a culpa em si mesma ou no fato de ele ser adotado.

SENTIR-SE INADEQUADA

"Deve haver alguma razão biológica para que eu me sinta tão inepta enquanto mãe. Desde que recebemos nossa filhinha há quatro dias, parece que não consigo fazer nada direito — de trocar-lhe as fraldas a dar-lhe banho."

Entre no clube — o qual, a propósito, de modo algum é exclusivo das mães adotivas. A proficiência com que uma nova mãe ou pai enfrenta as primeiras semanas de cuidados com o bebê não tem relação alguma com os níveis hormonais; é mais provável que tenha a ver com os graus de experiência e ansiedade. Se você nunca segurou antes no colo um bebê pequeno, e muito menos trocou ou deu banho em um, não é de surpreender que esteja se sentindo cheia de dedos. Mesmo para aquelas que, no papel de babás ou irmãs mais velhas (ou mesmo médicas ou enfermeiras), já lidaram cheias de segurança com recém-nascidos, o fato de receberem repentinamente a responsabilidade de cuidar 24 horas por dia do próprio bebê desamparado pode fazer aflorar fortes sentimentos de incapacidade e inépcia.

Para qualquer mãe recente, contratar uma enfermeira pediátrica por um ou dois dias a fim de ter um pouco de treinamento prático (mas tenha certeza de que ela seja do tipo que quer ensinar, e não fazer tudo sozinha), pode ajudar a fazer crescer a confiança e acelerar a transição do estado de aprendiz para o de mestre. O mesmo se pode dizer das aulas de cuidados com o bebê e da leitura dos primeiros capítulos deste livro, particularmente da "O Bê-á-bá dos Cuidados com o Bebê", na página 80. E além disso tudo, o tempo, evidentemente.

AMOR PELO BEBÊ

"Ouvi dizer que as mães de nascimento apaixonam-se por seus bebês já na sala de parto. Tenho medo que, por não ter carregado este bebê na barriga e nem o dado à luz, não seja capaz de amá-lo do mesmo modo."

Eis outro mito acerca da maternidade: o de que todos os casos de amor entre as mães e os bebês começam na sala de parto. Seus temores são partilhados por um número enorme de mães biológicas, que ficam surpresas e decepcionadas ao perceberem que não são submergidas por uma grande onda de amor no momento em que pegam seus bebês pela primeira vez — e nem você e nem elas têm nada com que se preocupar. A semente do amor entre mãe e bebê (ou pai e bebê) não brota milagrosamente no primeiro encontro, mas precisa de tempo e cuidados para crescer.

E cresce para os pais adotivos assim como para os de nascimento. Os estudos mostram que as famílias adotivas formam vínculos fortes, sobretudo quando a criança é adotada antes dos dois anos de idade. Esses relacionamentos são sólidos e amorosos, o que se reflete no fato de vários testes psicológicos já terem demonstrado que as crianças adotivas são mais confiantes que as não-adotivas, tendem a ter uma visão mais positiva do mundo, sentem-se mais em controle sobre suas vidas e vêem seus pais como mais dedicados que as crianças não-adotivas.

O BEBÊ CHORANDO DEMAIS

"Nossa filhinha recém-adotada parece chorar demais. Será que estamos fazendo algo de errado?"

Não há nenhum recém-nascido sadio que não chore, e muitos choram bastante — afinal, é o seu único meio de comunicação. Às vezes, porém, o choro é incrementado pelo excesso de estimulação. Muitos pais adotivos ficam tão entusiasmados pela chegada de seu novo bebê, e tão ansiosos por exibi-lo, que o acabam expondo a uma série constante de visitas. O fato de você não estar exausta por causa do parto não significa que o bebê não esteja. Dê-lhe a oportunidade de descansar. Vá mais devagar, manuseie-o suavemente, fale com ele em voz baixa. Depois de uma ou duas semanas numa atmosfera mais tranqüila, você talvez constate que ele estará chorando menos. Se não estiver, é possível que tenha cólica, o que não diz nada sobre você ou os cuidados que você lhe está dando, sendo simplesmente um padrão de comportamento muito comum nos primeiros três meses de vida.

DEPRESSÃO PÓS-ADOÇÃO

"Uma vez que se presume que a depressão puerperal seja de fundo hormonal,

como é possível que eu esteja me sentindo deprimida desde que trouxemos para casa nosso filho adotivo?"

Se a depressão do pós-parto fosse exclusivamente hormonal, os pais e mães adotivos e os pais biológicos não a teriam. Mas muitos passam por isso. A verdade é que um grande número de fatores contribui para aquilo que se costuma chamar depressão pós-parto, e muitos desses fatores nada têm a ver com hormônios ou os esforços do parto. Quer você adote ou dê à luz, sua vida enquanto mãe nova torna-se de repente muito diferente, muito menos organizada, muito menos sujeita ao seu controle. Talvez você sinta saudades dos estímulos do trabalho, sinta que não tem tempo para si mesma e o seu marido, e esteja preocupada com ter de passar com só um salário, ao menos por enquanto. Senão, é possível que não esteja muito segura de si enquanto mãe. Como mãe adotiva, pode estar preocupada sobre como ligar-se ao novo bebê (será que conseguirá amá-lo como a um filho biológico?), pode estar pensando se ele virá a ser saudável e se, quando crescer, será parecido com você e seu marido ou com os pais biológicos. Você pode estar sentindo uma pontinha de decepção por este bebê não provir biologicamente de você, embora esteja gostando muito de estar com ele (esse sentimento vai passar à medida que o bebê começar a parecer cada vez mais *seu*, e à medida que você perceber que, para ele, vocês são os únicos pais que ele tem).

Você também pode estar preocupada com a possibilidade de que a mãe de nascimento do seu bebê resolva voltar atrás durante o período de espera, o qual chega a sessenta dias em alguns estados norte-americanos. Também isto pode produzir noites sem sono, dias de agonia e um caso extremo de depressão puerperal.[1]

1. Depois de findo o período de espera, não deixe de oficializar a adoção nos tribunais. Alguns pais se esquecem de fazer isto e ficam sem a custódia legal dos filhos, o que pode acarretar sérios problemas posteriormente.

Mas como é provável que ao menos algumas das causas de sua depressão sejam idênticas às da depressão pós-parto tradicional, muitas das curas poderão ajudá-la também. Veja a página 628, na qual encontrará dicas que a ajudarão a desfazer-se da depressão e a gostar mais do seu novo papel.

IMPOSSIBILIDADE DE AMAMENTAR

"Depois de tentar uma gravidez por vários anos, desistimos e resolvemos adotar. Já aceitei esse fato, mas estou muito decepcionada por não poder amamentar nosso bebê quando ele chegar."

Depois que o bebê nasce, não há quase nada que a mãe biológica faça que a mãe adotiva não possa fazer. E, nesta era de milagres da medicina, isso também se aplica, em certa medida, à amamentação. Embora algumas mães adotivas não consigam de modo algum induzir a lactação, e a maioria não produza leite o suficiente para o bebê ser exclusivamente amamentado ao peito, algumas almas dedicadas são capazes de amamentar seus bebês, ao menos parcialmente. E todas as mães adotivas que procuram induzir a lactação, mesmo as que não conseguem produzir leite, desfrutam daquela intimidade especial proporcionada pela amamentação.

A amamentação só será possível se o bebê que você estiver adotando for um recém-nascido ainda não habituado a sugar um bico artificial, e se você não tiver qualquer afecção (como um histórico de cirurgia no seio) que possa impedi-la de produzir leite.

Caso você decida tentar amamentar o bebê, as seguintes medidas poderão aumentar suas chances de obter êxito:

- Pergunte-se por que você está ansiosa por amamentar. Se estiver tentando provar o próprio valor como mulher ou negar a si mesma e aos outros, consciente ou subconscientemente, que o seu bebê é adotado, você deve reconsiderar a decisão. É importante que você admita o fato de não ter sido capaz de engravidar e de o bebê ser adotado; se não admitir, é possível que você e o bebê tenham problemas posteriormente. Se você simplesmente quiser dar ao bebê a melhor nutrição possível e compartilhar com ele os prazeres emocionais da amamentação, vá em frente e tente.

■ Pergunte-se se você está preparada a fazer uma pausa em todos os demais aspectos de sua vida enquanto tenta estabelecer a lactação. É possível que você tenha que amamentar quase continuamente e enfrentar semanas, até meses, de contínuas provações e frustrações, sem ter nenhum resultado para mostrar a não ser a sua decepção. Você está preparada a aceitar a idéia de que pode não obter êxito? E que, se você o obtiver, talvez só seja capaz de proporcionar uma parte da nutrição do bebê?

■ Seu esposo e os demais membros da família vão dar-lhe compreensão e apoio? Sem esse amparo, suas chances de sucesso são praticamente nulas.

■ Procure seu obstetra para discutir as esperanças de tentar amamentar seu bebê adotivo, e para ter certeza da inexistência de qualquer condição que torne a amamentação impossível ou desaconselhável no seu caso.

■ Se ele não souber nada sobre o assunto (o que é possível) ou não lhe der apoio, peça-lhe que indique um médico familiarizado com a indução de lactação — talvez um pediatra. Se o médico não puder indicar-lhe ninguém, procure no seu bairro ou na cidade média mais próxima, pedindo o nome de um médico que possa ajudá-la; é possível que eles possam também recomendar-lhe um consultor de lactação.

■ Se você souber com antecedência a data aproximada em que receberá o bebê (se você tiver, por exemplo, combinado de adotar o filho de uma determinada gestante), deve começar a tentar estimular a lactação um ou dois meses antes da data prevista. Para tanto, você precisará de uma bomba de tirar leite, de preferência movida a eletricidade, pois uma bomba movida à mão lhe drenaria tanta energia que você quase certamente desistiria antes de conseguir.[2] (Há mulheres que apreciam envolver seus maridos na tarefa de estimular a lactação.) Na página 100 você encontra informações sobre a extração de leite; se você conseguir produzir leite antes da chegada do bebê, engarrafe-o e congele-o para usá-lo depois, ou doe-o a um banco de leite.

Depois que tiver o bebê nos braços, tente levá-lo ao peito e verifique se ele se satisfaz com o que você tem a oferecer. Tente perceber se o leite está descendo e fique atenta a sinais de consumo suficiente por parte do bebê (contentamento após a mamada, fraldas molhadas, defecações freqüentes). Se ele não parecer satisfeito, instale um sistema de nutrição suplementar (veja página 112), enchendo a mamadeira com o leite em pó recomendado pelo médico do bebê, e deixe-o mamar o quanto quiser. (Na página 109 você encontra mais dicas a respeito de como saber se o bebê está mamando o suficiente, e como aumentar sua produção de leite.)

■ Se você só vier a saber no último minuto que está para receber o bebê, encomende um sistema de nutrição suplementar que lhe seja entregue assim que você der o sinal verde — senão, compre um e deixe-o guardado. Dessa maneira, quando o bebê chegar, vocês poderão tentar estimular a produção de leite juntos, à medida que ele suga o seio enquanto se nutre de leite em pó. Divida a quota diária de leite do bebê (tal como recomendada pelo médico) em pelo menos oito (e de preferência dez) mamadas, para que você possa dar de mamar a cada duas ou três horas. Quando o bebê estiver com fome, encha de leite a mamadeira do sistema de nutrição suplementar e leve-o ao peito. Deixe-o sugar por tanto tempo quanto quiser (supondo-se que seus mamilos não estejam demasiado sensí-

2. Para informar-se sobre estabelecimentos que alugam bombas elétricas, fale com o hospital local, com o médico de sua família, com um obstetra ou com o pediatra a quem você pretende levar o bebê.

veis), mesmo depois de ter esvaziado a mamadeira. Quando o leite chegar, se chegar, tente começar cada uma das refeições com a amamentação, incrementando o leite do peito com leite em pó, através do SNS, se o bebê ainda parecer faminto.

- Se o seu leite está tendo dificuldades para descer, peça ao médico que prescreva um *spray* nasal de oxitocina ou um medicamento como clorpromazina ou teofilina. Estes podem estimular a hipófise a produzir prolactina (um hormônio essencial para a produção de leite), mas nenhum deles deve ser usado por mais de uma semana.
- Descanse, relaxe e durma bastante; nem uma mulher que acabou de dar à luz consegue produzir leite se estiver tensa e esgotada.
- Siga a Melhor Dieta de Amamentação (página 615), tomando especial cuidado em consumir calorias e líqüidos em quantidade suficiente e em tomar um suplemento vitamínico.
- Não desista depressa demais. Em geral, o corpo da mulher grávida tem nove meses para preparar-se para a lactação; conceda-se pelo menos dois ou três meses para pôr o processo em movimento. Se o bebê foi inicialmente alimentado com mamadeira, é possível que ele demore ainda mais para acostumar-se ao peito. Seja persistente. Se no início ele não mamar muito no peito, suplemente a estimulação que ele dá aos seus mamilos, tirando leite com uma bomba ou as mãos.

Se, apesar de todos os seus esforços, você não conseguir produzir leite ou não conseguir produzir o suficiente para ser a única fornecedora de alimento ao bebê (o que também ocorre com algumas mães biológicas), você não deve ter escrúpulos em abandonar o projeto de amamentar, sabendo que tanto você como o bebê já compartilharam algumas das importantes vantagens da amamentação. Senão, você pode continuar dando de mamar, suplementando o leite materno que o bebê toma — se é que ele toma algum — com leite em pó, seja através do SNS, seja pela mamadeira.

AS ATITUDES DOS AVÓS

"Meus pais já têm três netos a quem adoram. E estou muito chateada porque eles não parecem estar tão animados a respeito do menininho que acabamos de adotar."

Seus pais não têm a menor dificuldade em se apegarem a seus netos biológicos. Eles geraram seus próprios filhos, e facilmente apaixonam-se pelos filhos que seus filhos geraram. Mas talvez não tenham muita segurança de serem capazes de amar com tanta facilidade e intensidade um neto adotivo — como também ocorre, aliás, com muitos pais adotivos —, e podem ficar distantes, com medo de não conseguir. É possível, além disso, que eles ainda não tenham resolvido seus sentimentos de decepção (ou culpa) pelo fato de você não ser capaz de conceber — talvez até acreditem, no fundo do coração, que você ainda seria capaz —, ou seus sentimentos de raiva, caso você esteja adotando por opção livre.

É compreensível que você se sinta magoada pela aparente falta de interesse de seus pais pelo bebê, mas não ceda à tentação de vingar-se excluindo-os da vida da criança. Quanto mais você os envolver, tanto mais cedo eles passarão a aceitá-lo e amá-lo.

Em termos ideais, o melhor a fazer é envolver os avós nos preparativos para a chegada do neto adotivo, do mesmo modo como seriam envolvidos nos preparativos para a chegada de um neto biológico. Arregimente-os para comprar móveis e roupinhas, para escolher bichos de pelúcia e móbiles musicais; peça a opinião deles quanto às possíveis cores do quarto do bebê e aos possíveis nomes do bebê. A escolha de um nome de família para a criança pode fazê-la parecer mais "familiar" aos olhos dos avós.

Depois que você trouxer o bebê para casa, peça conselhos a seus pais sobre como alimentá-lo e fazê-lo arrotar, sobre banhos e trocas de fraldas, mesmo se tais conselhos lhe forem supérfluos. Caso eles morem nas imediações, peça que tomem conta do bebê quando for necessário. Caso você esteja planejando uma circuncisão ritual ou um batizado, convide-os a desempenhar um papel de destaque nos preparativos e na própria cerimônia. Se você não for realizar uma cerimônia religiosa, considere a possibilidade de organizar uma festa de "boas-vindas ao bebê", convidando parentes e amigos. Se eles puderem exibir o bebê a todos, se sentirão mais à vontade no papel de avós.

Caso você se sinta tranqüila em fazer isto, converse com eles acerca de sua percepção dos seus sentimentos. Diga-lhes que, com esse tipo de experiência nova, as incertezas são naturais — você mesma teve algumas. Se eles tiverem oportunidade de expressar seus sentimentos, é possível que passem a conviver mais tranqüilamente com eles — e com você e o bebê. Se você mesma não puder tocar no assunto, é possível que um clérigo, um médico, um parente respeitado ou um amigo da família possam fazê-lo por você.

Acima de tudo, dê aos seus pais bastante tempo para ficarem conhecendo o bebê — conhecer um bebê e amá-lo são geralmente sinônimos. Certifique-se de não estar sendo demasiado suscetível, de não estar na defensiva e nem apenas imaginando que o bebê é tratado de maneira diferente. Se no fim das contas eles ainda não parecerem aceitar plenamente o bebê, tente encobrir suas mágoas e conservar atados os laços familiares, na esperança de que a intimidade floresça gradativamente com o correr dos anos.

PROBLEMAS DESCONHECIDOS DE SAÚDE

"Acabamos de adotar uma linda menininha. Ela parece perfeita, mas estou sempre com medo de que algum defeito hereditário desconhecido se manifeste."

A constituição genética de qualquer criança, adotiva ou não, é sempre incerta, e todos os pais têm, vez por outra, preocupações acerca de possíveis defeitos não manifestos. Felizmente, os defeitos genéticos realmente sérios são raros, e a maioria dos pais preocupa-se desnecessariamente. Mas seria conveniente que você obtivesse um histórico tão completo quanto possível da saúde de ambos os pais biológicos da menina, a fim de fornecê-lo ao médico do bebê e no caso de futuras doenças. Além disso, ao redigir os documentos de adoção, tente garantir para si alguma maneira de encontrar a mãe biológica (tendo, por exemplo, o número de sua carteira de identidade), a fim de que você possa localizá-la caso uma improvável crise se desencadeie e o bebê precise da ajuda dela (para um transplante de medula, por exemplo).

O bebê adotivo não tem probabilidade maior do que qualquer outro bebê de apresentar um distúrbio genético; não obstante, ele é mais suscetível a infecções. Devido ao fato de não ter os mesmos germes que sua mãe e pai adotivos, tem uma probabilidade menor que um filho biológico de possuir anticorpos que contra-ataquem os organismos infecciosos de seu meio ambiente. Por isso, tome alguns cuidados adicionais no decorrer das primeiras semanas:

- Certifique-se de que o equipamento de alimentação esteja cuidadosamente esterilizado (veja página 61).
- Lave as mãos antes de manusear o bebê, sua mamadeira ou qualquer outra coisa que vá entrar em contato com sua boca ou mãos.
- Limite o número de visitas. Embora seja grande a tentação de exibi-lo, espere algumas semanas antes de expor o bebê a um número grande de pessoas. (Também o descanso lhe servirá bem.)

Se o seu bebê tiver vindo do estrangeiro, sobretudo do sudeste Asiático, é possível também que seja portador de parasitas ou de uma infecção que seriam raros aqui. O pediatra deve saber qual é o país de origem do bebê e, assim que ele chegar, deve submetê-lo a exames a fim de identificar possíveis doenças endêmicas da parte do mundo de onde provém. O tratamento imediato de quaisquer problemas descobertos não servirá somente para dar ao bebê um bom começo de vida, livre de doenças, mas também para proteger o restante de sua família e outras pessoas que tiverem contato com ele.

COMO LIDAR COM OS AMIGOS E A FAMÍLIA

"Alguns amigos mais íntimos sabiam que íamos adotar um bebê. Mas, agora que ela chegou, temos que avisar todos os conhecidos. Não sei muito bem como fazer isso."

Quer tenham adotado ou gerado o bebê, a maneira tradicional pela qual os pais comunicam as boas novas consiste em mandar cartões aos amigos e familiares e, às vezes, aos jornais locais. No seu caso, o cartão deve deixar claro que o bebê é adotado ("Temos o grande prazer de comunicar a adoção de..."). A inclusão de um retrato do bebê pode ajudar a torná-la mais "real" aos amigos e familiares.

Ao falar com qualquer pessoa sobre o bebê, refira-se desde o começo à "minha filha" ou "nossa filha". A referir-se ao casal que a gerou, chame-os de pais "biológicos" ou "de nascimento", e nunca pais "naturais" ou "verdadeiros". *Vocês* são os verdadeiros pais do bebê, e, quanto mais vocês se ouvirem dizê-lo, tanto mais vocês — e os outros — aceitarão o fato como real. Se você tiver outros filhos biológicos, não os chame de "meus próprios" filhos, e nem permita que as outras pessoas se refiram a eles desse modo.

COMO CONTAR AO BEBÊ

"Muito embora nosso filho ainda seja um recém-nascido, não consigo deixar de me preocupar como e quando contar-lhe que é adotivo."

Hoje, já não se pergunta mais se se deve ou não contar à criança que ela foi adotada. Os especialistas concordam em que as crianças precisam saber e têm o direito de saber de sua adoção, e devem sabê-lo através de seus pais — e não por meio de atos falhos dos parentes ou provocações dos garotos da vizinhança. A concórdia já não é tão grande a respeito de quando contar, embora venha merecendo cada vez mais apoio a idéia de ir aos poucos acostumando a criança, desde a primeira infância, ao fato de ela ser adotada, para que a notícia não tenha mais tarde um impacto devastador.

Você pode começar desde agora, já que seu bebê é pequeno e ainda não entende o que você diz. Assim como a mãe biológica fala sobre o dia em que seu bebê nasceu, você pode falar acerca do dia em que o trouxe para casa: "Foi o melhor dia de nossas vidas!" Ao brincar e conversar com o bebê, você pode dizer: "Estou tão feliz de ter adotado você", e "Tivemos sorte de poder adotar um bebê tão lindo quanto você". Embora a criança não seja capaz de entender, mesmo nos termos mais simples, o que significa "adoção" antes de ter três ou quatro anos, o contato precoce com esse conceito fa-lo-á parecer natural, e tornará a sua explicação, quando vier, menos ameaçadora e mais fácil de suportar.

CAPÍTULO 22

Os Primeiros Dias Após o Parto

O QUE VOCÊ PODE ESTAR SENTINDO

Todas estas decorrências físicas e emocionais do parto poderão fazer-se sentir em um ou outro momento da primeira semana após o parto; senão, você poderá sentir apenas algumas delas. É possível também que você apresente alguns sintomas menos comuns. Comunique quaisquer sintomas incomuns ou severos a uma enfermeira do hospital ou ao seu médico.

Fisicamente:

- Arrepios, fome e sede nos minutos imediatamente seguintes ao parto.
- Corrimento vaginal sangrento (lóquios), adquirindo tonalidade rósea e depois marrom no decorrer da primeira semana.
- Cólicas abdominais mesmo depois das primeiras 24 horas.
- Incômodo e/ou dor e insensibilidade no períneo, no caso de um parto pela vagina (especialmente se você tiver tomado pontos).
- Exaustão, sobretudo se o parto tiver sido prolongado ou difícil.
- Dor no corte e, depois, insensibilidade na mesma região, no caso de um parto cesáreo (especialmente se tiver sido o primeiro).
- Incômodo ao sentar e andar, se você tiver tomado pontos.
- Dores generalizadas pelo corpo, se você tiver feito força por bastante tempo.

- Vasos capilares arrebentados (nos olhos, no rosto), se o parto tiver sido prolongado ou difícil.
- Dificuldade para urinar por um ou dois dias.
- Dificuldade e incômodo para defecar nos primeiros dias; constipação.
- Hemorróidas.
- Uma febre baixa logo após o parto, talvez devida à desidratação.
- Exsudação excessiva nos primeiros dias; sudorese noturna.
- Ondas de calor.
- Arrepios nos primeiros dias.
- Incômodo e ingurgitamento dos seios entre o segundo e o quinto dia após o parto (às vezes mais tarde).
- Mamilos doloridos ou rachados, caso você esteja amamentando, depois de vários dias de amamentação.
- Retenção de líqüidos e inchaço nos primeiros dias de amamentação.

Emocionalmente:

- Entusiasmo, depressão, ou ambos alternadamente.
- Sentimentos de inadequação e medo frente ao papel de mãe, ou relativos à amamentação, se você estiver dando de mamar.
- Frustração, se você ainda estiver no hospital e tiver vontade de ir para casa.
- Pouco interesse pelo sexo, ou, o que é menos comum, intensificação do desejo (mas o coito não será permitido pelo médico até três semanas depois do parto, ou, mais comumente, seis semanas).

O QUE VOCÊ PODE ESPERAR DO SEU EXAME NO HOSPITAL

Os procedimentos específicos variam de acordo com o hospital e o médico, mas, de maneira geral, você pode esperar que as seguintes coisas sejam verificadas imediatamente após o parto:

- A placenta e as membranas amnióticas, para saber se foram inteiramente eliminadas.
- A localização e a firmeza do fundo do útero.
- Seus níveis de ansiedade, excitação e inquietação.
- Seu pulso e pressão sangüínea (de início, seu pulso estará acelerado e sua pressão alta, ambos devidos à excitação e ao exercício; mas devem voltar ao normal em poucas horas).

É provável que, nas horas seguintes ao parto, e com menor freqüência ao longo de toda a sua estada no hospital, as seguintes coisas sejam periodicamente verificadas:

- Sua pulsação, pressão sangüínea e respiração.
- Sua temperatura (que pode estar ligeiramente alta ao longo das primeiras 24 horas após o parto, geralmente devido a uma desidratação).
- A localização do fundo do útero (o qual fica acima da altura do umbigo por um ou dois dias, e depois começa a descer; deve estar no meio do abdome — se estiver deslocado para a direita, examinar-se-á a bexiga para verificar se está inchada).
- A firmeza do fundo do útero (se estiver macio, será massageado para ajudar a expelir os coágulos).
- O períneo, quanto à cor e ao estado dos pontos, se houver.
- Os lóquios, quanto à sua quantidade e intensidade do fluxo (se for excessivo de início, será cuidadosamente monitorado para verificar se o fluxo diminui; se parecer jorrar, o médico procurará uma possível laceração) e cor.

- A bexiga, para ver se está inchada.
- Os seios, para verificar se o leite desceu e o estado dos mamilos.
- As pernas, em busca de sinais de trombose (coágulos sangüíneos nas veias).
- O corte, em caso de operação cesariana.
- Os efeitos secundários dos medicamentos, se houver.

O médico também lhe perguntará:

- Se você urinou, se está urinando regularmente, se sentiu queimação ou incômodo ao urinar.
- Se você já defecou, caso esteja há mais de um ou dois dias no hospital, e se as defecações já voltaram ao ritmo regular.
- Se você está sentindo alguma dor ou incômodo.

Provavelmente, você receberá instruções sobre:

- O cuidado da região do períneo.
- Os cuidados pós-cirúrgicos, incluindo o cuidado do corte, se você tiver sofrido uma operação cesariana.
- Exercícios simples para o período após o parto.
- Amamentação e cuidados com os seios, caso você esteja amamentando.
- Cuidados com os seios, caso não esteja amamentando.
- Cuidados básicos com o bebê.

Se necessário, podem ser prescritos medicamentos contra constipação, dores ou infecções, ou para fazer secar o leite, caso você não esteja amamentando.

O QUE VOCÊ DEVE COMER: Sobrevivendo à Comida do Hospital

As revistas de medicina já noticiaram casos de pacientes seriamente doentes, especialmente os que se recuperavam de cirurgias complexas, morrendo de fome devido à comida hospitalar. É improvável que você morra de fome na enfermaria de pós-parto; mas, na maioria dos hospitais, não é fácil compor uma refeição nutritiva a partir das opções oferecidas — para consegui-lo, você precisará examinar cuidadosamente o menu.

Dependendo da hora em que o bebê nascer e da prática do hospital, é possível que você possa escolher suas primeiras refeições hospitalares. Se elas já tiverem sido escolhidas para você, não se esqueça de que a escolha pode ter sido feita sem levar em conta o fato de que você é uma mãe que acabou de dar à luz e tem determinadas necessidades dietéticas, sobretudo se estiver amamentando. Portanto, prepare-se para o pior, e ponha alguns lanches nutritivos na bolsa que levar para o hospital. Eis algumas coisas boas para levar: bolos ou bolinhos de farinha integral adoçados com suco de frutas, para matar sua fome de doces e proporcionar um pouco de massa que já a coloque a caminho da regularidade intestinal; alguns cítricos ou outras frutas frescas, ou passas, ou outras frutas secas, que também proporcionam fibras, além de vitaminas e minerais; um pote de germe de trigo a ser polvilhado sobre as massas, panquecas e outros alimentos feitos de cereal refinado que aparecerem na sua bandeja; um ou dois pacotes de leite em pó desnatado, a ser acrescentado aos mingaus ou ao café a fim de suplementar o seu consumo de leite líqüido; um pequeno frasco de farelo de cereais, para o caso de seus intestinos precisarem de um incentivo especial. Converse com o pessoal do hospital para saber se há uma geladeira dos pacientes onde você possa guardar alimentos trazidos de casa — e não se esqueça de marcá-los com seu nome e o número do seu quarto.

É claro que suas necessidades dietéticas especiais não devem interpôr-se entre você e aquela comemoração do pós-parto que você tem desejado ardentemente. Seja qual for o regalo que você tanto quer — um *sundae* com calda de chocolate, um sanduíche de queijo-creme com salmão defumado, um bolo de sorvete, trufas com chocolate importadas —, você já o fez por merecer. Peça-o especialmente a alguém da família ou a uma amiga.

Quando você tiver nas mãos o cardápio do hospital, estude-o cuidadosamente por algum tempo e leve estes pontos em consideração antes de fazer sua escolha:

Você precisa de leite (ou outra fonte de cálcio) para produzir leite. Se você não ingerir cinco porções por dia enquanto estiver amamentando, o mais provável é que o cálcio necessário à produção de leite seja obtido dos seus próprios ossos, tornando-a uma excelente candidata à osteoporose em anos futuros. Não é muito difícil obter essas cinco porções no hospital. Peça ao menos um copo de leite a cada refeição (todos os hospitais podem fornecer-lhe leite desnatado ou semidesnatado se você pedir). Complete sua cota diária tomando mais leite na hora do lanche ou comendo o equivalente em outros alimentos ricos em cálcio, como queijo (35 g de queijo suíço, 45 g de Cheddar ou 60 g de mozarela equivalem a uma xícara de leite), iogurte (uma xícara), verduras verde-escuras (duas xícaras de brócolis ou uma xícara e meia de couve), tofu enriquecido com cálcio (240 g). Se você não gosta de tomar muito leite puro, enriqueça os mingaus (quentes ou frios), a sopa ou o café com leite em pó desnatado trazido de casa. Cada 1/3 de xícara que você acrescentar é uma xícara de leite a menos que você tem que beber. Se você, por alguma razão, não consome laticínios, utilize fontes de cálcio não derivadas do leite, e tome um suplemento de cálcio para garantir. Se você toma leite de cabra, certifique-se de que o mesmo seja pasteurizado e não deixe de tomar um preparado vitamínico para lactantes.

Você precisa de bastantes fibras para ativar os intestinos. Sem falar nas vitaminas e sais minerais necessários para apressar sua recuperação geral. Para ter certeza de estar ingerindo tudo isso, deixe o lápis passar em branco pelos pães e roscas feitos de farinha branca que houver no cardápio, e marque o seu X ao lado do "trigo integral" em todas as refeições (ou, se não houver trigo integral no cardápio, peça-o numa nota anexa). Escolha cereais integrais (por exemplo mingau de aveia ou de trigo moído) no café da manhã, prefira o bolinho de fibra ao pão de farinha branca, ameixas secas em vez de pudim de ameixa, uma maçã fresca a purê de maçã. Se o pão de "trigo integral" do hospital for evidentemente um pão comercial feito em sua maior parte com farinha branca, peça a uma das bem-intencionadas visitas que traga um espécime do pão verdadeiro (para refazer os sanduíches de atum ou acompanhar os ovos mexidos). Se não houver cereais integrais no cardápio, enriqueça os cereais servidos com germe e/ou fibra de trigo tirados de sua própria bolsa.[1] Se as ameixas secas forem adoçadas com açúcar e não houver frutas frescas, peça que lhe tragam algumas de casa.

Você precisa de proteínas para recuperar e conservar as forças e para produzir leite. Não é difícil ingerir o suficiente. Mesmo amamentando, uma única porção de 90 g de carne de vaca, aves ou peixe, 3 ovos, 3/4 de xícara de ricota, ou uma combinação protéica vegetariana completa (cereais e leguminosas por exemplo) na hora do almoço e outra ao jantar — e mais o leite — supre facilmente suas necessidades protéicas, que estarão reduzidas a três porções, comparadas às quatro de que você precisava durante a gestação. Se não estiver amamentando, você só precisa de duas porções. Se quiser começar desde já a perder os quilinhos a mais que ganhou durante a gravidez e ter menos problemas para digerir seu alimento, renuncie aos pratos fritos ou com muito molho.

1. Se você usar farelo de trigo, lembre-se que ele faz diminuir a absorção do cálcio que se toma junto com ele, e que não é capaz de desempenhar sua função sem bastante líqüidos que o conduzam através do aparelho digestivo e do intestino.

Você precisa de vitaminas e minerais, especialmente de vitamina C, para a cicatrização. A cada dia, peça uma salada e pelo menos um legume cozido (de preferência uma verdura ou um legume amarelo), além de frutas frescas e um suco de frutas. Tome cuidado com as compotas cheias de xarope de glicose e com as frutas enlatadas, ricas em açúcar mas pobres em nutrientes. Quanto à vitamina C, coma frutas cítricas, morangos, melão, pimentão vermelho ou verde e couve-flor ou brócolis que não tenham sido cozidos a ponto de perder sua identidade nutricional. Se não encontrar no cardápio do hospital o que estiver procurando, faça com que lhe tragam "pacotes de socorro" de casa ou da quitanda mais próxima.

Você precisa de ferro para repor o que perdeu juntamente com o sangue durante e depois do parto. Tome o mesmo suplemento de ferro que tomou na gestação ou outro recém-recomendado pelo médico, mas tente comer, além disso, alguns alimentos ricos em ferro. Mesmo se você não costuma comer carne vermelha com freqüência, peça bife ou mesmo fígado em pelo menos uma refeição e belisque algumas frutas secas entre as refeições. Caso você prefira fontes de ferro que não sejam a carne vermelha, examine o cardápio à procura de grão-de-bico ou outros feijões ou ervilhas, espinafre ou sardinhas. E continue tomando o suplemento de ferro que tomou na gestação.

Você precisa de líqüidos. Um consumo suficiente de líqüidos servirá para ajudá-la a urinar e evacuar mais cedo e com maior facilidade, estimulará a produção de leite e reporá os líqüidos corporais perdidos pela transpiração do pós-parto. Além do leite (que só contém dois terços de líqüido), tome sucos de frutas e legumes (se os oferecidos pelo hospital não a animarem, peça algo que a agrade — uma garrafa de cidra espumante, por exemplo, ou um suco de morango e maçã), tome sopas e peça que uma jarra de água seja deixada ao lado de sua cama.

Você não precisa de calorias vazias. Por mais que você esteja tentada a experimentar todas as sobremesas do cardápio hospitalar, não se esqueça de que cada caloria vazia consumida agora faz uma de duas coisas: ou toma o lugar de uma caloria nutritiva de que você precisa para se recuperar (e para produzir leite, se estiver amamentando), ou, somada a todas as calorias nutrimentais de que você precisa, contribui para lhe dar mais calorias do que deve consumir, se quiser começar a perder o peso ganho na gravidez. Conceda-se não mais que uma sobremesa desnutritiva por dia durante sua estada no hospital, escolhendo aquelas que lhe parecerem realmente necessárias para viver feliz. Quando tiver escolha, opte por sorvetes, cremes ou pudins (que ao menos contêm algo de cálcio e proteínas), desdenhando os bolos, bolinhos e massas. (De qualquer maneira, é provável que as sobremesas a decepcionem: elas não são iguais às que você come no seu restaurante favorito ou faz em casa.) Entre esses excessos, mate sua fome de doces com alguns bolinhos adoçados com suco de frutas, comprados na loja de produtos naturais.

O QUE PODE ESTAR PREOCUPANDO VOCÊ

SENSAÇÃO DE FRACASSO

"Por nove meses fiquei imaginando como seria meu parto: natural, amoroso, cheio de paz. No fim, não foi nada disso. Minha decepção e sensação de fracasso são tão grandes que tenho chorado quase o tempo todo desde que meu filho nasceu, há dois dias."

Há cem anos, quando todos os partos eram "naturais", as mulheres ficavam cheias de gratidão simplesmente por sobreviver ao parto. Hoje, os partos seguros são tão rotineiros que quase não se lhes reconhece mais o valor. E, para além do bom resultado físico, muitas mulheres passaram a esperar, e até a exigir, certas satisfações emocionais. Quando não as obtêm, elas experimentam uma sensação de decepção e fracasso.

Em parte, o problema decorre daqueles livros e cursos que dão aos casais uma preparação pouco realista para o parto, pondo mais ênfase na "experiência" em si do que no resultado. Embora a educação para o parto possa fazer muita coisa para ajudar os casais a participarem e lidarem com esse momento, pode também, às vezes, dar-lhes a noção de que o parto é uma prova na qual se obtém sucesso ou se fracassa. Depois, se o grande momento acaba não sendo semelhante ao glorioso clímax da gestação que elas testemunharam em filmes e sobre o qual leram nos livros — se elas aceitaram uma gota de ocitocina para estimular as contrações depois de 20 horas de infrutífero trabalho de parto, se gritaram palavrões em vez de ofegar com a serenidade de Nossa Senhora, se suas vontades e seus corpos foram feridos pelo bisturi utilizado numa episiotomia ou numa cesariana —, essas mulheres (e, muitas vezes, seus maridos) sentem que fracassaram.

Mas isso não é verdade. Pois o critério supremo pelo qual se pode avaliar o sucesso de um parto são uma mãe e um bebê saudáveis. O desempenho da mulher ao longo dos nove meses de gestação — o modo como se alimenta, bebe e cuida do próprio corpo — é muito mais importante que o que ela faz naquelas 14 horas, mais ou menos, de parto. E é desperdício passar os preciosos momentos da nova maternidade lamentando o que não aconteceu.

Um parto que realize todas as suas expectativas é o ideal, e talvez você o tenha se houver uma próxima vez. Mas sua importância é desprezível quando comparada àqueles três quilos ou três quilos e meio de bebê sadio que estão no berço ao lado da sua cama. Qualquer parto (e qualquer casal de pais) que tenha produzido o seu especialíssimo recém-nascido não pode (e não deve) ser considerado um fracasso.

CÓCCIX QUEBRADO

"Fiquei muito impressionada quando meu médico me disse que meu cóccix se quebrara durante o parto. Eu nunca ouvira falar desse tipo de ferimento."

É provável que você nunca tenha ouvido falar da quebra do cóccix por tratar-se de uma intercorrência muito rara. Mas, como você agora sabe, ela acontece. São mais comuns os ferimentos nos músculos da base da pelve, que podem resultar em espasmos musculares e dores na área. Ambas as intercorrências podem causar o que se chama, em medicina, coccigodinia, ou seja, dor na região do cóccix, na base da coluna. A maioria das mulheres constata que a dor é mais forte quando elas estão sentadas sobre uma superfície dura ou fazendo força (e não simplesmente sentadas) no banheiro. Deitar-se ou sentar-se sobre uma almofada ou anel de borracha (uma "rosquinha") são coisas que geralmente proporcionam alívio.

O tratamento pode consistir em aplicações de calor e massagem nas nádegas para relaxar a área, e, talvez, massagem intrapélvica. Com o tratamento, a dor diminui aos poucos e geralmente passa depois de um ou dois meses.

OLHOS ROXOS E INJETADOS

"Meus olhos ficaram injetados depois do parto, e agora parece que estou começando a ficar com olheiras roxas."

O parto é capaz de fazer uma mulher parecer ter saído de uma máquina de espremer roupas, ou de um ringue de boxe. A força feita durante um difícil e prolongado período de expulsão pode provocar o rompimento de pequenos vasos sangüíneos dentro e ao redor dos olhos, fazendo com que estes fiquem injetados ou até roxos. A probabilidade de isso ocorrer é maior quando a mulher prende a respiração no ápice de uma contração e a pressão aumenta em sua cabeça. Se sua aparência lhe dá arrepios toda vez que você chega perto de um espelho, ou se você tem medo que as visitas se assustem ao ver seus olhos roxos, passe algum tempo escondendo-se por trás de óculos ligeiramente escuros.

Não deixe, é claro, de conversar sobre o assunto e um possível tratamento com o seu médico. Na maioria dos casos, compressas frias aplicadas por 10 minutos diversas vezes ao dia proporcionam alívio e podem até apressar a recuperação; nos casos extremos, pode ser necessária uma consulta com o oftalmologista.

Dentro de alguns dias ou semanas, você poderá guardar os óculos escuros. Até lá, não se sinta envergonhada — os olhos de todos estarão voltados para o bebê, e não para os seus olhos.

CÓLICAS ABDOMINAIS

"Tenho tido dores no abdome semelhantes a cólicas, especialmente ao dar de mamar."

Depois de horas e horas de parto, a última coisa que você gostaria de sentir são mais contrações; provavelmente, porém, é isto que você está sentindo. Essas cólicas uterinas são aparentemente causadas pelas contrações normais que o útero efetua após o parto, à medida que ele procede às importantes tarefas de fechar os vasos sangüíneos rompidos pela separação da placenta e voltar ao tamanho e à localização que tinha antes da gravidez. A probabilidade de ter cólicas é maior, e a dor mais intensa, nas mulheres cuja musculatura uterina está com baixo tônus devido a partos anteriores ou excessivo estiramento (como no caso de gêmeos); muitas mães de primeira viagem sequer as sentem. Essas cólicas tendem a ser mais fortes durante a amamentação, pois a sucção estimula a produção de oxitocina, hormônio que estimula as contrações.

Se a dor for intensa a ponto de lhe atrapalhar o sono, ou se a tensão por ela causada prejudicar a amamentação, é possível que lhe prescrevam um analgésico suave. Não hesite em tomá-lo; tal medicamento não afeta o bebê, pois não passa para o colostro em quantidade significativa, e pode ajudá-la. A dor deve cessar naturalmente depois de dois a sete dias. Se não cessar, ou se o analgésico não a aliviar, fale com o seu médico.

DOR NO PEITO

"Dei à luz ontem — depois de um período expulsivo de três horas —, e hoje sinto dor no peito ao respirar. Há algo errado?"

Depois de fazer 3 horas de exercícios, você não ficaria surpresa de sentir dores. E você não pode se surpreender quando, depois de três horas fazendo força para ajudar o bebê a sair, você sentir os efeitos dessa atividade. O fato de este ou aquele músculo doer mais depende de quais foram os que você mais contraiu e distendeu durante as contrações; as dores podem se situar na região da caixa toráxica, nas costas, nas pernas, até nos ombros.

É claro que tais dores podem, às vezes, ser sinais de um problema mais sério — como um coágulo sangüíneo ou hemorragia interna —, e por isso devem ser prontamente comunicadas à enfermeira que está em serviço, e ao médico na primeira oportunidade. Se a dor for de fato muscular, ela deve diminuir aos poucos no decorrer dos dias seguintes. Talvez lhe sugiram a apli-

QUANDO PROCURAR O MÉDICO

Durante as seis primeiras semanas após o parto, existe sempre a possibilidade de uma complicação decorrente do mesmo. A complicação pode se manifestar por meio de um ou mais dentre os seguintes sintomas, todos os quais exigem uma consulta *imediata* ao médico:

- Hemorragia que satura mais de um absorvente por hora ao longo de algumas horas. Se você não conseguir chegar de imediato ao seu médico, peça que alguém a leve ao pronto-socorro ou ligue 192. No caminho, ou à espera da ambulância, fique deitada e deixe uma bolsa de gelo (ou uma sacola plástica bem amarrada e cheia de cubos de gelo e algumas toalhas de papel que absorvam o gelo derretido) sobre o baixo abdome (diretamente sobre o útero, se você conseguir localizá-lo, ou no foco da dor), se for possível.
- Hemorragia vermelho-viva a qualquer momento depois do quarto dia após o parto. Mas não se preocupe com uma ou outra mancha vermelha que apareça em seu corrimento, um breve episódio de hemorragia sem dor cerca de três semanas após o parto ou um fluxo maior de corrimento que se regulariza quando você diminui seu grau de atividade.
- Lóquios com mau cheiro. Eles devem ter o mesmo cheiro que um fluxo menstrual normal.
- Grandes coágulos de sangue nos lóquios. São normais, porém, um ou outro pequeno coágulo nos primeiros dias.
- Ausência de lóquios nas primeiras duas semanas após o parto.
- Dor ou incômodo na área do baixo abdome, com ou sem inchaço, depois dos primeiros dias após o parto.
- Depois das primeiras 24 horas, uma temperatura de mais de 37,8°C por mais de um dia. Logo após o parto, muitas mulheres apresentam até 38°C de febre devido à desidratação, e algumas sofrem uma febre baixa com a chegada do leite; mas estas febres não representam um problema.
- Dor aguda no peito, que pode ser sinal de um coágulo sangüíneo. Se não conseguir chegar imediatamente ao seu médico, peça que alguém lhe leve ao pronto-socorro ou ligue 192.
- Dor local, sensibilidade e calor em sua coxa ou batata da perna, com ou sem vermelhidão e dor ao flexionar o pé — que podem ser sinais de um coágulo sangüíneo numa veia da perna. Descanse com a perna elevada enquanto procura chegar ao médico.
- Um caroço ou região endurecida num dos seios depois do fim do ingurgitamento, que podem ser sinais de entupimento de um duto lácteo. Comece o tratamento caseiro (veja página 641) enquanto espera chegar ao médico.
- Dor local, inchaço, vermelhidão, calor e sensibilidade num dos seios depois do fim do ingurgitamento, que podem ser sinais de mastite, ou infecção do seio. Comece o tratamento caseiro da página 640 enquanto espera chegar ao médico.
- Inchaço localizado e/ou vermelhidão, calor e emissão de pus no local do corte de uma operação cesariana.
- Dificuldade para urinar; dor ou queimação ao urinar; freqüente vontade de urinar sem resultado real; pouca urina e/ou urina escura. Beba bastante água enquanto tenta chegar ao médico.
- Depressão que afete sua capacidade de lidar com os fatos da vida, ou que não passe depois de alguns dias; sentimentos de raiva contra o bebê, especialmente se acompanhados de impulsos de violência.

cação de calor (sob a forma de banhos ou duchas quentes, ou uma bolsa de água quente) para aliviar o desconforto, ou prescrevam um analgésico.

HEMORRAGIA

"Eu sabia que teria um corrimento de sangue depois do parto, mas, quando le-

vantei da cama pela primeira vez e vi o sangue me escorrendo pelas pernas, fiquei cheia de medo."

Não se assuste. Esse corrimento de sangue, muco e tecidos residuais provenientes do útero, conhecido como loquiação (da palavra grega que significa "do parto"), em geral é tão profuso (e às vezes um pouco mais) quanto uma menstruação, nos primeiros três dias após o parto. A quantidade total pode chegar a duas xícaras antes de começar a diminuir, mas o corrimento com freqüência parece mais copioso do que realmente é. Além disso, um jorro súbito ao levantar-se da cama é comum nos primeiros dias, e não é motivo para preocupação. O corrimento é bastante vermelho de início, pois o sangue, vindo primariamente dos vasos rompidos no lugar onde ficava a placenta, é o seu principal ingrediente. À medida que progride a cicatrização e a hemorragia diminui, o corrimento aos poucos se torna cor-de-rosa aguado, depois marrom, e por fim branco-amarelado, no decorrer das duas semanas seguintes.

Para se absorver o fluxo, devem-se usar absorventes sanitários externos e *não* absorventes internos (que podem causar infecção); o fluxo pode continuar irregularmente por um tempo variável entre duas e seis semanas, e pode às vezes vir tingido por um pouco de sangue. Pode ser que pareça parar por um ou dois dias, e depois continue. As mulheres que ficam muito ativas demasiado cedo às vezes constatam uma recorrência de corrimento sangüíneo depois da primeira semana — um sinal claro de que devem diminuir sua atividade, uma vez que o exercício físico está prejudicando o processo de cicatrização. Algumas mulheres têm uma espécie de "pequena menstruação" cerca de três semanas depois do parto. Esse episódio de hemorragia sem dor é normal, desde que esta não se torne muito intensa ou prolongada e não se repita — casos em que se deve consultar o médico.

Após a primeira semana, qualquer coisa que sugere um leve sangramento deve ser comunicada ao médico, pois pode indicar que um pequeno fragmento da placenta ainda pode estar afixado à parede uterina, ou que o local onde se fixava a placenta ainda não está totalmente cicatrizado. Tanto num caso como no outro, uma dilatação e curetagem — em que o médico dilata o colo do útero e raspa os pedaços restantes de placenta da parede uterina ou os tecidos mortos do local mal cicatrizado onde ficava a placenta — geralmente faz cessar a hemorragia. Informe o médico, também, se os lóquios de cor marrom ou amarelada continuarem por mais de seis semanas, pois isto pode indicar uma infecção, especialmente quando associado à febre e/ou dores ou sensibilidade no abdome.

Tanto a amamentação como a oxitocina por via intramuscular ou intravenosa (rotineiramente prescrita por alguns médicos para após o parto) podem reduzir o fluxo dos lóquios, estimulando as contrações uterinas, e ajudar a que o útero retorne mais rapidamente ao seu tamanho normal. Alguns médicos, após o parto, massageiam suavemente o fundo do útero por algum tempo para estimular as contrações uterinas. O encolhimento do útero é importantíssimo, pois fecha os vasos sangüíneos expostos no local onde a placenta se separou do útero, e assim impede a hemorragia.

Quando o útero está demasiado relaxado e as contrações são fracas, pode ocorrer um sangramento excessivo. Isso é mais provável nos casos em que o útero foi superexigido num parto prolongado ou traumático, ou quando foi superdistendido devido a gestação múltipla, um bebê grande ou excesso de líqüido amniótico; quando a placenta se localizava num lugar incomum ou separou-se prematuramente; quando miomas impediram contrações simétricas do útero; ou quando a mãe estava num estado de fraqueza generalizada na hora do parto (devido a anemia, preeclampsia ou fadiga extrema, por exemplo).

É menos comum uma hemorragia posterior ao parto decorrente de lacerações do aparelho genital. Raramente, a hemorragia é devida a um distúrbio sangüíneo antes despercebido. Uma infecção também pode causar hemorragia logo depois ou algumas semanas depois do parto.

A maioria das hemorragias pós-parto ocorre sem dar sinais prévios, de sete a quatorze dias depois do parto. Como essa complicação do parto, ainda que relativamente rara, pode colocar a vida em risco, são essenciais um diagnóstico e tratamento imediatos. Qualquer um dos primeiros seis sintomas descritos no quadro "Quando Procurar o Médico", na página 592, podem ser sinais de uma hemorragia iminente (ou, às vezes, de infecção puerperal), e devem ser comunicados de imediato.

TROMBOFLEBITE

"Sofri uma cesariana, e o médico me instruiu a vestir meias elásticas logo ao acordar de manhã. Por quê?"

Um grama de prevenção, mesmo que venha na forma de um desconfortável par de meias elásticas, vale pelo menos um quilo de cura. Raras vezes, depois de um parto cirúrgico, um parto vaginal traumático ou um período prolongado de repouso na cama (que torna lenta a circulação sangüínea), um coágulo sangüíneo desenvolve-se numa veia da perna e a veia se inflama. As mulheres com veias varicosas são mais suscetíveis ao problema, e, às vezes, a pressão exercida pela estrutura de apoio das pernas durante o parto parece precipitá-lo. Essa afecção, chamada tromboflebite, é um problema do pós-parto muito mais raro hoje em dia do que há quarenta anos, quando as mulheres não tinham sequer permissão de balançar as pernas para fora da cama por pelo menos uma semana a contar do parto, e quando os partos traumáticos eram mais comuns.

Geralmente, as meias elásticas combinadas à ambulação precoce (isto é, caminhar assim que isso for seguro e conveniente após o parto) previnem o problema. Se por alguma razão (uma anestesia raquidiana, por exemplo) você ficar presa à cama por mais de oito horas depois do parto, a prática de exercícios simples com as pernas, como os descritos na página 606, ajudará a melhorar a circulação sangüínea nesses membros. Se você sentir uma dor forte ao fazer qualquer exercício, especialmente se este consistir em flexionar o pé para cima, pare e comunique o fato à enfermeira.

Há, basicamente, dois tipos de tromboflebite. Quando o coágulo se forma numa veia superficial perto da pele, os sintomas são sensibilidade e calor bem em cima da área afetada, além de, talvez, uma linha vermelha visível através da pele. A conservação das pernas em posição elevada e a aplicação de calor combinado à umidade geralmente resolvem depressa o problema. Quando o coágulo ocorre numa veia mais profunda, a região ao longo da qual a veia corre torna-se dolorida, ligeiramente inchada e bastante sensível. A flexão do pé pode causar dor na batata da perna, aparentemente porque esse movimento faz esticar a veia inflamada. Às vezes, o edema da perna pode ser muito grande. A tromboflebite de veia profunda é muito séria, uma vez que o coágulo sangüíneo pode soltar-se e atingir os pulmões; é necessário um tratamento imediato para dissolver o coágulo. A terapia geralmente consiste em: repouso absoluto mantendo-se elevada a perna afetada, meia ou atadura elástica e medicação anticoagulante para reduzir a capacidade que o sangue tem de coagular. Caso tal tratamento não obtenha sucesso, o que é raro, a veia pode ter de ser ligada cirurgicamente.

DOR NA REGIÃO DO PERÍNEO

"Não sofri episiotomia nem rotura. Por que sinto tanta dor?"

Não se pode esperar que um bebê de 3 ou 4 kg passe pelo períneo sem deixar al-

O CUIDADO DO PERÍNEO

É preciso dedicar uma escrupulosa atenção ao cuidado do períneo a fim de prevenir infecções, não só das suturas de uma episiotomia ou laceração, mas também dos aparelhos reprodutor e urinário da mulher que há pouco tempo deu à luz. Recomendam-se em geral as seguintes medidas:

- Lave as mãos *antes e depois* de usar o banheiro ou trocar um absorvente higiênico.
- Troque os absorventes pelo menos a cada quatro ou seis horas. Acomode-os direitinho para que não fiquem escorregando para a frente e para trás.
- Coloque e retire os absorventes da frente para trás, a fim de evitar trazer germes do ânus para a vagina.
- Depois de usar o banheiro, verta ou esguiche água quente (ou uma solução antiséptica, caso tenha sido recomendada pelo médico) sobre a região. Enxugue com panos de gaze, toalhas de papel ou panos esterilizados (que o hospital pode fornecer), sempre da frente para trás.
- Não toque — e não deixe que ninguém toque — a região antes de terminada a cicatrização.

Embora o incômodo tenda a ser maior no caso de uma sutura (sendo a dor possivelmente acompanhada de coceira ao redor dos pontos), estas sugestões costumam ser bem recebidas por todas as mães que acabaram de dar à luz:

- Banhos quentes de assento, compressas quentes ou exposição a lâmpada infravermelha. Se você usar a banheira para um banho de assento, chame a enfermeira imediatamente pela campainha caso você se sinta desfalecer no meio do banho. Para evitar queimaduras no uso da lâmpada infravermelha, só a use no hospital sob supervisão; em casa, use-a seguindo as instruções do seu médico.
- Loção de hamamélis gelada aplicada a uma gaze esterilizada ou uma luva de borracha cheia de gelo moído, colocados na região onde se sente o incômodo. Senão, a cada troca do absorvente, cubra-o com panos embebidos em medicamento.
- *Sprays*, cremes ou panos anestésicos; medicamentos suaves contra a dor, caso seu médico os tenha prescrito.
- Evitar as posições de pressão. Deitar de lado e evitar longos períodos de pé ou sentada podem diminuir a tensão na região. Pode ser de auxílio sentar sobre uma almofada ou anel de borracha (uma "rosca"), assim como contrair os músculos das nádegas antes de sentar.
- Exercícios Kegel (veja página 609). Faça-os tão freqüentemente quanto possível depois do parto e ao longo de todo o período puerperal, a fim de estimular a circulação na área, o que promove a cicatrização. Não se espante se, no início, você não conseguir sentir que os está fazendo; o períneo estará sem sensibilidade logo depois do parto. A sensibilidade voltará gradualmente à região no decorrer das semanas seguintes.

gumas seqüelas. Mesmo que o períneo não tenha rompido com a passagem do bebê, ele ainda assim foi estirado, batido e, de modo geral, traumatizado. O resultado normal disso é um incômodo, que vai do leve ao não-tão-leve. A cura virá mesmo com o tempo; mas, se o desconforto for muito grande, experimente um dos remédios abaixo.

"Estou com medo de que minha episiotomia esteja infeccionada. Está bastante sensível, e dói muito quando eu rio."

A dor no períneo sentida pela mulher que teve parto normal tende a ser ampliada quando o períneo se rompe ou é cirurgicamente cortado numa episiotomia e depois suturado. E embora não haja dor apenas quando você ri, provavelmente dói mais nessa situação — e também quando você tosse ou espirra. (Mas o riso, a tosse e os espirros, assim como o uso do banheiro, não são capazes de fazer abrirem-se os pontos.) Como qualquer ferimento recém-tratado, o local da episiotomia ou laceração vai levar algum tempo para cicatrizar — geralmente, de sete a dez dias. Durante esse tempo, a simples dor — a não ser quando é muito forte — não é indício de que se tenha desenvolvido uma infecção.

Em sua estadia no hospital, haverá uma enfermeira examinando periodicamente seus pontos para detectar inflamações ou outros sinais de infecção. Com a prática de uma boa higiene perineal, porém, a ocorrência de infecção é muito improvável.

LEVANTAR DA CAMA

"Já me sinto pronta a me levantar e fazer as coisas, mas a enfermeira me disse que só posso sair da cama oito horas depois do parto."

A regra de descansar na cama por seis a oito horas é uma rotina em muitos hospitais — em parte porque o corpo da mulher fez um esforço muito grande e precisa de descanso, e em parte porque é comum que, nessas primeiras horas após o parto, as mulheres sintam tonturas e até desmaios, o que pode resultar em quedas e ferimentos sérios.[2] Para que você não se machuque (e nem ao bebê, caso o esteja carregando), e dada a responsabilidade do hospital, a maioria dos hospitais obriga a um descanso de oito horas após o parto. É possível que você nem possa ir ao banheiro, tendo que, em vez disso, usar uma comadre. Se você receber sinal verde para usar o banheiro, provavelmente não poderá ir sozinha.

2. Isso se deve a uma queda súbita da pressão sangüínea, semelhante à que você pode ter sentido durante a gravidez quando se levantava de repente.

As mulheres que dão à luz à noite ou de madrugada não encontram problemas para obedecer a essa determinação — elas simplesmente dormem nas oito horas seguintes ao parto (não sem interrupções, porém, já que serão acordadas para dar de mamar ao bebê). Mas, para aquelas que dão à luz de dia, o confinamento à cama num momento em que estão cheias de vontade de ficar de pé pode ser uma provação. Não obstante, é provável que os médicos tenham razão: se você permitir-se um merecido descanso, sentir-se-á melhor e mais forte quando finalmente se levantar. A episiotomia ou sutura da laceração, se houver, já terão começado a cicatrizar ao final do período de oito horas; as dores não prejudicarão tanto o ato de andar; e sua hemorragia vaginal já terá diminuído bastante.

E pense nisto: é possível que muito tempo se passe antes que você possa novamente se dar ao luxo de saborear um período de oito horas contínuas estendida na cama. Aproveite enquanto pode.

DIFICULDADE PARA URINAR

"Já dei à luz há várias horas, e ainda não consegui urinar."

Durante as primeiras 24 horas após o parto, muitas mulheres sentem dificuldade para urinar. Algumas não sentem vontade; outras a sentem, mas não conseguem satisfazê-la. Ainda outras conseguem urinar, mas não sem dor e queimação. Há uma série de fatores que podem retardar o reestabelecimento do funcionamento normal da bexiga depois do parto:

- A capacidade volumétrica da bexiga aumenta porque, tendo o útero fora do caminho, ela repentinamente fica com mais espaço para se expandir — assim, a necessidade de urinar pode ser menos freqüente.

- A bexiga, batida ou de algum outro modo traumatizada durante o parto devido ao excesso de pressão, pode ter ficado temporariamente paralizada. Mesmo cheia, ela pode não enviar os sinais costumeiros que desencadeiam o esvaziamento.
- Os medicamentos ou a anestesia podem diminuir a sensibilidade da bexiga ou a sensibilidade da mãe aos sinais por ela emitidos.
- O baixo consumo de líqüidos e a perda de líqüidos pela transpiração podem combinar-se com uma insuficiente ingestão de líqüidos no pós-parto, causando desidratação. O resultado: pouca urina a excretar.
- A dor na região do períneo pode causar espasmos reflexos na uretra (o tubo que conduz a urina da bexiga), tornando difícil a micção. Também o edema do períneo pode dificultá-la.
- A urina pode fazer queimar o sensível local de uma episiotomia ou sutura de laceração, fazendo com que a mulher relute em urinar. Esse fator pode ser abrandado se a mulher, ao urinar, ficar de pé com as pernas abertas apoiadas de cada um dos lados do vaso sanitário, de modo que a urina desça diretamente, sem encostar nos tecidos sensíveis.
- Um grande número de fatores psicológicos podem também inibir a capacidade de urinar — falta de privacidade, medo de que o esvaziamento da bexiga cause dor, embaraço ou incômodo para usar uma comadre ou precisar de ajuda no banheiro.

Apesar de todos esses fatores contrários, é essencial que a bexiga seja esvaziada depois de 6 a 8 horas — para evitar infecções do aparelho urinário, perda de tônus muscular na bexiga devido ao excesso de distensão e hemorragia, devido ao fato de a bexiga superdistendida interferir na descida do útero para sua posição normal. Tenha certeza, portanto, de que, a cada turno de enfermagem, a enfermeira lhe perguntará pelo menos uma vez se você já urinou. É possível que peçam que esvazie sua bexiga pela primeira vez num recipiente, para que possam medir a quantidade. E poderão examinar-lhe a bexiga a fim de verificar se ela não ficou distendida pela ausência de micção.

Se você não tiver urinado depois de 8 horas do parto, é possível que sua bexiga seja esvaziada por um catéter (um tubinho inserido na uretra). As medidas seguintes podem ajudá-la a liberar a urina e evitar a cateterização (ou, se você foi cateterizada após uma cesariana, ajudá-la a retomar a função urinária depois de retirado o catéter):

Dê um passeio. Levantar da cama e dar uma volta, assim que você puder depois do parto, pode ajudá-la a esvaziar a bexiga (*e* os intestinos).

Beba algo. Um consumo suficiente de líqüidos também ajudará a ativar sua bexiga.

Faça sozinha. Se você tem vergonha do público e sente que é capaz de fazer sozinha, peça à enfermeira que espere fora do quarto quando você tentar urinar pela primeira vez. Ela pode reunir-se a você quando você tiver terminado, para dar-lhe uma demonstração dos cuidados a tomar com o períneo e ajudá-la, se necessário, a voltar para a cama.

Deite-se com a comadre. Perca toda inibição e procure convencer-se a usar a comadre se você estiver fraca demais para ir ao banheiro, caso os regulamentos do hospital exigirem que as mães recentes fiquem na cama pelas primeiras oito horas depois do parto, ou se sua bexiga preferir esvaziar-se gota a gota. Sentar no urinol (se for de metal, peça que o aqueçam) pode facilitar a micção, pois você pode usá-lo no exato momento em que sentir vontade. Talvez seja vantajoso garantir a sua privacidade (se você está num quarto com mais mulheres, peça que seja cerrada a cortina ao redor de sua cama), verter um pouco de água morna sobre a região do períneo, ligar uma torneira no seu quarto e sentar-se em vez de deitar sobre a comadre.

Faça a quente ou a frio. Esquente a região com um banho de assento ou gele-a com bolsas de gelo — o que for melhor para lhe induzir a vontade.

Tente o truque da torneira. A água correndo na pia realmente tem o dom de estimular sua própria torneira a abrir. O mesmo efeito decorre de verter água morna sobre a região do períneo.

EVACUAÇÃO

"Dei à luz há quase uma semana e ainda não evacuei. Acho que o medo de que os pontos da episiotomia se abram está me deixando constipada."

A primeira evacuação depois do parto é um dos momentos mais importantes do puerpério, e não ocorre tão cedo quanto muitas mulheres gostariam.

Vários fatores, tanto físicos como psicológicos, podem atrasar a normalização do funcionamento intestinal após o parto. Em primeiro lugar, os músculos abdominais que colaboram para a eliminação das fezes se distendem durante o parto, diminuindo sua eficácia nessa função. Em segundo lugar, é possível que o próprio intestino, como acontece com a bexiga, seja traumatizado durante o trabalho de parto e o nascimento, o que o deixa preguiçoso. Por fim, ele pode estar relativamente vazio devido ao aumento de sua atividade no começo do trabalho de parto (talvez com diarréia), a um possível enema anterior ao parto e alguma evacuação durante o mesmo, e, talvez, à falta de apetite no período imediatamente posterior ao parto, resultante de excitação ou exaustão.

É possível que sejam psicológicos os mais poderosos fatores a inibir a atividade intestinal depois do parto: o medo de que os pontos se abram; o embaraço decorrente da falta de privacidade no hospital; e a pressão no sentido de que o intestino funcione.

Embora a regulação do sistema digestivo quase nunca seja instantânea ou realizada sem esforço, há várias medidas que você pode tomar para torná-la mais fácil e rápida:

Não se preocupe. Nada colabora tanto para paralisar o seu intestino como a preocupação com o seu funcionamento. Não tenha medo de que os pontos se abram — isso não ocorrerá (embora se tenha às vezes a sensação de que eles se romperão). E não se preocupe se alguns dias se passarem antes que os seus "encanamentos" voltem ao funcionamento normal — simplesmente, o processo é mais demorado em algumas mulheres do que em outras.

Prefira alimentos menos delicados. Escolha, no cardápio do hospital, os cereais integrais, frutas e legumes frescos e ameixas cozidas, se for possível. Suplemente-os com alimentos estimulantes do intestino trazidos de fora do hospital. Podem ajudar: maçãs, uvas passas, ameixas e outras frutas secas, nozes, bolinhos e preparados de fibra de cereais e a própria fibra de trigo crua. Mas tome cuidado com o chocolate. Esse clássico presente aos pacientes hospitalares tende a provocar constipação.

Deixe vir os líqüidos. Para compensar os líqüidos perdidos durante o parto e para amolecer as fezes, se você estiver constipada, você precisa aumentar o consumo de líqüidos — especialmente água e sucos de frutas. Mas só recorra ao suco de ameixa se nada mais der certo, pois um copo de suco de ameixa é um laxante fortíssimo.

Tire o bumbum da cama. Não precisa correr uma maratona no dia seguinte ao parto, mas você deve ser capaz de dar pequenos passeios pelos corredores. Um corpo ativo produz intestinos ativos. Os exercícios Kegel, que podem começar a ser feitos pouco depois do parto, ajudam a tonificar o reto.

Atenda aos chamados da natureza. Assim que a natureza chamar, tente responder imediatamente, mesmo que esteja dando de mamar (ponha o bebê de volta no berço) ou com o quarto cheio de visitas (se você quiser mais privacidade, peça que eles se retirem por alguns minutos; senão, use o banheiro do saguão).

Não faça força. Fazer força no banheiro não é algo que possa abrir os pontos de uma episiotomia ou laceração, mas pode produzir ou agravar as hemorróidas. Coloque os pés sobre um banquinho ou caixa baixa para simular a posição de cócoras (que é a posição natural para a movimentação dos intestinos), e evite fazer força.

É também possível que o médico recomende um laxante para adiantar as coisas.

Depois da primeira evacuação, é provável que você solte um grande suspiro de alívio. Mas lembre-se de que a constipação pode retornar se, depois que for para casa, você relaxar e ignorar estas medidas preventivas. É possível que as primeiras evacuações sejam anormalmente incômodas; mas, à medida que as fezes se tornarem menos duras e seu ritmo se regularizar, o incômodo passará.

HEMORRÓIDAS

"Por nove meses, escapei das hemorróidas. Agora, depois do parto, tive um ataque repentino."

As hemorróidas (que se assemelham a um cacho de uvas ou bolinhas de gude) são, na verdade, veias varicosas do reto ou do ânus. Podem causar dor, coceira e/ou queimação, e às vezes sangram. As hemorróidas internas se localizam no alto do reto, as externas na pele, ao redor do esfíncter anal.

É freqüente que as hemorróidas se desenvolvam durante a gravidez, particularmente no último trimestre. O parto, devido à extrema pressão exercida sobre o reto e o ânus durante as contrações, pode agravá-las ou mesmo produzi-las pela primeira vez. Nas mães que não tinham hemorróidas antes da gravidez, os incômodos sintomas geralmente diminuem ou desaparecem depois do período imediatamente posterior ao parto. Enquanto isso não ocorre, as seguintes medidas podem ajudar a minimizar o incômodo e apressar a cura:

- Mantenha a regularidade. A constipação agrava as hemorróidas; por isso, não deixe de seguir as dicas dadas na página 519 para evitá-la. Em alguns casos, o médico pode recomendar um laxante. (*Não* tome óleo mineral, que pode roubar os nutrientes do seu corpo.)
- Faça aplicações de calor ou frio, o que lhe der mais alívio. Geralmente recomendam-se banhos de assento mornos de cerca de vinte minutos, mas algumas mulheres acham que as bolsas de gelo ou compressas geladas de loção de hamamélis têm um efeito melhor. Você também pode alternar os tratamentos a quente e a frio.
- Mantenha a região do períneo escrupulosamente limpa. No começo, lave a região com água depois de cada evacuação, usando uma garrafa especial (uma garrafa plástica de apertar, geralmente fornecida pelo hospital, para manter limpa a região do períneo). Quando você puder começar a limpar-se com papel, use papel higiênico branco (que irrita menos que o colorido) e sem cheiro, umedecido, e limpe da frente para trás.
- Durma ou descanse deitada de lado, e não de costas, e evite ficar por longos períodos de pé (o que não seria, de qualquer modo, uma boa idéia neste momento) ou mesmo sentada (quando você se sentar, use um anel de borracha se isso colaborar para o seu conforto).
- Faça os exercícios Kegel (página 609) para melhorar a circulação na região.
- Use supositórios ou anestésicos tópicos, de acordo com as recomendações do médico.
- Se as hemorróidas se projetarem, peça à enfermeira que lhe mostre como recolocá-las no lugar.

Se a hemorragia e/ou o incômodo permanecerem apesar de todos os seus esforços, fale com o médico para que ele verifique a existência de qualquer afecção mais séria e veja se não será necessária uma terapia mais radical para acabar com suas hemorróidas.

TRANSPIRAÇÃO EXCESSIVA

"Tenho acordado à noite encharcada de suor. Isso é normal?"

Aquilo que o médico pode às vezes chamar de diaforese, mas que usualmente é designado como suor, é uma das maneiras pela qual o seu corpo, no puerpério, se livra dos líqüidos acumulados durante a gestação (a micção freqüente é outra maneira). Em certos casos, a transpiração pode continuar sendo um problema por várias semanas — às vezes acompanhadas de ondas de calor e/ou arrepios — devido aos ajustes hormonais do pós-parto. Embora tais sintomas não devam causar-lhe preocupação, não deixe de repor, pelo aumento da ingestão de líqüidos, os fluidos essenciais perdidos através da pele, sobretudo se você estiver amamentando. Se você sua principalmente na cama, uma toalha absorvente colocada sobre o travesseiro pode ajudar.

Depois que você voltar para casa, convém tomar a própria temperatura se você estiver suando demais, e, como precaução, comunicá-la ao médico se for superior a 37,8ºC (medida oral).

INGURGITAMENTO DOS SEIOS

"Meu leite finalmente chegou, e meus seios estão com um tamanho três vezes superior ao normal — e tão duros, ingurgitados e doloridos que quase não agüento colocar um sutiã. É isso que devo esperar até desmamar meu filho?"

Se durante todo o período de amamentação as mães ficarem com seios doloridíssimos, duros como granito e do tamanho dos de uma dançarina oriental, a maioria dos bebês seriam desmamados antes de entrar na segunda semana de vida. O ingurgitamento que chega junto com o leite pode temporariamente tornar a amamentação uma experiência dolorosa para a mãe e, devido ao fato de os mamilos serem achatados pelo inchaço, frustrante para o bebê. O estado pode ficar mais grave quando o bebê não é levado ao peito nas primeiras 24 a 36 horas após o nascimento.

O ingurgitamento ocorre de modo mais ou menos repentino, geralmente no decorrer de algumas horas, no mais das vezes no terceiro ou quarto dia após o parto, mas pode ocorrer já no segundo ou só no sétimo dia. Causa mais incômodo em algumas mulheres do que em outras, é mais severa com o primeiro filho e, nos bebês subseqüentes, ocorre mais tarde do que ocorreu com o primeiro. Algumas mulheres de sorte não sentem qualquer incômodo ou ingurgitamento perceptível quando o leite chega, especialmente se estiveram dando de mamar regularmente desde o começo.

Felizmente, o ingurgitamento e seus desalentadores efeitos desaparecem depois de alguns dias. Até então, você pode usar o calor ou o frio (algumas mulheres obtêm auxílio com bolsas de gelo, outras com chuveiros ou compressas quentes), ou um analgésico suave recomendado pelo médico. Uma bomba de tirar leite ou a retirada manual do leite podem ajudar o leite a descer e a aliviar o ingurgitamento o suficiente para que o bebê abocanhe o mamilo a fim de sugar. Também o uso de um *spray* nasal de oxitocina, prescrito pelo médico, ou a aplicação de compressas quentes imediatamente antes da mamada para estimular a descida do leite, podem proporcionar alívio.

Não ceda, porém, à tentação de "pular" mamadas ou dar menos leite que o suficiente, devido à dor. Quanto menos o bebê sugar, mais ingurgitados ficarão os seus seios — e quanto mais você der de mamar, tanto mais rapidamente diminuirá o ingurgitamento. Se o bebê não mamar com vigor suficiente para aliviar o ingurgitamento de ambos os seios a cada mamada, use uma bomba de extração para fazê-lo você mesma.

"Acabei de ter meu segundo bebê. Meus seios estão muito menos ingurgitados do que da primeira vez. Isso significa que vou ter menos leite?"

É comum que, na segunda gestação e nas posteriores, os seios se ingurgitem menos. É possível que, devido ao fato de eles já terem passado por todo esse processo, os seios tenham menos dificuldade para adaptar-se ao influxo de leite; ou, talvez, a mãe experiente tenha maior facilidade e consiga pôr o bebê para mamar com maior rapidez, resultando num esvaziamento mais eficiente dos seios ingurgitados.

Raras vezes, a ausência de ingurgitamento e da sensação de que o leite "desce" é indicativa de uma produção insuficiente; mas isso só ocorre com as mães de primeira vez. Muitas mulheres que não têm ingurgitamento, mesmo na primeira vez, acabam tendo uma copiosa produção de leite. Não há razão para se preocupar com a possibilidade de sua produção de leite ser insuficiente, a menos que o bebê não esteja ganhando peso como deveria (veja página 109).

SECAR O LEITE

"Não estou amamentando. Suponho que secar o leite possa causar dor."

Quer você esteja amamentando, quer não, seus seios ficarão ingurgitados (extremamente cheios de leite) em algum momento entre o segundo e o sétimo dias após o parto, em geral no terceiro ou quarto dia. Pode ser uma experiência incômoda, até dolorosa — mas felizmente é temporária.

Às vezes, usam-se medicamentos hormonais ou de outros tipos para suprimir a lactação. Estes, porém, nem sempre aliviam o ingurgitamento, e, quando o fazem, ela freqüentemente retorna uma ou duas semanas após o fim do uso do remédio. Tais medicamentos também pode ter efeitos colaterais que, embora raros, podem ser sérios. Assim, a maioria dos médicos prefere deixar que a natureza siga seu curso e o próprio corpo cuide de suprimir a produção de leite. Os seios são feitos para produzir tanto leite quanto é necessário — se você não amamenta, a produção acaba por cessar. Embora um pouco de leite possa vazar esporadicamente por vários dias ou até semanas, a pior fase do ingurgitamento não deve durar mais que 12 a 48 horas. Nessa fase, as bolsas de gelo e analgésicos suaves podem ajudar. Já as duchas e compressas quentes, embora aliviem, podem estimular a produção de leite e por isso não são convenientes. É importante usar um sutiã firme e bem ajustado até que os seios voltem ao tamanho que tinham antes da gravidez, o que pode não ocorrer antes de seis semanas após o parto.

CONFUSÃO HOSPITALAR

"Meu médico me mandou ficar na cama até o meio dia de hoje. Às nove da manhã entrou uma enfermeira e me disse para levantar-me que ela me levaria a dar uma caminhada. A quem devo obedecer?"

Num hospital, como em qualquer outra instituição, podem-se cometer enganos. É por isso que é importante que você assuma a responsabilidade por seu próprio tratamento. Se algo não fizer sentido — se você receber comunicações conflitantes, se um tratamento causar dor ou incômodo, se alguém quiser dar-lhe um medicamento que você já tomou ou disse que não queria —, ponha a boca no mundo. Se a enfermeira não for capaz de esclarecer o problema, peça para falar com a enfermeira-chefe. Se nem assim você ficar satisfeita, chame o seu médico ou parteira, ou peça uma consulta. No tocante a assuntos não ligados à medicina, descubra se o hospital tem em seu corpo de funcionários um advogado de pacientes — a maioria tem —, e peça-lhe ajuda.

A IDA PARA CASA

"Tive um parto relativamente fácil, meu filho está bem e eu me sinto ótima. Gostaria de ir logo para casa, mas todo o mundo me diz que devo ficar no hospital e descansar."

Este é um daqueles casos em que convém ouvir o que "todo o mundo" diz. O parto tem sempre suas conseqüências, por mais rápido e fácil que tenha sido. E embora você, no seu atual estado de euforia, possa não sentir que precisa descansar, é certo que mudará de idéia rapidamente se ficar muito ativa cedo demais. Antes que se passe um mês, é muito provável que sua atitude se converta de um "Por que preciso descansar?" para "O que é descanso?"

Assim, a pergunta a fazer não é se você precisa ou não de descanso — você precisa —, mas onde é mais provável que consiga descansar. Para a mulher que, ao chegar em casa, vai encontrar parentes, amigas e/ou pessoas contratadas que lhe possibilitarão manter-se tranqüila, a alta precoce pode representar uma bem-vinda libertação da rígida organização e da atmosfera relativamente impessoal da vida hospitalar. Por outro lado, para a mulher que volta para casa com o bebê nos braços e depara-se com muitas outras crianças para cuidar e nenhuma ajuda, a estada no hospital, posto que breve e imperfeita, muitas vezes representa um período idílico de paz e tranqüilidade antes do temporal.

Também é pertinente, para sua decisão, o quanto sua personalidade lhe permitirá descansar quando você chegar em casa, mesmo se encontrar vários ajudantes. Se você não é o tipo de pessoa que consegue ficar tranqüilamente deitada por alguns dias enquanto outros indivíduos lavam a sua roupa, cozinham as suas refeições e limpam a sua casa, o melhor a fazer é aproveitar as férias forçadas que o hospital impõe a suas responsabilidades domésticas.

É evidente que, embora a estadia hospitalar possa não ser necessária para você por motivos médicos, ela pode sê-lo para o bebê. E a menos que você não se importe de ficar separada dele, terá de ficar no hospital por tanto tempo quanto o médico do bebê obrigá-lo a ficar, exceto se a hospitalização dele for prolongada.

"Fiquei surpresa quando meu médico me disse que devo ir para casa 48 horas depois do nascimento do bebê. Por que tanta pressa?"

Com a alta crescente dos custos nos cuidados com a saúde, os administradores hospitalares estão revirando todos os cantinhos dos hospitais a procura de maneiras de limitá-los. Uma das maneiras mais práticas consiste em enviar para casa as mamães com seus bebês logo após o nascimento. Depois de um parto normal sem complicações, o melhor lugar para a mãe e seu bebê — pode-se alegar — é em casa. Lá se tem um ambiente conhecido, comidas prediletas (ao menos para a mamãe) e o amor da família, e não se está exposto aos germes hospitalares. Embora seja prudente ter o bebê no hospital, para o caso de algo dar errado, não é totalmente descabido sugerir que, caso tudo dê certo, a mamãe e o bebê sadio se encaminhem para casa depois de um ou dois dias.

É claro que algo pode dar errado em casa. Assim, se você tiver alta cedo, siga fielmente as instruções que o médico lhe der relativas ao seu cuidado e ao do bebê. Se perceber quaisquer sinais indicativos de que um problema possa estar se desenvolvendo em você (veja página 592) ou no bebê (veja página 77), entre *imediatamen-*

te em contato com o médico apropriado. Se lhe pedirem que leve o bebê ao médico poucos dias depois de ir para casa, não deixe de cumprir o compromisso. E lembre-se: o sinal verde para ir para casa não lhe dá carta branca para começar a fazer passeios pela cidade, esfregar o chão ou mesmo tirar o pó da sala. Se você não for com calma, é provável que se veja de volta ao hospital — e lá se vai toda aquela redução de custos.

CONVALESCENÇA DE UMA CESARIANA

"Sofri uma cesariana. Que diferenças haverá entre minha recuperação e a de uma mulher que teve parto normal?"

A convalescença de uma cesariana é semelhante à convalescença de qualquer grande cirurgia abdominal — com uma deliciosa diferença: em vez de perder uma velha vesícula biliar ou um apêndice, você ganha um bebê novinho em folha.

É claro que existe também outra diferença, um pouco menos deliciosa. Além de se recuperar da cirurgia, você também estará se recuperando do parto. Exceto por conservar o períneo perfeitamente intacto, você sentirá todos os outros incômodos puerperais que sentiria se tivesse tido parto normal — contrações, lóquios, ingurgitação dos seios, fadiga, perda de cabelos, transpiração excessiva, depressão pós-parto e, se o parto tiver sido prolongado, também a exaustão e outras conseqüências desse fato.

No que diz respeito à convalescença da cirurgia, você pode esperar pelo seguinte enquanto estiver na sala de recuperação:

Cuidadosa monitoragem até a total perda de efeito da anestesia. Se você tiver tomado anestesia geral, sua memória do que ocorreu na sala de recuperação será confusa ou inexistente. Como cada pessoa reage aos medicamentos de maneira diferente e os próprios medicamentos são diferentes entre si, o fato de você demorar algumas horas ou um ou dois dias para ficar totalmente desperta e consciente vai depender do seu corpo e dos medicamentos que tomou. Se você sentir-se desorientada, tiver alucinações ou pesadelos, seu marido ou uma enfermeira compreensiva poderão ajudá-la a voltar rapidamente à realidade.

Os efeitos de uma anestesia peridural ou raquidiana demoram mais para passar do que os de uma anestesia geral. A sensibilidade volta primeiro aos dedos dos pés e daí para cima, e você será encorajada a mexer os dedos e movimentar os pés assim que conseguir. No caso de uma anestesia raquidiana, você terá de permanecer deitada de costas sem levantar a cabeça por oito a doze horas. É possível que permitam que tanto seu marido como o bebê a visitem na sala de recuperação.

Há casos em que o médico prefere prolongar a anestesia peridural por várias horas depois do parto, prorrogando seus efeitos mas diminuindo a dor que você sente.

Dor no corte. Depois que passar o efeito da anestesia, seu corte vai começar a doer — a intensidade da dor depende de muitos fatores, entre os quais o seu limite de sensibilidade e o fato de você já ter, ou não, feito uma operação cesariana (as convalescenças subseqüentes são menos incômodas que a primeira). Provavelmente lhe darão tantos analgésicos quantos forem necessários, o que pode produzir em você uma sensação de estar embriagada ou dopada. Também permitirá que durma, o que é preciso. Se estiver amamentando, não se preocupe: os medicamentos não passarão para o colostro em quantidade significativa, e, quando o leite chegar, você provavelmente não precisará mais de medicamentos para aliviar a dor.

Possivelmente, náusea. Se você sentir náusea, é possível que lhe administrem um preparado antiemético para tentar impedir o vômito. Se você é do tipo que vomita com facilidade, pode pedir ao médico que lhe dê tal medicamento antes mesmo de começar a sentir enjôo.

Encorajamento a fazer exercícios de respiração e tosse. Estes ajudam a livrar seu aparelho respiratório de qualquer resto de anestesia geral, e colaboram para expandir seus pulmões e deixá-los limpos, a fim de prevenir a complicação da pneumonia. Quando feitos corretamente, podem causar algum incômodo, o qual você poderá minimizar segurando um travesseiro de encontro ao corte quando os estiver executando.

Avaliações periódicas do seu estado. Uma enfermeira vai conferir seus sinais vitais (temperatura, pressão sangüínea, pulsação, respiração), sua emissão de urina e corrimento vaginal, o curativo feito sobre o corte e a firmeza e localização do seu útero. Vai também examinar seu frasco de soro e catéter urinário.

Depois que for para o seu quarto no hospital, você deve estar à espera de:

Repetidos exames do seu estado. Seus sinais vitais, o curativo, a emissão de urina, o corrimento vaginal e o útero, bem como o frasco de soro e o catéter (enquanto continuarem ligados), serão verificados regularmente.

Remoção do catéter depois de 24 horas. Urinar sozinha pode ser algo difícil na situação em que você está; assim, experimente as dicas da página 596. Se você não conseguir urinar sozinha, o catéter pode ser recolocado até você conseguir.

Contrações. Como a mulher que teve parto normal, você pode contar com o fato de começar a sentir contrações cerca de 12 a 24 horas depois do parto. Aprenda mais sobre essas contrações, que ajudam a levar seu útero de volta ao tamanho que tinha antes do parto, na página 594.

Uma volta gradual a uma dieta normal. Cerca de 24 horas depois do parto, ou assim que seus intestinos derem sinal de que estão funcionando (pela evacuação ou passagem de gases), seu soro será retirado e você poderá tomar líqüidos por via oral. No decorrer dos próximos dias, você voltará aos poucos a sua dieta normal. Mesmo que estiver morrendo de fome, não tente burlar as ordens do médico pedindo que alguém contrabandeie um hambúrger duplo para dentro do quarto. Volte lentamente à sua alimentação costumeira; caso contrário, você poderá encontrar-se em uma situação desnessária de dificuldade digestiva. Se estiver amamentando, não se esqueça de tomar muitos líqüidos.

Dor reflexa no ombro. A irritação do diafragma devido à presença de ar dentro do abdome após a cirurgia pode causar algumas horas de dor reflexa no ombro. Um analgésico pode ajudar, e não passará para o colostro.

Possível constipação. Como a mamãe que passou por um parto normal, também você pode ter dificuldade para evacuar por alguns dias. Isso não é motivo para preocupação, especialmente porque, de qualquer maneira, você não tem comido muita coisa que possa ser eliminada. Depois que você estiver comendo, um laxante e/ou amolecedor de fezes podem ser prescritos para dar uma pequena ajuda à natureza. Você também pode experimentar as dicas da página 598, mas não comece a comer fibras sem a autorização do médico. Se você não tiver evacuado até o quarto ou quinto dia após o parto, é possível que lhe dêem um supositório ou um enema.

Estímulo a ficar ativa. Mesmo antes que você saia da cama, provavelmente lhe mandarão movimentar os dedos, flexionar os pés e pressioná-los contra a extremidade da cama, e virar de um lado para o outro. Você pode experimentar também estes exercícios simples: (1) Deite de costas flexionando uma das pernas no joelho, mantendo a outra esticada, contraindo ligeiramente o abdome. Lentamente, faça a perna dobrada escorregar para baixo na cama; repita o exercício com a outra perna. (2) Deitada de costas, ambas as pernas flexionadas no joelho, pés plantados na cama, levante a cabeça alguns centímetros por cerca de 30 segundos. (3) De costas, com os joelhos dobrados, contraia o abdome e estique um dos braços até o outro lado da cama, mais ou menos à altura da cintura; faça o mesmo do outro lado. Estes exercícios melhoram a circulação, especialmente nas pernas, reduzindo a probabilidade de desenvolvimento de um coágulo sangüíneo. Mas se prepare para achar alguns deles bastante dolorosos, especialmente nas primeiras 24 horas.

Ter de levantar da cama de 8 a 24 horas depois da cirurgia. Primeiro vão ajudá-la a ficar sentada, levantando a cabeceira da cama. Quando você estiver preparada para ficar de pé, o processo será gradual, provavelmente semelhante ao seguinte: usando as mãos como apoio, você vai tirar as pernas de cima da cama e ficar com elas penduradas para fora por alguns minutos. Depois, lentamente, desça para o chão. Se você sentir tontura, o que é normal, sente-se de novo. Firme-se por mais alguns minutos antes de tentar novamente. Depois que estiver de pé, dê alguns passos. Estes podem ser extremamente dolorosos (embora nem todas o achem). Fique tão ereta quanto possível, resistindo a qualquer tentação de dobrar-se para aliviar o desconforto. Essa dificuldade para se movimentar é apenas temporária. Na verdade, é possível que rapidamente se perceba mais móvel que a mulher do quarto ao lado, que teve parto normal — e é certo que você conseguirá se sentar antes.

Usar meias elásticas. Elas melhoram a circulação e têm a finalidade de impedir a formação de coágulos sangüíneos nas pernas.

Sentir dor de gases. À medida que o seu aparelho digestivo (temporariamente paralisado pela cirurgia) começar a funcionar novamente, os gases enclausurados podem causar bastante dor, especialmente se exercerem pressão contra a linha do corte. O desconforto pode ser maior quando você rir, tossir ou espirrar. Revele o problema à enfermeira ou ao médico. Podem aconselhá-la a caminhar pelo corredor ou a tentar deitar-se de costas ou sobre o lado esquerdo, com as pernas encolhidas, respirando profundamente enquanto segura um travesseiro sobre o corte. Se isso não funcionar, poderão dar-lhe um enema ou um supositório que ajude a eliminar o gás. Geralmente não se recomenda o uso de narcóticos contra as dores de gases, porque eles podem prolongar o problema, que geralmente não dura mais que um ou dois dias. Caso, porém, a dor continue forte, um tubo inserido no reto para ajudar o gás a escapar poderá lhe trazer alívio.

Passar tempo com o bebê. Você ainda não pode erguer o bebê, mas pode abraçá-lo no colo e dar-lhe de mamar. (Para amamentar, coloque o bebê sobre um travesseiro colocado sobre o seu corte.) Dependendo de como estiver se sentindo e dos regulamentos do hospital, você poderá ter uma espécie de alojamento conjunto restrito. Há hospitais que até permitem o alojamento conjunto pleno depois das cesarianas, o que ficará mais fácil se o seu marido, a sua mãe ou uma amiga puderem ficar com você a maior parte do tempo.

Banhos de esponja. Até que seus pontos sejam retirados (ou absorvidos), provavelmente não lhe deixarão tomar uma ducha ou banho de imersão. Por isso, aproveite os banhos de esponja.

Retirada dos pontos. Caso os seus pontos não sejam absorvíveis, eles serão retirados entre quatro a seis dias após a cirurgia. Embora o procedimento não cause dor, você talvez o ache incômodo. Quando o curativo for retirado, olhe bem para a incisão juntamente com o médico ou a enfermeira (mesmo se você for supersensível), para que saiba que aspecto tem. Pergunte para quando você pode esperar a completa cicatrização do corte, quais a mudanças de aparência a esperar durante o processo de cicatrização e quais as mudanças que podem indicar a necessidade de cuidados médicos.

Você provavelmente terá de esperar cerca de quatro a sete dias para ir para casa.

O QUE É IMPORTANTE SABER: Entrando em Forma Novamente

Quando você estava grávida, era divertido mostrá-lo a todos. Lembrase da emoção que sentiu ao comprar sua primeira calça para gestantes? O entusiasmo de ver sua barriga crescer de uma protuberância quase imperceptível ao tamanho de uma melancia incrivelmente grande? E do dia em que você pôde finalmente andar pela rua com plena certeza de que todos os passantes viam que você estava grávida, e não apenas gordinha?

Mas, agora que o parto já veio, não há mais vantagem em parecer grávida. Nenhuma mulher quer parecer que está ainda carregando um bebê na barriga quando já está levando um recém-nascido no colo.

Para muitas mulheres, não é o peso ganho na gestação que as faz parecer grávidas; a maior parte desses quilos são perdidos sem muito esforço nas primeiras seis semanas após o parto. Antes, são os músculos abdominais distendidos que se interpõem entre essas novas mães e as silhuetas esguias que tinham antes da gravidez.

Infelizmente, não basta esperar. Os músculos distendidos na gravidez readquirem um pouco de seu tônus com o passar do tempo, mas jamais voltam ao estado de antes da gravidez sem um esforço deliberado. Se você deixar seus músculos abdominais entregues a si mesmos, constatará que sua frouxidão vai aumentar a cada ano que passar e a cada novo bebê que você tiver.

Além disso, os exercícios feitos depois do parto não terão o único efeito de colaborar para encolher sua barriguinha. Os exercícios abdominais melhoram a circulação geral e reduzem o risco de se ter problemas nas costas, varizes, cãibras nas pernas, inchação nos tornozelos e nos pés e formação de coágulos nos vasos sangüíneos. Os exercícios perineais ajudam a evitar a incontinência devida à tensão (vazamento de urina), que às vezes ocorre depois do parto; a queda, ou prolapso, dos órgãos pélvicos; e apertam o seu períneo a fim de que, quando você voltar a fazer amor, suas relações sexuais sejam tão boas ou melhores do que já foram. O exercício regular também promoverá a cura de seus músculos uterinos, abdominais e pélvicos contundidos, apressando sua volta ao normal e prevenindo um posterior enfraquecimento devido à falta de atividade, além de ajudar suas articulações, afrouxadas pela gravidez e pelo parto, a voltar à sua condição normal (ou quase). Se o excesso de peso é um problema, o exercício a ajudará a livrar-se dele (as 100 calorias de uma batata assada podem ser queimadas com apenas 20 minutos de marcha atlética). E, por fim, o exercício pode trazer benefícios psicológicos, incrementando sua capacidade de lidar com a tensão e de relaxar, ao mesmo tempo em que minimiza a probabilidade de que você tenha uma depressão puerperal.

Se você tiver tempo, disponibilidade e disposição, matricule-se num curso de exercícios para depois do parto ou compre um livro ou vídeo de exercícios para o pós-parto (o American College of Obstetrics and Ginecology produziu um de boa qualidade)[3] e encaixe em sua agenda um programa de exercícios feito em casa. Se a idéia de um programa de exercício intenso não a atrai, a prática regular de alguns exercícios simples dirigidos a suas áreas-problema (como a barriga, as coxas, as nádegas) também pode fazê-la entrar novamente em forma. Acrescente à sua agenda uma sessão diária de caminhada rápida ou outra atividade aeróbica e pronto!, você terá montado um bom programa de exercícios. Naturalmente, antes de começar qualquer programa de exercícios, não deixe de obter a autorização do seu médico.

DIRETRIZES DE SEGURANÇA E SAÚDE PARA OS EXERCÍCIOS DO PÓS-PARTO

▪ Se você tiver tido um parto sem complicações e estiver com boa saúde, pode seguir o programa simples de exercícios que começa na página 609. Se tiver tido um parto difícil ou cirúrgico, ou tiver problemas de saúde, pergunte ao seu médico quando você pode começar a fazer exercícios, e quais os exercícios apropriados.

▪ Siga um cronograma. Os exercícios feitos esporadicamente são inúteis e desperdiçam o seu precioso tempo. A melhor maneira de fazer exercícios de ginástica localizada (elevação das pernas, abdominais e flexões, por exemplo) é praticá-los diariamente em sessões curtas. A cada dia, duas ou três sessões de 5 minutos cada darão maior tonificação a seus músculos do que uma única sessão de 20 minutos. Quando começar a fazer exercícios aeróbicos, procure praticar pelo menos três sessões de 20 minutos de atividade contínua por semana — embora a meta de 40 minutos quatro a cinco vezes por semana pareça ser melhor para a fortificação dos ossos e a prevenção da osteoporose mais tarde na vida.[4]

▪ Não se apresse. A melhor maneira de praticar a ginástica de tonificação muscular é fazê-la lenta e conscientemente, com um tempo suficiente para a recuperação entre as repetições. É nesses períodos de recuperação que os músculos se fortalecem.

▪ Se você não faz exercícios há tempo ou está praticando exercícios desconhecidos, comece devagar. Só faça algumas repetições no primeiro dia, e aumente o número aos poucos no decorrer das duas semanas seguintes. Não exceda o número recomendado de repetições, mesmo se estiver se sentindo muito bem. Encerre a sessão assim que começar a cansar-se.

▪ Não pratique esportes de competição até obter a autorização do médico para participar deles.

▪ Devido ao fato de suas articulações estarem ainda instáveis e o tecido conjuntivo, frouxo, evite dar pulos; mudanças rápidas de direção; movimentos bruscos, saltitantes ou sacudidos; e a demasiada extensão ou flexão das articulações. Evite também os exercícios em que os joelhos se unem ao peito, os abdominais completos e a elevação simultânea de ambas as pernas nas primeiras seis semanas após o parto.

▪ Faça os exercícios de tonificação muscular sobre um assoalho de madeira ou uma superfície acarpetada, para reduzir os impactos e dar estabilidade aos pés.

▪ Antes de começar a ginástica, faça 5 minutos de aquecimento (exercícios muito leves de alongamento, caminhada lenta ou ciclismo estacionário de baixa resistência). Ao fim de cada sessão, esfrie-se com al-

3. Para obter mais informações acerca desse vídeo, escreva para Feeling Fine, 3575 Cahuenga Boulevard West, Suite 440, Los Angeles, CA 90068, ou telefone para (213) 851-1027.

4. Há consenso geral em torno do fato de que, quanto aos exercícios extremamente cansativos, como a corrida, o melhor é não praticá-los diariamente. O corpo precisa de um dia de recuperação entre as sessões, a fim de não sofrer ferimentos.

guns exercícios brandos de alongamento, mas, nas primeiras seis semanas, não alongue o máximo que puder para evitar causar danos às articulações frouxas.

- Levante-se devagar para evitar a tontura decorrente de uma queda súbita da pressão sangüínea; ao levantar-se, movimente as pernas por alguns instantes (andando, por exemplo) para igualar a circulação.

- Depois que você começar a fazer exercícios aeróbicos, tome cuidado para não ultrapassar a sua freqüência cardíaca ideal. Pergunte ao médico qual é essa freqüência, ou encontre-a na tabela da página 609.

- Evite os exercícios cansativos no calor ou quando você tiver febre. Depois de findo o período de seis semanas após o parto, pode começar a exercitar-se no calor, reduzindo seu nível de atividade a menos da metade do usual e aumentando-o gradualmente. Tente exercitar-se no começo da manhã ou no fim da tarde, quando o calor em geral é menos intenso. Ao exercitar-se no sol, use roupas leves de cores claras e um chapéu ou boné de trançado aberto.

- Beba bastante líqüidos antes e depois de exercitar-se; se o tempo estiver muito quente ou você estiver suando muito, leve também algo para beber enquanto se exercita. O melhor é a água; evite as bebidas adoçadas com açúcar, inclusive as produzidas especialmente para os atletas.

- Se você sentir qualquer um dos sintomas seguintes, pare o exercício imediatamente e comunique o fato ao médico: dor, desfalecimento, tontura, visão embaçada, fôlego curto, palpitações (o coração parece tremer, vibrar ou bater muito rápido), dor nas costas, dor no baixo ventre, náusea, dificuldade para andar ou um súbito aumento do corrimento de sangue pela vagina (se os lóquios de cor marrom ou rosada se tornam vermelhos após o exercício, é porque você está exagerando).

- Não use o bebê como desculpa para não se exercitar. A maioria dos bebês adoram ficar deitados sobre o peito da mamãe durante uma sessão de calistenia; ficar acomodados num *porta-bebês* enquanto ela pedala uma bicicleta estacionária ou opera

DIRETRIZES DE FREQÜÊNCIA CARDÍACA PARA OS EXERCÍCIOS DO PÓS-PARTO

Sua Idade	Não Ultrapasse Esta Freqüência Cardíaca* (batimentos por minuto)	Freqüência Cardíaca Máxima para Sua Idade (batimentos por minuto)
20	150	200
25	146	195
30	142	190
35	138	185
40	135	180
45	131	175

* Os números equivalem a 75% da freqüência cardíaca máxima para cada faixa etária. Sob uma supervisão médica adequada, pode não haver problema em praticar uma atividade mais árdua que produza freqüências cardíacas superiores a estes limites.

Fonte: ACOG Home Exercise Programs, 1985.

uma máquina de remar ou de esquiar ou uma esteira rolante; e dar uma volta no carrinho enquanto a mamãe anda ou corre. Mas não saia sacudindo o bebê num *porta-bebês* enquanto você corre, e nem leve para passear de bicicleta uma criança que ainda não consegue se sentar sozinha.

UM PROGRAMA DE EXERCÍCIOS PARA O PÓS-PARTO

Todos os exercícios apresentados a seguir são feitos na posição fundamental — deitada de costas com os joelhos flexionados —, embora os exercícios Kegel possam ser feitos em qualquer posição. Os exercícios da Primeira Fase podem ser feitos enquanto você ainda está de cama — no hospital ou em casa; o melhor lugar para fazer os outros é uma superfície dura, tal como o chão. (Se você investir num colchão para exercícios, poderá usá-lo também como um lugar sobre o qual o bebê pode brincar.) Lembre-se: esse programa de exercícios só é adequado às mulheres que tiveram partos normais sem complicações e estão em bom estado de saúde. As outras devem consultar seus médicos.

Primeira fase: vinte e quatro horas depois do parto

Exercícios Kegel. É possível que você tenha praticado esses exercícios durante toda a gravidez, e pode voltar a praticá-los quase imediatamente depois do parto. (Se você nunca os praticou, leia as instruções abaixo). No começo, com o períneo ainda insensível devido aos traumatismos por ele sofridos durante o parto, você não vai ser capaz de sentir que os está praticando. Você pode fazê-los na cama, enquanto lê ou dá de mamar. E pode fazê-los enquanto urina — contraia os músculos para parar, depois relaxe para liberar o fluxo de urina, repetindo o processo várias vezes a cada ida ao banheiro. À medida que o tônus muscular fôr melhorando, você vai ser capaz de limitar o fluxo a apenas algumas gotas entre cada repetição do exercício. Tanto você mesma quanto sua vida sexual terão muito a ganhar se você continuar a praticar os Kegel até depois do período do pós-parto; e a prática desses exercícios durante a relação sexual é uma das melhores maneiras de unir o que é útil para o seu corpo com o que lhe é agradável.

Respiração abdominal profunda. Comece na posição fundamental (veja página 611). Ponha as mãos sobre o abdome, para que possa senti-lo subir enquanto inspira lentamente pelo nariz; contraia os músculos abdominais enquanto expira lentamente pela boca. No começo, repita o exercício poucas vezes a fim de evitar a hiperventilação. (Caso você se sinta tonta ou perdendo os sentidos, sinta formigamento ou perda de sensibilidade nos dedos das mãos e dos pés ou fique com a visão embaçada, inspire e expire para dentro de um saco de papel ou dentro de suas mãos colocadas em concha.) A cada dia, acrescente mais duas respirações, até chegar a dez. O exercício pode ser repetido várias vezes durante o dia.

Segunda fase: três dias após o parto

Agora que seu corpo está começando a recuperar-se de alguns dos efeitos mais imediatos do parto, você pode começar a

EXERCÍCIOS KEGEL

Contraia com firmeza os músculos da vagina e do ânus. Mantenha-os contraídos tanto quanto conseguir, até oito ou dez segundos; depois, distenda-os lentamente e relaxe por alguns segundos. Repita. Faça ao menos 25 repetições em diversos momentos ao longo do dia, estando sentada, de pé, deitada de costas ou urinando.

UMA OBSERVAÇÃO ÀS MÃES ADOTIVAS

A condição de ser mãe de um recém-nascido é sempre cansativa e produz tensão, quer você tenha passado pessoalmente pela experiência do parto, quer não. O exercício físico, é um caminho maravilhoso para reduzir a tensão, modelar o corpo, melhorar a saúde e divertir-se com o bebê. Além disso, é um bom exemplo que você dá ao seu filho. Por isso, um programa de exercícios como este é importante para você também, embora não precise levar em conta as advertências dirigidas às mães que acabaram de dar à luz. Se você ainda não se exercita com regularidade, considere a possibilidade de começar agora.

exercitar-se mais seriamente. Mas, antes de começar, tenha certeza de que os músculos retos do seu abdome (o par de músculos dispostos verticalmente no centro da parede abdominal) não se separaram durante a gravidez. Tal separação, chamada "diastase", é bastante comum, especialmente em mulheres que já tiveram vários filhos; e ela vai piorar se você praticar quaisquer exercícios, mesmo leves, antes que os músculos se fechem. Pergunte ao médico acerca do estado de seus músculos retos abdominais, ou faça você mesma este exame: deitada na posição fundamental, levante ligeiramente a cabeça, tendo os braços estendidos; depois procure sentir se há uma protuberância macia abaixo do seu umbigo. A presença dessa protuberância é indício de uma provável separação dos músculos retos abdominais. Essa rotina de exercícios pode ajudar a corrigir a separação: deite-se na posição fundamental; inspire, cruze as mãos sobre o abdome e, enquanto expira, use os dedos das mãos para aproximar as metades separadas dos músculos retos, elevando lentamente a cabeça. Repita três ou quatro vezes, duas vezes por dia. Depois que a separação se fechar, ou no caso de nunca ter existido, você pode passar aos exercícios seguintes.

SEGUNDA FASE: OS EXERCÍCIOS

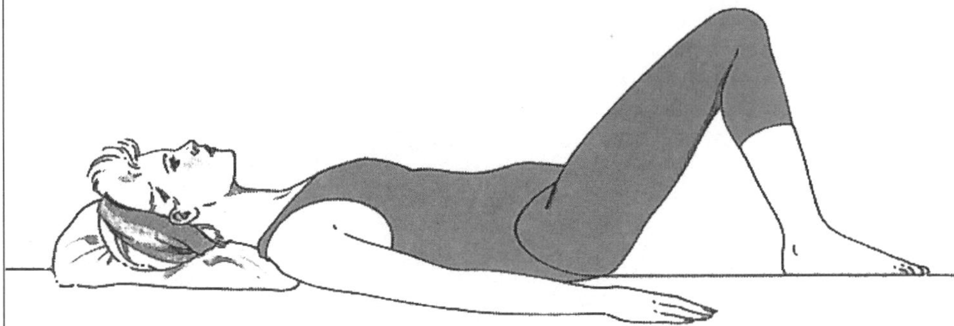

A posição fundamental. *Deite de costas com os braços ao lado do corpo, as palmas das mãos votadas para baixo. Os joelhos devem estar flexionados e os pés plantados no chão, separados por uns 30 cm.*

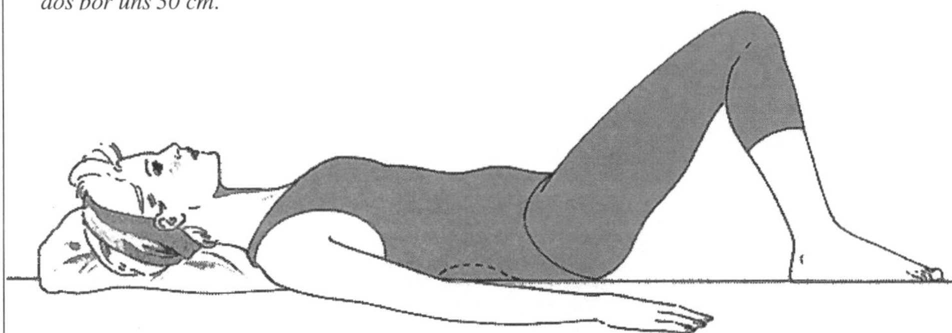

O giro pélvico. *Deite-se na posição fundamental. Inspire e, ao mesmo tempo, pressione a região lombar de suas costas de encontro ao chão. Depois expire e relaxe, permitindo que suas costas se arqueiem normalmente. Repita três ou quatro vezes para começar, aumentando a quantidade aos poucos até chegar a 24 repetições.*

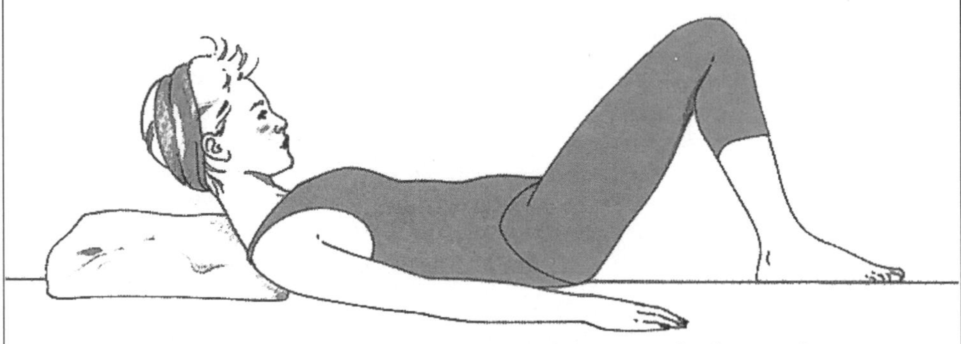

Elevação da cabeça. *Deite-se na posição fundamental. Inspire profundamente. Levante a cabeça ligeiramente enquanto expira. Abaixe a cabeça devagar enquanto inspira. A cada dia, levante a cabeça um pouco mais, procurando aos poucos elevar os ombros um pouquinho acima do chão. Não faça exercícios abdominais completos por três ou quatro semanas; depois disso, só os faça se o tônus dos seus músculos abdominais for muito bom.*

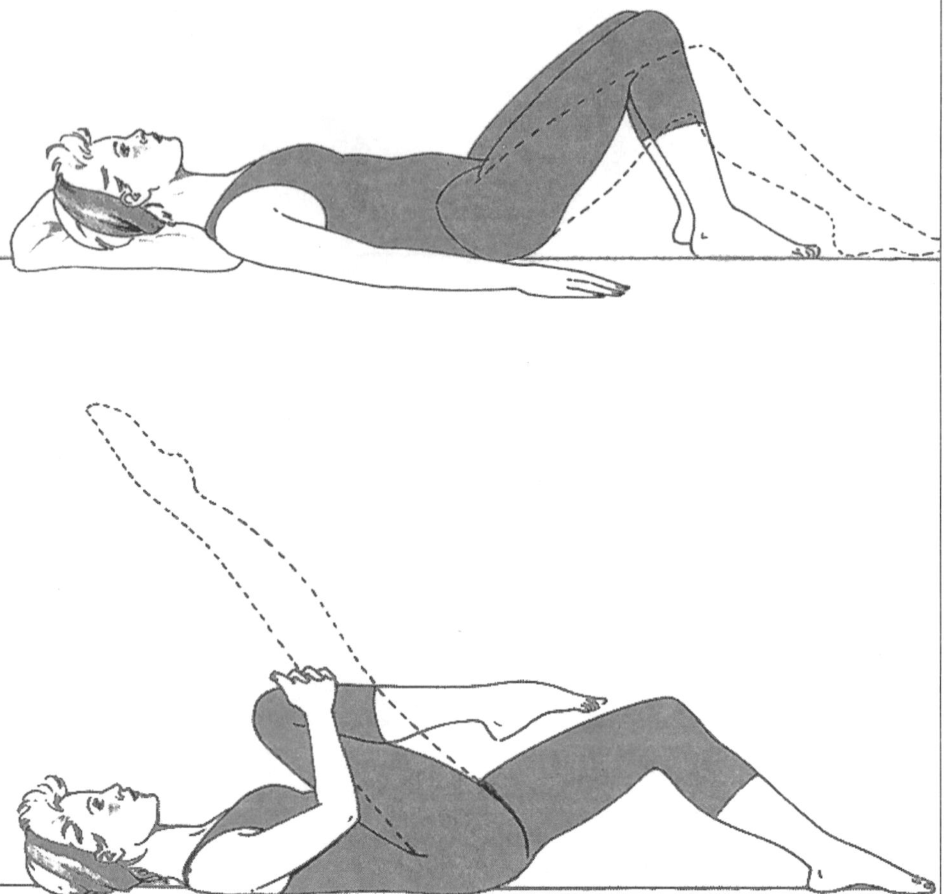

Flexão e extensão das pernas. *Deite-se na posição fundamental. Deslize o pé direito até encostá-lo nas nádegas, flexionando o joelho, mantendo a sola do pé plantada no chão e pressionando contra o chão a região lombar das costas. Deslize-o de volta. Faça o mesmo com a perna esquerda. Comece com três ou quatro flexões e extensões com cada perna, aumentando aos poucos a quantidade até conseguir fazer doze ou mais sem problemas. Depois de três semanas, tente fazer esta versão mais branda da elevação das pernas: lentamente, eleve uma perna por vez um pouco do chão, mantendo a outra perna flexionada; depois, abaixe-a lentamente. Se for capaz de fazer este exercício sem problemas, comece com três ou quatro elevações de cada perna e aumente aos poucos a quantidade até chegar a doze. Feito isso, tente aproximar a perna levantada ao peito, esticando-a para cima tanto quanto possível, e depois abaixando-a lentamente de volta ao chão. Repita esse movimento doze vezes com cada perna.*

Terceira fase: quatro a seis semanas depois do parto — exercícios para toda a vida

Começar um programa de exercícios aeróbicos depois das quatro a seis primeiras semanas — e continuar com esse programa à medida que o bebê cresce — é importante não somente para a sua própria saúde e longevidade, mas também para a do bebê; a mãe que pratica exercícios regularmente tem grande probabilidade de ter filhos que lhe sigam as pegadas. Mas obtenha a autorização do médico para começar, em especial se teve um parto difícil. Você pode optar por fazer exercícios segundo um programa de vídeo ou uma aula de aeróbica, ou embarcar num programa de corrida, ciclismo, remo, esqui ou natação que você mesma desenvolva[5].

5. Embora a natação seja um excelente exercício aeróbico, igualando-se à corrida ou à caminhada no que toca à melhora das condições cardiorrespiratórias, ela não proporciona exercício de sustentação de peso, o qual, segundo as pesquisas começam a demonstrar, pode ajudar a fortalecer os ossos e evitar a osteoporose na velhice. A natação também pode ser menos eficaz para a perda de peso.

EXERCÍCIOS E AMAMENTAÇÃO

A vida nunca é simples. Os exercícios são bons para você; a amamentação é boa para o bebê. Mas estudos recentes mostram que muitos bebês recusam o leite de suas mães depois de elas terem se exercitado vigorosamente. Parece que os exercícios fazem aumentar a taxa de ácido láctico, que dá ao leite um gosto azedo. Essa taxa permanece elevada por pelo menos 90 minutos. Assim, não deixe de fazer exercícios; mas tente fazê-los imediatamente depois das mamadas, de modo que o bebê não tome a próxima refeição até que a taxa de ácido láctico esteja mais baixa. Se isso não for possível, tente extrair e armazenar seu leite antes da sessão de ginástica; depois, quando estiver pronta, dê ao bebê esse leite na mamadeira.

CAPÍTULO 23

Sobrevivendo às Primeiras Seis Semanas

O QUE VOCÊ PODE ESTAR SENTINDO

Ao longo das seis primeiras semanas após o parto, você estará se recuperando desse acontecimento. É provável que, num ou noutro momento e em diferentes graus, você experimente vários dos seguintes sintomas:

Fisicamente

- Persistência do corrimento vaginal (lóquios), adquirindo tonalidade rósea, depois marrom, depois branco-amarelada.
- Fadiga, às vezes beirando a exaustão.
- Um pouco de dor, incômodo e insensibilidade no períneo, caso você tenha tido parto normal (especialmente se tiver levado pontos).
- Uma dor cada vez menor no corte e persistente insensibilidade, caso você tenha tido parto cesáreo (especialmente se tiver sido o primeiro).
- Repetidos ataques de constipação (embora esta deva estar diminuindo).
- Gradual achatamento do abdome, à medida que o útero retorna à situação pélvica que tinha antes da gestação (mas só os exercícios conseguirão reconduzi-la à forma que você tinha antes da gravidez).
- Gradual perda de peso (você tanto pode perder todo o peso da gravidez em apenas dois meses, como só depois de um ano).
- Incômodo nos seios e mamilos doloridos, se você estiver amamentando, até que a amamentação esteja bem estabelecida.
- Braços e pescoço doloridos; dor nas costas (de carregar o bebê).
- Perceptível queda de cabelos.
- Inchaço dos gânglios do pescoço; secura e aperto na garganta.

Emocionalmente:

- Entusiasmo, depressão, ou ambos alternadamente.
- Uma sensação de estar sendo esmagada ou um crescente sentimento de confiança, ou ambos alternadamente.
- Diminuição do desejo sexual (mesmo depois de o médico tê-la autorizado a retomar as relações sexuais), ou aumento desse desejo (mais raro).

O QUE VOCÊ PODE ESPERAR DO SEU EXAME COM SEIS SEMANAS

É provável que o médico marque uma consulta entre quatro a seis semanas depois do parto; se você tiver tido parto cesáreo, é possível que também vá ao médico entre uma a três semanas após o parto, para que ele examine sua incisão. Às seis semanas, você pode esperar que as seguintes coisas sejam verificadas, embora o conteúdo exato da consulta varie de acordo com suas necessidades particulares e a filosofia do médico:

- Pressão sangüínea.
- Peso, que provavelmente será de 7,5 a 9 kg menor que seu peso imediatamente antes do parto.
- Forma, tamanho e localização do útero, para ver se já voltou ao estado que tinha antes da gestação.
- Colo do útero, que já estará voltando à condição em que estava antes da gestação, embora ainda esteja um pouco inchado; é possível que sua superfície esteja desgastada.
- Vagina, que já se terá contraído e recuperado boa parte de seu tônus muscular.
- Episiotomia ou sutura da laceração, se houver; ou, caso você tenha tido parto cirúrgico, o local do corte.
- Seios, à procura de quaisquer anomalias.
- Hemorróidas ou varizes, caso você as tenha tido durante a gravidez ou depois do parto.
- Suas intenções acerca do planejamento familiar; se for conveniente, o médico prescreverá um diafragma ou pílulas anticoncepcionais (veja página 653).

Prepare de antemão quaisquer perguntas sobre sua convalescença ou saúde geral (faça uma lista para não esquecer nada).

O QUE VOCÊ DEVE COMER: A Melhor Dieta para o Pós-Parto

Se você deu duro para reformar seus hábitos alimentares durante a gravidez, não é esta a hora para abandoná-los, temporária ou permanentemente. E se você não comeu corretamente durante a gravidez, não haveria momento melhor do que este para começar a desenvolver bons hábitos. Embora a dieta nutritiva para o pós-parto possa incluir algumas mordomias a mais do que a dieta para a gravidez, o cuidado com o que se come é essencial para que você mantenha alto o seu nível de energia, perca aos poucos aqueles quilinhos a mais que ganhou durante os nove meses de gestação e, se estiver amamentando, produza leite suficiente.

NOVE PRINCÍPIOS DIETÉTICOS BÁSICOS PARA AS NOVAS MÃES

A boa nutrição é essencial para uma rápida convalescença do parto e para a manutenção da energia abundante, da saúde perfeita e do espírito animado necessários para a maternidade de primeira categoria. É também decisiva para o êxito da amamentação. É verdade que o descaso pelos aspectos essenciais da nutrição durante a amamentação não vai necessariamente reduzir o seu suprimento de leite, pelo menos nos primeiros meses (mesmo mulheres em estado de desnutrição severa conseguem muitas vezes produzir leite por algum tempo), mas pode ter efeitos sobre o valor nutritivo do seu leite e roubar os nutrientes do seu corpo. Quer você decida amamentar, quer não, estes nove princípios básicos podem servir como um guia para a boa alimentação durante o puerpério:

Dê valor a cada bocado. Embora cada um dos bocados não seja tão importante agora quanto era quando você partilhava tudo o que comia com o bebê que levava no útero, ainda é importante fazer com que tantos bocados quanto possível tenham valor nutritivo. A cuidadosa escolha de alimentos ajuda a garantir uma vasta produção de leite de qualidade, uma quantidade suficiente de energia para fazê-la sobreviver às noites sem sono e dias sem fim e um retorno mais rápido à forma que você tinha antes da gravidez. E, quando estiver trapaceando, só se delicie com aquelas calorias vazias que lhe propiciem o máximo prazer gastronômico.

Nem todas as calorias são iguais. Qualquer que seja o membro da família que as coma, as 1.500 calorias (derivadas principalmente de gorduras saturadas e açúcares nada nutritivos e até mesmo perigosos) de *uma* típica refeição de *fast-food* não são nutricionalmente equivalentes às 1.500 calorias (vindas de proteínas e carboidratos complexos, repletos de vitaminas e minerais) de *três* refeições bem balanceadas. Compare também: as 235 calorias de uma fatia de bolo comercial coberto com glacê e as 235 calorias de meio melão coberto com meia xícara de leite gelado, ou as 160 calorias de dez batatas fritas e as 160 calorias de uma batata assada coberta com duas colheres de sopa de iogurte com cebolinha picada e dois terços de xícara de florzinhas de brócolis.

Passe fome e prejudique seu bebê. Não é tão perigoso perder refeições agora quanto era durante a gravidez, mas a constante irregularidade na organização da alimentação pode minar as suas reservas, dando-lhe menos energia para você exercer seu papel materno. Se você está amamentando, a desnutrição severa — tal como a que se pode desenvolver caso se sigam certas dietas da moda — pode, com o tempo, reduzir seriamente sua produção de leite.

Continue sendo uma especialista em eficiência. Para continuar a perder peso e aumentar a sua nutrição, ainda é importante escolher alimentos nutricionalmente densos em comparação à quantidade de calorias — atum em vez de salsichão para o almoço, pasta primavera em vez de fettuccine Alfredo para o jantar. Se o seu problema é perder muitos quilos, procure alimentos com altas taxas de nutrientes e calorias mas com pouco volume, como abacate e nozes; mas fuja de comidas como a pipoca, que lhe enchem o estômago sem encher as gordurinhas e atender às necessidades nutricionais.

Os carboidratos são uma questão complexa. E os carboidratos complexos, não-refinados, são exatamente aqueles que você deve escolher depois do parto (aliás, para sempre — para uma vida inteira de boa nutrição para você e sua família). Pães, mingaus e bolos de farinha integral, arroz integral, feijões e ervilhas secas proporcionam fibras (tão importante agora quanto na gravidez para assegurar a regularidade do funcionamento intestinal) e vitaminas e minerais em abundância — a maioria dos quais não existem nos cereais refinados, mesmo quando enriquecidos.

De docinho em docinho você se complica. A cada ano, o norte-americano médio consome inacreditáveis 70 kg de açúcar em suas várias formas. Parte dessa quantidade vem diretamente do açucareiro, e é polvilhada sobre as frutas e cereais matinais ou usada para adoçar o café ou o chá. Uma quantidade razoável é consumida, como seria de esperar, em bolos, biscoitos, balas, doces e tortas. Mas uma surpreendente proporção advém de fontes tão inesperadas quanto as sopas, temperos para salada, cereais matinais, cachorros-quentes, pães, frios e pratos principais ou secundários industrializados, enlatados ou congelados (oculta sob as formas de sacarose, dextrose, mel, frutose, xarope de milho etc.).

Se o seu consumo de açúcar estiver na média, você consome mais de 800 calorias vazias, ou sem nutrientes, todos os dias. Para a nova mãe que quer garantir a sua "Duzia Diária" sem ganhar mais uma dúzia de quilos ao mesmo tempo, uma ou outra guloseima açucarada não causam um pandemônio nutritivo, mas o consumo de muitas calorias vazias por dia pode causá-lo.

Coma alimentos que se lembram de onde vieram. Os alimentos altamente industrializados perdem boa parte de seus nutrientes nesse processo, e as pessoas que os consomem, por sua vez, perdem a batalha da nutrição. Freqüentemente, os alimentos industrializados também contêm quantidades excessivas e pouco saudáveis de gorduras saturadas, sódio e açúcar, além de corantes artificiais e outros aditivos químicos; nenhuma dessas coisas contribui para uma boa dieta, e as duas últimas podem, às vezes, contaminar o leite materno (veja página 636). Quanto mais o alimento estiver próximo do seu estado natural, tanto melhor para o bebê — e para você.

Faça da boa alimentação uma tradição familiar. Inclua todos os habitantes da casa em sua "Melhor Dieta", e o bebê crescerá num lar onde a boa nutrição é uma coisa natural. Você vai aumentar a longevidade não só do seu filho (ou filhos), mas também a sua e a do seu marido.

Não sabote a dieta. Mesmo se você estiver amamentando, pode voltar a tomar uma xícara de café pela manhã e uma ou outra bebida alcoólica de vez em quando, mas uma quantidade maior de cafeína ou álcool pode sem dúvida alguma produzir efeitos adversos em você e no bebê; o mesmo se pode dizer de qualquer quantidade de tabaco ou drogas ilegais (veja página 621).

A DÚZIA DIÁRIA DA MELHOR DIETA PARA O PÓS-PARTO E A AMAMENTAÇÃO

Se você já conhece a "Melhor Dieta", sabe que não precisa se sentar com papel e lápis, uma calculadora e volumes cheios de tabelas com valores nutritivos antes de cada refeição para ter certeza de que está consumindo todos os nutrientes de que precisa (para produzir leite e conservar a própria saúde se estiver amamentando, ou só para conservar a própria saúde se não estiver). Você só precisa comer a sua "Dúzia Diária".[1]

Calorias. Você vai precisar delas em quantidade suficiente para manter os seus níveis de energia (no papel de nova mãe, vai precisar de mais energia do que nunca) e, se estiver amamentando, sua produção de leite. Mas não vai precisar de tantas que não lhe permitam continuar a perder os quilos a mais ganhos na gravidez. Se estiver amamentando, vai precisar de mais ou menos 400 a 500 calorias a mais do que precisaria para conservar o peso que tinha antes da gravidez (duplique esse valor se estiver amamentando gêmeos, triplique-o se forem trigêmeos). Se não estiver perdendo peso, você pode diminuir um pouco essa quantidade depois da sexta semana após o parto, mas não corte drasticamente o consumo de calorias, pois nesse caso o seu corpo pode começar a produzir cetonas, subprodutos do metabolismo que, ao passarem para o leite, podem fazer mal ao bebê amamentado ao peito.[2] Além disso, a

1. Perceba que alguns alimentos podem proporcionar mais que uma porção da Dúzia Diária. O brócolis, por exemplo, pode proporcionar uma porção de verdura, uma de vitamina C e, em quantidades um pouco maiores, uma de cálcio. Muitos laticínios proporcionam porções de proteína e cálcio, e algumas frutas e legumes suprem porções de legumes amarelos e vitamina C.

2. Certas pesquisas recentes dão a entender que as mães lactantes, especialmente nos últimos meses de lactação, podem precisar de menos calorias suplementares por dia do que as 400 ou 500 que se costumam recomendar. Guie-se pelo seu peso.

rápida dissolução dos depósitos de gordura corporal é capaz de liberar quaisquer toxinas armazenadas na gordura para a corrente sangüínea, e daí para o leite do peito.

Se não estiver amamentando, você deve ser capaz de perder aqueles quilos a mais e energizar sua convalescença consumindo aproximadamente aquela quantidade de calorias necessária para manter o peso que você tinha antes da gravidez.[3] Depois das seis primeiras semanas após o parto, quando a convalescença está terminada e é mais seguro fazer regime, você pode subtrair 200 a 500 calorias diárias àquela quantidade, mas não entre num regime rigoroso sem supervisão médica.

Quer você esteja amamentando, quer não, a melhor maneira de saber se o seu consumo de calorias está alto, baixo ou correto é pesar-se regularmente. Desde que esteja aos poucos perdendo os quilos ganhos na gravidez, e pare de perder peso quando chegar ao peso ideal, você está atingindo o objetivo. Caso não esteja, aumente ou diminua o consumo de calorias. Lembre-se, também, de que é sempre mais prudente aumentar a quantidade de exercício físico do que reduzir dramaticamente o consumo de calorias. Se você não conseguir fazer parar uma súbita perda de peso, fale com o médico.

Proteínas — três porções por dia se você estiver amamentando, duas se não estiver. Uma porção equivale a qualquer das seguintes: 2 e 1/2 a 3 xícaras de leite desnatado ou semidesnatado; 1 xícara e 1/4 de leite condensado desnatado; 1 xícara e 3/4 de iogurte semidesnatado; 3/4 de xícara de ricota semidesnatada; 90 g de queijo suíço; 2 ovos grandes mais duas claras; 5 claras de ovos; 90 a 100 g de peixe, ave ou carne de vaca; 150 a 180 g de tofu; 5 a 6 colheres de sopa de manteiga de amendoim; uma combinação protéica de feijões e cereais (veja página 416).[4] As mães que amamentam gêmeos ou trigêmeos precisam de mais uma porção para cada bebê adicional. Os vegetarianos que não consomem nenhuma proteína animal devem acrescentar mais uma porção de proteína por dia, já que a qualidade da proteína vegetal não é tão boa quanto a da proteína animal.

Alimentos com vitamina C — duas porções por dia se você estiver amamentando, pelo menos uma se não estiver. Uma porção equivale a qualquer das seguintes; 1/2 xícara de morangos; 1/4 de um melão pequeno; 1/2 toranja; 1 laranja pequena; 1/2 xícara a 3/4 de xícara de suco de fruta cítrica; 1/2 kiwi, manga ou goiaba grande; 2/3 de xícara de brócolis ou couve-flor; 1 xícara de repolho ou couve; 1/2 pimentão verde médio ou 1/3 de pimentão vermelho médio; 2 tomates pequenos ou 1 xícara de suco de tomate.

Cálcio — cinco porções por dia se você estiver amamentando, mais de três se não estiver. Uma porção equivale a qualquer dos seguintes; 1/4 de xícara de queijo parmesão; de 35 a 45 g da maioria dos outros queijos duros (como o suíço ou o Cheddar); 1 xícara de leite desnatado ou semidesnatado; 1/2 xícara de leite condensado semidesnatado; 1/3 de xícara de leite em pó desnatado; 1 xícara e 3/4 de ricota semidesnatado; de 1 e 1/2 a 1 xícara e 3/4 de brócolis ou couve; 3 colheres de sopa de melado; 120 g de salmão enlatado ou 90 g de sardinhas, com as espinhas, 270 g de tofu coalhado com cálcio. As mães que amamentam gêmeos, trigêmeos ou mais bebês precisam de uma porção extra de cálcio para cada bebê adicional, e podem optar pelo uso de laticínios enriquecidos com cálcio ou de suplementos cálcicos para completarem a sua quota. Os vegetarianos que não usam derivados do leite podem encontrar dificuldade para

3. Para descobrir quantas calorias são necessárias para que você mantenha o peso que tinha antes da gravidez, multiplique esse peso por 26 se você for sedentária, por 33 se for moderadamente ativa e por 48 se for muito ativa.

4. Os tamanhos dessas porções são calculados para crianças novas. Uma porção de adulto deve ser mais ou menos quatro vezes maior.

atender às exigências valendo-se unicamente de fontes vegetais, a menos que estas sejam enriquecidas com cálcio (caso do suco de laranja, por exemplo); e podem vir a precisar de suplementação. É pouco provável que a falta de cálcio durante a fase de amamentação influa sobre a composição do leite materno; mas a retirada do cálcio dos ossos da mãe para a produção de leite pode torná-la mais suscetível à osteoporose na velhice.

Legumes amarelos, verduras e frutas amarelas — pelo menos três porções por dia se você estiver amamentando, duas ou mais se não estiver. Uma porção equivale a qualquer das seguintes: 4 metades de damasco; 1/8 de melão; 1/4 de uma manga grande; 1 pêssego amarelo (e não branco) grande; 3/4 de xícara de brócolis; 1/2 cenoura pequena; 1/4 a 1/2 xícara de verduras cozidas; 1/4 de xícara de abóbora-de-inverno, ou 1/8 de xícara de batata-doce; 1 tomate grande; 1/2 pimentão vermelho ou pimenta vermelha.

Outras frutas e legumes — duas ou mais porções por dia. Uma porção equivale a qualquer das seguintes: 1 maça, pêra, banana ou pêssego branco; 2/3 de xícara de cerejas ou uvas; 1 fatia de abacaxi; 2 xícaras de melancias; 5 tâmaras; 3 figos; 1/4 de xícara de uvas-passas; 5 ou 6 brotos de aspargo; 1 xícara de brotos de feijão, berinjela ou cebola; 2/3 de xícara de tremoços, ervilhas brancas ou verdes; 1 batata pequena; 1/4 de uma alface americana; 1/2 xícara de cogumelos ou abóbora-de-verão.

Cereais integrais e outros carboidratos complexos concentrados — seis ou mais porções por dia, quer você esteja amamentando, quer não. Uma porção equivale a qualquer das seguintes: 1/2 xícara de arroz integral, painço, trigo sarraceno, cevada não-perolizada, trigo burgol ou triguilho cozidos; 1/4 de xícara de farinha de milho integral (antes de cozinhar); 1 porção de cereal matinal integral cozido ou pré-cozido; 2 colheres de sopa de germe de trigo; 1/4 de xícara de fibra de trigo; 1 fatia de pão integral; 1/2 bagel ou bolinho inglês de trigo integral; 1 pita de trigo integral pequena, ou 1/2 grande; 2 a 6 bolachas integrais; 2 bolinhos de arroz integral; 1/2 xícara de lentilhas, feijão ou ervilhas secas; 30 g de macarrão de trigo integral ou enriquecido de proteínas; 2 xícaras de pipocas estouradas no ar quente. Os vegetarianos não devem contar uma porção de carboidratos como sendo também uma de proteínas. Sobretudo se você tiver problemas para manter o seu peso (se emagrecer com facilidade), lembre-se de que os órgãos governamentais hoje recomendam que se coma até 11 porções por dia de cereais e feijões.

Alimentos ricos em ferro — um ou mais por dia. Encontra-se ferro, em diferentes proporções, na carne de vaca, melado, alfarroba, grãos-de-bico e outras leguminosas secas, frutas secas, alcachofra, ostras (mas não as coma cruas), sardinhas, soja e derivados da soja, espinafre e fígado;[5] e também no germe de trigo, cereais integrais e cereais matinais enriquecidos com ferro.

Alimentos ricos em gorduras — pequenas quantidades por dia. Durante a gravidez, um consumo adequado de gorduras era essencial, e o seu corpo era capaz de lidar com impunidade até com os alimentos ricos em colesterol; agora, porém, é novamente necessário que você volte a pensar em limitar o consumo de gorduras e escolher cuidadosamente o tipo de gorduras que você consome. Há consenso geral em torno do fato de que o adulto médio não deve obter mais de 30% de suas calorias diárias sob a forma de gordura; os que correm alto risco de ter doenças cardíacas devem limitar ainda mais o seu consumo. Isso significa que, se o seu peso ideal é de

5. Apesar do grande valor nutritivo do fígado, só o coma de vez em quando; ele contém muito colesterol e serve como depósito dos produtos químicos — bons e maus — a que o animal é exposto.

56 kg, você precisa de 1.875 calorias por dia; e não mais que 30% dessas, ou 62 g, devem vir das gorduras. Isso equivale a quatro porções e meia de gordura por dia (a 14 g a porção). Se você for mais leve, precisa de menos porções; se for mais pesada, precisa de mais. Pode-se esperar que pelo menos uma porção seja consumida na ingestão de alimentos "magros". O restante pode vir de alimentos "gordos". Meia porção de gordura equivale a qualquer das seguintes: 30 g de queijos duros (suíco, Cheddar etc.); 45 g de mozarela ou provolone; 2 colheres de sopa de parmesão ralado; 1 colher e 1/2 de sopa de creme leve, nozes-pecã, amendoins ou nozes; 2 colheres de sopa de chantilly; 1 colher de sopa de queijo cremoso; 1 xícara de leite integral ou iogurte integral; 1/2 xícara de sorvete normal; 180 g de tofu; 1/4 de um abacate pequeno; 1 colher de sopa de creme de amendoim; 105 g de carne vermelha ou 210 g de carne branca de frango ou peru (sem pele); 120 g de peixes gordos (como o salmão); 9 batatas fritas; 1 gema de ovo; 2 biscoitos pequenos ou 1 bolinho médio; 1 fatia de bolo ou 3 bolachas (quantidade variável de acordo com a receita). Uma porção inteira equivale a qualquer das seguintes: 1 colher de sopa de azeite, açafrão, milho, canela ou outros óleos vegetais, manteiga, margarina ou maionese normal; 2 colheres de sopa de tempero normal para saladas; 90 a 180 g de carne magra ou 30 a 45 g de pedaços mais gordos; 3/4 de xícara de salada de atum.

Alimentos salgados — quantidades restritas. O sal era necessário na gravidez, mas agora você precisa começar a limitar-lhe o consumo. Em princípio, evite os alimentos muito salgados, como os amendoins e batatinhas salgadas e os *pickles*. Prefira queijos e lanches sem sal e os alimentos preparados com pouco sódio. Não há problema em colocar um pouquinho de sal na comida feita em casa, a menos que haja alguém em sua família que tenha de comer uma dieta pobre em sódio. Mas lembre-se de que qualquer alimento que você esteja pensando em dar também ao bebê deve ir sem sal para a mesa — porque os bebês não são capazes de digerir grandes quantidades de sal, e porque a exposição precoce a esse tempero pode levá-los a criar um gosto por ele.

Líqüidos — pelo menos 8 xícaras por dia se você estiver amamentando, de 6 a 8 se não estiver. Se estiver amamentando gêmeos, você vai precisar acrescentar mais 4 xícaras. A água (de preferência fluoretada), os sucos de frutas e legumes, o leite, as sopas e a água com gás são todos boas opções de alimentos líqüidos. Mas tome cuidado para não exagerar: o excesso de líqüidos (mais de 12 xícaras por dia se você estiver amamentando um só bebê) pode inibir a produção de leite materno.

Suplementos vitamínicos. Se estiver amamentando, tome uma dose de suplemento para gestação/lactação por dia — não para substituir uma boa dieta, mas como medida de garantia, visto que ninguém tem uma dieta perfeita. Se você não come produtos de origem animal (nem mesmo leite e ovos), o seu suplemento deve necessariamente conter pelo menos 4 microgramas de vitamina B_{12} (a qual se encontra, em sua forma natural, somente nos alimentos de origem animal), 0,5 mg de ácido fólico e, se você não toma pelo menos meia hora de sol por dia, 400 mg de vitamina D (a dose existente em 1 litro de leite enriquecido).

Mesmo se não estiver amamentando, você deve continuar tomando as vitaminas que tomava na gravidez por pelo menos seis semanas após o parto. Depois disso, um suplemento-padrão de vitaminas e minerais completará suas necessidades nutricionais, se você achar que nem sempre tem a oportunidade de comer tão bem quanto gostaria. Um suplemento formulado para mulheres no período fértil proporcionará o ferro necessário para substituir o que você perdeu durante a gravidez e/ou com a hemorragia do pós-parto, e o que será perdido quando sua menstruação voltar. Enquanto estiver amamentando, seu suplemento deve conter zinco.

PARA QUEM NÃO ESTÁ AMAMENTANDO

Embora a boa nutrição seja importante para todas as mães que acabaram de dar à luz, há algumas diferenças básicas entre as necessidades dietéticas das mães que amamentam seus bebês ao peito e as que lhes dão mamadeira, diferenças que você precisa conhecer. Em primeiro lugar, se você não estiver amamentando, não pode continuar comendo por dois (se fizer isso, logo vai começar a parecer "duas"). Em segundo lugar, os alimentos que estiver comendo e bebendo não terão mais um efeito direto sobre o bebê (a menos que sua dieta mexa com seu temperamento ou seu nível de energia); por isso, você poderá ser um pouco menos rígida no que diz respeito ao consumo de açúcar, cafeína, refrigerantes *diet* e bebidas alcóolicas. Lembre-se, porém, de que o cuidado e a moderação continuam sendo necessários. Considere o seguinte:

- O excesso de açúcar na dieta pode causar cáries dentárias, obesidade e/ou desnutrição; e, depois que termina um "barato de açúcar", é freqüente que ocorra uma baixa de energia e de disposição.
- O excesso de cafeína pode produzir nervosismo e instabilidade emocional; e, a doses de 10 ou mais xícaras de café, pode causar zumbido nos ouvidos, delírio, taquicardia, contrações musculares e tremedeiras.
- Suspeita-se que a sacarina seja um agente carcinogênico fraco; e, embora não se tenha demonstrado que a ingestão moderada de aspartame (Equal, Nutrasweet) faça mal, não são ainda conhecidos os efeitos do consumo de quantidades excessivas por um tempo prolongado.
- O excesso de álcool pode comprometer sua capacidade de lidar conscientemente e com segurança com as tarefas da maternidade, e pode agravar a depressão puerperal — para não falar nos potenciais danos físicos e emocionais que pode infligir à família inteira a longo prazo. A mãe que bebe mais que uma ou duas doses por dia coloca seu filho em risco.
- Os excessos de todo e qualquer alimento ou bebida vazios em termos nutricionais (como o açúcar, o vinho, a cerveja, os destilados e os refrigerantes) podem prejudicar o seu consumo de nutrientes necessários.
- Qualquer uso que você fizer de cigarro pode aumentar a probabilidade de que seu filho tenha uma variedade de doenças, além de poder privá-lo prematuramente de sua mãe.
- O uso de qualquer droga ilegal (cocaína, maconha, heroína, *crack* etc.) ou o abuso das drogas legalizadas (estimulantes, depressivos) pode causar danos ao seu relacionamento com o seu filho, ameaçar-lhe a saúde e a segurança (e as suas também) e ter efeitos catastróficos sobre uma futura gravidez.

O QUE PODE ESTAR PREOCUPANDO VOCÊ

FAZER TUDO O QUE PRECISA FAZER

"Faz só dois dias que cheguei em casa com minha filhinha, e já estou com todo o serviço atrasado: limpeza, roupa, louça, tudo mesmo. Minha casa, que já foi imaculada, está uma bagunça. Sempre me considerei uma pessoa competente; agora tenho minhas dúvidas."

Considere a responsabilidade de cuidar, pela primeira vez, de um recém-nascido.

Dias e noites que parecem confundir-se numa única e interminável mamada. Acrescente um pequeno excesso de visitas; uma dose generosa de pandemônio hormonal; talvez, um pouco de bagunça acumulada durante a sua estada no hospital; e a inevitável montanha de presentes, caixas, papel de embrulho e cartões de felicitação. É natural que você sinta que, à medida que começa sua nova vida com o bebê, a vida antiga — com toda a sua ordem e limpeza — está desmoronando à sua volta.

Não se desespere. Sua incapacidade de cuidar ao mesmo tempo do bebê e da casa nos primeiros dois dias não é de modo algum uma prefiguração do seu futuro êxito como mãe. (Afinal é impossível prever o desempenho futuro de um empregado novo e inexperiente com base em seus primeiros dois dias de trabalho.) As coisas vão melhorar à medida que você recuperar suas forças, familiarizar-se com as tarefas básicas do cuidado com o bebê e aprender a ser um pouco menos rígida. É bom também que você:

Relaxe e controle-se. A preocupação ansiosa com tudo o que você tem que fazer torna a tarefa de fazê-lo duas vezes mais difícil. Relaxe. Concentre-se naquilo que realmente importa: conhecer e curtir sua recém-nascida. Enquanto estiver com ela, tire da cabeça todos os pensamentos relativos ao serviço da casa (as técnicas de relaxamento aprendidas nas aulas de educação para o parto podem ajudá-la a fazer isto). Quando, a seguir, você olhar ao seu redor, a confusão e o caos ainda estarão lá, mas você terá maior capacidade de lidar com eles.

Descanse. Paradoxalmente, a melhor maneira de começar a fazer tudo é começar a descansar mais. Conceda a si mesma uma oportunidade para se recuperar plenamente do parto, e você conseguirá lidar melhor com todas as novas responsabilidades.

Peça ajuda. Se você ainda não arrumou quem a ajude no serviço da casa — de graça ou mediante um salário — e nem tomou medidas para tornar mais fáceis as tarefas de limpeza, arrumação e cozinha, agora é o momento de fazê-lo (veja página 17). Se necessário, lembre a seu marido de que a casa tem dois donos (mas vá devagar, especialmente se ele ainda não estiver acostumado a essa idéia; veja página 626). Conceba maneiras pelas quais ele (ou outra pessoa de sua confiança) possa ajudá-la a levar o seu fardo — ligando para casa antes de sair do trabalho no fim da tarde a fim de saber o que você quer que ele compre no supermercado, deixando a roupa suja na lavanderia quando estiver a caminho do trabalho, passando o aspirador e/ou arrumando a casa enquanto você dá ao bebê a última mamada do dia (a simples aparência de arrumação, quando você acorda de manhã, pode lhe dar uma incrível injeção de ânimo).

Defina suas prioridades. O que é mais importante? O estado da sua casa ou seu bebê recém-nascido? Enquanto o bebê tira uma soneca, é mais importante passar o aspirador na casa ou levantar um pouco as pernas e relaxar para poder estar descansada quando ela acordar? É mesmo essencial passar a ferro aquelas camisas de acrílico, ou não será melhor levar o bebê para dar uma volta de carrinho? Lembre-se de que o excesso de atividade muito cedo depois do parto pode privá-la da energia necessária para fazer qualquer coisa bem feita; e não se esqueça de que a sua casa um dia voltará a ser limpa, mas seu bebê nunca mais terá dois dias (ou duas semanas, ou dois meses) de idade.

Organize-se. As listas são as melhores amigas da nova mãe. Logo ao acordar de manhã, enquanto dá de mamar ao bebê (se você conseguir) ou enquanto seu marido dá a ele uma mamadeira ou brinca com ele, faça uma lista de tudo o que precisa ser feito. Divida suas prioridades em três categorias: tarefas que precisam ser feitas o mais rápido possível, as que podem esperar até a tarde e as que podem ser adiadas para amanhã — ou para a semana que vem, ou indefinidamente. Atribua a cada atividade um horário aproximado, de acordo com o seu relógio biológico pessoal (você fica prostrada toda manhã ou trabalha melhor ao romper da madrugada?), bem como o do bebê (na medida em que você conseguir descobrir qual é, a esta altura).

Ter o seu dia organizado no papel não significa que você vá conseguir fazer tudo de acordo com o cronograma (a verdade é que, para a nova mãe, isso raramente acontece), mas servirá para lhe dar uma sensação de controle sobre aquilo que agora parece ser uma situação quase incontrolável; os planos feitos no papel são sempre mais realizáveis do que os que rodopiam freneticamente por sua cabeça. É até possível que, ao fazer a lista, você descubra que tem menos a fazer do que pensava. Não se esqueça de riscar da lista as tarefas já feitas, para ter uma gostosa sensação de realização. E não se preocupe com o que ainda não foi riscado — simplesmente transfira-o para a lista de amanhã.

Outro segredo de ofício para a organização da vida da nova mãe: faça uma relação dos presentes ganhos pelo bebê e das pessoas que os deram, à medida que os for recebendo. Você acha que vai ser capaz de lembrar que foi a prima Dóris quem deu esse lindo conjuntinho azul e amarelo; depois da chegada do décimo sétimo conjuntinho, porém, é possível que sua memória já esteja meio enevoada. E faça uma marca ao lado de cada nome quando mandar o cartão de agradecimento, para não ter de ficar pensando: "Será que agradeci à tia Joana?"

Simplifique. Para limpar o chão da cozinha, use um desinfetante que não precise ser enxaguado; use pratos de papel na mesa do jantar; prefira os legumes congelados aos frescos; peça uma pizza a domicílio numa noite, uma salada na noite seguinte; tome as medidas que puder para diminuir o tempo gasto nas tarefas necessárias. Deixe os suprimentos e equipamentos perto do lugar onde são usados, para não ter de ficar andando de um cômodo a outro. Por ora, guarde os pequenos objetos decorativos e outras coisas que exijam um cuidado especial (eles vão ter que sair de cena, de qualquer modo, quando o bebê começar a engatinhar).

Adiante-se. Após colocar o bebê na cama à noite, e antes de cair morta no sofá, reúna as forças necessárias para fazer mais algumas tarefas, de modo que, na manhã seguinte, você já esteja em vantagem. Prepare novas fraldas. Misture o leite em pó e encha as mamadeiras. Meça o café e coloque-o no pote. Separe as roupas sujas. Passe roupas para você e o bebê. Em cerca de dez minutos, você terá feito algo que demoraria pelo menos três vezes mais com o bebê acordado. E, sabendo que terá menos coisas a fazer de manhã, poderá dormir melhor (se o bebê deixar).

Acostume-se a valer por duas. Aprenda a fazer duas coisas ao mesmo tempo. Lave a louça ou rale cenouras para a torta enquanto fala ao telefone. Faça o balanço do talão de cheques ou dobre as roupas limpas enquanto assiste ao noticiário na televisão. Leia um livro ou conte uma história a uma criança mais velha enquanto amamenta um bebê sonolento (o bebê acordado exige mais atenção). O dia ainda assim não será comprido o suficiente, mas essas medidas poderão fazer com que você deseje que ele tivesse apenas 36 horas, e não 48.

Saia de casa. A menos que o clima não permita, planeje uma saída todos os dias. Isso não vai ajudá-la a tirar o pó da casa ou lavar o chão, mas vai fazer com que tais tarefas pareçam menos urgentes.

Aprenda a esperar o inesperado. Muitas vezes — aliás, com demasiada freqüência —, os melhores planos feitos pelas mães acabam por dar errado.

O bebê está todo agasalhado para sair, a sacola de fraldas está pronta, você vestiu o casaco, e de repente você ouve, por baixo das camadas de roupinhas, o som inequívoco de um intestino se esvaziando. Tira-se o casaco, as roupinhas e a fralda, perdem-se 10 minutos, e o cronograma rígido fica todo desorganizado. Para fazer frente a essas ocorrências inesperadas, recheie seus cronogramas com bastante tempo extra.

Desenvolva seu senso de humor. Se você for capaz de rir da própria situação, é menos provável que venha a chorar. Por isso, não perca o bom humor — mesmo em meio à total desordem e confusão. Isso não vai apenas ajudá-la a conservar a sanidade mental; vai impedir que sua filha se transforme num daqueles adultos em cujas memórias de infância ninguém sorria — porque todos estavam muito ocupados arrumando tudo.

Acostume-se. A vida com um bebê equivale, na maior parte do tempo, a uma convivência com uma certa dose de bagunça. À medida que o bebê crescer, mais difícil será manter essa bagunça sob controle. Assim que você guardar os bloquinhos em sua caixa, ela os jogará de novo no chão. Ao mesmo tempo em que você estiver limpando as ervilhas amassadas da parede atrás do cadeirão do bebê, ela estará redecorando o chão com pêssegos passados na peneira. Depois que você instalar trincos de segurança em todos os armários da cozinha, ela descobrirá como abri-los, e espalhará todas as suas panelas pelo assoalho.

E lembre-se: quando você finalmente mandar o seu último filho para a faculdade, sua casa será novamente imaculada — e tão solitária que você acolherá de bom grado todo o pandemônio que eles armarem nas férias da escola.

PERDA DE CONTROLE

"Nos últimos dez anos, administrei meu próprio negócio, minha casa e todos os outros aspectos da minha vida de maneira muito eficiente. Mas, desde que cheguei em casa com meu filho, pareço não ter controle sobre absolutamente nada."

Sua casa sofreu um golpe de estado — como todas as casas de novos pais e mães. E o homem que deveria ser o rei do castelo não é sequer um homem, mas um menino recém-nascido. Por mais desamparado que pareça, ele é muito capaz de desorganizar sua vida e usurpar o controle que você tinha sobre ela. Ele não liga a mínima se você normalmente toma banho às 7h15 da manhã, toma café às 8h05, saboreia um tranqüilo coquetel às 18h30 e janta pontualmente às 7h da noite; não se importa de você gostar de dançar até altas horas no sábado à noite e dormir até tarde na manhã seguinte. Ele exige suas mamadas e sua atenção quando quer, sem antes verificar sua agenda para saber se é conveniente. Isso significa que sua rotina, bem como alguns de seus confortáveis costumes, terão de ser abandonados por vários meses, serão vários anos. Especialmente nestas primeiras semanas, a única agenda que terá importância será a dele. E é possível que essa agenda, de início, não possua qualquer padrão discernível que você possa usar para se programar. Os dias, e sobretudo as noites, podem passar como que imersos em névoa. É possível que você se sinta mais um autômato (ou, se estiver amamentando, uma vaca leiteira) do que um ser humano, mais um empregado que um patrão, incapaz de exercer qualquer poder sobre a própria vida.

Que fazer? Ao menos por enquanto, abdique cortesmente do cetro e da coroa. Com o tempo, à medida que for ficando mais competente, confiante e à vontade em seu novo papel, e à medida que o bebê for se tornando mais capaz e menos dependente, você vai recuperar uma parte do controle que perdeu. Mas não espere recuperar o poder absoluto.

Talvez o melhor seja aceitar o fato de que sua vida nunca mais será a mesma; mas, afinal de contas, você gostaria que fosse?

MELHORAR A APARÊNCIA

"Eu sabia que não poderia usar um biquíni logo após o parto, mas uma semana já se passou e ainda pareço grávida de seis meses!"

Embora a perda de peso inicial acarretada pelo parto seja maior que a produzida por qualquer clínica de emagrecimento do país (uma média de 5 kg e meio em poucas horas), poucas mulheres ficam satisfeitas com o resultado — sobretudo quando observam o próprio talhe no espelho e percebem que, infelizmente, ainda parecem grávidas. A boa notícia é que a maioria dessas mulheres pode guardar suas calças para gestantes no alto do armário antes do fim do mês. E a má notícia: é possível que, por um bom tempo ainda, as calças de antes da gravidez não se ajustem ao corpo como costumavam fazer.

A rapidez com que você volta à forma e ao peso de antes da gravidez depende de quantos quilos e centímetros ganhou ao longo da gestação — e do lugar onde esses quilos e centímetros se acumularam. As mulheres que ganharam de 9 a 13 kg comendo uma boa dieta e ganhando peso aos poucos podem conseguir perder todo esse peso, sem fazer regime, até o final do segundo mês, mais ou menos. Por outro lado, as que exageraram e ganharam mais que o necessário para produzir um bebê sadio e de bom tamanho — particularmente quando o peso foi ganho em arrancos desiguais, devido à alimentação com guloseimas — podem ter mais dificuldade para recuperar a forma que tinham antes da gestação.

Qualquer que tenha sido seu ganho de peso, a prática fiel da "Melhor Dieta para o Pós-Parto e a Amamentação" tende a produzir uma perda de peso lenta e constante — sem perda de energia. Depois do período de seis semanas para a convalescença do parto, as mulheres que não estiverem amamentando podem começar uma dieta sensata e bem balanceada para perda de peso, fazendo exercícios para perderem os quilos que ainda tiverem sobrado. As lactantes que não estiverem perdendo peso podem cortar o seu consumo diário de calorias em uma ou duas centenas e aumentar seu grau de atividade, para estimular a perda de peso sem cortar a produção de leite. Normalmente, os quilos a mais que tiverem sobrado serão perdidos quando elas desmamarem os bebês.[6]

Mas essa aparência de gravidez depois do parto tem diversas razões sem relação alguma com o ganho de peso. Uma delas são os mais ou menos 2 kg de líqüidos remanescentes, que ficarão em sua barriga nos primeiros dias mas serão eliminados naturalmente, por si mesmos, no decorrer da semana. Outra é o útero, ainda maior que o normal, e que continuará a dar ao abdome uma aparência de gravidez até voltar ao tamanho que tinha antes e retornar ao seu lugar na pelve, geralmente antes da sexta semana após o parto. Mas a maior razão, e a mais persistente, para que as mulheres continuem a parecer grávidas bastante tempo depois do parto é a distensão dos músculos e da pele do abdome. Para a maioria das mulheres, mesmo depois da perda de peso, fazer o abdome reassumir o tônus que tinha antes de gravidez é algo que requer mais que a simples espera pelo que o tempo e a natureza puderem fazer. Na verdade, o abdome pode ficar caído pelo resto da vida se não for feito um esforço deliberado de exercitar-se (veja "Entrando em Forma Novamente", página 606).

Infelizmente, há algumas mudanças corporais que vão permanecer em você independentemente de quantos abdominais e levantamentos de pernas você fizer e de quão cuidadosamente você controlar sua dieta — embora você possa nem sequer percebê-las. A mais comum é uma mudança na configuração corporal devido ao

6. A mãe lactante, porém, nunca deve reduzir drasticamente seu consumo de calorias. A excessiva queima das gorduras de seu corpo poderia resultar na liberação de cetonas (subprodutos do metabolismo das gorduras) e de substâncias químicas ou medicamentos, antes contidos na gordura, para o leite materno, o que pode fazer mal para o bebê.

afrouxamento das articulações durante a gravidez (para facilitar o parto) e a seu renovado endurecimento depois do nascimento do bebê. As mudanças tanto podem ser imperceptíveis quanto fazer aumentar o seu manequim ou número de calçado. As mulheres que sofreram operação cesariana podem também notar uma pequena alteração na forma do abdome, que não muda apesar dos exercícios.

DIVISÃO DE TRABALHO

"Não gosto da idéia de pedir a meu marido que me ajude com o bebê, especialmente à noite — afinal de contas, ele trabalha o dia inteiro e tem de acordar cedo. Mas fico exausta de cuidar dele sozinha."

Não há um emprego mais puxado que o seu atual; você precisa e merece toda a ajuda que o seu parceiro puder lhe dar. O fato de trabalhar fora de casa — mesmo que num emprego particularmente estafante — não basta para eximir automaticamente o homem de todo trabalho dentro de casa, especialmente quando esse trabalho é criado pela chegada de um bebê para cuja existência ele contribuiu em 50%. E quando estiver tentada a sentir-se culpada quanto a pedir a ajuda dele, lembre-se de que você também tem trabalhado o dia inteiro, e num emprego quase certamente mais cansativo e estressante (tanto pela natureza do trabalho quanto por sua novidade) que o do seu companheiro. E a menos que ele seja uma babá profissional, ajudá-la com o bebê será para ele uma pausa repousante e agradável em relação às exigências de seu dia de trabalho, e não uma monótona e cansativa extensão destas. Aliás, mesmo que ele seja uma babá profissional — ou um pediatra, professor de jardim de infância, ou trabalhar de algum outro modo com crianças pequenas —, tomar conta de sua própria filha ainda pode lhe proporcionar uma satisfação única.

É claro que você talvez tenha de se servir de alguma persuasão para obter sua cooperação total, e é possível que seja necessário realizar algumas negociações trabalhistas a fim de elaborar um programa de cuidados do bebê e da casa que seja mutuamente aceitável. O programa ideal tiraria de suas costas uma parte do fardo sem sobrecarregar demais o seu marido. (O primeiro ajuste pode ser renegociado se você voltar a trabalhar fora.) Comece tomando as seguintes medidas:

Abra a boca. Talvez seu marido nem sequer saiba que você precisa da ajuda dele — pode ser que você esteja se empenhando demais em fazer com que tudo pareça muito fácil. Talvez ele não saiba que você quer que ele ajude — ele pode estar com a impressão de que você prefere fazer tudo sozinha, ou que não o acha competente o suficiente para lidar com o bebê. Sente-se ao lado dele numa hora tranqüila, quando o bebê estiver dormindo e vocês estiverem calmos, e explique suas necessidades racionalmente e de forma pausada. Você pode até constatar que o fato de você estar cuidando do bebê sozinha o está incomodando tanto quanto a você.

Ensine-lhe uma ou duas coisas. Se a falta de experiência e de confiança estiver impedindo seu marido de tentar cuidar do bebê, algumas aulas poderão lhe fazer bem. Mostre-lhe uma troca de fraldas e depois faça com que ele as troque com a sua assistência, várias vezes. Faça-o observar e ajudá-la no banho do bebê e na hora de vesti-lo. Ensine-lhe uma cantiga de ninar das mais fáceis e compartilhe com ele a sua mais eficaz técnica para balançar o bebê no colo (mas lembre-se: em geral, os pais seguram os bebês de maneira diferente das mães, e o método que ele desenvolver pode até ser mais eficaz que o seu). Seja uma instrutora paciente, e não desista (nem o deixe desistir) se ele levar 10 minutos para trocar sua primeira fralda, se o bebê sair do banho ainda cheio de sabão ou se ele puser-lhe o vestidinho de trás para a frente. Lembre-se (e lembre-o) de que os pais (assim como as mães) se fazem pela experiência, e não por um dom inato, e de que ele possui a capacidade congênita de dominar a arte maior dos cuidados com o bebê. No começo, pode parecer mais fácil você mesma trocar as fraldas do que vê-lo lutar para conseguir algo tão simples. Mas, no fim, seus esforços valerão a pena — quando seu marido se transformar num parceiro extremamente capaz.

Deixe-o sozinho. Isto é, com o bebê. Vez por outra, aproveite (ou invente) certos pretextos para deixar o papai sozinho com o nenê. Comece com períodos curtos — 15 ou 20 minutos, por exemplo —, e vá aumentando aos poucos. Forçados a mostrar serviço numa situação de nadar-ou-afogar-se, a maioria dos novos pais surpreendem a si mesmos e a suas companheiras por permanecerem à tona. Isso incrementará a autoconfiança dele e lhe dará uma oportunidade de conhecer o bebê, o que, por sua vez, o tornará mais bem-disposto em relação à idéia de ajudar.

Esqueça os erros dele. A menos que ele esteja fazendo algo que possa colocar o bebê em perigo (jogando-o para cima, por exemplo), não se apresse a fazer comentários sobre as falhas do seu marido. O mais fácil é deixá-lo aprender com os próprios erros (ou com seu bom exemplo), e não com suas críticas. Quando você precisar apontar-lhe os erros, faça-o delicadamente, para não minar-lhe a autoconfiança e criar hostilidades. E esteja pronta a aprender com ele.

Estabeleça um sistema padronizado de operação. Para algumas pessoas, a única maneira de assegurar que todas as tarefas sejam feitas e que o trabalho seja dividido com justiça consiste em fixar e seguir um cronograma (segundas, quartas e sextas à noite você troca as fraldas e ele dá banho; terças e quintas você dá banho e ele troca as fraldas etc.). Para outras, especialmente as que não vêm a necessidade de "marcar a contagem", a divisão de responsabilidades na hora ("Você pode trocar as fraldas dela enquanto termino de lavar a louça?") é um sistema que funciona. Para outras ainda, o melhor é atribuir responsabilidades de acordo com a capacidade pessoal. Se o seu marido é um autêntico mestre-cuca e você não consegue fritar um ovo, deixe-o assumir a cozinha. Se o bebê parece preferir o ritmo dele ao seu, deixe-o balançá-lo no colo. Mas se ele for totalmente incapaz de segurar um bebê molhado e escorregadio — mesmo depois de tentar várias vezes —, assuma você a tarefa de dar banho.

Compartilhem o turno da noite. Mesmo se você estiver amamentando, não há razão para que seu marido possa dormir a noite inteira enquanto você e o bebê acordam. A rotina noturna não se resume à amamentação. O papai pode pegar o nenê no berço, trocá-lo se for preciso e levá-lo até à cama para você dar de mamar. Dependendo de quem tiver mais forças, tanto você como ele podem levar a pimpolha de volta ao berço depois da mamada. Mas a probabilidade de ela acordar será menor se o serviço for feito pelo papai, já que a proximidade dos seus seios poderia motivá-la a pedir uma segunda dose. Se ela estiver mamando na mamadeira, parcial ou totalmente, as mamadas noturnas podem ser divididas entre você e seu marido de acordo com um cronograma de consenso. Ele pode cuidar de todas as mamadas anteriores às 2h da manhã e você pega as seguintes; ou vocês ficam com uma noite cada um.

Apesar das boas intenções e de toda a boa vontade, é possível que você ainda fique com a parte da leoa dos cuidados com o bebê. Muitos homens, mesmo que intelectualmente sejam a favor da igualdade dos sexos (e especialmente quando não são), e por mais que tenham tido muita vontade de participar do parto (e especialmente quando não tiveram), simplesmente não estão preparados a aceitar toda a sua quota de cuidados com a criança. Alguns podem achar que ser um bom pai resume-se a prover a casa de bens materiais, e sentir que, trabalhando algumas horas a mais, estão cumprindo todas as suas obrigações para com a família. Outros, pelo fato de não terem modelos nos quais se basear (não tiveram pai, ou tiveram pais que ficavam longe da educação das crianças), ficam inseguros e pouco à vontade ao defrontarem-se com as responsabilidades da paternidade. As velhas atitudes custam a morrer.

Se, por alguma razão, seu marido não ajudá-la a carregar o fardo, tente entender porque isso acontece e comunicar-lhe claramente qual a sua posição. Não espere que ele mude da noite para o dia, e nem deixe que o seu ressentimento por isso não ocorrer desencadeie brigas e tensões. Em vez disso, explique, eduque, estimule; com o tempo, ele vai encontrá-la se não no fim do caminho, pelo menos na metade.

DEPRESSÃO

"Tenho tudo o que eu sempre quis: um marido maravilhoso, uma filhinha encantadora. Por que me sinto tão infeliz?"

Mais ou menos metade (segundo algumas estimativas, 90%) de todas as novas mães fazem essa mesma pergunta, queixando-se de acessos de choro, infelicidade, ansiedade e mudanças bruscas de humor ao longo da primeira semana após o parto. Essa onda de "depressão puerperal" provavelmente está relacionada à repentina queda dos níveis de estrógeno e progesterona no organismo feminino após o parto, e geralmente passa depois de alguns dias, embora algumas mulheres a sintam ir e vir ao longo das primeiras seis semanas.

A verdadeira depressão puerperal é menos comum (provavelmente afeta 25% das mães de primeira vez e 20% das gestações subseqüentes) e mais prolongada (em geral começa mas primeiras seis semanas e pode durar meses). As variações hormonais são uma das justificativas para essa depressão. Acredita-se que o fato de a sensibilidade às flutuações hormonais variar de mulher para mulher explique, ao menos em parte, porque nem todas as mulheres sofrem mudanças de humor, embora todas experimentem a mesma mudança nos níveis hormonais. A depressão também pode ser desencadeada pelas mudanças hormonais relacionadas ao desmame.

Mas há um grande número de outros fatores que, acredita-se, contribuem para a depressão puerperal. Alguns desses fatores não-hormonais podem explicar por que os pais naturais e as mães adotivas, que não sofrem quaisquer mudanças hormonais, também são sujeitos a esse tipo de depressão:

O fim da gravidez. Para as mulheres que passaram os nove meses da gestação num estado de relativo desconforto — com enjôos pela manhã, varizes nas pernas, dores nas costas e indigestão —, o fim da gravidez é uma ocasião a ser comemorada. Mas se você curtiu muito a gravidez, a conclusão dessa fase pode causar tristeza, especialmente se você não planeja ter mais filhos. É possível que experimente uma sensação de perda e vazio e sinta saudades daquele sentimento íntimo e inigualável de carrregar o bebê dentro de você. Você pode até mesmo lamentar a perda daquele barrigão ao qual já estava acostumada e do qual passara a gostar.

Uma sensação de anticlímax. O parto — o grande acontecimento para o qual você tinha se preparado e esperara tanto tempo — já passou.

A saída do primeiro plano para o segundo plano. Agora, o grande astro é o bebê. As visitas, em vez de ficar ao lado de sua cama perguntando sobre o seu estado de saúde, fazem fila na janela do berçário. Seu marido, que pode tê-la posto num pedestal por nove meses, está agora tão ocupado em curtir o recém-nascido que, mesmo sem ter a intenção, acaba esquecendo-a no momento em que a sua adoração é para você mais necessária. A varinha de condão do obstetra transformou-a numa Cinderela ao contrário — a princesa grávida tornou-se, depois do parto, uma simples camponesa. Essa mudança de condição vai acompanhá-la em sua ida para casa. Quando tiver de sair com o bebê, é possível que as pessoas não estejam sempre tão prontas em ajudá-la — enquanto você luta para dobrar um carrinho, manipular ao mesmo tempo o bebê e uma bolsa cheia de fraldas e chamar um táxi — quanto estavam quando você estava grávida e carregava o bebê dentro de si quase sem esforço. Os estranhos não vão mais sorrir, radiantes, ao ver-lhe a barriga; as amigas não vão fazer comentários sobre sua boa aparência; todos os olhos estarão voltados para o bebê, e todos os cumprimentos e sorrisos terão um único endereço: ele.

Hospitalização. Ansiosa para ir para casa e começar a agir no papel de mãe, você talvez esteja frustrada com a falta de controle, no hospital, sobre a sua vida e a do bebê; uma estada prolongada pode aumentar ainda mais sua frustração. Se esse bebê não é o seu primeiro, é possível que esteja com saudades de seu filho ou filhos mais velhos, sinta-se culpada por estar longe deles e se preocupe pensando se estão bem — sobretudo se essa for a primeira vez em que vocês ficam separados.

A ida para casa. Não é incomum que a mulher se sinta assoberbada e sobrecarregada pelas responsabilidades que a esperam ("O que faço primeiro?"), especialmente se ela não tem quem a ajude e a louça, a poeira e a roupa suja se acumularam durante a sua ausência. Outra coisa desestabilizadora pode ser a volta para uma casa cheia de objetos do bebê (sua casa foi dominada por esse pequeno invasor!).

Decepção. Com o seu recém-nascido: ele é tão pequeno, vermelho, inchado, apático — não é aquele bebê fofinho e sorridente que você viu nos comerciais da tevê. Com o parto e/ou você mesma: se as quiméricas expectativas ligadas a uma concepção idealizada do parto não se realizaram, você pode (desnecessariamente) sentir-se um fracasso. Com a maternidade: não é aquilo que você esperava, e a decepção causa depressão.

Exaustão. A fadiga que se segue ao parto, combinada aos rigores do cuidado de um recém-nascido, podem fazê-la sentir-se incapaz de enfrentar os múltiplos desafios que se lhe deparam.

Falta de sono. As pessoas privadas de sono — quer sejam pilotos de avião, prisioneiros de guerra ou médicos residentes — podem sofrer severas mudanças de humor. As mães novas não constituem exceção.

Incômodo ou dores no corpo. Sua episiotomia ou incisão cesariana queimam, seus seios estão ingurgitados, as hemorróidas a torturam, as contrações doem. Não é fácil ficar feliz em meio a tantas dores.

Sentimentos de incapacidade. Quase todas as novas mães põem em dúvida a sua capacidade de desempenhar o novo papel. Se for uma completa iniciante, você pode pensar: "Por que tive um filho se não consigo cuidar dele?" Se você é uma veterana que já consegue cuidar de uma criança de olhos fechados, mas agora está perdida perante duas, pode cogitar: "Por que tive outro?" Se você sente que é menos respeitada no papel de mãe do que era trabalhando fora de casa, pode sentir-se desvalorizada como pessoa. E é desanimador não se sentir bem consigo mesma.

Sentimentos de culpa. Talvez você não quisesse realmente ter um filho quando ficou grávida, e, embora o queira agora, sente-se culpada. Ou sente culpa por não o ter amado à primeira vista, por achá-lo feio ou não gostar da monotonia da maternidade. Ou por ter de voltar a trabalhar em pouco tempo, ou por não contribuir com alguma renda para a casa. A culpa, por qualquer razão que seja, pode ter efeitos muito depressivos.

Tristeza por não ser mais como antes. Seu ser despreocupado, talvez orientado para a carreira profissional, entrou em eclipse (pelo menos temporário) com o nascimento do bebê. O mesmo se pode dizer do seu estilo de vida voltado só para si mesma ou você e seu marido — passatempos demorados, jantares freqüentes em restaurantes, cursos e filmes podem, por força das circunstâncias, ter de ficar de lado por algum tempo.

Insatisfação com a sua aparência. Antes, você estava gorda e grávida; agora, perante seus olhos excessivamente críticos, está apenas gorda. Você não agüenta mais ter de usar roupas para gestantes, mas as outras não cabem.

Falta de apoio. Se você não tem apoio suficiente — da família e dos amigos, mas sobretudo do marido —, a necessidade de defrontar-se com as novas tarefas da maternidade pode ser esmagadora e depressiva.

Tensão não relacionada com o bebê. Os problemas — familiares, profissionais, financeiros — que não têm relação com o bebê podem, não obstante, induzir a depressão puerperal.

O único remédio seguro para a depressão puerperal é a passagem do tempo; mesmo assim, existem certas maneiras de minimizar (alguns médicos têm usado, com êxito, doses decrescentes de hormônios) e eliminar essa depressão:

- Se a depressão chegar no hospital, peça ao seu marido que encomende um jantar romântico para vocês dois; limite a quantidade de visitas se a conversa delas lhe der nos nervos; convide mais gente, se isso a animar. Se o que a estiver abatendo for o ambiente hospitalar, verifique a possibilidade de uma alta precoce (veja página 602).
- Combata a fadiga aceitando a ajuda que lhe oferecerem, sendo menos compulsiva quanto a fazer imediatamente coisas que podem ficar para depois e tentando descansar ou dormir um pouco durante as sonecas do bebê. Use as mamadas como intervalo para descanso — amamente ou dê mamadeira reclinada na cama ou numa poltrona confortável, com as pernas para cima.
- Para conservar as forças, siga a "Melhor Dieta para o Pós-Parto" (página 615). Evite o consumo de açúcar (especialmente associado ao chocolate), que pode ter efeito depressivo sobre algumas pessoas.
- Se você gosta de beber algo, tome um coquetel com seu marido durante o jantar do bebê ou bebam um copo de vinho na hora do jantar de vocês, mas não exagere — mesmo quantidades módicas de álcool podem aumentar sua depressão e, se você estiver amamentando, intoxicar o bebê.
- Se possível, vá jantar fora com seu marido. Se não, monte um teatrinho. Encomende um jantar (ou deixe o seu marido cozinhar, se ele quiser), vistam-se de gala, criem na sala de jantar a ambiência de um restaurante de cinco estrelas com velas acesas e música suave. E não se esqueça de conservar vivo o senso de humor, para o caso de o bebê decidir interromper o seu romântico interlóquio.
- Comunique ao seu marido quaisquer sentimentos de falta de atenção que você esteja experimentando. É possível que ele não perceba que você precisa dele tanto quanto o bebê.
- Peça ajuda para cuidar da casa, do bebê, das outras crianças — peça-a ao seu marido, sua mãe, suas vizinhas, suas amigas, quem quer que esteja disposto e seja capaz. Se você não conseguir de graça toda a ajuda de que precisa e tiver condições financeiras, pense na possibilidade de empregar alguém (uma adolescente, uma vizinha idosa) que lhe dê uma ou duas horas livres por dia — para que você possa descansar, tomar banho, preparar o jantar ou fazer o que tiver de fazer.
- Se o seu problema é lidar com o bebê e mais uma ou mais crianças novas — em geral, a depressão aumenta em proporção

geométrica a cada novo bebê —, aproveite as dicas do capítulo 26.

- Deixe a sua aparência a melhor possível, para que você se sinta o melhor possível. Qualquer um ficaria deprimido se andasse o dia inteiro de camisola, com os cabelos despenteados, Tome uma ducha antes de o seu marido sair de manhã (talvez você não tenha oportunidade depois disso); penteie o cabelo; passe maquiagem, se costuma usá-la.
- Saia de casa. Encontre uma amiga para almoçar, veja as vitrines, perambule dentro de um museu — com o bebê ou, se você conseguir arranjar um voluntário que tome conta dele em casa, sem ele.
- Fique ativa. Os exercícios podem ajudar a afugentar a depressão e, simultaneamente, livrá-la daquela dose de gordura que pode estar aumentando seu desânimo. (Veja página 606.)
- Reserve algum tempo para si mesma. Tome meia hora por dia para fingir que é uma dama sem compromissos. Enquanto o bebê dorme ou fica com outra pessoa, leia o jornal (a menos que as notícias a deprimam), progrida naquele romance, veja um filme em vídeo, faça exercícios de rotina, ponha em dia a sua correspondência, conceda a si mesma o mimo de uma massagem facial, uma manicure ou um banho de imersão.
- Se você acha que a sua tristeza gosta de companhia, reúna-se a outras mães recentes suas conhecidas e comparem as próprias frustrações. Se você não conhecer nenhuma, procure. Peça ao pediatra os nomes de algumas novas mães em seu bairro e funde um grupo de mães novas. Entre em contato com as mulheres que participaram de suas aulas de educação para o parto e organize uma reunião semanal. Faça um curso de exercícios para o pós-parto (na maioria deles, os bebês são bem-vindos).
- Se a sua tristeza é do tipo que prefere ficar sozinha, curta um pouco de solidão. Embora a depressão comum costume se auto-alimentar, alguns especialistas acham que isso não se aplica à depressão puerperal. Se o tempo passado ao lado de pessoas alegres só piora o seu humor, evite por algum tempo as reuniões sociais. Mas não dê um gelo no seu marido. Também os maridos podem sofrer de depressão puerperal, e ele pode estar precisando do seu apoio tanto quanto você precisa do dele.
- *Procure ajuda profissional imediatamente* se a sua depressão durar mais de uma semana e vier acompanhada de insônia (você não consegue dormir nem enquanto o bebê está dormindo); falta de apetite; perda de interesse em você mesma e na família; sentimento de desespero, desamparo e falta de controle; impulsos suicidas; o desejo de que o bebê não existisse ou deixasse de existir; vontade de machucar o bebê; outros pensamentos, temores, alucinações ou delírios suspeitos.

Embora a depressão puerperal severa, exigindo ajuda profissional, seja relativamente rara — estima-se que ocorra em menos de uma a cada mil mulheres —, mais de 3.000 mães a sofrem anualmente neste país. Para saber se é uma delas, obtenha rapidamente um diagnóstico feito por um profissional, se você apresentar os sintomas de depressão severa descritos acima. Não se deixe enganar por frases como "Ah, isso é comum — você logo vai melhorar", ou "Anime-se e tudo isso passa". A depressão materna prolongada pode prejudicar a formação de laços afetivos entre a mãe e a criança, e com freqüência tem efeitos danosos ao bebê.

Se você não sabe a quem recorrer, peça a seu obstetra, parteira, médico da família, clérigo, ou a uma amiga que teve uma boa experiência de aconselhamento, que lhe indiquem alguém; ou procure um posto de saúde mental do estado ou do município. Entre em contato com o grupo de apoio à depressão puerperal de sua comunidade, se houver, ou pense em fundar um. Se você consultar um terapeuta sem formação médica, envolva também um médico em seu tratamento; a depressão puerperal pode ter um componente hormonal.

Se em algum momento você sentir um forte impulso de bater no bebê, quer você ache que esteja com depressão ou não, vá imediatamente à casa de um vizinho, chame um médico (o seu ou o do bebê) ou outra pessoa que possa rapidamente chegar aonde você se encontra (uma amiga, seu marido, sua mãe), ou ligue para o CVV. Alguém certamente poderá lhe ajudar.

"Estou me sentindo ótima desde que dei à luz, há três semanas. Será que toda essa animação vai acabar dando num caso terrível de depressão puerperal?"

Infelizmente, sentir-se bem não é uma notícia tão sensacional quanto sentir-se mal. Em livros, revistas e jornais, você não vai achar falta de artigos que digam respeito aos cerca de 50% de mulheres que acabaram de dar à luz e são em alguma medida afetadas pela depressão puerperal; mas não há nada ou quase nada escrito sobre os outros 50% que não são afetadas e se sentem ótimas depois do parto.

A depressão é comum, mas não é inevitável. E não há razão para crer que, só pelo fato de estar se sentindo nas nuvens, você vá sofrer uma queda emocional proporcional a essa altura. Visto que a maioria dos casos de depressão puerperal ocorre na primeira semana depois do parto, o mais provável é que você tenha escapado. Se quiser aumentar ainda mais essa probabilidade, veja as dicas para diminuir a depressão (página 628). Essas medidas não só curam como também previnem.

Depois do parto, algumas mulheres experimentam as mesmas ligeiras mudanças de humor que sentiam durante a gravidez — sentem-se assoberbadas e incapazes num dia (o bebê não dormiu o dia inteiro, regurgitou sobre uma camisa nova e deixou vazar cocô no colchão do berço), eufóricas e competentes no dia seguinte (o bebê dormiu três sonecas de três horas cada uma, foi alvo de comentários elogiosos no supermercado e sorriu pela primeira vez). Essas mudanças de humor são normais e temporárias.

Muito raramente, uma mulher desenvolve um caso tardio de depressão puerperal, às vezes quando da época do desmame. Qualquer pessoa que em qualquer momento apresente os sintomas de depressão severa listados nas páginas 630-31 deve procurar auxílio profissional imediato.

SENSAÇÃO DE INCAPACIDADE

"Eu achei que ia conseguir. Mas, no momento em que recebi nas mãos meu filhinho, toda a minha confiança desvaneceu. Sinto-me um total fracasso no papel de mãe."

Embora as recompensas últimas da maternidade sejam maiores que as de qualquer outra ocupação, as tensões e desafios também são maiores — sobretudo no início. Afinal, não há outra ocupação que lhe imponha, sem um treinamento ou experiência anteriores e sem orientação e supervisão, turnos de trabalho de 18 a 24 horas sob sua responsabilidade total. Além disso, não há outra ocupação que, durante as primeiras semanas, lhe ofereça tão pouco retorno para que você saiba como está se saindo. A única pessoa que poderia avaliar o seu desempenho é um recém-nascido apático, imprevisível e nada cooperativo, que não sorri quando está satisfeito, não lhe dá um tapinha nas costas quando está agradecido, dorme na hora de comer e chora na hora de dormir, quase nunca olha para você por mais de um ou dois minutos e não parece diferenciá-la da vizinha da casa ao lado. Não se tem a satisfação de ver um trabalho terminado: quase todas as tarefas que você faz — trocar as fraldas, preparar mamadeira, lavar roupinhas, dar de mamar — são logo desfeitas e/ou precisam ser feitas de novo quase imediatamente. Não é de surpreender que você se sinta fracassada em sua nova profissão.

Mesmo para uma pessoa experiente, o período do pós-parto não é nenhum piquenique; para uma novata, pode se assemelhar a uma série interminável de erros, contratempos, reveses e infortúnios. Mesmo assim, já se vislumbra alguma luz (embora você talvez não consiga visualizá-la ainda); a competência no papel de mãe está mais próxima do que pode imaginar. Até chegar lá, não se esqueça do seguinte:

Você é única. E o seu bebê também. O que funciona para outra mãe e bebê pode não funcionar para você, e vice-versa. Não faça comparações.

Você não é a única. Hoje, é maior do que nunca o número de mães de primeira gestação que jamais tiveram experiência com recém-nascidos. E mesmo entre as que tiveram, são poucas as que conseguem passar incólumes pelas primeiras semanas. Lembre-se de que as mães não têm um dom inato, mas se fazem pela experiência. Os hormônios não transformam por encanto parturientes em mães capazes; só o tempo, as tentativas e erros e a experiência podem fazê-lo. Se você tiver a oportunidade de partilhar suas preocupações com outras mães novatas, terá certeza de que, embora você seja única, seus temores de mãe novata não são.

Você precisa ser tratada como um bebê. Para ser uma mãe eficiente, você precisa tratar-se um pouco como um bebê. Diga a si mesma, do mesmo modo que sua mãe faria, que você precisa comer bem e descansar o suficiente, sobretudo no período do pós-parto; e que também é importante exercitar-se moderadamente, para manter alto o nível de energia, e fazer um pouco de relaxamento de vez em quando, para elevar o moral.

Vocês são apenas humanos. Você não deve esperar e nem exigir perfeição de si mesma ou do bebê — nem agora e nem em qualquer outro momento do relacionamento entre vocês.

Você pode confiar nos próprios instintos. Em vez de duvidar de tudo o que você pensa, dê uma chance aos seus instintos. Em muitos casos, até a mãe mais "verde" sabe mais sobre o que é bom para o bebê do que suas amigas e parentes mais experientes e os compêndios de pediatria.

Você não precisa decidir tudo sozinha. É verdade que você deve confiar nos próprios instintos e não deve fazer comparações, mas há por aí muitos bons conselhos e gestos de apoio que lhe podem ser úteis. Buscar tudo isso junto às avós, irmãs, amigas, livros e revistas não é sinal de incompetência, mas de que você tem a mente aberta e está disposta a aprender. Peneire cuidadosamente as informações recebidas de outras pessoas, ponha à prova aquilo que parece servir para você e para o bebê, e esqueça o que não servir.

Seus erros podem ajudá-la a crescer e não contam pontos contra você. Ninguém vai lhe dar o bilhete azul se você cometer erros (posto que, num dia particularmente ruim, você bem que gostaria de poder abandonar esse emprego). Os erros são uma parte importante do aprendizado da maternidade. Tenha certeza de que vai continuar a cometê-los pelo menos até o dia em que seus filhos forem para a faculdade. E se, no começo, você não tiver êxito, simplesmente tente, tente uma coisa diferente (se o bebe só faz chorar mais alto quando você o balança de um lado para o outro deitado nos seus braços, tente segurá-lo de pé apoiado no seu ombro e balançá-lo para a frente e para trás — e assim por diante).

Nem sempre será fácil sentir amor. Às vezes, é difícil interagir amorosamente com um recém-nascido — um ser basicamente apático que gosta muito de receber, mas não dá nada em troca (a não ser as fraldas sujas). É possível que algum tempo ainda se passe antes que você deixe de se sentir uma palerma, balbuciando tatibitates e cantarolando cantigas de ninar fora do tom, e antes que você consiga abraçar e beijar esse pequeno montinho de gente com naturalidade e sem embaraço. (Veja, na página 307, dicas de como falar com o bebê.)

O bebê perdoa fácil. Esqueça de trocar-lhe as fraldas antes da mamada. Deixe cair um pingo de xampu nos seus olhinhos durante o banho. Ao vestir-lhe uma camisa, deixe a gola presa bem na frente dos seus olhos. O bebê vai perdoar estes pequenos pecados, e muitos outros — desde que entenda e perceba claramente que você o ama. Nesse caso, ele vai perdoá-la até quando você estiver cansada demais para lhe dar um sorriso ou quando deixá-lo chorar por alguns minutos enquanto você está no banheiro ou corre a ver aquela panela que está queimando no fogão.

A derradeira recompensa é extraordinária. Pense na maternidade como um projeto de longo prazo, cujos resultados se apresentarão aos poucos no decorrer dos meses e anos seguintes. Quando você vir o bebê sorrir pela primeira vez, estender o bracinho para pegar um brinquedo, dar uma gargalhada, ficar de pé, dizer "Mamãe eu te amo", vai ter certeza de que agiu corretamente, de que realmente fez algo muito especial.

VISITAS

"Sinto-me uma verdadeira chata, mas estou cansada das infindáveis visitas que batem à nossa porta desde que nosso filho nasceu."

A não ser que você pendure na porta um aviso de "quarentena" ou "fomos pescar", há pouco que possa fazer para manter ao longe os admiradores do bebê. Afinal, não há ímã mais poderoso que um recém-nascido para atrair os amigos, familiares e vizinhos. Mas existem maneiras de minimizar o número de visitas e tornar menos incômodas as inevitáveis:

- Na primeira e segunda semanas, limite as visitas aos familiares e amigos mais íntimos. Você pode pôr a culpa nas "recomendações do médico", já que a maioria deles concorda em que se deve limitar os visitantes durante as primeiras semanas após o parto.
- Compre ou consiga emprestada uma secretária eletrônica e grave uma mensagem que apresente todos os dados relativos ao bebê — data de nascimento, peso, nome —, bem como a informação de que as visitas estão sendo restritas. Ligue de volta quando achar conveniente, convidando os familiares e amigos íntimos a virem visitá-la em horários específicos.
- Peça aos visitantes que liguem com antecedência; não tenha medo de dizer que um determinado horário sugerido não é conveniente, mas, sempre que possível, proponha uma alternativa.
- Por ora, siga a lei do mínimo esforço em sua função de anfitriã. Se isto a fizer sentir-se melhor, coloque uma fruteira cheia sobre a mesa e copos de plástico ao lado da pia da cozinha, mas não ofereça comes e bebes mais elaborados — guarde suas energias para amamentar o bebê.
- Não tenha vergonha de dar a entender às visitas que elas já ficaram muito tempo. Uma insinuação não muito sutil, como "Tenho que tirar uma soneca enquanto o bebê dorme", deve ser suficiente para transmitir a mensagem. Para aquelas pessoas que não entendem insinuações, não há, evidentemente, nada de errado em pedir educadamente que se retirem.
- Considere a hipótese de "apresentar" o bebê numa única grande ocasião — talvez o batizado, uma circuncisão ritual, uma cerimônia de dar nome ao bebê, uma festa de boas-vindas —, e diga aos amigos que nessa hora eles terão a oportunidade de vê-lo. Para não trabalhar demais, chame os avós ou outros parentes e amigos íntimos para ajudar a organizar a festa. Faça uma coisa simples (a menos que puder pagar um bufê), limitando-se a um cardápio de queijo, biscoitos e vinho, ou café e bolo.

De qualquer modo, não se sinta culpada por não estar com muita vontade de receber as visitas. Você está passando por um complexo período de adaptação, e tem todo o direito de desejar — e obter — um pouco de paz, tranqüilidade e privacidade.

FAZER TUDO CERTO

"Tenho tanto medo de dar um passo em falso que passo horas e horas planejando casa pequena decisão relativa a minha filha. Tudo o que quero é fazer tudo certinho para ela, mas estou ficando quase louca e enlouquecendo meu marido."

Ninguém consegue fazer tudo certo — nem mesmo uma mãe. Todos cometemos erros — na maioria pequenos, às vezes grandes — ao criar os nossos filhos, os quais, na grande maioria das vezes, chegam sem problemas à idade adulta. (Na verdade, é cometendo alguns erros e aprendendo a partir deles que nos tornamos melhores mães e pais.) Além disso, nem sempre é possível saber o que é o "certo" numa determinada situação; o que é certo para uma mãe e seu bebê pode ser errado para outra.[7]

Nem mesmo a leitura de todos os livros e a consulta a especialistas vão dar-lhe sempre todas as respostas. Muitas vezes, conhecer a si mesma e ao bebê e aprender a confiar no próprio instinto e bom-senso são caminhos mais curtos para a tomada de decisões aceitáveis para suas vidas. É verdade, por exemplo, que alguns bebês adoram ficar bem enroladinhos; mas se sua filha chora toda vez que você a envolve apertada num cobertor, talvez prefira ter a liberdade de mexer as pernas. Os especialistas podem lhe dizer que os bebês novos gostam de sons agudos; mas se sua filha claramente reage de maneira mais positiva a uma voz grave, desça uma oitava. Confie em si mesma e no bebê — é possível que nem sempre você esteja certa, mas não fará nada de muito errado.

7. Existem, porém, exceções: em questões de segurança, por exemplo. É *sempre* certo prender o bebê na cadeirinha de automóvel, mesmo em viagens pequenas, e é *sempre* correto manter as substâncias tóxicas trancadas fora do alcance do bebê. E, em questões de saúde, nenhuma decisão deve ser tomada sem uma consulta ao médico.

BANHOS DE IMERSÃO APÓS O PARTO

"Tenho recebido informações contraditórias acerca dos banhos de imersão no período do pós-parto. Eles podem fazer mal ou não?"

Já houve tempo em que não se permitia que as mães novas pusessem os pés numa banheira por pelo menos um mês a contar do parto, pois acreditava-se que as bactérias da água do banho pudessem causar infecção. Hoje, sabe-se que a água parada da banheira não entra na vagina, e já não se considera a infecção pelo banho como uma ameaça. Há médicos, inclusive, que recomendam que as mães tomem banhos de banheira no hospital (se houver banheira), baseando-se na hipótese de que o banho de imersão seja mais eficaz que a ducha para remover os lóquios do períneo e das dobras entre os lábios vaginais. Além disso, a água morna alivia a dor e o inchaço do local da episiotomia e diminui o incômodo das hemorróidas.

Mesmo assim, é possível que o seu médico prefira que você não tome banhos de imersão até ir para casa, ou mesmo por mais tempo. Se você está ansiosa para tomar um banho (especialmente se não tiver chuveiro em casa), discuta a questão com o médico; é possível que ele permita. Se você tomar banho de imersão na primeira ou segunda semana após o parto, não deixe de assegurar que a banheira esteja bem limpa e esfregada antes de enchê-la. (Mas que não seja você a esfregá-la!) E nos primeiros dias, em que você pode estar ainda um pouco fraca, peça ajuda para entrar e sair da banheira. Quer sob o chuveiro ou dentro da banheira, use sempre uma esponja e uma toalha limpas, lavando primeiro os seios e mamilos (só com água), depois o períneo (com água e sabonete suave) e por fim o resto do corpo. Não tenha medo de abrir os pontos ao lavar-se; isso não acontece.

TEMPO GASTO NA AMAMENTAÇÃO

"Por que ninguém me disse que eu ficaria amamentando meu filho 24 horas por dia?"

Talvez porque você não acreditaria, ou porque ninguém queria desencorajá-la. Em todo caso, agora você já sabe. Nas primeiras semanas, para muitas mães, a amamentação é uma atividade que não cessa. Mas anime-se; com o correr das semanas, você poderá passar menos tempo cativa da insaciável sucção do bebê. À medida que a amamentação fica mais regular e estabelecida, o número de mamadas tende a diminuir. Quando o bebê já estiver dormindo a noite inteira, você provavelmente estará dando de mamar somente cinco ou seis vezes por dia, gastando com isso não mais que três ou quatro horas.

Até lá, tire da cabeça todas as coisas que estão clamando por serem feitas; relaxe e aprecie esses momentos especiais que só você pode compartilhar com o bebê. Dê-lhes uma dupla utilidade, escrevendo um diário do bebê, lendo um livro ou organizando o seu dia no papel. O mais provável é que, quando desmamar o bebê, você perceba o quanto gostava de amamentar e sinta saudades.

CONTAMINAÇÃO DO LEITE MATERNO

"Tudo o que como ou bebo entra no leite que produzo? Há alguma coisa que possa fazer mal à minha filha?"

A alimentação do seu bebê fora do útero não exige um controle tão rígido da sua própria dieta quanto a alimentação dentro do útero exigia. Mas, durante o tempo em que você estiver amamentando, será necessário observar certas restrições quanto ao que você ingere, a fim de garantir que nada de ruim passe para o bebê.

A composição básica de lipídios, proteínas e carboidratos do leite humano não depende do que a mãe come ou deixa de comer. Se a mãe não consumir calorias e proteínas em quantidade suficiente para produzir leite, seu corpo vai usar os próprios estoques nessa produção, até que eles terminem. Mas certas deficiências vitamínicas na dieta materna podem alterar o conteúdo vitamínico do leite materno; o mesmo vale para certos excessos vitamínicos. Há uma grande variedade de substâncias, desde temperos até medicamentos, que também podem aparecer no leite materno, acarretando conseqüências variáveis para o recém-nascido.

Para conservar o seu leite seguro, saudável e à altura das preferências gustativas do bebê:

- Siga a "Melhor Dieta para Pós-Parto" (página 615).
- Evite alimentos a que seu bebê parece ser sensível. Alho, cebola, repolho e chocolate costumam constar da lista negra, enchendo de gases a barriga de alguns — mas nem todos — bebês. Certos bebês, sobretudo aqueles dotados de um paladar muito sensível, simplesmente rejeitam o peito depois de você ter comido algo que confira um sabor forte ou incomum à bebida a que estão acostumados.
- Tome um suplemento vitamínico especialmente formulado para mulheres grávidas e/ou lactantes. Com a exceção da vitamina C, que parece passar para o leite materno em quantidades muito pequenas, *não* tome quaisquer outras vitaminas sem a autorização do seu médico.
- Não fume. Muitas das substâncias tóxicas do fumo entram na corrente sangüínea e passam para seu leite. Embora não se conheçam em detalhe os efeitos desses venenos a longo prazo, pode-se especular com bastante segurança que não sejam nada

bons. Além disso, sabe-se que os filhos de pais fumantes podem ter uma série de problemas de saúde decorrentes do fato de serem "fumantes de segunda mão", devido à fumaça no ambiente.

■ Não use nenhuma droga (a não ser, às vezes, uma única dose de bebida alcoólica). Só tome medicamentos com a autorização do médico. A maior parte dos medicamentos passa em alguma medida para o leite materno — alguns parecem não ter nenhum efeito sobre o lactente, outros têm um efeito brando e transitório, outros enfim têm efeitos significativos e prejudiciais. Mas ainda não se sabe o suficiente sobre os efeitos a longo prazo dos medicamentos sobre os lactentes; por isso, não se recomenda que a mãe tome nenhum medicamento sem antes fazer uma pesagem de riscos contra benefícios.

Todos os medicamentos que acarretam um perigo, ainda que puramente teórico, para o lactente, têm um aviso no rótulo, na caixa ou em ambos. Nos casos em que os benefícios superam os riscos possíveis, é provável que o médico autorize o uso pouco freqüente de certos medicamentos (analgésicos fracos ou remédios contra resfriado, por exemplo) sem necessidade de prescrição, e prescreva outros quando sua saúde o exigir. A lactente que se recusa a tomar medicamentos assim prescritos, tal como a gestante que faz o mesmo, não está trabalhando pelo próprio bem, nem pelo do bebê. Assegure-se, é certo, de que o médico que lhe prescreve um medicamento saiba que você está amamentando.

Para obter as mais atualizadas informações sobre quais os medicamentos considerados seguros e quais não o são, fale com o pediatra do seu filho. As pesquisas mais recentes revelam que a maioria dos medicamentos (inclusive o acetaminofen, ibuprofen, a maioria dos sedativos, anti-histamínicos descongestionantes, anti-hipertensivos, antibióticos e antitireoidianos são compatíveis com a amamentação. Alguns, porém, como certas drogas contra o câncer, o lítio e as ergotinas, são nitidamente nocivos. Outros, como a aspirina, muitos tranqüilizantes, antidepressivos e antipsicóticos, estão sob suspeita.

Em alguns casos, pode-se interromper sem problemas o uso de um medicamento ao longo de todo o período de amamentação; em outros, é possível encontrar um substituto seguro. Quando um medicamento se faz necessário por um prazo curto, a amamentação pode ser temporariamente interrompida (mediante a extração do leite, depois jogado fora). Senão, as doses podem ser tomadas logo após a mamada ou antes do maior período de sono do bebê. Freqüentemente, podem-se usar tratamentos não-medicamentosos (veja página 664).

■ Só tome bebidas alcoólicas de vez em quando. Até há pouco tempo, acreditava-se que uma ou duas doses de álcool por dia não fariam mal ao lactente, mas um estudo recente dá a entender que a módica ingestão de um copo de vinho por dia pode tornar mais lento o desenvolvimento motor do bebê, em seu aspecto localizado e geral. São necessários outros estudos; mas, prevenindo-se para não ter de remediar, restrinja o consumo de álcool. Este apresenta outras desvantagens. Desidrata o corpo, causando a perda dos líqüidos necessários para a produção de leite. Em altas doses, pode tornar o bebê sonolento, preguiçoso, apático e incapaz de sugar a contento. O álcool pode também prejudicá-la (quer esteja amamentando, quer não), tornando-a mais suscetível à depressão, à fadiga e a lapsos de discernimento, enfraquecendo seu reflexo de produção de leite e tornando-a menos capaz de cuidar, proteger e nutrir o bebê. E, à semelhança de qualquer comida ou bebida nutricionalmente vazia, o excesso de álcool pode acrescentar calorias em excesso (e portanto quilos) e fazê-la perder o apetite para os nutrientes necessários. Por isso, só beba às vezes. E, quando beber, limite seu consumo a uma ou duas doses (uma dose equivale a 300 ml de cerveja, 150 ml de vinho ou 50 ml de bebida destilada). Se você for incapaz de limitar a quantidade de bebida que consome ou de parar na segunda dose, está com um problema. Peça ajuda a um médico ou aos Alcoólicos Anônimos.

- Restrinja seu consumo de cafeína. Uma ou duas xícaras de café, chá ou coca-cola por dia não farão mal a você ou ao bebê. Mais do que isso, porém, pode fazer mal, tornando um de vocês, ou ambos, nervosos, irritadiços e insones. A cafeína também tem efeito diurético, drenando preciosos líqüidos para fora de seu corpo. E o excesso de bebidas não-nutritivas, cafeinadas ou não, pode fazê-la perder o apetite por bebidas e alimentos nutritivos.
- Não tome laxantes; alguns têm um efeito laxante sobre o bebê. Para combater a constipação, aumente o consumo de fibras e líqüidos e faça mais exercícios.
- Só tome aspirina ou acetaminofen com a aprovação do médico, e nunca ultrapasse a dose e a freqüência prescritas. Como o ibuprofen só é liberado no leite em quantidades mínimas, os medicamentos que contêm esse princípio ativo podem ser considerados mais seguros para a mãe lactante.
- Evite comer alimentos que contenham quantidades excessivas de produtos químicos. Um ou outro refrigerante *diet* não fazem mal, mas não convém consumir freqüentemente os que contêm sacarina. Os refrigerantes adoçados com aspartame parecem ser uma melhor opção, visto que o aspartame passa para o leite materno em quantidade muito pequena. Mas, quer você esteja amamentando, quer não, o uso intensivo de aspartame não é nada prudente, pois seus efeitos a longo prazo ainda não são conhecidos. Não o ingira em hipótese alguma se você ou o bebê tiverem fenilcetonúria. E embora não se tenha determinado inequivocamente a toxidade de nenhum aditivo alimentar atualmente em uso, para o bebê que o ingere mediante o leite materno, vários deles estão sob suspeita. Por isso, convém restringir seu consumo de alimentos que contenham longas listas de aditivos, como conservantes, corantes, aromatizantes e estabilizantes.
- Não tome chás de ervas. Algumas das ervas usadas para a feitura desses chás (o verdadeiro chá de ervas, e não o chá descafeinado e aromatizado) são medicamentos fortes, possivelmente nocivos para o lactente. Por isso, fuja das ervas e dos chás de ervas não recomendados pelo médico e que contenham qualquer ingrediente que não faça parte de sua dieta normal (os chás de casca de laranja e maçã seca, por exemplo, não apresentam problema).
- Minimize a quantidade de pesticidas em sua dieta. Uma certa quantidade de resíduos de pesticidas na dieta (vindos de produtos hortifrutigranjeiros, por exemplo) e, logo, no leite materno, é praticamente inevitável e não chega a fazer mal. Mas convém tentar limitar esses resíduos a um mínimo, comprando, sempre que possível, itens agrícolas de produção orgânica garantida; descascando os demais legumes e frutas, ou esfregando-os com detergente e água e enxaguando bem; escolhendo laticínios semidesnatados, carnes magras, a carne branca das aves, sem a pele; e comendo poucas vezes a carne de vísceras (os pesticidas e outros produtos químicos ingeridos pelos animais ficam acumulados na gordura, na pele gorda e em órgãos como o fígado e o cérebro).
- Evite comer peixes de água doce (como a truta, a perca, o salmão e outros) que possam ter sido contaminados por resíduos industriais lançados nos rios e lagos. Pode-se fazer uma exceção se você sabe que o peixe veio de uma água limpa (não há problema, por exemplo, com trutas ou carpas vindas de fazendas de piscicultura). A maioria dos peixes de alto mar são considerados seguros, mas o peixe-espada e o atum, que podem conter um excesso de metilmercúrio, devem ser consumidos menos freqüentemente. Às vezes, constata-se que os peixes de determinada região do alto-mar estão contaminados. Se você não tem certeza de qual a condição de um determinado peixe, entre em contato com a Secretaria do Meio Ambiente ou da Saúde de seu município ou estado.[8]

8. Se você acha que teve demasiado contato com PCBs (em seu trabalho, por ter comido grande quantidade de peixes contaminados, ou por algum outro meio), submeta seu leite a exames antes de decidir amamentar. Se a taxa de PCB em seu leite for alta, é possível que a aconselhem a não amamentar.

MAMILOS DOLORIDOS

"Sempre tive vontade de amamentar, mas meus mamilos estão doloridos a tal ponto que não sei se vou conseguir continuar amamentando meu filho."

No começo, você se pergunta se o seu bebê um dia vai aprender a mamar; num piscar de olhos, ele está sugando com tanto vigor que seus mamilos ficam sensíveis, até doloridos. O problema não é incomum; na verdade, a maioria das mulheres fica com os mamilos pelo menos um pouco sensíveis até que a amamentação se estabeleça plenamente. Mas, para a grande maioria delas, a sensibilidade atinge seu ponto máximo por volta da vigésima mamada, os mamilos começam a se fortalecer e a amamentação fica mais confortável. Para algumas mulheres, porém, sobretudo as de pele clara ou delicada ou aquelas cujos bebês sugam muito vigorosamente, os mamilos pioram ainda mais antes de melhorar, rachando-se, ficando extremamente sensíveis e às vezes sangrando. As mamadas podem se tornar uma tortura.

Felizmente, até para essas mulheres há uma luz no fim do túnel, a qual, porém, pode não se acender por um mês ou seis semanas. Até lá, as seguintes precauções contribuirão para aliviar o incômodo:

- Quando o bebê estiver mamando, ponha-lhe na boca toda a aréola do seio (a região escura ao redor do mamilo), e não só o mamilo. Se ele sugar só o mamilo, além de ser doloroso, ele não obterá muito leite. Se a ingurgitação impedir que ele abocanhe toda a aréola, tire um pouco de leite com as mãos ou com uma bomba antes de dar de mamar, para diminuir a ingurgitação e facilitar ao bebê a tarefa de pegar o seio.
- Exponha os mamilos ao ar sempre que possível, mas em especial depois de amamentar. Feche as cortinas e abaixe as abas do sutiã de amamentação enquanto cuida das tarefas domésticas.
- Remova do sutiã qualquer revestimento impermeável (para aumentar a circulação de ar), e não use protetores de seio impermeáveis.
- Se apenas um dos mamilos estiver dolorido, não se ponha a amamentar só com o outro seio. Mas ofereça ao bebê primeiro o mamilo menos dolorido, pois a sucção é mais vigorosa no começo da mamada. Se ambos os mamilos estiverem doloridos, alterne os seios que oferece primeiro a cada mamada. Se possível, reduza o tempo das mamadas a 5 minutos de cada lado, e dê de mamar com mais freqüência.
- Deixe que a natureza — e não os fabricantes de cosméticos — cuide dos seus mamilos. Estes são naturalmente lubrificados e protegidos pelos óleos da pele; só se devem usar preparados comerciais quando os mamilos estiverem severamente rachados, e os preparados devem ser tão puros quanto possível. A lanolina pura e a pomada de vitaminas A e D são eficazes; as pomadas à base de óleos minerais e a vaselina não são. Limpe os mamilos somente com água — nunca use sabonete, álcool, tintura de benzoína ou lenços pré-umedecidos —, quer os mamilos estejam doloridos, quer não. O bebê é protegido dos seus germes pelos anticorpos contidos no seu leite, e o próprio leite é limpo.
- Varie as posições em que dá de mamar, de modo que uma parte diferente do mamilo seja comprimida a cada mamada.
- Relaxe por mais ou menos 15 minutos antes de cada mamada — ouça música, veja TV, tire uma soneca, faça exercícios de relaxamento — para eliminar qualquer tensão que pudesse suster a descida do leite. Senão, tente vez por outra tomar um copo de vinho ou de cerveja para estimular o leite a descer. Ou estimule a descida com um *spray* nasal de oxitocina prescrito pelo médico, ou com compressas quentes ou uma ducha quente antes das mamadas. Se o leite não descer, o bebê terá de sugar desesperadamente para mamar, aumentando a dor nos mamilos.

LEITE QUE VAZA E JORRA

"Meus seios vazam bastante. Às vezes, o leite jorra pela sala. Além de sujar, é embaraçoso."

Por um lado, isso é bom: os seios que vazam estão cheios de leite. Por outro, não há muita coisa que você possa fazer para deter esse fluxo, que provavelmente vai diminuir um pouco em algum momento do segundo mês, quando as necessidades do bebê e sua produção de leite começarem a se harmonizar. Até lá, você pode experimentar alguns truques:

- Use compressas absorventes debaixo do sutiã para absorver o leite que vaza; mas não esqueça de trocá-las freqüentemente, evitando a criação de um meio quente e úmido, excelente para a proliferação de bactérias.
- Use roupas que camuflem as manchas de leite — o melhor para isso são as estampas com manchas escuras — e que sejam laváveis.
- Quando, rodeada de outras pessoas, você sentir que o leite está descendo, tente cruzar os braços apertando-os de encontro ao peito; a pressão pode sustar a descida do leite.
- Tente não prolongar demais o intervalo entre as mamadas; se precisar fazer isso, porém, tire um pouco de leite quando os seios ficarem muito cheios.

MASTITE

"Meu filhinho é um mamador de primeiro time, e, embora eu estivesse com os mamilos um pouquinho rachados e doloridos, achava que tudo estava indo bem. Agora, de repente, um seio ficou muito sensível e endurecido — mais do que quando o leite chegou."

Para a maioria das mulheres, o processo de amamentação decorre praticamente sem intercorrências depois de um início um pouco difícil. Mas para uma em cada vinte mulheres — e você parece ser uma destas —, surge uma mastite (inflamação do seio) para complicar as coisas. Essa infecção pode ocorrer em qualquer fase da lactação, mas é mais comum entre o décimo e o vigésimo oitavo dias após o parto.

Em geral, a mastite é causada pela entrada de germes (freqüentemente vindos da boca do bebê) em um duto lácteo através de uma rachadura ou fissura na pele do mamilo. Como os mamilos rachados aparecem mais nas mulheres que estão amamentando pela primeira vez, cujos mamilos não estão acostumados às exigências da sucção de um bebê, são elas que apresentam mastite com maior freqüência. Entre os sintomas podem-se citar a dor, endurecimento, vermelhidão, aquecimento e inchação da área sobre o duto afetado, e geralmente febre de 38 a 39ºC — embora às vezes os únicos sintomas sejam febre e fadiga. É importante obter tratamento médico imediato; por isso, comunique de pronto tais sintomas ao seu médico. A terapia prescrita pode consistir em repouso na cama, antibióticos, analgésicos e aplicação de calor ou gelo.

Embora você possa sentir dor dando ao bebê o seio atingido, não deve deixar de dá-lo. É preciso, inclusive, deixar o bebê mamar freqüentemente para manter o leite fluindo e evitar o encaroçamento. Se o bebê não esvaziar o seio após a mamada, esvazie-o você mesma até o fim, com as mãos ou uma bomba. Não tenha medo de transmitir a infecção ao bebê; os germes que a causaram provavelmente vieram de sua própria boca.

O atraso no tratamento da mastite pode levar ao desenvolvimento de um abcesso no seio, cujos sintomas são: dor terrível, latejante; edema, sensibilidade e calor na região do abcesso; e temperatura chegando a 38 ou até a 39,5ºC. O tratamento geralmente emprega antibióticos e, muitas vezes, drenagem cirúrgica com anestesia local. Se um abcesso se desenvolver, a amamentação no seio atingido terá de ser temporariamente suspensa, embora você deva continuar esvaziando-o com uma bomba até que a cura se complete e você possa voltar a amamentar com ele. Até lá, o bebê pode continuar mamando no seio sadio.

CAROÇO NO SEIO

"De repente, descobri um caroço no meu seio. A região está sensível e um pouco vermelha. Será que isso tem relação com a amamentação — ou outra coisa pior?"

Encontrar um caroço no seio é algo que causa medo em qualquer mulher. Felizmente, porém, isso que você descreve é quase certamente relacionado com a amamentação — é provável que um duto lácteo tenha se obstruído, fazendo com que o leite se acumule. A parte obstruída geralmente aparece como um caroço vermelho e dolorido. Embora não seja séria em si, a obstrução de um duto pode causar uma infecção no seio, e por isso não deve ser negligenciada. A base do tratamento é manter o leite fluindo:

- Esvazie completamente o seio afetado a cada mamada. Ofereça-o primeiro ao bebê e estimule seu filho a mamar o máximo possível. Se, após a mamada, a quantidade de leite restante parecer grande (se você conseguir fazer jorrar um jato, e não apenas algumas gotas), tire o resto de leite manualmente ou com uma bomba.
- Não aplique pressão sobre o duto obstruído. Certifique-se de que nem o sutiã nem a roupa estejam muito apertados. Varie as posições em que dá de mamar, para exercer pressão sobre dutos diferentes a cada mamada.
- Não deixe que o leite seco bloqueie o mamilo. Limpe o leite seco com algodão esterilizado molhado em água fervida fria.
- Faça todo o possível para não parar de amamentar. Não é este o momento de desmamar o bebê ou diminuir o número de mamadas. Isso só faria piorar o problema.

Às vezes, apesar de todos os seus esforços, uma infecção se desenvolve. Se a área sensível se tornar cada vez mais dolorida, dura e avermelhada, e/ou você ficar com febre, ligue para o médico (veja página 640).

QUEDA DE CABELO

"Meus cabelos, que estavam exuberantes durante a gravidez, agora parecem estar caindo aos punhados."

Não entre em pânico e nem encomende uma peruca. Essa queda é normal e pode ser bastante intensa, mas cessa antes de deixá-la careca — embora haja mães que duvidem que ela algum dia vai parar. Normalmente, o ser humano médio perde 100 fios de cabelo por dia, cada um dos quais é substituído por um novo. Quando a mulher está grávida (ou toma contraceptivos orais), as mudanças hormonais tornam bem mais lento esse ritmo normal de queda, fazendo com que o cabelo fique mais cheio e exuberante do que nunca. Durante os primeiros três a seis meses após o parto (ou depois que a mulher deixa de tomar a pílula), caem todos os cabelos que deveriam ter caído durante a gestação. No início, o ritmo de crescimento não consegue acompanhar o de queda, o que faz o cabelo parecer menos cheio que de costume.

Quando o bebê fizer um ano, seu cabelo deverá estar de novo tão cheio quanto estava antes da gravidez. Até lá, um bom corte pode minimizar o problema.

VOLTA DO SANGRAMENTO

"Meu corrimento vaginal ficou róseo ao final da primeira semana após o parto, e ainda mais claro na semana seguinte. Agora, quatorze dias depois, de repente voltou a ficar vermelho, e mais intenso."

Se o seu corrimento ficou avermelhado ou um pouco mais intenso do que já estava, isso talvez indique apenas que você tem estado mais ativa do que devia. Nesse caso, uma redução de atividade, com períodos de descanso auto-impostos, com as pernas elevadas, deve fazer com que sua loquiação volte ao normal. Se, por outro lado, uma hemorragia semelhante à da menstruação continuar para além da primeira semana ou começar de repente numa data posterior do período puerperal, você deve imediatamente entrar em contato com o médico que fez o seu parto. Se não conseguir falar com ele de imediato e a hemorragia estiver intensa, saturando um absorvente por hora ao longo de algumas horas, vá ao pronto-socorro mais próximo. Se não estiver tão intensa, não deixe de entrar em contato com o médico dentro de algumas horas (ou, se isso ocorrer no meio da noite, logo de manhã cedo) para que ele possa examiná-la — seja um exame vaginal, seja através de uma ultra-sonografia — para determinar o motivo do sangramento.[9]

Uma hemorragia vaginal anormal depois da primeira semana após o parto pode ser indício de que o lugar onde estava fixada a placenta não está cicatrizando (involuindo) como deveria estar, ou de que um fragmento de placenta ainda permanece no útero (isso pode acontecer mesmo que a placenta tenha parecido inteira ao ser examinada na hora do parto). Tanto uma coisa como a outra, se não forem tratadas imediatamente, podem produzir uma hemorragia que coloca em risco a vida. A ausência de involução geralmente reage a uma terapia de descanso, antibióticos e, às vezes, medicamentos que ajudem o útero a contrair. A retenção de fragmentos de placenta costuma exigir hospitalização, com cirurgia, cuidadosa curetagem (raspagem) do revestimento intra-uterino, terapia com antibióticos e possíveis transfusões de sangue. A convalescença geralmente é rápida, e muitas vezes a paciente tem alta 24 horas depois de ter entrado no hospital. Na maioria dos casos, é possível conseguir que o bebê lactente seja trazido ao hospital para que a mãe lhe dê de mamar. Se isso não for possível, pode-se implementar um plano temporário de alimentação alternativa (veja página 100).

INFECÇÃO/FEBRE PUERPERAL

"Acabei de vir do hospital para casa e estou com uma febre de mais ou menos 38ºC. Isso pode ter relação com o parto?"

Graças ao Dr. Ignaz Semmelweis, hoje é muito pequena a probabilidade de uma nova mãe apresentar febre puerperal. Foi na Viena de 1847 que esse jovem médico húngaro descobriu que, se os parteiros lavassem as mãos antes de fazer um parto, reduzia-se enormemente o risco de desenvolvimento de uma infecção decorrente desse processo. (Na época, sua teoria foi considerada tão descabida que ele perdeu o emprego, foi marginalizado no meio médico e morreu amargurado.) E graças a Sir Alexander Fleming, o cientista britânico que criou os primeiros antibióticos contra infecções, os raros casos que ocorrem são facilmente curados.

Os casos mais severos de infecção puerperal geralmente começam nas primeiras 24 horas depois do parto. Uma febre no terceiro ou quarto dia também pode ser indício de infecção puerperal, mas às vezes é causada por um simples resfriado, um vírus ou outro problema de pouca monta. Às vezes, uma febre baixa, de mais ou menos 37,5ºC, ocorre junto com a ingurgitação que marca a chegada do leite.

Há vários tipos de infecção puerperal, e os sintomas variam de acordo com o lugar onde a infecção se instala. Uma febre baixa, uma dor vaga no baixo abdome e às vezes um corrimento vaginal mal-cheiroso caracterizam a endometrite, uma infecção do revestimento interno do útero (o endo-

---

9. Algumas mulheres têm uma espécie de minimenstruação cerca de três semanas depois do parto; o sangramento, porém, é breve e não tão intenso quanto o descrito acima. Mesmo que você suspeite ser esta a razão de sua hemorragia, comunique-a ao médico.

métrio), que fica particularmente vulnerável após o parto, até a completa cicatrização do local onde estava fixada a placenta. A probabilidade de ocorrência de endometrite é maior quando um fragmento de placenta fica alojado no útero; a infecção pode passar do endométrio para o útero, e mesmo para a corrente sangüínea. Quando uma laceração na vagina, na vulva ou no colo do útero se infecciona, ocorre geralmente dor local e, às vezes, um corrimento grosso e mal cheiroso, dores no abdome ou no baixo lateral das costas ou dificuldade para urinar. Em certos tipos de infecção puerperal, a febre pode subir de repente para até 40,5°C, e é acompanhada de arrepios, dor de cabeça e indisposição. Às vezes, o único sintoma é a febre.

O tratamento por antibióticos é muito eficaz, mas deve começar o mais rápido possível. Por isso, você deve comunicar ao médico qualquer febre que tenha no decorrer das três primeiras semanas após o parto — mesmo que apresente também sintomas de resfriado ou gripe —, para que sua causa possa ser determinada e o tratamento possa ser iniciado, se necessário.

CONVALESCENÇA DO PARTO CESÁREO

"Estou indo para casa, uma semana depois de uma cesariana. E agora?"

O processo de recuperação do parto cirúrgico é um pouco mais demorado que o do parto vaginal. Nas semanas seguintes, você:

Vai precisar de bastante ajuda. Uma pessoa de confiança contratada para ajudá-la — uma babá e/ou uma governanta — é o ideal para a primeira semana, pelo menos, quando sua força e sua energia estarão em baixa. Se você não tem recursos para contratar alguém, vai precisar de mais ajuda do seu marido, suplementada, quando ele não estiver em casa, por parentes e amigas que se revezem em turnos. Pelo menos ao longo da primeira semana em casa, o melhor é não levantar nenhum peso (nem o do bebê) e nem fazer nenhum serviço de casa. Se tiver de levantar o bebê, faça com que se coloque o colchão do berço na altura da sua cintura e, ao levantá-lo, faça mais força com os braços que com o abdome. Se tiver de curvar-se para baixo, dobre os joelhos e não a cintura.

Vai sentir pouca ou nenhuma dor. Mas, se sentir alguma, um analgésico fraco pode ajudá-la. Se estiver amamentando, porém, não tome nenhum medicamento, a menos que o médico do bebê a autorize.

Vai notar uma progressiva melhora do corte cirúrgico. Seu corte vai doer um pouco por algumas semanas, mas a sensibilidade diminuirá aos poucos à medida que ele for cicatrizando. O uso de uma atadura leve e de roupas soltas evitará irritação. Junto com a cicatrização, podem-se esperar algumas sensações de puxar e formigar, outras dores transitórias e, às vezes, coceira. Tudo isso vai passar no decorrer das semanas seguintes. A insensibilidade abdominal ao redor da cicatriz pode durar mais tempo, talvez vários meses. O tecido da cicatriz vai ficar mais delgado (a menos que você tenha tendência a apresentar quelóides, ou tecido conjuntivo grosso no local da cicatriz) e a cicatriz pode adquirir tonalidade rósea ou arroxeada antes de finalmente desaparecer. Se a dor voltar ou piorar, se a região ao redor do corte ficar muito vermelha ou inchada, se você notar a emissão de um líqüido marrom, cinza, verde ou amarelo do ferimento, talvez este esteja infeccionado. Comunique imediatamente tais sintomas ao médico. Deve-se comunicar também a emissão de um líqüido transparente, o qual, porém, pode ser totalmente normal.

Vai ter de esperar pelo menos quatro semanas antes de ter relações sexuais. O médico pode recomendar que você espere de quatro a seis semanas antes de ter relações sexuais (embora não haja restrições a outras maneiras de fazer amor). O sinal verde vai depender do grau de cicatrização do seu corte e do momento em que o colo do útero voltar ao normal. (Veja nas páginas 645-648 algumas dicas para que as relações sexuais do pós-parto tenham mais êxito. Veja também a contracepção no pós-parto, páginas 654 e seguintes.) Aliás, há grande probabilidade de que você ache as primeiras relações sexuais após o parto mais satisfatórias do que as mulheres que deram à luz por parto normal.

Vai poder começar a fazer exercícios assim que não estiver mais sentindo dor. É provável que o tônus muscular do seu períneo não tenha ficado muito comprometido; por isso, é possível que você não tenha que fazer exercícios Kegel (embora eles sejam bons para dar tônus à pelve de qualquer pessoa). Quando o médico a autorizar, preste mais atenção aos músculos abdominais (veja página 609). Que o seu lema seja "devagar e sempre"; entre aos poucos num programa de exercícios e pratique-os diariamente. Tenha certeza de que vários meses serão necessários para que você atinja novamente sua antiga forma.

RETOMADA DAS RELAÇÕES SEXUAIS

"Meu médico me diz que tenho de esperar seis semanas antes de ter relações sexuais novamente. Uma amiga me diz que isso não é necessário."

É sensato supor que o seu médico tenha um conhecimento maior de sua condição clínica do que a sua amiga. Embora haja casos em que o médico autorize as relações sexuais já na segunda semana após o parto, a restrição imposta pelo seu médico é provavelmente baseada naquilo que ele crê ser o melhor para você, levando em consideração o seu tipo de parto, o fato de você ter precisado ou não de uma episiotomia ou sutura de laceração e a velocidade de sua cicatrização e convalescença. Há médicos, porém, que rotineiramente aplicam a proibição de seis semanas a todas as suas pacientes, quaisquer que sejam as circunstâncias individuais. Se você acha que esse é o caso do seu médico, e estiver com muita vontade de fazer amor, pergunte-lhe se ele não estaria disposto a modificar as regras só para você. Isso, porém, só será possível se o colo do seu útero estiver cicatrizado e a sua loquiação definitivamente encerrada. Mesmo tendo a autorização, é possível que você decida adiar as relações sexuais, caso lhe causem intensa dor na região do períneo.

Se o seu pedido for negado, porém, é prudente seguir as ordens do médico. O fato de esperar por seis semanas não vai machucá-la (ao menos fisicamente); a impaciência, pelo contrário, pode feri-la.

O QUE É IMPORTANTE SABER: Fazer Amor de Novo

A lua-de-mel já acabou? O romantismo se esvaneceu com a chegada desse pequeno filhote que compartilha o seu ninho de amor? Será que você ainda voltará a sentir, na cama, aquele arroubo de paixão? Aliás, será que um dia você vai se livrar desse cansaço que, no momento, não a deixa sentir qualquer outra coisa?

A maioria das mulheres, mesmo as que antes do parto tinham vidas sexuais altamente memoráveis, se perguntam muitas vezes, cheias de aflição, se algum dia voltarão a ter com seus maridos qualquer tipo de relacionamento sexual regular. Embora algumas mulheres se sintam dispostas ao amor no período que segue imediatamente ao parto (e, infelizmente, ainda antes de receberem a autorização para consumarem seus desejos, ou, por vezes, antes que seus companheiros o desejem) devido à ingurgitação genital, a maioria delas vê o período puerperal (e, às vezes, um período de vários meses depois dele) como um deserto sexual.

POR QUE ESSA FALTA DE INTERESSE?

Não são poucas as razões pelas quais você pode não estar disposta a fazer amor nesta época. Entre elas:

- O reajustamento hormonal pode eliminar o desejo sexual durante o período do pós-parto, e depois dele, se você estiver amamentando.
- Certas mudanças fisiológicas temporárias podem provocar uma diminuição da rapidez e da intensidade da resposta sexual.
- Sua libido e a do seu marido geralmente saem perdendo na briga contra noites sem dormir, dias estafantes, fraldas sujas e as intermináveis necessidades de um exigente recém-nascido.
- O medo da dor, de causar algum ferimento interno, de perceber que sua vagina está alargada ou de ficar grávida muito cedo pode podar os botões do romantismo antes mesmo que floresçam.
- A dor de uma primeira relação sexual após o parto pode dar menos atrativo a outras tentativas. A dor nessas tentativas subseqüentes pode fazer com que o relacionamento sexual se torne extremamente difícil e incômodo. Essa dor pode permanecer por algum tempo, mesmo depois da cicatrização do períneo.
- O desejo também pode ser abafado pelo incômodo devido à menor lubrificação vaginal, causada pelas mudanças hormonais do período do pós-parto e decorrentes da lactação nas mulheres que estão amamentando. O problema geralmente dura mais nas mães lactantes, mas pode perdurar por até seis meses mesmo nas que não amamentam.
- O constrangimento devido à falta de privacidade, sobretudo quando o bebê dorme no mesmo quarto que você, pode jogar água na fervura do seu desejo. Sua cabeça acredita naquilo que você ouviu dizer — que o bebê fica totalmente indiferente e não sofre efeito algum do fato de você fazer amor —, mas o corpo não gosta nem um pouco da idéia.
- A maternidade pode estar consumindo todo o amor e o carinho que você tem à disposição no momento, e você pode ficar sem nada que possa doar a qualquer outra pessoa, seu marido inclusive.
- A amamentação pode estar satisfazendo suas necessidades sexuais (sem que você o perceba), tornando-a menos receptiva às investidas do seu marido. (Não obstante, as mães lactantes geralmente interessam-se pelo sexo antes daquelas que não amamentam.)
- O leite que vaza como resultado da atividade sexual anterior ao ato sexual propriamente dito pode incomodar a você ou a seu marido, física ou psicologicamente. É possível, também, que você não queira que seu companheiro lhe encoste nos seios de modo algum, vendo-os, no momento, como um instrumento de amamentação e não de sexo, e ficando aborrecida com esse tipo de atividade sexual.
- Há tantas outras coisas que você precisa ou quer fazer que o sexo pode parecer menos importante neste momento — se você tem meia hora sobrando, o amor pode não estar no alto da lista de suas prioridades.

O QUE SE PODE FAZER A RESPEITO?

Apesar das áridas perspectivas que no momento se delineiam para sua vida sexual, o futuro reserva novas esperanças. Você certamente voltará a amar de novo, com tanto prazer e paixão quanto antes — e talvez mais ainda, devido à nova proximidade que se estabeleceu entre vocês agora que são pais. Enquanto isso, há várias medidas que você pode tomar para melhorar de imediato o interesse e o desempenho:

Não se apresse. Seu corpo leva ao menos seis semanas para se recuperar plenamente, às vezes bem mais que isso — especialmente se você teve um parto vaginal difícil ou um parto cesáreo. Seu equilíbrio hormonal pode não voltar ao normal até que você fique menstruada novamente, o que pode demorar vários meses se você estiver amamentando. Não se sinta obrigada a correr para a cama assim que o médico autorizar. Se não se sentir disposta — mental, emocional ou fisicamente —, espere um pouco.

Expresse o amor de outras maneiras. O coito não é a única manifestação de amor de um casal. Se vocês não estiverem preparados a ir até o fim, experimentem beijos e abraços em frente à TV, massagens nas costas na cama e passeios de mãos dadas pelo parque levando junto o bebê. Assim como ocorre com qualquer casal que esteja se conhecendo (e vocês, afinal de contas, estão se conhecendo novamente do ponto de vista corporal), o romantismo anterior à cama é o primeiro passo e um dos mais importantes. Se não estiverem muito cansados, podem até tentar masturbar-se mutuamente. Em algumas noites, porém, pode não haver nada mais satisfatório que a intimidade de deitar abraçados um ao outro.

Conte com algum desconforto. Muitas mulheres ficam surpresas e desconsoladas quando percebem que as relações sexuais depois do parto podem causar dor efetiva. Se você teve de sofrer uma episiotomia ou

VOLTANDO DE MANSINHO À VIDA SEXUAL

Para ajudá-la a superar algumas das dificuldades sexuais mais comuns após o parto:

Lubrifique. A alteração dos níveis hormonais durante o período puerperal (os quais podem não se normalizar, na mãe lactante, até o momento em que o bebê esteja parcial ou totalmente desmamado) pode tornar a sua vagina desconfortavelmente seca. Use um produto lubrificante (como vaselina) ou supositórios lubrificantes para a vagina até que suas secreções naturais voltem a atuar.

Medique. Se necessário, peça ao seu médico que receite um creme tópico de etrógeno para diminuir a dor e a sensibilidade.

Tome um trago. Não fique bêbada, é claro (já que o excesso de álcool, como salientava Shakespeare, "provoca o desejo mas enfraquece o desempenho"); mas, se você gosta de beber, saboreie uma taça de vinho com o seu marido antes de fazer amor, a fim de ajudá-los a relaxar física e emocionalmente. O álcool também vai amortecer um pouco a sua dor, diminuir o seu medo de sofrê-la e o medo do seu marido de causá-la. Se você não bebe, experimente técnicas de relaxamento ou meditação.

Faça exercícios. Os exercícios Kegel (veja a página 609) ajudam a tonificar os músculos da pelve, que estão associados à sensibilidade e à resposta da vagina durante o coito.

Experimente outras posições. O amor feito lado a lado ou com a mulher por cima permite um maior controle da profundidade de penetração e impõe menos pressão ao períneo dolorido. Experimente para saber o que funciona melhor para vocês.

sutura de laceração, com efeito pode sentir dor ou incômodo em algum grau (de leve a severo) por várias semanas, ou até meses, depois de os tecidos terem cicatrizado exteriormente. Talvez você sinta dor durante o coito, embora em menor grau, se deu à luz por parto normal com o períneo intacto — ou mesmo se sofreu uma cesariana. Para minimizar a dor, experimente as dicas do "Voltando de Mansinho à Vida Sexual", página anterior.

Não espere perfeição. Não fique achando que vocês vão ter os orgasmos perfeitamente orquestrados já da primeira vez. Muitas mulheres não sentem orgasmo por várias semanas ou ainda mais tempo depois de recomeçarem a fazer amor. Mas com tempo, carinho e paciência, a emoção reaparece e o sexo se torna tão satisfatório quanto sempre foi.

Se você não pode vencer os horários do bebê, adapte-se a eles. Já não é possível cair nos braços um do outro no lugar e no momento em que der vontade. Em vez disso, vocês podem ter que se guiar por aquele exigente despertador que está no berço. O bebê está cochilando às 3 da tarde de sábado: largue tudo e vá para o quarto. Ou, se o anjinho estiver previsivelmente dormindo das 7 às 10 toda noite, organize de antemão um momento de romance. Se ele acordar chorando no momento em que a noite estiver atingindo seu clímax, tente ver o que há de engraçado no episódio. Aliás, se vocês forem capazes de se concentrar, podem deixá-lo esperando por um ou 2 minutos caso seja necessário. Se os encontros sexuais com seu esposo continuarem a ser menos freqüentes por algum tempo (às vezes, por muito tempo), busque antes a qualidade que a quantidade.

Defina suas prioridades. Se a vida sexual é importante para você, reserve tempo para ela tirando as rebarbas de outras atividades (daquelas que não afetem o bem-estar físico ou emocional de sua família). Espere mais um dia antes de passar o aspirador, use legumes congelados em vez de legumes frescos, deixe a família vestir roupas que não precisem ser passadas a ferro. Se você passa o dia inteiro a toda velocidade, tentando preencher as funções de supermãe, dona-de-casa e, talvez, mulher-de-carreira, não terá forças para fazer outra coisa que não fechar os olhos ao deitar-se na cama.

Converse a respeito. Um bom relacionamento sexual se constrói sobre a confiança, a compreensão e a comunicação. Se, numa noite, você estiver demasiado exausta pelo cuidado ininterrupto do bebê para se sentir sensual, não use uma dor de cabeça como desculpa. Em vez disso, abra-se. Se o seu marido estiver desde o começo compartilhando com você as tarefas ligadas ao cuidado do bebê, é muito provável que ele entenda (é possível que, algumas noites, também ele esteja esgotado pelo papel de pai). Se ele não a vem ajudando e não entender sua situação, pode ser esse o momento de explicar que o fato de estar cuidando sozinha da casa e do bebê a está exaurindo, e que se ele a ajudasse, nem que fosse um pouquinho, você talvez estivesse mais disposta à noite.

Comunique, também, problemas como uma vagina seca ou a dor durante a relação. Diga ao seu marido o que dói, o que é gostoso, o que você prefere deixar para a próxima vez.

Não se preocupe. Quanto mais você se preocupar com a falta de libido, menos libido você terá. Por isso, enfrente os fatos da vida após o parto, tranqüilize-se e viva a sua vida sexual uma noite de cada vez, confiando que o romantismo voltará à sua vida.

Alerta a pequenos sangramentos. Ocasionalmente, alguns meses após o parto uma mãe recente pode notar uma secreção discreta após a relação sexual ou mesmo sem ela. Isso pode ser devido ao desenvolvimento de um excesso de pele no local do corte ou da ruptura perineal. Esse excesso é facilmente removível. Comunique esse fato ou qualquer outro tipo de sangramento pós-parto ao seu médico.

CAPÍTULO 24

Curtindo o Primeiro Ano

O QUE VOCÊ PODE ESTAR SENTINDO

Ao terminarem as primeiras seis semanas após o nascimento do bebê, seu corpo já deve estar se recuperando das seqüelas da gravidez e do parto. No decorrer do primeiro ano, porém, é possível que você vivencie coisas como as seguintes:

Fisicamente:

- Contínua perda de peso até atingir o peso que você tinha antes da gravidez, ou alguma outra meta.
- Maior achatamento do seu abdome, sobretudo se você fizer exercícios.
- Fadiga extrema, pelo menos até o bebê começar a dormir a noite inteira.
- Volta da menstruação se você não estiver amamentando, se diminuir o número de mamadas ou desmamar o bebê.
- Dor nas costas e outras dores decorrentes de carregar o bebê no colo.

Emocionalmente:

- Diminuição do desejo sexual, ao menos a princípio.
- Satisfação, frustração, tédio.
- Um gradual aumento da confiança e uma diminuição da sensação de sobrecarga.

O QUE VOCÊ DEVE COMER:
A Melhor Dieta para um Futuro Saudável

Comer com regularidade durante o primeiro ano de vida do bebê já é bastante difícil, mas comer bem parece impossível. Não obstante, uma boa dieta é essencial para que você conserve suas energias, mantenha a boa saúde e, se estiver amamentando, produza um leite de boa qualidade. Por isso, é importante que você continue a comer sua "Dúzia Diária da Melhor Dieta para o Pós-Parto e a Amamentação" (veja página 617) e a seguir os "Nove Princípios Dietéticos Básicos para as Novas Mães" (página 615).

Se você estiver amamentando, sua dieta terá de mudar à medida que muda a do bebê. Na mesma proporção em que o bebê for obtendo mais e mais nutrientes de outras fontes — leite em pó especial, leite de vaca, alimentos sólidos — e ingerindo cada vez menos leite materno, você terá de reduzir seu consumo de calorias. Para isso, você não tem de contar calorias, mas observar bem a balança. Se ela mostrar que o seu peso está aumentando quando deveria estar diminuindo ou estabilizado, é porque você está ingerindo calorias demais. Se estiver perdendo peso quando não deveria estar, ou perdendo peso com demasiada rapidez, é porque não está comendo o suficiente. Corrija-se de acordo com esses sinais.

Depois que você tiver desmamado o bebê, ou se nunca o tiver amamentado, a Melhor Dieta para o Pós-Parto pode continuar sendo um modelo de alimentação sadia para os anos seguintes. Siga-a — não só para sentir-se melhor e viver por mais tempo, mas também para dar um bom exemplo a seu filhinho.

O QUE PODE ESTAR PREOCUPANDO VOCÊ

ENCONTRAR NOVOS INTERESSES FORA DE CASA

"Por mais que eu esteja comprometida em cuidar de minha filha em tempo integral, estou começando a me sentir sufocada por ficar o tempo todo com ela em casa. A vida não pode se resumir a trocar fraldas."

Nos primeiros meses de vida do bebê, quando as exigências de alimentação e cuidado são contínuas ao longo das 24 horas do dia e aparentemente infindáveis, tudo o que a nova mãe tem tempo ou disposição para desejar é um pouco de sono. Mas depois que o bebê se conforma a uma rotina e a mãe adapta-se a um ritmo administrável, uma triste monotonia pode substituir a névoa frenética das primeiras semanas. Em vez de ter muita coisa para fazer e pouco tempo em que fazê-lo, você se vê com muito tempo livre e poucas coisas em que empregá-lo. Vencido o desafio de conseguir lidar com as tarefas do cuidado diário do bebê, é possível que comece a sentir-se como uma mãe movida a corda que realiza mecanicamente todos os movimentos, e comece a ansiar por estímulos e satisfações que ultrapassem as quatro paredes da sua casa. E, sobretudo se você antes estava envolvida com muitas atividades — uma carreira, passatempos, estudo, esporte, trabalho voluntário —, essas quatro paredes podem começar a fechar-se sobre você, lançando dúvidas tanto sobre o seu valor como pessoa como sobre sua decisão de ficar em casa com o bebê.

Mas, ao contrário das atuais aparências, uma vida plena e satisfatória e a vida com o bebê não se excluem mutuamente. Para desenvolver esse estilo de vida, o primeiro passo, e importantíssimo, é reconhecer que a mulher (ou o homem) não pode viver só para o bebê — embora sua mãe, e outras da geração dela, possam ter demorado vinte anos para descobrir isso. Mesmo se você adora cada momento com o bebê, precisa mesmo assim de estímulos intelectuais e de ter a oportunidade de comunicar-se com pessoas que saibam dizer algo além de ah-gu, ah-gu (por mais bonitinho que isso seja). Há várias maneiras de atingir esses objetivos e readquirir o sentido do eu que você sente ter perdido:

Através do bebê

Você pode ver o bebê como um obstáculo à sua entrada no mundo dos adultos — ou como um bilhete de ingresso. As seguintes sugestões lhe darão uma idéia de como encontrar uma interação com adultos através do bebê:

Grupos de brincadeiras. Localize um grupo já existente ou encontre mães interessadas em formar um novo junto com você: coloque anúncios no consultório do pediatra, em sua igreja, no conjunto habitacional onde você mora, no supermercado ou no centro comunitário. Tente formar um grupo de mães cujos interesses sejam parecidos com os seus.

Cursos para bebês. Os cursos programados para bebês costumam ser mais úteis para as mães. Matriculando-se num curso desses (após verificar se ele é adequado para o bebê; veja página 381), você vai ter todas as semanas uma oportunidade de encontrar outras mulheres e conversar com elas, muitas das quais terão optado por ficar em casa com seus filhos.

Grupos de discussão para mães. Ingresse num grupo ou empenhe-se na formação de um novo. Convide pessoas para dar palestras (um pediatra da região, uma enfermeira, uma bibliotecária, um escritor, e outras pessoas que tenham o que dizer a vocês enquanto mães e/ou mulheres); junto com as outras mães, contrate uma babá ou babás para as crianças. Reunam-se nas casas, na igreja, na escola — ou onde houver espaço — toda semana, a cada duas semanas, ou uma vez por mês.

O parquinho ou praça local. Onde há bebês brincando, existem mães por perto. O parquinho não é somente um lugar maravilhoso para os bebês mais novos (mesmo antes de saberem engatinhar, eles ficam fascinados pela observação das outras crianças e de suas atividades) e mais velhos (quando aprendem a sentar direitinho, eles costumam adorar ir no balanço, e muitos são capazes de usar o escorregador e o trepa-trepa antes de fazerem um ano); é também um lugar ideal para que as mães encontrem outras mães e programem "encontros para brincadeiras". Por enquanto, tais encontros servem mais às mães que aos bebês, os quais ainda não são capazes de "brincar juntos".

Através de atividades de formação pessoal

Ser uma mãe em tempo integral não significa que você não possa ser também outra coisa. Continue desenvolvendo os seus antigos interesses ou encontre interesses novos, através de coisas como as seguintes:

Um curso numa faculdade da região. Faça-o para enriquecer o currículo, ou simplesmente para divertir-se e enriquecer a inteligência.

Um curso para adultos. Estes estão proliferando por todo o país, e neles ensina-se de tudo, da Aeróbica ao Zen.

Um grupo de estudos ou curso na sua igreja. Enquanto você estava trabalhando, é possível que não tenha tido tempo para fazer um curso de exegese bíblica ou religião comparada. Aproveite agora a oportunidade.

Um curso de ginástica. A movimentação do corpo ativa a mente. Além disso, o curso de ginástica — especialmente se a academia tiver babás para as crianças ou combinar os exercícios maternos com exercícios para os bebês — é um bom lugar para encontrar outras mulheres que tenham interesses semelhantes aos seus.

Esportes. Jogando tênis, golfe ou outro esporte favorito com regularidade, o corpo e a mente se fortalecem e amizades se desenvolvem.

Um museu ou uma galeria de arte. Filie-se a um museu próximo que você possa visitar regularmente, estudando a cada vez um dos objetos expostos. (Isso é ainda mais divertido se você for acompanhada de outra mãe.) Benefícios adicionais para o bebê; o contato precoce com a arte e os objetos artísticos é estimulante tanto visual como intelectualmente (muitos bebês são fascinados por pinturas e esculturas), e pode colaborar para que as mentes jovens não se fechem a essas coisas no futuro.

Fitas educacionais de vídeo ou áudio. Assista a um vídeo enquanto faz as tarefas da casa ou dá de mamar, ouça uma fita enquanto dirige; desenvolva um antigo ou um novo interesse (aprenda uma língua estrangeira pelo Walkman, por exemplo). Muitas vezes, é possível emprestar fitas educacionais na biblioteca pública mais próxima sem pagar taxas.

Livros. Estes podem levá-la a qualquer hora para qualquer lugar. Ensinam, desafiam e divertem. Onde quer que você vá, leve o livro que está lendo; leia enquanto dá de mamar, pedale uma bicicleta ergométrica, enquanto o bebê dorme ou antes de você dormir.

Através de obras de caridade

A crise nas obras de voluntariado cresce na mesma proporção em que cada vez mais mulheres se dedicam a um trabalho assalariado em tempo integral, e a sociedade continua mais e mais a depreciar o trabalho não pago. Se você não faz parte da força de trabalho assalariada, os serviços comunitários e de caridade de sua cidade precisam de você. Escolha uma organização à qual você já pertença (CVV, GAPA etc.) ou ingresse em outra, e ofereça seus serviços. Se você não sabe por onde começar, entre em contato com uma central de voluntários (se houver uma em sua cidade) ou pergunte em sua escola, hospital, casa de culto ou centro comunitário, onde há necessidade de voluntários. As possibilidades são ilimitadas: acompanhar o progresso de uma criança ou adulto no aprendizado de inglês ou outras disciplinas; visitar os idosos (que apreciarão em dobro sua visita se levar o bebê) ou enfermos; animar os pacientes de hospitais; servir sopa aos pobres; e muito mais.

Senão, use o trabalho voluntário como um meio de impedir que suas capacidades profissionais se enferrujem. Dê um curso sobre sua especialidade em sua igreja, ou numa escola para adultos; escreva um boletim informativo; projete uma campanha publicitária por mala direta; ou ofereça gratuitamente seus serviços de médica ou advogada.

Através de trabalho assalariado

Ser uma mãe em tempo integral não significa que você não possa trabalhar em tempo parcial. Poucas horas semanais de trabalho na área a que já pertence ou noutra em que você queira entrar são suficientes para que se mantenha atualizada, faça contato com outros adultos e escape um pouco de sua rotina diária. Veja, na página 675, algumas sugestões de como encontrar ou criar tais opções de trabalho, sobretudo as que se podem desenvolver em sua própria casa.

Como encaixar o bebê

O bebê pode ser a causa da falta de estímulos em sua vida, mas não é necessariamente um empecilho à cura. Em praticamente todas as situações, as necessidades dele podem ser atendidas ao mesmo tempo que as suas.

Leve-o junto. Num porta-bebê ou carrinho, ele vai gostar das rápidas visitas aos museus (ou simplesmente dormir o tempo todo). Em alguns casos, ele pode acompanhá-la em obras de trabalho voluntário (que, na maioria das vezes, oferecem flexibilidade muito maior que o trabalho assalariado) e em cursos menos formais, como os que são dados em centros comunitários (tente sincronizar a mamada e/ou soneca do bebê com a aula para reduzir o risco de que ele perturbe a você ou aos outros; traga brinquedos silenciosos para o bebê mais velho).

Deixe-o com alguém. Aceite as ofertas de ajuda de familiares e amigas. Pense na possibilidade de fundar uma "cooperativa" de cuidados infantis junto com outra mãe de um bebê (você fica com os dois na segunda-feira enquanto a outra mãe sai, e ela faz o mesmo na quinta-feira).

Contrate uma babá. Se você puder pagar, esta costuma ser a mais confiável fonte de alívio.

Conte com o papai. Marque suas atividades fora de casa para os momentos em que o seu marido estiver em casa (jogue tênis ou faça uma aula de aeróbica no fim-de-semana, faça o curso de literatura francesa à noite). Embora este sistema diminua o tempo que a família inteira passa unida, ele dá ao papai um tempo maior para ficar sozinho com o bebê, algo que normalmente não ocorre se ele trabalha fora o dia inteiro — e que acrescenta uma maravilhosa vantagem ao relacionamento entre ambos.

Use uma creche. Algumas faculdades oferecem serviço de creche para os filhos dos estudantes, algumas academias de ginástica têm babás, algumas empresas (poucas) têm creches para os filhos de seus empregados. Se outras mães de bebês ou crianças novas fazem o mesmo curso que você, pergunte se elas não gostariam de se cotizar para pagar uma babá em comum. A vantagem de ter alguém que cuide da criança no mesmo lugar onde você está é maior quando você amamenta o bebê exclusivamente ao peito.

DEIXAR O BEBÊ COM UMA BABÁ

"Eu não trabalho fora de casa, mas às vezes deixo meu filho de nove meses com uma babá — e sempre me sinto culpada."

Como todo empregador sabe, nenhum empregado rende bem se tiver de trabalhar o dia inteiro, todos os dias do ano. E você, que se emprega como mãe, tem que reconhecer este fato também. Por mais que você goste do seu filho e ele de você, ambos se beneficiam por breves períodos de separação. Saia de casa — e não se sinta culpada!

VAGINA ALARGADA

"Agora que meu filhinho está dormindo a noite inteira, eu e meu marido afinal voltamos a ter uma vida sexual relativamente ativa. O problema é que eu estou um pouco mais 'espaçosa' que antes do parto, e a relação sexual fica menos satisfatória para mim e para ele."

A maioria das mulheres que têm parto normal ficam mais espaçosas depois do parto. Com freqüência, a mudança não é grande o suficiente para que os parceiros a percebam. Às vezes, como no caso em que a situação anterior era muito apertada para ser confortável, a mudança é bem recebida. Há casos, porém, em que um parto vaginal — particularmente quando feito sem episiotomia — pode deixar a mulher, anteriormente "certinha", alargada a ponto de fazer diminuir o prazer que ela e seu marido sentem durante a relação.

A passagem do tempo pode ajudar a "apertar" um pouquinho as coisas; o mesmo pode resultar da prática dos exercícios Kegel (se você não fez tais exercícios ao longo de toda a gravidez e no pós-parto, não é tarde para começar a praticá-los; veja página 609). Repita esses exercícios de tonificação muscular tantas vezes quantas conseguir durante o dia; habitue-se a fazê-los enquanto cozinha, assiste a TV, dá de mamar ou lê — e até durante a relação sexual.

Muito raramente, os músculos não se contraem. Se você ainda se sentir muito larga seis meses depois do parto, pode ser conveniente discutir com o médico a possibilidade de fazer uma cirurgia para melhorar a situação. A cirurgia é bem simples, e pode fazer uma grande diferença para sua vida sexual.

VOLTA DA MENSTRUAÇÃO

"Desmamei minha filha há dois meses e ainda não fiquei menstruada. Será que algo está errado?"

A volta do ciclo menstrual nas mães lactantes pode variar muito. Algumas mulheres, especialmente as que têm reservas substanciais de gordura, produzem estrógeno em quantidade suficiente para voltarem a menstruar mesmo antes do fim da lactação, às vezes já entre seis semanas a três meses após o parto. Mas outras, em particular as que amamentaram por muito tempo, amamentaram exclusivamente no seio ou tinham períodos menstruais irregulares antes da gravidez, podem não ficar menstruadas por vários meses depois de desmamarem seus bebês. Verifique, porém, se você tem comido o suficiente e não está perdendo peso muito rapidamente; um regime forçado, em especial quando combinado a exercícios muito fortes, pode adiar temporariamente a volta dos ciclos menstruais. E não deixe de comunicar a situação ao seu médico na próxima consulta, que provavelmente está marcada para algum momento depois dos seis meses após o parto.

Nas mulheres que não estão amamentando seus bebês, a menstruação pode retornar a qualquer momento entre quatro semanas e três meses depois do parto. Como no outro caso, um atraso na volta da menstruação pode ser resultado de uma desnutrição devida a um regime muito severo.

Se você ainda não ficou menstruada, não conte com isso como medida de prevenção contra a gravidez. Veja, abaixo, informações sobre métodos anticoncepcionais mais confiáveis.

UMA NOVA GRAVIDEZ

"Quero esperar pelo menos dois anos antes de ter outro bebê. Uma amiga me disse que não devo me preocupar com anticoncepcionais, pois ouviu dizer que é impossível ficar grávida durante a fase de lactação."

Sua amiga só está um pouquinho certa; isso quer dizer que, se você depender da amamentação como método anticoncepcional, pode acabar ficando um pouquinho grávida. Certas mulheres que amamentam constatam que sua menstruação não volta durante todo o período de lactação, e às vezes nem por alguns meses depois do desmame; isso geralmente significa que elas não estão ovulando, e assim não podem engravidar. Entre os fatores que parecem acentuar os efeitos de supressão da ovulação produzidos pela lactação, temos: baixa quantidade de gordura no corpo (os hormônios produzidos pela gordura corporal podem estimular a menstruação); mamadas freqüentes (mais que três mamadas por dia podem impedir a menstruação); desmame tardio (normalmente, quanto mais é adiado o desmame, mais é retardada a ovulação); e atraso na introdução de suplementação ao leite materno (o leite de vaca, os alimentos e até a água podem todos fazer reduzir a ingestão de leite materno, transmitindo ao corpo da mãe o sinal de que está na hora de voltar a menstruar).

Mas muitas mães lactantes, em particular as que têm reservas excessivas de gordura ou cujos bebês só são parcialmente amamentados ao peito, voltam a menstruar e assim podem engravidar. O problema: é impossível prever quem vai e quem não vai voltar a menstruar durante a lactação. Isso não teria importância se todas as mulheres tivessem um mênstruo "estéril" antes de ovular novamente pela primeira vez. Se assim fosse, a chegada da menstruação serviria como aviso para se voltar a usar um método anticoncepcional. Mas as coisas simplesmente não são assim. Algumas mulheres ovulam e engravidam novamente antes de terem uma menstruação, e passam de gravidez a gravidez sem terem sequer uma regra entre ambas.

Se uma nova gravidez neste momento seria devastadora para você (poderia sê-lo para o seu corpo, mesmo que sua mente pudesse aceitá-la), você deve usar um método anticoncepcional mais confiável que a amamentação. Todos os métodos a seguir têm suas vantagens e desvantagens; sua escolha é de natureza pessoal e individual e deve basear-se em sua condição física, seu estilo de vida, nas recomendações do seu médico, em seus próprios sentimentos e nas circunstâncias de sua vida. Todos são eficazes quando utilizados corretamente e com persistência, mas só a esterilização tem 100% de garantia contra a concepção.

Contraceptivos orais (pílulas). Os contraceptivos orais de hoje, de baixas doses, têm basicamente o efeito de suprimir a ovulação e são muito eficazes para prevenir a concepção. Muitas mulheres, porém, têm dúvidas quanto a seus efeitos sobre a saúde — o que não é de admirar: as demonstrações científicas parecem pender loucamente ora para um lado, ora para o outro. Apresentamos a seguir o que se sabe no momento em que este livro é impresso. Fale com o seu médico para saber das últimas.

O risco de sofrer ataque cardíaco, enfarte e trombose é maior entre as usuárias de contraceptivos orais; por isso, eles não são recomendados às mulheres que têm alto risco de apresentar estes problemas cardiovasculares (veja quadro à página seguinte). Os riscos aumentam com o uso prolongado — por mais de cinco anos.

Embora os contraceptivos orais pareçam dar proteção contra certas formas de câncer (do ovário e do endométrio, por exemplo), estudos recentes assinalam uma correlação entre a pílula e o câncer de mama em algumas mulheres (as que começaram a tomar a pílula muito cedo, antes de uma gravidez, e a tomaram por mais de três anos). No lado positivo, os contraceptivos orais parecem dar proteção contra doenças benignas da mama, gravidez ectópica, cistos no ovário e anemia por deficiência de ferro (uma vez que a mulher sangra menos na menstruação), reduzem o risco de artrite e a incidência de cólicas menstruais. Outros benefícios que atingem certas mulheres são uma menor tensão pré-menstrual e um período menstrual muito regular.

A pílula normalmente não é o método anticoncepcional indicado para a mulher lactante, já que os hormônios nela contidos podem suprimir a lactação. (É possível, porém, que o seu médico autorize o uso de uma pílula que só contenha progesterona, depois do pleno estabelecimento da lactação.) Também não se costuma recomendá-la a mulheres com mais de 45 anos ou mulheres fumantes com mais de 35 (alguns dizem que a idade máxima deve ser a de 35 anos, mesmo para as não-fumantes), e a mulheres que já apresentaram trombose, ataque cardíaco, enfarte, angina, câncer da mama ou do endométrio confirmado ou suspeito, tumor no fígado, hemorragia vaginal de origem não-identificada (que pode ser sinal de uma malignidade) ou icterícia durante a gravidez. A pílula pode igualmente não ser adequada a mulheres que já tiveram, ou têm, fibromas no útero, diabetes, alta taxa de colesterol no sangue, hipertensão (ou tiveram hipertensão durante a gravidez), obesidade, depressão, ou doenças da bexiga. Mulheres que têm enxaquecas, asma, epilepsia ou doenças do coração ou do rim podem constatar que a pílula piora essas afecções; se escolherem este método, necessitarão de um controle médico muito cuidadoso.

Os contraceptivos orais são o mais eficiente método anticoncepcional não-permanente (a maior parte dos malogros são devidos ao esquecimento de se tomar a pílula num determinado dia ou à ingestão das pílulas na ordem errada), e permitem a espontaneidade nas relações sexuais. Algumas mulheres, porém, relatam certos efeitos colaterais, os mais comuns dos quais são: retenção de líqüidos; mudanças de peso; náusea e vômitos; seios doloridos; cólicas abdominais; mudanças na cor da pele; maior incidência de infecções na bexiga e na vagina; aumento ou diminuição do desejo sexual; queda de cabelos; intolerância às lentes de contato (devido à retenção de líqüidos); e irregularidades menstruais (pequeno sangramento entre as menstruações ou, raramente, amenorréia, ou cessação total da menstruação). São menos comuns as reclamações de depressão, apatia ou tensão. Muitos desses efeitos colaterais são menos severos ou menos comuns com as novas pílulas combinadas de baixa dosagem e com as minipílulas só de progesterona, embora as irregularidades sejam mais comuns com o uso destas. Freqüentemente, os efeitos colaterais diminuem ou desaparecem depois dos primeiros ciclos de uso da pílula.

Se você planeja ter outro bebê, a fertilidade pode demorar mais a retornar caso você use contraceptivos orais do que se usar contraceptivos de barreira. O ideal é que você passe a usar a camisinha ou o diafragma cerca de três meses antes de começar a tentar engravidar. Cerca de 80% das mulheres ovulam até três meses depois de deixarem de tomar a pílula, 95% ovulam dentro de um ano — mas você deve falar com o seu médico, se depois de seis meses ainda não estiver grávida.

Se decidir tentar a pílula, seu médico vai ajudá-la a determinar qual o melhor tipo de pílula para você, baseando-se no seu ciclo menstrual, peso, idade e histórico de saúde, e selecionará a dose mais baixa possível que se adeqüe a suas necessidades (a maioria das mulheres reage melhor a menos de 50 microgramas de estrógeno). Depois disso, cabe a você usar com inteligência este método anticoncepcional. Tome as pílulas regularmente; se você esquecer uma única pílula, ou tiver diarréia ou vômitos (que podem prejudicar a absorção dos hormônios pelo seu corpo), use uma proteção de garantia (por exemplo, camisinha com espermicida) até a próxima menstruação. A cada seis a doze meses, consulte o médico para que ele tenha um controle de

SINAIS DE ALERTA PARA OS CONTRACEPTIVOS ORAIS

Se você está tomando um contraceptivo oral e manifestar qualquer dos sintomas seguintes, fale com o seu médico *imediatamente*. Se não conseguir entrar em contato com ele, vá ao pronto-socorro mais próximo.

- Dores agudas no peito.
- Tossir sangue.
- Repentina perda de fôlego.
- Dor ou sensibilidade na batata da perna ou na coxa.
- Dor de cabeça severa.
- Tontura ou síncope.
- Fraqueza ou insensibilidade muscular.
- Distúrbios de fala.
- Repentina perda de visão parcial ou completa, visão embaçada, visão de luzes piscantes.
- Depressão severa.
- Amarelamento da pele.
- Dor abdominal severa.

SINAIS DE ALERTA PARA O DIU

A mulher que usa o DIU deve procurar seu médico imediatamente caso apresente quaisquer dos sintomas seguintes:

- Ausência ou atraso de uma menstruação, seguidos de sangramento aleatório, escasso ou irregular.
- Cólicas, sensibilidade, dores agudas na pelve ou no baixo abdome (depois de findo o incômodo inicial decorrente da inserção).
- Desmaio ou vontade intensa de defecar associados a essa dor.
- Dor que se irradia pelas pernas, ou dor no ombro.
- Sangramento vaginal incomum ou anormal, com ou sem dor (mas não as pequenas manchas de sangue que saem depois da inserção inicial).
- Arrepios e febres sem causa aparente.
- Dor durante o ato sexual.
- Feridas genitais ou corrimento vaginal.

sua saúde; comunique-lhe quaisquer problemas ou sinais de complicação que apareçam entre as consultas, e não se esqueça de informar, a todos que lhe prescreverem medicamentos, que você está usando um contraceptivo oral (alguns medicamentos têm com a pílula uma interação adversa). Limite o consumo de cafeína, *não fume* e, uma vez que os contraceptivos orais aumentam a necessidade de certos nutrientes (embora diminuam a necessidade de outros), tome um suplemento vitamínico diário que contenha a dose diária recomendada das vitaminas B_6, B_{12}, C, riboflavina, zinco e ácido fólico.

Se você tem problemas para lembrar-se de tomar a pílula, fale com o seu médico a respeito do novo implante hormonal qüinqüenal que suprime a ovulação e estimula a formação de muco cervical para bloquear a entrada de espermatozóides. Implantado no braço, ele é eficaz e pode ser retirado no momento em que você quiser engravidar.

DIU, ou dispositivo intra-uterino. Esse método de planejamento familiar (que não é, a rigor, um anticoncepcional, pois interfere com a implantação e não com a concepção) foi desfavorecido por vários anos devido à suspeita de riscos e a batalhas jurídicas.

Hoje, porém, o DIU está voltando à cena. Pelo menos duas empresas nos EUA estão produzindo dispositivos aprovados pela FDA, e espera-se que mais empresas entrem no ramo. Mas, para proteger tanto aos usuários quanto a si mesmas, elas só vendem seus produtos a médicos e clínicas que concordam em só fornecer DIUs a mulheres com mais de 25 anos de idade que tenham pelo menos um filho e vivam um relacionamento mutuamente monogâmico. Requer-se também que os médicos informem plenamente as pacientes acerca dos riscos acarretados pelo uso do DIU.

Para muitas mulheres, especialmente as que não planejam ter mais filhos, esses riscos são suplantados pelos benefícios. O maior destes: depois de instalado, o DIU pode ser esquecido por pelo menos um ano (e por até quatro anos, dependendo do dispositivo), exceto por uma checagem (que convém realizar todo mês) do cordão a ele ligado. Isso permite que se tenha uma vida sexual espontânea, sem pausas para achar e colocar um diafragma ou camisinha, e sem necessidade de lembrar-se de tomar diariamente uma pílula. Além disso, o DIU não prejudica a amamentação e nem afeta o lactente.

O DIU não deve ser usado por uma mulher que tem vários parceiros sexuais, ou cujo parceiro os tenha. Não deve ser usado pela mulher que já apresentou doença inflamatória da pelve ou gravidez ectópica; tumor maligno ou pré-maligno, confirmado ou suspeito, do útero ou colo do útero (ou mesmo uma mancha inexplicada no exame Papa Nicolau); anormalidades uterinas ou útero anormalmente pequeno; irregularidades menstruais ou outras irregularidades hemorrágicas (o DIU pode aumentar o fluxo e as cólicas menstruais); infecção puerperal ou pós-aborto nos três meses anteriores; e não deve ser usado por uma mulher que deu à luz há pouco tempo, ou teve um aborto provocado ou espontâneo. Uma alergia ou suspeita de alergia ao cobre elimina a possibilidade de uso de um DIU de cobre.

Entre as possíveis complicações, contam-se as cólicas (que podem ser muito fortes) durante a colocação e, raramente, por algumas horas ou até mesmo dias depois disso; perfuração do útero; expulsão acidental (que pode ocorrer sem ser notada e deixá-la desprotegida); e infecções das trompas ou da pelve. O DIU é extremamente eficaz para a prevenção da gravidez; mas, quando esta ocorre com o dispositivo ainda instalado, podem ocorrer complicações.

Diafragma. É uma cobertura de borracha de forma semi-esférica que é colocada sobre o colo do útero a fim de impedir a entrada dos espermatozóides. Trata-se de um método anticoncepcional eficiente quando usado da maneira correta, junto com uma pomada espermicida que elimina quaisquer espermatozóides que poderiam atravessar a barreira. O diafragma não causa problemas de saúde, exceto por um possível aumento do risco de síndrome de choque tóxico decorrente do fato de permanecer dentro do corpo por períodos prolongados (desobedecendo às instruções de uso) e do risco de infecções urinárias, além de uma rara reação alérgica desencadeada pelo espermicida ou pela borracha. Na verdade, quando usado junto com o espermicida, o diafragma parece reduzir o risco das infecções pélvicas associadas ao desenvolvimento de infertilidade. E não prejudica de modo algum a lactação, nem afeta o lactente.

O diafragma deve ser prescrito e ter seu tamanho medido por um médico. *É essencial fazer nova medição após o parto,* que pode causar mudanças no tamanho e na forma da vagina. Tem a desvantagem de precisar ser introduzido na vagina antes de cada relação, deixado em posição por seis a oito horas e retirado em no máximo 24 horas. (Alguns especialistas dizem ser prudente retirá-lo dentro de 12 a 18 horas, e alguns recomendam que as mulheres introduzam seus diafragmas na vagina todas as noites ao escovarem os dentes, para que não negligenciem usá-lo num momento de paixão.) E, como o diafragma deve ser introduzido na vagina, torna-se um método considerado desagradável por algumas mulheres.

O capuz cervical. Aprovado pela FDA no final da década de 80 para uso nos EUA, o capuz cervical é semelhante ao diafragma sob vários aspectos. Deve ser encaixado por um médico, necessita ser usado com um espermicida e impede que os espermatozóides entrem no útero. Seu êxito na prevenção da gravidez é comparável ao do diafragma, embora este último, teoricamente, seja mais eficaz. O capuz oferece algumas vantagens adicionais. Esse chapéu de borracha flexível, com forma semelhante à de um dedal grande, e cuja orla firme se encaixe perfeitamente ao redor do colo do útero, só tem metade do tamanho do diafragma; e pode ser deixado em posição por 48 horas, mais que o limite máximo de 24 horas recomendado para o diafragma. O mau cheiro e a dificuldade de inserir o capuz na vagina podem, porém, ser problemáticos para algumas mulheres.

A esponja vaginal. Acréscimo recente ao arsenal anticoncepcional, a esponja, assim como o diafragma, o capuz cervical e a camisinha, é considerada um método anticoncepcional de barreira; a esponja bloqueia a entrada do útero, impedindo que os espermatozóides cheguem nadando até o óvulo. É possível, porém, que o essencial de seu efeito contraceptivo provenha da substância espermicida que ela libera. Parece ser um pouco menos eficaz que o diafragma, mas, quando contém nonoxinol-9, parece reduzir o risco de afecção por doenças venéreas como a gonorréia e a clamídia. Mas pode também aumentar o risco de contrair a infecção vaginal menos séria provocada pela *Candida albicans*. Os receios de que o uso da esponja pudesse provocar defeitos congênitos, câncer ou síndrome de choque tóxico não se confirmaram; na verdade, há alguns indícios de que a esponja possa inibir o desenvolvimento da síndrome de choque tóxico. Certas pessoas, porém, são alérgicas ao espermicida utilizado, e algumas mulheres não gostam de introduzir a esponja na vagina.

A popularidade da esponja vem crescendo, pois ela não requer consulta ao médico nem receita médica, é relativamente fácil de usar (você a introduz sozinha, como um diafragma), permite uma espontaneidade maior que outros métodos de barreira (propicia proteção contínua por 24 horas a contar da inserção) e, acredita-se não ter efeitos sobre o bebê lactente. Não deve, porém, ser deixada em posição por um tempo maior que o recomendado, e é necessário tomar todas as precauções para que seja retirada inteira (um pequeno pedaço esquecido pode causar mau cheiro e infecção). E, sem aprovação do médico, a esponja não deve ser usada durante as seis semanas do puerpério ou logo depois de um aborto natural, aborto provocado ou de uma curetagem.

Camisinha. Uma capa para o pênis feita de borracha ou membrana natural (tripa de ovelha), chamada também de preservativo, é um método muito eficaz quando usado com cuidado, embora seja um pouco menos garantido que a pílula. Sua eficácia, bem como sua propriedade de combater as infecções da pelve, aumentam quando é usada junto com uma pomada ou geléia espermicida e quando se toma o cuidado de ver que não está danificada antes do uso. A camisinha não faz mal nenhum, embora a borracha ou o espermicida possam desencadear uma reação alérgica em certas pessoas. Tem as vantagens de não necessitar de receita médica, ser facilmente acessível e fácil de carregar e diminuir o risco de transmissão de infecções como a gonorréia, a clamídia e a AIDS (a camisinha de borracha é melhor para impedir a passagem do vírus da AIDS). Devido ao fato de não interferir com a lactação e de não afetar o lactente, e por não precisar de uma nova medição vaginal após o parto (como o diafragma), a camisinha é um "método de transição" considerado ideal por certas mulheres. Algumas, porém, acham que, por precisar ser "vestida" durante a relação (e só depois da ereção), ela prejudica a espontaneidade. Outras sentem que a colocação da camisinha pode fazer parte da expressão do amor. Ao revestir o pênis, deve-se ter o cuidado de deixar um pequeno reservatório na porta da camisinha (algumas já vêm equipadas com esse reservatório) a fim de conter o sêmen. O pênis deve ser retirado da vagina antes de perder totalmente a ereção, e enquanto a camisinha ainda estiver no lugar. Quando a vagina está seca depois da gravidez e durante a fase de lactação, o uso de um creme lubrificante (ou de uma camisinha lubrificada) ajuda a tornar a penetração mais confortável.

Espumas, cremes, geléias, supositórios e películas espermicidas. Usados sozinhos, estes agentes espermicidas são razoavelmente eficazes na prevenção da gravidez. São fáceis de obter sem receita médica e quase não interferem com a relação sexual, mas podem fazer um pouco de sujeira.

Tabelinha. Esta abordagem, que consiste em manter um cuidadoso registro das datas de menstruação e evitar o ato sexual no meio do ciclo, quando geralmente ocorre a ovulação, não pode ser utilizada antes que a menstruação volte. Devido à irregularidade dos ciclos menstruais de muitas mulheres, a tabelinha tem sido o menos eficaz dentre os vários métodos anticoncepcionais populares. Por isso, e devido à eficácia muito maior do Planejamento Familiar Natural (PFN; veja abaixo), as mulheres que desejam usar um método contraceptivo que seja natural e não transgrida os ensinamentos de sua religião geralmente preferem o PFN.

Planejamento Familiar Natural (PFN). Sendo um aprimoramento da tabelinha, o PFN baseia-se no uso de um ou mais sinais corporais que indiquem o momento da ovulação. Quanto mais fatores o casal leva em consideração, tanto maior a probabilidade de sucesso. Entre tais fatores incluem-se as mudanças do muco vaginal (na ovulação, o muco fica claro e pode ser esticado de modo a formar um fio); mudanças na temperatura basal do corpo (a temperatura normal, medida pela mulher ao acordar pela manhã, cai um pouquinho logo antes da ovulação, e no dia da ovulação atinge o ponto mais baixo e depois sobe imediatamente a um nível alto, antes de voltar ao normal pelo restante do ciclo; veja o diagrama); e mudanças no colo do útero (este, normalmente rosado, fica azulado). As relações sexuais são suspensas desde o primeiro sinal de que a ovulação está para ocorrer até dias depois desta.

É possível usar o planejamento familiar natural sem o auxílio do médico; mas a aprendizagem das últimas técnicas com um profissional informado pode aumentar a eficácia deste (ou de qualquer outro) método anticoncepcional.

Devido ao fato de o PFN ser muito mais eficaz para a prevenção da gravidez que a tabelinha, e por ser também sancionado pelas religiões que não concordam com outras formas de planejamento familiar, o PFN substituiu em grande medida o método mais antigo.

Esterilização cirúrgica. A ligadura tubária (amarração das trompas de falópio), para as mulheres, e a vasectomia (amarração ou secção dos canais deferentes, que transportam esperma dos testículos para o pênis), para os homens, devem ser vistas como permanentes, embora às vezes se possa revertê-las (é possível que as técnicas mais novas sejam mais fáceis de reverter). A esterilização também é cada vez mais segura, não exercendo quaisquer efeitos a longo prazo sobre a saúde, e praticamente 100% garantida. O raro caso de gravidez de que às vezes se ouve falar não se deve, em geral, a um problema do método, mas a uma falha na cirurgia ou descuido por parte de um homem que não usou outros métodos anticoncepcionais até ter eliminado todo o esperma fértil que restou da fase anterior à cirurgia.

O CÁLCULO DA TABELINHA

A tabelinha. A mulher faz um registro de seus ciclos mentruais mensais por três a seis meses. Depois, calcula:

- Dia *A* = o número de dias do seu ciclo mais curto menos 18.
- Dia *Z* = o número de dias do seu ciclo mais longo menos 11.

Assim, se seu ciclo mais longo foi de 30 dias, e o mais curto de 28 dias, ela tem:

- Dia *A* = 28–18 = 10.
- Dia *Z* = 30–11 = 19.

Seu período fértil (no qual não deve ter relações sexuais se não quiser ficar grávida) vai de *A* a Z, do dia 10 ao dia 19 do seu ciclo menstrual, considerando-se como o dia n.º 1 do ciclo o dia da chegada da menstruação.

A TEMPERATURA BASAL DO CORPO

A temperatura basal do corpo. A temperatura basal (TB) pode ajudar a determinar com mais precisão o período da ovulação, no qual não se devem manter relações sexuais. Para obter a TB, a mulher mede a temperatura toda manhã *imediatamente depois de acordar*, antes de falar, sentar-se etc. Na maior parte das mulheres, a temperatura cai e depois sobe abruptamente no dia da ovulação, como se vê acima. Três dias completos após a ovulação, pode-se voltar a praticar o ato sexual.

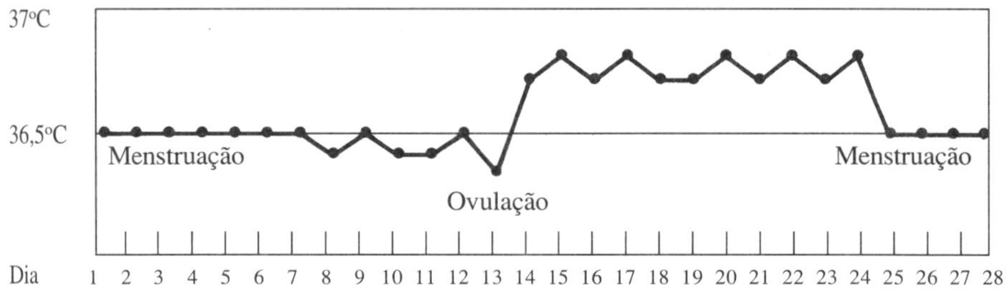

A esterilização costuma ser a opção dos casais que já sentem ter completado suas unidades familiares, e é o método anticoncepcional mais largamente utilizado nos Estados Unidos. Algumas mulheres optam por ligar as trompas imediatamente depois de terem o último filho.

COMO DIAGNOSTICAR UMA NOVA GRAVIDEZ

"Tive um filho há mais ou menos dez semanas, e ontem comecei a me sentir um pouco enjoada. A partir de que momento é possível ficar grávida de novo? Como a mulher que amamenta pode saber se está ou não grávida?"

Uma nova gravidez dez semanas após o parto não é comum, sobretudo numa mãe lactante (a qual geralmente não começa a ovular até que o leite materno começa a ser suplementado), mas também não é impossível. A menos que você ou seu parceiro tenha sofrido esterilização, você corre o risco de engravidar a cada ato sexual, mesmo usando métodos anticoncepcionais, e especialmente se não os usar. Mas pode ser difícil reconhecer uma gravidez depois do parto. Isso é particularmente verdadeiro se você ainda não tiver voltado a menstruar, já que a primeira dica que as mulheres obtêm de que podem estar grávidas é a ausência de uma menstruação. Se você estiver amamentando, outro sinal de gravidez em que muitas mulheres confiam — seios sensíveis e maiores, com maior vascularização — pode ficar obscurecido. No entanto, se você realmente tiver engravidado, pode começar a perceber outros sinais de que concebeu: menor produção de leite, pois conjuntos diferentes de hormônios funcionam na gravidez e na lactação (mas essa queda de produção também pode ser devida à exaustão, ao fato de você não estar amamentando o suficiente e a outros fatores); enjôo matinal (que também pode resultar de algo que tenha comido ou de uma virose gastrointestinal); ou micção freqüente (que poderia, ao contrário, ser devida a uma infecção urinária).

Se você tem alguma razão para suspeitar que está grávida, ou mesmo se só estiver muito nervosa com a possibilidade, faça um teste daqueles vendidos em farmácia ou procure seu médico ou clínica e peça um exame de sangue. Se a hipótese mais remota se concretizar e você estiver grávida, procure um obstetra, parteira ou o médico da sua família assim que possível. Uma nova gravidez a menos de um ano do último parto exige do corpo um esforço tremendo, e você vai precisar de cuidadoso acompanhamento médico, muito descanso e uma excelente nutrição. Uma vez que é praticamente impossível nutrir adequadamente um bebê lactente e ao mesmo tempo um feto em desenvolvimento, é aconselhável passar a dar mamadeira ao bebê. Se você acha imprescindível continuar a amamentar, discuta seus sentimentos com o seu médico; talvez você possa amamentar o bebê parcialmente, suplementando-lhe a alimentação com mamadeira. Se fizer isso, será extremamente importante consumir uma quantidade suficiente de calorias suplementares (cerca de 300 para o feto e outras 200 a 500 para a produção de leite), de proteínas (cinco porções por dia) e de cálcio, para fazer o bebê e fazer leite (o equivalente a seis porções por dia), além de descansar bastante.

EXAUSTÃO

"Eu esperava uma certa sensação de cansaço durante o período do pós-parto, mas já faz três meses que tive meu bebê e ainda estou exausta. Será que há algo errado?"

Muitas novas mães já se arrastaram até o consultório médico para reclamar de uma fadiga crônica e esmagadora — convencidas de que haviam sucumbido a alguma doença mortal. Qual o diagnóstico quase invariável? Um caso clássico de "nova maternidade".

Rara é a mulher (ou o homem, se é pai em tempo integral) que escapa a esta síndrome de fadiga materna/paterna, caracterizada por uma exaustão física que parece jamais abrandar e por uma falta de energia quase total. E isso não surpreende. Não há outra ocupação tão exigente, do ponto de vista físico e emocional, quanto o primeiro ano de maternidade. A tensão e a pressão não ficam circunscritas a oito horas por dia ou cinco dias por semana, e não há horários de almoço ou pausas para o café que proporcionem alívio. Para a mãe de primeira viagem, há também a tensão inerente a qualquer novo emprego: erros a serem cometidos, problemas a serem resolvidos, muito o que aprender. Como se tudo isso não bastasse para produzir a exaustão, a nova mãe também pode ter suas forças drenadas pela amamentação, pela constante condução do fardo constituído por um bebê cada vez maior e toda a parafernália anexa, e por noites e noites de sono entrecortado.

A nova mãe que retorna ao trabalho também pode sofrer de fadiga e exaustão — por tentar lidar bem com dois empregos. Ela levanta cedo para cumprir diversas tarefas maternas, incluindo não raro a amamentação, antes de sair de casa para seu outro emprego. Este pode, ou não, servir como um descanso, dependendo de quão difícil seja; mas assim que ela chega em casa — a menos que tenha uma empregada que trabalhe em tempo integral ou um marido particularmente prestativo e competente —, tem de lidar com a cozinha, a limpeza, a roupa suja e o bebê. Para coroar sua situação, ela ainda pode ter de ficar metade da noite acordada com o bebê, enquanto todos esperam que esteja bem acordada e bem-humorada na manhã seguinte. Nem a Supermãe escaparia à exaustão.

Evidentemente, convém falar com o médico para ter certeza de que sua exaustão não é causada por alguma doença. Se sua ficha de saúde estiver limpa, tenha certeza que, com o tempo, à medida que você se acostumar com sua rotina e o bebê começar a dormir a noite inteira, a implacável fadiga começará a desaparecer (embora você talvez sinta que não conseguirá "repor" todo o descanso de que necessita até mandar todos os seus filhos para a escola). O seu nível de energia também deve aumentar um pouco, quando o seu corpo se adaptar às novas exigências. Enquanto isso, não deixe de comer bem, fazer um pouco de exercício e experimentar as dicas para o alívio da depressão puerperal, muitas das quais podem também ajudar a reduzir a fadiga.

DORES PELO CORPO

"Desde que meu filho nasceu, tenho sentido dor nas costas e dores extremamente incômodas no pescoço, nos braços e nos ombros."

Nada se compara a carregar um bebê e uma bolsa cheia de fraldas e outros pertences para lá e para cá o dia inteiro. Este pesado fardo quase sempre explica essas dores no pescoço, braços, pulsos, dedos, ombros e costas das novas mães — e também dos novos pais, à medida em que passam cada vez mais a carregar uma parcela maior do fardo.

Identificar a causa de seus sofrimentos é o primeiro passo no caminho de aliviá-los. (Muitas vezes, as mães e os médicos que elas consultam deixam de fazer essa associação, o que resulta comumente em baterias de exames desnecessários.) O passo seguinte consiste em tentar aliviar o problema, combinando medidas preventivas e curativas:

- Se ainda não perdeu todo o peso que ganhou na gravidez, faça-o agora. O excesso de peso impõe uma tensão desnecessária a suas costas.
- Faça exercícios regularmente, concentrando-se naqueles movimentos que fortalecem os músculos abdominais, pois são eles que suportam as costas, e que fortalecem os braços (veja, na página 606, um programa básico de exercícios para o pós-parto).
- Ponha-se numa posição confortável para alimentar o bebê. Não fique encurvada, e não se esqueça de dar apoio às costas — se não conseguir encostar no encosto da cadeira, coloque uma almofada atrás de você. Use almofadas ou os braços da cadeira, da maneira que for necessário, para apoiar os braços enquanto você segura o bebê e lhe dá o peito ou a mamadeira. E não cruze as pernas.
- Aprenda a abaixar e levantar corretamente. Coloque os pés espaçados com a mesma largura dos ombros e dobre os joelhos, não a cintura. Ao levantar o bebê ou qualquer outra coisa, não segure o peso com as costas, mas com os braços e as pernas.
- Não se estique para alcançar lugares altos; suba num banquinho.
- Tome consciência da sua postura. Ande, sente-se e deite-se com o bumbum voltado para dentro e o abdome também (é o que se chama a "inclinação pélvica").
- Durma sobre um colchão firme, ou coloque uma prancha sob o colchão demasiado macio. O colchão que afunda no meio vai fazer com que você afunde também. Deite-se de costas ou de lado (mas não de bruços), com os joelhos dobrados.
- Se você empurra um carrinho de bebê, verifique se o lugar onde você segura está numa altura confortável. Se não estiver, veja se você consegue que alguém o ajuste; se for muito curto, compre extensores.
- Se o seu problema é dor no ombro, tente carregar a sacola de fraldas na dobra do cotovelo em vez do ombro, ou use uma mochila.
- Valha-se de uma almofada elétrica ou banho quente para aliviar temporariamente o incômodo e os espasmos musculares.
- Tente não ficar de pé por longos períodos; se isso for necessário, deixe um dos pés apoiado sobre um banquinho baixo, com o joelho dobrado. Se você estiver sobre um chão duro, use um pequeno tapete sob os pés.
- Em vez de andar para lá e para cá noite após noite levando no colo o bebê com cólica, tente usar um balanço (depois que ele

tiver seis semanas) ou um berço balouçante para acalmá-lo.

INCONTINÊNCIA URINÁRIA

"Desde que meu segundo filho nasceu, percebi que deixo escapar um pouco de urina quando tusso, rio ou faço força para levantar alguma coisa."

Seu problema provavelmente é a incontinência por tensão, bastante comum nas mulheres após o parto, em especial nas que já tiveram vários filhos. A causa normal é o baixo tônus muscular da parede vaginal que dá apoio à uretra e à bexiga. A bexiga pode forçar a musculatura enfraquecida, dando origem a uma cistocele, que é, na verdade, uma hérnia. Uma cistocele pequena pode até passar despercebida, mas se for grande pode ir até a abertura vaginal e até mesmo se projetar para fora dela, podendo causar algum incômodo além da incontinência. A prática de duzentos a trezentos exercícios Kegel ao longo do dia, todo dia por dois ou três meses (veja a página 609), pode ajudar a fortalecer a musculatura da parede vaginal e eliminar o problema. Nos casos severos, uma cirurgia pode ser recomendada para remediar a afecção. Infelizmente, a menos que o próprio útero seja extraído, a cistocele pode reaparecer devido ao peso do útero, especialmente na mulher grávida, o qual faz pressão sobre a bexiga e a empurra novamente contra a parede vaginal.

AMIZADES

"Não me sinto à vontade com minhas amigas que não têm filhos, mas não conheço nenhuma mulher com filhos novos e me sinto muito sozinha."

As grandes mudanças da vida — uma nova escola, um novo emprego, um novo casamento, uma mudança de residência, um divórcio, os filhos que saem de casa, a aposentadoria, a viuvez — quase sempre têm algum efeito sobre os relacionamentos. A chegada de um bebê não é exceção. Não obstante, ao se transformarem em mães, muitas mulheres parecem se sentir mas inseguras do que em qualquer outro momento sobre como lidar com o novo equilíbrio das amizades. Isso talvez ocorra porque nada como a maternidade exerce uma tão profunda transformação no modo como você mesma se vê e como os outros a vêem (embora, para algumas mulheres, um divórcio ou a viuvez também tenham o efeito de redefini-las como pessoas).

Muitos fatores podem contribuir para as mudanças que ocorrem em sua vida social depois do bebê. Em primeiro lugar, certamente você tem muito menos tempo e energia para dedicar à socialização. Em segundo lugar, até o momento em que você retornar ao trabalho assalariado — quer isso demore seis semanas ou seis anos —, você vai se sentir bastante afastada, emocional e fisicamente, do círculo de amigas que girava em torno do seu emprego ou carreira. Além disso, seus próprios interesses vão começar a mudar, se é que já não começaram. Por mais que você ainda aprecie uma conversa sobre política internacional, cinema, literatura ou fofocas, é provável que tenha recentemente descoberto o interesse das discussões sobre o valor das aulas de exercícios para bebês ou a eficácia de várias pomadas contra assaduras, da troca de idéias sobre como acalmar o bebê que chora ou como conseguir mais horas de sono, da jactância sobre a primeira vez que o bebê rolou ou o primeiro dente que lhe está nascendo. E ainda outro fator a perturbar sua vida social: algumas amigas solteiras parecem se sentir menos à vontade ao seu lado. Isso pode ocorrer porque, em parte, vocês têm menos em comum, e em parte porque algumas delas, consciente ou inconscientemente, estão com ciúmes da sua nova família. E, por fim, as amizades que só existem por causa do emprego (ou das festas, ou dos jogos de tênis) muitas vezes não contêm aquilo que é necessário para sobreviver às mudanças.

O que a maioria das mulheres procuram é uma maneira de integrar a mulher que foram com a mãe em que se tornaram — sem diminuir nenhuma das duas. Isso não é fácil. O fato de tentar ficar completamente dentro da antiga roda nega que você agora é mãe. Abandonar as amigas de antes e passar todo o seu tempo ao lado de outras mães novas é algo que nega o que você já foi. Talvez a solução mais feliz e satisfatória consista em fazer novas amizades e conservar algumas dentre as antigas — uma solução que satisfaz todas as mulheres que você é.

Encontre suas antigas amigas socialmente, vez por outra — para um almoço, um espetáculo de balé, um seminário. Elas vão querer ouvir algo sobre o bebê e seu novo estilo de vida (mas não só sobre isso) e você vai querer saber o que há de novo e o que continua igual, no trabalho e em seus outros relacionamentos. Tente ficar circunscrita aos temas que vocês têm em comum, aquilo que as fez aproximarem-se uma da outra. É possível que, no começo, você se sinta um pouco incomodada, mas logo saberá quais amizades vão continuar e quais devem ser descartadas, a não ser, talvez, nos aniversários e festas de fim de ano. Você talvez se surpreenda ao constatar que uma ou várias de suas antigas amigas vão se envolvendo com sua nova vida e acabam se tornando uma grande fonte de apoio. E aquelas velhas amigas com quem você perde contato podem repentinamente voltar a procurá-la, quando começarem a ter suas próprias famílias.

É relativamente fácil fazer novas amizades com as jovens mães do seu bairro. Tudo o que é necessário é que você apareça naqueles lugares onde as mães de bebês se reúnem (parquinhos, aulas de exercícios, grupos de mães, grupos de brincadeiras, igreja). Procure aquelas que compartilhem não somente seu interesse por bebês, mas também seus outros interesses, para que tais amizades sejam multidimensionais e vocês tenham outros assuntos sobre os quais conversar além das fraldas e creches — embora você vá constatar que os bebês muitas vezes acabam sendo o assunto escolhido.

DIFERENTES ESTILOS DE SER MÃE

"Minha melhor amiga é relaxada e desorganizada, não se preocupa se o seu filhinho de sete meses fica sem almoço até a hora do jantar, leva-o para festas até altas horas — e não tem pressa nenhuma de voltar a trabalhar fora. Eu sou obsessiva com tudo — hora de dormir, refeições, roupa limpa — e voltei a trabalhar em tempo parcial quando meu filhinho tinha três meses. Quem está errada?"

Ninguém. Cada mãe tem que ser mãe da maneira que lhe for mais confortável. Você provavelmente teria um colapso nervoso se experimentasse o estilo *laissez-faire* da sua amiga, e o mesmo aconteceria com ela se experimentasse o seu. O único momento em que você deve achar que está fazendo algo de errado é quando o seu bebê lhe diz — ficando muito irrequieto ou chorão, parecendo deprimido e apático, deixando de progredir fisicamente — que não está satisfeito com sua maneira de ser mãe. Se isso acontecer, você deve fazer alguns ajustes — porque os bebês, assim como as mães, são indivíduos que têm estilos diferentes.

O bebê feliz e saudável está dizendo à sua mãe, qualquer que seja o seu estilo: "Você está indo maravilhosamente bem!"

AMAMENTAÇÃO EM CASO DE DOENÇA

"Peguei uma gripe. Ainda posso amamentar minha filha, ou isso a deixará doente?"

Amamentar o bebê é a melhor maneira de aumentar a resistência dela aos seus germes (e aos outros que a rodeiam) e de conservá-la saudável. Ela não pode pegar os germes do resfriado ou da gripe através do seu leite, mas pode absorvê-los através dos outros contatos que tem com você. Para minimizar a possibilidade de transmissão da infecção, sempre lave as mãos antes de manipular o bebê ou seus objetos e também antes das mamadas; se ele acabar ficando doente apesar de suas precauções, veja as dicas de tratamento na página 479. Para apressar a própria recuperação e conservar suas forças e sua produção de leite enquanto está gripada ou resfriada, beba mais líqüidos (uma xícara de água, suco, sopa ou chá descafeinado por hora durante o tempo em que estiver acordada), não se esqueça de tomar seu suplemento vitamínico, tente comer sua Dúzia Diária (cuidando especialmente para suprir suas necessidades de vitamina C) e descanse o quanto puder. Se você está com forte congestão nasal, beber sucos em vez de leite por alguns dias pode ajudar a aliviá-la (embora esta teoria ainda esteja em discussão). Fale com o médico se você precisa de medicação — *não* tome medicamentos sem autorização médica.

Se você pegar uma "virose intestinal" ou gastroenterite, tome precauções para não infectar o bebê — embora o risco seja pequeno, uma vez que os bebês amamentados ao peito parecem ser protegidos contra a maioria das infecções deste tipo. Antes de tocar o bebê ou qualquer coisa que ele possa levar à boca, lave as mãos (especialmente depois de usar o banheiro). Tome bastante líqüidos (em particular, sucos de frutas diluídos em água e chás descafeinados)[1] para repôr os que você perde através da diarréia ou dos vômitos; mas restrinja os alimentos sólidos a coisas suaves: torradas de pão branco, arroz branco, batatas cozidas ou assadas sem a casca, creme de trigo ou de arroz, bananas e maçãs cozidas e gelatinas das "Melhores Receitas" (veja página 708).

Embora os resfriados e gripes comuns não sejam transmitidos pelo leite materno, algumas formas de hepatite o são. Se você pegar esta doença, discuta com o médico a conveniência de desmamar o bebê. A AIDS também pode ser transmitida pelo leite materno, a mãe infectada deve discutir a conveniência da amamentação ao peito com um pediatra familiarizado com a AIDS.

"Estou com herpes labial; o bebê pode pegá-lo?"

O herpes labial, que geralmente se desenvolve nos lábios ou rebordos da boca, é causado por um herpes vírus mas diferente do que causa o herpes genital. Na maioria dos casos, a infecção ocorre na infância; o episódio inicial costuma incluir uma febre, além das feridas na boca. Depois que passa a fase aguda, o vírus geralmente permanece inativo no corpo por meses ou mesmo anos. Em época de tensão física ou emocional, ele pode se reativar. O sintoma mais evidente dessa reativação é uma erupção que solta pus e depois é recoberta por uma casca. O vírus só é transmissível durante a fase da erupção, mas parece que nem todas as pessoas têm propensão a pegá-lo.

Para evitar transmitir a infecção ao bebê, lave muito bem as mãos antes de pegá-lo ou a qualquer coisa que ele leve à boca (inclusive as mãozinhas, a mamadeira e a chupeta dele, e seus seios) — e não o beije e nem tome nada no mesmo copo! Os lactobacilos (a cultura de bactérias que se usa para fazer iogurte), disponíveis em forma de bebida láctea freqüentemente ajudam a evitar o desenvolvimento de uma crise de herpes labial que começou a se manifestar, ou pelo menos impedem-na de se desenvolver totalmente. Experimente esse tratamento, ou peça ao médico que lhe indique outro.

Se você tem uma infecção ativa por herpes genital, deve lavar muito bem as

1. O uso de coca-cola, gengibirra e outras bebidas gaseificadas como cura para a diarréia, que já conheceu dias de popularidade, não é mais recomendado, uma vez que o açúcar parece aumentar a diarréia.

mãos depois de usar o banheiro e antes de alimentar o bebê; nas relações sexuais, use camisinha para proteger seu parceiro, a menos que ele já esteja infectado. Para manter o bebê afastado das feridas e de qualquer roupa que tenha contato com elas, vista um roupão limpo ou cubra o colo com uma toalha limpa antes de amamentá-lo ou pegá-lo. Como o herpes pode ser muito perigoso para o recém-nascido, tome especial cuidado se a infecção se manifestar pouco tempo depois do parto.

DEPRESSÃO QUE NÃO PASSA

"Não consigo sair da depressão do pós-parto. Meu filho já tem quatro meses, mas sinto-me sem energia. Não tenho vontade de fazer nada, de ver ninguém, ou de sair de casa. Meu marido diz que preciso de ajuda, mas estou sempre esperando conseguir me livrar da depressão sozinha."

Talvez você consiga se livrar dela sozinha, talvez não consiga. Em cerca de um milésimo dos casos, a depressão puerperal é tão forte e persistente que um tratamento especializado se faz necessário para conduzir a nova mãe ao equilíbrio emocional. Sua depressão prolongada é um sinal de que você talvez faça parte desse milésimo. Não faz sentido continuar sofrendo (ou fazendo sua família sofrer) na esperança de que consiga vencer sozinha a depressão — peça ajuda agora! Primeiro, fale com seu obstetra ou médico de família. Eles podem ser capazes de lhe ajudar; se não, vão encaminhá-la a um especialista. Como é mais provável que seu problema seja físico (causado por um desequilíbrio hormonal) que emocional, um profissional com formação médica deve ser capaz de ajudá-la melhor e mais rapidamente que um terapeuta sem essa formação. Há casos em que uma terapia hormonal pode ser útil.

Quem quer que você procure, faça-o depressa. Quanto mais rapidamente você se livrar da depressão puerperal, tanto mais cedo poderá começar a curtir seu bebê e sua nova vida como mãe.

ENCONTRAR TEMPO PARA SI MESMA

"Fico tão ocupada atendendo às necessidades de minha filha que nunca tenho tempo de atender às minhas próprias. Às vezes não consigo sequer tomar uma ducha."

Há certas pequenas coisas que têm um grande valor para a mãe de um bebê novo. E, muitas vezes, essas pequenas coisas que todos fazem sem reparar — ir ao banheiro quando se tem vontade, tomar uma xícara de café enquanto está quente, sentar-se para almoçar — tornam-se artigos de luxo a que ela não tem mais acesso.

Ainda assim, é importante *arranjar* um tempo que seja seu. E isso não só para que você (e seu marido) se lembrem de que suas necessidades têm valor, mas para que também o bebê, à medida que for ganhando consciência, passe a reconhecer isso. A palavra "mãe" não precisa ser sinônimo de "mártir". Você não precisa pegar uma infecção urinária por não ir suficientes vezes ao banheiro, não precisa ter uma indigestão por sempre comer correndo e nem precisa ficar com os cabelos crônica e tristemente oleosos por adiar seus banhos. É verdade que, para atender às próprias necessidades sem negligenciar as do bebê, você vai precisar fazer bons malabarismos; mas vai valer a pena para ambos. Afinal, uma mãe mais feliz é uma mãe melhor.

O melhor modo de arranjar tempo para você mesma depende de fatores como os seus horários, suas prioridades e aquilo para que você deseja encontrar tempo. As dicas seguintes, porém, podem ajudá-la a preencher sua vida com um pouco de tempo mais pessoal:

Deixe o bebê chorar. Não por meia hora, mas você certamente não fará mal se a colocar no berço e deixá-la resmungar enquanto você escova os dentes ou passa um pouco de rímel e batom.

Envolva o bebê. Sente-se para almoçar com o bebê. Se ele ainda não come alimentos sólidos, coloque-o num bebê-conforto sobre a mesa e converse com ele enquanto você come. Caso o bebê fique mais feliz em seu carrinho e o tempo permita, leve o seu almoço ao parque. Coloque-o num bebê-conforto no chão do banheiro enquanto você cuida de suas necessidades pessoais — ele vai desde cedo aprender a usar o banheiro, enquanto você se alivia. Ou brinque de esconde-esconde com ele por trás da cortina do chuveiro.

Conte com o papai. Tome banho enquanto ele toma café com o bebê de manhã, ou faça uma massagem facial enquanto ele passeia com a filha no sábado à tarde. Não se sinta culpada por deixar o bebê com ele no tempo que ele tem de folga; o trabalho da mãe (quer em tempo parcial, quer integral) é mais cansativo e exigente que qualquer serviço assalariado.

Troque favores. Permute serviços de babá com outras mães que também precisam ter algum tempo livre. Em uma manhã ou tarde da semana, fique com o bebê de uma amiga e o seu enquanto ela faz o que precisa fazer; ela retribuirá em outro dia.

Contrate quem a auxilie. É possível que você não tenha condições de pagar uma babá nem mesmo em tempo parcial, mas provavelmente pode contratar uma adolescente para entreter o bebê enquanto você faz almoço ou cuida de outros serviços da casa.

SE O BEBÊ SE ESQUECER DE VOCÊ

"Vou voltar a trabalhar daqui a algumas semanas. O que mais me preocupa é que o bebê não me reconheça quando eu voltar para casa à noite."

Esta preocupação encabeça a lista de preocupações de quase todas as mães que têm de separar-se de seus bebês — mesmo por pouco tempo — por qualquer razão. Trata-se, porém, de uma preocupação que pode ser rapidamente riscada da lista. Os bebês conhecem suas mães muito cedo, reconhecem suas vozes praticamente desde o nascimento e não as esquecem mesmo que passem o dia fora.

TEMPO DE QUALIDADE

"Ouço muita coisa a respeito de como é importante a qualidade do tempo que se passa com as crianças. Bem, embora eu fique quase o tempo inteiro com o meu filho, ando tão ocupada que não sei se esse tempo tem alguma qualidade."

Ao mesmo tempo em que mais e mais mães começaram a trabalhar (um conceito errôneo, já que *todas* as mães trabalham), popularizou-se o conceito de "tempo de qualidade": se a mãe não pudesse passar muito tempo ao lado do filho, poderia no mínimo fazer com que o tempo passado com ele fosse o melhor possível. A teoria parecia dizer que a quantidade já não era importante. Mas há qualidade na quantidade também. Você não precisa largar tudo, sentar-se no chão e brincar com o bebê o dia todo para dar-lhe um cuidado de qualidade. Você lhe dedica um tempo de qualidade toda vez que lhe troca a fralda e lhe sorri, o alimenta e fala com ele, o põe no banho e faz uma molhadeira com os brinquedos de água. Você faz o mesmo quando, da cozinha, conversa com ele enquanto ele corre para lá e para cá em seu andador, quando canta para ele enquanto dirige o carro, quando se abaixa para fazer-lhe cócegas em seu chiqueirinho enquanto passa o aspirador, quando o senta para brincar com alguns blocos enquanto você se senta para fazer as contas do mês.

O tempo de qualidade na relação entre pais e filhos é o tempo que você passa relacionando-se com a criança de modo ativo e também passivo, e é algo que a mãe amorosa e atenciosa que passa bastante tempo com o filho praticamente não pode deixar de proporcionar. Para saber se está tendo êxito, você só precisa observar o bebê — ele sorri, dá gargalhadas, reage, parece substancialmente contente? Se a resposta for "sim", ele está passando tempo de qualidade ao seu lado.

"Sou uma mãe que trabalha fora de casa o dia inteiro, e me preocupo por não passar bastante tempo de qualidade com minha filha."

A mãe empregada já sofre pressão suficiente para ter também de inquietar-se pensando se o tempo que passa com sua filha ou filhos tem ou não qualidade (e essa, aliás, não é a espécie de pressão que faz melhorar o desempenho). Se o tempo que você tem para passar com o bebê é limitado, o primeiro impulso é o de preencher todos os minutos. Ironicamente, a aceitação da impossibilidade disso (há momentos em que você precisa fazer outras coisas que não cuidar da criança, momentos em que ela quer desviar para outro lado a atenção; dias em que você está um pouco preguiçosa, dias em que ela está) é o primeiro passo a ser dado para garantir que o seu tempo ao lado dela seja bem empregado. Eis, a seguir, algumas outras medidas que você pode tomar:

Seja você mesma. Não precisa vestir a capa de Supermãe antes de entrar em casa. Sua filha só quer *você*. E não precisa preencher com atividades estimulantes cada minuto que passa com ela. Ao contrário, seja espontânea e guie-se pelo bebê (ele pode estar muito cansado ao fim do dia para brincar ativamente). O tempo de qualidade é o tempo que se passa juntos, quer seja comendo juntos, abraçando-se ou simplesmente estando juntos na mesma sala (ainda que não estejam fazendo a mesma coisa).

Envolva o bebê. Leve-o consigo para o quarto para que você mude de roupas, e inclua-o de outros modos em sua rotina ao chegar em casa. Ele pode brincar com os envelopes vazios enquanto você abre as cartas que chegaram, esvaziar os pacotes enquanto você guarda o que comprou na quitanda, batucar nas panelas enquanto você prepara o jantar.

Converse com ele sobre o seu dia. Isto serve para duas coisas. Em primeiro lugar, você tem certeza de que está se comunicando com ele (ele adora ouvir você falar, mesmo não entendendo patavina). Em segundo lugar, o fato de desabafar o que você passou no dia vai ajudá-la a relaxar e a tornar mais rápida a transição da sua vida profissional para a vida doméstica.

Não dê muita bola para a casa. Já que o tempo é precioso, dedique-o menos às coisas menos importantes (limpeza, cozinha e cuidado das roupas, por exemplo). Sempre que possível, tome caminhos mais curtos para preparar o jantar (cozinhe tudo em quantidades dobradas, congelando a metade para esquentar noutra noite; use legumes congelados; obtenha suas saladas num restaurante das redondezas). Deixe que o pó se acumule e espere até o fim de semana para limpá-lo todo de uma vez junto com seu marido. Se você tiver condições financeiras, contrate alguém que faça faxina uma vez por semana. Use roupas que não precisem ser passadas; se suas camisas precisam estar perfeitas, mande-as ao tintureiro.

Deixe o seu jantar no forno. Ou nem sequer o tire da geladeira até o bebê ir dormir. Os jantares tardios não são ideais para a digestão, mas lhe proporcionam mais tempo para passar com o bebê enquanto ele está acordado (dê-lhe atenção exclusiva enquanto ele janta) e mais tempo para passar com seu marido enquanto a criança dorme (e ele pode tornar-se o centro de sua atenção). Os jantares de que participam todos os membros da família virão a ser importantes no futuro, mas não o são por enquanto. Com um bebê novinho, aliás, as refeições conjuntas podem ser tão cansativas que, em vez de promover a proximidade, acabam por impedi-la.

Apague as distrações. Você não pode passar tempo de qualidade com o bebê e simultaneamente ver o telejornal. Deixe a tevê, o rádio e os telefonemas para depois que o bebê dormir. Ligue a secretária eletrônica para que também as pessoas que ligarem esperem até que ele vá dormir.

Não exclua o seu marido. Em sua busca de tempo de qualidade com o bebê, não se esqueça do tempo que a família passa unida. Envolva o seu marido em tudo o que você faz com o bebê, do banho às cócegas. E não se esqueça de que o tempo que ele passa sozinho com a criança também é importante, por diversas razões. Ele pode assim gozar os prazeres da paternidade participatória, coisa que muitos pais de gerações passadas não fizeram. O bebê se beneficia da intimidade que têm com dois indivíduos únicos. E o tempo de qualidade passado com o bebê se duplica.

TEMPO PARA O NAMORO

"Eu e meu marido andamos tão ocupados — com nossos empregos, nosso filhinho, a casa — que quase não temos tempo um para o outro. E, quando esse tempo aparece, estamos muito cansados para aproveitá-lo ao máximo."

Dois é bom, três é demais. O bebê não é necessariamente demais, mas ele pode preencher a tal ponto seus dias e noites que vocês ficam sem tempo para passar a dois. No período subseqüente ao nascimento de um bebê, é muito fácil que os casais se afastem em vez de se aproximar. Não obstante, o relacionamento com seu marido é o mais importante de sua vida — até mais importante que o relacionamento com seu filho (as crianças crescem e abandonam o ninho, mas é de esperar que seu companheiro continue sendo seu até a velhice). Foi o amor entre vocês que motivou a formação de sua família, e é esse amor que pode alimentá-la e sustentá-la da melhor maneira possível.

Mesmo assim, o relacionamento entre marido e mulher é o mais facilmente esquecido. Se um de vocês negligenciasse o emprego ou o bebê, as conseqüências disso seriam rápidas e claras. Mesmo o abandono de tarefas domésticas como a limpeza e a cozinha produziria resultados que se fariam rapidamente evidentes. Já os resultados do descaso pelo casamento freqüentemente não se fazem sentir a princípio; mas podem desgastar um relacionamento antes mesmo que os parceiros o percebam.

Por isso, dê agora ao seu relacionamento o que lhe é devido e faça um esforço consciente para manter acesa a chama do amor, ou para reacendê-la caso pareça ter se apagado. Repense suas prioridades e reorganize seu tempo de modo a reservar algum tempo só para vocês dois. Uma das maneiras consiste em acostumar o bebê a ir dormir razoavelmente cedo (veja algumas dicas neste sentido na página 198) e depois relaxar para passar juntos uma noite agradável. Compartilhem uma ceia tranqüila (sem tevê ligada, sem telefonemas, sem leitura de jornais e, de preferência, sem o bebê chorando). Uma taça de vinho pode ajudá-los a se soltarem (a menos que a primeira taça chame uma segunda, uma terceira e uma quarta, as quais podem deixá-los completamente prostrados); velas acesas e uma música suave ajudam a compôr a atmosfera romântica.

Tais noites não precisam todas culminar no ato sexual. Em verdade, este pode acabar sendo um regalo relativamente raro nos meses seguintes — pode ser até um regalo no qual você não esteja especialmente interessada no momento. Agora, as relações verbais — conversa — podem ser até mais benéficas para o relacionamento entre vocês do que as relações sexuais. Mas resistam à tentação de falar exclusivamente sobre o bebê; isso frustraria o propósito do encontro.

Tentem "cavar" uma noite romântica na cidade pelo menos uma vez por mês; o ideal seria mais vezes. Saiam para jantar, assistam a um filme, visitem um casal de amigos ou façam aquilo que vocês mais gostam de fazer juntos. Além disso, tentem reservar, nos fins de semana, uma ou duas horas que vocês possam passar sem o bebê para fazer algo juntos. Contratem uma babá, deixem o bebê com a vizinha (comprometendo-se depois a ficar com o dela) ou peçam a ajuda de um dos avós (trata-se de algo bom para todos os envolvidos).

Se a agenda atual de vocês parece não ter espaço para um encontro regular, convém reavaliar essa agenda. Talvez vocês estejam tentando fazer coisas demais. Um de vocês, ou ambos, podem ter que diminuir o tempo de trabalho, fazer uma matéria a menos na faculdade, perder um jogo de futebol ou torneio de boliche, ou diminuir o tempo passado em frente à TV.

CIÚMES DA ATENÇÃO QUE O PAI DEDICA AO BEBÊ

"Sei que isto é terrível, mas percebi que estou com ciúmes do tempo que meu marido passa com nossa filha. Às vezes, sinto que eu ficaria satisfeita se ele me dedicasse metade da atenção que dedica a ela."

Por mais inofensivo — ou até edificante — que pareça esse novo amor entre pai e filha aos olhos de um estranho, ele pode ser verdadeiramente ameaçador para a mulher que não está acostumada a não ter toda a afeição do marido, sobretudo quando ela gozou de toda a sua solicitude e atenção ao longo dos nove meses de gravidez.

É provável que os seus ciúmes passem sozinhos quando a nova dinâmica familiar já tiver tido algum tempo para se definir; mas, até lá, existem diversas medidas que você pode tomar para lidar com isso:

Fique tranqüila. A primeira coisa que você precisa fazer para superar esses sentimentos é reconhecer que eles são normais e comuns — não são mesquinhos, maus, egoístas, imorais ou de alguma outra maneira vergonhosos. Livre-se dessa culpa.

Fique grata. Considere como você tem sorte por haver casado com um homem ávido por passar seu tempo com o bebê. Embora a participação ativa por parte de pai esteja se tornando cada vez mais comum, ainda não é a norma. Aproveite o tempo que eles passam juntos para pôr em dia suas tarefas ou necessidades pessoais. Observe e dê valor ao amor que está florescendo entre eles e tente dar-lhe apoio; os laços que agora estão se atando vão durar uma vida inteira, atravessando intactos o período terrível dos dois anos e até a turbulenta adolescência, e vão fazer da sua filha uma mulher melhor (ou do seu filho um homem melhor)

Envolva-se. Não há dúvida de que o pai e o bebê devem ter um tempo para passar a sós, mas às vezes uma terceira pessoa é muito bem-vinda. Junte-se àquela brincadeira de cócegas (ele pega as axilas enquanto você pega os pés), caia na cama ao lado deles enquanto eles lêem um livro, sente-se no tapete e entre você também na brincadeira de pega-pega.

Seja honesta e aberta. Não fique num canto, aborrecida, quando o papai e o nenê a deixarem de fora das amorosas brincadeiras. Animado por estar descobrindo uma nova melhor amiga, seu marido pode não estar percebendo que está deixando de lado sua (relativamente) velha amiga; pode até estar pensando que a está ajudando. Sem ofendê-lo ou colocá-lo na defensiva, diga-lhe claramente como você se sente e o que ele pode fazer a respeito (por exemplo: dizer a *vocês duas* como estão bonitas, dar em *vocês duas* um beijo e um abraço ao sair e ao chegar, abraçar *vocês duas* espontaneamente). Ele não pode satisfazer a suas necessidades a menos que saiba quais são.

Esteja ao lado dele. Lembre-se de que todo relacionamento, para funcionar, deve ter reciprocidade. Você não pode pedir a seu marido que lhe dê mais atenção se não faz o mesmo. E veja se você também não tem dedicado todo o seu tempo, energia e amor ao bebê, sem querer privando o seu marido de tudo isso. Entregue-se a ele, e ele se entregará a você.

E esteja ao lado do bebê. É possível que seu marido, consciente ou inconscientemente, esteja tentando dar ao bebê uma atenção que ele sente que você não dá. Pode ser que você esteja tão ocupada com outras responsabilidades (um emprego, o serviço da casa, obras de caridade, esportes, ou seja o que for) que fica com pouco tempo para dedicar à criança. Se isso estiver acontecendo, fique grata pelo fato de o bebê estar obtendo alguma atenção paterna, e pense em reavaliar suas prioridades para que ela possa obter um pouco mais da sua própria atenção.

CIÚMES DA HABILIDADE DO PAI NO TRATO COM O BEBÊ

"Pensei que as mães fossem naturalmente mais hábeis que os pais no trato com os bebês. Mas meu marido tem um jeito para tratar nosso filho — fazendo-o rir, acalmando-o, pegando-o no colo e fazendo-o dormir — que eu mesma não tenho. E isso me faz sentir incapaz e insegura."

Todo pai ou mãe começa a sua vida paterna ou materna tendo algo que oferecer ao bebê, e nenhuma contribuição é mais valiosa ou desejável que a outra, ao menos do ponto de vista do pequeno beneficiário de todas elas. Alguns pais ou mães são melhores no aspecto dos jogos e brincadeiras na criação do bebê (fazendo cócegas, fazendo o bebê gargalhar, brincando de esconde-esconde), outros são melhores nos aspectos técnicos (alimentar, dar banho, vestir o bebê sem brigar muito). Alguns, como o seu marido, têm o dom de estabelecer uma comunicação com o bebê.

Mesmo assim, não é de surpreender que um dos pais tenha inveja dos talentos do outro. Mas é possível se livrar desses sentimentos:

Considere-se sortuda. O pai que tem a vontade e é capaz de participar plenamente e com êxito do cuidado do bebê é precioso, e pode aliviar boa parte da pressão que recai sobre a mãe. Deixe-o exercer seus poderes mágicos com o bebê sempre que possível. Para que qualquer parceria seja produtiva (e a paternidade/maternidade deve ser uma parceria), cada parceiro deve contribuir com aquilo que sabe fazer melhor.

Não seja uma fêmea chauvinista. Os estereótipos sexuais que pintam as mulheres como sendo naturalmente mais hábeis que os homens no trato com os bebês são imprecisos e, em última instância, fazem mal a todos os envolvidos. Com exceção da amamentação, não há nenhuma outra responsabilidade relacionada ao cuidado com as crianças para a qual as mulheres sejam naturalmente mais aptas que os homens, ou vice-versa. Alguns pais ou mães têm um dom natural para as tarefas da paternidade/maternidade, outros devem trabalhar duro para aprender a lidar com bebês. Tendo a oportunidade, qualquer pai ou mãe pode superar, com o tempo, uma falta de aptidão natural.

Dê mais valor a si mesma. Pode ser que você não perceba o quanto faz pelo seu bebê, e nem quão bem o faz — embora o bebê quase certamente perceba, e ele não viveria sem você.

E conceda-se uma oportunidade. O fato de certas habilidades não serem tão fáceis para você quanto são para seu marido não significa que elas sempre lhe escaparão. Se você está amamentando, pode descobrir que, depois que seu filho estiver desmamado e não houver mais a atração do leite materno, você poderá acalmá-lo no colo tão bem quanto seu marido o faz. Com a prática e um pouco menos de acanhamento, você também aprenderá a cantar as cantigas de ninar e outras musiquinhas que o bebê adora, a fazer joguinhos com os dedos e caretas engraçadas, e a embalá-lo com um ritmo envolvente.

Em vez de macaquear aquilo que parece funcionar quando seu marido o faz, comece a fazer aquilo que vem naturalmente de você. Suas chances de obter sucesso serão maiores se você não começar com uma atitude derrotista, a qual será certamente percebida pelo bebê, que é mais esperto do que você imagina. E não deixe de conceder a si mesma uma oportunidade. Se as tarefas que sobram para você fazer são sempre as mais tediosas e menos satisfatórias (trocar as fraldas ou lavar a cabeça do bebê, por exemplo), negocie com seu marido algumas mudanças na escala de rotina. Quando ele assumir algumas das tarefas menos glamourosas, você terá tempo para dedicar-se a algumas das mais divertidas.

E lembre-se: por melhor que seja o relacionamento entre o papai e o bebê, sempre haverá momentos em que só a sua presença satisfará seu filho, e você ouvirá aquelas palavras que logo se tornarão comuns: "Eu quero a mamãe!"

SENTINDO-SE DEPRECIADA COMO MULHER

"Desde que nosso bebê nasceu, sinto que meu marido só me vê como a mãe do seu filho, e não como a mulher que ele ama."

Geralmente, o homem não cresce pensando em sua mãe como um objeto sexual; ou, se isso ocorre, ele rapidamente aprende a sublimar tais pensamentos. Quando a mulher que ele ama, e que é o ser sexual da sua vida, torna-se mãe, seus sentimentos por ela podem ficar um pouco confusos. E ela não raro contribui para esse dilema, agindo mais como mãe do que como companheira, enquanto atarefadamente vai tentando dominar o novo e desafiador papel de mãe.

Embora este problema seja comum nas famílias novas, não é insolúvel; aliás, sua solução é uma das medidas mais importantes que você pode tomar para garantir que seu filho cresça num lar íntegro e feliz. Você *pode* ser ao mesmo tempo a mãe do seu filho e a mulher do seu marido; tudo o que é necessário é um pouco mais de esforço.

Faça-se sentir mulher. Cuidar da aparência é uma boa maneira de começar. Cabelos limpos e bem penteados (um corte de cabelo simples pode ajudar), uma maquiagem básica (se você costuma usá-la, ou sente que está precisando agora que tem dormido menos) e roupas limpas (uma camisa coberta de leite azedo não é a coisa mais romântica que existe) não só farão com que você se sinta mais atraente, como também ajudarão seu marido a vê-la como uma mulher desejável. Para a maioria das novas mães, a esperança de começar o dia nessas condições todos os dias é pouco realista; mas não é necessariamente impossível atingir esse estado antes que a chave do marido se faça ouvir à porta no começo da noite. Mesmo no pior dos dias, em que é impossível lavar a cabeça, em que você se sente aliviada por achar uma camiseta que não contraste com sua calça de agasalho, você pode reservar 5 minutos para lavar o rosto e se embonecar: coloque um pouco de rímel e *blush*, desembarace o cabelo, passe algumas gotas do seu perfume predileto. Você vai se sentir melhor, e seu marido não deixará passar em branco seus esforços.

Faça-o sentir-se homem. A maioria das novas mães, ao menos de início, transferem sua atenção do marido para o bebê. Isso é bom para a perpetuação da espécie, mas não para a perpetuação do casamento. Assuma consigo mesma o compromisso de tratar seu marido como você gostaria de ser tratada. Abrace-o inesperadamente por detrás enquanto ele lava a louça, aperte-lhe sensualmente a mão quando ele lhe passar o xampu do bebê, cubra-o de elogios quando ele chegar em casa com um novo corte de cabelo, beije-o a qualquer momento e em qualquer lugar. Prepare-lhe o seu prato predileto, dê-lhe um presente que não seja de aniversário, pergunte-lhe como foi o dia dele em vez de ficar reclamando do seu.

Reparta o bebê. Fazer com que seu marido se sinta mais à vontade como pai pode ajudá-lo a se sentir mais homem, a anular qualquer ressentimento por ter de compartilhá-la com o bebê e a integrá-lo mais à sua nova vida, o que, por sua vez, pode contribuir para reacender em vocês dois a chama do amor. Estimule-o a participar, sem forçá-lo dos cuidados com o bebê; faça com que isso pareça mais um privilégio que uma tarefa chata. E elogie sempre, sem jamais criticar, os seus esforços — mesmo que sejam bastante desajeitados no início.

PENSANDO NO PRÓXIMO FILHO

"Tenho quase quarenta anos e tive meu primeiro filho há quase um ano. Sei que ainda é cedo para pensar no próximo, mas meus anos férteis estão se esgotando."

Hoje em dia, as decisões sobre o intervalo entre filhos têm menos conexão com as últimas descobertas psicológicas sobre o que é melhor para o bebê do que com as exigências impostas pelo tempo. Muitas mulheres estão tentando encaixar um segundo ou terceiro filho em suas vidas antes de chegarem aos quarenta anos, ou pouco mais que isso.

O melhor é esperar pelo menos um ano após o nascimento de uma criança para ficar grávida da próxima. É verdade que muitas mães e seus filhos viveram intervalos menores sem problema algum, mas o hiato de um ano dá ao organismo da mãe um tempo suficiente para recuperar-se e refazer as forças (o que é importante sobretudo se o primeiro filho tiver nascido por cesariana). Esse intervalo também permite que o primeiro filho seja amamentado por um ano inteiro, caso você o deseje. Mas, infelizmente, não dá a essa criança um tempo adequado para que seja o bebê da família. Provavelmente, não é ideal ser substituído por um irmão mais novo quando ainda se usa fraldas; e, atualmente, a maioria das crianças ainda as usam aos vinte e um meses de idade. Os especialistas estão divididos quanto ao que consideram o ideal, embora a maioria sugira uma espera de dois a quatro anos, tempo que, segundo alguns estudos (mas não todos), dá às crianças uma pequena vantagem. As generalidades, porém, não valem para todas as famílias, e a melhor época para você ter outro bebê é quando você e seu marido se sentirem preparados.

Como nem sempre é possível esperar mais que um ano, você também deve saber que um intervalo mais curto entre filhos pode funcionar bem. O intervalo curto oferece algumas vantagens não oferecidas pelo intervalo de dois a quatro anos, sobretudo depois de passados os primeiros anos de caos, noites insones e fraldas sem fim: os irmãos podem tornar-se amigos mais íntimos e interessar-se pelos mesmos brinquedos, filmes, atividades e viagens de férias. Com uma boa dose de amor, atenção e preparação, seu filho mais velho pode cumprir a transição de nenê para irmão mais velho com um mínimo de trauma (veja página 689).

Se você está pensando seriamente em logo engravidar de novo, consulte seu médico agora e faça um *check-up* completo; cuide também de quaisquer problemas odontológicos. Depois, dois ou três meses antes de começar a tentar engravidar, passe a preparar o seu corpo:[2]

2. Para um plano mais detalhado para a pré-gravidez, veja nosso livro *What to Expect When You're Expecting* [O que esperar quando você está esperando].

- Desmame seu bebê, se ainda não o tiver feito. Senão, na competição pelos nutrientes, alguém vai certamente sair perdendo — e o mais provável é que seja o feto. Essa rivalidade entre irmãos não é saudável e nem recomendada. Você também pode sofrer, perdendo suas reservas de cálcio e outros nutrientes essenciais.
- Siga a "Melhor Dieta para Antes da Gravidez" (veja a nota número 2, página anterior), e encoraje seu marido a melhorar também a sua dieta. Continue tomando um suplemento vitamínico para a gravidez.
- Retorne à boa forma ou conserve-a mediante exercícios, e tente fazer com que seu peso se aproxime o máximo possível do ideal, ou conserve-o nesse estado. Mas não faça regimes rigorosos nos meses anteriores à concepção, e *não* tente perder peso depois que ficar grávida.
- Interrompa o uso de pílulas anticoncepcionais ou espermicidas pelo menos dois meses (ou, melhor ainda, três) antes da época em que você planeja começar a tentar engravidar. Usem camisinha até você estar pronta para começar a tentar.
- Evite os excessos de álcool durante o estágio de pré-gravidez; pare de beber totalmente quando começar a tentar engravidar. Se você fuma cigarro ou faz uso de outras drogas "por prazer", abandone-as antes de tentar engravidar. Seu marido também deve abster-se de álcool e drogas enquanto você estiver tentando engravidar. Se um de vocês, ou os dois, não conseguirem parar, procurem ajuda.
- Depois que você começar a tentar engravidar, só faça uso daqueles medicamentos (vendidos com ou sem receita médica) cujo uso durante a gravidez seja aprovado pelo seu médico.
- Depois que você começar a tentar, evite expor-se a raios X ou a produtos químicos potencialmente tóxicos.
- Relaxe. O excesso de estresse em sua vida pode impedir que você engravide, e a excessiva tensão durante a gravidez não é boa para o feto, para seu filho mais velho e para você.

O QUE É IMPORTANTE SABER: Trabalhar ou Não Trabalhar

Muitas mulheres, devido a vários tipos de pressão — social, financeira, profissional —, não têm a opção de ficar em casa após terem seus bebês. Para aquelas que podem fazer essa escolha, porém, o processo de decisão pode ser fonte de muito sofrimento. Os especialistas em puericultura — por estarem em desacordo entre si — oferecem a essas mães pouca orientação. Alguns acreditam que não há mal nenhum, e possivelmente algum bem, no fato de a mãe arranjar um emprego e deixar o filho com outra pessoa ou numa creche. Outros acreditam, com o mesmo fervor, que o bebê de uma família onde ambos os pais trabalham corre um risco não negligenciável de sofrer algum tipo de dano, e insistem que um dos pais (por razões práticas, trata-se geralmente da mãe) fique em casa, ao menos durante metade do dia, até que a criança tenha três anos.

As pesquisas também não ajudam. Os resultados dos estudos se contradizem. Isso ocorre, em primeiro lugar, porque esse tipo de pesquisa é difícil de fazer e difícil de avaliar. (Como avaliar os efeitos, nos filhos, do fato de uma mãe trabalhar fora? Ou de não trabalhar? Quais efeitos convém avaliar? Quais são difíceis de quantificar? Existem efeitos que não podem sequer ser previstos? Os problemas se manifestarão logo ou só na idade adulta?) Além disso, as pesquisas freqüentemente são influenciadas pela tendência do pesquisador.

Na ausência de dados claros e distintos a respeito dos riscos e benefícios que decorrem, a longo prazo, do fato de a mãe trabalhar fora de casa, os pais têm de arcar com toda a responsabilidade pela decisão. Se você está pensando no assunto, propor a si mesma as seguintes questões pode ajudá-la a definir qual o melhor caminho a tomar.

Quais são suas prioridades? Pense cuidadosamente no que é mais importante em sua vida. Anote suas prioridades, em ordem, num papel. Entre elas podem estar seu bebê, sua família, sua carreira, a estabilidade financeira, as coisas boas da vida, as viagens, o estudo — e elas podem ser totalmente diferentes das de sua vizinha, ou de sua companheira de trabalho. Depois de arrolar suas prioridades, considere se a melhor maneira de satisfazer às primeiras dentre elas será voltando ao emprego ou ficando em casa.

Qual papel se adapta melhor à sua personalidade? Você rende mais quando fica em casa com o bebê? Ou o fato de ficar em casa a torna tensa e impaciente? Você será capaz de deixar em casa as preocupações com o bebê quando for para o trabalho, e deixar no escritório as preocupações com o trabalho quando voltar para casa? Ou uma incapacidade de compartimentalizar sua vida a impedirá de render bem em ambas as tarefas?

Você se sentiria bem tendo outra pessoa a cuidar do bebê? Você sente que ninguém mais pode fazer isso tão bem quanto você? Ou sente-se segura de que conseguirá achar (ou já achou) uma pessoa (ou situação de grupo) que possa substituí-la adequadamente durante o tempo que passar fora de casa?

Como você se sente perante a possibilidade de não assistir às grandes manifestações de desenvolvimento do bebê? A primeira vez que o seu bebê sorrir, sentar-se sozinho, ficar de quatro e engatinhar, dar um passo — você se importa de ficar sabendo disso em segunda-mão? Você se sentirá triste e menosprezada se o bebê correr para a babá quando se machucar? Você se sente capaz de aprender a sintonizar-se com as necessidades e sentimentos secretos do bebê ficando apenas as noites e os fins de semana ao seu lado?

Quanta energia você tem? Você precisa ter muito vigor físico e emocional para acordar com o bebê, preparar-se para o trabalho, trabalhar o dia inteiro fora de casa e voltar para atender de novo às necessidades do bebê, da sua casa e do seu marido. Muitas vezes, o aspecto mais afetado pela falta de energia numa família com crianças novas e onde ambos os pais trabalham fora é o relacionamento entre marido e mulher.

Quão estafantes são seu emprego e seu bebê? Se o seu trabalho é tranqüilo e o bebê um docinho de coco, pode ser relativamente fácil lidar com os dois. Mas se o seu trabalho é muito difícil e o bebê também, será que você não vai se descobrir incapaz de cuidar de ambos, dia após dia?

Se você voltar a trabalhar fora, vai ter um apoio adequado do seu marido ou de alguma outra pessoa? Nem uma mãe do planeta Krypton conseguiria fazer tudo sozinha. Seu marido estará pronto a assumir uma parcela dos cuidados com o bebê, compras, cozinha, limpeza e lavagem de roupa? Ou, senão, vocês têm condições de pagar alguém para ajudá-la?

Qual é a sua situação financeira? O fato de você não trabalhar vai pôr em risco a sobrevivência econômica da sua família ou simplesmente exigirá que vocês abdiquem das coisas supérfluas de que estiveram desfrutando? Há maneiras de fazer economia para que a ausência do seu salário não tenha tanto impacto? Se você voltar a trabalhar, qual a parcela do seu salário a ser gasta em coisas relacionadas ao trabalho (roupas, transporte, creche)?

Quão flexível é o seu trabalho? Você vai poder tirar uma folga se o bebê ou a babá ficarem doentes? Vai poder chegar mais tarde ou sair mais cedo se uma emergência ocorrer em casa? Seu emprego exige muitas horas de serviço, trabalho nos fins de semana, viagens? Você está disposta a passar bastante tempo longe do bebê?

Qual o efeito que não voltar ao emprego terá sobre sua carreira? Paralisar temporariamente uma carreira pode lhe trazer desvantagens quando você voltar ao mundo do trabalho. Se você suspeita que isso possa ocorrer (embora muitas mulheres descubram, ao voltar, que seus receios não se concretizaram), está disposta a fazer o sacrifício? Existem maneiras pelas quais possa manter contato com sua profissão durante os anos que passar em casa, sem assumir um compromisso que exija o seu dia inteiro?

Existe um meio de conciliar as duas coisas? Pode ser que você não possa ter tudo e conservar ao mesmo tempo sua sanidade, mas, mediante um meio-termo criativo, talvez acabe ficando com o melhor dos dois mundos. As possibilidades são ilimitadas e dependem das suas capacidades e da sua experiência. Se suas capacidades são importantes para que alguém as queira ter em tempo integral, deve ser possível oferecê-las também em tempo parcial. É possível que o seu patrão, ou um antigo patrão, ou um novo, a contratem num esquema de horário reduzido, flexível ou intercambiável. Senão, você pode trabalhar como consultora autônoma em vez de empregada. Talvez possa fazer uma parte do serviço ou todo ele em casa, ou levar o bebê para o escritório por meio período (algumas mulheres conseguiram fazê-lo em período integral). Ou leve o bebê consigo para visitar clientes ou realizar tarefas (algumas mulheres determinadas também conseguiram fazê-lo). Quando você tem escolha, costuma ser melhor trabalhar quatro ou cinco meios-períodos que dois ou três períodos integrais — assim, você não fica por muito tempo afastada do bebê.

Se você vende imóveis, mostre casas aos clientes duas vezes por semana; dê aula particular em duas ou três tardes, se for professora; atenda a clientes algumas noites por semana, se for psicóloga; dê algumas aulas de cuidados básicos com a saúde, se for enfermeira; pegue material para datilografar, se for secretária; trabalhe em meio-período num hospital ou num ambulatório, se for médica. Se gosta de ensinar, comece a dar um curso em sua área de especialidade (qualquer coisa, de culinária a redação criativa, de ginástica aeróbica a como defender os próprios direitos no foro de pequenas causas, de mecânica de automóveis a como preparar o formulário do imposto de renda) num centro comunitário local, em sua igreja ou num centro educacional para adultos.

Senão, dirija um negócio próprio em meio-período a partir da sua casa. Se você é contadora ou redatora de publicidade, encontre alguns clientes cujas contas possa administrar a partir do seu refúgio; se é escritora, editora ou projetista gráfica, trabalhe como *free-lancer*. Se você tem um jeito para fazer tricô, invente pequenas malhinhas que possa vender para butiques de bebês; se faz um bolo de cenoura inigualável, embale suas criações e venda-as numa doceria do bairro.

Se você decidir trabalhar em sua casa, como autônoma ou como empregada, pode ainda precisar de uma babá por uma parte, ao menos, de suas horas de trabalho. Mas também pode planejar trabalhar enquanto o bebê tira sua soneca ou depois que ele dorme à noite, e fazer entregas ou buscar material levando junto o bebê. É importante encontrar quem a ajude com as tarefas da casa, para que não tenha que abdicar de boa parte do tempo que você teria para passar com o bebê.

Qualquer que seja a sua escolha, o mais provável é que ela exija de você algum sacrifício. Por mais disposta que esteja a ficar em casa, pode assim mesmo sentir uma ou duas (ou mais) pontadas de remorso quando conversar com amigas que ainda estão seguindo suas carreiras. Ou, por mais disposta que esteja a voltar ao seu emprego, pode sentir remorso quando vir mães com seus bebês a caminho do parque enquanto você se dirige ao escritório.

Essas emoções são normais e, como poucas situações perfeitas existem neste nosso mundo imperfeito, trata-se de algo com que você vai ter de aprender a conviver. Mas se elas começarem a se multiplicar e você perceber que a insatisfação começa a superar a satisfação, é hora de reavaliar a escolha que fez. A decisão que, quando você a tomou, parecia certa na teoria, pode agora parecer errada na prática — e nesse caso, você não deve hesitar em revertê-la ou alterá-la, se possível.

E quando tudo não estiver tão cor-de-rosa quanto você gostaria, lembre-se de que as crianças que recebem amor em abundância são muito resistentes. Nem mesmo a decisão errônea — se é que existe uma tal coisa — tende a deixar nelas cicatrizes permanentes.

QUANDO VOLTAR AO TRABALHO

Não há um momento perfeito e previsível no qual alguém possa dizer: "OK, agora você já pode voltar a trabalhar. O bebê vai ficar bem, e você também." Se decidir voltar a trabalhar durante o primeiro ano, o momento de voltar a usar aquela maleta ou marmita vai depender, de um lado, do seu emprego e do número de semanas de licença-maternidade que você foi capaz de "arrancar" ao empregador; e, do outro, de quando você e o bebê estiverem prontos. E são aspectos altamente pessoais e individuais.

Se você tiver escolha, os especialistas recomendam que você espere ao menos até que já tenha "se apegado" ou "formado laços" com o bebê e se sinta competente no papel de mãe. A formação de laços pode levar três meses (se o bebê, porém, tiver tido cólica, nessa época vocês estarão apenas começando a fazer amizade), ou cinco ou seis. Infelizmente, muitas mães de bebês difíceis correm de volta ao trabalho assalariado, supondo que outras pessoas possam tratar o bebê melhor do que elas. Estando incompleto o processo de formação de laços, algumas dessas mulheres jamais chegam ao ponto de se sentirem competentes no papel de mãe — o que pode ser prejudicial ao relacionamento entre mãe e filho.

Vem crescendo em todo o país o apoio a uma licença-maternidade mais comprida e com algumas garantias para os empregados. Como nação, estamos muito atrás do restante do mundo. Ao passo que mais de 100 outros países garantem algum tipo de licença-maternidade, só 40% das mulheres norte-americanas economicamente ativas obtém licença; para a maioria destas, a licença é de apenas seis semanas, sem remuneração. As trabalhadoras canadenses têm a garantia de até quarenta e uma semanas de licença com estabilidade e 60% de remuneração; as italianas têm até cinco meses com 80% de remuneração; as alemãs ocidentais têm dezoito semanas com remuneração integral; as brasileiras têm quatro meses, com remuneração integral. Quanto a nós, não devemos tentar imitá-las — devemos fazer ainda melhor!

CAPÍTULO 25

Tornar-se Pai

Ao longo dos nove meses em que sua mulher esteve grávida, o cuidado direto do bebê estava fora da sua competência — não por uma escolha sua, mas graças às peculiaridades da biologia reprodutiva. Você podia estar a postos, oferecendo amor e apoio, mas não podia, sequer por um momento, assumir a responsabilidade de cuidar do bebê.

Cortado o cordão umbilical, as regras do jogo mudaram. Você já não precisa ter um equipamento biológico especial para assumir a tarefa de cuidar da criança. Não precisa nem ter experiência. Só é necessária a vontade de contribuir e exercer o papel de pai — não como lavador de mamadeiras e assistente de sua mulher, mas como parceiro dela nesse trabalho maravilhoso, imprevisível, cansativo, animador, iluminante e de perpétuo desafio que é a paternidade.

O QUE PODE ESTAR PREOCUPANDO VOCÊ

SUA DIETA E O BEBÊ

"Quando minha esposa estava grávida, renunciei a vários alimentos de que gostava para dar apoio aos esforços dela de comer bem para o bebê. Mas acho que já basta. Agora que nosso filho nasceu, não é razoável que eu coma o que quiser?"

A dependência alimentar do bebê não termina com o corte do cordão umbilical. Até crescer e sair de casa, é provável que seu filho vá comer o que você e o restante da família comem. Se você comer sonho ou bolo no café da manhã, batatas fritas ou bolachas de chocolate para o lanche, engolir no almoço um sanduíche com coca-cola e deixar as cenouras e quiabos no prato do jantar, estará dando um exemplo dietético que ele certamente vai seguir.

Outra razão importante para que você leve a sério a sua dieta, mesmo enquanto seu filho ainda é um bebê, é a de aumentar a probabilidade de que você esteja vivo quando ele for mais velho, e de que seja para ele um pai saudável e produtivo enquanto ele cresce. Todas as doenças que têm maior probabilidade de ceifar prematuramente a sua vida ou a dos outros homens norte-americanos — o câncer, as doenças cardíacas, o enfarte, o diabetes — podem ser prevenidas, em alguma medida, por uma alimentação correta.

Continue a comer uma dieta rica em carboidratos complexos que contenham bastante fibras (como cereais e pães integrais, macarrões com alto conteúdo protéico ou feitos de farinha integral, feijões e ervilhas secas, frutas e legumes), pobre em açúcar, sal, gorduras (especialmente as saturadas) e colesterol, e com uma quantidade moderada de proteínas — para o bem do bebê e o seu próprio.

E não sabote os benefícios que presta ao bebê com a boa dieta: não fume. Os filhos de pais fumantes têm, em grau significativo, mais doenças que os filhos de não-fumantes, e maior probabilidade de virem a ser eles mesmos fumantes. Tendem, além disso, a ter mais cólicas. Se você fuma e tem dificuldade para parar, peça ajuda ao seu médico ou integre-se num programa ou grupo que vise o abandono do cigarro.

PARTO DECEPCIONANTE

"Minha mulher e eu queríamos muito um parto natural. Mas as coisas não sucederam como esperávamos, e ela acabou precisando de anestesia. Fiquei chateado na hora, e ainda estou com uma sensação de decepção."

Como acontece com várias mulheres hoje em dia, muitos maridos começaram a pensar que a experiência do parto é uma prova na qual se é aprovado ou reprovado. Quando são necessários o uso de anestesia, uma episiotomia ou mesmo uma cesareana, esses maridos passam a considerar o parto um fracasso e acabam ficando não só decepcionados mas também raivosos. Tais atitudes costumam nascer em aulas de educação para o parto que dão mais ênfase à alegria do parto que à segurança do mesmo, e que pressionam os casais a preferir a vida "natural" quase em qualquer circunstância. Fica implícito que, quando a mulher pede uma anestesia, isso ocorre porque ela é imperdoavelmente fraca, e não porque a dor é insuportavelmente forte. As descrições do processo de nascimento podem ser mais idealistas que realistas, freqüentemente igualando a dor de parto a um mero "incômodo", apesar de as pesquisas terem demonstrado que se trata da dor mais severa que um ser humano pode sentir.

Isso não quer dizer que o parto nunca possa ser perfeito e perfeitamente natural; mas que, na maioria das vezes, não o é. E, no final das contas, pouco importa que seja ou deixe de ser. Desde que a mãe e a criança saiam sadias da sala de parto, este deve ser considerado um sucesso e ambos os pais têm todas as razões para ficarem felizes. Dando a entender à sua mulher, mesmo indiretamente, que você está insatisfeito com o seu "desempenho" porque a intervenção médica se fez necessária, você pode intensificar seus sentimentos de incapacidade e aumentar a sua decepção — e as duas coisas podem aumentar o risco que ela corre de sofrer de depressão puerperal. Em vez disso, diga-lhe o quanto você está orgulhoso dela, o quanto você admira a sua coragem, o quanto você está feliz por ela e o bebê terem chegado bem ao fim da experiência, e o quanto eles dois são importantes para você.

FORMAÇÃO DE LAÇOS

"Eu achava que iria morrer de amores por minha filha quando a segurasse no colo pela primeira vez na sala de parto, mas isso não aconteceu. Ela é tão apática, tão vermelhinha e inchada, tão diferente do que eu imaginava!"

Para um homem que está sendo pai pela primeira vez e nunca antes viu um recém-nascido de alguns minutos de idade, a decepção e o desencanto ante a cria recém-nascida são reações tão comuns quanto o amor e a afeição. O caso de amor entre você e o bebê, como qualquer outro caso de amor, vai precisar de bastante tempo e investimento emocional para se desenvolver e aprofundar. Mesmo aqueles pais e mães que parecem sentir por seus bebês um "amor à primeira vista" constatam que seus relacionamentos ficam mais ricos com o passar dos meses.

Tranqüilize-se. À medida que o bebê ficar menos apático, você também ficará. E aquilo que você sentir depois de a ter conhecido melhor será muito mais importante para o futuro de vocês do que o que você sentiu no primeiro encontro.

Mas se você não começar a sentir nenhum amor pelo bebê nas semanas seguintes, e especialmente se sentir raiva, hostilidade ou impulsos de violência, peça ajuda psicológica imediatamente ao médico de família, a um terapeuta familiar, a um psiquiatra ou outro profissional de saúde mental.

"Minha mulher teve de fazer uma cesariana de emergência e não me deixaram estar com ela. Só peguei nosso filho no colo 24 horas depois, e temo que a formação de laços possa ficar prejudicada."

Até a década de 1970, pouquíssimos pais assistiam ao nascimento de seus filhos, e nenhum deles ouvira falar do conceito de "formação de laços". Não obstante, a maioria criava relacionamentos de amor com seus filhos e filhas. E posto que, nos anos recentes, a participação no nascimento de seus filhos tenha enriquecido a vida de muitos homens, não serviu para garantir a intimidade de pais e filhos para toda a vida.

Não há dúvida de que é ideal poder compartilhar com sua mulher o momento do parto, e ser privado dessa oportunidade é motivo para desapontamento — especialmente se vocês passaram meses e meses preparando-se juntos para o parto. Mas não é motivo para que você não tenha um relacionamento amoroso com o bebê. O que realmente forma os laços entre vocês é o contato cotidiano — trocar fraldas, dar banho, dar mamadeira, abraçar, ninar, brincar. Ele não vai se importar de você não ter estado lá no momento do parto ou nas poucas horas seguintes, mas certamente sentirá a sua falta se, a partir desse instante, você não estiver ao lado dele quando ele precisar de você.

A DEPRESSÃO PUERPERAL DA MULHER

"Temos uma filhinha muito bonita e saudável, exatamente o que minha mulher sempre quis. Mesmo assim, ela tem estado chorosa e infeliz desde que veio do hospital para casa."

Vários fatores — desde uma sensação de decepção por não estar mais grávida até uma de frustração por ainda parecer grávida — vêm juntar-se a um pandemônio hormonal para desencadear a depressão puerperal em cerca de metade (algumas estimativas dizem 90%) das mulheres que deram à luz há pouco tempo. Felizmente, para a grande maioria (cerca de 999 em cada 1.000), a depressão não é nem severa nem prolongada, e geralmente se resolve antes do fim da segunda semana após o parto.

Embora as mudanças hormonais possam contribuir para a depressão puerperal, você não precisa ser um endocrinologista — só um marido amoroso e atencioso — para ajudar a eliminá-la. Tente:

Aliviar-lhe o fardo. A fadiga, um dos grandes fatores da depressão, é um componente inevitável do período puerperal. Tenha certeza de que sua mulher obtenha toda a ajuda de que precisa — de você, quando estiver por perto, e de outras pessoas quando não estiver.

Abrilhantar o seu dia — e sua noite. Quando o recém-chegado se torna o centro das atenções de todos, a mãe muitas vezes se sente esquecida. Pode também sentir-se incapaz (tendo tanto o que aprender sobre o cuidado e a alimentação de um bebê) e pouco atraente (tendo ainda vários quilos a perder). Também nestes aspectos você pode contribuir. Em momentos inesperados, elogie-a, comentando sobre quão bem ela se dá com o bebê, quão radiante está, quão magrinha está ficando e como a maternidade lhe dá uma nova beleza. Anime-a com pequenos presentes — flores, um livro novo, uma camisola bonita —, mas não com chocolates, que só servem para aumentar a depressão e o peso.

Distraí-la de tudo isso. Um tempo exclusivo é essencial não apenas para ela, mas também para o relacionamento entre vocês. Todos os dias, reserve algum tempo para vocês dois (veja página 669).

Se a depressão da sua mulher durar mais de duas semanas, for acompanhada de insônia, falta de apetite, manifestações de desespero e desamparo ou impulsos violentos ou suicidas, não espere mais tempo. Insista que sua esposa procure ajuda — com seu obstetra, o médico da família, um terapeuta experiente. Muito raramente, a mãe nova precisa de ajuda psiquiátrica para transpor os obstáculos dos primeiros meses da maternidade.

Às vezes, a depressão só se manifesta no momento do desmame do bebê. Como qualquer depressão deve ser tratada caso se prolongue.

SUA DEPRESSÃO

"Como é possível que minha mulher esteja se sentindo ótima desde que meu filho nasceu, e eu esteja com depressão puerperal?"

Os pais de hoje estão, como nunca antes, envolvendo-se com a gravidez, o parto e os cuidados com o bebê. Com exceção de carregar o feto na barriga e amamentar, não há praticamente nada de que eles não estejam participando — e a depressão puerperal não foge à regra. Com efeito, um estudo constatou que 62% dos pais pesquisados estavam sofrendo dessa depressão. Embora já se tenha desenvolvido a hipótese de que a causa possa ser de fundo hormonal, não há provas que a confirmem. É muito mais provável que alguma combinação dos fatores seguintes o esteja jogando para baixo neste momento que você talvez imaginasse ser um dos mais felizes da sua vida:

Problemas financeiros. Raro é o pai que escapa às preocupações financeiras quando tem outra boca a alimentar, outro corpo a vestir, outro intelecto a educar e outro futuro a resguardar. A preocupação pode piorar quando um dos holerites (na família que tem dois por mês) de repente desaparece, mesmo que só por algum tempo.

Sentir-se como um estepe. O pai acostumado a estar no centro da vida da esposa pode ficar contrariado ao descobrir-se repentinamente deixado de lado, enquanto vê toda a atenção da mulher derramada prodigamente sobre o barulhento recém-chegado.

O fim de um amor. Muitos homens ficam com a vida sexual mutilada, ao menos por algum tempo, o que já é motivo suficiente para ficar deprimido. Mas, além disso, eles temem que o relacionamento romântico que já tiveram com suas mulheres nunca mais volte a ser como era antes.

Mudanças de relacionamento. O homem que dependia de sua mulher para a satisfação de uma série de necessidades pode ficar abalado ao descobri-la repentinamente indisponível, ocupada em satisfazer às necessidades de outra pessoa. Ao contrário, o marido acostumado com uma mulher dependente pode ficar enervado ao constatar que ela, tendo encontrado um dependente próprio, já não é como antes. Até conseguir adaptar-se à nova dinâmica familiar, o novo pai pode sentir-se emocionalmente abalado.

Alteração no estilo de vida. Não é necessário que você tenha tido uma vida social ocupadíssima antes de o bebê nascer, para estar deprimido por não ter mais vida social nenhuma agora que ele está aqui. Ao menos por certo tempo, mesmo um cinema ou um jantar entre amigos pode ser algo difícil de concretizar; e ficar em casa noite após noite pode certamente deixar de mau humor qualquer novo pai, exceto, talvez, o mais naturalmente recluso.

Privação de sono. Embora o pai que rotineiramente atende aos chamados do bebê tenha maior probabilidade de ficar esgotado por acordar no meio da noite, até o pai que não os atende está fadado a ressentir-se dos efeitos de noites seguidas de sono intranqüilo. A exaustão física logo provoca conseqüências emocionais, muitas vezes na forma de depressão.

A consciência das possíveis causas de sua "depressão puerperal" pode ajudá-lo a escapar delas, ou ao menos lidar com elas — especialmente se você tomar medidas que lhes abrandem os efeitos (veja as dicas em todo este capítulo). É também possível que sua depressão permaneça por algumas semanas independentemente do que você faça, e depois desapareça tão repentinamente quanto apareceu. Se não desaparecer e começar a interferir com seu dia-a-dia e/ou com o relacionamento com sua mulher e/ou filho, converse com o médico de família ou procure um terapeuta.

DESINTERESSE PELO SEXO

"Foi maravilhoso assistir ao parto de nossa filha, mas acho que o fato de tê-la visto sair pela vagina de minha mulher me fez perder o interesse pelo sexo."

As reações sexuais humanas, comparadas às de outros animais, constituem um mecanismo extremamente delicado, que não está sujeito apenas ao corpo, mas também à mente. E esta, às vezes, pode perturbá-las bastante. Isso ocorre, como você provavelmente já sabe, na gravidez. E ocorre também, como você agora está descobrindo, no período do pós-parto.

É muito possível que seu súbito desinteresse pelo sexo não tenha nenhuma relação com o fato de ter visto o nascimento do bebê. A maioria dos novos pais, tenham ou não visto o nascimento, constatam que tanto a carne quanto o espírito ficam um pouco menos dispostos por algum tempo — embora não haja nada de anormal com aqueles em quem isto não acontece. Há muitas razões fáceis de entender: fadiga, especialmente se o bebê acorda freqüentemente à noite; incômodo devido à falta de privacidade, especialmente se o bebê dorme no mesmo quarto que você; medo de que ele acorde chorando no momento menos oportuno; receio de que a relação machuque sua mulher, embora o médico possa já ter dado sinal verde; e, por fim, um cuidado geral, físico e mental, pelo recém-nascido, a quem todas as suas energias, sensatamente, estão dirigidas nesse estágio de sua vida.

Em outras palavras, não é de admirar que você não esteja se sentindo sexualmente motivado, sobretudo se sua mulher, como muitas mulheres nos primeiros meses de vida dos bebês, também não estiver. É impossível prever quanto tempo vai demorar para que o seu interesse (e o dela) volte. Como acontece em todos os assuntos ligados ao sexo, uma vasta gama de coisas podem ser consideradas normais. Para alguns casais, o desejo vai se antecipar até à autorização do médico. Para outros, seis meses ou mais podem se passar antes que *l'amour* e *le bebé* comecem a conviver harmoniosamente. (Algumas mulheres não sentem desejo até desmamarem o bebê, muito embora as lactantes, na média, sintam o fogo da paixão se reacender antes das não-lactantes.)

Mas existem pais que, mesmo tendo sido preparados nas aulas para essa experiência, saem da sala de parto achando que seu "território" foi "invadido", que o lugar especial que havia sido reservado para o amor de repente serviu a um propósito demasiado funcional. Se isso ocorreu com você, é preciso que — primeiro intelectual, depois emocionalmente — você comece a aceitar a idéia de que as funções sexual e reprodutiva da vagina são igualmente importantes e maravilhosas. Uma não exclui a outra; e, na verdade, as duas estão muito vinculadas. E o mais importante: a vagina só serve ao parto por um breve período, mas é uma fonte de prazer para você e sua mulher por toda a vida.

"As carícias nos seios de minha mulher eram uma parte importante de nossas preliminares. Agora que ela está amamentando, a coisa se transformou num grande problema."

A exemplo da vagina, os seios foram feitos tanto para a diversão como para a função. E embora esses dois fins não se excluam mutuamente, e sejam na verdade interdependentes no grande esquema das coisas (se o sexo não fosse divertido, não haveria tantos bebês a serem amamentados), podem entrar temporariamente em conflito durante a lactação.

Muitos casais, seja por razões estéticas (vazamento de leite, por exemplo), seja por não se sentirem bem usando a fonte de alimentação do bebê para o próprio prazer sexual, descobrem que a lactação realmente os faz perder o interesse. Outros, porém, a consideram como um afrodisíaco, talvez devido à natureza inerentemente sensual desse processo. As duas reações são perfeitamente normais.

Se você sente que os seios de sua mulher estão muito funcionais para lhe atraírem sexualmente, se o leite corre quando eles são estimulados e isso lhe desagrada, se o fato de você tocá-los faz diminuir o ardor de sua esposa, simplesmente não os toque mais durante a preparação para o ato sexual até que o bebê esteja desmamado. E não se preocupe — todo esse incômodo vai passar assim que cessar a lactação.

Não deixe, porém, de ser aberto e honesto com sua mulher; o fato de você, de repente e sem explicações, deixar de tocar-lhe os seios pode fazê-la sentir que a maternidade de algum modo a tornou menos atraente. Tente perceber, além disso, se você não está guardando algum ressentimento contra o bebê por estar usando os "seus" seios; por incrível que pareça, muitos homens sentem isso.

"Na primeira relação sexual que tivemos depois que o bebê nasceu, minha esposa sentiu bastante dor. Agora, estou com tanto medo de machucá-la que venho evitando o sexo."

É possível que você machuque sua esposa mais por evitar o sexo que por iniciá-lo. Como nunca antes, sua mulher precisa agora sentir-se atraente, desejada e querida — mesmo se estiver hesitante quanto a ter relações sexuais, por causa do medo da dor e da falta de desejo. Embora suas intenções sejam nobres, a sua fuga ao ato sexual pode produzir raiva e ressentimento subliminares em um de vocês ou em ambos, o que pode prejudicar o relacionamento entre vocês.

Mas antes de abordá-la sexualmente de novo, aborde-a verbalmente. Diga-lhe quais são as suas preocupações, e descubra quais são as dela. Decidam juntos se querem esperar um pouco mais antes de tentar de novo ou se querem fazer amor apesar da dor. Lembre-se de que você não precisa ter medo de causar danos físicos em sua mulher, desde que o médico a tenha examinado e dado o sinal verde. O que quer que vocês decidam, as dicas da página 644 ajudarão a minimizar a dor e otimizar o prazer quando chegar a hora de fazer amor. E lembre-se, além disso, que a ausência de relações sexuais não significa que o romantismo esteja banido de suas vidas. As relações sexuais não são, de modo algum, a única maneira pela qual duas pessoas podem desfrutar uma da outra e manifestar o seu amor. No momento, é possível que vocês se sintam igualmente satisfeitos se deitarem-se abraçados.

SENTIR-SE EXCLUÍDO DA AMAMENTAÇÃO

"Minha mulher está amamentando meu filho. Há uma intimidade entre eles da qual pareço não poder compartilhar, e me sinto excluído."

Há certos aspectos biológicos imutáveis da paternidade que inegavelmente o excluem, papai: você não pode ficar grávido, não pode dar à luz (coisa que muitos homens certamente considerariam uma vantagem), e não pode dar de mamar. Mas, como milhões de novos pais constatam a cada ano, suas limitações anatômicas naturais não o relegam necessariamente à condição de espectador. Você pode compartilhar quase toda a alegria, a expectativa, as provações e as tribulações da gravidez e do parto de sua mulher — do primeiro chute à última contração — na condição de parceiro ativo e colaborador. E embora jamais vá ser capaz de levar o bebê ao peito (não, pelo menos, para dar ao bebê aquilo que ele espera), você *pode* participar no processo de alimentação:

Dê ao bebê sua alimentação suplementar. Há várias maneiras de alimentar um bebê. Embora você não possa dar-lhe de mamar, pode dar-lhe quaisquer mamadeiras suplementares. Isso não servirá só para dar uma folga à sua esposa (quer seja no meio da noite ou no meio do jantar), como também para dar a você um tempo especial de intimidade com o bebê. Não perca essa oportunidade: em vez de deixar o bebê com a mamadeira apoiada no travesseiro, faça pose de lactante, com o bebê bem juntinho do seu peito.

Não durma a noite inteira. Partilhar das alegrias da amamentação é algo que também o habilita a partilhar das noites sem dormir. Mesmo que o bebê não esteja tendo mamadeiras suplementares, você pode participar dos rituais de amamentação noturnos levantando-se da cama para pegar o bebê no berço, trocando-lhe as fraldas se necessário e levando-o até a mãe para que ela o amamente. Caso ele ainda esteja acordado depois da mamada, você pode embalá-lo e acalmá-lo para que durma antes de colocá-lo no berço. Nesse caso, o fato de você não dar de mamar lhe confere uma vantagem: como o bebê não sente nem cheira seios cheios de leite, é muito mais provável que se acalme com você do que com a mãe.

Observe maravilhado, e aprecie. Pode-se derivar intensa satisfação da mera observação desse grande milagre que é a amamentação. Na próxima vez que você se sentir excluído, sente-se por alguns minutos ao lado da sua mulher e do seu filho e testemunhe o amor que flui entre eles à medida que ele mama — isso fará com que você se sinta mais próximo a eles.

Participe de todos os outros rituais diários. A amamentação é a *única* tarefa de cuidados com o bebê exclusiva das mães. E se você assumir a responsabilidade por pelo menos uma dessas tarefas, ou, ainda melhor, por várias delas (dar banho, vestir, dar alimentos sólidos, trocar fraldas etc.), é muito provável que se sinta ocupado demais em construir seu próprio relacionamento com o bebê para ter inveja do relacionamento que ele tem com sua esposa.

CIÚMES DA ATENÇÃO QUE A MÃE DÁ AO BEBÊ

"Eu amo minha filhinha, mas também amo minha mulher — e, embora seja difícil admiti-lo, tenho ciúmes do tempo que esta passa com aquela. Ela parece ficar sem nenhuma energia para dedicar a mim."

Esse novo par em sua família não deve deixá-lo achando que três é demais. É natural que sua mulher esteja bastante dedicada ao bebê, mas isso não deve ocorrer às custas do relacionamento entre vocês como um casal — um relacionamento vital para o futuro de vocês como família, e que precisa ser acalentado para sobreviver aos ataques da situação de paternidade/maternidade, agora e no futuro. Para ajudá-lo a lidar com os próprios sentimentos (os quais, embora normais e comuns, podem tornar-se destrutivos se não forem trabalhados) e para preservar e melhorar o par que você forma com sua mulher, tome as seguintes medidas:

Dê a conhecer os seus sentimentos. Talvez sua mulher não esteja percebendo que, enquanto vai conhecendo cada vez melhor o bebê, está perdendo o contato com você. Diga-lhe como você se sente, não num arroubo destrutivo, mas numa discussão construtiva. Faça-a saber que você aprecia muito a maneira maravilhosa pela qual ela está desempenhando o papel de mãe, mas que os homens crescidos também precisam de sua dose de carinho, amor e atenção — embora eles muitas vezes não sejam tão barulhentos quanto os bebês para dar a conhecer as suas necessidades.

Formem um trio. Já que você não pode (e nem quer) vencê-las, junte-se a elas. À medida que o tempo passado a sós se torna uma preciosidade cada vez menos acessível, dedique-se a passar mais tempo com a família inteira — ampliando um pouco o par formado por mamãe e bebê e constituindo um agradável trio —, o que, você talvez o constate, vai fortalecer os vínculos entre vocês enquanto casal. A ajuda dada no cuidado com o bebê vai dar à sua esposa mais tempo para dedicar a você, e vai dar a você menos vontade (e energia) de sentir ciúmes.

Negocie. Tente arranjar um pouco de tempo a sós com sua mulher. Tente combinar que se reserve uma hora por noite (depois que o bebê dormir e antes de ligar a televisão) para que a passem juntos, jantando (se não for muito tarde), bebendo vinho ou chá, descontraindo-se, conversando (de preferência não só sobre o bebê), conhecendo-se de novo. E barganhe pelo menos uma noite por mês (mais, se possível) para que passem fora uma noite especial e romântica. Mas seja compreensivo quando ela dormir no meio do filme ou na hora em que você estiver tentando travar uma conversa adulta — a exaustão dela independe da vontade de vocês.

Faça um pouco de farra. O romantismo é uma via de mão dupla. Talvez sua mulher esteja, desde o nascimento do bebê, sentindo-se tão esquecida por você quanto você por ela. Por isso, saia da rotina para lançar sobre ela aquele feitiço: seja espontâneo (flores sem motivo algum), atrevido (abrace-a por detrás quando ela se inclinar para pegar aquela fralda), elogie-a sem medida (especialmente quando ela mais precisar de elogios). Seja um Romeu determinado, e ela logo voltará a ser a sua Julieta.

Apesar de todos os seus esforços e mesmo das boas intenções de sua mulher, você talvez constate que ela continua distante. Isso não é incomum para as mulheres de seis semanas a seis meses depois do nascimento de um bebê. Essa atitude pode fazer parte de um mecanismo biológico de proteção que impede que a nova mãe tenha relações sexuais logo depois do parto, evita que engravide rápido demais e garante que toda a sua atenção e energia estejam voltadas para o bebê. Não é algo que tenha a ver com o esposo, e nem é um barômetro do amor que ela tem por ele. Tenha paciência que isso passa. Mas, se o afastamento se prolongar muito além da metade do primeiro ano e não se resolver com conversas, pode ser necessário um aconselhamento profissional.

SENTIR-SE INCAPAZ COMO PAI

"Eu quero me envolver com o cuidado do bebê, e quero ajudar minha esposa.

Mas nunca tive qualquer experiência com bebês, e estou me sentindo completamente inútil."

Você é um pioneiro, explorando uma região que a imensa maioria dos pais de gerações passadas não se atreveram ou não se dispuseram a explorar. Como ocorre com qualquer pioneiro, é improvável que você tenha uma experiência própria ou transmitida (se o seu próprio pai não participou dos cuidados com o bebê) em que possa se basear. Não é de admirar, portanto, que você esteja se sentindo um pouco inseguro para começar.

Trata-se, porém, de um sentimento fadado a durar pouco. A vontade de tentar e muito amor para dar são as únicas pré-qualificações necessárias para obter êxito na paternidade. Embora os que tenham alguma experiência de cuidados com bebês possam sair na frente, até mesmo um novato como você em poucos meses será capaz de ninar, trocar fraldas e dar banho tão bem quanto elas. Até lá, não precisa ficar com medo que o bebê sofra por causa da sua inexperiência. Em primeiro lugar, ele é capaz de tolerar um tratamento bem mais "bruto" do que você pode imaginar — e não vai "quebrar" se o seu toque for hesitante ou desajeitado. Em segundo lugar, ele não vai levar a mal seus esforços de aprendizagem. Ele não tem um padrão de referência, uma imagem do pai "perfeito" com a qual possa compará-lo. Desde que suas necessidades imediatas sejam atendidas, posto que desajeitadamente, e contanto que ele perceba suas boas intenções, certamente vai aceitá-lo — com as imperfeições, a inexperiência e tudo o mais.

As pesquisas demonstram que a reação dos pais ao choro dos bebês é igual à das mães, e eles podem ser tão sensíveis quanto elas aos sinais emitidos pelo bebê (é verdade que, por não ficarem tanto tempo quanto a mãe ao lado do bebê, têm menor probabilidade de aguçar essa sensibilidade e reagir de acordo). Com efeito, depois de vencido o temor inicial, alguns pais demonstram uma habilidade natural para o cuidado da criança maior que a de suas parceiras. E os bebês não deixam de percebê-lo: com um ano de idade, os bebês protestam igualmente ao serem separados dos pais como das mães, e chega a 25% a proporção dos que demonstram mais propensão a querer ir com os pais do que com as mães, quando se lhes dá a possibilidade de escolha.

Se sua mulher já teve experiências anteriores no trato com bebês, ou está aprendendo mais rápido que você, peça a ela que lhe mostre o caminho das pedras. Se ela está tão verde quanto você, aprendam juntos, na prática. Na próxima vez, vocês dois já serão mestres.

MANIPULAR O BEBÊ

"Acho que não sou suficientemente gentil ao manipular minha filhinha."

Uma das vantagens de o bebê ter dois pais é que, assim, ela tem a oportunidade de vivenciar o amor e a atenção de duas pessoas diferentes. A mãe freqüentemente é mais gentil e vagarosa, canta para o bebê com voz aguda e suave e tem um corpo macio contra o qual o bebê pode se aconchegar; é para ela que o bebê geralmente corre quando está chorando e quer consolo. O pai costuma ser um pouco mais brusco, vivaz e rápido ao manipulá-lo; sua voz é mais grave e seu corpo, mais duro; é para ele que o bebê costuma se voltar quando quer brincar. O bebê rapidamente aprende não só a aceitar tais diferenças como a apreciá-las. (O grau de suavidade ou aspereza varia de pessoa para pessoa, como é evidente. As mães que trabalham fora tendem a assemelhar-se mais aos pais no modo de relacionarem-se com seus filhos, e em algumas famílias o modo como mãe e pai tratam os filhos pode ser exatamente o inverso.)

Não há problema em manipular sua filha com um pouco mais de energia, mas brincadeiras realmente bruscas são perigosas; veja página 215.

O CHORO DO BEBÊ

"Meu filhinho tem cólica, e chora tanto que às vezes não tenho vontade de ir para casa."

O som de um bebê berrando não torna agradável a chegada em casa — nem mesmo para o pai mais amoroso. E também não torna agradável a estada em casa — mesmo para a mãe mais dedicada. Sua mulher certamente acalenta o sonho secreto de sair de fininho quando o bebê começa a maratona diária de choro, e só voltar para casa depois de ele ter berrado até cair de sono. Mas, a menos que vocês contem com alguém que possa prestar-lhes uma ajuda regular, é pouco provável que você ou ela possam realmente escapar. Mas, seguindo as dicas da página 137 para sobreviver à cólica, vocês podem diminuir um pouco a agonia e conservar a sanidade mental. E felizmente, por mais que as coisas não estejam nada bem, podem ter certeza de que elas logo vão melhorar. A maioria dos problemas de cólica desaparecem miraculosamente quando o bebê faz três meses.

Se, enquanto isso, o choro o deixar nervoso, tente fazer um exercício puxado ou socar um saco de areia para desafogar a ira. Se em algum momento você ficar com raiva a ponto de achar-se capaz de bater no bebê, fale imediatamente com um médico, clérigo ou terapeuta, ou ligue para o serviço local de maus-tratos contra crianças.

FARDO INJUSTO

"Trabalho o dia inteiro no escritório enquanto minha mulher fica em casa com minha filha. Não me importo de ajudar um pouquinho nos fins de semana, mas não gosto de que ela fique me pressionando a ajudá-la nas noites durante a semana — sobretudo de madrugada."

Tomar conta do bebê na hora em que você chega em casa do trabalho, quando antes você costumava relaxar e descontrair-se, esquecendo as tensões do dia, pode parecer um fardo injusto; e assim parece a muitos maridos de mulheres que não trabalham fora de casa. Mas, na verdade, trata-se de uma oportunidade incomparável, só que disfarçada. Nas gerações anteriores, poucos pais tinham a oportunidade de passar uma quantidade significativa de tempo com seus bebês, o que era uma pena. Como membro de uma geração mais esclarecida, você está tendo a chance de conhecer sua filha de uma maneira que antes não poderia. Você pode até perder o telejornal ou uma soneca tirada no sofá antes do jantar, mas vai perceber que a companhia do bebê é um instrumento ainda melhor para relaxar e descontrair-se. Nada pode fazê-lo esquecer tão rapidamente um problema com o pessoal, um trabalho atravancado ou um negócio perdido quanto conversar suavemente com o bebê enquanto lhe troca as fraldas, vê-la espalhar água às gargalhadas na banheira ou balançá-la gentilmente no colo até que durma. E, enquanto você esquece suas preocupações cotidianas, está construindo um arsenal de boas recordações.

Isso não quer dizer que você vai querer recordar-se de todos os momentos que passar com sua pimpolha, especialmente de madrugada (alguns vão passar em meio a uma névoa de sono tão densa que você não conseguiria recordar-se deles nem mesmo se quisesse). Como qualquer outro trabalho, o cuidado do bebê tem sua quota de ansiedade e dificuldade.

E esse trabalho — com suas vantagens e desvantagens — é o que sua esposa realiza o dia inteiro enquanto você trabalha fora. O dia dela é pelo menos tão pesado quanto o seu, do ponto de vista físico e emocional (e mais ainda, se ela estiver amamentando). Ela precisa de mais alívio à noite do que você precisa do descanso de que vai abdicar para ajudá-la. É verdade que você terá de acordar ao canto do galo para começar outro dia de trabalho, mas ela também — e, ao contrário de você, não terá direito a pausas para o almoço, para o café e, às vezes, nem mesmo para ir ao banheiro.

E da próxima vez que você palmilhar o chão da casa levando no colo sua filhinha com cólica enquanto sua esposa prepara o jantar, lembre-se de que logo as recompensas do seu envolvimento nos cuidados com o bebê começarão a supercompensar as tensões. Primeiro serão os sorrisos e balbucios dirigidos somente a você; depois, um emocionado "pá-pá" quando você abrir a porta à noite; depois, um dedinho levantado para que o seu beijo faça sarar o dodói. Mais tarde, e por anos e anos, essa compensação vai assumir a forma de um relacionamento mais íntimo com sua filha, o qual não será somente um motivo de alegria, como também tornará um pouco mais fáceis os momentos difíceis.

É claro que, às vezes, tanto sua mulher como você precisarão de uma pausa em relação aos cuidados com a criança; por isso, reservem de vez em quando uma noite para que vocês possam sair e ficar a sós.

SEM TEMPO SUFICIENTE PARA FICAR COM O BEBÊ

"Trabalho muito, freqüentemente ficando até tarde no escritório. Quero passar mais tempo com meu filho, mas esse tempo parece não existir."

Se existe algo para o qual valha a pena arranjar algum tempo, esse algo é o seu bebezinho. Por melhor que ele seja tratado por um dos pais, os dois juntos podem tratá-lo duas vezes melhor. Os menininhos que recebem bastante atenção dos pais são mais inteligentes e felizes aos seis meses do que os que não a recebem. Por isso, você não é o único a sair perdendo por não passar algum tempo com seu filho. (Também as meninas crescem mais confiantes quando têm proximidade com seus pais.)

Arranje mais tempo para ficar com o bebê, mesmo que para isso tenha de roubar tempo de outras atividades importantes em sua vida. Um pouco de organização pode ajudar. Tente fazer com que não coincidam suas horas de trabalho com aquelas em que o bebê está acordado. Se você só precisa chegar no escritório às dez da manhã, passe a manhãzinha com ele; se só chega em casa depois das oito, veja se sua mulher consegue organizar os horários do bebê para que ele tire uma soneca no comecinho da noite e depois passe um tempo acordado com você antes de dormir (evidentemente, isso diminui o tempo que você passa a sós com sua mulher). Se um excesso de atividades "extracurriculares" (sejam reuniões noturnas, sejam esportes nos fins de semana) o impedem de estar ao lado do bebê, renuncie a algumas delas. As organizações e os times ainda existirão quando o bebê for um pouco mais velho — época em que seus horários estarão mais regulares, ficando mais fácil adaptar-se a eles.

Particularmente se você não puder arranjar bastante tempo para ficar com o bebê, é importante aproveitar ao máximo o tempo que tiver. Não leia o jornal à mesa no café, não fique grudado à tevê durante o telejornal antes do jantar, não durma até meio-dia aos sábados. Ao contrário, maneje a colher de mingau no café-da-manhã, dê banho no bebê na hora do telejornal e leve-o ao parquinho no sábado de manhã.

Você também pode arranjar tempo para ficar com o bebê se o envolver, sempre que possível, em suas próprias atividades. Se você tem algumas coisas a fazer na cidade, pendure-o num *porta-bebês* e leve-o junto. Se um pouco de corrida está na agenda, coloque o bebê num carrinho e aumente seu esforço aeróbico, empurrando-o enquanto corre (mas *não* corra levando-o no *porta-bebês*). E se você tem algumas tarefas a fazer em casa, amarre-o numa cadeirinha e deixe-o observá-lo, enquanto descreve minuciosamente tudo o que está fazendo.

CAPÍTULO 26

De Filho Único a Primogênito

Quando você trouxe seu primeiro filho do hospital para casa, você e seu marido eram pais novatos, tendo muito o que aprender, adaptações a fazer e um desafio a enfrentar: o desafio de criar um apego pelo novo membro da família. Quando você trouxer o segundo filho para casa, vocês dois já serão verdadeiros mestres no que diz respeito à paternidade/maternidade; não serão vocês, mas sim o seu filho mais velho, que precisará aprender mais, fazer mais adaptações e esforçar-se para criar um apego pelo recém-nascido. Isso não será mais fácil para o seu primogênito do que o foi para vocês; e, considerando sua idade e nível de maturidade, pode ser bem mais difícil. O fato de seguir as sugestões e dicas contidas neste capítulo não eliminará o esforço que seu primeiro filho (e vocês) terão de fazer para cumprir a transição de unigênito a primogênito, mas pode ajudar a tornar o processo menos áspero.

Mas eis a melhor sugestão de todas: fique tranqüila. As crianças vivem como vivem os adultos que as rodeiam. Se você estiver ansiosa com o modo como seu filho vai reagir ao fato de ter um irmãozinho, seu filho ficará ansioso também.

O QUE PODE ESTAR PREOCUPANDO VOCÊ

A PREPARAÇÃO DO FILHO MAIS VELHO

"Temos uma filha de dois anos e meio e estamos esperando outro bebê. Qual a melhor maneira de preparar nossa primogênita para que ela não se sinta ameaçada?'

A gravidez e o parto tornaram-se assuntos de família. Como ocorreu com os pais nos anos 70, nos 80 os irmãos já não são excluídos dos nove meses de preparação e excitação que culminam na chegada de um novo irmão ou irmã. Em vez de tentar entender o que está acontecendo a partir de sussurros entre os adultos e conversas misteriosas sobre cegonhas e canteiros de repolho, os primogênitos de hoje freqüentemente envolvem-se com a gravidez desde os primeiros meses.

A preparação de um irmão é pelo menos tão complicada quanto a preparação dos pais. O primeiro passo, evidentemente, é contar ao filho mais velho que a mãe está grávida. A definição do momento em que isso deve ser feito gerou alguma controvérsia entre os puericultores. Por muito tempo, acreditou-se que as crianças novas não devem ficar sabendo nos primórdios da gravidez, pois um anúncio precoce lhes deixaria muito tempo de "espera" — e eis uma coisa que as crianças em geral não sabem fazer. Mais recentemente, porém, afirmou-se que as crianças desde muito cedo começam a perceber que "algo" está acontecendo. Elas podem captar conversas sérias ou animadas entre os adultos, ver sua mãe sentindo-se mal ou tensa e preocupada, notar outras mudanças pela casa — e pensam: "O que estão escondendo de mim? O que vai acontecer?" E, com freqüência, os temores nascidos da ignorância são muito piores do que a realidade — piores, também, do que uma espera comprida e às vezes tediosa. O fato de contar desde cedo à criança também dá a você bastante tempo para ajudá-la a acostumar-se à idéia de ter um irmão e a trabalhar seus sentimentos de antemão. Talvez convenha esperar até que você receba os resultados dos exames, se estiver fazendo amniocentese, ou até o fim do período de risco, se tiver uma história de vários abortos espontâneos — embora seu filho possa ficar mais chateado ainda se você estiver presa à cama e ele não souber por quê.

Acabado o mistério, há várias medidas que os pais podem tomar para tornar o bebê que está para chegar menos ameaçador para a criança que já mora na casa — e, talvez, até mesmo esperado com impaciência.

- Faça todas as grandes mudanças que você planeja fazer na vida de sua filha no começo da gravidez, se não tiver tido oportunidade de realizá-las antes de engravidar. Por exemplo: matricule-a e deixe-a acostumar-se a um jardim-de-infância ou grupo de brincadeiras para que ela tenha um refúgio fora de casa para onde escapar depois que o bebê chegar, e para que não sinta que está sendo expulsa por causa da chegada do bebê. Comece a ensiná-la a usar o banheiro ou a desmamá-la da mamadeira agora, e não logo após o nascimento do bebê. Quaisquer mudanças significativas que não houverem sido feitas até um ou dois meses antes da data prevista para o nascimento do bebê devem ser deixadas para um ou dois meses depois do nascimento, se isso for possível.
- Acostume sua filha a passar um pouco menos de tempo sozinha com você. Se você nunca a deixou com uma babá e vai precisar fazê-lo depois que o bebê chegar, comece a deixá-la com a babá por curtos períodos durante o dia. Se o papai até agora não esteve muito envolvido nos cuidados com a criança, comece a trazê-lo para as rotinas de alimentação, banho e hora de dormir, para que ele possa substituí-la habilidosamente quando você estiver no hospital ou ocupada com o novo bebê. Dê início a atividades regulares de diversão entre o pai e a filha (café-da-manhã fora de casa no domingo, sábado à tarde no parquinho, uma história lida depois do jantar), rituais que podem continuar sendo desfrutados por bastante tempo depois de o bebê nascer. Tome o cuidado, porém, de não se afastar para muito longe da sua primogênita; ela precisa se certificar (através de atitudes amorosas, e não de palavras) de que a chegada de um bebê não significa que ela vá perder a mamãe.
- Seja sincera e clara acerca das mudanças físicas pelas quais você está passando. Explique que você está cansada ou nervosa porque "fazer um bebê" é difícil, e não por

estar doente ou cansada de sua filha. Mas não use a gravidez como desculpa para não pegá-la no colo tantas vezes quantas pegava antes; pegar uma criança no colo é algo que não representa nenhuma ameaça para a gravidez — a menos que o seu médico o tenha proibido por alguma razão, como, por exemplo, dilatação precoce do colo do útero. Se você não pode pegá-la no colo porque suas costas a estão matando, ponha a culpa nas suas costas, e não no bebê — e, mesmo sentada, abrace bastante sua filha. Se você precisar passar mais tempo deitada, sugira que ela se deite ao seu lado e tire uma soneca, ouça uma historinha ou veja TV junto com você.

- Apresente sua filha ao bebê enquanto este ainda estiver no útero. Mostre-lhe ilustrações, apropriadas à sua idade, do desenvolvimento fetal mês a mês, explicando que, à medida que o bebê for crescendo, a barriga da mamãe crescerá também, e que quando o bebê for grande o suficiente já estará prontinho para sair. Assim que os chutes puderem ser facilmente sentidos e percebidos por quem estiver de fora, deixe-a sentir sozinha os movimentos do bebê. Encoraje-a (mas não a obrigue se ela se recusar) a beijar, abraçar e falar com o bebê. Ao referir-se a ele, chame-o de "nosso nenê" ou "seu nenê", para deixá-la sentir que o pequenino pertence também a ela, e não só a você. Explique que não há como saber se será um irmãozinho ou uma irmãzinha (a menos que, é claro, você já saiba o sexo pela amniocentese), e faça da adivinhação uma brincadeira.
- Para que sua filha não se sinta uma mera figurante no drama da gravidez, leve-a consigo a uma ou duas consultas pré-natais (e, se ela parecer interessada e não atrapalhar, leve-a a todas). O fato de ouvir as batidas do coração pode ajudar a tornar o bebê mais real para ela. Se for tirada uma fotografia pelo ultra-som, mostre-a a ela. Mas não se esqueça de levar ao consultório um lanche e um livro ou brinquedo predileto, para o caso de haver uma longa espera ou impaciência por parte da criança. E, se ela decidir que não quer voltar lá de novo, aceite esse desejo sem pressioná-la a mudar de idéia.
- Envolva sua filha em quaisquer preparações pelas quais ela pareça interessada. Deixe-a "ajudar" a escolher móveis, roupas, brinquedos — e deixe-a até escolher sozinha uma ou duas coisas baratinhas mesmo que monstruosas. Examine junto com ela suas antigas roupinhas e brinquedos de bebê, para escolher coisas que possam ser reutilizadas — mas não a pressione a abdicar de algo até que ela mesma o queira. Deixe-a abrir quaisquer presentes que cheguem antes de o bebê nascer.
- Familiarize sua filha com os bebês em geral. Mostre-lhe fotos dela quando bebê, e diga-lhe como era (não se esqueça de incluir algumas histórias que mostrem o quanto ela cresceu desde então). Se possível, leve-a a um berçário de hospital para olhar os recém-nascidos (assim, ela saberá que eles não são tão "bonitinhos" quanto os bebês mais velhos). Se você tem amigas com bebês novos, dê um jeito de você e sua filha passarem algum tempo com eles. Mostre-lhes bebês — nos supermercados, no parque, em livros de figuras. Para que ela esteja preparada para a realidade, explique que os bebês não fazem quase nada além de mamar, dormir e chorar (e isto eles fazem bastante), e que por algum tempo não conseguem ser bons companheiros de brincadeiras. Se estiver planejando amamentar, explique que o bebê vai mamar leite nos seios da mamãe (como aconteceu com ela, se tiver sido amamentada); se você tem uma amiga lactante, combine de fazer uma visita rápida na hora da mamada.
- Buscando preparar sua filha, não levante questões que talvez nunca se concretizem. Por exemplo, não lhe diga "Não se preocupe, nós vamos gostar de você tanto quanto do nenê", ou "Ainda vamos ter bastante tempo para passar com você". Por mais bem-intencionadas que sejam, tais afirmações podem causar preocupações em sua filha sobre o quão bem ela será capaz de competir com o bebê pelo seu amor e atenção.

▪ Se você pretende que a criança mais velha doe o berço ao bebê esperado, faça-o vários meses antes da data prevista do nascimento. Se a mais velha ainda não tiver condições de dormir numa cama, compre-lhe outro berço — de preferência, um que possa converter-se numa cama infantil. Se você vai transferi-la para outro quarto, faça também isto com bastante antecedência, e faça-a ajudá-la com a decoração e os móveis. Enfatize o fato de que ela está mudando para outra cama ou quarto porque está crescendo, e não porque o bebê a está deslocando.

▪ Se você tem um automóvel, acostume sua filha a sentar-se no banco de trás, caso ainda não esteja acostumada; um novo assento para crianças novas (comprado ou emprestado) pode tornar a transição mais fácil. Ponha no banco da frente uma cadeirinha para o bebê, talvez com uma boneca dentro, algumas semanas antes da data prevista para o nascimento.

▪ Apresente à sua filha os nomes que você está pensando em dar ao bebê, envolvendo-a no processo de escolha. "Dar nome" ao bebê é algo que a fará sentir-se mais próxima dele. (Evidentemente, seria insensatez dar à sua filha, em idade pré-escolar, um controle criativo total sobre o processo; deve ser você a tomar a decisão final, a menos que queira ter um segundo filho chamado Tartaruga Ninja.)

▪ Se houver um curso para irmãos em sua vizinhança — esse curso é oferecido por alguns hospitais —, matricule sua filha. É importante que ela saiba que existem outras crianças na mesma situação dela — prestes a ter um irmãozinho. Mesmo que ela esteja fazendo o curso, e especialmente se não estiver, prepare-a ainda mais, lendo para ela livros sobre o assunto — há muitos livros sobre o "novo bebê" adequados à idade dela e disponíveis no mercado.

▪ À medida que a data prevista for se aproximando, prepare sua filha para o fato de que você vai precisar passar algum tempo no hospital quando o bebê chegar. Faça-a ajudá-la a arrumar as malas e estimule-a a incluir alguma coisa dela para que você leve consigo — um urso de pelúcia, um retrato dela, um desenho feito por ela, por exemplo. Certifique-se de que a pessoa que cuidará dela esteja completamente familiarizada com sua rotina, para que esta não sofra nenhuma perturbação neste momento difícil. Diga-lhe com antecedência quem ficará tomando conta dela (os melhores substitutos da mamãe são o papai, a vovó, o vovô, outro parente, uma babá a que ela esteja acostumada ou uma amiga íntima da família), e assegure-a de que você voltará em poucos dias. Se o hospital permitir visitas de crianças (muitos permitem), diga-lhe quando poderá visitar você e o bebê. Quer ela possa visitá-la, quer não, um passeio feito pelo hospital antes do nascimento — se puder ser organizado — a deixará sentindo-se mais à vontade com a sua ausência.

▪ Não a cumule repentinamente de presentes e passeios nas semanas anteriores ao parto. Em vez de a acalmarem, tais excessos pouco habituais podem transmitir-lhe a sensação de que algo terrível vai acontecer, e de que você está tentando suavizar o golpe. Podem também comunicar-lhe a idéia de que a iminente chegada do bebê a está investindo de um forte poder de barganha, e levá-la, no futuro, a tentar trocar um bom comportamento por presentes e favores. Compre somente dois presentes pequenos mas adequados para dá-los a ela depois que o bebê nascer — um deles pode ser dado no hospital e o outro quando você chegar em casa, por ela ter sido tão prestativa enquanto você estava fora. Para uma criança nova, uma boneca-bebê em que possa dar banho e que tenha um tamanho adequado para ser pega no colo costuma ser um bom presente; depois, a menina poderá dar banho, "dar de mamar" ou trocar as fraldas da boneca, enquanto a mamãe toma conta do original. Saia com ela para comprar (e deixe-a embrulhar) um presentinho "dela" para o bebê, o qual ela possa levar ao hospital por ocasião do primeiro encontro entre os irmãos.

▪ Ao esforçar-se por preparar sua primogênita para a chegada do segundo filho, não exagere. Não deixe que sua gravidez e o esperado novo membro da família se tornem o foco central da vida familiar ou o assunto predominante de toda conversa. Lembre-se de que sua filha em idade pré-escolar tem, e deve ter, outros interesses e preocupações em sua vida — e que também estes são merecedores de sua atenção.

A PRESENÇA DOS IRMÃOS NO PARTO

"Nosso segundo filho vai nascer numa maternidade, e deram-nos a opção de deixar nosso menino de três anos assistir ao parto. Mas não sabemos se isso seria bom para ele."

Quando os bebês de sua geração nasceram, o parto dizia respeito só às mães. Os pais palmilhavam o chão das salas de espera dos hospitais e os irmãos sequer iam ao hospital; enquanto a mamãe dava à luz, eles estavam na casa da vovó, assistindo desenhos do Pernalonga e entupindo-se de bolachas de chocolate, tendo apenas uma vaga idéia, quando a tinham, do que estava acontecendo. Hoje, os pais geralmente estão presentes ao grande acontecimento (às vezes, chegam a "fazer o parto" e cortarem eles mesmos o cordão umbilical), e as crianças foram para as salas de espera. Dizem alguns que, pela lógica, o próximo passo consiste em deixar que as crianças se unam ao restante da família na sala de parto. Com efeito, alguns hospitais e várias maternidades abriram as portas das salas de parto a irmãos e irmãs de todas as idades.

Enquanto praticamente todos concordam que a passagem do pai para dentro da sala de parto foi positiva, tem havido bastante controvérsia quanto à prudência de deixar que os irmãos sigam os passos do pai. Embora se apresentem alguns benefícios teóricos (menos rivalidade ou maior apego entre os irmãos; menos trauma para a criança, que não se sente abandonada quando a mãe sai de casa para ir buscar seu "substituto"), a principal razão pela qual as crianças assistem ao parto de seus irmãos parece ser o fato de que seus pais querem que elas estejam ali. E, aparentemente, as possíveis conseqüências negativas são maiores que as positivas. Em primeiro lugar, o parto pode ser uma experiência perturbadora e de difícil compreensão para a criança — com o sangue, os gemidos, soluços e, às vezes, os gritos da mãe, e a aparência pouco humana do recém-nascido. (Todavia, pelo menos um estudo demonstra que nem todas as crianças ficam abaladas ao assistir a um parto; algumas ficam simplesmente entediadas, especialmente se o parto é comprido, e outras chegam a envolver-se ativamente.) Em segundo lugar, posto que as complicações sejam raras no típico parto de baixo risco, não há como ter certeza de que tudo transcorrerá normalmente. Caso uma cesariana de emergência se faça necessária, ou caso haja algo errado com o recém-nascido, o turbilhão de atividade e a mudança de atmosfera resultantes — provavelmente acarretando, também, a brusca expulsão da criança — podem produzir um verdadeiro terror, com possíveis conseqüências de longo prazo. Além disso, o fato de haver uma criança na sala durante as contrações ou a fase ativa do parto pode perturbar e inibir a mãe (ela pode ter vontade de gritar, mas sentir-se insegura na frente da criança). E quando a mãe e o pai concentrarem-se na tarefa de fazer nascer o bebê e depois manifestarem-se maravilhados e animados por sua chegada, a criança mais velha pode sentir-se excluída.

Por outro lado, a maioria dos especialistas concorda que, em circunstâncias normais, fazer com que a criança mais velha encontre seu irmão ou irmã imediatamente *depois* do parto é algo que proporciona todos os benefícios de se assistir ao parto, sem apresentar nenhum dos riscos. Se o seu hospital permitir esta opção, trata-se de uma boa escolha. Se não, fale com o seu médico para que se tente efetuar uma mudança na linha seguida pelo hospital, ou pelo menos abrir uma exceção. Se nem isso der certo, lembre-se de que o adiamento desse encontro não vai condenar os irmãos à desarmonia — há muitas outras maneiras pelas quais um relacionamento amoroso pode se constituir entre seus filhos.

Mas, se você decidir ter o seu filho presente ao parto, certifique-se de que ele esteja muito bem preparado (ele deve ver fotos e filmes de outros partos, observá-la a praticar seus exercícios de respiração e, se possível, freqüentar um curso para crianças sobre parto) e de que tenha alimentos, livros, brinquedos e outras diversões que o mantenham ocupado quando as contrações não lhe atraírem a atenção. Se em algum momento ele quiser sair da sala, deixe-o — sem manifestar nenhuma decepção. Em previsão de uma tal mudança de idéia, faça com que outro adulto conhecido esteja esperando lá fora para ficar com ele ou levá-lo para casa ou para a casa da vovó.

SEPARAÇÃO E VISITAS NO HOSPITAL

"Será que me visitar no hospital vai fazer com que minha filha mais velha sinta mais saudades de mim do que se nem fosse me ver?"

Muito pelo contrário. O fato de os olhos de sua filha não a verem não quer dizer que o coração dela não sinta a sua falta. Se ela a vir no hospital, terá certeza de que você está bem, de que não a abandonou por outra criança e de que ela ainda é importante para você. E os estudos demonstram que as crianças que não visitam suas mães têm maior tendência a demonstrar hostilidade na hora em que a mãe chega em casa. ("Não gosto mais de você, mamãe — você me deixou sozinha!") Na maioria dos hospitais, permite-se também que ela veja, e às vezes até toque e "segure no colo", o irmãozinho ou irmãzinha, o que lhe dará uma sensação de realidade no que diz respeito ao bebê e a fará sentir-se uma parte importante de toda a excitação que envolve o recém-chegado.

Você pode fazer com que as visitas ao hospital — e a separação — transcorram mais tranqüilamente se tomar as seguintes medidas:

- Certifique-se de que a criança esteja preparada de antemão para a visita. Ela deve saber por quanto tempo vai poder ficar, e que vai ter que ir para casa sem você e o bebê. E previna-a caso o regulamento a force a ver o bebê somente através da janela do berçário.
- Esteja preparada para a visita da sua filha. Se você espera que ela corra para lhe dar um abraço e morra imediatamente de amores por seu irmãozinho, pode ficar decepcionada. É muito possível que ela trate você, o bebê ou ambos com indiferença, que pareça hesitante ou estranha, que chore de raiva ou pesar na hora de ir embora. Essas reações negativas ou neutras são comuns, não constituem motivo para preocupação e são melhores do que uma ausência de visita. Mantenha suas expectativas num nível realista, para que você possa ter uma surpresa agradável se tudo correr bem — e não ficar indevidamente chateada se não correr.
- Se você for para o hospital no meio da noite, ou num momento em que a criança estiver na escolinha ou longe de casa, deixe-lhe um recado que possa ser lido para ela quando ela acordar ou voltar. Diga-lhe que o "nosso" bebê está a ponto de nascer, que você a ama e que logo vai vê-la ou falar com ela. Se for viável (a vovó ou outra pessoa podem ir junto para ficar com ela) e possível (o hospital o permite), leve-a para o hospital a fim de esperar o nascimento do bebê. Prepare-lhe uma malinha como a sua. Nela deve haver uma muda de roupa, fraldas (caso as use), brinquedos e lanches de que ela gosta. Se o parto for demorado (a probabilidade de isso acontecer é menor com o segundo filho) e você estiver presa na sala de parto, peça ao papai que saia e transmita comunicados regulares, e até almoce com ela na lanchonete. É claro que, se a hora de dormir chegar antes que o bebê nasça, você talvez prefira que ela seja

levada para casa para dormir na própria cama; se ela ainda estiver por lá quando o bebê chegar, tente conseguir que ela se encontre ao menos com você, e talvez com o novo irmãozinho.

▪ Não se esqueça de colocar uma foto da sua filha mais velha no criado-mudo, para que ela saiba que você esteve pensando nela.

▪ Se for possível, peça à pessoa que for trazer sua filha para visitá-la que pare numa loja pelo caminho a fim de que a criança possa comprar pequenos presentes para você e para o bebê. A troca de presentes (esta é a hora de lhe dar aquela lembrancinha que você escolheu para ela antes do parto) ajuda a quebrar o gelo e a faz sentir-se importante. É prática comum dar à criança um presente "do bebê", mas a maioria delas desvenda facilmente esse estrategema, e não convém que o relacionamento entre os dois irmãos se inicie com uma trapaça, por inocente que seja.

▪ Em seu quarto no hospital, organize uma pequena festa de "aniversário" para o bebê, da qual participe a sua família recém-ampliada. Pode haver um bolo (a criança mais velha provavelmente ficará feliz de poder comer um pedaço ao passo que o bebê não pode), velas (ela pode assoprá-las) e algumas decorações (deixe-a escolhê-las).

▪ A mesma pessoa que trouxer sua filha para visitá-la deve levá-la para casa. Se o papai a levar e depois ficar para uma visita mais longa enquanto ela volta para casa com a vovó ou outra pessoa, ela pode sentir-se abandonada duas vezes.

▪ Entre as visitas, ou se estas forem impossíveis, mantenham contato por telefone (evite horas mais sensíveis, como logo antes de dormir, se você achar que o som da sua voz pode deixá-la chateada), e escreva bilhetes que o papai possa ler para ela. Ela também pode gostar de fazer um ou dois desenhos para você colar na parede do seu quarto no hospital. Faça com que o papai ou outro parente de quem ela goste a leve para jantar ou fazer algum outro passeio especial, a fim de deixar claro que o novo bebê não é a única coisa na qual todos estão interessados nesses dias — e que a conversa durante esse passeio não seja apenas sobre o bebê, a menos que ela o queira assim.

▪ Dê um jeito de ir para casa mais cedo, se você quiser e puder, a fim de que sua filha mais velha possa começar desde logo a compartilhar da experiência de ter um bebê novo, e para diminuir o tempo de separação.

TORNAR MAIS FÁCIL A IDA PARA CASA

"Como posso fazer com que a chegada em casa com meu novo bebê seja menos traumática para meu filho mais velho?"

No que diz respeito à ida da mãe para casa, o filho mais velho costuma ter sentimentos contraditórios. Ele sabe que quer que a mãe venha para casa, mas não tem tanta certeza quanto ao bebê que ela planeja trazer consigo. De certo modo, ele gosta da idéia — ter um bebê novo em casa é empolgante e diferente, e, se ele tiver idade suficiente para isso, é algo de que se vangloriar na frente dos amigos. Mas ele provavelmente fica pelo menos um pouquinho nervoso quando pensa no quanto sua vida vai ter de mudar depois que o bebê atravessar a porta da frente e for depositado no berço que já foi dele.

O modo como você lidar com a ida para casa vai influenciar, ao menos de início, o fato de seu filho verem realizadas suas mais ardentes expectativas ou seus piores temores. Eis como acentuar os aspectos positivos e minimizar os negativos:

▪ Considere a possibilidade de dar ao seu filho um papel ativo em sua ida para casa, fazendo-o vir com o papai ao hospital para buscar você e o bebê. Isso só vai funcionar se a vovó ou outro adulto conhecido os acompanhar (para que o papai esteja livre para cuidar dos papéis e outras coisas do gênero), e se o regulamento do hospital permitir.

▪ Senão, faça-o ajudar nos preparativos para receber o bebê em casa (ele pode separar fraldas ou bolas de algodão para o bebê, por exemplo) enquanto o papai vai buscar vocês. Tente entrar em casa primeiro (talvez o papai possa esperar no carro com o nenê) para poder ficar a sós com seu filho alguns minutinhos.

▪ Comece a usar o nome do bebê desde o princípio, em vez de referir-se constantemente ao novo irmão como "o nenê". Isso vai fazer o seu filho mais velho perceber que o bebê é uma pessoa de verdade, e não um objeto.

▪ Restrinja os visitantes nos primeiros dias que passar em casa — para sua própria saúde física e mental, e para o bem de seu filho mais velho. Mesmo as visitas mais bem-intencionadas tendem a falar o tempo todo sobre o novo bebê, quase ignorando a criança mais velha. Aquelas visitas cujo acesso você não pode impedir (como os avós, tios e tias e amigas íntimas) devem ser avisadas de antemão a não serem efusivas em demasia e de modo óbvio em relação ao bebê, e darem bastante atenção à criança mais velha. Você também pode sugerir que as visitas venham quando ele estiver na escola ou depois de ter ido dormir. A restrição do número de visitas na primeira semana, ou pouco mais, traz outros benefícios — mais tempo para você recuperar as forças e mais oportunidades de se estabelecerem os vínculos entre os membros da família recém-ampliada.

▪ Concentre boa parte de sua atenção na criança mais velha, sobretudo nos primeiros dias, em que o bebê provavelmente estará dormindo bastante. Pendure seus desenhos na porta da geladeira, aplauda o fato de ele ir sozinho ao banheiro, se tiver recentemente aprendido a fazer isso, diga-lhe que você está orgulhosa por ele ser um irmão mais velho tão bonzinho, seja rápida para elogiar e lenta para repreender. Evite o erro daqueles pais que se prostram em adoração perante o berço do recém-nascido ("Olha esses dedinhos!", ou "Como ele é bonitinho!", "Olha, ele está sorrindo!"), fazendo a criança mais velha sentir-se como um apêndice desnecessário e muito pouco querido. Mas não chegue ao extremo de nunca beijar, abraçar ou demonstrar afeição pelo bebê na frente do irmão. Se você fizer isso, a criança ficará confusa ("Eu achei que a gente deveria gostar do bebê. Será que meus pais vão deixar de gostar de mim também?") ou desvendará seu plano, acrescentando ainda alguma coisa a mais ("Eles estão fingindo que não gostam do nenê para eu não saber que eles gostam mais dele do que de mim"). Em vez disso, envolva a criança mais velha nas conversas sobre o bebê: "Olha estes dedinhos: você sabia que os seus já foram deste tamanhinho?" ou "Ela não é bonita? Parece com você." "Ela está sorrindo para você; acho que ela já gosta de você." Seu filho vai se sentir mais à vontade se você espontaneamente manifestar sua afeição natural pelo bebê (sem exagerar) e por ele.

▪ Deixe seu filho mais velho abrir todos os presentes para o bebê e (supondo que não sejam frágeis) brincar um pouco com eles se quiser, mesmo se forem evidentemente brinquedos "de nenê", salientando que os presentes são do bebê mas ele pode brincar com eles até que a irmãzinha aprenda a brincar também. Alguns visitantes mais sábios se lembram de trazer também um presente para a criança mais velha; mas se vários dias se passarem com o bebê recebendo bateladas de presentes e ele não ganhar nada, peça à vovó ou ao papai que tragam para casa algo especialmente para ele. Você também pode mostrar-lhe alguns dos presentes que ele recebeu quando nasceu, explicando que agora é a vez do bebê de ganhar presentes. E se o influxo de presentes realmente parecer excessivo, guarde aqueles cuja chegada o irmão não perceber. Um dia, os presentes e cartões vão parar de chegar.

▪ Se o seu filho mais velho quiser passar alguns dias em casa, sem ir à escolinha, deixe-o. Isso vai garantir-lhe que você não o está expulsando de casa para poder desfrutar da presença do bebê, e vai dar-lhe uma oportunidade de formar laços de afeto com ele. (Mas decida de antemão, ouvindo a opinião da criança, qual será a duração de suas férias, para que ele não pense que poderá ficar em casa para sempre.) Todavia, não obrigue seu filho a ficar em casa se ele quiser ir para a escola. Ele pode estar sentindo a necessidade de estar num lugar onde não haja bebês e onde existam outros focos de interesse.

RESSENTIMENTO INDISFARÇADO

"Meu filho, que está começando a andar, não disfarça o ressentimento para com o bebê. Ele diz que quer que o bebê volte para o hospital."

Você evidentemente não pode realizar o desejo de seu filho, mas pode — e deve — deixá-lo expressar esse desejo. Embora os sentimentos dele possam parecer muito negativos, o fato de ele ser capaz de exprimi-los é muito positivo. Todo irmão mais velho ressente-se um pouco do novo intruso (ou da mãe, por trazer para casa esse invasor); ocorre que alguns expressam-no mais abertamente que outros. Em vez de dar a entender ao seu filho que não é correto ter esse sentimento ("É muito feio falar isso do nenê"), diga-lhe que você entende que nem sempre é divertido ter um bebê novo em casa — tanto para ele como para você. Deixe-o expressar em palavras o seu ressentimento se ele quiser, mas não fique presa ao assunto. Passe rapidamente a um tema mais animado ("E se a gente agasalhasse o neném e fosse para o parquinho?").

Certas crianças não se sentem livres para expressar sentimentos negativos em relação ao bebê, e é conveniente encorajá-las a falar sobre como se sentem. Um modo de fazer isso consiste em confessar seus próprios sentimentos conflitantes: "Eu adoro o neném, mas às vezes me canso de ter de acordar no meio da noite para dar de mamar", ou "Poxa, esse bebezinho não me deixa nenhum tempo para cuidar de mim". Outra maneira é contar e/ou ler historinhas sobre irmãos mais velhos que têm sentimentos conflitantes em relação a seus irmãos mais novos. Se você mesma é uma irmã mais velha, pode contar como se sentiu quando um irmão mais novo nasceu.

"Minha filha não manifesta nenhuma hostilidade em relação a seu irmãozinho, mas tem estado muito mal-humorada e mal-educada comigo."

Alguns irmãos mais velhos não vêem vantagem em entrar em conflito com um recém-nascido (afinal, não importa o que se faça, o estado de humor do bebê não se altera), ou sentem-se inibidos de manifestar sua hostilidade em relação a ele (já ouviram muitas vezes que devem sentir amor e afeição). Depois do bebê, o melhor alvo, que eles sentem poder atormentar com menos sentimento de culpa e resultados mais satisfatórios, é a mamãe. Afinal de contas, é a mamãe que passa horas e horas amamentando o bebê, trocando as fraldas do bebê, abraçando e ninando o bebê, e passando muito menos tempo do que antes ao lado dele. O primogênito pode manifestar seus sentimentos em relação à mãe de várias maneiras: tendo acessos de raiva, manifestando um comportamento regressivo, recusando-se a comer ou rejeitando completamente a mãe e voltando-se para o pai ou outra pessoa (uma babá, por exemplo), que passa a ser a sua "predileta". Esse tipo de comportamento é uma parte comum e normal do período de adaptação ao novo bebê.

Como em qualquer outro estágio do desenvolvimento, é importante lidar com o mau-humor com calma e não tomar nada como ofensa pessoal. Tente reagir com paciência e compreensão, dando segurança e mais atenção à criança. E lembre-se de que isso também vai passar — em geral, depois de alguns meses.

SEU PRÓPRIO RESSENTIMENTO

"Desde que tive meu segundo filho, sinto que venho me desdobrando excessivamente, e muitas vezes me percebo a alimentar ressentimentos contra as exigências de tempo e atenção que me são feitas por meu filho mais velho. Isso me dá um forte sentimento de culpa."

Você está muito cansada e sendo submetida a pressões muito fortes — não é de admirar que tenha sentimentos hostis que necessitam ser expressos. Também não é de admirar que tenda a manifestá-los mais em relação a seu filho mais velho (embora algumas mulheres escolham seus maridos como alvos preferenciais) que ao recém-nascido. Como o irmão mais velho que redireciona sua raiva para a mãe, você provavelmente percebe que o bebê não é um objeto aceitável de desafeição. Você provavelmente também acredita, pelo menos a nível inconsciente, que, agora que seu filho é um pouco mais velho, ele deveria ser mais maduro. Se ele ao menos "agisse de acordo com a própria idade" — é este, provavelmente, o seu raciocínio —, tudo o mais seria muito mais fácil. Uma crença injusta e pouco realista, mas comum. (Além disso, seu filho provavelmente está agindo de maneira apropriada à idade.)

Embora tais sentimentos não sejam raros entre as mulheres que são mães pela segunda vez, eles freqüentemente surgem como uma surpresa para aquelas que passaram toda a segunda gravidez preocupando-se por não se acharem capazes de amar o segundo filho como amaram o primeiro. Elas se abalam ao perceber com quanta facilidade e rapidez o novo bebê toma conta de seu coração, e sentem-se volúveis e cheias de culpa quando se pegam a ressentir-se do filho mais velho por suas exigências de tempo e atenção.

Reconhecer seus sentimentos negativos e aceitar as razões que os movem são um passo importante para superá-los. Esta pode ser a primeira vez em sua vida que você sente raiva e mágoa de seu filho, mas não será a última. Esses sentimentos ocorrem mesmo no melhor dos relacionamentos. Mas, à medida que você for entrando num ritmo mais confortável no papel de mãe de duas crianças, mais hábil na tarefa de dividir-se entre ambas, perceberá que tais sentimentos se dissiparão. (Se não se dissiparem ou se tornarem mais fortes, fale com seu médico ou consulte um terapeuta que possa ajudá-la a trabalhá-los.)

EXPLICAR AS DIFERENÇAS GENITAIS

"Minha filha de três anos está obcecada pelo pênis do irmãozinho. Ela quer saber o que é e por que ela não tem um igual. Não sei o que lhe dizer."

Experimente dizer a verdade. Por mais nova que seja a sua filha, se ela é madura o suficiente para fazer perguntas sobre o próprio corpo e o corpo do irmãozinho, é madura o suficiente para receber respostas honestas. A menininha pode ficar bastante abalada ao ver em seu irmãozinho uma coisa que ela mesma não tem (ou o menininho, ao notar a ausência do pênis em sua irmãzinha; será que também vou perder o meu?, pensa ele). A simples explicação de que os meninos (e os homens, como o papai) têm pênis e as meninas (e as mulheres, como a mamãe) têm vaginas será provavelmente o bastante, e ajudará sua filha a entender uma das diferenças fundamentais entre os homens e as mulheres. Não deixe de usar para estas partes do corpo os seus nomes próprios, tal como faria para os olhos, o nariz e a boca; e só acrescente mais informações se forem requisitadas — embora você talvez queira contar-lhe que as meninas têm vaginas para que possam ter bebês quando crescerem, e que os meninos têm pênis para se tornarem pais. Se sua filha pedir para saber mais do que você se sente à vontade em dizer, procure um livro dirigido aos pais que possa ajudá-la nessa tarefa, e/ou um livro ilustrado adequado à idade de sua filha que você possa ler para ela.

DAR DE MAMAR DIANTE DO FILHO MAIS VELHO

"Estou querendo amamentar meu segundo filho, mas estou preocupada com a possibilidade de fazê-lo diante de meu filho de quatro anos."

Embora se especule que a visão do genitor de sexo oposto totalmente nu possa ser prejudicial para a criança de mais de três anos, não há razão para crer que um menino possa sofrer dano se vir sua mãe amamentar. O que pode ser prejudicial é você exagerar em sua tentativa de manter seu filho afastado enquanto você amamenta — considerando quanto tempo se passa amamentando um recém-nascido, você vai ver muito pouco o seu filho mais velho. E, com exceção da hora da soneca do bebê, não há momento mais propício que a hora da mamada para dar a seu filho uma atenção mais integral. Durante as mamadas, pode-se realizar quase qualquer atividade tranqüila, desde ler uma história até se envolver num jogo.

Se você não se sente à vontade com seu filho vendo seus seios (embora seja quase certo que não lhe provocam excitação, especialmente nesse contexto), amamente com discrição. Mas não reaja de modo exagerado se ele der uma olhada ou esticar uma mão curiosa para apertar. Muitos especialistas afirmam que tanto o puritanismo, que pode transmitir à criança a idéia de que o corpo humano tem algo de mau ou sujo, quanto o exibicionismo espalhafatoso, que entorpece o respeito pela própria privacidade e pode levar a uma excitação indesejável, podem contribuir para consolidar atitudes doentias em relação à sexualidade.

A CRIANÇA MAIS VELHA QUE QUER MAMAR

"Meu filho de dois anos e meio, ao verme amamentar o bebê, vem dizendo que também quer um pouco de leite. Pensei que o interesse dele passaria se eu o ignorasse, mas não passou."

O melhor meio de curar uma criança mais velha (de até três ou quatro anos) do desejo de mamar é dizer-lhe que pode. (A criança de mais de quatro anos deve entender que o seio é para os bebês.) Muitas vezes, o seu simples consentimento é suficiente, e a criança não vê necessidade de insistir no assunto. Se insistir, deixe-o mamar. Você talvez se sinta pouco à vontade, mas ele sentirá que está tendo acesso a esse relacionamento misterioso e especial que o bebê tem com você. O mais provável é que uma gota baste para ele perceber que, afinal, os bebês não passam tão bem quanto imaginava. É quase certo que esse líqüido morno, aguado, estranho, esse arremedo de leite que ele extrair não valerá o esforço empreendido (é possível que ele desista antes mesmo de conseguir que o leite chegue à boca). Tendo satisfeito a sua curiosidade, o mais provável é que ele nunca mais peça para mamar, e sinta mais compaixão pelo bebê (obrigado a beber essa coisa enquanto ele já entorna copos e copos de suco de maçã e leite "de verdade", e engole uvas-passas, manteiga de amendoim e sanduíches de geléia) do que ciúmes.

Se ele continuar a demonstrar interesse pela amamentação, ou não quiser que o bebê mame, é provável que não esteja querendo um seio para sugar, mas um colo (e uma mãe) para se aninhar e um pouco da atenção que ele sente que o bebê sempre recebe quando mama. Incluir seu filho mais velho nas mamadas pode ser o bastante para pôr fim ao interesse dele pela lactação. Há várias maneiras simples de fazer isto. Antes de sentar-se para dar de mamar, por exemplo, diga: "Vou dar leite para o nenê agora. Você quer suco?", ou "Você quer almoçar agora, enquanto o nenê está mamando?" Senão, aproveite a tranqüila oportunidade que a mamada lhe oferece para contar-lhe uma história, ajudá-lo a montar um quebra-cabeça ou ouvir um disco junto com ele (bom, já que você não tem que usar as mãos), resistindo tenazmente à tentação de ver TV ou fazer todos os telefonemas atrasados. Não se esqueça, além disso, de dar muitos beijos e abraços no seu primogênito quando o bebê não estiver mamando.

COMPORTAMENTO REGRESSIVO

"Desde que sua irmãzinha nasceu, minha filha de três anos começou a fingir que é um bebê. Ela fala em língua de bebê, quer vir para o colo o tempo inteiro e chega até a sujar as calças."

Mesmo adultos plenamente maduros não deixam de, às vezes, invejar a existência sem responsabilidades de um recém-nascido (quando um bebê adormecido passa por eles em seu carrinho almofadado, suspiram: "Isso é que é vida!"). Não é de surpreender que uma criança, ela mesma recém-saída do carrinho e apenas começando a dominar algumas das miríades de responsabilidades que vêm com o crescimento, anseie por uma volta ao estado de bebê, ao ver a irmãzinha. E especialmente quando vê que as atitudes de bebê funcionam muito bem para sua irmã que passa o tempo todo afundada no luxo e no ócio (e no colo da mamãe), é levada no colo para cá e para lá, tem todas as suas necessidades atendidas, abre a boca para chorar e recebe exatamente o que quer no momento em que o quer (em vez de ouvir um brusco "Pare de resmungar!").

Em vez de pressionar sua filha a "ser uma menina crescida" neste momento crítico, trate-a como um bebê quando ela quiser ser assim tratada — mesmo que para isso você tenha de cuidar de dois "bebês" ao mesmo tempo. Dê-lhe a atenção pela qual ela tanto anseia (balance-a no colo quando ela estiver cansada, carregue-a de vez em quando escada acima, alimente-a quando ela quiser) e não a censure quando ela voltar a falar em monossílabos (mesmo se isto lhe der nos nervos), quiser tomar seu leite na mamadeira (mesmo se isso nunca tiver ocorrido antes), ou quando seus hábitos higiênicos voltarem bruscamente a ser como eram no primeiro ano de vida. Ao mesmo tempo, estimule-a a agir de forma apropriada à idade, não economizando elogios quando ela for particularmente madura — quando ela mesma limpar sua bagunça, ajudar a mamãe ou fizer xixi no piniquinho. Tais elogios serão duplamente benéficos se forem proferidos diante de outras pessoas. Lembre-a de que ela foi seu primeiro bebê, e agora é sua filhona. Saliente também aquelas coisas especiais que ela pode fazer e que sua irmã não pode, como tomar sorvete numa festa de aniversário, brincar no escorregador do parquinho, comer pizza na pizzaria com a mamãe e o papai. Faça um pão junto com ela quando o bebê estiver dormindo, peça a sua ajuda para fazer compras, estimule o papai a levá-la a fazer um piquenique, leve-a a ver um filme deixando a nenê com uma babá. No seu próprio ritmo ela vai acabar percebendo sozinha as vantagens de ser a filha mais velha, e vai decidir deixar definitivamente para trás o seu passado de bebê.

O IRMÃO MAIS VELHO QUE MACHUCA O BEBÊ

"Saí do quarto por um minuto e fiquei chocada quando voltei e vi meu filho mais velho batendo em sua irmã com um brinquedo. Dessa vez ela não se machucou, mas ele parecia querer fazê-la chorar de propósito."

À primeira vista, esse ataque pode parecer uma tentativa sádica de fazer mal a um intruso indesejado, mas isso geralmente não é assim. Embora possa haver um elemento de hostilidade (o que é apenas natural, tendo em conta o rebuliço que o recém-nascido causa na vida do irmão mais velho), essas investidas aparentemente maliciosas com freqüência não passam de inocentes explorações. Pode ser que seu filho não estivesse tentando fazer sua irmã chorar por malevolência, mas por curiosidade, pelo desejo de descobrir como funciona essa criaturinha esquisita que você levou para casa (assim como ele examina e investiga constantemente tudo o mais que faz parte de seu ambiente). O segredo é reagir à situação sem exagerar. Pelo seu exemplo, e envolvendo-o nos cuidados com o bebê quando você estiver por perto, inculque em seu filho a importância de ser gentil com o bebê. Quando ele for bruto, reaja calma e racionalmente, evitando dirigir-lhe recriminações raivosas e que provoquem culpa (se ele estiver gostando de atormentá-la, sentirá prazer em ter desencadeado sua explosão raivosa) e manifestar uma proteção histérica ao bebê (o que pode reforçar sentimentos de ciúme). Abster-se da reação explosiva é mais importante ainda quando o bebê foi realmente machucado; deixar a criança mais velha sentindo-se culpada pelo que fez, quer o tenha feito de propósito ou não, é algo que pode deixar cicatrizes emocionais permanentes e quase não tem finalidade positiva.

No que diz respeito ao irmão mais velho machucando o mais novo, a prevenção é preferível ao castigo. Por mais que você ache que o seu filho mais velho tenha entendido a mensagem, não deixe os dois sozinhos de novo até que o mais velho tenha idade suficiente — talvez cinco anos, mais ou menos — para ter idéia do mal que pode fazer. As crianças mais novas não têm uma noção clara de quão graves são os ferimentos que podem produzir com suas ações, e podem causar sérios danos sem intenção.

PARA EVITAR OS CIÚMES

"Pergunto-me como posso dividir-me eqüitativamente de modo que tanto meu filho de quatro anos quanto seu irmãozinho recebam a atenção de que necessitam, e para que o mais velho não fique com ciúmes."

Por mais que uma réplica sua (ou pelo menos um segundo par de braços) fosse útil nesta época de sua vida, isso não é possível. Só haverá você mesma circulando por aí, o que a obrigará a dividir-se em pelo menos duas por vários anos ainda. O problema é: como fazer essa divisão da melhor maneira tanto para seu filho mais velho quanto para o bebê?

Mais à frente em seus anos de mãe de crianças, a divisão terá de ser bem equilibrada; o tempo passado com uma delas terá de ser razoavelmente semelhante ao tempo passado com a outra (assim como toda maçã e pedaço de bolo terão de ser divididos bem no meio para contentar a ambas). Agora, porém, um leve desequilíbrio em favor do filho mais velho não é apenas uma opção aceitável; é a melhor. Pense, em primeiro lugar, que seu filho mais velho está acostumado a ser filho único e a não partilhar a sua atenção com ninguém (exceto seu marido), e que o bebê, na alegre inconsciência de não saber quem está recebendo mais dos seus cuidados, estará basicamente feliz desde que suas necessidades fundamentais estejam sendo atendidas. Além disso, o bebê estará recebendo, por algum tempo, atenção de outras pessoas, umas mais importantes, outras nem tanto, ao passo que seu filho mais velho, jogado para escanteio, será largamente ignorado. Pense também que, à diferença de seu filho mais velho, que veio do hospital para uma casa relativamente sossegada, o bebê nasceu num lar já bastante ativo, com uma dose suficiente de interação entre pais e filhos para manter seus sentidos ocupados e estimulados. Se ele ficar sentado no seu colo enquanto você constrói uma cidade de blocos de madeira ou ajuda seu filho mais velho a montar um quebra-cabeça, ou acomodar-se num *porta-bebês* enquanto você empurra o mais velho no balanço, estará recebendo tanto estímulo quanto receberia se você brincasse com ele diretamente. Por fim, lembre-se de que, em sua casa, há outra pessoa "responsável" — seu filho mais velho —, que estará dando ao bebê uma atenção cheia de vida.

Não há dúvida de que esse "serviço dobrado" será difícil, e cada vez mais à medida que o bebê se aproximar do exigente segundo ano de vida; mas você logo se tornará uma especialista nisso. Vai aprender a dedicar sua atenção ao filho mais velho sem diminuir o tempo de dedicação ao mais novo, e isso não somente por atender ao mesmo tempo às necessidades de ambos (dando mamadeira ou de mamar a um deles enquanto monta um quebra-cabeça com o outro, por exemplo), como também por nomear o primogênito para o cargo de assistente-chefe. Ele pode buscar uma fralda quando o bebê estiver molhado, cantar e dançar quando ele estiver chateado, e ajudá-la a dobrar e guardar as roupas limpas do bebê — achar o par daquelas meinhas é para você uma coisa monótona, mas para ele é um desafio e uma experiência de aprendizagem. O fato de sentir-se útil vai impedi-lo de sentir-se esquecido.

Mas o irmão mais velho precisa de algo mais que um tempo compartilhado — precisa passar um determinado período de tempo sozinho com você todos os dias. Se você não tem quem a ajude em casa, pode ser difícil encontrar esse tempo, mas ele continua sendo essencial. A hora da soneca do bebê (supondo que ele durma bem durante o dia) é ideal, se você for capaz de resistir ao impulso de lavar a roupa, arrumar a casa ou ler o jornal (essas coisas talvez tenham de esperar até os dois filhos estarem na cama). Outra hora boa é o começo da noite, quando o papai está em casa e pode entreter o bebê por algum tempo. (Não se esqueça que a criança mais velha também vai gostar de passar algum tempo sozinha com o pai.)

Além de garantir que seu filho mais velho receba sua justa medida de atenção, há outras coisas que você pode fazer para mitigar o fator ciúme. Em primeiro lugar, deve sempre referir-se ao bebê pelo nome ou dizendo "nosso" ou "seu" — nunca "meu". Em segundo lugar, tente evitar que a vida do mais velho gire em torno da do mais novo: "Fique quieto — o nenê está dormindo", ou "Você não pode ficar no meu colo — o nenê está mamando", ou "Pare de mexer no nenê — você vai acabar machucando-o". Você pode chegar ao mesmo resultado (ou a um resultado melhor) se reduzir ao mínimo as orientações negativas e colocá-las em palavras de forma mais positiva: "O nenê está dormindo. Vamos ver se conseguimos falar baixinho para ele não acordar". Ou "Que tal sentar aqui ao meu lado para ficar pertinho de mim enquanto estou dando de mamar?" Ou "O nenê adora que você faça carinho nele, assim".

Embora você deva evitar ao máximo dizer que não pode brincar com ele ou pegar-lhe alguma coisa porque está ocupada com o bebê, jamais usar o bebê como argumento é um objetivo irrealizável; trata-se de um aspecto da vida entre irmãos que seu filho simplesmente vai ter de aprender a aceitar. Será mais fácil para ele se você continuar a lembrá-lo das vantagens de ser o filho mais velho, e se você às vezes mudar o jogo. Diga ao bebê (mesmo que o mais velho tenha dúvidas sobre a capacidade de compreensão do pequeno): "Você vai ter que esperar um minuto para trocar a fralda, agora vou dar lanche para o seu irmão", ou "Não posso pegar você agora, tenho que pôr o seu irmão na cama".

Como há um limite para a sua capacidade de desdobramento, você provavelmente terá de permitir-se uma benigna desconsideração da limpeza e da cozinha a fim de evitar descuidar das crianças. Será mais importante sentar-se e assistir ao "Glub-Glub" com seu filho mais velho que passar o aspirador na sala, mais importante levar a família ao parque que passar o dia cortando e picando alimentos para o jantar. Restrinja as tarejas da casa ao absolutamente essencial (e/ou, se for incapaz de suportar uma casa que pareça desmazelada, e tiver condições financeiras, contrate alguém que a ajude com isso), ponha fraldas descartáveis no bebê (ou use um serviço de fraldas), faça o restante da família usar roupas que não precisem ser passadas, use legumes congelados (que são tão nutritivos quanto os frescos) sempre que necessário e faça refeições simples (inclusive as do bebê; quanto aos méritos dos alimentos enlatados para bebês, veja a página 285). Convoque seu filho mais velho a ajudá-la em tarefas como tirar o pó, abrir embalagens de legumes ou pôr a mesa; no começo, sua ajuda vai parecer mais um estorvo, mas com um pouco de prática você se surpreenderá ao ver que ele começa a ajudá-la mais eficazmente.

AUSÊNCIA DE CIÚMES

"Eu estava preparada para a rivalidade entre irmãos quando decidimos ter outro bebê. Mas ao longo de toda a gravidez, e nos quatro meses que se passaram desde que seu irmão nasceu, minha filha não demonstrou nenhum ciúme. Esse comportamento é sadio?"

Como você já sabe, sua filha tem uma personalidade única. Suas reações ao nascimento de um novo irmão podem ser completamente diferentes das reações de outra criança da sua idade, sendo ao mesmo tempo igualmente normais e sadias. Embora muitas crianças manifestem hostilidade em relação ao novo bebê da família, esses sentimentos não são inevitáveis nem necessários para o desenvolvimento de um vínculo forte entre os irmãos. A criança que parece deleitar-se com o novo irmão não está necessariamente escondendo sentimentos de ciúme; pode estar simplesmente segura o suficiente para não se sentir ameaçada pelo recém-chegado. Mas quando o pobre e indefeso recém-chegado começar a engatinhar pelo chão, ela talvez tenha algum motivo para ressentir-se à medida que ele for rasgando todos os seus livros, espalhando seus blocos de madeira pelo chão e mordendo os dedos de sua boneca predileta.

Ainda assim, por enquanto, você deve garantir que ela receba tanto tempo de companhia e tanta atenção quanto o novo irmão, mesmo se ela não exigir tal coisa. Se você inadvertidamente começar a desconsiderá-la pelo fato de estar sendo tão amiga do novo bebê, ela pode começar a sentir-se esquecida e ficar magoada.

Além disso, quase todas as crianças desenvolvem algum sentimento negativo em relação aos irmãos mais novos em algum passo da caminhada; por isso, deixe-a saber que não há mal nenhum em experimentar tais sentimentos, e conceda-lhe amplas oportunidades para expressá-los.

O VÍNCULO ENTRE OS IRMÃOS

"Pergunto-me como posso ajudar meu filho mais velho a sentir-se mais ligado a seu novo irmãozinho."

As mães e pais constroem laços afetivos com os bebês enquanto interagem com eles ao dar-lhes os cuidados necessários. Não há motivo pelo qual os irmãos não possam fazer o mesmo. Sob a supervisão atenta de um adulto, mesmo a criança mais novinha pode ajudar a tomar conta de um bebê e começar a experimentar uma sensação de apego por ele — e uma diminuição do ciúme pós-parto. Dependendo da idade do irmão mais velho, há vários modos pelos quais pode participar, inclusive os seguintes:

Trocar fraldas. Uma criança em idade escolar tem condições de trocar uma fralda, tendo a mamãe por perto; uma criança mais nova pode ajudar buscando uma fralda limpa, dando para a mamãe um lenço umedecido, grudando a fita adesiva de uma fralda descartável ou entretendo o bebê impaciente durante todo o processo.

Dar mamadeira. Se o bebê é amamentado na mamadeira ou toma uma mamadeira de vez em quando, mesmo uma criança bastante nova é capaz de segurá-la para ele. Se o bebê mama só no peito, a criança mais velha não pode dar-lhe de mamar, mas pode sentar-se bem pertinho de você, lendo um livro, enquanto você amamenta o irmãozinho.

Fazer arrotar. Mesmo uma criança que está começando a andar pode bater nas costas do bebê para produzir-lhe um arroto depois da refeição — e elas geralmente se divertem muito com o resultado.

Dar banho. A hora do banho pode ser um momento de diversão para toda a família. O irmão mais velho pode passar o sabão, a esponja ou a toalha, jogar água (depois de a temperatura ser verificada por um adulto) sobre o corpo do bebê para enxaguá-lo e entreter o bebê com seus próprios brinquedos ou com uma canção. Mas não deixe uma criança de menos de doze anos como a única responsável pelo bebê na hora do banho — nem mesmo por um segundo.

Tomar conta. É verdade que um irmão mais velho não pode assumir responsabilidade total por um mais novo até a adolescência (nunca deixe, nem por um minuto, uma criança em idade pré-escolar tomando conta sozinha de um bebê), mas ele pode receber o cargo de "babá" enquanto você está por perto. Para os bebês, não há ninguém tão divertido quanto seus irmãos mais velhos, e estes ficam orgulhosos ao perceber que têm a capacidade de entreter o bebê.

CRESCENTE BELICOSIDADE

"Minha filha foi muito amorosa em relação a seu irmãozinho desde que ele nasceu. Mas agora que ele está engatinhando e já é capaz de pegar os brinquedos dela, repentinamente começou a atacá-lo."

Para muitos irmãos mais velhos, o recém-nascido não representa grande ameaça. Ele é totalmente desamparado, praticamente imóvel, e incapaz de roubar livros ou desmanchar uma festinha de bonecas. Mas conceda-lhe alguns meses para que comece a pegar objetos, engatinhar, andar apoiando-se nos móveis e desenvolver outras habilidades motoras, e o quadro se torna um pouco menos idílico. Mesmo as crianças mais velhas que até esse momento foram amorosas (pelo menos na maior parte do tempo) em relação a seus irmãos mais novos podem repentinamente começar a manifestar hostilidade. E não se pode culpá-las — um pequeno bárbaro acaba de invadir o seu território. Suas caixas de lápis-de-cor foram saqueadas, seus livros violados, suas bonecas pilhadas.

Para defender seu território, a criança mais velha (a tensão costuma ser maior quando a diferença de idade entre os dois irmãos é de menos de três anos) freqüentemente começa a gritar com o bebê, bater nele, empurrá-lo e derrubá-lo. Às vezes as atitudes contêm uma mistura de afeição e agressão: aquilo que começa como um abraço termina com o bebê chorando no chão. Muitas vezes, a ação reflete com precisão os sentimentos interiores conflitantes da criança. Enquanto mãe, você tem de andar sobre uma estreitíssima corda bamba — protegendo o irmão mais novo sem castigar o mais velho. Embora deva deixar claro para a criança mais velha que não é admissível que ela machuque intencionalmente seu irmão mais novo, você também deve deixar claro que compreende seu sofrimento e suas frustrações e se identifica com eles. Tente dar a ela a oportunidade de brincar um pouco sem ter o bebê por perto (enquanto ele dorme, está no chiqueirinho ou ocupado com outra coisa). Em particular quando ela trouxer amiguinhas para casa, respeite sua privacidade e suas posses e garanta que o irmãozinho as respeite também. Passe mais tempo ao lado dela e intervenha em seu favor sempre que o bebê roubar ou tentar destruir seus pertences, em vez de insistir todo o tempo para que ela não ligue, pois "ele é só um nenezinho". Mas elogie-a bastante quando ela chegar sozinha a essa amadurecida constatação.

Logo, o vento vai virar. Cansado de ficar sendo empurrado para cá e para lá e já forte o suficiente para dar ele mesmo alguns empurrões (e puxões de cabelo e mordidas) intencionais, o irmãozinho vai começar a revidar. Isso geralmente ocorre mais para o fim do primeiro ano de vida, e é seguido por mais alguns anos de sentimentos conflitivos entre os irmãos — uma estranha mistura de amor e ódio. E nestes anos, em que você muitas vezes se sentirá mais uma juíza que uma mãe, pode esperar deparar-se com desafios constantes à sua paciência e engenhosidade — bem como grandes alegrias.

PARTE III

PRONTA REFERÊNCIA

*As Melhores Receitas**

PARA O PRIMEIRO ANO E OUTROS ANOS

Eles não distinguem um *bisque* de um *brioche* nem um *paté* de um *pot-au-feu*, mas os bebês e crianças novas são *gourmets* dos mais exigentes do mundo gastronômico. E fazem uma série de discriminações — contra os legumes, alimentos protéicos e quase todas as outras coisas que seus pais gostariam de vê-los comendo. Às refeições, é dificílimo agradá-los, facílimo desagradá-los e quase impossível fazê-los comer sua quota da "Dúzia Diária" — ou, pelo menos, assim parece.

Mas há esperança — e auxílio — nas páginas seguintes. É verdade que ainda não se inventou a receita que faça todos os bebês "abrirem a boca para entrar o aviãozinho", mas as receitas a seguir têm grande probabilidade de conseguir pouso na maioria dos pequenos aeroportos. Todas elas conseguirão, em grande medida, nutrir o seu pequeno crítico gastronômico e, na maioria dos casos, satisfazer a várias necessidades nutricionais ao mesmo tempo.

SUPERCEREAL

Com um prato deste cereal energético, seu filhinho vai saltar sobre prédios de apartamentos em um só pulo.

*Alguns dos ingredientes, principalmente os importados, só serão encontrados nas cidades maiores, mas poderão facilmente ser substituídos pelos similares nacionais com um pouco de bom senso e criatividade. (N. do R. T.)

Rendimento: 1 porção infantil

1/3 de xícara de flocos de aveia ou outro cereal integral não-adoçado
1 colher (sopa) de gérmen de trigo
2 colheres (sopa) de leite em pó desnatado instantâneo
2 damascos secos, picadinhos
1/2 xícara de leite integral

Coloque os quatro primeiros ingredientes numa tijela pequena na ordem indicada, sem misturar, acrescente o leite e sirva imediatamente.

Porções infantis da "Melhor Dieta" (por porção): 1 Proteína; 1 1/2 Cereais Integrais; 1 Cálcio; 1 Frutas Amarelas; um pouco de Ferro

PÃO DE QUEIJO COM FRUTAS

Nem um bebê determinado a só comer pão pode deixar de se desenvolver quando esse pão vem recheado de proteínas, cálcio e sais minerais. Asse-o, corte-o em fatias, congele-as e reserve-as para os lanches birrentos da manhã ou da tarde.

Rendimento: 2 pães de 24x14x8 cm

4 a 4 1/2 xícaras de farinha de trigo integral
3/4 de xícara de gérmen de trigo
1 colher (chá) de sal
2 pacotinhos de fermento seco ativo
1 xícara de água
1/2 xícara de suco concentrado de maçã
1/4 de xícara de óleo vegetal
1 xícara de queijo ricota semidesnatado e sem sal
1 ovo
2 claras
3/4 de xícara de flocos de aveia
1 1/2 xícara de queijo suíço (Emental) de baixo teor de sal, ralado (cerca de 170 g)
1 xícara de uvas passas ou tâmaras secas, picadas

1. Na tigela da batedeira, misture 3 1/2 xícaras de farinha, o gérmen de trigo e o sal. Retire 1 1/2 xícara da mistura e junte com o fermento. Faça um buraco no centro da farinha restante e preencha-o com a mistura de fermento.

2. Numa panela, misture a água, o suco concentrado, o óleo e a ricota e leve ao fogo médio até ficar bem quente. Aos poucos, acrescente essa mistura à farinha com fermento no centro da tigela, e vá mexendo. Bata tudo em velocidade média por 2 minutos, raspando, quando necessário, os lados da tigela.

3. Acrescente o ovo, as claras e mais 1/2 xícara de farinha à massa, bata-a novamente, por 2 minutos, raspando, quando necessário, os lados da tigela. Acrescente a aveia em flocos.

4. Coloque a massa sobre um tabuleiro levemente enfarinhado. Amasse até ficar lisa e elástica, cerca de 8 a 10 minutos (ou sove na batedeira ou mixer, seguindo as instruções do aparelho). Se a massa continuar muito pegajosa, acrescente o restante da farinha, em duas colheres (sopa) por vez, conforme for necessário. Coloque a massa numa tigela grande untada com um pouco mais de óleo vegetal. Cubra hermeticamente com filme plástico. Coloque a tigela num lugar quente até a massa dobrar de tamanho, cerca de 1 hora.

5. Sove a massa dentro da tigela. Ponha-a sobre um tabuleiro levemente en-

FERMENTO DE BAIXO TEOR DE SÓDIO

O fermento em pó comum contém muito sódio, e é uma das principais fontes de sódio da dieta norte-americana. Como o excesso de sódio não faz bem para os bebês (nem para qualquer outra pessoa), sugerimos o uso de fermento de baixo teor de sódio, disponível nas casas de alimentos naturais, para as receitas aqui apresentadas. Se você usar fermento comum, use 2/3 do indicado (2 colheres de chá para cada 3 indicadas).

farinhado. Misture o queijo suíço e as frutas e continue amassando. Divida a massa pela metade. Forme um filão com cada metade da massa e coloque cada filão numa fôrma de pão de 24x14x8 cm, bem untada com mais óleo vegetal. Pincele levemente a parte de cima de cada filão com óleo, cubra com um pano de pratos e deixe crescer num lugar quente até dobrar de tamanho, cerca de 1 hora.

6. Quinze minutos antes de assar os pães, pré-aqueça o forno a 190ºC.

7. Asse até que os pães estejam bem dourados e sua parte inferior tenha um som oco ao ser batida, cerca de 35 a 40 minutos.

Porções infantis da "Melhor Dieta" em 1 fatia (ou 1/10 do pão): Cereais; 1 1/2 Proteína; 1/2 Outras Frutas, 1/2 Cálcio; um pouco de Ferro

"MUFFINS" DE ABÓBORA

Os nutrientes dos legumes amarelos sob um delicioso disfarce. Congele para os dias em que o bebê se recusar a comer os legumes puros.

Rendimento: cerca de 24 *muffins*

Spray *para refogar legumes*
1 1/2 xícara de suco concentrado de maçã
1/4 de xícara de óleo vegetal
2 ovos
4 claras
1 1/2 xícara de polpa de abóbora sólida e não-adoçada
1 xícara e 1/4 de uvas passas
1 1/2 xícara de farinha de trigo integral
1/2 xícara de gérmen de trigo
4 1/2 colheres (chá) de fermento de baixo teor de sódio
2 colheres (chá) de canela em pó

1. Pré-aqueça o forno a 200ºC. Unte 24 formas do tipo usado para fazer empadas com *spray* para refogar legumes, ou ponha em cada uma delas uma forminha de papel frisado. Reserve.

2. No liqüidificador, misture o suco concentrado, o óleo, os ovos, as claras, a abóbora e as passas. Bata até as passas ficarem picadas.

3. Numa tigela grande, misture a farinha, o gérmen de trigo, o fermento e a canela. Acrescente aos poucos a mistura de abóbora, batendo tudo na batedeira em velocidade baixa ou batendo devagar com a mão, até estar bem misturado.

4. Coloque a massa nas forminhas preparadas, prenchendo dois terços da capacidade de cada forminha. Leve ao forno por 15 a 20 minutos. Os *muffins* estarão prontos quando um palito de dentes enfiado no meio da massa sair limpo (ou com apenas uma ou duas migalhas grudadas).

Porções infantis da "Melhor Dieta" em 1 *muffin*: 2 Frutas Amarelas; 1+Cereais Integrais; 1 Outras Frutas; 1/2 Proteína

CARAS DE PANQUECA

Os sorrisos nas panquecas certamente produzirão sorrisos em quem estiver sentado no cadeirão. Sirva-as puras ou com geléias de fruta feitas sem açúcar, iogurte misturado com as geléias, fatias de banana, maçãs ou peras levemente passadas na gordura ou molho de maçã sem açúcar. Congele as panquecas que sobrarem para ter, a qualquer momento, alimentos simples e nutritivos a serem comidos pelas mãos do próprio bebê.

Rendimento: cerca de 24 panquecas pequenas

1 xícara de leite integral
1/4 de xícara de leite em pó desnatado
2 colheres (sopa) de suco concentrado de maçã
1 colher (sopa) de manteiga ou margarina, derretidas
1 ovo
2 claras
3/4 de xícara de farinha de trigo integral
1/3 de xícara de gérmen de trigo

1 1/2 colher (chá) de fermento de baixo teor de sódio
Spray *para refogar legumes ou óleo de cozinha*
Uvas passas picadas
Damascos secos cortados em tiras finas

1. Misture num liqüidificador todos os ingredientes até o fermento, formando uma massa homogênea. Deixe a mistura descansar por 15 minutos.

2. Unte uma frigideira ou chapa com *spray* de refogar legumes, ou com óleo. Leve ao fogo médio-alto até ficar bem quente. Abaixe o fogo ao médio, mexa a massa e coloque-a às colheradas sobre a chapa para fazer panquecas de 8 cm de diâmetro.

3. Usando pedaços de passas e tiras de damascos, acrescente traços faciais às panquecas. Quando a parte de cima das panquecas começar a borbulhar e a parte de baixo estiver bem dourada, depois de cerca de 2 minutos, vire e doure o outro lado por mais 1 minuto.

4. Sirva as panquecas com as caras para cima e acompanhadas de qualquer dos doces acima sugeridos.

Porções infantis da "Melhor Dieta" em 3 panquecas de 8 cm: 1 Proteína; 1 Cereais Integrais; 1/4 Cálcio; um pouco de Ferro

PANQUEQUINHAS DE AVEIA "PEPITA DE OURO"

A família inteira vai adorar estas panquequinhas cheias de fruta. Sirva-as com iogurte, molho de maçã sem açúcar, amoras frescas, geléia de damasco adoçada com frutas ou o "Purê de Damascos Secos" (página 714).

Rendimento: cerca de 48 panquecas de 5 cm de diâmetro

1 xícara de leite integral
1/4 de xícara de suco concentrado de maçã
2 colheres (sopa) de manteiga ou margarina, derretidas
1 ovo
2 claras
1 xícara de farinha de trigo integral
1/2 xícara de flocos de aveia
1/2 xícara de gérmen de trigo
2 1/2 colheres (chá) de fermento de baixo teor de sódio
1/4 de xícara de leite em pó desnatado
1 1/2 colheres (chá) de essência de baunilha
1 colher (chá) de canela em pó (opcional)
1/2 xícara de damascos secos picadinhos
Spray *para refogar legumes ou óleo de cozinha*

1. Bata o leite integral, o suco concentrado, a manteiga, os ovos e as claras numa tigela grande. Acrescente os ingredientes restantes até a baunilha (ou a canela, se usada) e bata até formar uma massa homogênea. Acrescente os damascos picadinhos.

2. Unte uma frigideira ou chapa com *spray* de refogar legumes. Leve ao fogo médio-alto até ficar bem quente. Abaixe o fogo para médio e verta a massa às colheradas de modo a formar panquecas de 5 cm de diâmetro. Quando a parte de cima das panquecas começar a borbulhar e a parte de baixo estiver bem dourada, depois de cerca de 2 minutos, vire e doure o outro lado por aproximadamente mais 1 minuto.

Porções infantis da "Melhor Dieta" em 4 panquecas de 5 cm: 2/3 Cereais Integrais; 1/2 Proteína; um pouco de Cálcio; 1/6 Gordura

CROQUE BEBÊ

Seu nenê não precisa falar uma palavra de francês (nem de português, a propósito) para desfrutar do curioso sabor e da copiosa nutrição contidos nestes sanduíches de queijo grelhados à moda francesa.

Rendimento: 1 sanduíche

1 ovo
1/4 de xícara de leite

2 fatias (cerca de 50 g) de queijo suíço ou Cheddar de baixo teor de sódio
2 fatias de pão integral de baixo teor de sódio
Spray *para refogar legumes ou óleo de cozinha.*

1. Bata levemente o ovo e o leite numa tigela grande o suficiente para conter as fatias de pão.

2. Ponha o queijo entre as fatias de pão. Mergulhe o sanduíche na mistura de ovo e leite, virando-o até embeber todo o líqüido.

3. Unte uma frigideira de teflon com *spray* para refogar legumes ou óleo. Leve ao fogo médio-alto até ficar quente. Abaixe o fogo ao médio e doure o sanduíche de ambos os lados.

Porções infantis da "Melhor Dieta" em 1/2 sanduíche: 2 Cereais Integrais; 1 Cálcio; 1 Proteína

RABANADA DE BANANA (RABANANADA)

Um dos sabores de que o bebê mais gosta — banana — torna ainda mais tentadora esta rabanada; o leite em pó desnatado acrescenta proteína e cálcio. Vale também como um nutritivo desjejum, almoço ou jantar.

Rendimento: 4 fatias

1 ovo
2 colheres (sopa) de suco concentrado de banana-laranja
2 colheres (sopa) de suco concentrado de maçã
1/2 banana pequena
1/4 de xícara de leite em pó desnatado
4 fatias de pão integral de baixo teor de sódio
Spray *para refogar legumes ou óleo de cozinha.*

1. Bata num liqüidificador todos os ingredientes até o leite, formando um creme homogêneo. Passe a mistura para uma tigela grande o suficiente para conter as fatias de pão.

2. Embeba o pão no líqüido, virando as fatias até absorvê-lo todo.

3. Unte uma frigideira de teflon com *spray* para refogar legumes. Leve ao fogo médio-alto até ficar quente. Abaixe o fogo para médio-baixo. Ponha as fatias de pão e frite-as até que a parte de baixo esteja bem dourada, cerca de 3 minutos. Vire as fatias e frite o outro lado, por cerca de 2 minutos. Sirva as rabanadas mornas.

Porções infantis da "Melhor Dieta" em 1 fatia: 2 Cereais Integrais; 3/4 Proteína; 1/2 Outras Frutas; 1/4 Cálcio

Alternativa: Em vez de usar banana e suco concentrado de banana-laranja, use 4 colheres (sopa) de suco concentrado de maçã.

"SUNDAE" DE RICOTA

Esqueça a cobertura de chocolate e o sorvete. O bebê cujas papilas gustativas ainda não foram corrompidas ficará feliz do mesmo modo comendo esta versão naturalmente doce e nutritiva do petisco. Sirva a qualquer hora do dia e varie de acordo com a disponibilidade sazonal das frutas.

Rendimento: 1 porção infantil

1/4 de xícara de frutas frescas fatiadas (banana, melão, pêssego, morango)
1/4 de xícara de ricota fresca semidesnatada e sem sal
1 colher (sopa) de creme de leite (omita-a para crianças com mais de dois anos)
2 colheres (sopa) de geléia adoçada com suco
1 colher (sopa) de gérmen de trigo

Disponha as frutas num prato pequeno, formando um anel. Preencha o centro do anel com a ricota, cubra com os ingredientes restantes.

Porções infantis da "Melhor Dieta" por porção: 1 1/2 Proteína; 1 Cereais Integrais;

1 Outras Frutas (quando se usam bananas ou pêssegos brancos); 1 Vitamina C (quando se usam morangos ou melões); 1 Frutas Amarelas (quando se usam melões ou pêssegos amarelos); 1/2 Gordura

BOLINHOS PROTÉICOS

A proteína de sua escolha será sem dúvida a escolhida do bebê se vier revestida desta cobertura crocante. Deixe que o bebê coma os bolinhos com as mãos.

Rendimento: 1 porção infantil

30 g de filé de peixe fresco (linguado, pescada) ou filé de peito de frango; ou 40 g de tofu
1/4 de xícara de farinha de rosca fina, feita com pão integral (veja a nota)
1 colher (sopa) de queijo parmesão ralado (opcional)
1 pitada de alho em pó
1/2 colher (chá) de maionese
Spray *para refogar legumes ou óleo de cozinha.*

1. Pré-aqueça o forno a 175°C.

2. Corte o peixe (tirando cuidadosamente as espinhas), frango ou tofu em tirinhas de 1,5 cm de largura.

3. Misture numa tigelinha a farinha de rosca, o queijo ralado (se o estiver usando) e o alho em pó, mexendo bem.

4. Passe a maionese nas tirinhas de peixe, frango ou tofu e role-as pela farinha. Disponha as tirinhas numa assadeira untada com *spray* para refogar legumes. Leve ao forno por 5 minutos; vire as tirinhas e asse por mais 5 minutos.

Porções infantis da "Melhor Dieta" por porção: 1 1/2 Proteína; 1 Cereais Integrais; 1/3 Cálcio

Nota: Você pode fazer sua própria farinha de rosca num liqüidificador ou processador de alimentos, usando cubinhos de um pão de que você goste e que já esteja um pouco duro. Guarde a farinha restante no congelador até quando precisar.

O PRIMEIRO BOLO DO BEBÊ

Mesmo se o médico ainda não tiver suspendido sua proibição do consumo de ovos, você pode deixar o bebê comer bolo — desde que seja esta maravilha repleta de frutas, mas sem ovos.

Rendimento: 1 bolo quadrado de 20 cm de lado

Spray *para refogar legumes ou óleo de cozinha*
1 xícara mais 2 colheres (sopa) de suco concentrado de maçã
1/2 xícara de uvas passas inteiras
1/2 xícara de uvas passas picadas
1/2 xícara de tâmaras picadas
1/4 de xícara (4 colheres de sopa) de manteiga ou margarina
1 1/2 colheres (chá) de canela em pó
3/4 de xícara de farinha de trigo integral
1/2 xícara de gérmen de trigo
4 1/2 colheres (chá) de fermento de baixo teor de sódio

1. Pré-aqueça o forno a 160°C. Unte uma assadeira quadrada de 20 cm de lado com *spray* para refogar legumes. Reserve.

2. Numa panelinha, misture o suco concentrado, as frutas secas, a manteiga e a canela. Aqueça em fogo baixo até derreter a manteiga. Tire do fogo e deixe esfriar.

3. Junte a farinha, o gérmen de trigo e o fermento numa tigela. Acrescente aos poucos a mistura de frutas, mexendo até formar uma massa homogênea. Não mexa mais que o necessário.

4. Despeje a massa na assadeira untada. Asse por cerca de 30 minutos. O bolo está pronto quando um palito enfiado em seu meio sai seco. Se o bolo começar a escurecer enquanto está assando, cubra a assadeira com papel alumínio.

5. Para evitar que o bolo seque e fique duro demais para o bebê mascar, cubra-o com papel alumínio ou guarde-o dentro de um saco plástico assim que esfriar um pouco.

Porções infantis da "Melhor Dieta" em 1/16 de bolo: 1 1/2 Outras Frutas; 1+Cereais Integrais; 1/3 Proteína

BOLO DOURADO

A vitamina A encontra lugar em outro alimento inesperadamente delicioso: desta vez, um bolo leve e de sabor caseiro, com um toque de canela. Congele-o cortado em quadradinhos para maior facilidade ao servir.

Rendimento: 1 bolo quadrado de 23 cm de lado

1 xícara de damascos secos, bem picadinhos
1 1/2 xícara de suco concentrado de maçã, ou mais, se necessário
1 xícara de farinha de trigo integral
1/2 xícara de gérmen de trigo
3 colheres (chá) de fermento de baixo teor de sódio
1 1/2 colheres (chá) de canela em pó
2 claras de ovos, ligeiramente batidas
1/4 de xícara de óleo vegetal
Spray *para refogar legumes ou óleo de cozinha*
1/2 xícara de geléia de damasco adoçada com suco ou "Purê de Damascos Secos" (receita seguinte)

1. Pré-aqueça o forno a 175°C.

2. Numa panela pequena, acrescente os damascos a 1 xícara de suco concentrado. Deixe ferver, abaixe o fogo e deixe cozinhando, sem tampa, de 5 a 15 minutos, até os damascos ficarem macios. Coe a mistura, reservando o suco num copo graduado e reservando os damascos.

3. Misture a farinha, o gérmen de trigo, o fermento e a canela numa tigela grande. Acrescente as claras e a restante 1/2 xícara de suco concentrado. Misture.

4. Se necessário, acrescente mais suco ao suco reservado, de modo a perfazer 1 xícara de líqüido. Junte o óleo e leve ao fogo até ficar quente. Acrescente o líqüido e os damascos reservados à mistura de farinha. Mexa somente até formar uma massa homogênea.

5. Despeje a massa numa assadeira quadrada de 23 cm de lado untada com *spray* para refogar legumes. Asse até que a parte de cima do bolo esteja elástica ao toque e os lados comecem a desgrudar-se da assadeira, cerca de 35 minutos. Cubra o bolo ainda quente com a geléia ou o purê de damascos. Deixe esfriar e sirva.

Porções infantis da "Melhor Dieta" em uma fatia de 5x5 cm: 1 Cereais Integrais; 1/2 Proteína; 1/2 Frutas Amarelas; Ferro

PURÊ DE DAMASCOS SECOS

Um creme de frutas feito em casa com facilidade e rapidez, rico em vitamina A e ferro.

Rendimento: cerca de 1 1/2 xícara de purê

1 xícara de damascos secos
1 xícara de suco concentrado de maçã

Misture os ingredientes numa panela e deixe cozinhar, sem tampa, até amaciar os damascos, de 5 a 15 minutos. Passe no liqüidificador ou multiprocessador até formar uma massa homogênea. Use para passar no pão ou no bolo, ou sirva com iogurte ou ricota.

Porções infantis da "Melhor Dieta" em 2 colheres de sopa: 1 1/2 Frutas Amarelas; 1 Outras Frutas; um pouco de Ferro

BOLO DO PRIMEIRO ANIVERSÁRIO

As cenouras desaparecem num passe de mágica do prato de uma criança quando vêm escondidas num bolo. Cubra-o de glacê para as festas de aniversário e outros momentos especiais, mas tenha no congelador um suprimento de fatias sem cobertura para as sobremesas e os lanches diários.

Rendimento: 1 bolo quadrado de 23 cm de lado, de duas camadas

2 1/2 xícaras de cenouras cortadas em fatias bem finas
2 1/2 xícaras de suco concentrado de maçã (você vai usar um pouquinho menos que isto)
1 1/2 xícara de uvas passas
Spray *para refogar legumes*
2 xícaras de farinha de trigo integral
1/2 xícara de gérmen de trigo
2 colheres (sopa) de fermento de baixo teor de sódio
1 colher (sopa) de canela em pó
1/4 de xícara de óleo vegetal
2 ovos
4 claras
1 colher (sopa) de essência de baunilha
3/4 de xícara de molho de maçã não-adoçado
Glacê de queijo-creme (receita a seguir)

1. Numa panela média, junte as cenouras e 1 xícara mais 2 colheres (sopa) do suco concentrado. Faça levantar fervura, abaixe o fogo e deixe cozinhar, panela tampada, por 15 a 20 minutos, até amolecer as cenouras. Passe num liqüidificador ou multiprocessador até formar uma massa homogênea. Acrescente as passas e bata no aparelho elétrico até ficarem bem picadinhas. Deixe esfriar a mistura.

2. Pré-aqueça o forno a 175°C. Revista duas assadeiras quadradas de 23 cm de lado com papel-manteiga e borrife o papel com *spray* para refogar legumes.

3. Numa tigela grande, junte a farinha, o gérmen de trigo, o fermento e a canela. Acrescente 1 xícara e 1/4 de suco concentrado, o óleo, os ovos, as claras e a baunilha; bata só até misturar bem. Ainda batendo, acrescente o purê de cenouras e o molho de maçã. Despeje a massa nas assadeiras preparadas.

4. Asse por 35 a 40 minutos, até o momento em que uma faca enfiada no meio do bolo saia limpa. Deixe esfriar um pouco nas assadeiras e depois desenforme os bolos sobre tabuleiros de arame para que esfriem totalmente. Depois de frios, cubra com Glacê de Queijo-Creme.

Porções infantis da "Melhor Dieta" em uma fatia de 5x5 cm, com cobertura: 3 Legumes Amarelos; 2+Outras Frutas; 1 1/2 Cereais Integrais; 1+Proteína; um pouco de Ferro; 1 Gordura

GLACÊ DE QUEIJO-CREME

A cobertura tradicional do bolo de cenouras — mas sem o açúcar.

Rendimento: cobertura para um bolo de duas camadas

1/2 xícara de suco concentrado de maçã
1/2 quilo de queijo-creme leve
2 colheres (chá) de essência de baunilha
1/2 xícara de uvas passas bem picadinhas
1 1/2 colher (chá) de gelatina em pó sem sabor

1. Reserve 2 colheres (sopa) do suco concentrado.

2. Num liqüidificador ou multiprocessador, bata o resto do suco, o queijo-creme, a baunilha e as passas até formar uma massa homogênea. Passe para uma tigela.

3. Numa panela pequena, misture a gelatina às 2 colheres (sopa) de suco concentrado; espere 1 minuto até amolecer. Leve ao fogo até levantar fervura e mexa para dissolver a gelatina.

4. Bata o caldo de maçã e gelatina com o queijo-creme até misturar bem. Deixe na geladeira até o glacê começar a assentar, de 30 a 60 minutos. Cubra o bolo.

BISCOITOS DE AVEIA E PASSAS

Mesmo o bebê totalmente desdentado é capaz de mascar e engolir estas guloseimas assadas.

Rendimento: de 3 a 4 dúzias de biscoitos

Spray *para refogar legumes*
1 xícara de farinha de trigo integral
3/4 de xícara de gérmen de trigo
1/2 xícara de aveia em flocos
1 colher (sopa) de fermento de baixo teor de sódio
2 colheres (chá) de canela em pó
1 xícara de suco concentrado de maçã
1/4 de xícara de óleo vegetal
2 claras ou 1 ovo inteiro
3/4 de xícara de uvas passas

1. Pré-aqueça o forno a 190ºC. Unte 2 assadeiras de biscoitos com *spray* para refogar legumes. Reserve.
2. Numa tigela grande, misture a farinha, o gérmen de trigo, a aveia, o fermento e a canela.
3. Bata no liqüidificador o suco concentrado, o óleo, o ovo e as passas. Bata em velocidade média até as passas estarem picadas. Acrescente a mistura aos ingredientes secos e mexa.
4. Usando uma colher de chá, despeje a massa sobre a assadeira em montinhos espaçados de 2,5 cm. Achate cada montinho com as costas de um garfo. Leve ao forno por cerca de 8 a 10 minutos, cuidando para não deixar os biscoitos ficarem marrons e crocantes. Deixe os biscoitos esfriarem um pouquinho sobre a assadeira antes de passá-los para um saco plástico. (Isto evitará que os biscoitos fiquem muito duros.) Espere os biscoitos esfriarem por completo para fechar o saco plástico. Continue a assá-los até acabar a massa. Os biscoitos podem ser congelados.

Porções infantis da "Melhor Dieta" em 2 a 3 biscoitos: 1+ Cereais Integrais; 3/4 Outras Frutas; 1/2 Proteína; um pouco de Ferro

CUBINHOS DE MAÇÃ E UVA-DO-MONTE

Eles balançam, bamboleiam, tremem e trepidam — e não têm sequer um pingo de açúcar para estragar a diversão. Estes cubinhos de gelatina de frutas são também ideais para aqueles momentos em que o bebê não pode ou não quer comer alimentos sólidos e recusa os líqüidos.

Rendimento: 4 porções infantis

1 colher (sopa) de gelatina em pó sem sabor
1/4 de xícara de água
1 1/2 xícara de suco de maçã e uva-do-monte não-adoçado
1/4 de xícara de suco concentrado de maçã

1. Misture a gelatina e a água numa tigela média; espere 1 minuto para a gelatina amolecer.
2. Enquanto isso, numa panela pequena, leve à fervura o suco de maçã e uva-do-monte. Acrescente o suco à água com gelatina e mexa até dissolver muito bem o pó. Acrescente o suco concentrado. Despeje a mistura numa fôrma quadrada de 20 cm de lado e leve à geladeira até ficar firme. Corte em cubinhos e disponha-os artisticamente num prato de sobremesa.

Porções infantis da "Melhor Dieta" em 1/4 da receita: 1 Outras Frutas

Alternativa: Para bebês ou crianças com problemas de viroses gastrointestinais, use suco de maçã em vez de suco de maçã e uva-do-monte.

GELATINA DE BANANA E LARANJA

O mesmo balanço, com um sabor mais forte.

Rendimento: 4 porções infantis

1 colher (sopa) de pó para gelatina sem sabor
1/2 xícara de água
1 xícara de suco de laranja fresco
1/2 xícara de suco concentrado de banana-laranja
1 banana pequena fatiada

1. Numa panela pequena, misture a gelatina na água e espere até amolecer, cerca de 1 minuto. Leve ao fogo médio-alto só até levantar fervura.

2. Misture o suco e o suco concentrado até dissolver completamente a gelatina.

3. Despeje metade da mistura numa fôrma quadrada de 20 cm de lado e leve ao congelador por cerca de 10 minutos, até engrossar. Acrescente uma camada de banana fatiada e cubra com o restante da gelatina. Deixe na geladeira até firmar.

4. Para servir, corte em quatro quadrados.

Porções infantis da "Melhor Dieta" em 1/4 da receita: 1 Outras Frutas

IOGURTE COM PÊSSEGOS

Os iogurtes gelados encontrados no comércio contêm tanto açúcar quanto qualquer sorvete — e alguns contêm mais. Este, do açúcar só tem o sabor.

Rendimento: 4 porções infantis

2 xícaras de iogurte natural integral
1 xícara de pêssegos amarelos frescos, descascados e fatiados
1/4 de xícara de suco concentrado de maçã

1. Bata todos os ingredientes no liqüidificador até formar uma massa homogênea.

2. Prepare de acordo com as instruções dadas em seu aparelho para fazer sorvete. Senão, despeje numa fôrma quadrada de 20 cm de lado e leve ao congelador até formar uma massa pegajosa. Raspe a massa para dentro de uma tigela grande e bata até ficar fofa. Repita o processo mais uma ou duas vezes. Deixe congelar até atingir a textura desejada. Se o doce ficar muito duro, deixe-o descongelar até poder-se pegá-lo com a colher.

Porções infantis da "Melhor Dieta" em 1/4 da receita: 1+Frutas Amarelas: 1 Proteína; 1 Cálcio

Os Remédios Caseiros Mais Comuns

O médico recomenda que você faça aspiração no nariz do bebê para aliviar a congestão causada por um resfriado. Você ouviu dizer que as compressas geladas são o melhor tratamento para as queimaduras. E o vapor é ideal para tratar o bebê que sofre de difteria. Mas como aspirar o nariz do bebê? O que é uma compressa gelada? Como conseguir vapor em quantidade suficiente para aliviar a tosse diftérica? Este manual de remédios caseiros vai dar-lhe as respostas.

ALMOFADA ELÉTRICA

Em se tratando de bebês, costuma ser mais seguro usar uma bolsa de água quente, que não tem fio elétrico nem resistência. Se você usar uma almofada elétrica, releia as instruções antes de cada uso, certifique-se de que a almofada e o cabo elétrico estejam em boas condições e cubra-a completamente com uma fralda de pano se ela mesma não tiver um revestimento de tecido. Deixe a temperatura no baixo, não saia do lado do bebê e não use por mais de 15 minutos a cada vez.

ASPIRAÇÃO NASAL

Segurando o bebê ereto, aperte o bulbo do aspirador (veja a figura na página 484) e coloque cuidadosamente o bico dentro de uma das narinas. Vá soltando lentamente o bulbo para sugar o muco. Faça o mesmo na outra narina. Se o muco estiver seco e aglutinado, irrigue com água salgada (veja página 720) e aspire de novo.

BANHOS GELADOS

Encha uma bacia (um balde de isopor para gelar bebidas é melhor) com água fria

TABELA DE DOSAGEM PARA OS ANTITÉRMICOS INFANTIS MAIS COMUNS

Tylenol

A apresentação mais adequada para as crianças é em gotas.

A dose é de 1 gota por cada quilo de peso, em cada dose. O espaço entre as doses deverá ser de 4 a 6 horas, e não se pode administrar mais do que 5 doses por dia. O número máximo de gotas por dose é de 35 (mesmo que a criança tenha mais de 35 Kg!).

Dôrico

Seu princípio ativo, como o Tylenol, é o acetaminofen, porém a concentração equivale a 50% da do Tylenol. A dose, portanto, deverá ser de 2 gotas por quilo por dose, observando os mesmos intervalos entre as doses.

e uma ou duas fôrmas de cubos de gelo. Mergulhe a parte ferida e deixe-a lá por 30 minutos, se possível. Repita o processo após 30 minutos, se necessário. Não aplique gelo diretamente na pele do bebê.

BANHOS QUENTES

Encha uma bacia com água que pareça confortavelmente quente quando provada com a parte interna do pulso ou do braço (e não com os dedos). Nunca use a água sem tê-la testado antes. Mergulhe na bacia a parte afetada.

BOLSA DE ÁGUA QUENTE

Encha uma bolsa de água quente com água morna, provada no pulso. Envolva a bolsa numa toalha ou fralda de pano antes de aplicá-la sobre a pele do bebê.

BOLSA DE GELO

Use uma bolsa de gelo das encontradas no comércio e conservada sempre no congelador, ou então um saco plástico cheio de cubos de gelo (e algumas toalhinhas de papel para absorver a água derretida) e fechado com um nó ou um elástico. Pode-se usar também: uma lata fechada de suco concentrado congelado; uma embalagem fechada de comida congelada. Não aplique gelo diretamente sobre a pele do bebê.

COMPRESSAS FRIAS

Encha uma bacia com água fria da torneira. Mergulhe uma toalhinha ou outro pano limpo na água, torça-o e aplique-o sobre a parte afetada. Mergulhe o pano novamente quando não estiver mais molhado e frio.

COMPRESSAS GELADAS

Encha uma bacia (um balde de isopor para gelar bebidas é melhor) com água fria da torneira e uma ou duas fôrmas de cubos de gelo. Mergulhe uma toalhinha ou outro pano limpo na água, torça-o e coloque-o sobre a parte do corpo atingida. Mergulhe novamente o pano quando o frio se dissipar.

COMPRESSAS MORNAS

Encha uma bacia (um balde de isopor para gelar bebidas é melhor) com água morna (não deve ser desconfortável para você quando provada no antebraço) — não quente. Mergulhe uma toalhinha ou pano limpo na água, torça-o e coloque-o sobre a parte atingida, seguindo as orientações do pediatra.

COMPRESSAS OCULARES

Para os olhos, mergulhe uma toalhinha limpa em água morna, nunca quente (prove-a antes no pulso ou antebraço), e aplique-a sobre os olhos do bebê por 5 a 10 minutos a cada 3 horas.

COMPRESSAS QUENTES

Veja "Compressas mornas". Nunca aplique compressas quentes num bebê.

IRRIGAÇÃO COM ÁGUA SALGADA

Embora seja possível usar uma solução salina feita em casa (1/8 de colher de chá de sal para 1/2 xícara de água fervida e fria), as soluções salinas encontradas no comércio são mais seguras. Com um pequeno conta-gotas limpo, pingue duas gotas em cada narina para amolecer as crostas e aliviar a congestão. Espere de 5 a 10 minutos e retire o muco com um bulbo de aspiração. Não faça irrigação nem use gotas nasais encontradas no comércio por mais de três dias; isso pode fazer piorar a congestão.

MAIOR CONSUMO DE LÍQÜIDOS

Dê muitas vezes de mamar ao bebê que só mama no peito. Dê mamadeira ao bebê que a toma, a menos que o médico proíba. Dê água entre as mamadas e, se o bebê estiver tomando suco, dilua uma parte de suco em uma parte de água. Quando o bebê está vomitando, pequenos goles de líqüidos tomados a intervalos pequenos são retidos melhor que grandes quantidades.

(Para saber quais líqüidos dar em quais circunstâncias, veja as doenças específicas.)

UMIDIFICADOR

Veja "Vapor".

VAPOR

Para umidificar o ar, use um umidificador a frio ou um vaporizador colocado fora do alcance do bebê; senão, coloque uma pequena bacia de água quente sobre um aquecedor (fora do alcance do bebê) ou uma chaleira ou panela de água quente no fogão no mesmo cômodo em que está o bebê.[1] Para obter rapidamente vapor em abundância para o bebê acometido de tosse diftérica (crupe — veja página 728), feche a porta do banheiro, ligue o chuveiro o mais quente possível e encha o cômodo de vapor. Permaneça com o bebê no banheiro ate a tosse diftérica cessar. Se a tosse não melhorar dentro de 10 minutos, fale com o médico.

1. Como os germes e mofos podem se multiplicar num umidificador a frio, lave o seu aparelho diariamente, de acordo com as instruções do fabricante, enquanto estiver em uso. Geralmente, recomenda-se que o tanque seja lavado com água e detergente de cozinha e depois enxaguado com uma solução de água sanitária bem diluída em água. A cada uso, o tanque deve ser enchido novamente com água limpa. Os umidificadores a frio têm maior probabilidade de liberarem germes e mofo no ar; a probabilidade de os vaporizadores que usam calor fazerem isso é menor, mas eles podem causar queimaduras. Os melhores aparelhos são os ultrasônicos, que não soltam partículas vivas de mofo no ar e quase não soltam bactérias. Mas todos esses aparelhos não se limitam a pulverizar as bactérias e o mofo, mas também os sais minerais presentes na água; por isso, em seu uso, não se deve empregar a água comum de torneira, que normalmente contém muitos minerais. As partículas minerais emitidas pelo umidificador são pequenas o suficiente para serem aspiradas até as partes mais profundas dos pulmões, podendo aumentar o risco de se contraírem gripes e resfriados e agravando as doenças respiratórias crônicas. Use água destilada ou filtre a água da torneira para eliminar os minerais.

Doenças Comuns na Infância

Embora o diagnóstico das doenças do bebê geralmente vá caber ao médico, você poderá encontrar utilidade nas informações básicas fornecidas nesta tabela, à medida que for tentando averiguar as possibilidades e preparar-se para pedir ajuda ao médico. Lembre-se de que nem todas as crianças apresentam casos clássicos de toda doença. Os sintomas apresentados pela criança, a duração da doença e outros dados podem ser diferentes dos apresentados aqui.

Os detalhes do tratamento de sintomas específicos (tosse, diarréia ou uma coceira, por exemplo) ou de como lidar com a febre são omitidos da tabela para evitar a repetição. Para obter informações sobre como tratar sintomas, veja a página 479; sobre como tratar a febre, a página 498.

Para ajudar no diagnóstico, os sintomas são numerados quando se espera que apareçam em diferentes momentos do curso de uma doença. Os sintomas cutâneos são arrolados em separado, propiciando uma comparação rápida e fácil.

Os cientistas nem sempre sabem ao certo como uma doença é transmitida. Na maioria das vezes, porém, os germes parecem chegar à pessoa sadia através de perdigotos lançados por um indivíduo infectado ao espirrar ou tossir; em partículas de poeira carregadas pelo ar; por contato direto (encostar no indivíduo infectado, na maioria das vezes a mão com a mão); por contato indireto (encostar um objeto contaminado pela pessoa infectada); pelas secreções respiratórias (muco, catarro), direta ou indiretamente; pelas fezes, direta ou indiretamente; pelos fluidos corporais (lágrimas, saliva, sangue, pus, urina) em contato direto ou indireto; através da atividade sexual ou pelo contato com as secreções sexuais; através de alimentos contaminados; ou através de agentes transmissores animais. Dependendo do organismo infeccioso, a pessoa pode ser mais suscetível à infecção quando sua saúde geral está abalada, quando tem uma ferida aberta na pele, ou quando ainda não desenvolveu imunidade.

Você pode reduzir o risco de contração da maioria das doenças se cuidar bem da saúde geral do seu bebê (vacinações, visitas periódicas ao médico, boa nutrição, repouso adequado), praticar uma boa higiene (lavar as mãos depois de ir ao banheiro ou trocar as fraldas do bebê e antes de manipulá-lo ou à sua comida; dar destino adequado às fraldas e panos ou papéis com fezes) e isolar, tanto quanto possível, qualquer pessoa em sua casa que tenha uma doença infecciosa (roupas de cama, pratos e talheres de uso exclusivo).

Mesmo que esta tabela lhe diga tudo o que quer saber sobre uma determinada doença de infância, ela não substitui o aconselhamento médico. Consulte o pediatra sempre que isso for recomendado.

DOENÇA/ESTAÇÃO/ SUSCETIBILIDADE	*SINTOMAS* *NÃO-CUTÂNEOS*	*CUTÂNEOS*	
AMIGDALITE	Veja *Dor de Garganta.*		
BRONQUIOLITE (inflamação dos ramos mais diminutos da árvore brônquica) *Estação:* vírus *sinciais* respiratórios (VSR), inverno e primavera; vírus da parainfluenza (VPI), verão e outono. *Suscetibilidade:* Maior em crianças de menos de 2 anos, especialmente com menos de 6 meses, ou com histórico de alergias na família.	1. Sintomas de resfriado 2. *Alguns dias depois:* Respiração rápida e superficial; chiado na expiração; febre baixa por cerca de 3 dias. *Às vezes:* O peito parece não se expandir na inspiração; pele pálida ou azulada.		
BRONQUITE (inflamação da árvore brônquica e, muitas vezes, da traquéia) *Estação:* varia de acordo com o microorganismo causador. *Suscetibilidade:* é maior em crianças de até 4 anos.	1. *Em geral:* Sintomas de resfriado. 2. *Abruptamente:* Febre de cerca de 39ºC; tosse áspera, pior à noite, às vezes paroxística, com vômitos; expectoração esverdeada ou amarela; chiado ou assovio durante a expiração, especialmente quando há um histórico de alergias respiratórias na família; lábios e unhas azuladas.		

	CAUSA E TRANSMISSÃO/ INCUBAÇÃO/DURAÇÃO	*CHAME O MÉDICO/ TRATAMENTO/DIETA*	*PREVENÇÃO/RECORRÊNCIA/ COMPLICAÇÕES*
	Causa: Vários vírus, em geral VSR ou VPI; poucas vezes, bactérias. *Transmissão:* Normalmente, através das secreções respiratórias, por contato direto ou nos objetos da casa. *Incubação:* Varia de acordo com o organismo que causa a doença; em geral, de 2 a 8 dias. *Duração:* A fase aguda pode durar apenas 3 dias; tosse por mais uma a 3 semanas.	*Fale com o médico imediatamente ou vá ao PS* se o médico não puder ser contactado. *Tratamento:* Hospitalização; possivelmente, medicamento antivirótico. *Dieta:* se a alimentação por via oral for possível refeições pequenas e freqüentes.	*Prevenção:* Não há vacina disponível; evite expor à doença os bebês com histórico de alergias na família. *Recorrência:* Pode ocorrer novamente, mas os sintomas podem ser mais brandos. *Complicações:* Insuficiência cardíaca; asma brônquica.
	Causa: Em geral, um vírus; mais raramente, bactérias, mas é comum a ocorrência de infecções bacterianas secundárias. A tosse é agravada pela fumaça de cigarro. *Transmissão:* Em geral por meio das secreções respiratórias. *Incubação:* Varia de acordo com o microorganismo causador. *Duração:* A febre dura de 2 a 3 dias: a tosse, mais 1 a 2 semanas.	*Fale com o médico* se a tosse for severa ou durar mais de 3 dias. *Tratamento:* Sintomático para tosse, se necessário; em alguns casos, antibióticos. *Dieta:* aumentar o consumo de líqüidos leves.	*Prevenção:* Cuidados adequados ao bebê resfriado (página 484). *Recorrência:* Algumas crianças são particularmente suscetíveis, e pegam bronquite a cada resfriado. *Complicações:* Otite média (infecção do ouvido).

DOENÇA/ESTAÇÃO/ SUSCETIBILIDADE	*SINTOMAS* *NÃO-CUTÂNEOS*	*CUTÂNEOS*	
CATAPORA (Varicela) *Estação:* Fim do inverno e primavera, nas regiões de clima temperado. *Suscetibilidade:* A maioria das pessoas são infectadas na infância.	Febre baixa; indisposição perda de apetite; prurido intenso.	Manchas avermelhadas que se transformam em pequenas bolhas depois criam casca; novas manchas continuam aparecendo por 3 a 4 dias, sobretudo no tronco.	
CAXUMBA (Parotidite) *Estação:* Fim do inverno e primavera. *Suscetibilidade:* Qualquer indivíduo não imune.	1. *Às vezes:* Dor vaga; febre; perda de apetite. 2. *Em geral:* Inchaço das glândulas salivares (parótidas) em um ou ambos os lados das mandíbulas, abaixo e em frente ao pavilhão auricular; dor na mastigação ou ingestão de comidas e bebidas ácidas; inchaço de outras glândulas salivares. Em cerca de 30% dos casos, não se manifestam quaisquer sintomas.		

	CAUSA E TRANSMISSÃO/ INCUBAÇÃO/DURAÇÃO	*CHAME O MÉDICO/ TRATAMENTO/DIETA*	*PREVENÇÃO/RECORRÊNCIA/ COMPLICAÇÕES*
	Causa: Vírus da varicela-zóster. *Transmissão:* De pessoa para pessoa através de gotas de saliva ou do ar; muito contagiosa de 1 a 2 dias antes da manifestação até todas as bolhas estarem cobertas de casca. *Incubação:* Em geral, de 14 a 16 dias, mas pode variar de 11 a 20 dias. *Duração:* As primeiras bolhinhas ganham casca em 6 a 8 horas e secam em 24 a 48 horas; as feridas duram de 5 a 20 dias.	*Fale com o médico* para confirmar o diagnóstico; *ligue imediatamente* quando a criança é de alto risco; *ligue de novo* se surgirem sintomas de encefalite. *Tratamento:* para coceira (página 479) e febre (página 498). NUNCA DÊ ASPIRINA.	*Prevenção:* Evite expor crianças de alto risco e mulheres grávidas sem imunidade à doença; vacina em fase de experimentação. *Recorrência:* Extremamente rara; mas o vírus dormente pode manifestar-se mais tarde causando um episódio de herpes-zóster. *Complicações:* Raramente, encefalite; o indivíduo que toma cortisona ou tem sua imunidade comprometida pode ficar seriamente doente. *Nas mulheres grávidas*, possível risco para o feto; entre em contato com o médico se ficar exposta à doença.
	Causa: Vírus da caxumba. *Transmissão:* Em geral, desde 1 ou 2 dias (podendo chegar a 7 dias) antes do aparecimento dos sintomas, até 9 dias depois, por meio do contato direto com as secreções respiratórias. *Incubação:* Geralmente de 16 a 18 dias, mas pode variar entre 12 e 25. *Duração:* De 5 a 7 dias.	*Ligue para o médico* para obter um diagnóstico; *ligue de novo, imediatamente,* se houver vômitos, sonolência, possível dor de cabeça, rigidez das costas ou do pescoço ou outros sinais de meningoencefalite, quer simultâneos à caxumba, quer depois dela. *Tratamento:* Sintomático para a febre e a dor; compressas frias aplicadas às bochechas.	*Dieta:* Alimentos leves, não ácidos. *Prevenção:* Vacina (MMR). *Recorrência:* Quando só um dos lados foi afetado, há um risco muito ligeiro de recorrência. *Complicações:* Meningoencefalite; outras complicações são raras na infância, mas a doença pode ser séria em homens adultos.

DOENÇA/ESTAÇÃO/ SUSCETIBILIDADE	*SINTOMAS* *NÃO-CUTÂNEOS*	*CUTÂNEOS*
CONJUNTIVITE (inflamação da conjuntiva, a membrana que recobre o olho)	*Dependendo da causa, os sintomas podem ser:* olhos injetados; lacrimejamento; corrimento de pus; queimação; coceira; sensibilidade à luz. Geralmente começa atancando um só olho, podendo passar para o outro.	
COQUELUCHE (Tosse Comprida) *Estação:* Fim do inverno/ começo da primavera. *Suscetibilidade:* Metade dos casos ocorrem em bebês de menos de 1 ano.	1. *Período catarral:* Sintomas de resfriado com tosse seca; febre baixa; irritabilidade. 2. *Período paroxístico, 1 a 2 semanas depois:* Tosse em acessos explosivos, sem que a criança consiga respirar entre as tossidas; eliminação de catarro viscoso. *Freqüentemente:* Olhos saltados e língua projetada para fora; pele pálida ou vermelha; vômitos; suor em abundância; exaustão. *Às vezes:* Nos bebês, apnéia; hérnia decorrente da tosse. 3. *Período de convalescença:* Cessação dos guinchos e vômitos; redução da tosse; melhora do apetite e do humor. É branda nas crianças imunizadas.	

	CAUSA/TRANSMISSÃO/ INCUBAÇÃO/DURAÇÃO	*CHAME O MÉDICO/ TRATAMENTO/DIETA*	*PREVENÇÃO/RECORRÊNCIA/ COMPLICAÇÕES*
	Causa: Muitas, incluindo vírus, bactérias, clamídia, alérgenos, parasitas, fungos, irritantes ambientais, canal lacrimal obstruído (página 119) e as gotas de nitrato de prata instiladas na hora do parto. *Transmissão:* Para os organismos causadores de infecção, olho-mão-olho. *Incubação:* Geralmente breve. *Duração:* Varia; por nitrato de prata, 3 a 5 dias; por vírus, 2 dias a 3 semanas (pode se tornar crônica); por bactérias, cerca de 2 semanas; outras, até que sejam eliminados o alérgeno, o irritante ou o bloqueio do canal.	*Consulte o médico* para confirmar o diagnóstico; *ligue de novo* se a afecção piorar ou não começar a melhorar. *Tratamento:* compressas oculares; roupas de cama e toalhas separadas para evitar a transmissão da infecção; eliminação de substâncias irritantes, como a fumaça de cigarro, sempre que possível; colírio ou pomada prescritos para infecção bacteriana e herpes, às vezes para a conjuntivite viral (para prevenir uma infecção secundária) e para aliviar o incômodo de uma reação alérgica.	*Prevenção:* Boa higiene (toalhas separadas quando um membro da família está infectado); manter-se à distância de alérgenos e outras substâncias irritantes. *Recorrência:* A probabilidade é maior em certos indivíduos mais suscetíveis. *Complicações:* Cegueira (rara, exceto quando a infecção é provocada pela bactéria da gonorréia); inflamação ocular crônica; lesão ocular resultante de várias recorrências.
	4. *Causa:* Bactéria *Bordetella pertussis*. *Transmissão:* Contato direto por meio das gotículas das secreções respiratórias; particularmente transmissível durante o período catarral, decrescendo depois a transmissibilidade; os antibióticos fazem diminuir o período de comunicabilidade. *Incubação:* 7 a 10 dias; raramente mais de 2 semanas. *Duração:* Geralmente, 6 semanas, mas pode durar muito mais.	5. *Ligue prontamente para o médico* se o bebê tiver tosse persistente. *Tratamento:* Hospitalização para os bebês; antibióticos (podem ajudar a abrandar os sintomas do primeiro período, e depois a transmissibilidade); oxigênio; aspiração do muco; umidificação. *Dieta:* Refeições leves e freqüentes; reposição de líqüidos; alimentação endovenosa, se necessária.	6. *Prevenção:* Vacina tríplice (DPT). *Recorrência:* Não há; um ataque confere imunidade. *Complicações:* Muitas, entre as quais otite média; pneumonia; convulsões. Pode ser fatal, especialmente em bebês.

DOENÇA/ESTAÇÃO/ SUSCETIBILIDADE	*SINTOMAS* *NÃO-CUTÂNEOS*	*CUTÂNEOS*
CRUPE (Laringotraqueíte Aguda) *Estação:* Varia; costuma ocorrer à noite. *Suscetibilidade:* Crianças novas.	Rouquidão; tosse brusca, seca; na inspiração, som áspero, ronco ou chiado. *Às vezes:* Dificuldade para respirar.	
DESARRANJO GASTRO-INTESTINAL	Veja *Diarréia*, página 487.	
DOENÇA DAS MÃOS, PÉS-BOCA (Estomatite Vesicular) *Estação:* Verão e outono nos climas temperados. *Suscetibilidade:* Maior em bebês e crianças novas.	1. Febre; perda de apetite. *Muitas vezes:* Dores na garganta e na boca (dificuldade para mamar); dificuldade para engolir.	2. *Em 2 ou 3 dias:* Lesões na boca; depois nos dedos da mão, talvez nos pés e nádegas, às vezes nos braços e pernas,poucas vezes no rosto. As feridas da boca costumam formar bolhas.
DOENÇA DE LYME *Estação:* Nos Estados Unidos, de 1º de maio a 30 de novembro, com a maioria dos casos em junho e julho (verão). *Suscetibilidade:* Todos; maior concentração de casos no nordeste dos EUA, mas a doença está se disseminando.	1. ou 2. *Freqüentemente:* Fadiga; dor de cabeça; febre e arrepios; dores generalizadas; gânglios inchados perto do local da picada. *Às vezes:* Conjuntivite; inchaço ao redor dos olhos; mudanças comportamentais intermitentes devidas ao comprometimento do sistema nervoso; inchaço dos testículos; dor de garganta; tosse sem catarro. 3. *De semanas a anos depois:* Dores nas articulações (artrite); anomalias cardíacas.	1. *Em geral:* Uma mancha vermelha arredondada no local de uma picada de carrapato, aparecendo até 1 mês depois da picada. 2. *Às vezes:* Outras erupções cutâneas, como manchas ou círculos vermelhos; vermelhidão do corpo todo; exantema nas bochechas; urticária.

	CAUSA/TRANSMISSÃO/ INCUBAÇÃO/DURAÇÃO	*CHAME O MÉDICO/ TRATAMENTO/DIETA*	*PREVENÇÃO/RECORRÊNCIA/ COMPLICAÇÕES*
	Causa: Em geral, um vírus (o mais das vezes, vírus da parainfluenza ou adenovírus); às vezes, bactérias ou um objeto preso nas vias respiratórias. *Transmissão:* Provavelmente de pessoa para pessoa; objetos contaminados; gotículas de saliva. *Incubação:* 2 dias (geralmente se segue a um resfriado ou gripe). *Duração:* 1/2 hora cada crise; pode ocorrer em vários dias seguidos.	*Ligue para o médico imediatamente* se o vapor não aliviar a afecção; se o bebê estiver azulado, com os lábios azulados ou babando em excesso; ou se você suspeitar que ele tenha um objeto preso nas vias respiratórias. *Tratamento inicial:* Vapor (página 720). *Depois:* vaporizador. *Dieta:* reduzir o consumo de laticínios, especialmente quando há muito muco. Durma no mesmo quarto que o bebê para tranqüilizá-lo e estar à mão para cuidar de um possível novo ataque.	*Prevenção:* Proporcione ar úmido para o bebê resfriado ou gripado. *Recorrência:* Tende a ocorrer várias vezes em certas crianças. *Complicações:* Problemas respiratórios; pneumonia; infecção dos ouvidos cerca de 5 dias após a recuperação.
	Causa: Vírus *Coxsackie.* *Transmissão:* Boca-a-boca; das fezes para as mãos e daí para a boca. *Incubação:* 3 a 6 dias. *Duração:* Cerca de 1 semana.	*Ligue para o médico* para confirmar o diagnóstico. *Tratamento:* Sintomático (página 479). *Dieta:* Alimentos macios são mais cômodos.	*Prevenção:* Não há. *Recorrência:* Possível. *Complicações:* Não há.
	Causa: Um espiroqueta. *Transmissão:* Pela picada do minúsculo carrapato dos veados (que é hóspede do veado, de camundongos e outros animais, e pode pular deles para os seres humanos) e, provavelmente, de outros tipos de carrapato. Como os carrapatos demoram bastante tempo para injetar as bactérias, sua rápida remoção pode impedir a infecção. *Incubação:* 3 a 32 dias. *Duração:* Sem tratamento, pode durar anos.	*Ligue para o médico* se você suspeita que qualquer membro de sua família possa ter sido picado por um carrapato. *Tratamento:* Os antibióticos parecem essenciais para curar a doença; são eficazes mesmo em estágios avançados. *Dieta:* Sem mudanças.	*Prevenção:* Vestes protetoras ao excursionar em áreas infestadas; remoção dos carrapatos; atenção a possíveis picadas de carrapato; *rápida remoção* de carrapatos. *Recorrência:* Possível; não há imunidade perdurável. *Complicações:* Anomalias neurológicas, cardíacas e motoras.

DOENÇA/ESTAÇÃO/ SUSCETIBILIDADE	*SINTOMAS* *NÃO-CUTÂNEOS*	*CUTÂNEOS*	
DOR DE GARGANTA VIRAL *(Amigdalite; Faringite)* *Estação:* Outono, inverno e primavera. *Suscetibilidade:* Sobretudo as crianças mais velhas.	Febre moderada (38 a 39,5ºC); fadiga; dor ou incômodo na garganta; alguma dificuldade para engolir; irritabilidade e agitação. A garganta fica avermelhada e as amígdalas podem ficar inchadas. *Às vezes:* Rouquidão; tosse.		
ENCEFALITE (inflamação do cérebro) *Estação:* Depende da causa. *Suscetibilidade:* Varia de acordo com a causa.	Febre; sonolência; dor de cabeça. *Às vezes:* Problemas neurológicos; num estágio avançado, coma.		
EPIGLOTITE (inflamação da epiglote) *Estação:* Meses de inverno nos climas temperados. *Suscetibilidade:* Não é comum em crianças de menos de 2 anos.	Tosse em tom grave; voz abafada; dificuldade para respirar e engolir; baba. *Às vezes:* Língua projetando-se para fora; febre. A criança tem aparência de doente.		

	CAUSA/TRANSMISSÃO/ INCUBAÇÃO/DURAÇÃO	*CHAME O MÉDICO/ TRATAMENTO/DIETA*	*PREVENÇÃO/RECORRÊNCIA/ COMPLICAÇÕES*
	Causa: Vários vírus — na maioria das vezes, o adenovírus; também o enterovírus. (A dor de garganta crônica pode ser devida a uma alergia; à fumaça de cigarro; ao ar seco e quente; e a outros fatores.) *Transmissão:* Depende do vírus causador; no caso do adenovírus, provavelmente por via respiratória. *Incubação:* Depende do vírus causador; no caso do adenovírus, de 2 a 14 dias. *Duração:* 1 a 10 dias.	*Ligue para o médico* se você suspeitar que o bebê está com dor de garganta; assim, pode-se fazer uma cultura bacteriana para verificar a existência de estreptococos. *Tratamento:* Sintomático. Acetaminofen contra a dor. (Os bebês são novos demais para gargarejar ou chupar pastilhas contra dor de garganta.) NÃO DÊ ASPIRINA *Dieta:* Alimentos leves e frios podem ser mais facilmente tolerados pelo bebê que já come alimentos sólidos. Também dê líqüidos.	*Prevenção:* Isolamento da pessoa infectada e boa higiene. Na dor de garganta crônica, a eliminação da causa. *Recorrência:* Possível. *Complicações:* Improváveis, exceto em crianças imunodeficientes.
	Causa: Bactérias ou vírus (muitas vezes, é complicação de outra doença). *Transmissão:* Depende da causa; certos vírus são transmitidos por insetos. *Incubação:* depende da causa. *Duração:* Varia.	*Ligue para o médico imediatamente ou vá ao PS* se você suspeitar de encefalite. *Tratamento:* A hospitalização é necessária.	*Prevenção:* Imunização contra doenças nas quais esta pode decorrer como complicação — sarampo, por exemplo. *Recorrência:* Improvável. *Complicações:* Lesão neurológica; pode ser fatal.
	Causa: Bactérias, o mais das vezes *Hemophilus influenzae B* (Hib). *Transmissão:* Provavelmente de pessoa para pessoa, ou pela inalação de gotículas de saliva. *Incubação:* Menos de 10 dias. *Duração:* 4 a 7 dias, ou mais.	*Ligue imediatamente para o PS ou vá para lá.* Enquanto espera auxílio, deixe o bebê ereto, inclinado para a frente, com a boca aberta e a língua para fora. *Tratamento:* Hospitalização; abertura das vias aéreas; antibióticos.	*Prevenção:* Imunização contra Hib. *Recorrência:* Leve possibilidade. *Complicações:* Sem atendimento médico imediato, pode ser fatal.

DOENÇA/ESTAÇÃO/ SUSCETIBILIDADE	*SINTOMAS* *NÃO-CUTÂNEOS*	*CUTÂNEOS*	
ERITEMA INFECCIOSO (5ª moléstia) *Estação:* Começo da primavera. *Suscetibilidade:* É maior em crianças de 2 a 12 anos de idade.	*Raramente:* Dor nas articulações.	1. Rosto de um vermelho intenso (como se tivesse sido estapeado). 2. *No dia seguinte:* erupção cutânea em forma de laços nos braços e pernas. 3. *3 dias depois:* erupção cutânea nas áreas internas, dedos das mãos e dos pés, tronco e/ou nádegas. 4. As erupções podem reaparecer esporadicamente, após ocorrer exposição ao calor (banho, sol), por 2 a 3 semanas.	
ESCARLATINA *Estação:* O ano todo, mas é mais comum nos meses frios. *Suscetibilidade:* É maior nas crianças em idade escolar; menos comum nos adultos e indivíduos de menos de 3 anos.	Semelhantes aos da faringite estreptocócica, mas muitas vezes antecedidos de vômitos e caracterizados pelo exantema.	Erupção vermelho-viva no rosto, na virilha e nas axilas; espalha-se pelo restante do tronco e pelos membros; deixa a pele áspera, com descamação.	
EXANTEMA SÚBITO (Roseola e. f infantum — 6ª moléstia) *Estação:* O ano todo, mas é mais comum na primavera e no outono. *Suscetibilidade:* É maior nos bebês e crianças novas.	1. Irritabilidade; perda de apetite; febre (39 a 40,5ºC). *Às vezes:* coriza; aumento do tamanho dos gânglios; convulsões. 2. *No 3º ou 4º dia:* A febre cai e o bebê parece melhor.	3. Leves manchas rosadas que ficam brancas mediante a pressão no tronco, pescoço, antebraço e, às vezes, no rosto e nas pernas. Em alguns casos, pode não haver erupção.	
FARINGITE	Veja *Dor de Garganta.*		

	CAUSA/TRANSMISSÃO/ INCUBAÇÃO/DURAÇÃO	*CHAME O MÉDICO/ TRATAMENTO/DIETA*	*PREVENÇÃO/RECORRÊNCIA/ COMPLICAÇÕES*
	Causa: Talvez, parvovírus humano. *Transmissão:* Provavelmente, de pessoa para pessoa. *Incubação:* 4 a 14 dias; em geral, de 12 a 14. *Duração:* 3 a 10 dias, mas as erupções cutâneas podem aparecer esporadicamente por até 3 semanas.	*Só ligue para o médico* se você precisar confirmar o diagnóstico ou outros sintomas surgirem. *Tratamento:* Não há. *Dieta:* Sem mudanças.	*Prevenção:* Não há. *Recorrência:* Possível. *Complicações:* Só em indivíduos com deficiência imunológica ou mulheres grávidas (pode causar aborto espontâneo, mas a maioria das mulheres já são imunes quando estão em idade de engravidar).
	Causa: Estreptococos (bactérias). *Transmissão:* Contato direto com o indivíduo infectado. *Incubação:* 2 a 5 dias. *Duração:* Cerca de 1 semana em bebês de menos de 6 meses, mas a coriza e a irritabilidade podem durar até 6 semanas; cerca de 1 a 2 semanas em bebês mais velhos.	Veja *Faringite Estreptocócica.*	*Prevenção:* Isolamento dos indivíduos infectados; boa higiene preventiva. *Recorrência:* Possível. *Complicações:* Veja Faringite Estreptocócica.
	Causa: Provavelmente, vírus. *Transmissão:* Desconhecida; não é muito contagiosa. *Duração:* 3 a 6 dias.	*Ligue para o médico* para confirmar o diagnóstico; *ligue de novo* se a febre durar 4 ou 5 dias, se o bebê tiver convulsões ou parecer doente. *Tratamento:* Sintomático. *Dieta:* Mais líqüidos para a febre.	*Prevenção:* Não há prevenção conhecida. *Recorrência:* Aparentemente não há. *Complicações:* Muito raras.

DOENÇA/ESTAÇÃO/ SUSCETIBILIDADE	*SINTOMAS* *NÃO-CUTÂNEOS*	*CUTÂNEOS*	
FARINGITE ESTREPTOCÓCICA *Estação:* De outubro a abril (nos EUA). *Suscetibilidade:* Mais comum em crianças em idade escolar.	2. *Em bebês de menos de 6 meses:* Febre; inflamação moderada da garganta. *Em bebês mais velhos:* Febre baixa; fraca dor de garganta. *Às vezes:* Não se notam sintomas. *Na faringite crônica:* Coriza, temperatura flutuante; irritabilidade; perda de apetite; palidez. *Em crianças mais velhas:* Febre alta; garganta vermelha e com secreção purulenta; dificuldade para engolir; amígdalas e gânglios inchados; dores no abdome.		
GRIPE (infecção das vias aéreas superiores — *influenza*) *Estação:* Mais comum nos meses frios; freqüentemente ocorre em epidemais. *Suscetibilidade:* Qualquer pessoa, mas as muito novas e muito velhas podem ressentir-se mais.	*Às vezes:* Nenhum se nota. 1. *Geralmente, manifestação repentina de:* Febre (38 a 40ºC); tremores; indisposição; tosse seca, sem catarro; diarréia/vômitos; dores no corpo (adultos). 2. *Muitas vezes, 3 ou 4 dias depois do aparecimento: Sintomas de resfriado.* 3. *Às vezes, por mais 1 ou 2 semanas:* Tosse com catarro; fadiga.		
HERPANGINA *Estação:* O mais das vezes, verão e outono nos climas temperados. *Suscetibilidade:* Maior em bebês e crianças novas. Ocorre sozinha ou junto com outras doenças.	1. Febre (de 37,7 a 40ºC); dor de gardanta.1. ou 3. Dor para engolir. *Às vezes:* Vômitos; perda de apetite; diarréia; dores no abdome; letargia.	2. Pápulas de cor branca acinzentada, nítidas no fundo da boca ou na garganta, que formam bolhas e feridas (em número de 5 a 20).	

	CAUSA/TRANSMISSÃO/ INCUBAÇÃO/DURAÇÃO	*CHAME O MÉDICO/ TRATAMENTO/DIETA*	*PREVENÇÃO/RECORRÊNCIA/ COMPLICAÇÕES*
	4. *Causa: Estreptococo pyogenes*, um tipo de bactérias estreptocócicas do Grupo A. *Transmissão:* Por contato direto com um indivíduo infectado, desde 1 dia antes até 6 dias depois do aparecimento dos sintomas; os antibióticos, porém, reduzem o período de transmissibilidade para 24 horas. Altamente contagiosa. *Incubação:* 2 a 5 dias. *Duração:* Cerca de 1 semana em bebês de menos de 6 meses, mas a coriza e a irritabilidade podem durar até 6 semanas. Cerca de 1 a 2 semanas em bebês mais velhos.	5. *Ligue para o médico* primeiro para obter um diagnóstico (a ser confirmado pela cultura bacteriana); *ligue de novo* se a febre não cair depois de 2 dias ou se surgirem novos sintomas. *Tratamento:* Sintomático. Antibióticos para prevenir complicações. *Dieta:* Alimentos leves, frios, podem ser mais facilmente tolerados pelo bebê que já come alimentos sólidos. Líqüidos.	
	Causa: Uma variedade de vírus da influenza. *Transmissão:* Inalação de gotículas de secreção respiratória; uso de objetos contaminados. É comunicável a partir de 5 dias antes do aparecimentodos sintomas. *Incubação:* 1 a 2 dias. *Duração:* Fase aguda, alguns dias; fase de convalescença, 1 a 2 semanas.	*Ligue para o médico* se o bebê tiver menos de 6 meses, se os sintomas forem severos ou continuarem por 3 dias, ou se a febre superar 39°C. *Tratamento:* Sintomático; nos casos severos, podem-se prescrever medicamentos antiviróticos. NUNCA DÊ ASPIRINA *Dieta:* Acréscimo de líqüidos.	*Prevenção:* Vacinação anual para certas crianças de alto risco; antiviróticos para as outras (fale com o médico e veja a página 173); evitar as multidões na estação da gripe. *Recorrência:* Comum. *Complicações:* Infecções bacterianas secundárias; otite média, bronquite, laringo-traqueíte, pneumonia. Também a síndrome de Reye.
	Causa: Vírus *Coxsackie* *Transmissão:* Boca-a-boca; das fezes para as mãos e daí para a boca. *Incubação:* 3 a 6 dias. *Duração:* 4 a 7 dias, mas a cura pode demorar de 2 a 3 semanas.	*Ligue para o médico* para confirmar o diagnóstico; *ligue imediatamente* se ocorrerem convulsões ou outros sintomas. *Tratamento:* Sintomático. *Dieta:* Alimentos macios são mais cômodos.	*Prevenção:* Não há. *Recorrência:* Possível. *Complicações:* Não há.

DOENÇA/ESTAÇÃO/ SUSCETIBILIDADE	*SINTOMAS* *NÃO-CUTÂNEOS*	*CUTÂNEOS*
HERPES SIMPLES *Estação:* Qualquer uma, mas a luz do sol pode desencadear a manifestação do vírus. *Suscetibilidade:* Em sua maioria, as primeiras infecções ocorrem na infância.	*Infecção primária:* Febre (de até 41°C); dor de garganta; gânglios inchados; baba; má respiração; perda de apetite. *Muitas vezes:* Sem sintomas. *Manifestações posteriores:* *Possivelmente:* dor de cabeça. A infecção também pode pegar os olhos.	*Infecção primária:* Feridas nas mucosas bucais, *Manifestações posteriores:* Forma-se um vergão no lábio ou perto dele, que coça, forma uma bolha e solta pus (fase dolorosa), e por fim cria uma casca e seca (pode coçar).
HIDROFOBIA	Veja *Raiva.*	
INFECÇÃO DAS VIAS AÉREAS SUPERIORES	Veja *Resfriado Comum* (página 484) e *Gripe.*	
INFECÇÃO DO OUVIDO *(Otite Média)*	Veja página 489.	
MENINGITE (inflamação das membranas que envolvem o cérebro e a medula espinhal) *Estação:* Varia de acordo com o agente infeccioso; para o Hib, inverno. *Suscetibilidade:* Depende do agente infeccioso; para o Hib, é maior em bebês e crianças novas.	Febre; choro agudo; sonolência; irritabilidade; perda de apetite; vômitos; moleira inchada. *Em crianças mais velhas, também:* Rigidez do pescoço (nuca); sensibilidade à luz; visão embaçada e outros sintomas de lesões neurológicas.	
MENINGOENCEFALITE (uma combinação de meningite e encefalite)	Veja *Meningite* e *Encefalite.*	

	CAUSA/TRANSMISSÃO/ INCUBAÇÃO/DURAÇÃO	*CHAME O MÉDICO/ TRATAMENTO/DIETA*	*PREVENÇÃO/RECORRÊNCIA/ COMPLICAÇÕES*
	Causa: Vírus herpes simples, que permanece no corpo e pode ser reativado pelo sol, tensão, dentição, um resfriado, uma febre. *Transmissão:* Contato direto com a lesão, saliva, fezes, urina ou corrimento ocular; ou com objetos domésticos, poucas horas depois de contaminados. *Incubação:* Talvez de 2 a 12 dias. *Duração:* As cascas caem dentro de 3 semanas.	*Ligue para o médico* apenas se o bebê parecer doente. *Tratamento:* Uma pomada das vendidas sem receita pode ajudar; medicamentos antiviróticos em crianças de alto risco. *Dieta:* Na primeira infecção, alimentos leves, não ácidos; em manifestação posterior, iogurte natural.	*Prevenção:* Sempre que possível, evite os fatores desencadeantes. *Recorrência:* A infecção latente pode se manifestar a qualquer momento. *Complicações:* Para os olhos.
	Causa: Na maior parte das vezes, bactérias como o Hib; também vírus, que causam uma doença menos séria. *Transmissão:* Depende do agente. *Incubação:* Varia de acordo com o agente; para o Hib, provavelmente menos de 10 dias. *Duração:* Varia.	*Ligue imediatamente para o médico* se você suspeita de meningite, ou vá ao PS se não conseguir contactar o médico. *Tratamento:* Para a meningite viral, sintomático; para a bacteriana, é necessária a hospitalização. *Dieta:* Mais líqüidos para a febre.	*Prevenção:* Vacina anti-Hib para a infecção por esse agente; rigorosas regras de higiene e saúde nas creches. *Recorrência:* Com o Hib, não há; um caso confere imunidade. *Complicações:* As formas produzidas pelo Hib e outras bactérias podem produzir lesões neurológicas permanentes e podem matar; as formas virais não costumam causar danos a longo prazo.

DOENÇA/ESTAÇÃO/ SUSCETIBILIDADE	*SINTOMAS* *NÃO-CUTÂNEOS*	*CUTÂNEOS*
OTITE MÉDIA	Veja página 489.	
PNEUMONIA (inflamação do pulmão) *Estação:* Varia com o agente causador. *Suscetibilidade:* Qualquer indivíduo, mas especialmente os muito jovens e muito velhos, e os portadores de doenças crônicas.	*Comumente, depois de um resfriado ou outras doenças, o bebê parece piorar de repente, apresentando:* Febre mais alta; tosse com catarro; respiração rápida; cianose; respiração com chiado e som áspero, e/ou dificuldade para respirar; distensão e dor abdominais.	
RAIVA (Hidrofobia) *Estação:* Qualquer uma, mas há mais cães raivosos no verão. *Suscetibilidade:* Qualquer pessoa.	1. Dor local ou irradiante, queimação, sensação de frio, coceira e formigamento no local da mordida. 2. Febre baixa (38 a 39°C); letargia; dor de cabeça; perda de apetite; náusea; dor de garganta; tosse frouxa; irritabilidade; sensibilidade à luz e ao som; pupilas dilatadas; aceleração dos batimentos cardíacos respiração superficial; salivação, lacrimejam e suor excessivo. 3. *2 a 10 dias depois:* Aumento da ansiedade e inquietação; problemas de visão; fraqueza da musculatura facial; febre de até 39,5°C. *Freqüentemente:* Medo de água, ou dos líqüidos expelidos, boca espumante. 4. *Cerca de 3 dias depois:* Paralisia.	

	CAUSA/TRANSMISSÃO/ INCUBAÇÃO/DURAÇÃO	*CHAME O MÉDICO/ TRATAMENTO/DIETA*	*PREVENÇÃO/RECORRÊNCIA/ COMPLICAÇÕES*
	Causa: Vários organismos, incluindo bactérias, micoplasmas, fungos, vírus e protozoários, bem como por substâncias químicas, outras substâncias irritantes ou um objeto preso nas vias respiratórias. *Transmissão:* Varia de acordo com a causa. *Incubação:* Varia de acordo com a causa. *Duração:* Varia de acordo com a causa.	*Ligue para o médico* se o bebê tossir com catarro ou persistentemente; ou se um bebê levemente doente parecer piorar ou tiver febre mais alta ou tosse; *ligue imediatamente ou vá ao PS* se o bebê tiver dificuldade para respirar, cianose ou parecer muito doente. *Tratamento:* Sintomático. A maioria dos casos podem ser tratados em casa. Antibióticos, se necessários. *Dieta:* Líqüidos; nutrição adequada.	*Prevenção:* Vacina anti-Hib contra as infecções por Hib; proteção dos bebês suscetíveis contra doenças. *Recorrência:* Vários tipos podem recorrer. *Complicações:* O risco é maior para os bebês enfraquecidos por outras doenças ou de baixo peso de nascimento.
	4. *Causa:* Vírus da raiva. *Transmissão:* A partir de um animal infectado, por meio de uma mordida que introduz saliva contaminada perto de uma terminação nervosa; ou quando o animal lambe uma ferida aberta. *Incubação:* De 9 dias a 1 ano; a média é de 2 meses. *Duração:* Cerca de 2 semanas até chegar à paralisia.	5. *Ligue para o médico* depois de a criança ser mordida por um animal de cuja vacinação contra raiva você não tenha certeza. *Tratamento:* Prenda o animal; verifique as instruções de primeiros socorros para mordidas de animais (página 510); o soro anti-rábico será dado se o animal não for encontrado ou demonstrar-se portador da hidrofobia; o reforço antitetânico será dado conforme for necessário; as mordidas graves na cabeça ou no pescoço também requerem a imunoglobolina da raiva humana. Se a doença não puder ser evitada, hospitalização. *Dieta:* Sem mudanças dietéticas.	6. *Prevenção:* Vacinação dos animais de estimação; ensinar os bebês a ter cuidado com animais desconhecidos; esforços comunitários para manter as ruas livres de animais vadios e a fauna silvestre livre da raiva. *Recorrência:* Não há. *Complicações:* A doença sem tratamento, deixada ao seu curso natural, é mortal. Depois que os sintomas se manifestam, a taxa de mortalidade é alta, mesmo com tratamento.

DOENÇA/ESTAÇÃO/ SUSCETIBILIDADE	*SINTOMAS* *NÃO-CUTÂNEOS*	*CUTÂNEOS*	
RUBÉOLA *Estação:* Fim do inverno e começo da primavera. *Suscetibilidade:* qualquer indivíduo não-imunizado.	Nenhum em 25 a 50% dos casos. 1. *Às vezes:* Febre baixa; Inchaço dos gânglios do pecoço.	2. Manchas avermelhadas no rosto, de cerca de 2 mm. 3. As manchas espalham-se pelo corpo e, às vezes, atingem também o céu da boca.	
SARAMPO *Estação:* Inverno e primavera. *Suscetibilidade:* Qualquer indivíduo não imune.	1. *Por 1 ou 2 dias:* Febre; coriza; olhos vermelhos e lacrimejantes; tosse seca. *Às vezes:* Diarréia; gânglios aumentados de tamanho.	2. Pequenas manchas brancas semelhantes a grãos de areia surgem no interior das bochechas (manchas de Koplik); podem sangrar. 3. Uma erupção cutânea sem brilho, vermelha, levemente protuberante começa na testa e atrás das orelhas e depois desce pelo corpo, dando ao doente uma cor avermelhada.	
SÍNDROME DE REYE *Estação:* Qualquer. *Suscetibilidade:* Na maioria, crianças que tomam aspirina durante uma virose como a catapora ou a gripe epidêmica.	*1 a 7 dias depois de uma infecção por vírus:* Vômitos freqüentes; letargia; estado mental deteriorando-se rapidamente (irritabilidade, confusão, delírio); batimentos cardíacos e respiração acelerados. *Pode evoluir para:* Coma.		

	CAUSA/TRANSMISSÃO/ INCUBAÇÃO/DURAÇÃO	*CHAME O MÉDICO/ TRATAMENTO/DIETA*	*PREVENÇÃO/RECORRÊNCIA/ COMPLICAÇÕES*
	Causa: Vírus da rubéola. *Transmissão:* De 7 a 10 dias antes do aparecimento das manchas até 7 dias depois do aparecimento; pelo contato direto ou gotículas de saliva. *Incubação:* 14 a 21 dias; em geral, 16 a 18. *Duração:* De algumas horas a 4 ou 5 dias.	*Ligue para o médico* se uma mulher grávida sem imunidade tiver contato com a doença. *Tratamento:* Não há. *Dieta:* Sem mudanças.	*Prevenção:* Vacina (MMR). *Recorrência:* Não há; um ataque confere imunidade. *Complicações:* Muito raramente, trombocitopenia ou encefalite.
	Causa: Vírus do sarampo. *Transmissão:* Contato direto com gotículas de saliva de 2 dias antes do surgimento do exantema até 4 dias depois. *Incubação:* 8 a 12 dias. *Duração:* Cerca de 1 semana.	*Ligue para o médico* para obter um diagnóstico; *ligue de novo, imediatamente,* se a tosse se tornar severa, se ocorrerem convulsões ou sintomas de pneumonia, encefalite ou otite média, ou se a febre subir novamente depois de ter baixado. *Tratamento:* Sintomático; compressas mornas, luzes fracas se os olhos estiverem fotosensíveis (mas a luz forte não faz mal). *Dieta:* Mais líqüidos para a febre.	*Prevenção:* Imunização (MMR); rigoroso isolamento de indivíduos infectados. *Recorrência:* Não há. *Complicações:* Otite média, pneumonia, encefalite; pode ser fatal.
	Causa: Desconhecida, mas parece estar relacionada a viroses como a catapora e a gripe epidêmica (influenza), e ao uso de aspirina durante essas viroses. *Transmissão:* Desconhecida. *Incubação:* Desconhecida, mas parece ocorrer alguns dias depois da manifestação da virose. *Duração:* Variada.	*Ligue para o médico imediatamente ou vá ao PS* se você suspeitar que o seu filho esteja com a Síndrome de Reye. *Tratamento:* O tratamento hospitalar é essencial.	*Prevenção:* Evite administrar aspirina durante viroses como a catapora ou a gripe. *Recorrência:* Não há. *Complicações:* Pode ser mortal, mas os sobreviventes não costumam ter problemas a longo prazo.

DOENÇA/ESTAÇÃO/ SUSCETIBILIDADE	*SINTOMAS* *NÃO-CUTÂNEOS*	*CUTÂNEOS*
TÉTANO *Estação:* Quando se passa mais tempo ao ar livre. *Suscetibilidade:* Qualquer indivíduo não imunizado.	2. *Localizado:* Espasmos e aumento do tônus muscular perto do ferimento. *Generalizado:* Contrações musculares involuntárias que podem fazer as costas curvarem-se, as mandíbulas travarem-se e o pescoço virar; batimentos cardíacos acelerados; convulsões; suor em abundância; febre baixa; nos bebês, dificuldade para mamar.	
VIROSES INESPECÍFICAS *Estação:* Na maioria das vezes, verão. *Suscetibilidade:* Na maioria das vezes, crianças novas.	Vão desde sintomas brandos semelhantes aos do resfriado até a bronquiolite e a broncopneumonia, com: tosse, chiado na respiração; dor de garganta; dor ao respirar; indisposição; inflamação das mucosas do nariz e da garganta. *Às vezes:* Apnéia (especialmente em prematuros).	
VÍRUS SINCICIAL RESPIRATÓRIO (VSR). *Estação:* Inverno e começo da primavera nos climas temperados; estação das chuvas nos trópicos. *Suscetibilidade:* Qualquer pessoa de qualquer idade, mas 50% contraem a doença antes de completarem 1 ano de idade, e a maioria a contrai antes dos 3 anos.	*Variam, mas podem incluir:* Febre; perda de apetite; diarréia.	Vários tipos de exantemas se apresentam com as VI.

	CAUSA/TRANSMISSÃO/ INCUBAÇÃO/DURAÇÃO	*CHAME O MÉDICO/ TRATAMENTO/DIETA*	*PREVENÇÃO/RECORRÊNCIA/ COMPLICAÇÕES*
	4. *Causa:* Toxina produzida pela bactéria *Clostridium tetani,* que se espalha pelo corpo. *Transmissão:* Transmitida, por contaminação, pelas bactérias de um ferimento por perfuração, uma queimadura, um raspão profundo ou um coto umbilical mal curado. *Incubação:* de 3 dias a 3 semanas; na média, 8 dias. *Duração:* Várias semanas.	5. *Ligue imediatamente para o médico ou vá ao PS se um bebê não-vacinado sofrer ferimento de risco.* *Tratamento:* O tratamento médico é essencial: toxóide tetânico para impedir a evolução da doença; soro antitetânico; relaxantes musculares; antibióticos; respirador.	6. *Prevenção:* Vacinação (tríplice-DPT); cuidados adequados do coto umbilical; evitar os ferimentos ao ar livre sempre que possível. *Recorrência:* Não há. *Complicações:* Muitas, entre as quais: úlceras; pneumonia; taquicardia; coágulo sangüíneo no pulmão (embolia). Pode ser mortal.
	Causa: Vírus Sincicial Respiratório. *Transmissão:* Pelos olhos ou pelo nariz, através do contato com a pessoa infectada ou objetos contaminados, de 3 dias a 4 semanas após o aparecimento dos sintomas. *Incubação:* Em geral, de 5 a 8 dias. *Duração:* Varia de acordo com a doença causada.	*Ligue para o médico* se o bebê com sintomas de resfriado tiver dificuldade para respirar (as narinas se movem), chiado na respiração, tosse áspera ou respiração muito rápida (veja página 471). *Tratamento:* Sintomático; também pode incluir medicamentos antiviróticos e hospitalização, quando necessária. *Dieta:* Só para os sintomas.	*Prevenção:* Isolamento, cuidadosa lavagem das mãos durante a estação do VSR, evitar exposição à fumaça; não há ainda vacina disponível. *Recorrência:* Possível, mas geralmente se manifesta como infecção de vias aéreas superiores após os 3 anos. *Complicações:* Doença do baixo aparelho respiratório em 40% dos bebês (1% precisam de hospitalização); otite média.
	Causa: Vários enterovírus. *Transmissão:* Das fezes para a mão para a boca; possivelmente, da boca para a boca. *Incubação:* 3 a 6 dias. *Duração:* Em geral, alguns dias.	*Ligue para o médico* para confirmar o diagnóstico; *ligue de novo* se o bebê parecer pior ou surgirem novos sintomas. *Tratamento:* Sintomático. *Dieta:* Mais líqüidos para a diarréia e a febre (veja as páginas 487 e 498).	*Prevenção:* Não há. *Recorrência:* Comum. *Complicações:* Muito raras.

GRÁFICOS DE PESO E ALTURA

Registre numa ficha permanente de saúde o peso e a altura que o seu bebê teve ao nascer, e depois vá acompanhando seu progresso ao longo das consultas ao médico. Para representar as medidas nestes gráficos, encontre a idade do bebê no eixo horizontal e o seu peso (em quilogramas) ou altura (em centímetros) no eixo

GRÁFICO DE ALTURA PARA MENINAS

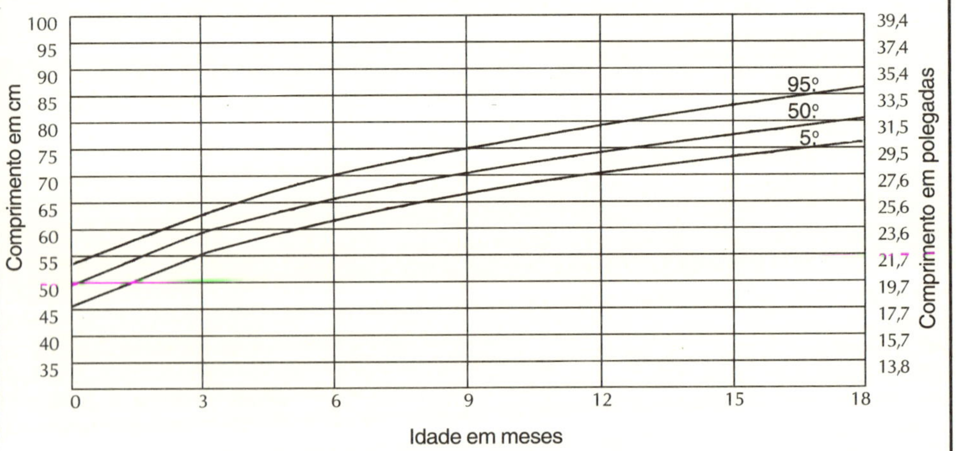

GRÁFICO DE PESO PARA MENINAS

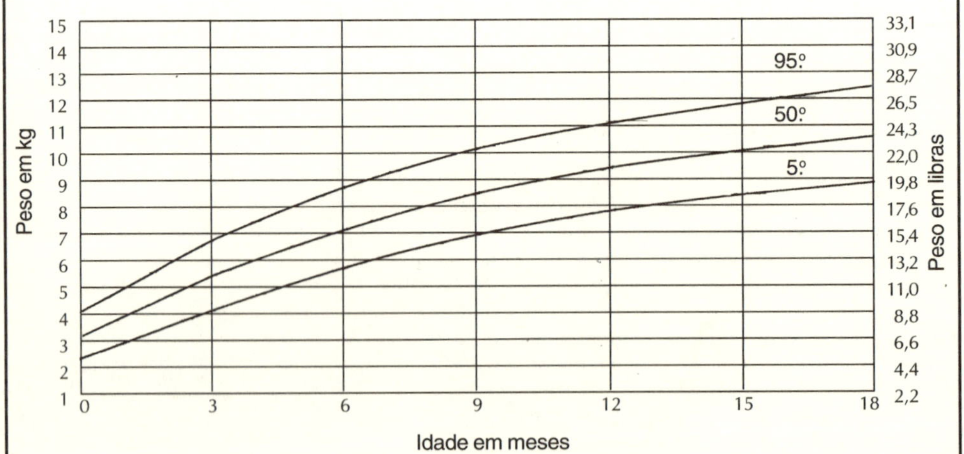

GRÁFICO DE ALTURA PARA MENINOS

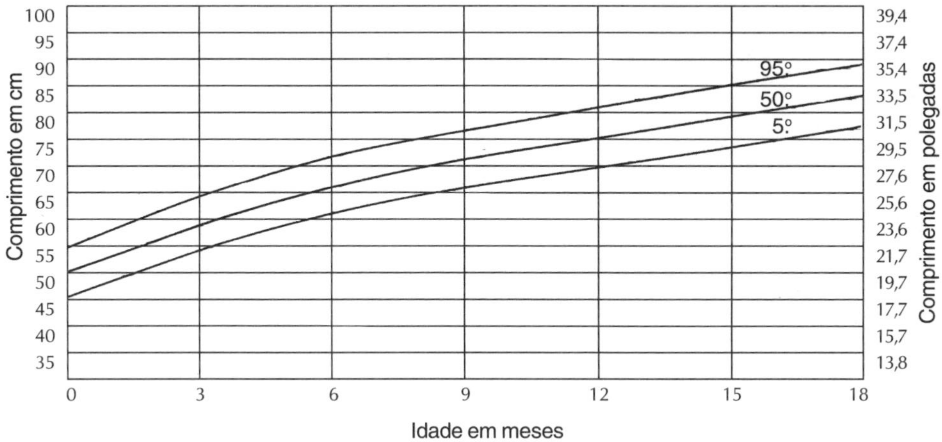

GRÁFICO DE PESO PARA MENINOS

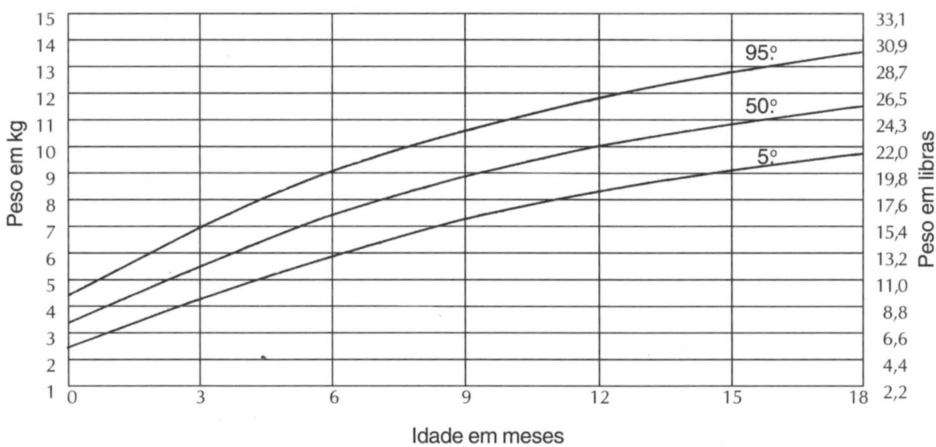

vertical. Marque um ponto colorido no local onde os dois dados se encontrarem. Para visualizar o progresso do bebê, vá ligando os pontos à medida que forem sendo marcados. Noventa em cada cem crianças ficam entre o décimo e o nonagésimo percentis (número que vão do 2,5 ao 97,5 no lado direito do gráfico). Embora as crianças que integrem os 5% acima e abaixo possam estar crescendo segundo sua predisposição genética, sem apresentar problema algum, é possível que algumas delas estejam crescendo muito devagar ou ganhando peso rápido demais. Se o seu bebê se incluir em um desses dois grupos, discuta suas preocupações com o médico. Comunique ao médico, além disso, qualquer súbito desvio em relação ao padrão típico (quanto à altura, ao peso ou a ambos), embora tal desvio possa ser inteiramente normal para o seu bebê.

IMPRESSÃO E ACABAMENTO:
YANGRAF Fone/Fax:
6198.1788